HISTÓRIA DO MUNDO CONTEMPORÂNEO

L913h   Lowe, Norman.
           História do mundo contemporâneo / Norman Lowe ;
        tradução: Roberto Cataldo Costa ; revisão técnica: Paulo
        Fagundes Visentini. – 4. ed. – Porto Alegre : Penso, 2011.
        656 p. ; 25 cm.

        ISBN 978-85-63899-02-6

        1. História mundial. 2. História contemporânea. I. Título.

                                                              CDU 94(100) "19/..."

Catalogação na publicação: Ana Paula M. Magnus – CRB 10/2052

NORMAN LOWE

HISTÓRIA DO MUNDO CONTEMPORÂNEO

4ª Edição

Tradução:
Roberto Cataldo Costa

Consultoria, supervisão e revisão técnica desta edição:
Paulo Fagundes Visentini
Professor na Universidade Federal do Rio Grande do Sul.
Doutor em História pela Universidade de São Paulo.
Pesquisador do CNPq. Pós-Doutor em Relações Internacionais pela
London School of Economics.

2011

Para Jane

Obra originalmente publicada em língua inglesa sob o título
Mastering Modern World History, 4th Edition
ISBN 978-1-4039-3982-1

© Norman Lowe 1982, 1988, 1997, 2005
All rights reserved.
First published in English by Palgrave Macmillan, a division of Macmillan Publishers Limited under the title Mastering Modern World history, 4th edition by Norman Lowe. This edition has been translated and published under licence from Palgrave Macmillan. The Author has asserted his right to be identified as the author of this work.

Capa: *Tatiana Sperhacke – TAT Studio*

Ilustrações da capa:
42-22892210 – Kim Ludbrook/epa/Corbis/Latinstock
TL 003170 – Peter Turnley/Corbis/Latinstock
IH212627 – Mark E. Gibson/Corbis/Latinstock

Preparação de original: *Marcelo Viana Soares*

Editora sênior – Ciências Humanas: *Mônica Ballejo Canto*

Editora responsável por esta obra: *Carla Rosa Araujo*

Editoração eletrônica: *Techbooks*

Reservados todos os direitos de publicação, em língua portuguesa, à
ARTMED® EDITORA S.A.
Av. Jerônimo de Ornelas, 670 - Santana
90040-340 Porto Alegre RS
Fone (51) 3027-7000 Fax (51) 3027-7070

É proibida a duplicação ou reprodução deste volume, no todo ou em parte, sob quaisquer formas ou por quaisquer meios (eletrônico, mecânico, gravação, fotocópia, distribuição na Web e outros), sem permissão expressa da Editora.

SÃO PAULO
Av. Embaixador Macedo Soares, 10.735 - Pavilhão 5 - Cond. Espace Center
Vila Anastácio 05095-035 São Paulo SP
Fone (11) 3665-1100 Fax (11) 3667-1333

SAC 0800 703-3444

IMPRESSO NO BRASIL
PRINTED IN BRAZIL
Impresso sob demanda na Meta Brasil a pedido de Grupo A Educação.

Agradecimentos

Agradecemos aos citados abaixo pela permissão para a reprodução de material sujeito a direitos autorais:

The Guardian, por trechos de reportagens sobre Chernobyl (*The Guardian*, 13 de abril de 1996), poluição (26 de outubro de 2003) e Dia Mundial de Combate à AIDS (2 de dezembro de 2003); e pelos Mapas 11.4, 11.5 e 24.6; Oxford University Press, pelos Mapas 6.1, 6.6 e 7.2 de D. Heater, *Our World This Century* (1997), direitos autorais © Oxford University Press 1982; John Murray Ltd, pela Figura 10.1, de J. B. Watson, *Success in World History since 1945* (1989); Palgrave Macmillan por uma figura de D. Harkness, *The Post War World* (1974).

Agradecemos pelas novas fotografias a seguir: Associated Press, 8.2, 20.5, 25.6; Camera Press, 18.1, 20.2, 20.4, 21.1, 23.2, 23.3, 26.1; Getty Images, 1.1, 1.2, 2.4, 5.2, 6.1, 6.3, 6.4, 7.1, 8.3, 10.2, 10.3, 10.4, 10.5, 11.1, 11.2, 11.3, 12.1, 12.2, 14.3, 16.2, 16.4, 19.3, 23.5, 24.2, 24.3, 25.4, 25.5; International Planned Parenthood Association, 27.1; Magnum, 26.2; Peter Newark's Western Americana, 22.1, 22.2, 22.3, 22.5; TopFoto, 7.5, 25.1, 25.2.

Também gostaríamos de agradecer às seguintes fontes valiosas de material e informação sobre eventos recentes, que serão úteis aos estudantes:

http://www.guardian.co.uk/international (Guardian Unlimited)
http://www.alertnet.org/thenews (Reuters Foundation)
http://www.keesings.gvpi.net (Keesing's Record of World Events)
http://www.news.bbc.co.uk (BBC News).

Foram feitos todos os esforços possíveis para identificar os detentores de direitos autorais, mas, se algum foi omitido inadvertidamente, o autor e a editora terão o prazer de fazer a necessária correção na primeira oportunidade.

Prefácio à Quarta Edição

A quarta edição deste livro-texto é ideal para alunos de disciplinas introdutórias de História Contemporânea, assim como História e Relações Internacionais em nível de graduação. Muitas seções foram reformuladas para levar em conta as mais recentes pesquisas e as novas interpretações, muitas outras foram acrescentadas para cobrir tópicos fundamentais.

Cada nova edição parece ser mais longa que sua predecessora, e mais uma vez, espero que este livro ajude aos alunos do ensino médio e que sirva como introdução ao estudo do século XX para o primeiro ano da graduação e para os leitores em geral. Agradeço a meus amigos Glyn Jones, que lecionou no Bede College, Billingham, Michael Hopkinson, ex-coordenador de história na Harrogate Grammar School, que leu todo o material e corrigiu inúmeras imprecisões, bem como o reverendo Melusi Sibanda, que me deu valiosa assessoria sobre os problemas da África. Devo agradecer a Suzannah Burywood, Barbara Collinge e Beverley Tarquini, da Palgrave Macmillan, por seu incentivo, ajuda e assessoria, a Jocelyn Stockley, por sua cuidadosa organização, e a Valery Rose por sua ajuda e orientação. Por fim, gostaria de agradecer a minha esposa Jane, que, mais uma vez, leu todo o trabalho e sugeriu várias melhorias. Os erros e defeitos são totalmente minha responsabilidade.

Norman Lowe

Sumário

PARTE I **GUERRA E RELAÇÕES INTERNACIONAIS**

1 O Mundo em 1914: A Deflagração da Primeira Guerra Mundial 19
   - 1.1 Prólogo 19
   - 1.2 O mundo em 1914 19
   - 1.3 Os eventos que levaram à deflagração da guerra 22
   - 1.4 O que causou a guerra e de quem foi a culpa? 28
   - Perguntas 33

2 A Primeira Guerra Mundial e o Período Posterior 35
   - Resumo dos eventos 35
   - 2.1 1914 36
   - 2.2 1915 38
   - 2.3 1916 40
   - 2.4 A guerra no mar 42
   - 2.5 1917 44
   - 2.6 As Potências Centrais derrotadas 46
   - 2.7 Os problemas de fazer um acordo de paz 49
   - 2.8 O Tratado de Versalhes com a Alemanha 50
   - 2.9 Os tratados de paz com o império austro-húngaro 55
   - 2.10 O acordo com a Turquia e a Bulgária 56
   - 2.11 Veredicto sobre o acordo de paz 56
   - Perguntas 58

3 A Liga das Nações 59
   - Resumo dos eventos 59
   - 3.1 Quais foram as origens da Liga? 59

3.2	Como a Liga foi organizada?	60
3.3	Êxitos da Liga.	60
3.4	Por que a Liga não conseguiu preservar a paz?	62
	Perguntas.	65

4 Relações Internacionais, 1919-1933 66

	Resumo dos eventos.	66
4.1	O que se tentou para melhorar as relações internacionais e quais foram os êxitos?	67
4.2	Como a França tentou lidar com o problema da Alemanha entre 1919 e 1933?	70
4.3	Como evoluíram as relações entre a URSS e a Grã-Bretanha, a Alemanha e a França entre 1919 e 1933?	73
4.4	Os Estados "sucessores"	75
4.5	A política externa dos Estados Unidos, 1919-1933	82
	Perguntas.	84

5 Relações Internacionais 1933-1939 85

	Resumo dos eventos.	85
5.1	Relações entre Japão e China	86
5.2	A política externa de Mussolini	88
5.3	Quais eram os objetivos de Hitler com a política externa e até onde ele teve êxito no final de 1938?	91
5.4	A política de Apaziguamento (*Appeasement*)	94
5.5	De Munique à deflagração da guerra: de setembro de 1938 a setembro de 1939	97
5.6	Por que a guerra eclodiu? Quem ou o que foi responsável?	101
	Perguntas.	104

6 A Segunda Guerra Mundial 1939-1945 105

	Resumo dos eventos.	105
6.1	As ações iniciais: de setembro de 1939 a dezembro de 1940	106
6.2	A ofensiva do eixo se amplia: de 1941 ao verão de 1942.	110
6.3	As ofensivas contidas: do verão de 1942 ao verão de 1943.	115
6.4	Qual foi o papel das forças navais aliadas?	117
6.5	Qual a contribuição do poder aéreo para a derrota do Eixo?	118
6.6	As potências do Eixo derrotadas: de julho de 1943 a agosto de 1945.	120

6.7	Por que as potências do Eixo perderam a guerra?	124
6.8	O Holocausto	126
6.9	Quais foram os efeitos da guerra?	133
	Perguntas	136

7 A Guerra Fria Problemas de Relações Internacionais Após a Segunda Guerra Mundial ... 138

	Resumo dos eventos	138
7.1	O que causou a Guerra Fria?	138
7.2	Como a Guerra Fria evoluiu entre 1945 e 1953?	140
7.3	Até que ponto houve um degelo depois de 1953?	148
7.4	A corrida armamentista nuclear e a crise dos mísseis de Cuba (1962)	150
	Perguntas	157

8 A Expansão do Comunismo Fora da Europa e Seus Efeitos nas Relações Internacionais ... 158

	Resumo dos eventos	158
8.1	A guerra na Coreia e seus efeitos nas relações internacionais	159
8.2	Cuba	163
8.3	As guerras no Vietnã, 1946-1954 e 1961-1975	166
8.4	O Chile sob o governo de Salvador Allende, 1970-1973	172
8.5	Mais intervenções dos Estados Unidos	174
8.6	*Détente*: relações internacionais dos anos de 1970 aos de 1990	179
8.7	O colapso do comunismo no Leste Europeu: a transformação das relações internacionais	183
	Perguntas	185

9 A Organização das Nações Unidas ... 186

	Resumo dos eventos	186
9.1	A estrutura da organização das Nações Unidas	186
9.2	Qual é a diferença entre a Organização das Nações Unidas e a Liga das Naçoes?	190
9.3	Que sucesso a ONU tem conseguido como organização voltada à manutenção da paz?	191
9.4	Missões de paz da ONU desde o fim da Guerra Fria	195
9.5	Que outras tarefas são responsabilidade da ONU?	197
9.6	Veredicto sobre a Organização das Nações Unidas	202

9.7	E o futuro da ONU?	204
	Perguntas.	205

10 As duas Europas, Oriental (do Leste) e Ocidental, desde 1945 ... 207

	Resumo dos eventos.	207
10.1	Os Estados da Europa Ocidental.	208
10.2	O crescimento da unidade na Europa Ocidental	211
10.3	Os primórdios da Comunidade Europeia.	213
10.4	A Comunidade Europeia de 1973 a Maastricht (1991).	219
10.5	Unidade comunista no Leste Europeu.	224
10.6	Por que e como o comunismo desabou no Leste Europeu?	230
10.7	Guerra Civil na Iugoslávia.	235
10.8	A Europa desde Maastricht	240
	Perguntas.	245

11 O Conflito no Oriente Médio ... 247

	Resumo dos eventos.	247
11.1	A unidade Árabe e a interferência de outros países.	249
11.2	A criação do Estado de Israel e a guerra Árabe-Israelense, 1948-1949	252
11.3	A guerra do Suez de 1956.	254
11.4	A Guerra dos Seis Dias, em 1967	257
11.5	A Guerra do Yom Kippur, em 1973	259
11.6	Camp David e a paz entre Egito e Israel, 1978-1979	260
11.7	Paz entre Israel e a OLP.	262
11.8	Conflito no Líbano	264
11.9	A guerra Irã-Iraque, 1980-1988.	267
11.10	A guerra do Golfo, 1990-1991	269
11.11	Israelenses e palestinos se enfrentam mais uma vez	270
	Perguntas.	277

12 A Nova Ordem Mundial e a Guerra Contra o Terrorismo Global ... 278

	Resumo dos eventos.	278
12.1	A nova ordem mundial.	279
12.2	A ascensão do terrorismo global	282
12.3	O 11 de setembro e a guerra ao "terrorismo"	287

12.4	A queda de Saddam Hussein	293
12.5	O cenário internacional em 2005	300
	Perguntas	300

Parte II A ASCENSÃO DO FASCISMO E DOS GOVERNOS DE DIREITA

13 Itália, 1918-1945: O Surgimento do Fascismo 305

Resumo dos eventos 305
- 13.1 Por que Mussolini conseguiu chegar ao poder? 305
- 13.2 O que significa o termo "fascismo"? 309
- 13.3 Mussolini introduz o Estado fascista 310
- 13.4 Quais benefícios o fascismo trouxe para o povo italiano? 312
- 13.5 Oposição e queda 314
- Perguntas 316

14 Alemanha, 1918-1945: a República de Weimar e Hitler 317

Resumo dos eventos 317
- 14.1 Por que a República de Weimar fracassou? 318
- 14.2 O que significava nacional-socialismo? 326
- 14.3 Hitler consolida seu poder 328
- 14.4 Como Hitler conseguiu se manter no poder? 328
- 14.5 Nazismo e fascismo 336
- 14.6 Qual foi o êxito de Hitler em assuntos internos? 337
- Perguntas 340

15 Japão e Espanha 341

Resumo dos eventos 341
- 15.1 O Japão entre guerras 342
- 15.2 O Japão se recupera 345
- 15.3 Espanha 348
- Perguntas 353

Parte III O COMUNISMO: ASCENSÃO E QUEDA

16 A Rússia e as Revoluções, 1900-1924 357

Resumo dos eventos 357

16.1	Depois de 1905: as revoluções de 1917 eram inevitáveis?	357
16.2	As duas revoluções: fevereiro/março e outubro/novembro de 1917	361
16.3	Qual foi o êxito de Lênin e dos bolcheviques para lidar com seus problemas (1917-1924)?	367
16.4	Lênin: gênio do mal?	376
	Perguntas	378

17 A URSS e Stalin, 1924-1953 379

	Resumo dos eventos	379
17.1	Como Stalin chegou ao poder supremo?	380
17.2	Qual foi o sucesso de Stalin na solução dos problemas econômicos da Rússia?	382
17.3	A política e os expurgos	386
17.4	Vida cotidiana e cultura sob Stalin	391
17.5	Os últimos anos de Stalin, 1945-1953	397
	Perguntas	401

18 A Continuidade do Comunismo, seu Colapso e as Consequências, 1953-2005 402

	Resumo dos eventos	402
18.1	A era Kruchov, 1953-1964	402
18.2	A URSS estagna, 1964-1985	406
18.3	Gorbachov e o fim do regime comunista	409
18.4	A Rússia depois do comunismo: Yeltsin e Putin	416
	Perguntas	422

19 China, 1900-1949 423

	Resumo dos eventos	423
19.1	A revolução e a era dos senhores da guerra	423
19.2	O Kuomintang, o Dr. Sun Yat-sen e Chiang Kai-Shek	425
19.3	Mao Tse-Tung e o Partido Comunista Chinês	427
19.4	A vitória comunista, 1949	430
	Perguntas	430

20 A China desde 1949: os Comunistas no Controle 433

	Resumo dos eventos	433
20.1	Qual foi o sucesso de Mao Tse-Tung diante dos problemas da China?	433

20.2	A vida depois de Mao.	438
20.3	A Praça da Paz Celestial, 1989, e a crise do comunismo	442
	Perguntas.	446

21 O Comunismo na Coreia e no Sudeste da Ásia 448

	Resumo dos eventos.	448
21.1	Coreia do Norte	449
21.2	Vietnã.	454
21.3	Camboja/Kampuchea	457
21.4	Laos	463
	Perguntas.	465

PARTE IV   OS ESTADOS UNIDOS DA AMÉRICA

22 Os Estados Unidos Antes da Segunda Guerra Mundial. 469

	Resumo dos eventos.	469
22.1	O sistema de governo dos Estados Unidos.	470
22.2	No caldeirão: a era da imigração	475
22.3	Os Estados Unidos se tornam o líder econômico do mundo.	478
22.4	Socialistas, sindicatos e o impacto da guerra e das revoluções Russas.	481
22.5	Discriminação racial e o movimento pelos direitos civis	487
22.6	Chega a Grande Depressão, outubro de 1929.	490
22.7	Roosevelt e o *New Deal*.	495
	Perguntas.	501

23 Os Estados Unidos desde 1945 502

	Resumo dos eventos.	502
23.1	Pobreza e políticas sociais	503
23.2	Problemas raciais e o movimento pelos direitos civis	507
23.3	O anticomunismo e o senador McCarthy	512
23.4	Nixon e o Watergate.	516
23.5	A era Carter-Reagan-Bush, 1977-1993	517
23.6	Bill Clinton e o primeiro mandato de George W. Bush, 1993-2005	520
	Perguntas.	524

Parte V A DESCOLONIZAÇÃO E O PERÍODO POSTERIOR

24 O Fim dos Impérios Coloniais 527
    Resumo dos eventos 527
  24.1 Por que as potências europeias abriram mão de seus impérios? 528
  24.2 A independência e a divisão da Índia 530
  24.3 As Índias Ocidentais, Malásia e Chipre 533
  24.4 Os britânicos se retiram da África 538
  24.5 O fim do império francês 546
  24.6 Holanda, Bélgica, Espanha, Portugal e Itália 551
  24.7 Veredicto sobre a descolonização 557
    Perguntas 558

25 Problemas na África 559
    Resumo dos eventos 559
  25.1 Problemas comuns aos países da África 559
  25.2 Democracia, ditadura e governo militar em Gana 561
  25.3 Guerras Civis e corrupção na Nigéria 564
  25.4 Pobreza na Tanzânia 569
  25.5 O Congo/Zaire 571
  25.6 Angola: uma tragédia da Guerra Fria 573
  25.7 Genocídio em Burundi e Ruanda 575
  25.8 *Apartheid* e governo da maioria negra na África do Sul 578
  25.9 Socialismo e Guerra Civil na Etiópia 587
  25.10 Libéria: um experimento singular 589
  25.11 Estabilidade e caos em Serra Leoa 590
  25.12 O Zimbábue sob o comando de Robert Mugabe 592
  25.13 A África e seus problemas no século XXI 595
    Perguntas 597

Parte VI PROBLEMAS GLOBAIS

26 A Economia Mundial em Mudança Desde 1900 601
    Resumo dos eventos 601
  26.1 Mudanças na economia mundial desde 1900 601

26.2	O Terceiro Mundo e a divisão norte-sul	604
26.3	A divisão na economia do Terceiro Mundo	610
26.4	A economia mundial e seus efeitos sobre o meio-ambiente	611
26.5	Aquecimento global	615
26.6	A economia do mundo na virada do milênio	618
	Perguntas	621
27	**A População Mundial**	**622**
	Resumo dos eventos	622
27.1	A população crescente do mundo depois de 1900	622
27.2	Consequências da explosão populacional	625
27.3	Tentativas de controle populacional	626
27.4	A epidemia de HIV/AIDS	629
	Perguntas	632

Leituras Complementares 633

Índice 643

Parte I
GUERRA E RELAÇÕES INTERNACIONAIS

O Mundo em 1914
A Deflagração da Primeira Guerra Mundial

1.1 PRÓLOGO

Na calada da noite de 5 de agosto de 1914, cinco colunas de tropas de assalto alemãs, que tinham entrado na Bélgica dois dias antes, dirigiam-se à cidade de Liège sem esperar muita resistência. Para sua surpresa, o avanço foi interrompido pelo fogo que partia com determinação dos fortes localizados nos arredores da cidade, representando um revés para os alemães. O controle de Liège era essencial para poder seguir com sua operação principal contra a França. Os alemães se viram forçados a recorrer a táticas de cerco, lançando ao ar, com pesados obuses, granadas que mergulhavam de uma altura de 2.500 metros para estraçalhar a blindagem dos fortes. Ainda que fossem resistentes, os fortes belgas não estavam equipados para aguentar esse tipo de ataque por muito tempo. O primeiro deles se rendeu no dia 13 de agosto, e três dias depois, Liège estava sob controle alemão. Esse foi o primeiro grande enfrentamento da Primeira Guerra Mundial, o horripilante conflito de proporções monumentais que viria a marcar o começo de uma nova era na história da Europa e do mundo.

1.2 O MUNDO EM 1914

(a) A Europa ainda dominava o mundo em 1914

A maioria das decisões que definiriam o destino do mundo foi tomada em capitais da Europa. A Alemanha era a principal potência do continente, tanto em termos militares quanto econômicos. O país tinha superado a Inglaterra na produção de ferro-gusa e aço, mas não em carvão, ao passo que a França, a Bélgica, a Itália e o Império Austro-Húngaro (conhecido como Império Habsburgo) vinham bem atrás. A indústria russa se expandia rapidamente, mas estava tão atrasada no início que não representava um desafio sério à Alemanha e à Inglaterra. Contudo, o progresso industrial mais espetacular durante os 40 anos anteriores havia acontecido fora da Europa. Em 1914, os Estados Unidos produziam mais carvão, ferro-gusa e aço do que Alemanha ou Inglaterra e eram considerados uma potência mundial. O Japão também tinha se modernizado rapidamente e era uma força a ser levada em conta após a derrota da Rússia na Guerra Sino-Japonesa de 1904-1905.

(b) Os sistemas políticos dessas potências mundiais variavam muito

Os Estados Unidos, a Grã-Bretanha e a França tinham *formas de governo democráticas*, ou seja, cada um desses países possuía um parlamento formado por representantes eleitos pelo povo. Esses parlamentos tinham influência importante na condução do país. Alguns sistemas não eram tão democráticos quanto pareciam; por exemplo, a Alemanha tinha um parlamento eleito (*Reichstag*), mas o poder real estava com o chanceler (uma espécie de primeiro-ministro) e com o kaiser (imperador). A Itália era uma monarquia com um parlamento eleito, mas o direito ao voto estava limitado aos ricos. O Japão tinha uma câmara baixa eleita, mas também lá o voto era restrito, o imperador e o conselho privado detinham a maior parte do poder. Os governos da Rússia e do Império Austro-Húngaro eram muito diferentes das democracias do Ocidente. O czar (imperador) da Rússia e o imperador da Áustria (que também era rei da Hungria) eram *governantes autocráticos e absolutos.* Isso quer dizer que, embora existissem, os parlamentos só podiam assessorar os governantes, os quais, se desejassem, poderiam ignorá-los e fazer exatamente o que quisessem.

(c) A expansão imperial após 1880

As potências europeias participaram de um grande surto de expansão imperialista nos anos posteriores a 1880. *Imperialismo* é a construção de um império conquistando territórios estrangeiros. A maior parte da África foi conquistada pelos Estados europeus, no que ficou conhecido como "a corrida pela África". A ideia principal por trás disso era assumir o controle de novos mercados e novas fontes de matérias-primas. Também havia intervenção no império chinês que se desagregava. As potências europeias, os Estados Unidos e o Japão, em momentos diferentes, forçaram os impotentes chineses a fazer concessões comerciais. A irritação com a incompetência de seu governo fez com que os chineses derrubassem a antiga dinastia Manchu e estabelecessem uma república (1911).

(d) A Europa se dividiu em dois sistemas de alianças

A Tríplice Aliança:	Alemanha
	Império Austro--Húngaro
	Itália
A Tríplice Entente:	Grã-Bretanha
	França
	Rússia

Além disso, o Japão e a Grã-Bretanha formaram uma aliança em 1902. Os atritos entre os dois principais grupos (por vezes chamados de "campos armados") levaram a Europa à beira da guerra várias vezes desde 1900 (Mapa 1.1).

(e) Causas de atrito

Muitas causas de atrito ameaçavam perturbar a paz na Europa:

- Havia rivalidade naval entre Grã-Bretanha e Alemanha.
- Os franceses não se conformavam com a perda da Alsácia-Lorena para a Alemanha no final da Guerra Franco-Prussiana (1871).
- Os alemães acusavam Grã-Bretanha, Rússia e França de tentar "cercá-los", e também estavam decepcionados com os resultados de suas políticas expansionistas (conhecidas como *Weltpolitik* – literalmente, "política mundial"). Embora tivessem se apossado de algumas ilhas no Pacífico e algum território na África, seu império era pequeno em comparação com os de outras potências europeias e não muito compensador economicamente.
- Os russos suspeitavam das ambições austríacas nos Bálcãs e se preocupavam com a crescente força militar e econômica da Alemanha.
- O *nacionalismo* (desejo que as pessoas tem de libertar sua nação do controle de pessoas de outra nacionalidade) sérvio era, talvez, a causa mais perigosa de atrito. Desde 1882, o governo sérvio do rei Milan tinha sido pró-austríaco, e seu filho Alexander, que atingiu a maioridade em 1893, seguiu a mesma política. Contudo, os nacionalistas sérvios eram muito ressentidos com o fato de que, segundo o Tratado de Berlim, assinado em 1878, aos austríacos foi permitido ocupar a Bósnia, uma área que eles achavam que deveria fazer parte da Grande Sérvia. Os naciona-

História do Mundo Contemporâneo 21

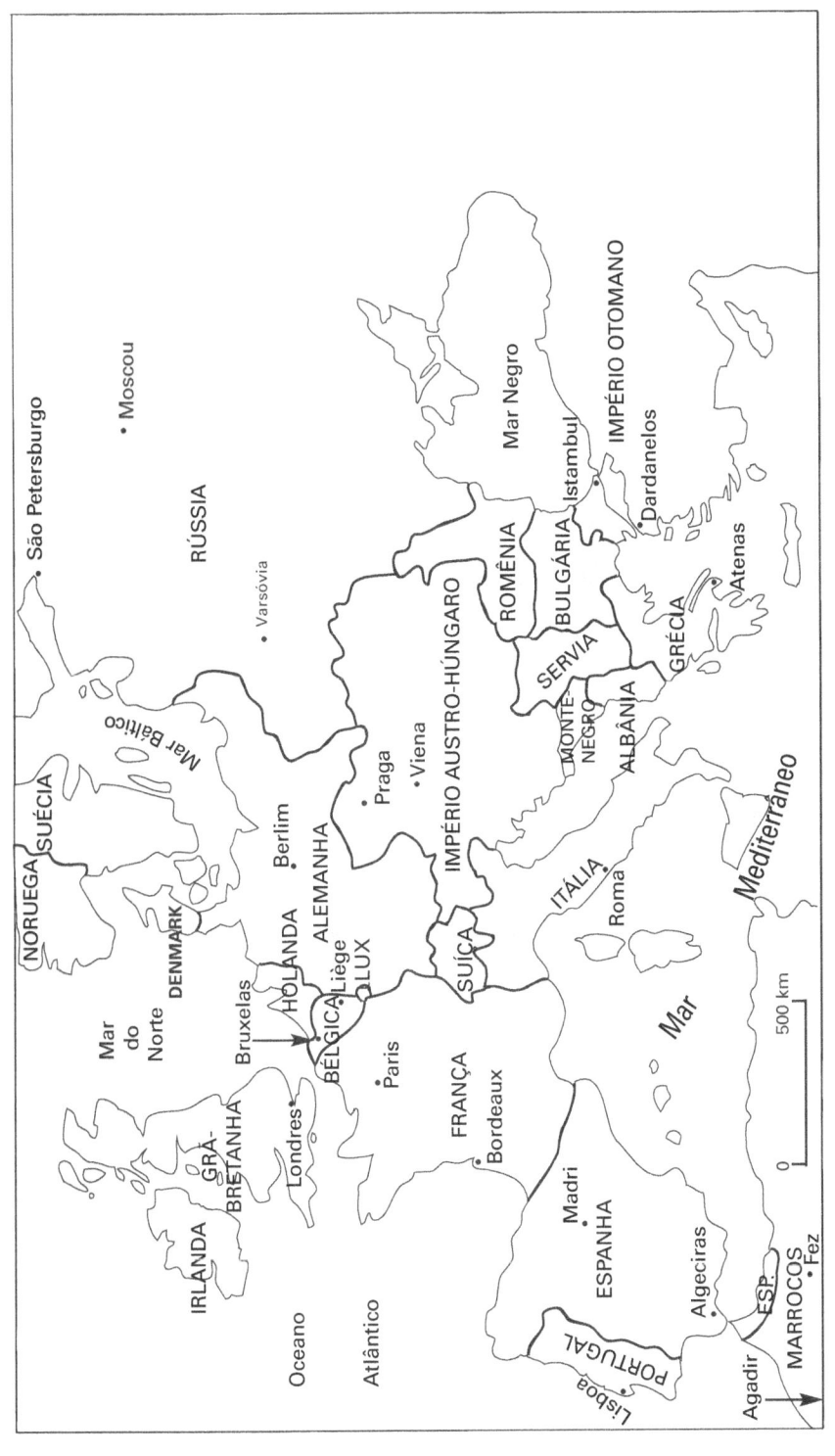

Mapa 1.1 A Europa em 1914.

listas consideravam Alexander um traidor e, em 1903, ele foi assassinado por um grupo de oficiais do exército que colocou Pedro Karageorgevic no trono. A mudança de regime causou uma profunda alteração nas políticas dos sérvios que agora eram pró-Rússia e não faziam segredo de sua ambição de unir sérvios e croatas em um grande reino eslavo do sul (a Iugoslávia). Muitos desses sérvios e croatas viviam dentro das fronteiras do Império Habsburgo. Sua separação do Império Austro-Húngaro para se tornar parte da Grande Sérvia ameaçaria desmembrar todo o Império Habsburgo já periclitante, que continha povos de muitas nacionalidades diferentes (Mapa 1.2). Havia alemães, húngaros, magiares, tchecos, eslovacos, italianos, poloneses, romenos, rutenos e eslovenos, assim como sérvios e croatas. Se os sérvios e croatas saíssem, muitos dos outros também exigiriam sua independência e o Império Habsburgo se desagregaria. Consequentemente, alguns austríacos estavam ávidos pelo que chamavam de "guerra preventiva" para destruir a Sérvia antes que ela se fortalecesse o suficiente para provocar o desmembramento de seu império. Os austríacos também estavam descontentes com a Rússia por apoiar a Sérvia.

De todos esses ressentimentos, surgiu uma série de eventos que culminaram na deflagração da guerra no final de julho de 1914.

1.3 OS EVENTOS QUE LEVARAM À DEFLAGRAÇÃO DA GUERRA

(a) A Crise do Marrocos (1905-1906)

O episódio foi uma tentativa dos alemães de expandir seu império para testar a recém-assinada "Entente Cordiale" anglo-francesa (1904), com uma visão de que a França reconheceria a posição da Grã-Bretanha no Egito em troca da aprovação de uma possível tomada do Marrocos pela França. Essa era uma das poucas áreas da África que não estavam sob controle de uma potência europeia. Os

Calendário dos principais eventos

A Europa se divide em dois campos armados:

- 1882 Tríplice Aliança entre Alemanha, Áustria-Hungria e Itália
- 1894 França e Rússia assinam uma aliança
- 1904 Grã-Bretanha e França assinam a Entente Cordiale amigavelmente
- 1907 Grã-Bretanha e Rússia assinam acordo

Outros eventos importantes:

- 1897 Lei naval do almirante Tirpitz – a Alemanha pretende aumentar sua frota
- 1902 Grã-Bretanha e Japão assinam aliança
- 1904-5 Guerra Russo-Japonesa, vencida pelo Japão
- 1905-6 Crise do Marrocos
- 1906 Grã-Bretanha constrói o primeiro grande encouraçado
- 1908 Crise da Bósnia
- 1911 Crise de Agadir
- 1912 Primeira Guerra dos Bálcãs
- 1913 Segunda Guerra dos Bálcãs
- 1914 28 de junho O Arquiduque Francisco Ferdinando é assassinado em Sarajevo
- 28 de julho O Império Austro-Húngaro declara guerra à Sérvia
- 29 de julho A Rússia ordena mobilização geral de suas tropas
- 1º de agosto A Alemanha declara guerra à Rússia
- 3 de agosto A Alemanha declara guerra à França
- 4 de agosto A Grã-Bretanha entra na guerra
- 6 de agosto O Império Austro-Húngaro declara guerra a Rússia

História do Mundo Contemporâneo 23

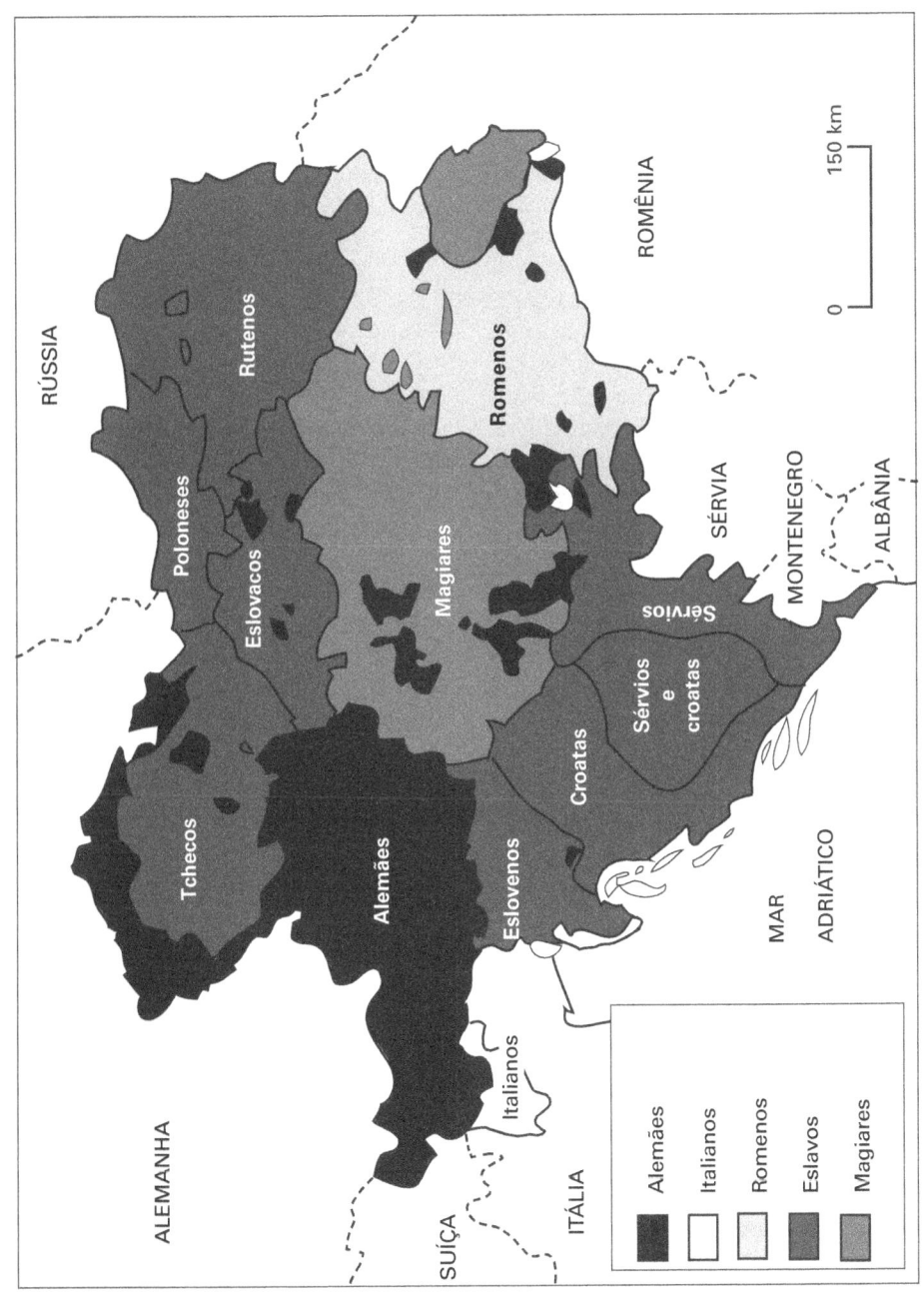

Mapa 1.2 Povos do Império Habsburgo.

alemães anunciaram que ajudariam o sultão do Marrocos a manter a independência de seu país e exigiriam uma conferência internacional para discutir seu futuro. Uma conferência aconteceu como previsto, em Algeciras, no sul da Espanha (janeiro de 1906). Os britânicos acreditavam que se os alemães conseguissem o que queriam, eles praticamente controlariam o Marrocos, o que seria um passo importante rumo à dominação diplomática alemã e os estimularia a pressionar por sua *Weltpolitik*. Os britânicos, que acabavam de assinar sua "Entente Cordiale" com a França, estavam determinados a liderar a oposição à Alemanha na conferência. Os alemães não levaram a sério a "Entente" porque havia um longo histórico de hostilidades entre a Grã-Bretanha e a França, mas, para sua surpresa, a Grã-Bretanha, a Rússia, a Itália e a Espanha apoiaram a exigência francesa de controlar o setor bancário e a polícia do Marrocos. Era uma grave derrota diplomática para os alemães que se deram conta de que o novo alinhamento entre Grã-Bretanha e França era uma força a ser levada a sério, principalmente quando a crise foi seguida pelas "conversações militares" anglo-francesas.

(b) O acordo britânico com a Rússia (1907)

Os alemães consideraram essas conversações como mais uma atitude hostil. Na verdade, era um passo lógico, dado que, em 1894, a Rússia tinha assinado uma aliança com a França, a nova parceira da Grã-Bretanha na "Entente Cordiale". Por muitos anos, os britânicos consideraram a Rússia como uma grande ameaça a seus interesses no Extremo Oriente e na Índia, mas, recentemente, essa situação mudou. A derrota da Rússia para o Japão na guerra de 1904-1905 era vista como um elemento de considerável enfraquecimento, e o país não parecia representar uma grande ameaça. Os russos estavam ávidos para dar fim à antiga rivalidade e ansiosos para atrair o investimento britânico a seu programa de modernização industrial. Sendo assim, o acordo resolveu as diferenças que restavam entre eles na Pérsia, no Afeganistão e no Tibete: não era uma aliança militar, nem necessariamente uma jogada antiAlemanha, mas os alemães a consideraram como uma confirmação de seus receios de que a Grã-Bretanha, a França e a Rússia estavam planejando "cercá-los".

(c) A crise da Bósnia (1908)

Assim, a tensão entre o Império Austro-Húngaro e a Sérvia chegou ao ponto máximo. Os austríacos, aproveitando-se de uma revolução na Turquia, anexaram formalmente a província turca da Bósnia que vinham ocupando desde 1878. A anexação foi um golpe deliberado no Estado vizinho da Sérvia, que também tinha esperanças de tomar a Bósnia, já que ali estavam 3 milhões de sérvios entre sua população mista de sérvios, croatas e muçulmanos. Os Sérvios apelaram por ajuda aos russos, eslavos como eles, e os russos pediram uma conferência europeia, esperando ter apoio francês e britânico. Quando ficou claro que a Alemanha apoiaria a Áustria em caso de guerra, os franceses recuaram, por não estarem dispostos a se envolver em uma guerra nos Bálcãs. Os britânicos, ansiosos para evitar um rompimento com a Alemanha, não fizeram mais do que protestar ao Império Austro-Húngaro. Os russos, ainda abalados por sua derrota para o Japão, não ousavam se arriscar em outra guerra sem o apoio de seus aliados. Não havia quem ajudasse a Sérvia, não aconteceu conferência alguma e a Áustria ficou com a Bósnia. Era um triunfo para a aliança austro-húngara, *mas teve resultados negativos*:

- A Sérvia continuou amargamente hostil à Áustria e foi essa disputa que desencadeou a guerra.

- Os russos estavam determinados a evitar qualquer outra humilhação e passaram a se fortalecer militarmente. Eles pretendiam estar preparados caso a Sérvia alguma vez voltasse a pedir ajuda.

(d) A crise de Agadir (1911)

Essa crise foi causada por outras evoluções na situação do Marrocos. Tropas francesas ocuparam Fez, a capital do país, para dominar uma revolta contra o sultão. Parecia que os franceses estavam à beira de anexar o Marrocos. Os alemães enviaram uma canhoneira, a *Panther*, ao porto marroquino de Agadir, esperando pressionar os franceses a compensar a Alemanha, talvez com o Congo francês. Os britânicos ficaram preocupados com a possibilidade de os alemães adquirirem Agadir, o que poderia ser usado como uma base naval de onde poderia ameaçar as rotas comerciais britânicas. Para fortalecer a resistência francesa, Lloyd George (o chanceler britânico do Exchequer, o encarregado das finanças) usou um discurso que deveria fazer no banquete do prefeito de Londres na Mansion House, a residência oficial do mandatário da cidade, para mandar um recado aos alemães. Ele disse que a Grã-Bretanha não ficaria assistindo e deixando que se aproveitassem dela, "onde seus interesses fossem afetados em termos vitais". Os franceses se mantiveram firmes, não fazendo qualquer concessão importante, e o navio alemão acabou sendo retirado. Os alemães concordaram em reconhecer o protetorado francês (o direito de "proteger" o país de uma intervenção estrangeira) sobre o Marrocos em troca de duas faixas de território no Congo Francês, o que foi considerado como um triunfo das potências da Entente, mas na Alemanha a opinião pública se tornou intensamente contrária aos britânicos, especialmente porque estes estavam tomando a frente, aos poucos, na "corrida naval". No final de 1911, eles haviam construído oito dos novos e mais poderosos navios de guerra do tipo *Dreadnought*, ou encouraçados, comparados com quatro da Alemanha.

(e) A primeira Guerra dos Bálcãs (1912)

A Guerra começou quando Sérvia, Grécia, Montenegro e Bulgária (que se denominavam Liga Balcânica) lançaram uma série de ataques à Turquia. Todos esses países tinham feito parte, em algum momento, do Império Turco Otomano. Agora que a Turquia estava frágil (considerada pelas outras potências como "o enfermo da Europa"), eles aproveitaram a oportunidade de adquirir mais terras às custas da Turquia e, em pouco tempo, capturaram a maior parte do território turco que restava no continente. Junto com o governo alemão, Sir Edward Grey, o chanceler britânico, organizou uma conferência de paz em Londres, ansioso para evitar que o conflito se espalhasse e demonstrar que a Grã-Bretanha e a Alemanha ainda poderiam trabalhar juntas. O acordo resultante dividiu as antigas terras turcas entre os Estados balcânicos. Contudo, os sérvios não estavam felizes com seus ganhos e queriam a Albânia, o que lhes daria uma saída para o mar, mas os austríacos, com apoio alemão e britânico, insistiam em que a Albânia deveria se tornar um Estado independente. Essa foi uma jogada deliberada por parte da Áustria para impedir que a Sérvia se tornasse mais poderosa.

(f) A segunda Guerra dos Bálcãs (1913)

Os búlgaros estavam insatisfeitos com o que ganharam com o acordo de paz e culpavam a Sérvia. Eles tinham esperanças de obter a Macedônia, mas a maior parte dela tinha sido dada aos sérvios. Portanto, a Bulgária atacou a Sérvia, mas seu plano acabou dando errado quando Grécia, Romênia e Turquia correram para apoiar a Sérvia. Os búlgaros foram derrotados e, pelo tratado de Bucareste (1913), perderam a maioria do que tinham ganhado com a primeira guerra (veja Mapa 1.3). Parecia que a influência anglo-germânica tinha impedido uma intensificação da guerra ao restringir os austríacos, impacientes para apoiar a Bulgária e atacar a Sérvia, mas, na realidade, *as consequências das guerras dos Bálcãs foram sérias*:

- A Sérvia foi fortalecida e estava determinada a estimular os problemas entre sérvios e croatas que viviam dentro da Império Austro-Húngaro
- os austríacos estavam igualmente determinados a dar um fim às ambições sérvias
- os alemães consideraram a disposição da Grécia de cooperar como um sinal de que

Mapa 1.3 Os Bálcãs em 1913, mostrando as mudanças desde as Guerras dos Bálcãs (1912-1913).

a Grã-Bretanha estava disposta a se afastar da França e da Rússia.

(g) O assassinato do arquiduque austríaco Francisco Ferdinando

Este evento trágico (Ilustração 1.1) que aconteceu em Sarajevo, a capital da Bósnia, em 28 de junho de 1914, foi a causa imediata para o Império Austro-Húngaro declarar guerra à Sérvia, o que, em pouco tempo, evoluiria para se transformar na Primeira Guerra Mundial. O arquiduque, sobrinho e herdeiro do imperador Francisco José, fazia uma visita oficial a Sarajevo quando ele e sua esposa foram mortos a tiros por um terrorista sérvio, Gavrilo Princip. Os austríacos culparam o governo sérvio e deram um ultimato. Os sérvios aceitaram a maioria das exigências, mas os austríacos, com uma promessa de apoio alemão, estavam determinados a usar o incidente como uma desculpa para a guerra. No dia 28 de julho, o Império Austro-Húngaro declarou guerra à Sérvia. Os russos, ansiosos por não decepcionar os sérvios mais uma vez, ordenaram uma mobilização geral (29 de julho). O governo alemão exigiu que ela fosse cancelada (31 de julho) e, quando os russos não cumpriram, a Alemanha declarou guerra à Rússia (1º de agosto) e à França (3 de agosto). Quando as tropas alemãs entraram na Bélgica em seu caminho para invadir a França, a Grã-Bretanha (que, em 1839, tinha prometido defender a neutralidade da Bélgica) exigiu sua retirada. Quando essa exigência foi ignorada, a Grã-Bretanha entrou na guerra (4 de agosto). O Império Austro-Húngaro declarou guerra à Rússia em 6 de agosto e outros países entraram mais tarde.

A guerra viria a ter efeitos profundos no futuro do mundo. Em pouco tempo a Alemanha deixaria de ser dominante na Europa pela

Ilustração 1.1 O Arquiduque Francisco Ferdinando e sua esposa, pouco antes de seu assassinato em Sarajevo, em 28 de junho de 1914.

primeira vez e o continente nunca recuperaria sua posição dominante no mundo.

1.4 O QUE CAUSOU A GUERRA E DE QUEM FOI A CULPA?

É difícil analisar por que o assassinato em Sarajevo evoluiu até se tornar uma guerra mundial, e nem hoje em dia os historiadores conseguem chegar a um acordo. Alguns culpam a Áustria por iniciar a agressão ao declarar guerra à Sérvia; alguns culpam os russos, porque foram os primeiros a ordenar mobilização completa; há quem culpe a Alemanha, por apoiar a Áustria e outros culpam a Grã-Bretanha, por não ter deixado claro que iria apoiar definitivamente a França. Se tivessem sabido disso, os alemães não teriam declarado guerra à França, e a luta poderia ter ficado restrita ao Leste Europeu.

A questão que não se discute é que a disputa entre o Império Austro-Húngaro e a Sérvia foi o que desencadeou a guerra. Essa disputa vinha se tornando cada vez mais explosiva desde 1908, e os austríacos aproveitaram o assassinato como desculpa para uma guerra preventiva com a Sérvia. Eles realmente achavam que, se as ambições nacionalistas sérvias e eslavas por um Estado iugoslavo fossem atingidas, o Império Habsburgo desabaria, ou seja, a Sérvia devia ser contida. O mais provável é que eles tivessem esperanças de que a guerra se mantivesse localizada, como as guerras dos Bálcãs. A rixa austro-húngara explica a deflagração da guerra, mas não por que ela se tornou uma guerra mundial. *As razões a seguir estão entre as que foram sugeridas para explicar a ampliação da guerra.*

(a) O sistema de alianças, ou "campos armados", tornou a guerra inevitável

O diplomata e historiador norte-americano George Kennan acreditava que, uma vez assinada a aliança de 1894 entre França e Rússia, o destino da Europa foi selado. À medida que as suspeitas aumentavam entre os dois grupos opostos, a Rússia, o Império Austro-Húngaro e a Alemanha se envolveram em situações das quais não conseguiam escapar sem sofrer mais humilhações. A guerra parecia ser a única saída honrosa.

Entretanto, muitos historiadores acham que essa explicação não é convincente. Tinham acontecido muitas crises desde 1904 e nenhuma delas levara a uma guerra importante. Na verdade, nada havia de obrigatório nessas alianças. Quando a Rússia passava por dificuldades na guerra contra o Japão (1904-1905), os franceses não mandaram qualquer tipo de ajuda, nem apoiaram a Rússia quando esta protestou contra a anexação austríaca da Bósnia. A Áustria não se interessou pelas tentativas malsucedidas da Alemanha de impedir que a França tomasse o Marrocos (as crises do Marrocos e de Agadir, 1906 e 1911); a Alemanha impediu a Áustria de atacar a Sérvia durante a segunda guerra dos Bálcãs. A Itália, embora fosse membro da Tríplice Aliança, tinha boas relações com a França e a Grã-Bretanha e entrou na guerra *contra* a Alemanha em 1915. Nenhuma potência chegou a fazer uma declaração de guerra propriamente dita por causa desses tratados estabelecendo alianças.

(b) Rivalidade colonial na África e no Oriente Longínquo

Mais uma vez, o argumento de que a decepção alemã com suas conquistas imperiais e o ressentimento pelo sucesso de outras potências ajudaram a causar a guerra não convence. Embora certamente tenha havido disputas, elas sempre foram resolvidas sem guerra. No início de julho de 1914, as relações anglo-germânicas eram boas: acabavam de chegar a um acordo favorável à Alemanha em relação a uma possível divisão das colônias portuguesas na África, mas havia um efeito colateral da rivalidade colonial que gerava atritos perigosos: a rivalidade naval.

(c) A corrida naval entre Grã-Bretanha e Alemanha

O governo alemão foi muito influenciado pelas obras de um norte-americano, Alfred Mahan, que acreditava que o poder marítimo era a chave para se construir um grande império. Sendo assim, a Alemanha precisava de uma marinha muito maior, capaz de desafiar a maior potência marítima do mundo, a Grã-Bretanha. Começando com a lei naval do almirante Tirpitz, de 1897, os alemães fizeram um esforço determinado para expandir sua marinha. O rápido crescimento da frota alemã provavelmente não preocupava tanto os britânicos inicialmente, porque sua vantagem era enorme. Entretanto, a introdução dos poderosos encouraçados britânicos em 1906 mudou tudo isso, porque tornou todos os outros obsoletos e significava que os alemães poderiam começar a construir encouraçados em igualdade de condições com a Grã-Bretanha. A corrida naval que resultou disso foi o principal fator de contenção entre os dois até 1914. Para muitos britânicos, a nova marinha alemã só poderia indicar uma coisa: a Alemanha pretendia entrar em guerra contra seu país. Segundo Winston Churchill, contudo, na primavera e no verão de 1914, a rivalidade naval tinha deixado de ser uma causa de atrito, porque "estava claro que nós (a Grã-Bretanha) não poderíamos ser superados em termos dos navios de importância decisiva".

(d) Rivalidade econômica

Já se disse que o desejo de domínio econômico do mundo fez com que os empresários e capitalistas alemães quisessem a guerra contra a Grã-Bretanha, que ainda possuía cerca de metade da tonelagem dos navios mercantes do mundo em 1914. Os historiadores marxistas gostam dessa teoria *porque culpa pela guerra o sistema capitalista*, mas os críticos da teoria argumentam que a Alemanha já estava a caminho da vitória econômica, e um importante industrial alemão afirmou em 1913: "Nos deem três ou quatro anos mais de paz e a Alemanha será a dominadora econômica incontestável da Europa". Com esse argumento, a última coisa de que a Alemanha precisava era uma guerra de grandes proporções.

(e) A Rússia aumentou a probabilidade da guerra ao apoiar a Sérvia

O apoio da Rússia provavelmente tornou a Sérvia mais inquieta em sua política anti-austríaca do que teria sido se não fosse por esse apoio. A Rússia foi a primeira a ordenar uma mobilização geral e foi isso que fez com que a Alemanha se mobilizasse. Os russos estavam preocupados com a situação nos Bálcãs, onde a Bulgária e a Turquia estavam sob influência alemã, o que poderia fazer com que a Alemanha e a Áustria controlassem o Estreito de Dardanelos, a saída do Mar Negro, a principal rota para o comércio russo que poderia ser estrangulado (o que aconteceu, em certa medida, durante a guerra). Sendo assim, a Rússia se sentiu ameaçada e, quando a Áustria declarou guerra à Sérvia, considerou-a como uma luta pela sobrevivência. Os russos também devem ter sentido que seu prestígio como líderes dos eslavos seria desgastado se eles deixassem de dar apoio à Sérvia. Possivelmente o governo considerava a guerra uma boa ideia para desviar a atenção dos problemas que tinha dentro do país, ainda que também deveria saber que envolver-se em uma guerra importante era um jogo perigoso. Um pouco antes do início da guerra, um dos ministros do czar, Durnovo, alertava para o fato de que uma guerra longa representaria muita pressão sobre o país e poderia levar ao colapso do regime czarista. Talvez a culpa seja mais dos austríacos: embora possam ter tido esperanças de que os russos ficassem neutros, deveriam ter-se dado conta de que seria difícil a Rússia não tomar partido dentro das circunstâncias.

(f) A apoio dos alemães à Áustria foi de importância fundamental

Foi importante a Alemanha ter impedido que os austríacos declarassem guerra à Sérvia em 1913, mas em 1914 os tenham estimulado a fazê-lo. O Kaiser mandou um telegrama exigindo que eles atacassem a Sérvia e prometendo ajuda incondicional por parte da Alemanha. Era como dar aos austríacos um cheque em branco para fazer o que bem entendessem. A pergunta importante é:

Por que a política da Alemanha em relação ao Império Austro-Húngaro mudou? Essa pergunta já gerou muita polêmica entre historiadores e várias interpretações diferentes já foram apresentadas:

1. Após a guerra, quando a Alemanha foi derrotada, o Tratado de Versalhes impôs um duro acordo de paz ao país. As potências vitoriosas sentiram a necessidade de justificar isso colocando toda a culpa pela guerra nos alemães (ver Seção 2.8). Na época, a maioria dos historiadores de fora da Alemanha se alinhou a isso, embora os historiadores alemães naturalmente estivessem descontentes com essa interpretação. Após alguns anos, as opiniões começaram a deixar de colocar a culpa unicamente na Alemanha e aceitar que as outras potências também deveriam ser responsabilizadas em algum nível. Então, em 1961, o historiador alemão Fritz Fischer causou surpresa ao sugerir que a Alemanha deveria, no final das contas, levar a maior parte da culpa, porque arriscou uma guerra de grandes proporções dando um "cheque em branco" ao Império Austro-Húngaro. Ele afirmou que a Alemanha planejou deliberadamente e provocou a guerra com a Rússia, a Grã-Bretanha e a França para se tornar a potência dominante no mundo, econômica e politicamente, e também como forma de lidar com tensões domésticas. Nas eleições de 1912, o Partido Social-Democrata Alemão (SPD) conquistou cerca de dois terços das cadeiras no Reichstag (câmara baixa do parlamento), tornando-se o maior partido. Então, em janeiro de 1914, o Reichstag aprovou um voto de desconfiança no chanceler Bethmann-Hollweg, mas ele permaneceu no cargo porque o Kaiser tinha a palavra final. Obviamente um grande choque estava se gestando entre o Reichstag, que queria mais poder, o Kaiser e o chanceler, que estavam determinados a resistir à mudança. Uma guerra vitoriosa parecia uma boa maneira de afastar a atenção das pessoas dos problemas políticos, possibilitar que o governo suprimisse o SPD e manter o poder nas mãos do Kaiser e da aristocracia.

    Fischer baseou sua teoria, em parte, em evidências do diário do almirante von Müller, que escreveu sobre uma reunião do "conselho de guerra" em 8 de dezembro de 1912. Na reunião, Moltke (chefe do estado-maior alemão – ver Ilustração 1.2) disse: "Eu acredito que a guerra seja inevitável. Guerra, quanto mais cedo, melhor". As afirmações de Fischer o tornaram impopular entre os historiadores da Alemanha Ocidental, e outro alemão, H. W. Koch, refutou a teoria dele dizendo que nada saiu daquele "conselho de guerra". Contudo, historiadores na Alemanha Oriental, comunista, apoiaram Fischer porque sua teoria culpava os capitalistas e o sistema capitalista, ao qual eles se opunham.

2. Outros historiadores enfatizam o fator tempo envolvido na questão: os alemães queriam a guerra não apenas porque se sentiam cercados, mas porque sentiam

Ilustração 1.2 O Kaiser Guilherme II e o General von Moltke.

que a rede estava se fechando ao seu redor. Eles eram ameaçados pelo poder naval britânico e pela expansão militar massiva da Rússia. Von Jagow, ministro de relações exteriores da Alemanha no momento do início da guerra, relatou comentários de Moltke no início de 1914, em que este dizia não haver alternativa aos alemães que não fosse fazer uma guerra "preventiva" para derrotar seus inimigos antes que eles se tornassem poderosos demais. Os generais alemães decidiram que era necessária uma guerra "preventiva", uma guerra pela sobrevivência e que ela deveria acontecer antes do final de 1914. Eles acreditavam que, se esperassem mais do que isso, a Rússia estaria forte demais.
3. Alguns historiadores rejeitam os itens 1 e 2 e sugerem que a Alemanha não queria uma guerra de grandes proporções de forma alguma. O Kaiser Guilherme II e o chanceler Bethmann-Hollweg acreditavam que, se assumissem uma linha de forte apoio à Áustria, assustariam os russos e estes permaneceriam neutros, o que, se for verdade, representou um trágico erro de cálculo.

(g) Os planos de mobilização das grandes potências

Gerhard Ritter, importante historiador alemão, acreditava que o plano da Alemanha para mobilização, conhecido como *Plano Schlieffen*, elaborado pelo conde von Schlieffen em 1905-1906, era extremamente arriscado e inflexível, e merecia ser considerado como o início do desastre para a Alemanha e para a Europa. O plano dava a impressão de que a Alemanha estava sendo governada por um bando de militaristas inescrupulosos.

A. J. P. Taylor afirmou que esses planos, baseados em tabelas precisas de horários para uso das ferrovias com vistas a um rápido movimento de tropas, aceleraram o ritmo dos eventos e reduziram a quase nada o tempo disponível para negociação. O Plano Schlieffen partia do pressuposto de que a França se alinharia automaticamente à Rússia. O grosso das forças alemãs deveria ser mandado de trem à fronteira belga e, através da Bélgica, atacar a França, que seria derrotada em seis semanas. A seguir, as forças alemãs se movimentariam rapidamente pela Europa para atacar a Rússia, cuja mobilização se esperava que fosse lenta. Ao saber que a Rússia tinha ordenado mobilização geral, Moltke exigiu imediata mobilização alemã para que o plano pudesse ser colocado em operação o mais rápido possível. Entretanto, a mobilização russa não significava necessariamente guerra, já que as tropas poderiam ser paradas na fronteira. Infelizmente, o Plano Schlieffen, que dependia da rápida captura de Liège, na Bélgica, envolvia o primeiro ato de agressão fora dos Bálcãs, quando as tropas alemãs atravessaram a fronteira para a Bélgica, em 4 de agosto, violando a neutralidade belga. Quase de última hora, o Kaiser e Bethmann tentaram evitar a guerra e pediram que os austríacos negociassem com a Sérvia (30 de julho), o que talvez sustente o item 3, acima. Guilherme sugeriu apenas uma mobilização parcial contra a Rússia, em vez do plano inteiro, esperando que a Grã-Bretanha se mantivesse neutra se a Alemanha deixasse de atacar a França, mas Moltke, nervoso com a possibilidade de ser derrotado por russos e franceses, insistiu em aplicar integralmente o Plano Schlieffen, dizendo que não havia tempo para alterar todos os horários programados para os trens e enviar as tropas à Rússia em vez de à Bélgica. Isso faz parecer que os generais tinham tirado dos políticos o controle das coisas e também sugere que se a Grã-Bretanha anunciasse em 31 de julho que pretendia apoiar a França não teria feito diferença para a Alemanha; era o Plano Schlieffen ou nada, embora a Alemanha ainda não tivesse qualquer disputa com a França.

O historiador norte-americano Terence Zuber lançou dúvidas sobre essa teoria em seu livro *Inventing the Schlieffen Plan* (2002). Usando documentos dos arquivos militares da ex-Alemanha Oriental, ele afirma que o Plano Schlieffen era apenas uma entre pelo menos cinco opções sendo examinadas pelo alto comando alemão nos anos seguintes a 1900. Uma alternativa cogitava a possibilidade de um ataque russo simultâneo a uma invasão francesa, caso em que os alemães transfeririam forças consideráveis de trem para o leste, enquanto continham os franceses na parte ocidental. Schlieffen chegou a realizar um exercício militar para testar seu plano perto do final de 1905. Zuber conclui que Schlieffen nunca se comprometeu com um único plano, pensando que a guerra na Europa Ocidental começaria com um ataque francês e nunca pretendendo que os alemães mandassem todas as suas forças para a França para destruir seu exército em uma única grande batalha. Foi somente depois da guerra que os alemães tentaram responsabilizar por sua derrota a rigidez e as limitações do chamado Plano Schlieffen, que, na verdade, nunca existiu da forma como eles tentaram transmitir.

(h) Uma "tragédia de erros de cálculo"

Outra interpretação foi proposta pelo historiador australiano L. C. F. Turner, que sugeriu que os alemães podem não ter provocado deliberadamente a guerra: ela teria sido causada por uma "tragédia de erros de cálculo". A maioria dos principais governantes e políticos parece ter sido incompetente e ter cometido erros crassos:

- Os austríacos erraram ao pensar que a Rússia não apoiaria a Sérvia.

- A Alemanha cometeu um erro crucial ao prometer apoio à Áustria sem impor condições; sendo assim, os alemães certamente tiveram responsabilidade, assim como os austríacos, porque arriscaram uma guerra de grandes proporções.
- Os políticos na Rússia e na Alemanha erraram ao pressupor que a mobilização militar não significaria necessariamente a guerra.
- Se Ritter e Taylor tiverem razão, conclui-se que os generais, principalmente Moltke, erraram ao manter rigidamente seus planos, na crença de que isso traria uma vitória rápida e decisiva.

Não é de estranhar que Bethmann, quando questionado sobre como tudo começou, levantou os braços para o céu e respondeu: "Ah, se eu soubesse".

Concluindo, deve-se dizer que, atualmente, a maioria dos historiadores, incluindo muitos alemães, aceita a teoria de Fritz Fischer como sendo a mais convincente: que a guerra foi deflagrada deliberadamente pelos líderes alemães. Por exemplo, em *The Origins of World War I*, uma coletânea de ensaios organizada por Richard Hamilton e Holger H. Herwig (2002), os autores examinam e rejeitam a maioria das causas sugeridas para a guerra discutidas acima (sistemas de alianças, planos de mobilização, ameaça do socialismo) e chegam à conclusão de que a responsabilidade última pela catástrofe é da Alemanha. O Kaiser e seus principais assessores e generais acreditavam que o tempo se esgotava para eles à medida que os amplos planos armamentistas da Rússia se aproximavam do final. Herwig afirma que os líderes alemães jogaram com uma guerra vitoriosa, mesmo sabendo que ela provavelmente duraria vários anos. Nas palavras de Moltke, os alemães entraram nesse jogo para cumprir o "papel pré-estabelecido para a Alemanha na civilização", que seria realizado guerra por guerra.

PERGUNTAS

1. A Alemanha e as origens da Primeira Guerra Mundial

Estude as fontes de A a C e responda às perguntas a seguir.

Fonte A

Palestra apresentada em outubro de 1913 por um inglês, J. A. Cramb, que morou na Alemanha por muitos anos.

A resposta alemã a todo nosso discurso sobre a limitação dos armamentos é: a Alemanha deve aumentar ao máximo seu poder, independentemente de quaisquer propostas feitas a ela pela Inglaterra ou pela Rússia, ou por qualquer país do mundo.... Eu convivi com os alemães e fiquei impressionado com o esplendor desse movimento que, ao longo dos séculos, deu ao país a posição que ele ocupa hoje. Mas, com a melhor disposição do mundo, não vejo qualquer solução para a atual colisão de ideais que não seja trágica. A Inglaterra deseja a paz e nunca irá à guerra contra a Alemanha, mas como pode a juventude da Alemanha, essa nação grande na guerra, aceitar o predomínio mundial inglês? O desfecho é certo e acelerado. É a guerra.

Fonte B

Diário do almirante von Müller, chefe do gabinete naval do Kaiser, em 8 de dezembro de 1912 (em reunião com o kaiser e com militares de alta patente).

O General von Moltke (chefe do estado-maior alemão) disse: Eu acredito que a guerra seja inevitável. Guerra, quanto mais cedo, melhor. Mas temos que trabalhar mais na imprensa para preparar a popularidade da guerra contra a Rússia. O Kaiser apóia essa ideia. Tirpitz (Ministro da Marinha) disse que a marinha preferiria ver a grande luta adiada por dois anos e meio. Moltke diz que a marinha não estaria pronta nem em dois anos e meio, e o exército ficaria em uma posição cada vez mais desfavorável, pois os inimigos estavam se armando mais do que nós. Esse foi o final da conferência. O resultado foi quase nenhum.

Fonte C
Relato de uma conversa mantida em maio ou junho de 1914 escrita de memória por Gottlieb von Jagow, após a derrota da Alemanha na guerra. Em 1914, Jagow era o ministro de relações exteriores da Alemanha.

> Entre 20 de maio e 3 de junho de 1914, nossas Majestades ofereceram almoço em homenagem aos aniversários do imperador da Rússia e do rei da Inglaterra. Em uma dessas ocasiões – não me lembro qual – Moltke disse que gostaria de discutir algumas questões comigo. Em sua opinião, não havia alternativa à guerra preventiva para derrotar o inimigo enquanto houvesse chance de vitória. Eu respondi que não estava disposto a causar uma guerra preventiva e que o Kaiser, que queria preservar a paz, sempre tentaria evitar a guerra e só concordaria em lutar se nossos inimigos nos forçassem a isso. Depois disso, Moltke não insistiu. Quando a guerra começou, de forma inesperada e indesejada por nós, Moltke ficou muito nervoso e visivelmente sofria de uma forte depressão.

Fonte: As fontes A, B e C são citadas em J. C. G. Rohl, *From Bismarck to Hitler* (Longman, 1970, trechos).

(a) O que se pode aprender da fonte A sobre as atitudes britânicas com relação à Alemanha pouco antes do início da Primeira Guerra Mundial?
(b) Até que ponto as fontes B e C sustentam a visão de que a principal responsabilidade pela guerra é da Alemanha?
(c) Usando as fontes e seus próprios conhecimentos, avalie a força relativa das várias teorias propostas sobre as causas da Primeira Guerra Mundial.

2. Explique por que os eventos nos Bálcãs contribuíram para o aumento da tensão internacional nos anos de 1908 a 1914.
3. Explique por que a crise da Bósnia de 1908-1909 e as Guerras Balcânicas de 1912-1913 não evoluíram para um conflito generalizado na Europa, ao passo que o assassinato do arquiduque Francisco Ferdinando, em 1914, sim.

A Primeira Guerra Mundial e o Período Posterior

RESUMO DOS EVENTOS

Os lados opostos da guerra eram:

Os aliados ou as potências da Entente:
Grã-Bretanha e seu império (incluindo tropas da Austrália, Canadá, Índia e Nova Zelândia)
França
Rússia (saiu em dezembro de 1917)
Itália (entrou em maio de 1915)
Sérvia
Bélgica
Romênia (entrou em agosto de 1916)
EUA (entraram em abril de 1917)
Japão

As potências centrais:
Alemanha
Império Austro-Húngaro
Turquia (entrou em novembro de 1914)
Bulgária (entrou em outubro de 1915)

A guerra acabou sendo muito diferente do que a maioria das pessoas previra. No natal de 1914, a expectativa geral era de um evento curto e decisivo, como outras guerras recentes na Europa, e era por isso que Moltke estava tão preocupado com a possibilidade de ser derrotado durante a mobilização. Contudo, os alemães não conseguiram vencer a França rapidamente; embora tenham avançado muito, Paris não caiu, e *em pouco tempo se criou um impasse na frente ocidental*, perdendo-se toda a esperança de uma guerra curta. Ambos os lados se enredaram e passaram os quatro anos seguintes atacando e defendendo linhas de trincheiras.

No Leste Europeu havia movimento, no princípio com êxitos russos contra os austríacos que tinham de ser ajudados constantemente pelos alemães, mas até dezembro de 1917, estes capturaram a Polônia (território russo) e forçaram os russos a sair da guerra. A Grã-Bretanha, sofrendo grandes perdas de navios mercantes por causa de ataques de submarinos, e a França, cujos exércitos estavam paralisados por motins, pareciam à beira da derrota. Aos poucos, todavia, a maré mudou: os Aliados, ajudados pela entrada dos Estados Unidos em abril de 1917, desgastaram os alemães, cuja última tentativa desesperada de um lance decisivo, na França, fracassou na primavera de 1918. O sucesso da marinha britânica no bloqueio aos portos alemães e na derrota da ameaça dos submarinos ao defender os comboios de navios mercantes também foi um sinal à Alemanha. No final do verão europeu de 1918, o país estava próximo à exaustão. *Em novembro de 1918, foi assinado um armistício (cessar-fogo)*, embora o território alemão mal tivesse sido invadido. No ano seguinte, em Versalhes, um polêmico acordo de paz foi assinado.

2.1 1914

(a) A frente ocidental

Na frente ocidental, o avanço alemão foi contido por uma resistência belga surpreendentemente forte, que fez com que os alemães levassem mais de duas semanas para capturar a capital, Bruxelas. Esse atraso foi importante, porque deu tempo aos britânicos para se organizarem e deixou os portos do Canal da Mancha livres, possibilitando que a Força Expedicionária Britânica desembarcasse. Em lugar de fazer uma ampla volta, capturando os portos do canal e chegando a Paris do lado ocidental (como pretendia o plano Schlieffen, se os alemães estivessem tentando implementá-lo – ver Seção 1.4(g)), os alemães se encontraram bem ao leste de Paris, dirigindo-se diretamente à cidade. Eles avançaram até 30 km da cidade e o governo francês se retirou para Bordeaux, mas, quanto mais eles se aproximavam de Paris, mais o ímpeto alemão diminuía. Havia problemas para manter o suprimento de comida e munição dos exércitos e os soldados ficavam exaustos pelas longas marchas no calor de agosto. Em setembro, os hesitantes alemães foram atacados pelos franceses, sob o comando de Joffre, na *Batalha do Marne* (ver Mapa 2.1), e tiveram que recuar até o rio Aisne, onde conseguiram cavar trincheiras. *Essa batalha foi de importância vital, e alguns historiadores a consideram como a mais decisiva na história moderna*:

- Ela destruiu o Plano Schlieffen de uma vez por todas: a França não seria derrotada em seis semanas e todas as esperanças de uma guerra curta foram perdidas.
- Os alemães teriam de enfrentar uma guerra total em duas frentes, o que provavelmente nunca fora sua intenção.
- A guerra de movimentos estava terminada, as linhas de trincheiras acabaram

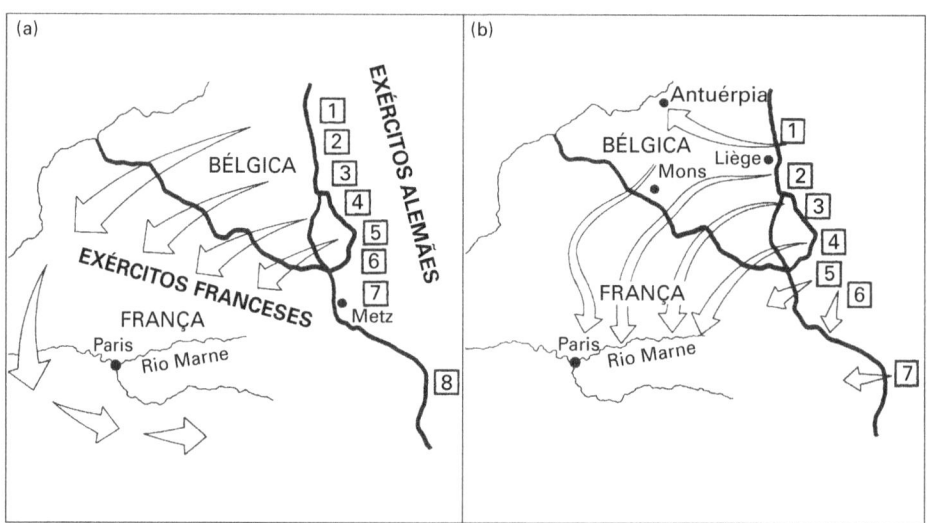

Mapa 2.1 O Plano Schlieffen.

O Plano Schlieffen pretendia que o flanco direito alemão se movimentasse rapidamente através da Bélgica para o litoral, quase cercando os exércitos franceses – ver (a). Na prática, o plano não funcionou. Os alemães foram contidos pela forte resistência belga, não conseguiram capturar os portos do Canal da Mancha e não conseguiram flanquear os exércitos franceses, sendo parados na primeira Batalha do Marne – ver (b).

indo dos Alpes ao litoral do Canal da Mancha.
- Havia tempo para a marinha britânica impor seu bloqueio e incapacitar os portos alemães.

O outro evento importante em 1914 foi que, embora os alemães tenham capturado a Antuérpia, a Força Expedicionária Britânica manteve firme o domínio de Ypres, o que provavelmente salvou os portos do canal de Dunquerque, Calais e Boulogne, tornando possível desembarcar antes e fornecer mais soldados britânicos.

(b) A frente oriental

Na frente oriental, os russos se mobilizaram mais rapidamente do que os alemães esperavam, mas cometeram o erro de invadir a Áustria e a Alemanha ao mesmo tempo. Embora tenham obtido êxito contra a primeira, ocupando a província da Galícia, os alemães tiraram Hindenburg da aposentadoria e derrotaram os russos duas vezes, em *Tannenburg* (agosto) e nos *Lagos Masurian* (setembro), fazendo com que eles se retirassem da Alemanha. *Essas batalhas foram importantes*: os russos perderam grandes quantidades de equipamento e munição que tinham levado anos para acumular. Embora tivessem 6,25 milhões de homens mobilizados no final de 1914, um terço deles estava sem fuzis. Os russos nunca se recuperaram dessa derrota, ao passo que a autoconfiança dos alemães teve uma injeção de ânimo. Quando a Turquia entrou na guerra, a perspectiva da Rússia era sombria, já que os turcos poderiam cortar sua principal rota de suprimento e comércio do Mar Negro para o Mediterrâneo (ver Mapa 2.3). Um ponto positivo para os Aliados foi o fato de os sérvios rechaçarem uma invasão austríaca em grande estilo no final de 1914, e o moral da Áustria estava no fundo do poço.

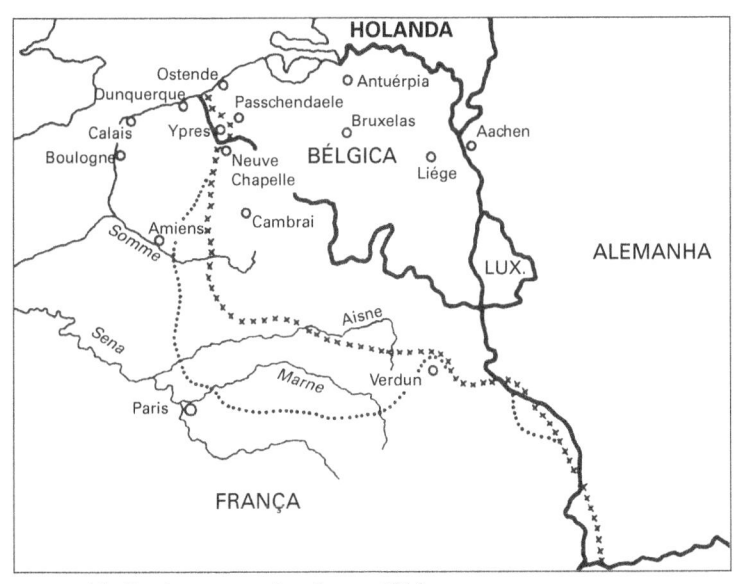

...... Limite do avanço alemão em 1914
×××××× Linha de trincheiras durante a maior parte da guerra

Mapa 2.2 A Frente Ocidental.

Mapa 2.3 A Europa em guerra.

2.2 1915

(a) Impasse no ocidente

O impasse continuava na região ocidental, embora se tivesse feito muitas tentativas para romper a linha de trincheiras. Os britânicos tentaram em Neuve Chapelle e Loos, os franceses em Champagne; os alemães atacaram de novo em Ypres. Porém, assim como em todos os ataques na frente ocidental até 1918, essas tentativas não conseguiram fazer um decisivo rompimento das linhas inimigas. *As dificuldades da guerra de trincheiras eram sempre as mesmas:*

- Havia arame farpado na terra de ninguém entre as duas linhas de trincheiras opostas (Figura 2.1), que o lado que atacava tentava retirar com um bombardeio massivo de artilharia, mas isso acabava com qualquer chance de um ataque-surpresa rápido, já que os inimigos tinham sido alertados completamente.
- Aviões de reconhecimento e balões de observação conseguiam identificar concentrações de tropas nas estradas que levavam às trincheiras.
- As trincheiras eram de difícil captura porque aumentavam o poder de fogo proporcionado por fuzis de repetição, e as metralhadoras tornavam suicidas os ataques frontais e faziam com que a cavalaria fosse inútil.
- Mesmo quando uma linha de trincheiras era rompida, o avanço era difícil porque o solo havia sido remexido por fogo de barragem da artilharia, além de haver o fogo mortífero das metralhadoras a ser enfrentado.
- Qualquer terreno que se conquistasse era difícil de defender, porque geralmente se formava o que era chamado de *saliente*

Figura 2.1 Secção transversal de uma trincheira.

– uma protuberância na linha de trincheiras. Os lados, ou flancos, desses salientes, eram vulneráveis ao ataque e os soldados poderiam ser cercados e isolados.
- Durante o ataque a Ypres em 1915, os alemães usaram gás venenoso (Ilustração 2.1), mas quando o vento mudou de direção, o gás foi soprado de volta bem na direção de suas próprias linhas e eles sofreram mais perdas do que os aliados, especialmente quando estes também usaram gás.

(b) O leste

No leste, a sorte dos russos foi variável: eles tiveram mais êxitos contra a Áustria, mas foram derrotados sempre que enfrentaram os alemães, os quais capturaram Varsóvia e toda a Polônia. O bloqueio turco ao Estreito de Dardanelos começava a obstruir os russos, que já estavam ficando com pouco armamento e com pouca munição. Foi em parte para abrir o estreito e restabelecer a linha de suprimentos vital para a Rússia através do Mar

Ilustração 2.1 Soldados britânicos cegados pelo gás venenoso.

Negro que foi lançada a *Campanha de Gallipoli*. Essa ideia foi promovida com muita intensidade por Winston Churchill (o primeiro *Lorde do Almirantado*, o ministro da marinha da Grã-Bretanha) para escapar ao impasse no Ocidente eliminando os turcos. A Turquia era considerada a mais frágil das Potências Centrais em função de seu governo instável. O sucesso contra os turcos possibilitaria que se enviasse ajuda à Rússia e também traria a Bulgária, a Grécia e a Romênia para a guerra, do lado dos Aliados. A seguir, seria possível atacar a Áustria a partir do sul.

A campanha foi um fracasso total. A primeira tentativa, em março – um ataque anglo-francês pelo Estreito para capturar Constantinopla – fracassou quando os navios atingiram uma série de minas. Isso acabou com o elemento surpresa, de modo que, quando os britânicos tentaram desembarcar na ponta da Península de Gallipoli, os turcos tinham fortalecido suas defesas e não era possível qualquer avanço (abril). Outros desembarques por parte de tropas australianas e neozelandesas (Anzacs) em abril e dos britânicos em agosto foram igualmente inúteis, e só com muita dificuldade conseguiram manter as posições. Em dezembro, toda a força foi retirada. As consequências foram sérias: além de um golpe no moral dos aliados, acabou sendo a última chance de ajudar a Rússia através do Mar Negro e provavelmente fez com que a Bulgária decidisse se unir às potências centrais. Uma força franco-britânica desembarcou em Salônica, na Grécia central, para tentar socorrer a Sérvia, mas era tarde demais. Quando a Bulgária entrou na guerra em outubro, a Sérvia foi rapidamente dominada por búlgaros e alemães (ver Mapa 2.4). O ano de 1915, portanto, não foi bom para os aliados; até mesmo um exército britânico enviado para proteger interesses anglo-persas relacionados ao petróleo contra um possível ataque turco atolou na Mesopotâmia ao se aproximar de Bagdá, permanecendo cercado pelos turcos em Kut-el-Amara de dezembro de 1915 a março de 1916, quando foi forçado a se render.

(c) A Itália declara guerra ao Império Austro-Húngaro (maio de 1915)

Os italianos tinham esperança de conquistar províncias austro-húngaras de fala italiana, bem como o território ao longo da margem oriental do Mar Adriático. *Em Londres foi assinado um tratado secreto* segundo o qual os aliados prometeram à Itália Trentino, o sul do Tirol, Ístria, Trieste, parte da Dalmácia, Adália, algumas ilhas no mar Egeu e um protetorado sobre a Albânia. Os aliados tinham esperanças de que, mantendo milhares de soldados austríacos ocupados, os italianos aliviariam a pressão sobre os russos, mas os italianos fizeram pouco progresso e seus esforços de nada adiantaram: os russos não conseguiram postergar a derrota.

2.3 1916

(a) A frente ocidental

Na frente ocidental, o ano de 1916 é lembrado por duas batalhas terríveis, a de Verdun e a do Somme.

1. Verdun era uma importante cidade fortificada francesa contra a qual os alemães, sob o comando de Falkenhayn, lançaram um ataque maciço (fevereiro). Eles esperavam atrair todas as melhores tropas francesas para sua defesa, destruí-las e depois realizar uma ofensiva final para ganhar a guerra, mas os franceses, comandados por Pétain, defenderam-se com afinco e, em junho, os alemães tiveram que abandonar o ataque. Os franceses tiveram perdas pesadas (cerca de 315.000 homens) como era intenção dos alemães, mas estes também tiveram outros 280.000 homens mortos e nenhum ganho territorial para compensar.

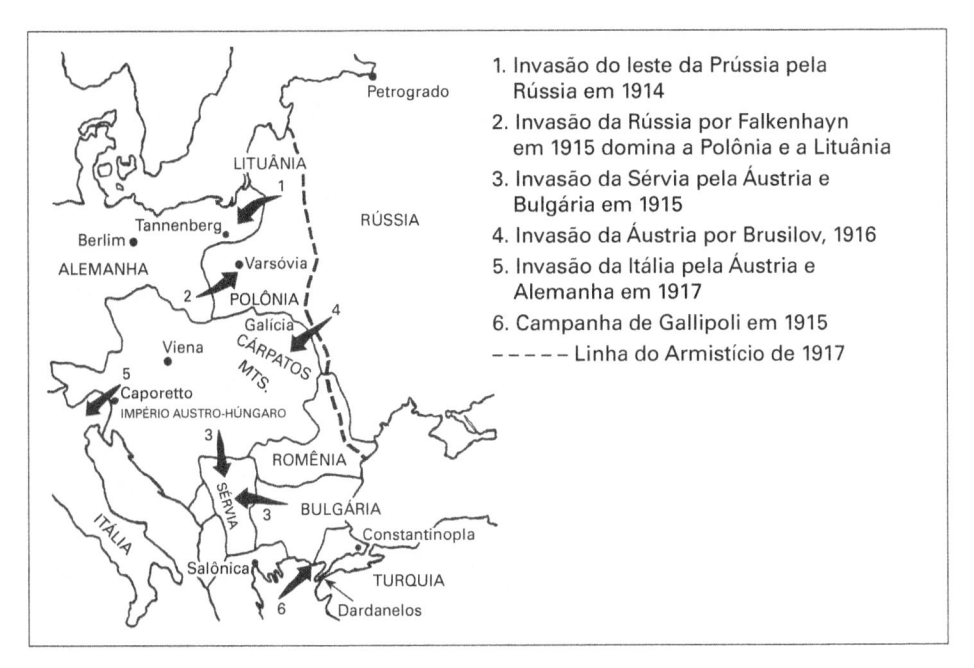

Mapa 2.4 A guerra nas frentes oriental, dos Bálcãs e italiana.

1. Invasão do leste da Prússia pela Rússia em 1914
2. Invasão da Rússia por Falkenhayn em 1915 domina a Polônia e a Lituânia
3. Invasão da Sérvia pela Áustria e Bulgária em 1915
4. Invasão da Áustria por Brusilov, 1916
5. Invasão da Itália pela Áustria e Alemanha em 1917
6. Campanha de Gallipoli em 1915
- - - - - Linha do Armistício de 1917

2. A *Batalha do Somme* foi uma série de ataques que começou em 1º de julho e durou até novembro. A meta era aliviar a pressão sobre os franceses em Verdun, conquistar mais das linhas de trincheiras à medida que o exército francês se fragilizasse e manter os alemães totalmente comprometidos, para que não pudessem se arriscar a mandar reforços à frente oriental contra a Rússia. O ataque começou de forma desastrosa, com os soldados britânicos entrando no meio do fogo pesado das metralhadoras. No primeiro dia, 20 mil foram mortos e 60 mil, feridos. Mesmo assim, o comandante em chefe britânico Haig não suspendeu o ataque, que continuou de forma intermitente por mais de quatro meses. No fim de tudo, os aliados tinham feito apenas avanços limitados que variavam entre alguns metros e 10 km, em uma frente de quase 50 km. A real importância da batalha foi o golpe no moral dos alemães, à medida que eles se davam conta de que a Grã-Bretanha (onde tinha sido introduzido o serviço militar obrigatório pela primeira vez, em maio) era uma potência militar a ser considerada.

As perdas dos dois lados, entre mortos e feridos, foram impressionantes (650.000 alemães, 418.000 britânicos, 194.000 franceses). Os generais aliados, principalmente Haig, passaram a sofrer graves críticas por persistir com ataques frontais suicidas. A despeito de seus fracassos e suas terríveis baixas, os generais britânicos e franceses continuavam convencidos de que as cargas de infantaria massivas – o "grande impulso" – eram a única maneira de romper as linhas inimigas. Nenhum deles apresentou táticas alternativas e dezenas de milhares de vidas foram sacrificadas sem ganhos visíveis. Foi depois de um dos ataques desastrosos de 1915 que um oficial alemão disse que o exército britânico era formado por "leões liderados por mulas". Haig sofreu as críticas mais graves e, para a maioria dos historiadores, tornou-se a síntese da incompetência e da falta de imaginação dos Aliados. Um historiador, W. J. Laffin, chegou a dar a seu livro sobre a guerra o título de *British Butchers and Bunglers of World War I* (*Os carniceiros e incompetentes britânicos da Primeira Guerra Mundial*, 1988), e para ele, a principal "mula" era Haig. Os horrores do Somme também contribuíram para a queda do primeiro-ministro Asquith, que renunciou em 1916, depois do aumento das críticas às táticas britânicas. Mesmo assim, os eventos de 1916 contribuíram para a posterior vitória dos aliados. O próprio Hindenburg admitiu em suas memórias que os alemães não poderiam ter sobrevivido a perdas tão grandes como as que tiveram nas batalhas de Verdun e do Somme.

(b) David Lloyd George se torna o primeiro-ministro britânico (dezembro de 1916)

Assumindo o lugar de Asquith como primeiro-ministro, *a contribuição de Lloyd George ao esforço de guerra dos Aliados e à derrota das potências centrais foi inestimável*. Seus métodos foram dinâmicos e decisivos. Já como Ministro das Munições desde maio de 1915, ele melhorou o suprimento de bombas e metralhadoras, estimulado o desenvolvimento de novos armamentos (o morteiro leve Stokes e o tanque) que Kitchener (Ministro da Guerra) rejeitou, e assumiu o controle de minas, fábricas e estradas para que o esforço de guerra pudesse ser centralizado adequadamente. Como primeiro-ministro durante o ano de 1917, estabeleceu um pequeno gabinete de guerra para poder tomar decisões rápidas. Colocou o transporte de mercadorias e a agricultura sob controle do governo e criou o Ministério do Serviço Militar para organizar a mobilização de homens no exército. Ele também foi importante na adoção do sistema de comboios (ver Seção 2.4(e)).

(c) No leste

Em junho de 1916, os russos, sob comando de Brusilov, atacaram os austríacos em resposta a um pedido da Grã-Bretanha e da França por alguma ação para afastar a atenção dos alemães de Verdun. Eles conseguiram romper a frente e avançar 160 Km, fazendo 400.000 prisioneiros e apreendendo grandes quantidades de equipamento. Os austríacos ficaram desmoralizados, mas o esforço também foi exaustivo para os russos. Os romenos invadiram a Áustria (agosto), mas os alemães vieram rapidamente resgatar os austríacos, ocuparam toda a Romênia e confiscaram seus suprimentos de trigo e petróleo – um fim de ano não feliz para os Aliados em 1916.

2.4 A GUERRA NO MAR

O grande público na Alemanha e na Grã-Bretanha esperava uma série de batalhas navais entre as frotas rivais de encouraçados, algo como a Batalha de Trafalgar (1805), na qual a frota britânica de Nelson derrotara as frotas francesa e espanhola combinadas. Ambos os lados foram cautelosos e não ousavam arriscar qualquer ação que pudesse resultar na perda de suas principais frotas. O almirante britânico Jellicoe foi particularmente cauteloso; Churchill disse que "ele era o único homem, em qualquer dos lados, que poderia ter perdido a guerra em uma tarde". Os alemães tampouco estavam ansiosos por um confronto, porque tinham apenas 16 dos mais recentes encouraçados, contra 27 dos britânicos.

(a) Os aliados pretendiam usar seus navios de três formas

- bloqueando as potências centrais, impedindo que as mercadorias entrassem ou

saíssem, esgotando-os aos poucos por meio da fome,
- mantendo as rotas comerciais abertas entre a Grã-Bretanha, seu império e o restante do mundo, para que os próprios aliados não passassem fome,
- transportando tropas britânicas para o continente e mantê-las com suprimentos através dos portos do Canal da Mancha.

Os britânicos conseguiram atingir esses objetivos; eles entraram em ação contra unidades alemãs estacionadas no exterior e, na *Batalha das Ilhas Falkland*, destruíram uma das principias esquadras alemãs. No final de 1914, quase todos os navios de guerra alemães de superfície tinham sido destruídos, além de sua frota (que não se aventurou a sair da Baía de Heligoland) e a esquadra que bloqueava o Báltico para cortar os suprimentos à Rússia. Em 1915, a marinha britânica estava envolvida na *Campanha de Gallipoli* (ver Seção 2.2(b)).

(b) O bloqueio aliado causou problemas

A Grã-Bretanha estava tentando impedir que os alemães usassem os portos centrais da Escandinávia e da Holanda para romper o bloqueio, o que exigia parar e revistar todos os navios neutros e confiscar quaisquer mercadorias que se suspeitasse serem destinadas a mãos inimigas. Os Estados Unidos se opuseram fortemente a isso, já que queriam continuar fazendo comércio com ambos os lados.

(c) Os alemães retaliaram com minas e ataques submarinos

Essas táticas pareciam ser a única alternativa que restava aos alemães, já que seus barcos de superfície tinham sido destruídos ou estavam bloqueados nos portos. Inicialmente, eles respeitavam navios neutros e de passageiros, mas em pouco tempo ficou claro que o bloqueio dos submarinos alemães (*U-boats*) não era eficaz. Isso se devia, em parte, ao fato de que eles tinham submarinos insuficientes e em parte porque havia problemas de identificação: os britânicos tentaram enganar os alemães usando bandeiras neutras ou navios de passageiros para transportar armas e munição. Em abril de 1915, o navio de passageiros britânico *Lusitania* foi afundado por um ataque de torpedos. Na verdade, o navio estava armado e carregava grandes quantidades de armas e munição, como sabiam os alemães, daí que sua afirmação de que afundá-lo não era apenas um ato de barbarismo contra civis indefesos.

O evento teve consequências importantes: de quase 2.000 pessoas mortas, 128 eram norte-americanos. O presidente Wilson, dos Estados Unidos, concluiu que o país teria que tomar partido para proteger seu comércio. Enquanto o bloqueio britânico não interferia na segurança de passageiros e tripulações, as táticas alemãs certamente interferiam. Nos tempos que se seguiram, contudo, os protestos norte-americanos fizeram com que Bethmann reduzisse a campanha de submarinos, tornando-se menos eficaz.

(d) A Batalha da Jutlândia (31 de maio de 1916)

Esta batalha foi o principal evento no mar em 1916; foi a única vez durante toda a guerra em que as principais frotas entraram em cena e se enfrentaram, e o resultado não foi decisivo. O almirante alemão von Scheer tentou atrair parte da frota britânica para fora de sua base, para que aquela parcela pudesse ser destruída pelos alemães, numericamente superiores. Contudo, surgiram mais navios britânicos do que ele tinha previsto, e depois que as duas frotas se bombardearam por várias horas, os alemães decidiriam se retirar para sua base, disparando torpedos enquanto saíam. No balanço, os alemães poderiam afirmar que tinham vencido a batalha, já que haviam perdido somente 11 navios em comparação com os 14 da Grã-Bretanha. A real importância da batalha estava no fato de que *os alemães não tinham conseguido destruir o poder marítimo britânico*: a Frota de Alto Mar alemã permaneceu em Kiel pelo restante da guerra, deixando à Grã-Bretanha um controle completo da superfície. Desesperados pela escassez de comida causada pelo bloqueio britânico, os alemães se engajaram em uma guerra submarina "irrestrita", cujos resultados viriam a ser fatais para eles.

(e) Guerra submarina "irrestrita" (iniciada em janeiro de 1917)

Como os alemães haviam se concetrado na produção de submarinos desde a Batalha da Jutlândia, esta campanha foi extremamente eficaz. Eles tentavam afundar todos os navios mercantes neutros e inimigos no Atlântico. Mesmo sabendo que isso provavelmente traria os Estados Unidos para a guerra, eles esperavam que a *Grã-Bretanha e a França fossem forçadas a se render por causa da fome* antes que os norte-americanos dessem qualquer contribuição vital. E quase conseguiram: o momento de maior sucesso dos alemães veio em abril de 1917, quando 430 navios foram perdidos. A Grã-Bretanha estava com um atraso de cerca de seis semanas em seu suprimento de milho e, embora os Estados Unidos tenham entrado na guerra em abril, vários meses passariam antes que sua ajuda tivesse efeito. Entretanto, a situação foi salva por Lloyd George que insistiu em que o Ministério da Marinha adotasse um sistema de comboios. Um comboio era um grande número de navios mercantes que andavam juntos para serem protegidos por uma escolta de navios de guerra. Isso reduziu em muito as perdas e significou o fracasso da jogada dos alemães. *A campanha dos submarinos foi importante porque fez com que os Estados Unidos entrassem na guerra*. Portanto, a marinha britânica, ajudada pelos norte-americanos, cumpriu um papel de importância vital na derrota das Potências Centrais. Em meados de 1918, ela tinha atingido seus três principais objetivos.

2.5 1917

(a) Na parte ocidental

Na frente ocidental, 1917 foi um ano de fracasso dos Aliados. Um ataque francês maciço em Champagne, sob o comando de Nivelle, nada conseguiu além de motins que foram contidos com sucesso por Pétain. De junho a novembro, os britânicos lutaram a terceira batalha de Ypres, geralmente lembrada como Passchendaele, no meio da lama (ver Ilustração 2.2). Mais uma vez as perdas britânicas foram enormes – 324.000, comparadas com 200.000 alemãs – para um avanço de apenas seis quilômetros e meio. Mais importante foi *a Batalha de Cambrai que demonstrou que os tanques, usados adequadamente, poderiam romper o impasse da guerra de trincheiras*. Ali, uma massa de 381 tanques britânicos fez uma grande ruptura na linha alemã, mas a falta de reservas impediu que o sucesso continuasse. Contudo, a lição foi observada, e Cambrai se tornou o modelo para os ataques bem-sucedidos dos aliados em 1918. Nesse meio-tempo, os italianos sofreram uma grande derrota para alemães e austríacos em Caporetto (outubro) e recuaram de forma desordenada. Um tanto inesperadamente, isso acabou se revelando uma virada importante, pois o moral dos italianos ressurgiu, talvez porque tiveram que defender sua pátria contra os odiados austríacos. A derrota também levou ao estabelecimento de um Conselho Supremo de Guerra dos Aliados. O novo premier francês, Clemenceau, um grande líder de guerra nos moldes de Lloyd George, reanimou os esmorecidos franceses.

(b) Na frente oriental

O desastre atingiu os Aliados quando *a Rússia se retirou da guerra (dezembro de*

Ilustração 2.2 Soldados cruzando o mar de lama em Passchendaele, 1917.

1917). Grandes perdas contínuas nas mãos dos alemães, falta de armas e suprimentos, problemas de transporte e comunicações e uma liderança totalmente incompetente causaram duas revoluções (ver Seção 16.2) e os bolcheviques (mais tarde conhecidos como comunistas), que assumiram o poder em novembro, estavam dispostos a estabelecer a paz. Sendo assim, em 1918 todo o peso das forças alemãs pôde ser jogado contra o Ocidente. Sem os Estados Unidos, os aliados teriam sofrido uma grande pressão. O estímulo veio da captura de Bagdá e de Jerusalém dos turcos pelos britânicos, dando-lhes controle de grandes quantidades de petróleo.

(c) A entrada dos Estados Unidos (abril de 1917)

Foi causada em parte pela campanha alemã dos submarinos, e também pela descoberta de que a Alemanha estava tentando persuadir o México a declarar guerra aos Estados Unidos, prometendo-lhe o Texas, o Novo México e o Arizona como retorno. Os norte-americanos resistiam a assumir o lado do governo autocrático da Rússia, mas a derrubada do czar na revolução de março removeu esse obstáculo. *Os Estados Unidos deram uma contribuição importante à vitória aliada*: forneceram comida, navios mercantes e crédito à Grã-Bretanha e à França, embora a ajuda militar propriamente dita tenha vindo mais devagar. No final de 1917, apenas uma divisão norte-americana tinha entrado em ação, mas em meados de 1918, mais de um milhão de homens estavam envolvidos. Mais importante foi o estímulo psicológico que o potencial dos Estados Unidos em termos de homens e materiais deu aos Aliados, e o golpe correspondente que representou ao moral dos alemães.

2.6 AS POTÊNCIAS CENTRAIS DERROTADAS

(a) A ofensiva alemã de primavera, 1918

Este importante ataque alemão foi lançado por Ludendorff como uma última e desesperada tentativa de vencer a guerra antes que chegassem muitas tropas norte-americanas e antes que a insatisfação na Alemanha levasse à revolução. Quase funcionou: acrescentando todas as tropas extras liberadas na região oriental, os alemães romperam as linhas aliadas no Somme (março), e no final de maio, estavam a apenas 65 km de Paris. Os Aliados pareciam estar se desintegrando, mas, sob o comando geral do marechal francês Foch, conseguiram manter suas posições enquanto o avanço alemão perdia força e se criava um bolsão difícil de manter.

(b) Começa a contra-ofensiva aliada (8 de agosto)

Lançado perto de Amiens, o contra-ataque envolveu centenas de tanques lançando golpes curtos e precisos em diferentes pontos ao longo de uma ampla frente, em lugar de se concentrar em uma frente estreita (ver Ilustração 2.3). Isso forçou os alemães a recuar toda sua linha e evitar a formação de um saliente. Devagar, mas com firmeza, os alemães foram forçados a recuar até que, no final de setembro, os Aliados romperam a linha Hindenburg. Embora a Alemanha propriamente dita ainda não tivesse sido invadida, Ludendorff já estava convencido de que eles seriam derrotados na primavera de 1919, e insistiu para que o governo alemão solicitasse ao presidente dos Estados Unidos, Wilson, um armistício (3 de outubro). Ele esperava obter termos menos rígidos com base nos 14 pontos de Wilson (ver Seção 2.7(a)). Ao pedir paz em 1918, ele salvaria a Alemanha de uma invasão e preservaria a disciplina e a reputação do exército. A luta continuou por mais cinco semanas enquanto as negociações aconteciam, mas *o armistício acabou sendo assinado em 11 de novembro*.

(c) Por que as potências centrais perderam a guerra?

As razões podem ser resumidas:

1. Quando o Plano Schlieffen falhou, acabando com qualquer esperança de uma rápida vitória dos alemães, a guerra só

Ilustração 2.3 Os tanques foram a única forma de romper o impasse produzido pelas trincheiras e metralhadoras.

poderia ser um fardo para eles, que teriam que *lutar em duas frentes*.
2. O *poder marítimo dos Aliados foi decisivo*, aplicando o bloqueio mortal que causou escassez desesperada de comida e desarticulou as exportações, ao mesmo tempo em que garantia que os exércitos Aliados estivessem integralmente supridos.
3. A campanha alemã dos submarinos fracassou em face dos *comboios* protegidos pelos destróieres britânicos, norte-americanos e japoneses. A campanha, em si, já foi um erro, pois trouxe os Estados Unidos para a guerra.
4. A entrada dos Estados Unidos trouxe *enormes recursos novos aos Aliados*.
5. Os líderes políticos dos aliados, no momento crucial – Lloyd George e Clemenceau – provavelmente foram mais competentes do que os das potências centrais. A unidade de comando liderada por Foch provavelmente ajudou, ao passo que Haig aprendeu lições, a partir das experiências de 1917, sobre o uso efetivo de tanques e a evitar os salientes. Na verdade, alguns historiadores acreditam que as críticas feitas a Haig são injustas. John Terraine foi um dos primeiros a apresentar uma defesa de Haig. Recentemente, Gary Sheffield foi ainda mais longe: ele afirma que, dado o fato de os britânicos não terem qualquer experiência com guerra de trincheiras e que eram os parceiros menores dos franceses, Haig aprendeu muito rápido e se mostrou um comandante criativo e até visionário, o que talvez já é ir longe demais!
6. O fardo contínuo das pesadas perdas que caiu sobre os alemães – eles perderam seus melhores soldados na ofensiva de 1918 e os novos eram jovens e inexperientes. Uma epidemia de gripe espanhola mortal aumentou as dificuldades deles e o moral estava baixo enquanto eles recuavam.

7. A Alemanha sofreu grandes decepções em relação a seus aliados e estava constantemente tendo que ajudar austríacos e búlgaros. A derrota da Bulgária pelos britânicos (em Salônica) e Sérvios (29 de setembro de 1918) foi a gota d'água para muitos soldados alemães que agora não viam qualquer chance de vitória. Quando a Áustria foi derrotada pela Itália em Vittorio Veneto e a Turquia se rendeu (ambos eventos aconteceram em outubro), o fim estava próximo.

A combinação de derrota militar e grave escassez de comida produziu uma grande fadiga em relação à guerra, causando motins na marinha, destruição do moral do exército e revolução dentro do país.

(d) Efeitos da guerra

O impacto da guerra foi extraordinariamente abrangente, o que não surpreende, dado que foi a primeira "guerra total" da história. Isso significa que ela não envolveu apenas exércitos e navios, mas também populações inteiras, e foi o primeiro grande conflito entre nações modernas e industrializadas. Foram introduzidos novos métodos de guerra e novos armamentos – tanques, submarinos, bombardeiros, metralhadoras, artilharia pesada e gás mostarda. Com tantos homens afastados para integrar as forças armadas, as mulheres tiveram que assumir os lugares deles nas fábricas e em outros trabalhos que antes só eles tinham exercido. Nas Potências Centrais e na Rússia, as populações civis passaram por dificuldades graves em função dos bloqueios. Em todos os Estados europeus envolvidos na guerra os governos organizaram as pessoas comuns como nunca antes, de forma que todo o país estivesse engajado no esforço de guerra. O conflito gerou um declínio no prestígio da Europa aos olhos do restante do mundo. O fato de a região que tinha sido considerada como o centro da civilização pudesse ter se permitido vivenciar uma carnificina e uma destruição tão assustadoras era um sinal do começo do fim da dominação europeia sobre o restante do mundo. Em muitos casos, os efeitos sobre os países, individualmente foram quase traumáticos, já que os impérios que haviam dominado a Europa central e do leste por mais de 200 anos desapareceram quase que do dia para a noite.

1. O efeito mais impressionante da guerra foi a quantidade assustadora de mortes entre as forças armadas. Quase 2 milhões de alemães morreram, 1,7 milhão de russos, 1,5 milhão de franceses, mais de um milhão de austro-húngaros, cerca de um milhão de pessoas na Grã-Bretanha e em seu império. A Itália perdeu cerca de 530.000 de seus soldados, a Turquia, 325.000, a Sérvia, 322.000, a Romênia 158.000, os Estados Unidos, 116.000, a Bulgária, 49.000 e a Bélgica, 41.000. E isso não inclui as pessoas que ficaram aleijadas nem as mortes de civis. Uma proporção considerável de toda uma geração de homens jovens havia perecido – a geração perdida. A França, por exemplo, perdeu cerca de 20% dos homens em idade militar.
2. Na Alemanha, as dificuldades e a derrota causaram uma revolução. O Kaiser Guilherme II foi forçado a renunciar e foi declarada a república. Nos anos que se seguiram, a República de Weimar (como ficou conhecida) passou por graves problemas econômicos, políticos e sociais. Em 1933, ela chegou ao fim quando Hitler se tornou Chanceler alemão (ver Seção 14.1).
3. O Império Habsburgo entrou completamente em colapso. O último imperador, Carlos I, foi forçado a abdicar (novembro de 1918) e as várias nacionalidades se declararam independentes. A Áustria e a Hungria se dividiram em dois Estados.
4. Na Rússia, as pressões da guerra causaram duas revoluções em 1917. A primeira (fevereiro-março) derrubou o czar, Nicolau II, e a segunda, (outubro, novembro) levou Lênin e os bolcheviques (comunistas) ao poder (ver Seções 16.2-3).
5. Embora a Itália estivesse no lado vencedor, a guerra tinha drenado seus recursos e o país tinha dívidas pesadas. Mussolini aproveitou-se da impopularidade do governo para assumir o controle – a Itália foi o primeiro Estado europeu que se permitiu, após a guerra, cair em uma ditadura fascista (ver Seção 13.1).
6. Por outro lado, alguns países de fora da Europa, particularmente o Japão, a China e os Estados Unidos, aproveitaram-se da preocupação europeia com a guerra para expandir seu comércio, às custas da própria Europa. Por exemplo, a fatia do comércio mundial que correspondia aos Estados Unidos aumentou de 10% em 1914 a mais de 20% em 1919. Como não conseguiam obter produtos exportados pela Europa durante a guerra, Japão e China deram início a seus próprios programas de industrialização. Na década de 1920, os norte-americanos viveram uma grande explosão econômica e sua prosperidade futura parecia garantida. Dentro de poucos anos, contudo, ficou claro que eles tinham errado pelo excesso de confiança e de expansão: em outubro de 1929, a quebra da bolsa de valores de Nova York anunciava o início de uma crise econômica grave que se espalhou pelo mundo e ficou conhecida como "a Grande Depressão" (ver Seção 22.6).
7. Muitos políticos e líderes estavam determinados a não permitir que os horrores da Primeira Guerra Mundial jamais se repetissem. O presidente dos Estados Unidos, Woodrow Wilson, propôs um plano para uma Liga de Nações que po-

deria arbitrar a solução de futuras disputas e manter o mundo em paz através de um sistema de "segurança coletiva" (ver Capítulo 3). Infelizmente, o trabalho da Liga das Nações foi dificultado por alguns dos termos do acordo de paz a que se chegou após a guerra, e a própria paz era instável.

2.7 OS PROBLEMAS DE FAZER UM ACORDO DE PAZ

(a) Metas de guerra

Quando a guerra começou, nenhum dos participantes tinha qualquer ideia específica sobre o que esperava obter, com exceção da Alemanha e da Áustria, que queriam preservar o Império Habsburgo e achavam que para isso era necessário destruir a Sérvia. À medida que a guerra avançava, alguns dos governos envolvidos, talvez para incentivar seus soldados, dando-lhes objetivos claros pelos quais lutar, começaram a listar seus objetivos de guerra.

O primeiro-ministro britânico Lloyd George mencionou (em janeiro de 1918) a defesa da democracia e a correção da injustiça cometida com a França em 1871, quando o país perdeu as regiões de Alsácia e da Lorena para a Alemanha. Outros pontos eram a restauração da Bélgica e da Sérvia e de uma Polônia independente, autogoverno democrático para as nacionalidades do Império Austro-Húngaro, autodeterminação para as colônias alemãs e uma organização internacional para prevenir a guerra.

O presidente Woodrow Wilson declarou os objetivos dos Estados Unidos em seus famosos 14 pontos (janeiro de 1918):

1. abolição da diplomacia secreta;
2. navegação livre no mar para todas as nações, na guerra e na paz;
3. suspensão de barreiras econômicas entre os Estados;
4. redução geral de armamentos;
5. ajuste imparcial das possessões coloniais no interesse das populações interessadas;
6. evacuação do território russo;
7. restauração da Bélgica;
8. liberação da França e restauração da Alsácia-Lorena;
9. reajuste das fronteiras italianas em termos de linhas de nacionalidade;
10. autogoverno para os povos do Império Austro-Húngaro;
11. evacuação de Romênia, Sérvia e Montenegro concessão de acesso ao mar à Sérvia;
12. autogoverno para os povos não turcos do Império Turco e abertura permanente do Estreito de Dardanelos;
13. uma Polônia independente com acesso seguro ao mar;
14. uma associação geral de nações para preservar a paz.

Esses pontos ganharam divulgação quando os alemães, posteriormente, afirmaram que esperavam que o acordo de paz se baseasse neles, e como não foi o caso, eles foram enganados.

(b) Visões diferentes entre os aliados sobre como tratar as potências derrotadas

Quando a conferência de paz se reuniu (janeiro de 1919, ver Ilustração 2.4), ficou imediatamente claro que seria difícil chegar a um acordo de paz em função de divergências básicas entre as potências vitoriosas:

1. A *França* (representada por Clemenceau) queria uma paz severa que arruinasse a Alemanha do ponto de vista econômico e militar, para que ela nunca mais ameaçasse as fronteiras francesas.
2. A *Grã-Bretanha* (Lloyd George) era favorável a um acordo menos rígido, que possibilitasse à Alemanha se recuperar rapidamente para que ela pudesse

Ilustração 2.4 Os três líderes em Versalhes: (da direita para a esquerda) Clemenceau, Wilson e Lloyd George.

retomar seu papel como grande consumidor de mercadorias britânicas. Lloyd George acabava de vencer uma eleição com *slogans* como "enforquem o Kaiser", e o discurso de tirar da Alemanha "tudo o que se possa espremer de um limão e um pouco mais". O povo da Grã-Bretanha, portanto, esperava um acordo de paz duro.

3. Os *Estados Unidos* (Woodrow Wilson) defendiam uma paz leniente, embora o presidente tivesse ficado decepcionado quando os alemães ignoraram seus 14 pontos e impuseram o *duro Tratado de Brest-Litovsk* sobre a Rússia (ver Seção 16.3(b)). Ele queria uma paz justa: embora tivesse que aceitar as demandas da França e da Grã-Bretanha por reparações (indenizações por danos) e o *desarmamento da Alemanha*, conseguiu limitar essas reparações a perdas causadas a civis e suas propriedades, em vez de "todo o custo da guerra". Wilson era favorável à *autodeterminação*: as nações deveriam ficar livres do domínio estrangeiro e ter *governos democráticos de sua própria escolha*.

Em junho de 1919, a conferência gerou o *Tratado de Versalhes para Alemanha*, seguido de outros tratados sobre seus ex-aliados. Esse tratado foi, em si, um dos acordos mais polêmicos já assinados, criticado até mesmo nos países Aliados por ser rígido demais com os alemães, que teriam que se opor de forma tão violenta que seria inevitável outra guerra, mais cedo ou mais tarde. Além disso, muitos dos termos, como reparações e desarmamento, mostraram-se impossíveis de implementar.

2.8 O TRATADO DE VERSALHES COM A ALEMANHA

(a) Os termos

1. *A Alemanha tinha que perder território na Europa:*

- A Alsácia-Lorena para a França;
- Eupen, Moresnet e Malmédy para a Bélgica;
- Schleswig do Norte para a Dinamarca (depois de um plebiscito, ou seja, uma votação feita pelo povo);
- A Prússia Ocidental e Posen para a Polônia, embora Danzig (o principal porto da região) devesse ser uma cidade livre sob a administração da Liga das Nações, já que sua população era totalmente alemã.
- Memel foi dada à Lituânia.
- A área conhecida como Sarre deveria ser administrada pela Liga das Nações por 15 anos, quando, então, a população poderia votar se queria pertencer à França ou à Alemanha. Nesse meio-tempo, a França teria direito de uso de suas minas de carvão.
- Estônia, Letônia e Lituânia, que tinham sido entregues à Alemanha pela Rússia pelo Tratado de Brest-Litovsk, foram retiradas da Alemanha e estabelecidas como Estados independentes. Esse era um exemplo de *autodeterminação* sendo colocada em prática.
- A União (*Anschluss*) entre Alemanha e Áustria foi proibida.

2. *As colônias africanas da Alemanha foram retiradas* e se tornaram "mandatos" sob a supervisão da Liga das Nações: isso significa que vários Estados-membros da Liga "cuidavam" delas.

3. *Os armamentos alemães foram estritamente limitados* a um máximo de 100.000 soldados, sem serviço militar obrigatório, sem tanques, sem aeronaves nem submarinos militares e somente seis navios de guerra. A Renânia deveria ser totalmente desmilitarizada, o que significava que não se permitiria a presença de tropas alemãs na área.

4. *A cláusula sobre a Culpa pela Guerra* estabeleceu que a responsabilidade pela deflagração era somente da Alemanha e de seus Aliados.

5. *A Alemanha deveria pagar indenizações* por danos causados aos aliados. A quantidade real não foi decidida em Versalhes, sendo anunciada depois (1921), depois de muita discussão e regateio, em 6,6 milhões de libras esterlinas.

6. Foi formada uma Liga das Nações, cujos objetivos e organização foram definidos no *pacto de criação da Liga* (ver Capítulo 3).

Os alemães não tiveram muita alternativa a assinar o tratado, embora se opusessem muito. A cerimônia de assinatura aconteceu no Salão dos Espelhos em Versalhes, onde o Império Alemão havia sido proclamado menos de 50 anos antes.

(b) Por que os alemães se opuseram e até onde essas objeções eram justificadas?

1 Foi uma paz ditada

Aos alemães não foi permitido que estivessem presentes às discussões em Versalhes; os termos do acordo foram simplesmente apresentados a eles, e lhes disseram que assinassem. Embora lhes tenha sido permitido criticar o acordo por escrito, todas as suas críticas foram ignoradas, menos uma (ver Ponto 3 abaixo). Alguns historiadores acham que os alemães tinham justificativa para objetar, e que teria sido razoável permitir sua participação nas discussões, o que poderia ter levado a uma suavização de alguns dos termos mais duros. Com certeza, teria tirado dos alemães o argumento muito utilizado por Hitler, de que, em função de a paz ter sido um "*Diktat*", imposição não havia obrigação moral de segui-la. Por outro lado, é possível argumentar que os alemães pouco poderiam ter esperado algum acordo melhor, depois da forma dura com que tinham lidado com os russos em Brest-Litovsk – também um *"Diktat"* (ver Seção 16.3(b)).

2 Muitas das disposições não foram baseadas nos 14 pontos

Os alemães afirmaram que lhes tinham prometido termos baseados nos 14 pontos de Wilson e que muitas das disposições não se baseavam neles, sendo, portanto, uma fraude. Essa objeção provavelmente não é válida: os 14 pontos nunca foram aceitos como oficiais por nenhum dos países envolvidos e os próprios alemães os tinham ignorado em 1918, quando ainda parecia haver uma chance de vitória alemã. Em novembro as táticas alemãs (Brest-Litovsk, a destruição de minas, fábricas e prédios públicos durante sua retirada através da França e da Bélgica) tinham endurecido a atitude dos Aliados e levado Wilson a acrescentar *dois outros pontos*: a Alemanha deveria pagar pelos danos à população civil e à propriedade e deveria ser reduzida à "impotência, na prática", ou seja, a Alemanha deveria ser desarmada. Os alemães estavam cientes disso quando aceitaram o armistício e, na verdade, a maioria dos termos cumpria, sim, os 14 pontos e os adendos.

Também havia objeções em pontos específicos:

3 Perda de território na Europa

Esta perda incluía a Alsácia-Lorena e, principalmente, a Prússia Ocidental, que dava à Polônia acesso ao mar, mas ambos eram mencionados nos 14 pontos. Originalmente, a Alta Silésia, uma região com população mista de poloneses e alemães, deveria ser dada à Polônia, mas essa foi uma concessão às objeções feitas por escrito pela Alemanha: após uma votação pela população, permitiu-se que a Alemanha mantivesse dois terços da área. Na verdade, a maioria das perdas alemãs poderia ser justificada com base em nacionalidade (ver Mapa 2.5).

4 A perda das colônias alemãs na África

Os alemães provavelmente tinham mais bases para se opor à perda de suas colônias africanas, o que não foi exatamente um "ajuste imparcial". O sistema de mandatos permitiu que a Grã-Bretanha assumisse a África Oriental Alemã (Tanganica) e partes do Togo e de Camarões, a França assumiria a maior parte dessas duas últimas regiões e a África do sul adquiriria o Sudoeste Africano Alemão (hoje conhecido como Namíbia), mas esse foi, na verdade, um mecanismo pelo qual os Aliados tomaram as colônias sem admitir abertamente que elas estavam sendo anexadas (ver Mapa 2.6).

5 As cláusulas do desarmamento geraram muito rancor

Os alemães alegavam que 100.000 soldados não eram suficientes para manter a lei e a ordem em tempos de inquietude política. Talvez a objeção alemã fosse justificada em algum nível, ainda que o desejo francês de uma Alemanha fraca fosse compreensível. Os alemães se incomodaram ainda mais posteriormente, ao ficar claro que nenhuma das outras potências tinha intenção de se desarmar, mesmo que o Ponto 4 de Wilson mencionasse "redução geral de armamentos". Entretanto, foi impossível aplicar integralmente o desarmamento da Alemanha, porque os alemães estavam determinados a explorar cada brecha.

6 A cláusula da "Culpa de Guerra" (Artigo 231)

Os alemães fizeram objeções a arcar com toda a culpa pela deflagração da guerra. Há alguma base para objeção nesse caso, porque, embora pesquisas posteriores pareçam indicar a responsabilidade da Alemanha, não era possível chegar a essa conclusão no espaço de seis semanas durante 1919, foi o que fez a Comissão Especial sobre Respon-

≡≡≡ Território perdido pela Alemanha

||||| Antigo território da Rússia czarista

▨▨▨ Império Austro-Húngaro até 1918

●●● Linha Curzon proposta pela Grã-Bretanha (dezembro de 1918) como fronteira leste da Polônia. O território russo a leste da linha foi tomado pela Polônia em 1920

Mapa 2.5 Fronteiras europeias após a Primeira Guerra Mundial e os tratados de paz.

sabilidade de Guerra. Contudo, os Aliados queriam que os alemães assumissem essa responsabilidade para que tivessem que pagar as indenizações.

7 Indenizações

As indenizações representaram a humilhação final para os alemães. Embora se pudesse fazer poucas objeções válidas ao princípio geral das

Mapa 2.6 A África e os tratados de paz.

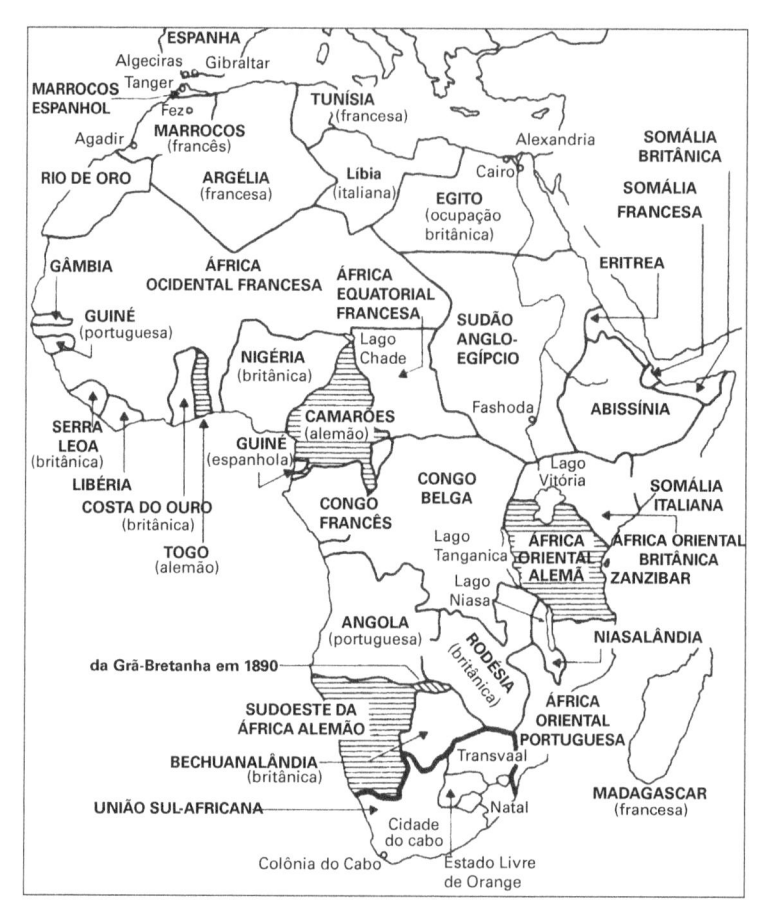

≡ Colônias alemãs retiradas do país e transformadas em mandatos pelo Tratado de Versalhes, 1919

indenizações, muitos historiadores concordam agora em que a quantidade decidida era alta demais, de 6,6 bilhões de libras esterlinas. Algumas pessoas pensavam assim na época, incluindo J. M. Keynes, que era assessor econômico da delegação britânica na conferência e pediu que os Aliados aceitassem 2 bilhões de libras. Ele dizia que essa era uma quantia mais razoável, e que a Alemanha teria condições de pagar. A cifra de 6,6 bilhões possibilitou que os alemães dissessem que era impossível pagar e em seguida começassem a deixar de pagar suas prestações anuais. Isso descontentou os Aliados que estavam contando com o dinheiro alemão para lhes ajudar a pagar suas próprias dívidas para com os Estados Unidos. Gerou-se uma tensão internacional quando a França tentou forçar os alemães a pagar (ver Seção 4.2(c)). Os Aliados acabaram admitindo seu equívoco e reduziram a quantia a 2 bilhões de libras (Plano Young, 1929), mas não antes de as indenizações se mostrarem desastrosas, tanto econômica quanto politicamente.

Está claro que os alemães tinham algumas razões para reclamar, mas é preciso dizer que o tratado poderia ter sido ainda mais duro. Se as opiniões de Clemenceau tivessem prevalecido, a Renânia teria se tornado um Estado independente e a França teria anexado o Sarre. Contudo, a Alemanha ainda era a potência mais forte da Europa em termos econômicos, de forma que o elemento pouco inteligente no acordo foi que ele incomodava os alemães, mas não os deixava suficientemente frágeis para evitar que retaliassem.

2.9 OS TRATADOS DE PAZ COM O IMPÉRIO AUSTRO-HÚNGARO

Quando a Áustria estava por ser derrotada na guerra, o Império Habsburgo se desintegrou à medida que várias nacionalidades declararam independência. A Áustria e a Hungria se separaram e se declararam repúblicas independentes. Muitas decisões importantes já tinham sido tomadas antes da conferência de paz, mas a situação era caótica e a tarefa da Conferência era a de formalizar e reconhecer o que tinha acontecido.

(a) O tratado de Saint Germain (1919) sobre a Áustria

Por esse tratado, a Áustria perdeu:

- A Boêmia e a Morávia (províncias industriais ricas, com uma população de 10 milhões de pessoas) para o novo Estado da Tchecoslováquia;
- Dalmácia, Bósnia e Herzegovina para a Sérvia, a qual, com Montenegro, tornava-se agora a Iugoslávia;
- Bucovina para a Romênia;
- Galícia para o Estado reconstituído da Polônia;
- O sul do Tirol (até o Passo de Brenner), Trentino, Ístria e Trieste para a Itália.

(b) O Tratado de Trianon (1920), sobre a Hungria

Este tratado só foi assinado em 1920 em função de incertezas políticas em Budapeste (a capital); os comunistas, liderados por Bela Kun, tomaram o poder, mas depois foram derrubados.

- A Eslováquia e a Rutênia foram dadas à Tchecoslováquia;
- A Croácia e a Eslovênia, à Iugoslávia;
- A Transilvânia e o Banat de Timisoara, à Romênia.

Ambos os tratados estavam contidos no Pacto da Liga das Nações.

Estes acordos podem parecer duros, mas é preciso lembrar que muito do que foi tratado já tinha acontecido. No todo, eles mantinham o espírito da autodeterminação. Mais pessoas passaram a ter governos de sua própria nacionalidade, o que jamais havia acontecido na Europa, embora eles nem sempre fossem democráticos, como teria gostado Wilson (principalmente na Hungria e na Polônia). Contudo, havia alguns desvios do padrão, por exemplo, mais de 3 milhões de alemães (nos Sudetos) agora se encontravam na Tchecoslováquia, e o Tratado de Versalhes tinha colocado um milhão de alemães na Polônia. Os Aliados justificavam isso com base em que os novos países precisavam deles para ser economicamente viáveis. Infelizmente, ambos os casos deram a Hitler a desculpa para dar início a demandas de expansão territorial nesses países.

Os tratados deixaram a Áustria e a Hungria com sérios problemas econômicos

A Áustria era uma pequena república, sua população foi reduzida de 22 milhões para 6,5 milhões, a maior parte de sua riqueza industrial fora perdida para Tchecoslováquia e Polônia. Viena, que havia sido a capital do imenso Império Habsburgo, ficou sem nada, cercada de terras agrícolas que mal conseguiam sustentá-la. Não é de estranhar que a Áustria em pouco tempo enfrentasse uma crise econômica e constantemente tivesse que ser ajudada por empréstimos da Liga das Nações. A Hungria foi também afetada gravemente, com a população reduzida de 21 milhões a 7,5 milhões, e parte de suas melhores terras para o plantio de milho foi perdida para a Romênia. Os problemas ficaram mais graves quando todos os novos Estados rapidamente introduziram tarifas (impostos sobre importações e exportações) que dificultaram o fluxo comercial em toda a área do Danúbio e tornaram particularmente difícil a recuperação industrial do país. Na verdade, havia argumentos econômicos excelentes para se apoiar a unificação entre Áustria e Alemanha.

2.10 O ACORDO COM A TURQUIA E A BULGÁRIA

(a) O Tratado de Sèvres (1920), lidando com a Turquia

A Turquia perderia a Trácia Oriental, muitas ilhas do Mar Egeu e Smirna para a Grécia, Adália e Rodes para a Itália, os Estreitos (a saída do Mar Negro) deveriam ficar permanentemente abertos, a Síria se tornou um mandato francês, e a Palestina, o Iraque e a Transjordânia, mandatos britânicos. Porém, a perda de tanto território para a Grécia, principalmente a Smirna na parte continental da Turquia, feriu o sentimento nacional turco (nesse caso, a autodeterminação estava sendo ignorada).

Liderados por Mustafa Kemal, os turcos rejeitaram o tratado e expulsaram os gregos da Smirna. Os italianos e os franceses retiraram suas forças de ocupação da região dos estreitos, deixando apenas as tropas britânicas em Chanak. Mais tarde, chegou-se a um compromisso e o acordo foi revisado pelo Tratado de Lausanne (1923), segundo o qual a Turquia recuperou a Trácia Oriental, incluindo Constantinopla e Smirna (ver Mapa 2.7). Sendo assim, a Turquia foi o primeiro Estado a questionar com êxito o acordo de Paris. Um legado do Tratado de Sèvres que viria a causar problemas mais tarde era a situação dos mandatos, cuja população era majoritariamente árabe e tinha esperado a independência e uma recompensa após ter lutado bravamente, liderada por um oficial inglês, T. E. Lawrence (Lawrence da Arábia), contra os turcos. Os árabes também não estavam felizes com o estabelecimento de um "lar nacional" judaica no Palestina (ver Seção 11.2(a)).

(b) O Tratado de Neuilly (1919) sobre a Bulgária

A Bulgária perdeu território para a Grécia, ficando sem o litoral do Mar Egeu, e também para a Iugoslávia e a Romênia. O país afirmaria, com alguma justificativa, que pelo menos um milhão de Búlgaros estava sob governos estrangeiros como resultado do Tratado de Neuilly.

2.11 VEREDICTO SOBRE O ACORDO DE PAZ

Como conclusão, deve-se dizer que esse conjunto de tratados de paz não foi um sucesso claro, tendo o efeito negativo de dividir a Europa entre os países que queriam revisar o acordo (principalmente a Alemanha) e os que queriam preservá-lo. Como um todo, estes últimos acabaram dando um apoio desanimado. Os Estados Unidos não ratificaram o acordo (ver Seção 4.5) e nunca entraram para a Liga das Nações. Isso, por sua vez, deixou a França completamente desencantada com a situação, pois a garantia anglo-americana de sua fronteira, dada no acordo, não poderia ser cumprida. A Itália se sentia enganada porque não havia recebido todo o território prometido em 1915, e a Rússia foi ignorada, porque as potências não queriam negociar com o governo bolchevique. A Alemanha, por outro lado, só ficou temporariamente fragilizada e em pouco tempo estava forte o suficiente para questionar alguns dos termos. Tudo isso tendia a sabotar o acordo desde o princípio e ficou cada vez mais difícil aplicá-lo integralmente. Mas é fácil criticar após o evento; Gilbert White, delegado norte-americano na conferência, disse bem ao afirmar que, dada a complexidade dos problemas envolvidos, "não é de surpreender que se tenha feito uma paz ruim, o que surpreende é que se tenha chegado a qualquer paz".

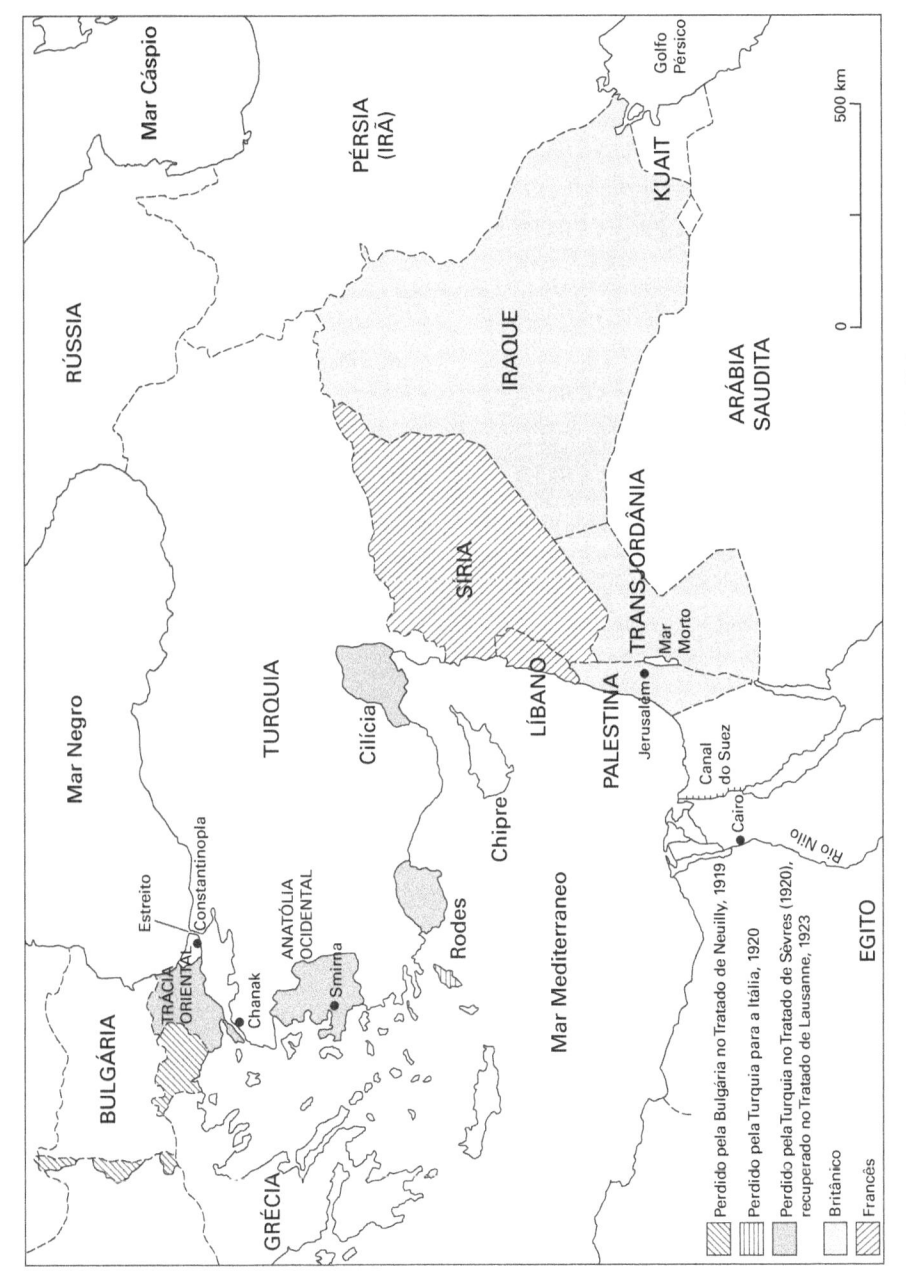

Mapa 2.7 O tratamento à Turquia (Tratado de Sèvres) e à Bulgária (Tratado de Neuilly).

PERGUNTAS

1. Guerra de trincheiras e a Primeira Guerra Mundial

Estude e fonte e as informações do capítulo 2.

Fonte A

O primeiro dia da batalha de Somme, 1916 – uma narrativa alemã

> Os homens nos abrigos antibombas estavam de prontidão, usando cintos com granadas de mão, segurando firme os seus fuzis... foi de vital importância não perder um segundo para assumir posição no espaço aberto para enfrentar a infantaria britânica imediatamente atrás da barragem de artilharia.
> Às 7:30 da manhã, o furacão de bombas parou... Nossos homens, de uma só vez, escalaram os íngremes mastros que levavam dos abrigos à luz do dia e correram... até as crateras mais próximas. As metralhadoras foram retiradas dos abrigos e colocadas apressadamente em posição... Assim que os homens se posicionaram, uma série de linhas foi vista avançando a partir das trincheiras britânicas. A primeira delas apareceu, sem fim à direita nem à esquerda. Foi seguida rapidamente por uma outra, depois por uma terceira e uma quarta...
> A ordem para "preparar-se" foi repassada na nossa frente, cratera por cratera... uns minutos depois, quando a principal linha britânica estava a 100 metros de distância, o ra-tá-tá de metralhadoras e fuzis começou ao longo de toda a linha dos buracos de bombas.
> Grupos inteiros pareciam cair... o avanço desabou rapidamente sob a chuva de bombas e balas. Então era possível vê-los, em toda a linha, jogando os braços para cima e desabando, para nunca mais se mover. Feridos graves rolavam em sua agonia.

Fonte: Citado em A. H. Farrar-Hockley, The Somme (Pan/Severn House, 1976).

(a) Qual a utilidade da fonte A para um historiador que esteja estudando as técnicas de guerra de trincheiras?

(b) Explique por que a guerra na frente ocidental evoluiu para um impasse.

(c) Como a guerra acabou chegando a um fim e por que a Alemanha foi derrotada?

2. "Os alemães tinham razões verdadeiras para reclamar do Tratados de Versalhes". Explique por que você concorda ou discorda dessa afirmação.

A Liga das Nações 3

RESUMO DOS EVENTOS

A Liga das Nações passou a existir formalmente em 10 de janeiro de 1920, o mesmo dia em que o Tratado de Versalhes entrou em vigor. Com sede em Genebra, na Suíça, um de seus principais objetivos era resolver disputas internacionais antes que elas saíssem de controle, impedindo que uma nova fosse deflagrada de guerra. Após alguns problemas iniciais relacionados à inexperiência, a Liga parecia estar funcionando bem durante a década de 1920, tendo resolvido uma série de disputas internacionais de menor porte e realizando um valioso trabalho econômico e social. Por exemplo, ajudou milhares de refugiados e ex-prisioneiros de guerra a voltar para casa. Em 1930, os que defendiam a Liga se sentiam otimistas em relação a seu futuro; o estadista sul-africano Jan Smuts chegou a afirmar: "Estamos assistindo a um dos grandes milagres da história". Contudo, na década de 1930, a autoridade da Liga foi questionada várias vezes, primeiro, pela invasão japonesa da Manchúria (1931) e, depois, pelo ataque italiano contra a Abissínia (1935). Ambos os agressores ignoraram as ordens da Liga para se retirar, e por uma série de razões, foi impossível fazer com que as cumprissem. Depois de 1935, o respeito pela Liga declinou à medida que suas fragilidades foram ficando mais visíveis. Durante as disputas da Alemanha com a Tchecoslováquia e a Polônia, que levaram à Segunda Guerra Mundial, a Liga nem foi consultada, e foi incapaz de exercer a menor influência para impedir a deflagração da guerra. Após dezembro de 1939 ela não voltou a se reunir e foi dissolvida em 1946 – um fracasso completo, pelo menos no sentido de impedir a guerra.

3.1 QUAIS FORAM AS ORIGENS DA LIGA?

A Liga muitas vezes é considerada como uma criação do presidente norte-americano Woodrow Wilson. Embora Wilson tenha sido, com certeza, um grande apoiador da ideia de uma organização internacional pela paz, a Liga foi o resultado de uma união de sugestões semelhantes durante a Primeira Guerra Mundial, por parte de vários estadistas. Lorde Robert Cecil da Grã-Bretanha, Jan Smuts da África do Sul e Leon Bourgeois da França propuseram esquemas detalhados mostrando como uma organização desse tipo poderia ser instalada. Lloyd George se referiu a ela como um dos objetivos de guerra da Grã-Bretanha, e Wilson a considerou como o último de seus 14 pontos. (ver Seção 2.7(a)). A grande contribuição de Wilson foi insistir em que a Convenção da Liga (a lista de regras segundo as quais ela deveria operar), que havia sido elaborada por um comitê internacional formado por Cecil, Smuts, Bourgeois e Paul Hymans (da Bélgica), bem como o próprio Wilson, deveria ser incluída em cada um dos tratados de paz separados. Isso garantia que a Liga realmente existisse em vez de simplesmente permanecer como uma discussão tópica.

A Liga tinha dois objetivos principais:
- Manter a paz através da **segurança coletiva**: se um país atacasse outro, os Estados-membros da Liga agiriam juntos, coletivamente, para conter o agressor, por meio de sanções econômicas ou militares.
- Estimular a **cooperação internacional**, para resolver problemas econômicos e sociais.

3.2 COMO A LIGA FOI ORGANIZADA?

Havia 42 Estados-membros no início e 55 em 1926, quando a Alemanha foi admitida. Eram cinco os órgãos principais.

(a) A Assembleia Geral

Este orgão se reunia anualmente e incluía representantes de todos os Estados-membros, cada um com um voto. Sua função era decidir sobre políticas gerais. Por exemplo, podia propor uma revisão de acordos de paz e lidava com as finanças da Liga. Qualquer decisão tomada tinha que ser unânime.

(b) O Conselho

Este orgão era muito menor, reunia-se com mais frequência, pelo menos três vezes por ano, e continha quatro membros permanentes: Grã-Bretanha, França, Itália e Japão. Os Estados Unidos deveriam ter sido membro permanente, mas decidiram não participar da Liga. Havia quatro outros membros, eleitos pela Assembleia para períodos de três anos, e o número de membros não permanentes tinha aumentado para nove em 1926. Era tarefa do Conselho lidar com disputas políticas específicas à medida que elas surgissem. Mais uma vez, as decisões tinham de ser unânimes.

(c) O Tribunal Permanente de Justiça Internacional

Com sede em Haia, na Holanda, consistia em 15 juízes de diferentes nacionalidades. O orgão lidava com disputas entre Estados, e não disputas políticas.

(d) O Secretariado

Cuidava de toda a documentação, preparando agendas e redigindo resoluções e relatórios para que as decisões finais da Liga pudessem ser levadas a cabo.

(e) Comissões e Comitês

Vários órgãos deste tipo foram formados para lidar com problemas específicos, alguns dos quais surgiram a partir da Primeira Guerra Mundial. As principais comissões eram aquelas que tratavam de mandatos, as questões militares, os grupos minoritários e o desarmamento. Havia comitês para trabalho internacional, saúde, organização econômica e financeira, bem-estar infantil, problemas de drogas e direitos das mulheres.

Missões de paz

A principal missão da Liga deveria ser manter a paz. Pretendia-se que ela operasse da seguinte forma: todas as disputas que ameaçassem terminar em guerra seriam submetidas à Liga, e qualquer membro que recorresse à guerra, rompendo a Convenção, *enfrentaria ação coletiva por parte do restante*. O Conselho recomendaria "com que efetivos em termos de exército, marinha ou aeronáutica os membros deveriam contribuir para as forças armadas".

3.3 ÊXITOS DA LIGA

(a) Seria injusto considerar a Liga como um fracasso total

Muitos dos comitês e comissões atingiram resultados valiosos e muito foi feito para estimular a cooperação internacional. Um dos mais bem-sucedidos foi a *Organização Internacional do Trabalho (OIT)* sob a direção do socialista francês Albert Thomas. Seu propósito era melhorar as condições de trabalho em todo o mundo persuadindo governos a:

- estabelecer uma jornada de trabalho diária e semanal máxima,
- definir salários mínimos adequados,
- introduzir benefícios por doença e desemprego,
- introduzir aposentadorias por idade.

A organização coletou e publicou uma ampla quantidade de informações, e muitos governos foram forçados a agir.

A *Organização para os Refugiados*, chefiada pelo explorador norueguês Fridtjof Nansen, resolveu o problema de milhares de ex-prisioneiros de guerra isolados na Rússia no final da guerra, e cerca de meio milhão deles pode voltar para casa. Depois de 1933, milhares de pessoas que fugiam da perseguição nazista na Alemanha receberam ajuda valiosa.

A *Organização para a Saúde* fez um bom trabalho na investigação das causas das epidemias e teve especial sucesso no combate à epidemia de tifo na Rússia, que em determinado momento parecia ter probabilidade de se espalhar pela Europa.

A *Comissão para os Mandatos* supervisionava o governo dos territórios que foram tomados da Alemanha e da Turquia, enquanto outra comissão era responsável por administrar o Sarre, o que ela fez com muita eficiência e concluiu organizando o plebiscito de 1935, no qual uma ampla maioria votou pelo retorno da região à Alemanha.

Todavia, nem todas tiveram êxito. A *Comissão para o Desarmamento* não avançou na tarefa quase impossível de persuadir os Estados-membros a reduzir seus armamentos, mesmo que todos tivessem prometido fazê-lo quando concordaram com a Convenção.

(b) Disputas políticas resolvidas

Várias disputas políticas foram encaminhadas à Liga no início da década de 1920. Em todos os casos, menos em dois, as decisões do orgão foram aceitas.

- Na questão entre Finlândia e Suécia por causa das *Ilhas Aland*, o veredicto foi favorável à primeira (1920).
- Em relação às reivindicações de Alemanha e Polônia pela importante área industrial de *Alta Silésia*, a Liga decidiu que ela deveria ser dividida entre ambas (1921).
- Quando os *gregos invadiram a Bulgária*, depois de alguns incidentes com tiros na fronteira, a Liga interveio rapidamente: as tropas gregas deveriam ser retiradas e os danos pagos à Bulgária.
- Quando a Turquia reivindicou a província do Mosul, parte do território sob mandato britânico no Iraque, a Liga decidiu em favor deste.
- Mais longe, na América do Sul, foram resolvidas disputas entre Peru e Colômbia e entre Bolívia e Paraguai.

Contudo, é significativo que nenhuma dessas disputas tenha ameaçado seriamente a paz mundial, e não houve decisões contrárias a Estados importantes que pudessem ter questionado o veredicto da Liga. Na verdade, durante esse mesmo período, a Liga foi invalidada duas vezes pela Conferência de Embaixadores, sediada em Paris, que havia sido estabelecida para lidar com problemas que surgissem dos Tratados de Versalhes. Primeiramente, houve as reivindicações de Polônia e Lituânia sobre Vilna (1920), seguida pelo incidente de Corfu – uma disputa entre a Itália de Mussolini e a Grécia. A Liga não deu resposta a esses atos de desafio, o que não era um sinal promissor.

3.4 POR QUE A LIGA NÃO CONSEGUIU PRESERVAR A PAZ?

Na época do Incidente de Corfu, em 1923 (ver (d), abaixo), muitas pessoas se perguntaram o que aconteceria se um Estado poderoso desafiasse a Liga em uma questão de muita importância, por exemplo, invadindo um país inocente. Que eficácia teria a Liga nessa situação? Infelizmente, esses desafios aconteceram na década de 1930, e em todas as ocasiões a Liga deixou a desejar.

(a) Tinha relação muito próxima com o Tratado de Versalhes

Esta desvantagem inicial fez com que a Liga parecesse uma organização internacional criada especialmente para beneficiar as potências vitoriosas. Além disso, tinha que defender um acordo de paz que estava longe de ser perfeito. Era inevitável que algumas de suas disposições causassem problemas, como, por exemplo, os ganhos territoriais decepcionantes dos italianos e a inclusão de alemães na Tchecoslováquia e na Polônia.

(b) Foi rejeitada pelos Estados Unidos

A Liga recebeu um duro golpe em março de 1920, quando o senado norte-americano rejeitou o acordo de Versalhes e o orgão. Houve várias razões por trás dessa decisão (ver Seção 4.5). A ausência dos Estados Unidos significava que a Liga não contaria com um membro poderoso, cuja presença teria sido de grande benefício psicológico e financeiro.

(c) Outras potências importantes não estavam envolvidas

Não foi permitido que a Alemanha entrasse até 1926 e a URSS só passou a ser membro em 1934 (quando a Alemanha se retirou). Sendo assim, nos primeiros anos de sua existência, a Liga não contou com três das potências mais importantes do mundo (ver Figura 3.1).

(d) A Conferência dos Embaixadores em Paris: um constrangimento

Esta reunião de importantes embaixadores só deveria funcionar até que o mecanismo da Liga estivesse a pleno vapor, mas ele foi se mantendo e em várias ocasiões assumiu precedência sobre a Liga.

- Em 1920, a Liga apoiou a Lituânia em sua reivindicação sobre Vilna, que acabava de ser tomada pelos poloneses, mas quando a Conferência dos Embaixadores insistiu em dar Vilna à Polônia, a Liga permitiu que assim fosse.
- Um exemplo posterior foi o *Incidente de Corfu* (1923): o evento surgiu a partir de

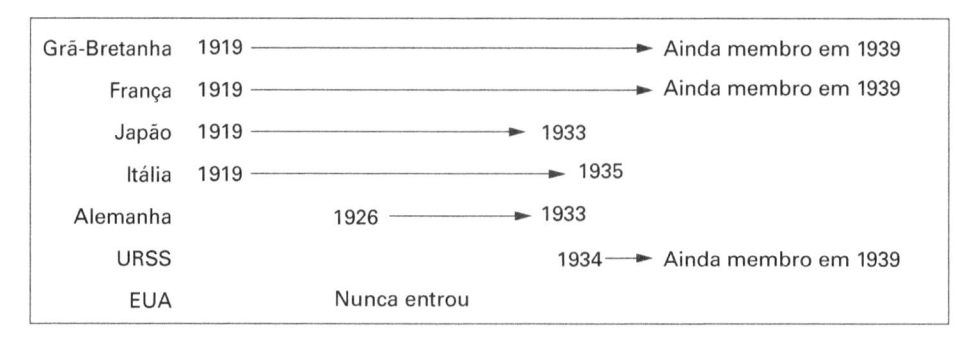

País	Entrada	Saída/Status
Grã-Bretanha	1919	Ainda membro em 1939
França	1919	Ainda membro em 1939
Japão	1919	1933
Itália	1919	1935
Alemanha	1926	1933
URSS	1934	Ainda membro em 1939
EUA	Nunca entrou	

Figura 3.1 Participação das grandes potências na Liga das Nações.

uma disputa de fronteiras entre a Grécia e a Albânia, na qual três representantes italianos que trabalhavam na comissão de fronteiras foram mortos. Mussolini culpou os gregos, exigiu enormes indenizações e bombardeou e ocupou a ilha grega de Corfu. A Grécia apelou à Liga, mas *Mussolini se recusou a reconhecer a competência do orgão para lidar com o problema*. Ele ameaçou retirar a Itália da liga e os embaixadores ordenaram que a Grécia pagasse toda a quantia exigida.

Nessa etapa inicial, contudo, os apoiadores da Liga desconsideraram esses incidentes, atribuindo-os à inexperiência.

(e) Havia graves pontos fracos na convenção

Estes pontos fracos tornavam difícil garantir ações decisivas contra qualquer agressor. Era difícil obter decisões unânimes, a Liga não tinha força militar própria e, embora o Artigo 16 previsse que os membros forneceriam tropas em caso de necessidade, foi aprovada uma resolução, em 1923, em que cada membro decidiria sozinho se combateria ou não em uma crise. Isso acabou visivelmente com o sentido da ideia de segurança coletiva. Foram feitas várias tentativas de fortalecer a Convenção, mas elas fracassaram porque era necessária uma votação unânime para mudá-la, o que nunca foi conseguido. A tentativa mais destacada foi feita em 1924 pelo primeiro-ministro trabalhista britânico Ramsay MacDonald, um grande apoiador da Liga, que apresentou uma resolução conhecida como *Protocolo de Genebra*, que conclamava os membros a aceitar a arbitragem e a ajudar qualquer vítima de agressão não provocada. Com suprema ironia, o governo conservador que veio depois desse informou à Liga que não poderia concordar com o protocolo, relutando em comprometer a Grã-Bretanha e seu império com a defesa de todas as fronteiras de 1919. Sendo assim, uma resolução proposta por um governo britânico foi rejeitada pelo seguinte, e a Liga foi deixada, como diziam seus críticos, ainda com falta de "músculos".

Entre as razões para essa atitude aparentemente estranha por parte da Grã-Bretanha está o fato de que a opinião pública britânica era fortemente pacifista e havia um sentimento de que o país estava tão frágil militarmente que deveria evitar intervenções armadas de qualquer tipo. Muitos outros membros da Liga sentiam o mesmo e, portanto, todos estavam baseando perversamente sua segurança em um sistema que dependia de seu apoio e seu compromisso, mas que eles não estavam dispostos a sustentar. A atitude parecia ser: deixe que os outros façam.

(f) A Liga: um assunto predominantemente francês/ britânico

A contínua ausência dos Estados Unidos e da URSS, além da hostilidade da Itália, fez da Liga um assunto predominantemente francês/britânico, mas como mostrou a rejeição do Protocolo de Genebra, os conservadores britânicos nunca tiveram muito entusiasmo por ela. Eles preferiram assinar os *Tratados de Locarno* (1925), fora da Liga, em lugar de conduzir negociações no âmbito do orgão (ver Seção 4.1(e)).

Nenhuma dessas fragilidades necessariamente condenou a Liga ao fracasso, desde que todos os membros estivessem dispostos a não agredir e a aceitar as decisões do órgão. Entre 1925 e 1930, os eventos transcorreram com tranquilidade.

(g) A crise econômica mundial começou em 1929

A situação realmente começou a sair de controle com o início da crise econômica, ou Grande Depressão, como é chamada às vezes.

Ela trouxe desemprego e diminuição do padrão de vida para a maioria dos países, e fez com que governos de extrema direita chegassem ao poder no Japão e na Alemanha. Junto com Mussolini, eles se recusaram a manter as regras e tomaram uma série de atitudes que revelaram as fragilidades da Liga (pontos (h), (i) e (j)).

(h) A invasão japonesa da Manchúria (1931)

Em 1931 tropas japonesas invadiram o território chinês da Manchúria (ver Seção 5.1); a China apelou à Liga, que condenou o Japão e ordenou que suas tropas se retirassem. Quando o Japão se recusou, a Liga indicou uma comissão sob o comando de Lorde Lytton, que decidiu (1932) que havia responsabilidades dos dois lados e sugeriu que a Manchúria deveria ser governada pela Liga. Contudo, o Japão rejeitou a decisão e se retirou da organização (março de 1933). A questão das sanções econômicas, para não mencionar as militares, nunca foi mencionada, porque a Grã-Bretanha e a França tinham sérios problemas econômicos e estavam relutantes em aplicar um boicote comercial ao Japão caso isso levasse a uma guerra, a qual aqueles países estavam mal equipados para vencer, principalmente sem ajuda norte-americana. O Japão conseguiu desafiar a Liga, cujo prestígio foi prejudicado, embora ainda não de forma fatal.

(i) O fracasso da Conferência Mundial de Desarmamento (1932-1933)

Esta conferência se reuniu sob os auspícios da Liga e seu fracasso foi uma grave decepção. Os alemães pediram igualdade de armamentos com a França, mas quando os franceses exigiram que isso fosse adiado por, pelo menos, oito anos, Hitler conseguiu usar a atitude francesa para retirar a Alemanha da Conferência e, mais tarde, da Liga.

(j) A invasão italiana da Abissínia (outubro de 1935)

Este foi o mais sério golpe no prestígio e na credibilidade da Liga (ver Seção 5.2(b)). A Liga condenou a Itália e introduziu sanções econômicas, mas elas não se aplicavam a exportações de petróleo, carvão e aço para a Itália. As sanções foram tão brandas que a Itália conseguiu completar sua conquista da Abissínia sem muitas inconveniências (maio de 1936). Algumas semanas mais tarde, as sanções foram abandonadas e *Mussolini conseguiu desprezar a Liga*. Mais uma vez, a Grã-Bretanha e a França devem compartilhar a culpa pelo fracasso da Liga. Sua motivação era não antagonizar muito com Mussolini, para mantê-lo como aliado contra o perigo real, a Alemanha, mas os resultados foram desastrosos:

- Mussolini ficou incomodado com as sanções de qualquer forma e começou a se aproximar de Hitler;
- os pequenos países perderam a confiança na Liga;
- Hitler foi estimulado a romper o Tratado de Versalhes.

Depois de 1935, portanto, a Liga nunca mais foi levada a sério. A verdadeira explicação para seu fracasso era simples: quando os Estados agressivos como Japão, Itália e Alemanha a desafiaram, os membros da Liga, principalmente a França e a Grã-Bretanha, não se dispuseram a sustentá-la, seja com medidas econômicas decisivas, seja com ação militar. *A força da Liga era proporcional à determinação de seus principais membros para resistir à agressão*; infelizmente, esse tipo de determinação era escasso nos anos de 1930.

PERGUNTAS

1. A liga das nações e seus problemas

Estude a fonte A e responda as perguntas a seguir.

Fonte A

Discurso de Maxim Litvinov, Ministro das relações exteriores da URSS à Liga, em Genebra, em 1934.

> [os Estados agressores] hoje são mais fracos do que um possível bloco de Estados pacíficos, mas a política de não resistência ao mal e de realizar comércio com agressores, que os opositores das sanções nos propõem, não poderá ter outro resultado do que fortalecer e aumentar as forças da agressão, uma expansão ainda maior de seu campo de ação. E pode realmente chegar o momento em que seu poder tenha crescido a tal ponto que... a Liga das Nações, ou o que resta dela, não terá condições de enfrentá-los, mesmo que queira... com a menor tentativa de agressão concreta, deve-se levar a cabo a ação coletiva, como previsto no Artigo 16, progressivamente, segundo as possibilidades de cada membro da Liga. Em outras palavras, o programa previsto na Convenção da Liga deve ser levado adiante sem qualquer vacilação.

Fonte: Citado em G. Martel (ed.), The Origins of the Second World War Reconsidered (Routledge, edição 1999).

(a) Explique o que Litvinov quis dizer com "a política de não resistência ao mal e de realizar comércio com agressores".

(b) Defina em poucas palavras o que era o "programa previsto na Convenção da Liga".

(c) Explique por que a Liga das Nações não conseguiu preservar a paz.

4 Relações Internacionais
1919-1933

RESUMO DOS EVENTOS

As relações internacionais entre as duas guerras mundiais tem duas fases divididas em janeiro de 1933, o fatídico mês em que Adolf Hitler chegou ao poder na Alemanha. Antes disso, parecia haver uma esperança razoável de que se pudesse manter a paz mundial apesar do fracasso da Liga das Nações em conter a agressão japonesa na Manchúria. Com Hitler firme no controle, havia poucas chances de impedir uma guerra de algum tipo, fosse limitada ou em escala total. Dependendo da interpretação que se tivesse das intenções dele (ver Seção 5.3). A primeira fase pode ser dividida, de forma geral, em três:

- 1919-1923
- 1923-1929
- 1930-1933

(a) 1919 a 1923

No período posterior à Primeira Guerra Mundial as relações foram perturbadas por problemas que surgiram do acordo de paz, enquanto a recém-nascida Liga das Nações se esforçava para resolver as coisas.

- Tanto a Turquia quanto a Itália estavam descontentes com seu tratamento. A primeira estava disposta a desafiar o acordo (ver Seção 2.10). Os italianos, que em pouco tempo estariam sob o governo de Mussolini (1922), mostravam seu ressentimento, primeiramente pela perda de Fiúme, que havia sido dada à Iugoslávia, e depois, pelo incidente de Corfu. Mais tarde, a agressão italiana se dirigiu à Abissínia (1935).
- O problema das indenizações alemãs e se o país conseguiria pagá-las ou não fazia com que as relações entre a Grã-Bretanha e a França ficassem estremecidas em função de suas atitudes distintas diante da recuperação da Alemanha.
- Uma tentativa de Lloyd George de reconciliar França e Alemanha na conferência de Gênova de 1922 fracassou terrivelmente.
- As relações se deterioraram ainda mais em 1923 quando tropas francesas ocuparam o Ruhr (uma importante região industrial da Alemanha) numa tentativa de tomar em mercadorias o que os alemães estavam se recusando a pagar em dinheiro. Só o que isso conseguiu causar foi o colapso da moeda alemã.
- Nesse meio-tempo, os Estados Unidos, enquanto optavam por permanecer politicamente isolados, exerciam uma influência econômica considerável na Europa, entre outras coisas, ao insistir no pagamento integral das dívidas de guerra europeias.
- A Rússia, agora sob o governo dos bolcheviques (comunistas), era vista com desconfiança pelos países ocidentais, vários dos quais, junto com o Japão, inter-

vieram contra os bolcheviques na guerra civil que devastou a Rússia no período de 1918 a 1920.

- Os novos países que passaram a existir como resultado da guerra e do acordo de paz – Iugoslávia, Tchecoslováquia, Áustria, Hungria e Polônia – tinham sérios problemas e estavam divididos entre si. Esses problemas e divisões tiveram importantes efeitos nas relações internacionais.

(b) 1924 a 1929

Houve uma melhoria geral na atmosfera internacional gerada, em parte, por mudanças na liderança política. Edouard Herriot e Aristide Briand na França, Gustav Stresemann na Alemanha e James Ramsay MacDonald na Grã-Bretanha, subiram ao poder e estavam todos desejosos por melhorar as relações. O resultado foi o *Plano Dawes*, elaborado em 1924 com ajuda dos Estados Unidos, que aliviou a situação referente às indenizações alemãs. O ano de 1925 testemunhou a assinatura dos *Tratados de Locarno*, garantindo as fronteiras na Europa Ocidental estabelecidas em Versalhes, o que parecia acabar com a desconfiança francesa em relação às intenções alemãs.

Em 1926 permitiu-se que a Alemanha entrasse na Liga e dois anos mais tarde, 65 nações assinaram o Pacto Kellogg-Briand renunciando à guerra. Em 1929 o *Plano Young* reduziu as indenizações alemãs a uma quantia mais viável. Tudo parecia estar pronto para um futuro de paz.

(c) 1930 a 1933

Próximo ao final de 1929 o mundo começou a entrar em dificuldades econômicas que contribuíram para uma deterioração nas relações internacionais. Foi em parte por razões econômicas que tropas japonesas invadiram a Manchúria em 1931, e o desemprego em massa na Alemanha foi importante para que Hitler chegasse ao poder. Nesse clima pouco promissor, a Conferência Mundial pelo Desarmamento se reuniu em 1932, apenas para terminar em fracasso depois que os delegados alemães se retiraram (1933). Com um período tão complexo, será melhor tratar dos vários temas separadamente.

4.1 O QUE SE TENTOU PARA MELHORAR AS RELAÇÕES INTERNACIONAIS E QUAIS FORAM OS ÊXITOS?

(a) A Liga das Nações

A Liga cumpriu um papel importante, resolvendo várias disputas e problemas internacionais (ver Capítulo 3). Contudo, sua autoridade tendia a ser enfraquecida pelo fato de que muitos Estados pareciam preferir assinar acordos de forma independente da Liga, o que sugere que não tinham muita confiança nas perspectivas do orgão nem estavam dispostos a se comprometer com o fornecimento de apoio militar para conter qualquer agressor.

(b) As conferências de Washington (1921-1922)

O propósito dessas reuniões era tentar melhorar as relações entre Estados Unidos e Japão. Os Estados Unidos estavam cada vez mais desconfiados do crescente poder japonês no Extremo Oriente e da influência do país sobre a China, especialmente tendo em conta que na Primeira Guerra Mundial o Japão tinha tomado Kiauchau e todas as ilhas alemãs no Pacífico.

- Para impedir uma corrida naval, acordou-se que a marinha japonesa ficaria limitada a três quintos das marinhas norte-americana e britânica.
- O Japão concordou em se retirar de **Kiauchau** e da província chinesa de Shantung, que ocupava desde 1914.

- Em retorno, o país poderia manter as ilhas que haviam sido da Alemanha, na condição de mandatos. As potências ocidentais prometeram não construir mais bases navais dentro de uma distância que lhes permitisse atacar o Japão.
- Os Estados Unidos, o Japão, a Grã-Bretanha e a França concordaram em garantir a neutralidade da China e respeitar as possessões uns dos outros no Extremo Oriente.

Na época, os acordos foram considerados um grande sucesso e as relações entre as potências envolvidas melhoraram, mas na realidade, o Japão foi deixado soberano no Extremo Oriente, possuidor da terceira maior marinha do mundo, que o país deveria concentrar no Pacífico. Por outro lado, as marinhas da Grã-Bretanha e dos Estados Unidos, embora fossem maiores, estavam mais espalhadas, o que viria a ter consequências infelizes para a China na década de 1930, quando os Estados Unidos se recusaram a se envolver no combate à agressão japonesa.

(c) A Conferência de Gênova (1922)

Foi uma criação do primeiro-ministro britânico Lloyd George que esperava resolver os problemas prementes de hostilidade franco-germânica (os alemães estavam ameaçando interromper o pagamento das indenizações), as dívidas de guerra europeias para com os Estados Unidos e a necessidade de retomar relações diplomáticas adequadas com a Rússia soviética. Infelizmente, a Conferência fracassou: os franceses recusaram qualquer compromisso e insistiram no pagamento integral das indenizações, os norte-americanos se recusaram até mesmo a comparecer, e russos e alemães se retiraram para Rapallo, um balneário a cerca de 30 km de Gênova, e assinaram um acordo entre si. Quando, no ano seguinte, os alemães se recusaram a pagar a quantia devida, tropas francesas ocuparam o Ruhr, e em pouco tempo surgiu um impasse, quando os alemães responderam com uma campanha de resistência pacífica (ver Seção 14.1(c)).

(d) O Plano Dawes

Elaborado em uma conferência em Londres, em 1924, foi uma tentativa de romper o impasse geral. Os três recém-chegados à política internacional, MacDonald, Herriot e Stresemann, estavam ávidos por conciliação, os norte-americanos foram convencidos a participar e a conferência foi presidida em parte do tempo por seu representante, o General Dawes. Não foi feita qualquer redução na quantia total que a Alemanha deveria pagar, mas ficou acertado que seria pago anualmente *apenas o que fosse possível até o país se tornar mais próspero*. Foi feito um empréstimo de 800 milhões de marcos, concedido principalmente pelos Estados Unidos. A França, agora tendo garantida pelo menos parte das indenizações da Alemanha, *concordou em retirar suas tropas do Ruhr*. O plano teve sucesso: a economia alemã começou a se recuperar a partir do empréstimo norte-americano e as tensões internacionais relaxaram aos poucos, preparando o caminho para os próximos acordos.

(e) Os Tratados de Locarno (1925)

Foram uma série de diferentes acordos envolvendo a Alemanha, a França a Grã-Bretanha, a Itália, a Bélgica, a Polônia e a Tchecoslováquia. Segundo o mais importante deles, a *Alemanha, a França e a Bélgica prometiam respeitar suas fronteiras em comum*. Caso um desses países rompesse o acordo, a Grã-Bretanha e a Itália ajudariam o Estado atacado. A Alemanha assinou acordos com a Polônia e a Tchecoslováquia determinando arbitragem de possíveis disputas, mas a Alemanha não garantiria suas fronteiras com a Polônia e a Tchecoslováquia. Também foi acertado que a França ajudaria a Polônia e a Tchecoslováquia se a Alemanha as atacasse. Os acordos foram recebidos com entusiasmo por toda a Europa, e a reconciliação entre França e Alemanha era chamada de "lua de mel de Locarno". Posteriormente, os historiadores não teriam tanto entusiasmo a respeito de Locarno, pois havia uma omissão patente nos acordos: nenhuma garantia foi dada pela Grã-Bretanha ou pela *Alemanha em relação às fronteiras desta com a Polônia ou a Tchecoslováquia*, justamente as áreas onde havia a maior probabilidade de surgir complicações. Ao ignorar esse problema, a Grã-Bretanha deu a impressão de que poderia não agir se a Alemanha atacasse um daqueles dois países. No período seguinte, enquanto o mundo desfrutava de um período de grande prosperidade econômica, esses pensamentos incômodos foram colocados de lado e a Alemanha foi aceita na Liga das Nações em 1921. Stresemann e Briand (ministro das relações exteriores da França de 1925 a 1932) se reuniam com regularidade e tinham discussões amigáveis. Com frequência, Austen Chamberlain (ministro das relações exteriores da Grã-Bretanha de 1924 a 1929) se juntava a eles. Esse "espírito de Locarno" culminou na próxima assinatura de um papel.

(f) O Pacto de Kellogg-Briand (1928)

Originalmente foi ideia de Briand propôr que os Estados Unidos deveriam assinar um pacto renunciando à guerra. Frank B. Kellogg (secretário de estado norte-americano) propôs que o mundo todo deveria estar envolvido, e 65 países acabaram assinando, concordando em *renunciar à guerra como um instrumento de suas políticas nacionais*. Isso soa como algo grandioso, mas foi completamente inútil porque não foram mencionadas sanções contra qualquer Estado que quebrasse sua promessa. O Japão assinou o Pacto, mas isso não impediu que entrasse em guerra contra a China três anos mais tarde.

(g) O Plano Young (1929)

O objetivo desta nova iniciativa era resolver o problema restante das indenizações – o Plano Dawes não tinha definido a quantidade total a ser paga. Em uma atmosfera melhorada, os franceses estavam dispostos a aceitar um acordo, e um comitê presidido pelo banqueiro norte-americano Owen Young decidiu reduzir as indenizações de 6,6 bilhões de libras para 2 bilhões, a serem pagos gradualmente no decorrer dos 59 anos seguintes. Essa era a cifra que Keynes tinha recomendado em Versalhes, e sua aceitação anos depois era uma admissão de erro por parte dos Aliados. O plano foi bem recebido na Alemanha, mas antes que houvesse tempo para colocá-lo em operação, uma rápida sucessão de eventos destruiu a frágil harmonia de Locarno: a morte de Stresemann (outubro de 1929) retirou de cena um dos destacados "homens de Locarno"; a quebra da bolsa de Nova York no mesmo mês evoluiu em pouco tempo para a Grande Depressão e, em 1932, havia mais de seis milhões de desempregados na Alemanha. A esperança foi mantida viva pela *Conferência de Lausanne* (1932), em que a França e a Grã-Bretanha liberaram a Alemanha da maior parte dos pagamentos de indenizações. Entretanto, em janeiro de 1933, Hitler se tornou chanceler da Alemanha, fazendo crescer a tensão internacional.

(h) A Conferência Mundial de Desarmamento (1931-1932)

Embora todos os Estados-membros da Liga das Nações tivessem aceitado reduzir armamentos quando aceitaram a Convenção, só a Alemanha tomou atitudes em direção a isso, como Stresemann enfatizava regularmente. Na verdade, o restante parecia ter aumentado seus gastos com armas. Entre 1925 e 1933 as despesas mundiais nesse setor subiram de 3,5 bilhões de dólares para cerca de 5 bilhões. A Conferência Mundial de Desarmamento se reuniu em Genebra e tentou criar uma fórmula para diminuir os armamentos, mas se nenhum avanço foi possível durante a lua de mel de Locarno, poucas chances havia na atmosfera conturbada da década de 1930. Os britânicos diziam que precisavam de mais armas para proteger seu império. Os franceses, alarmados pelo rápido aumento do apoio aos nazistas na Alemanha, recusavam-se a se desarmar ou a permitir à Alemanha igualdade de armamentos com eles. Hitler, sabendo que a Grã-Bretanha e a Itália simpatizavam com a Alemanha, retirou-se da Conferência (outubro de 1933) que, a partir daquele momento, estava condenada. Uma semana depois, a Alemanha se retirou da Liga.

> Em retrospecto, pode-se observar que os estadistas do mundo só tiveram sucesso limitado na melhoria das relações internacionais. Até mesmo o "espírito de Locarno" revelou-se uma ilusão, dado que grande parte dele dependia da prosperidade econômica. Quando ela evaporou, todas as antigas hostilidades e desconfianças vieram à tona novamente e os regimes autoritários chegaram ao poder, dispostos a arriscar a agressão.

4.2 COMO A FRANÇA TENTOU LIDAR COM O PROBLEMA DA ALEMANHA ENTRE 1919 E 1933?

Assim que a Primeira Guerra Mundial terminou, os franceses, depois de terem sofrido duas invasões alemãs em menos de 50 anos, queriam ter certeza de que a Alemanha nunca voltaria a violar o solo sagrado da França. Essa continuou sendo a principal preocupação da política exterior francesa no período entreguerras. Em diferentes momentos, dependendo de quem estava encarregado das relações exteriores, os franceses experimentaram diferentes métodos para lidar com o problema.

- Tentar manter a Alemanha econômica e militarmente fraca.
- Assinar alianças com outros Estados para isolar a Alemanha e trabalhar por uma Liga das Nações mais forte.
- Estender a mão da reconciliação e da amizade.

As três táticas acabaram fracassando.

(a) Tentar manter a Alemanha fraca

1 Insistência em um acordo duro

Na Conferência de Paris, o premier francês, Clemenceau, insistiu em um acordo duro.

- Para fortalecer a segurança da França, o exército alemão não deveria ter mais do que 100.000 homens e deveria haver sérias limitações de armamentos (ver Seção 2.8(a)).
- A Renânia deveria ser desmilitarizada em uma distância de 50 km a leste do rio.
- A França faria uso da área conhecida como Sarre por 15 anos.

A Grã-Bretanha e os Estados Unidos prometeram ajudar a França se a Alemanha atacasse de novo. Embora muitos franceses estivessem decepcionados (Foch queria que a França recebesse toda a Renânia alemã a oeste do rio Reno, mas o país só pôde ocupá-la por 15 anos). À primeira vista, parecia que a segurança estava garantida, mas a satisfação francesa teve vida curta: os norte-americanos tinham receio de que a participação na Liga os envolvesse em mais uma guerra e por isso rejeitaram o acordo de paz como um todo (março de 1920), e abandonaram suas garantias de ajuda. Os britânicos usaram isso como desculpa para cancelar suas promessas e os franceses se sentiram compreensivelmente traídos.

2 Clemenceau exigiu que os alemães pagassem as indenizações

A quantia a ser paga a título de indenização (dinheiro para ajudar a reparar danos) foi estabelecida em 1921 em 6,6 bilhões de libras. Pensava-se que o fardo de pagar essa enorme quantia manteria a Alemanha frágil pelos 66 anos seguintes – o período em que as indenizações deveriam ser pagas em prestações anuais – e consequentemente, haveria menos probabilidade de outro ataque alemão à França. Entretanto, problemas financeiros na Alemanha fizeram com que o governo, em pouco tempo, atrasasse seus pagamentos. Os franceses, que afirmavam precisar do dinheiro das indenizações para equilibrar seu orçamento e pagar suas próprias dívidas com os Estados Unidos, ficaram desesperados:

3 Tentativas de fazer os alemães pagarem

O primeiro-ministro seguinte, o antigermânico Raymond Poincaré, decidiu *que seriam necessários métodos drásticos para forçar os alemães a pagarem* e enfraquecer suas forças evitar seu surgimento. Em janeiro de 1923 tropas francesas e belgas ocuparam o Ruhr (a importante área industrial da Alemanha que inclui as cidades de Essen e Dusseldorf). Os alemães responderam com resistência passiva, greves e sabotagem. Uma série de incidentes graves entre soldados e civis resultou na morte de mais de cem pessoas.

Embora os franceses tenham conseguido confiscar mercadorias no valor de 40 milhões de libras, o episódio como um todo gerou uma inflação galopante e o colapso do marco alemão, que, em novembro de 1923, não tinha qualquer valor. Também revelou a diferença básica entre as atitudes francesa e britânica em relação à Alemanha. Enquanto a França adotou uma linha dura e queria a Alemanha completamente incapacitada, a Grã-Bretanha considerava agora a moderação e a reconciliação como a melhor segurança, acreditando que uma Alemanha economicamente saudável seria boa para a estabilidade da Europa (e para as exportações britânicas). Consequentemente, a Grã-Bretanha desaprovou veementemente a ocupação do Ruhr e se solidarizou com a Alemanha.

(b) Uma rede de alianças e uma liga forte

Ao mesmo tempo, *os franceses tentaram aumentar sua segurança construindo uma rede de alianças,* inicialmente com a Polônia (1921) e depois com a Tchecoslováquia (1924), a Romênia (1926) e a Iugoslávia (1927). Essa rede, conhecida como a "Pequena Entente", embora fosse imponente no papel, não significava muito, pois os Estados envolvidos eram comparativamente fracos. O que os franceses precisavam era de uma renovação de sua antiga aliança com a Rússia, que lhes foi de muita valia durante a Primeira Guerra Mundial, mas isso parecia fora de questão, agora que a Rússia havia se tornado comunista.

Os franceses trabalharam em prol de uma Liga das Nações forte, com as potências vitoriosas atuando como força policial, fazendo com que as potências agressivas se comportassem. Contudo, no final das contas, a versão da Liga adotada foi a de Wilson, muito mais vaga. A França ficou profundamente decepcionada quando a Grã-Bretanha assumiu a frente da rejeição do Protocolo de Genebra, que poderia ter fortalecido a Liga (ver Seção 3.4(e)). Claramente não havia por que esperar muitas garantias de segurança daquela direção.

(c) Compromisso e reconciliação

No verão de 1924, quando ficou claro que a ocupação do Ruhr por Poincaré tinha sido um fracasso, o novo premier, Herriot, estava disposto a aceitar um compromisso para os problemas das indenizações, o que levou ao Plano Dawes (ver Seção 4.1).

Durante a era Briand (ele foi ministro de relações exteriores em 11 governos seguidos entre 1925 e 1932), *a abordagem francesa ao problema da Alemanha foi de reconciliação.* Briand perseverou, com muita habilidade, para construir relações verdadeiramente boas com a Alemanha, bem como para melhorar as relações com a Grã-Bretanha e fortalecer a Liga (Ilustração 4.1). Felizmente, Stresemann, que foi encarregado da política exterior alemã de novembro de 1923 até 1929, acreditava que a melhor maneira de estimular a recuperação da Alemanha era por meio de cooperação com a Grã-Bretanha e a França, cujo resultado foi os Tratados de Locarno, o Pacto Kellogg-Briand, o Plano Young e o cancelamento da maior parte dos pagamentos de indenizações que ainda restavam (ver seção anterior). Há alguma discussão entre historiadores sobre o quanto era verdadeira essa aparente reconciliação entre França e Alemanha. A. J. P. Taylor sugeriu que, embora fossem sinceros, Briand e Stresemann "não levaram seus povos com eles". Os sentimentos nacionalistas nos dois países eram tão fortes que os dois homens tinham limites para as concessões que podiam oferecer. O fato de Stresemann estar secretamente determinado a redesenhar a fronteira com a Polônia, para a vantagem da Alemanha, teria causado atritos posteriormente, já que a Polônia era aliada da França. Ele também estava determinado a trabalhar por uma união com a Áustria e uma revisão do Tratado de Versalhes.

(d) Uma atitude mais dura em relação à Alemanha

A morte de Stresemann em outubro de 1929, a crise econômica mundial e o aumento do apoio aos nazistas na Alemanha alarmaram os franceses e fizeram com que adotassem uma atitude mais dura em relação à Alemanha. Quando, em 1931, os alemães propuseram uma união alfandegária com a Áustria para aliviar a crise econômica, os franceses insistiram em que a questão fosse encaminhada à Corte Internacional de Justiça em Haia, argumentando que ela violava o Tratado de Versalhes. Embora uma união alfandegária tivesse sentido, o tribunal decidiu contrariamente a ela, e o plano foi abandonado. Na Conferência Internacional de Desarmamento (1932-1933), as relações pioraram (ver Seção 4.1), e quando Hitler fez com que a Alemanha se retirasse da Conferência e da Liga, todo o trabalho de Briand foi destruído. O proble-

Ilustração 4.1 Briand e Stresemann, ministros de relações exteriores da França e da Alemanha.

ma alemão estava tão longe de ser resolvido, como sempre.

4.3 COMO EVOLUÍRAM AS RELAÇÕES ENTRE A URSS E A GRÃ-BRETANHA, A ALEMANHA E A FRANÇA ENTRE 1919 E 1933?

Nos primeiros três anos depois que os bolcheviques chegaram ao poder (novembro de 1917), as relações entre o novo governo e os países ocidentais deterioraram ao ponto de guerra aberta, porque os bolcheviques tentaram disseminar a revolução, principalmente na Alemanha. Já em dezembro de 1917, começaram a despejar rios de propaganda na Alemanha em uma tentativa de fazer com que as massas se voltassem contra seus senhores capitalistas. Lênin reuniu representantes de partidos comunistas de todo o mundo em uma conferência em Moscou, em março de 1919, que ficou conhecida como a Terceira Internacional ou Comintern. Seu objetivo era reunir os comunistas do mundo sob a liderança russa e mostrar-lhes como organizar greves e revoltas. Karl Radek, um dos líderes bolcheviques russos, foi secretamente a Berlim para planejar a revolução, enquanto outros agentes fizeram o mesmo em outros países. Zinoviev, o presidente do Comintern, previu com confiança que, "dentro de um ano, toda a Europa será comunista".

Esse tipo de atividade não tornava os comunistas benquistos por governos de países como Grã-Bretanha, França, Estados Unidos, Tchecoslováquia e Japão. Esses países faziam tentativas pouco entusiasmadas de destruir os bolcheviques intervindo na guerra civil russa para ajudar o outro lado (conhecido como Brancos) (ver Seção 16.3(c)). Os russos não foram convidados à Conferência de Versalhes em 1919. Em meados de 1920, contudo, a situação estava mudando: os países que haviam interferido na Rússia admitiam a derrota e estavam retirando suas tropas, as revoluções comunistas na Alemanha e na Hungria tinham fracassado e a Rússia estava desgastada demais pela guerra civil para pensar em agitar qualquer revolução por um tempo. No Terceiro Congresso do Comintern, em junho de 1921, Lênin reconheceu que a Rússia precisava de coexistência pacífica e cooperação na forma de comércio e investimento com o mundo capitalista. O caminho estava aberto para que as comunicações fossem restabelecidas.

(a) A URSS e a Grã-Bretanha

As relações ficavam mais quentes segundo o governo que estivesse no poder na Grã-Bretanha. Os dois governos trabalhistas (1924 e 1929-1931) tinham muito mais simpatia pela Rússia do que os outros.

1. Após o fracasso da derrubada dos comunistas, Lloyd George (primeiro-ministro britânico 1916-1922) estava disposto à reconciliação, o que correspondia ao desejo de Lênin de relações melhores com o Ocidente para que a Rússia pudesse atrair comércio e capital estrangeiro. O resultado foi um *tratado comercial Anglo-Russo* (março de 1921), importante para a Rússia, não apenas em termos comerciais, mas também porque a Grã-Bretanha foi um dos primeiros países a reconhecer a existência do governo bolchevique. Ele levaria a acordos semelhantes com outros países, até o reconhecimento completo. A nova aproximação foi estremecida em pouco tempo quando, na Conferência de Gênova (1922), *Lloyd George sugeriu que os bolcheviques deveriam pagar dívidas de guerra* contraídas pelo regime czarista. Os russos ficaram ofendidos, saíram da conferência e assinaram o Tratado de Rapallo em separado com os alemães, o que alarmou a Grã-Bretanha e a França, que não viam qual poderia ser o resultado positivo daquilo que Lloyd George

chamou de "essa temerária amizade entre as duas nações 'párias' da Europa".
2. As relações melhoraram por pouco tempo em 1924 quando MacDonald e o novo governo trabalhista deram *reconhecimento diplomático integral aos comunistas*. Um novo tratado comercial foi assinado e foi proposto um empréstimo britânico à Rússia. Contudo, isso não caiu no gosto de Conservadores e Liberais britânicos, que em pouco tempo derrubaram o governo de MacDonald.
3. *Sob o governo dos Conservadores (1924-1929), as relações com a Rússia pioraram*. Eles não tinham qualquer afeição pelos comunistas e havia evidências de que a propaganda russa estava estimulando as demandas de independência da Índia. A polícia invadiu a sede do Partido Comunista Britânico em Londres (1925) e as instalações da Arcos, uma organização comercial soviética com sede na cidade (1927), e disse ter encontrado evidências de russos tramando com comunistas britânicos para derrubar o sistema. O governo expulsou a missão e rompeu relações diplomáticas com os russos, que responderam prendendo alguns britânicos residentes em Moscou.
4. *As coisas mudaram para melhor em 1929*, quando os Trabalhistas, estimulados pelo novo ministro soviético de relações exteriores pró-ocidental, Maxim Litvinov, retomaram relações diplomáticas com a Rússia e assinou outro tratado comercial no ano seguinte.
5. O governo nacional dominado por conservadores que subiu ao poder em 1931 *cancelou o acordo comercial* (1932) e, em retaliação, os russos prenderam quatro engenheiros da empresa Metropolitan-Vickers que trabalhavam em Moscou. Eles foram julgados e receberam sentenças que iam de dois a três anos por "espionagem e destruição". Entretanto, quando a Grã-Bretanha estabeleceu um embargo sobre produtos importados da Rússia, Stalin os libertou (junho de 1933). A estas alturas, Stalin estava ficando nervoso com a possível ameaça de Hitler, e por isso estava disposto a fazer sacrifícios para melhorar as relações com a Grã-Bretanha.

(b) A URSS e a Alemanha

A URSS tinha relações mais constantes e mais amigáveis com a Alemanha do que com a Grã-Bretanha, pois os alemães identificavam vantagens na exploração dessa amizade e porque os bolcheviques estavam ansiosos por ter relações estáveis com, pelo menos, uma potência capitalista.

1. *Foi assinado um Tratado Comercial (maio de 1921)*, seguido de concessões russas a alguns industriais alemães relativas a comércio e minérios.
2. *O Tratado de Rapallo*, assinado no domingo de Páscoa de 1922, após a Rússia e a Alemanha terem se retirado da Conferência de Gênova, foi um passo importante.

   - As relações diplomáticas foram retomadas e os pedidos de indenização entre os dois Estados, cancelados.
   - Ambos poderiam esperar vantagens da nova amizade: poderiam trabalhar juntos para manter a Polônia fraca, o que era do interesse dos dois países.
   - A URSS tinha a Alemanha como amortecedor de qualquer futuro ataque vindo do Ocidente.
   - Os alemães poderiam construir fábricas na Rússia para produzir aviões e munição, possibilitando desviar dos termos de desarmamento de Versalhes. Oficiais alemães treinavam na Rússia o uso de novas armas proibidas.
   - Em retorno, os russos forneceriam cereais à Alemanha.

3. *O Tratado de Berlim (1926)* renovou o acordo de Rapallo por mais cinco anos.

Entendeu-se que a Alemanha permaneceria neutra se a Rússia fosse atacada por outra potência e nenhuma delas usaria sanções econômicas contra a outra.

4. *Por volta de 1930 as relações começaram a esfriar* quando alguns russos expressaram preocupações com o crescente poder da Alemanha. A tentativa alemã de formar uma aliança alfandegária com a Áustria em 1931 foi considerada como um mau sinal, indicando aumento do nacionalismo alemão. A preocupação russa se transformou em alarme com o crescimento do partido nazista, que era fortemente anticomunista. Embora tenham tentado continuar a amizade com a Alemanha, Stalin e Litvinov também iniciaram aproximações com a Polônia, a França e a Grã-Bretanha. Em janeiro de 1934 Hitler finalizou abruptamente a relação especial com os soviéticos assinando um pacto de não agressão com a Polônia (ver Seção 5.5(b)).

(c) A URSS e a França

A tomada do poder pelos bolcheviques foi um duro golpe na França, pois a Rússia era um importante aliado em que ela confiava para conter a Alemanha. Agora, seu ex-aliado estava conclamando à revolução em todos os Estados capitalistas e os franceses consideravam os bolcheviques como uma ameaça a ser destruída o mais rápido possível. A França mandou tropas para ajudar os antibolcheviques (Brancos) na guerra civil e foi por causa da insistência francesa que os bolcheviques não foram convidados a Versalhes. A França também interveio na guerra entre a Rússia e a Polônia em 1920. Tropas comandadas pelo General Weygand ajudaram a barrar o avanço da Rússia em Varsóvia (a capital da Polônia) e depois disso, o governo francês afirmou ter cortado pela raiz a propagação do bolchevismo para o Ocidente. A aliança subsequente entre a França e a Polônia (1921) parecia estar direcionada tanto contra a Rússia quanto contra a Alemanha.

As relações melhoraram em 1924 quando o governo moderado de Herriot retomou relações diplomáticas, mas os franceses nunca foram muito entusiásticos, principalmente quando o Partido Comunista Francês recebia ordens de Moscou para não cooperar com outros partidos de esquerda. Só no início da década de 1930, com a ascensão dos nazistas alemães, houve uma mudança de disposição em ambos os lados.

4.4 OS ESTADOS "SUCESSORES"

Um importante resultado da Primeira Guerra Mundial no Leste Europeu foi o desmembramento do Império Austro-Húngaro, ou Habsburgo, e a perda de muito território pela Alemanha e pela Rússia. Foram formados vários novos Estados Nacionais, dos quais os mais importantes eram a Iugoslávia, a Tchecoslováquia, a Áustria, a Hungria e a Polônia. Eles costumam ser chamados de "Estados Sucessores", porque "sucederam" ou "tomaram o lugar" dos impérios anteriores. Dois dos princípios orientadores por trás de sua formação eram a *autodeterminação* e a *democracia*, e se esperava que funcionassem como uma influência estabilizadora nas regiões central e do leste da Europa e como um amortecedor contra potenciais ataques da Rússia comunista.

Entretanto, todos desenvolveram graves problemas e fragilidades:

- Havia tantas nacionalidades diferentes na região que era impossível que elas tivessem seus próprios Estados. Consequentemente, só os grupos nacionais maiores tiveram a sorte de ter pátria. Nacionalidades menores se encontraram, mais uma vez, sob o que consideravam governos "estrangeiros", que, segundo eles, não cuidavam de seus interesses. Por exemplo, tchecos na Iugoslávia, eslovacos e alemães na Tchecoslováquia e alemães, russos brancos e ucranianos na Polônia.

- Embora cada Estado tenha começado com uma Constituição democrática, a Tchecoslováquia foi o único onde a democracia sobreviveu por um tempo significativo – até os alemães se mudarem para lá (março de 1939).
- Todos eles passaram por dificuldades econômicas, principalmente depois do começo da Grande Depressão no início dos anos de 1930.
- Os Estados estavam divididos por rivalidades e disputas por território. A Áustria e a Hungria tinham sido perdedoras na guerra e havia muito ressentimento em relação à forma como o acordo de paz foi forçado sobre elas, que queriam uma revisão completa dos termos. Por outro lado, a Tchecoslováquia e a Polônia tinham se declarado independentes pouco antes da guerra terminar, enquanto a Sérvia (que se tornou Iugoslávia) tinha sido um Estado independente antes de 1914. Todos os três Estados estavam representados na conferência de paz e estavam, como um todo, satisfeitos com o resultado.

(a) Iugoslávia

Com uma população de cerca de 14 milhões, o novo Estado consistia no reino original da Sérvia, mais Montenegro, Croácia, Eslovênia e Dalmácia, e fora conhecido como o Reino dos Sérvios, Croatas e Eslovenos até 1929, quando assumiu o nome de Iugoslávia (eslavos do sul). Os sérvios queriam um Estado unificado (que eles teriam condições de dominar em função de seu maior número), ao passo que os croatas queriam um Estado federado, o que lhes permitiriam fazer suas próprias leis para questões internas. Também havia diferenças religiosas – os sérvios eram ortodoxos enquanto os croatas eram católicos.

Os sérvios prevaleceram no começo: a nova Constituição definiu um parlamento, que era dominado pelos partidos sérvios. Os croatas e os outros grupos nacionais formaram uma oposição permanente, protestando o tempo todo por estarem sendo discriminados pelos sérvios. Em 1928 os croatas anunciaram sua retirada do parlamento e estabeleceram seu próprio governo em Zagreb. Falava-se em proclamar uma República da Croácia separada. O rei Alexandre (sérvio) respondeu proclamando-se ditador e proibindo os partidos políticos e foi nesse momento que o país foi rebatizado de Iugoslávia (junho de 1929).

Pouco tempo depois, *a Iugoslávia foi muito atingida pela depressão*. Predominantemente agrícola, a economia tinha sido próspera durante a década de 1920, mas no início dos anos de 1930, os preços dos produtos agrícolas no mundo desabaram, causando muitas dificuldades entre os agricultores e trabalhadores. Em 1934 o rei Alexandre foi assassinado em Marselha ao chegar para uma visita de Estado à França. O assassino foi um macedônio ligado a um grupo de revolucionários croatas que moravam na Hungria. Durante um tempo, as tensões ficaram altas e parecia haver risco de guerra com a Hungria. Contudo, o novo rei, Pedro II, tinha apenas 11 anos, e o primo de Alexandre, Paulo, que desempenhava as funções de Regente, acreditava que era hora de um compromisso. Em 1935 ele permitiu novamente os partidos políticos e em agosto de 1939 introduziu um sistema semifederal que possibilitava que os croatas participassem do governo.

Nas relações internacionais, o governo tentava se manter em bons termos com outros Estados, assinando tratados de amizade com a Tchecoslováquia (1920) e com a Romênia (1921) – um agrupamento conhecido como a "Pequena Entente". Porém, havia disputas de fronteira com a Grécia, a Bulgária e a Itália, que acabaram por ser resolvidas, embora o problema com a Bulgária tenha se arrastado até 1937. Foram assinados outros tratados de amizade com a Itália (1924, que duraria cinco anos), a Polônia (1926), a França (1927) e a Grécia (1929). Apesar do tratado com a Itália, os iugoslavos tinham muitas desconfianças de Mussolini, que estava estimulando os rebeldes croatas e aumentando seu controle sobre a Albânia no sul, ameaçando cercar a Iugoslávia.

Decepcionado com a ajuda econômica que tinha recebido da França e nervoso com as intenções de Mussolini, *o príncipe regente Paulo começou a recorrer à Alemanha nazista em busca de comércio e proteção*. Em 1936 um tratado assinado com os alemães levou a um aumento significativo no comércio, de forma que a Alemanha comprava mais de 40% das exportações da Iugoslávia. A amizade com a Alemanha reduziu a ameaça de Mussolini, que tinha assinado o acordo do Eixo Roma-Berlim com Hitler em 1936. Em 1937, portanto, a Itália assinou um tratado com a Iugoslávia, em que ambas concordavam em respeitar as fronteiras uma da outra, aumentar o comércio e lidar com os terroristas. À medida que a situação internacional deteriorou, ao longo de 1939, a Iugoslávia encontrava-se desconfortavelmente alinhada com as potências do Eixo.

(b) Tchecoslováquia

Assim como a Iugoslávia, *a Tchecoslováquia era um Estado multinacional*, formado por cerca de 6,5 milhões de tchecos, 2,5 milhões de eslovacos, 3 milhões de alemães, 700.000 húngaros, 500.000 rutênios, 100.000 poloneses e quantidades menores de romenos e judeus. Embora isso possa parecer uma receita para instabilidade, o novo Estado funcionou bem, baseado em uma parceria sólida entre tchecos e eslovacos. Havia um parlamento eleito com duas câmaras e um presidente eleito com poder para escolher e demitir ministros de governo. Tomáš Masaryk, presidente de 1918 até sua saída em 1935, era metade tcheco e metade eslovaco. Foi o único exemplo de uma democracia de estilo ocidental bem-sucedida no Leste Europeu. Grosso modo, as relações entre as diferentes nacionalidades eram boas, embora houvesse algum ressentimento entre a população de fala alemã que morava na Boêmia e na Morávia e ao longo das fronteiras com a Alemanha e a Áustria (uma área conhecida como Sudetos). Essas pessoas tinham sido cidadãs do Império Habsburgo e reclamavam de estarem sendo forçadas a viver em um Estado "eslavo" em que eram discriminadas, ou assim era sua queixa.

A Tchecoslováquia tinha a sorte de conter cerca de três quartos das indústrias do antigo Império Habsburgo. *Havia fábricas bem-sucedidas de têxteis e vidro, recursos minerais valiosos e ricas terras agrícolas*. A década de 1920 foi um período de muita prosperidade à medida que a produção se expandiu e a Tchecoslováquia se tornou um grande exportador. *Infelizmente, a depressão do início dos anos de 1930 trouxe consigo uma crise econômica*. Os Estados ao seu redor, na Europa central e do leste, reagiram à depressão aumentando as tarifas sobre produtos importados e reduzindo a importação, a demanda por produtos manufaturados tchecos caiu e houve desemprego grave, principalmente nas áreas onde viviam os alemães sudetos. Agora, eles realmente tinham alguma coisa da qual reclamar e tanto eles quanto os eslovacos culpavam os tchecos por seus problemas.

Isso coincidiu com a ascensão de Hitler, que inspirou movimentos imitando-o em muitos países, e na Tchecoslováquia, os alemães sudetos formaram seu próprio partido. Depois que Hitler subiu ao poder na Alemanha, o partido, sob a liderança de Konrad Henlein, tornou-se mais forte, organizando passeatas e manifestações de protesto. Nas eleições de 1935 elegeu 44 parlamentares, tornando-se o segundo maior partido na câmara baixa do parlamento. No ano seguinte, Henlein começou a exigir autogoverno para as regiões de fala alemã, o que estimulou os eslovacos e outras nacionalidades a exigir mais direitos e liberdades do governo central. Durante o ano de 1937 houve choques violentos entre sudetos e a polícia, as manifestações e as reuniões públicas foram proibidas. Em 1938 o governo tcheco deu início a negociações com Henlein para tentar satisfazer a minoria alemã, mas Hitler já tinha lhe dito que independente do que os tchecos oferecessem, ele deveria sempre pedir mais. As conversações estavam condenadas ao fracasso, assim como a Tchecoslováquia: Hitler tinha decidido que queria não apenas os Sudetos, mas a destruição da própria Tchecoslováquia.

O ministro de relações exteriores tcheco, Edvard Beneš, teve muito trabalho para construir um sistema de alianças de proteção para seu novo Estado. Ele foi o instigador da "Pequena Entente" com a Iugoslávia e a Romênia (1920-1921) e assinou tratados com a Itália e a França em 1924. Beneš participou dos acordos de Locarno em 1925, nos quais a França prometia garantir as fronteiras da Tchecoslováquia, e a Alemanha, que qualquer disputa de fronteiras seria resolvida por meio de arbitragem. O êxito crescente de Henlein e seu partido fez soar os alarmes. Beneš olhava desesperadamente em volta em busca de ajuda e assinou um acordo com a URSS (1935). Os dois Estados prometeram se ajudar caso fossem atacados, mas o acordo continha uma cláusula vital: a ajuda só seria dada se a França ajudasse o país atacado. Tragicamente, nem a França nem a Grã-Bretanha se dispuseram a dar apoio militar quando a crise veio em 1938 (ver Seção 5.5(a)).

(c) Polônia

A Polônia existiu como Estado independente até o final do século XVIII, quando foi conquistada e dividida entre Rússia, Áustria e Prússia. Em 1795 ela perdeu o *status* de país independente. Os poloneses passaram o século XIX e o início do XX lutando por libertação e independência. O acordo de Versalhes lhes deu a maior parte do que queriam. A aquisição da Prússia Ocidental, da Alemanha, lhes deu acesso ao mar e, embora eles estivessem decepcionados porque Danzig, o principal porto da região, seria uma "cidade livre" sob controle da Liga das Nações, em pouco tempo construíram outro porto moderno próximo, em Gdynia. Contudo, havia o problema de sempre, relacionado às nacionalidades: de uma população de 27 milhões, somente 18 milhões eram poloneses, e o restante incluía 4 milhões de ucranianos, um milhão de russos brancos, um milhão de alemães e quase 3 milhões de judeus.

O primeiro Chefe de Estado foi o marechal Józef Piłsudski, fundador do Partido Socialista Polonês em 1892 e o homem que declarou a independência da Polônia no final da guerra. Em março de 1921 introduziu-se uma Constituição democrática que definiu um presidente e um parlamento eleito, com duas câmaras. Piłsudski deveria ter sido o primeiro presidente, mas ele não ficou satisfeito com a Constituição, porque dava pouco poder aos presidentes. Quando ele recusou a presidência, a nova república afundou em problemas, lutando contra a inflação e os governos instáveis. Como havia nada menos do que 14 partidos políticos, a única maneira de formar governo era com uma coalizão de vários grupos. Entre 1919 e 1926, houve 13 novos gabinetes que duraram, em média, somente alguns meses. Era impossível formar um governo forte e firme.

Em 1926 muitas pessoas achavam que o experimento democrático tinha sido um fracasso e começaram a se voltar a Piłsudski. Em maio de 1926 ele liderou um golpe militar, derrubou o governo e se tornou primeiro-ministro e ministro da guerra. Em 1930 mandou prender alguns líderes da oposição e agiu praticamente como um ditador em um regime direitista, autoritário e nacionalista até sua morte, em 1935. O mesmo sistema continuou com Ignatz Moscicky como presidente e Józef Beck como ministro das relações exteriores, mas o governo foi perdendo a popularidade: não haviam tomado medidas efetivas para lidar com a crise econômica e com o alto índice de desemprego, e quando a oposição no parlamento se tornou barulhenta demais, o governo simplesmente o dissolveu (1938). Os líderes do país pareciam estar dedicando a maior parte de suas energias às relações exteriores.

Os poloneses estiveram envolvidos em várias disputas de fronteira com Estados vizinhos:

- A Polônia e a Alemanha reivindicavam a Alta Silésia, uma importante região industrial.
- A Polônia e a Alemanha queriam Teschen.
- Os poloneses exigiam que sua fronteira com a Rússia fosse muito mais ao leste, em lugar de ser ao longo da linha Curzon (ver Mapa 2.5).
- Os poloneses queriam a cidade de Vilna e seus arredores que também eram reivindicados pela Lituânia.

Piłsudski não perdeu tempo: aproveitando-se da guerra civil na Rússia (ver Seção 16.3(c)), mandou tropas polonesas e rapidamente ocupou a Ucrânia, capturando a capital Kiev (7 de maio de 1920). Os outros objetivos eram libertar a Ucrânia do controle russo e assumir o controle da Rússia Branca (ou Bielorrússia). A invasão indignou os russos e mobilizou apoio ao governo comunista. O Exército Vermelho contra-atacou, expulsando os poloneses de Kiev e os mandando de volta à Polônia, perseguindo-os até Varsóvia, a qual se preparou para atacar. Nesse momento, a França mandou ajuda militar e, junto com os poloneses, fez com que os russos saíssem da Polônia de novo. Em outubro de 1920 foi assinado um armistício e, em março de 1921, o Tratado de Riga, que deu à Polônia um bloco de território ao longo de toda a sua fronteira leste, mais ou menos com 160 km de largura. Durante a luta, as tropas polonesas também ocuparam Vilna, e se recusaram a sair. Em 1923 a Liga das Nações reconheceu que a cidade pertencia à Polônia, mas essas atividades prejudicaram as relações da Rússia com a Lituânia, deixando-a com dois vizinhos muito hostis.

As outras duas disputas de fronteira foram resolvidas de forma menos polêmica. Em julho de 1920 a Conferência dos Embaixadores (ver Seção 3.4(d)) dividiu Teschen entre Polônia e Tchecoslováquia. Em março do ano seguinte, realizou-se um plebiscito para decidir o futuro da Alta Silésia, no qual 60% da população votou em favor da integração à Alemanha. Entretanto, não havia uma linha divisória clara entre alemães e poloneses. Acabou se decidindo dividir a região entre os dois Estados: a Alemanha recebeu cerca de três quartos do território, mas a fatia da Polônia continha a grande maioria das minas de carvão da província.

A França era a principal aliada da Polônia – Piłsudski era grato aos franceses por sua ajuda na guerra contra a Rússia – e os dois países assinaram um tratado de amizade em fevereiro de 1921. À medida que a nova URSS se estabilizava e se fortalecia, os poloneses se preocupavam com uma possível tentativa soviética de recapturar o território perdido no Tratado de Riga. Os líderes comunistas russos também estavam preocupados com a possibilidade de um ataque capitalista ocidental à URSS. Em 1932 assinaram de bom grado um tratado de não agressão com os poloneses, que agora consideravam sua fronteira leste segura. Uma ameaça mal acabava de ser neutralizada quando surgiu outra, ainda mais assustadora: Hitler chegou ao poder. Porém, para surpresa dos poloneses, Hitler estava em clima de amizade e, em janeiro de 1934, a Alemanha assinou um acordo comercial e um pacto de não agressão de 10 anos com a Polônia. A ideia de Hitler era, aparentemente, vincular a Polônia à Alemanha contra a URSS. O ministro de relações exteriores Beck aproveitou-se da nova "amizade" com Hitler na época da Conferência de Munique, em 1938, para exigir e receber uma parcela dos espólios da malfadada Tchecoslováquia, o restante de Teschen (que havia sido dividida entre a Polônia e a Tchecoslováquia em julho de 1920). Em quatro meses ele descobriria que a atitude de Hitler tinha mudado dramaticamente (ver Seção 5.5(b)).

(d) Áustria

Criada pelo Tratado de Saint Germain em 1919 (ver Seção 2.9), a República da Áustria encontrou-se dentro de pouco tempo diante de *quase todos os problemas concebíveis, com exceção do das nacionalidades*, já que a ampla maioria das pessoas falava alemão.

- Era um país pequeno, com uma pequena população de apenas 6,5 milhões, das quais cerca de um terço morava na capital, a enorme cidade de Viena, a qual, dizia-se, era agora como "uma cabeça sem corpo".
- Quase toda sua riqueza industrial tinha sido perdida para a Tchecoslováquia e Polônia; embora houvesse algumas indústrias em Viena, o restante do país era principalmente agrícola. Havia problemas econômicos imediatos de inflação e crise financeira e a Áustria tinha que ser ajudada por empréstimos estrangeiros providenciados pela Liga das Nações.
- A maioria dos austríacos achava que a solução natural para os problemas era a união (*Anschluss*) com a Alemanha. A Assembleia Constituinte, que se reuniu pela primeira vez em fevereiro de 1919, chegou a votar a favor dessa união, mas o Tratado de Saint Germain, assinado em setembro, vetou-a. O preço que a Liga cobrou pelos empréstimos estrangeiros foi que os austríacos prometessem não se unir à Alemanha por pelo menos 20 anos. A Áustria foi forçada a lutar sozinha.

A nova Constituição democrática elaborada pela Assembleia Constituinte parecia boa no papel. Haveria um parlamento eleito por representação proporcional, um presidente e um sistema federal que permitiria às províncias separadas controlar suas questões internas. Havia dois partidos principais: o Social-Democrata, de esquerda, e o Social-Cristão, de direita. Durante grande parte do período entre 1922 e 1929, o chanceler foi Social-Cristão, embora a cidade de Viena fosse controlada pelos Sociais-Democratas. Havia um forte contraste entre o trabalho dos sociais-democratas na capital, que criaram projetos de bem-estar e habitação para os trabalhadores, e os sociais-cristãos no resto do país que tentavam trazer estabilidade econômica reduzindo as despesas e demitindo milhares de funcionários do governo.

Diante da ausência de melhoras na situação econômica, *o conflito entre a esquerda e a direita se tornou violento*. Ambos os lados formaram exércitos privados: a direita tinha o "*Heimwehr*", a esquerda, o "*Schutzband*". Havia manifestações e choques frequentes, e a direita acusava a esquerda de tramar para instalar uma ditadura comunista. Estimulado e apoiado por Mussolini, o *Heimwehr* anunciou um programa fascista antidemocrático (1930). A depressão mundial afetou em muito a Áustria: o desemprego cresceu de forma alarmante e o padrão de vida caiu. Em março de 1931 o governo anunciou que estava se preparando para entrar em uma união alfandegária com a Alemanha na esperança de facilitar o fluxo de comércio e, portanto, aliviar a crise econômica, mas a França e os outros Estados ocidentais temeram a medida, suspeitando que levaria a uma união política completa. Em retaliação, a França retirou seus fundos do principal banco austríaco, o Kreditanstalt, que balançava à beira do colapso. Em maio de 1931 o banco se declarou insolvente e seu controle foi assumido pelo governo. Somente quando a Áustria concordou em abandonar seus planos de união alfandegária a França cedeu e disponibilizou mais dinheiro (julho de 1932). Estava claro que a Áustria era um país pouco viável em termos econômicos e políticos, e parecia que o país estava caindo na anarquia à medida que governos ineficazes se sucediam. Uma outra complicação era que agora existia um Partido Nazista Austríaco que fazia campanha por uma união com a Alemanha.

Em maio de 1932 o social-cristão Engelbert Dollfuss se tornou chanceler e fez um esforço determinado para trazer ordem ao país, dissolvendo o parlamento e anunciando que governaria por decreto até que se preparasse uma nova Constituição. O *Schutzband* foi declarado ilegal e o *Heimwehr* deveria ser substituído por uma nova organização paramilitar, a Frente Patriótica. O Partido Nazista austríaco foi proibido e dissolvido. *Infelizmente, essas políticas tiveram resultados catastróficos.*

- A proibição do Partido Nazista austríaco gerou indignação na Alemanha, onde Hitler estava no poder agora. Os alemães lançaram uma propaganda cruel contra Dollfuss, e Hitler tentou cortar o fluxo turístico alemão para a Áustria. Em outubro de 1933 nazistas austríacos tentaram assassinar Dollfuss, que sobreviveu, mas as tensões se mantiveram entre os dois países. O problema para muitos austríacos era que, embora eles quisessem a união com a Alemanha, assustava-lhes a ideia de fazer parte de uma Alemanha governada por Hitler e os nazistas.
- Os ataques de Dollfuss contra os socialistas saíram pela culatra. O *Schutzband* desafiou a proibição e, em fevereiro de 1934, houve protestos contra o governo em Viena e Linz e três dias de batalhas contínuas entre manifestantes e a polícia. O país parecia à beira da guerra civil. A ordem foi restaurada, mas somente depois de cerca de 300 pessoas serem mortas. Muitos socialistas foram presos e o Partido Social-Democrata foi declarado ilegal. Esse foi um erro grave cometido por Dollfuss, pois, lidando com a situação de forma mais hábil, os socialistas poderiam muito bem ter sido fortes aliados em sua tentativa de defender a república contra os nazistas. No evento, muitos deles se juntaram aos nazistas austríacos como melhor forma de se opor ao governo.
- Dollfuss contava com o apoio da Itália, onde Mussolini, ainda nervoso com as intenções de Hitler, tinha deixado claro que apoiaria Dollfuss e uma Áustria independente. Dollfuss fez várias visitas a Roma e, em março de 1934, assinou os "Protocolos de Roma", que incluíam acordos sobre cooperação econômica e uma declaração de respeito pela independência de cada um dos dois países. Até mesmo Hitler, nesse momento, havia prometido respeitar a independência da Áustria, pois tinha receio de afastar a Itália, e estava disposto a esperar.
- Impacientes com a demora, os nazistas austríacos tentaram um golpe (25 de julho de 1934). Dollfuss foi morto a tiros, mas o movimento foi mal organizado e em pouco tempo foi suprimido por forças do governo. Ainda não está claro qual foi o papel de Hitler em tudo isso; o que está claro é que os nazistas locais tomaram a iniciativa e, embora Hitler provavelmente soubesse alguma coisa de seus planos, ele próprio não estava disposto a ajudar de forma alguma. Quando Mussolini movimentou tropas italianas para a fronteira com a Áustria, foi o final da questão. Claramente os nazistas austríacos não tinham força suficiente para provocar uma união com a Alemanha sem algum tipo de apoio externo, de forma que, enquanto a Itália apoiasse os austríacos, sua independência estava garantida.

Kurt Schuschnigg, o chanceler que sucedeu a Dollfuss, esforçou-se para preservar a aliança com a Itália e chegou a assinar um acordo com a Alemanha, no qual Hitler reconhecia a independência da Áustria e Schuschnigg prometia que o país seguiria políticas alinhadas à sua natureza de Estado alemão (julho de 1936). Uma dessas políticas permitia que o Partido Nazista austríaco voltasse a funcionar, e dois nazistas foram aceitos no gabinete, mas o tempo estava se esgotando para a Áustria, à medida que Mussolini começava a se aproximar de Hitler. Após a assinatura do Eixo Roma-Berlim (1936) e do Pacto Anticomintern com a Alemanha e o Japão (1937), Mussolini estava menos interessado em apoiar a independência da Áustria. Mais uma vez, foram os nazistas austríacos que tomaram a iniciativa, no início de março de 1938 (ver Seção 5.3(b)).

(e) Hungria

Quando a guerra terminou, em novembro de 1918, foi declarada a República da Hungria, com Michael Karolyi como seu primeiro presidente. Os Estados vizinhos aproveitaram o caos geral para tomar o que os húngaros pensavam que deveria ser seu por direito. Tchecos, romenos e iugoslavos ocuparam grandes faixas de território. Em março de 1919 Karolyi foi substituído por um governo esquerdista, formado por comunistas e socialistas, liderados por Bela Kun, que acabara de fundar o Partido Comunista Húngaro. Kun procurou ajuda de Vladimir Lênin, o novo líder russo, mas os russos, que haviam sofrido derrotas nas mãos dos alemães, não estavam em condições de dar apoio militar. As tentativas do governo de introduzir nacionalização e outras medidas socialistas receberam forte oposição dos ricos proprietários magiares. Quando tropas romenas capturaram Budapeste (agosto de 1919), Kun e seu governo tiveram que fugir para salvar suas vidas.

Depois de um período confuso, a iniciativa foi assumida pelo almirante Horthy, comandante da frota austro-húngara em 1918, que organizou tropas e restaurou a ordem, passando a realizar um expurgo de esquerdistas que haviam apoiado Bela Kun. As eleições de janeiro de 1920 foram vencidas pela direita, já que os Sociais-Democratas se recusaram a participar em protesto pelas políticas repressivas de Horthy. A situação melhorou quando os romenos, sob pressão dos Aliados, concordaram em se retirar, e se formou um governo estável em março de 1920. Foi decidido que a Hungria seria uma monarquia, embora o rei Carlos (o último imperador habsburgo) tivesse abdicado em novembro de 1918. O almirante Horthy exerceria as funções de regente até que a questão da monarquia fosse resolvida. Por duas vezes em 1921, Carlos tentou retornar, mas o país estava profundamente dividido em relação ao tema e ele acabou sendo forçado a se exilar. Após sua morte em 1922, não houve mais tentativas de restauração, mas Horthy continuou como regente, um título que manteve até a Hungria ser ocupada pelos alemães, em 1944.

O novo governo sofreu, em pouco tempo, um golpe atordoante quando foi forçado a assinar o Tratado de Trianon (junho de 1920), aceitando imensas perdas de territórios que continham cerca de três quartos da população da Hungria, para a Tchecoslováquia, Romênia e Iugoslávia (ver Seção 2.9(b)). A partir desse momento, a política externa húngara se concentrou em uma meta principal: obter uma revisão do tratado. Os membros da "Pequena Entente" (Tchecoslováquia, Romênia e Iugoslávia), que haviam se aproveitado de sua fragilidade, eram considerados como os principais inimigos. A Hungria estava disposta a cooperar com qualquer país que a apoiasse. Foram assinados tratados de amizade com Itália (1927) e Áustria (1933) e, depois de Hitler chegar ao poder, assinou-se um tratado com a Alemanha (1934).

Nas décadas de 1920 e 1930, todos os governos foram de direita, fossem eles conservadores ou nacionalistas. O almirante Horthy presidiu um regime autoritário, no qual a polícia secreta estava sempre em ação e os críticos e oponentes corriam o risco permanente de ser presos. Em 1935 o primeiro-ministro Gombos anunciou que queria cooperar mais de perto com a Alemanha. Foram introduzidas restrições às atividades dos judeus. Na época da crise de Munique (setembro de 1938), a Hungria se aproveitou da destruição da Tchecoslováquia para exigir e receber uma parte considerável do sul da Eslováquia, a ser seguida em março de 1939 pela Rutênia. No mês seguinte, a Hungria assinou o Pacto Anticomintern e se retirou da Liga das Nações. O país estava agora bem e muito vinculado a Hitler e Mussolini. Na verdade, nas palavras do historiador D. C. Watt, "é difícil escrever sobre o regime que comandava a Hungria nessa época com qualquer coisa que não seja o desprezo".

4.5 A POLÍTICA EXTERNA DOS ESTADOS UNIDOS, 1919-1933

Os Estados Unidos tinham se envolvido profundamente na Primeira Guerra Mundial e, quando as hostilidades cessaram, parecia provável que o país cumprisse um papel importante nas questões mundiais. O presidente Woodrow Wilson, um Democrata, foi uma figura crucial na conferência de paz, e seu grande sonho era a Liga das Nações, por meio da qual os Estados Unidos manteriam a paz mundial. Ele embarcou em uma exaustiva viagem de propaganda com vistas a angariar apoio para suas ideias, mas o povo norte-americano estava cansado da guerra e desconfiado da Europa, afinal de contas, a população do país era formada por pessoas que tinham se mudado para lá para se afastar do continente. O Partido Republicano, em particular, era fortemente contrário a qualquer envolvimento nas questões europeias. Para decepção de Wilson, o senado votou pela rejeição do acordo de paz de Versalhes e da Liga das Nações. De 1921 ao início de 1933 os Estados Unidos foram governados pelos Republicanos que acreditavam em uma política de *isolamento*, o país nunca entrou para a Liga e tentava evitar disputas políticas com outros Estados, bem como a assinatura de tratados. Por exemplo, nenhum representante norte-americano participou da Conferência de Locarno. Alguns historiadores ainda culpam essa ausência pelo fracasso da Liga. Mesmo assim, apesar de seu isolamento, os norte-americanos não conseguiram deixar de se envolver em questões mundiais, por causa do comércio e dos investimentos internacionais e do problema espinhoso das dívidas e indenizações de guerra europeias. O isolacionismo norte-americano provavelmente estava mais preocupado em ficar de fora dos problemas políticos na Europa do que simplesmente se desconectar do mundo em geral.

1. Durante os prósperos anos de 1920, os norte-americanos tentaram *aumentar o comércio e os lucros através de investimentos no exterior*, na Europa, no Canadá e na América do Sul. Sendo assim, era inevitável que o país se interessasse pelo que estava acontecendo nessas regiões. Por exemplo, havia uma séria disputa com o México, que ameaçava tomar poços de petróleo de propriedade norte-americana, mas acabou se chegando a um acordo.

2. *As Conferências de Washington (1921-1922)* foram convocadas pelo presidente Harding em função de preocupações com o poder dos japoneses no Extremo Oriente (ver Seção 4.1(b)).

3. *As dívidas de guerra dos Aliados para com os Estados Unidos geraram muito desconforto*. Durante a guerra, o governo norte-americano tinha feito empréstimos de quase 12 bilhões de dólares à Grã-Bretanha e seus aliados, com juros de 5%. Os europeus esperavam que os norte-americanos cancelassem as dívidas, já que os Estados Unidos tinham saído bem da guerra (assumindo antigos mercados europeus), mas Harding e Coolidge insistiam em pagamentos integrais. Os Aliados afirmavam que sua capacidade de pagamento dependia da Alemanha pagar suas indenizações a eles, mas os norte-americanos não admitiam que houvesse qualquer conexão entre as duas coisas. Com o tempo, a Grã-Bretanha foi o primeiro país a concordar em pagar a quantia integral, ao longo de 62 anos, com a reduzida taxa de juros de 3,3%. Seguiram-se outros países e os Estados Unidos permitiram juros muito mais baixos dependendo da pobreza do país envolvido. A Itália conseguiu 0,4%, mas isso gerou, previsivelmente, fortes objeções por parte da Grã-Bretanha.

4. *Diante da crise financeira alemã de 1923, os norte-americanos tiveram que mudar de atitude* e admitir uma conexão entre as indenizações e as dívidas de guerra. O país concordou em participar dos Planos Dawes e Young (1924 e 1929), que possibilitavam à Alemanha pagar as indenizações, mas isso causou uma situação absurda na qual os Estados Unidos emprestavam dinheiro à

Alemanha para que ela pudesse pagar suas dívidas com a França, a Grã-Bretanha e a Bélgica, e estes países, por sua vez, pudessem pagar suas dívidas com os Estados Unidos. O acerto como um todo, junto com a insistência dos norte-americanos em manter altas taxas de juros, contribuiu para a crise econômica mundial (ver Seção 22.6), com todas as suas amplas consequências.
5. *O Pacto Kellogg-Briand (1928)* foi mais uma incursão norte-americana nas questões mundiais, embora inútil (Seção 4.1(f)).
6. *As relações com a Grã-Bretanha não eram fáceis*, não apenas em função das dívidas de guerra, mas porque os Conservadores estavam descontentes com as limitações à expansão naval britânica impostas pelo acordo de Washington anterior. MacDonald, ansioso para melhorar as relações, organizou uma conferência em Londres em 1930, que também contou com a participação dos japoneses, e os três Estados reafirmaram a proporção de 5:5:3 em cruzadores, destróieres e submarinos que havia sido acertada em Washington, conseguindo restabelecer a amizade entre a Grã-Bretanha e os Estados Unidos, mas os japoneses logo excederam seus limites.
7. *Os Estados Unidos voltaram a uma política de estrito isolamento* quando os japoneses invadiram a Manchúria em 1931. Embora tenha condenado a ação japonesa, o presidente Hoover se recusou a participar de sanções econômicas ou tomar qualquer atitude que pudesse levar à guerra com o Japão. Consequentemente, a Grã-Bretanha e a França se sentiram incapazes de agir e a Liga mostrou-se impotente. Durante a década de 1930, embora os atos de agressão aumentassem, os norte-americanos continuaram determinados a não ser arrastados a um conflito.

PERGUNTAS

1. Política externa e relações internacionais da Alemanha, 1920-1932

Estude a Fonte A e responda às perguntas a seguir.

Fonte A
Carta de Gustav Stresemann ao ex-rei da coroa alemã, escrita em setembro de 1925.

> Em minha opinião, há três grandes tarefas para a política externa alemã no futuro imediato:
> Em primeiro lugar, a solução da questão das indenizações de forma aceitável à Alemanha e a garantia da paz.
> Em segundo, a proteção dos alemães que vivem no estrangeiro, os 10 a 12 milhões de nossos semelhantes que atualmente vivem sob o jugo estrangeiro, em terras estrangeiras.
> A terceira é o reajuste de nossas fronteiras ao leste, a recuperação de Danzig, do Corredor Polonês e a correção da fronteira na Alta Silésia.
> Daí, o Pacto de Locarno, que nos garante a paz e torna a Inglaterra, bem como a Itália, garantidoras de nossas fronteiras a oeste.
> Eu alertaria contra ideias de flertar com o bolchevismo; não podemos nos envolver em uma aliança com a Rússia, embora algum entendimento em outras bases seja possível. Quando os russos estiverem em Berlim, a bandeira vermelha tremulará no castelo ao mesmo tempo em que na Rússia, onde eles tem esperanças de uma revolução mundial, e haverá muita alegria com a expansão do bolchevismo até o Elba. A coisa mais importante para a política alemã é a libertação do solo alemão de qualquer força de ocupação estrangeira. Por isso, a política alemã deve ser agir com habilidade e evitar grandes decisões.

Fonte: E. Sutton, *Gustav Stresemann, His Diaries, Letters and Papers* (Macmillan, 1935).

(a) Quais informações a fonte A oferece sobre o pensamento do governo alemão com relação aos assuntos estrangeiros na década de 1920?
(b) Até onde as metas e os objetivos de Stresemann foram sido atingidos em 1932?
(c) Que tentativas foram feitas de melhorar as relações internacionais durante os anos de 1920 e no início da década de 1930, e qual foi o seu êxito?

Relações Internacionais
1933-1939

5

RESUMO DOS EVENTOS

Esse curto período é de importância fundamental para a história do mundo, porque culminou na Segunda Guerra Mundial. Os problemas econômicos fizeram que o espírito de Locarno desaparecesse e as novas regras pareciam ser: cada país por sua conta. As questões eram dominadas pelas potências que eram as agressivas nesses momentos – Japão, Itália e Alemanha – e seu nacionalismo extremo as levou a cometer tantos atos de violência e rompimentos de acordos internacionais que, no final, o mundo estava mergulhado em guerra total.

O Japão se tornou o primeiro grande agressor com sua bem-sucedida invasão da Manchúria, em 1931. Hitler, como Mussolini, notou o fracasso da Liga das Nações para conter a agressão japonesa. O primeiro, de longe o mais sutil dos três, começou com cautela, anunciando a volta do serviço militar obrigatório (março de 1935). O rompimento de Versalhes fez com que a Grã-Bretanha, a França e a Itália se juntassem por pouco tempo, suspeitando da Alemanha. Em uma reunião realizada em Stresa (no Lago Maggiore, no norte da Itália), condenaram a ação de Hitler e, pouco tempo depois (maio), os franceses, obviamente preocupados, assinaram um tratado de assistência mútua com a URSS.

Entretanto, a *Frente de Stresa*, como foi chamada, teve vida curta, sendo rompida em 1935 quando os britânicos, sem consultar a França nem a Itália, assinaram o *Acordo Naval Anglo-Germânico*, que permitia que os alemães construíssem submarinos – outra quebra com relação a Versalhes. Essa atitude espantosa por parte da Grã-Bretanha desagradou a França e a Itália e destruiu qualquer confiança que tivesse existido entre as três. Mussolini, encorajado pelos êxitos japoneses e alemães, seguiu na mesma linha com sua eficaz invasão da Abissínia (outubro de 1935), recebida com uma resistência não muito intensa por parte da Liga, da Grã-Bretanha e da França.

Em março de 1936, Hitler enviou tropas à Renânia, que havia sido desmilitarizada pelo Tratado de Versalhes. A Grã-Bretanha e a França protestaram mais uma vez, mas não agiram para expulsar os alemães. Seguiu-se um entendimento (outubro de 1936) entre Alemanha e Itália, já que Mussolini tinha decidido aderir a Hitler, no que ficou conhecido como o Eixo Roma-Berlim. No mês seguinte, Hitler assinou o *Pacto Anticomintern* com o Japão. (O Comintern ou a Internacional Comunista, foi uma organização estabelecida em 1919 com o objetivo de ajudar partidos comunistas em outros países a trabalhar pela revolução). Durante o verão de 1936 eclodiu a Guerra Civil Espanhola quando grupos de direita (nacionalistas) tentaram derrubar o governo republicano de esquerda. O conflito ganhou importância internacional em pouco tempo, quando Hitler e Mussolini, usando sua força militar, mandaram ajuda a Franco, o líder nacionalista, ao passo que os republicanos receberam ajuda soviética (ver Seção 15.3(c)). Previsivelmente, a Grã-Bretanha e a França se recusaram a intervir e em 1939, Franco venceu.

Em 1937 os japoneses aproveitaram a preocupação da Europa com os eventos na Espanha para fazer uma invasão total do norte da China e a guerra sino-japonesa que resultou disso acabou se tornando parte da Segunda Guerra Mundial.

Nessa época, estava claro que a Liga das Nações, trabalhando com a ideia de segurança coletiva, era totalmente ineficaz. Consequentemente, Hitler, agora seguro de que os italianos não fariam objeções, levou a cabo seu projeto mais ambicioso até então: a anexação da Áustria (conhecida como *Anschluss* ou "união forçosa") em março de 1938. A seguir, ele voltou suas atenções à Tchecoslováquia e exigiu os *Sudetos*, uma região onde viviam 3 milhões de alemães, junto à fronteira com a Alemanha. Quando os tchecos recusaram as exigências de Hitler, o primeiro-ministro britânico Neville Chamberlain, ansioso para evitar a guerra a qualquer custo, aceitou um convite de Hitler para uma conferência em Munique (setembro de 1938), no qual foi acertado que a Alemanha ficaria com os *Sudetos*, mas nenhuma outra parte da Tchecoslováquia.

A guerra parecia ter sido evitada, mas no mês de março, Hitler rompeu seu acordo e enviou tropas alemãs para ocupar Praga, capital da Tchecoslováquia. Diante disso, Chamberlain decidiu que Hitler tinha ido longe demais e deveria ser parado. Quando os poloneses rejeitaram a exigência de Hitler por Danzig, a Grã-Bretanha e a França prometeram ajudar a Polônia se os alemães atacassem. Hitler não levou a sério as ameaças britânicas e francesas e cansou de esperar que a Polônia negociasse. Após assinar um *pacto de não agressão com a Rússia*, (agosto de 1939), os alemães invadiram a Polônia em 1º de setembro. A Grã-Bretanha e a França, assim, declararam guerra à Alemanha.

5.1 RELAÇÕES ENTRE JAPÃO E CHINA

(a) A invasão japonesa da Manchúria em 1931

As motivações por trás deste evento são várias (ver Seção 15.1(b)). Os japoneses consideravam essencial manter o controle da província porque era um valioso destino comercial. A China parecia estar ficando mais forte sob o comando de Chiang Kai-shek e os japoneses temiam que isso pudesse resultar em sua exclusão da Manchúria. Sir John Simon, o ministro britânico de relações exteriores, apresentou uma forte defesa das ações japonesas à Liga das Nações. O Japão estava envolvido com a província desde a década de 1890, recebeu Port Arthur e uma posição privilegiada no sul da Manchúria como resultado da Guerra Sino-Japonesa (1904-1905). Desde então, os japoneses tinham investido milhões de libras na Manchúria e no desenvolvimento da indústria e de ferrovias. Em 1931 eles controlavam a Ferrovia do Sul da Manchúria e o sistema bancário, e achavam que não podiam ficar parados e serem empurrados aos poucos para fora de uma província tão valiosa, com uma população de 30 milhões, principalmente quando os próprios japoneses estavam passando por dificuldades econômicas em função da Grande Depressão. Eles anunciaram que tinham transformado a Manchúria no Estado independente de Manchukuo, sob comando de Pu Yi, o último dos imperadores chineses. Isso não enganava a ninguém, mas, mesmo assim, nenhuma ação foi tomada contra eles. A ação seguinte dos japoneses, contudo, não poderia ser justificada, e só pôde ser descrita como uma flagrante agressão...

(b) A avanço japonês a partir da Manchúria

Em 1933 os japoneses começaram a avançar da Manchúria para o restante do nordeste da China, sobre o qual eles não tinham qualquer pretensão de direito. Em 1935 uma grande

História do Mundo Contemporâneo 87

JAPÃO 1928
Conquistado pelo Japão
1942 Data das conquistas japonesas
Aliado ao Japão 1941
Ampliação das conquistas japonesas, 1942

EXPANSÃO JAPONESA 1931–42

MILES
0   5000

Mapa 5.1 A expansão japonesa, 1931-1942.

área da China que já chegava a Beijing (Pequim) tinha caído sob controle político e comercial japonês (ver Mapa 5.1), enquanto os próprios chineses estavam destruídos por uma guerra civil entre o governo do Kuomintang de Chiang Kai-shek e os comunistas liderados por Mao Tsé-tung (ver Seção 19.3).

(c) Outras invasões

Depois de assinar o Pacto Anticomintern com a Alemanha (1936), o exército japonês aproveitou a desculpa de um incidente entre tropas japonesas e chinesas em Beijing para começar uma invasão de outras partes da China (julho de 1937). Embora fosse contrário a uma intervenção tão grande, o primeiro-ministro, o príncipe Konoye, teve que ceder aos desejos do general Sugiyama, o ministro da guerra. No outono de 1938 os japoneses capturaram as cidades de Xangai, Nanquim (a capital de Chiang Kai-shek) e Hankow, cometendo terríveis atrocidades contra civis chineses. Entretanto, a vitória completa lhes escapou: Chiang tinha chegado a um entendimento com seus inimigos comunistas segundo o qual eles colaborariam para combater os invasores. Foi estabelecida uma nova capital bem no interior do país, em Chungking, e montada uma entusiasmada resistência chinesa com a ajuda dos russos. Porém, as tropas japonesas desembarcaram no sul da China e rapidamente capturaram Cantão, mas Chiang ainda se recusava a se render ou a aceitar os termos dos japoneses.

Nesse meio-tempo, a Liga das Nações condenou mais uma vez a agressão japonesa, mas estava impotente para agir, já que o Japão não era mais membro e se recusava a participar de uma conferência para discutir a situação na China. A Grã-Bretanha e a França estavam muito ocupadas lidando com Hitler para prestar muita atenção à China, e os russos não queriam guerra total contra o Japão. Os Estados Unidos, a única potência capaz de resistir de forma eficaz ao Japão, ainda estavam inclinados ao isolamento. Sendo assim, às vésperas da Segunda Guerra Mundial, os japoneses controlavam a maior parte do leste da China (embora fora das cidades sua dominação fosse menos firme) ao passo que Chiang resistia no centro e no oeste.

5.2 A POLÍTICA EXTERNA DE MUSSOLINI

Nos primeiros dias do regime de Mussolini (ele chegou ao poder em 1922), a política externa da Itália parecia um tanto confusa. Mussolini sabia o que queria, que era "tornar a Itália grande, respeitada e temida", mas não tinha certeza de como conseguir isso, se não demandando uma revisão do acordo de paz de 1919 em favor da Itália. Inicialmente ele parecia pensar que sua melhor linha de ação seria uma política externa ousada, por isso o Incidente de Corfu (ver Seção 3.4(d)) e a ocupação de Fiúme em 1923. Através de um acordo assinado em Rapallo em 1920, Fiúme deveria ser uma "cidade livre", usada conjuntamente por Itália e Iugoslávia. Quando as tropas italianas entraram, a Iugoslávia concordou que ela deveria pertencer à Itália. Depois desses primeiros eventos, Mussolini se tornou mais cauteloso, talvez alarmado pelo isolamento da Itália na época de Corfu. Depois de 1923 sua política passa mais ou menos por duas fases:

- 1923-1934
- depois de 1934.

(a) 1923-1934

Nesta etapa, a política de Mussolini foi determinada pela rivalidade com os franceses no Mediterrâneo e nos Bálcãs, onde as relações da Itália com a Iugoslávia, aliada da França, geralmente eram tensas. Outra consideração era o receio dos italianos de que o frágil Estado da Áustria, junto de sua fronteira nordeste, pudesse sofrer muita influência da Alemanha. Mussolini se preocupava com uma possível ameaça italiana através do Passo de Brenner e tentou lidar com ambos os problemas por meios diplomáticos:

1. *Participou da Conferência de Locarno* (1925), mas ficou decepcionado quando os acordos assinados não garantiam a fronteira italiana com a Áustria.
2. *Teve uma atitude amigável em relação a Grécia, Hungria e, principalmente, Albânia*, o vizinho do sul e rival da Iugoslávia. Foram assinados acordos econômicos e de defesa, resultando em um controle praticamente total da Albânia pela Itália, que agora tinha uma posição forte em torno do mar Adriático.
3. *Cultivou boas relações com a Grã-Bretanha*: apoiou sua demanda de que a Turquia entregasse a província de Mosul ao Iraque e, em retorno, a Grã-Bretanha deu à Itália uma pequena parte da *Somália*.
4. *A Itália se tornou o primeiro Estado depois da Grã-Bretanha a reconhecer a URSS*. Foi assinado um pacto de não agressão entre a Itália e a URSS em setembro de 1933.
5. Tentou apoiar a Áustria contra a nova ameaça da Alemanha nazista, apoiando o governo antinazista do chanceler Dollfuss e assinando acordos comerciais com a Áustria e a Hungria. Quando Dollfuss foi assassinado por nazistas austríacos (julho de 1934), Mussolini enviou três divisões italianas à fronteira para o caso de os nazistas invadirem a Áustria; os nazistas imediatamente suspenderam sua tentativa de tomar o poder na Áustria. Essa decisiva postura contrária à Alemanha melhorou as relações entre Itália e França, mas embora fosse muito respeitado no exterior, Mussolini estava ficando impaciente; seus êxitos não eram espetaculares o suficiente.

(b) Depois de 1934

Aos poucos, Mussolini passou de extrema desconfiança em relação às intenções de Hitler com relação à Áustria para uma relutante admiração de suas conquistas e um desejo de imitá-lo. Após seu primeiro encontro (junho de 1934), Mussolini descreveu Hitler com desdém como o "palhacinho louco", mas depois viria a acreditar que havia mais a ganhar a partir da amizade com a Alemanha do que com a Grã-Bretanha e a França. Quanto mais ele caía sob influência de Hitler, mais ficava agressivo. Sua mudança de atitude é ilustrada por eventos:

1. Quando Hitler anunciou a volta do serviço militar obrigatório (março de 1935), *Mussolini se juntou aos britânicos e franceses para condenar a ação alemã e garantir a Áustria (A Frente de Stresa, abril de 1935)*. Tanto britânicos quanto franceses evitavam cuidadosamente mencionar a crise da Abissínia, que já estava fermentando; Mussolini tomou isso como um sinal de que eles fariam vista grossa a um ataque italiano contra a Abissínia, considerando-o como um pouco de expansão colonial à moda antiga. O Acordo Naval Anglo-Germânico assinado em junho (ver Seção 5.3(b), Item 6) convenceu Mussolini do cinismo dos britânicos e sua preocupação com seus próprios interesses.
2. *A invasão da Abissínia (Etiópia) pela Itália* em outubro de 1935 foi a grande virada na carreira de Mussolini. O envolvimento italiano no país, que era o único Estado independente que restava na África, datava de 1896, quando uma tentativa italiana de colonizá-lo terminou em uma derrota infame em Adua. As razões de Mussolini para o ataque de 1935 eram:

    - As colônias italianas no leste da África (Eritreia e Somália) não eram compensadoras, e as tentativas dele (por meio de um acordo de "amizade" assinado em 1928) de reduzir a Abissínia a uma posição equivalente à da Albânia tinham fracassado. O imperador da Abissínia, Haile Selassie, tinha feito tudo o que podia para evitar cair sob dominação econômica italiana.
    - A Itália estava sofrendo com a depressão, e uma guerra vitoriosa desviaria a

atenção dos problemas internos e daria um novo mercado para as exportações do país.
- Agradaria a nacionalistas e colonialistas, vingaria a derrota de 1896 e daria um impulso à decadente popularidade de Mussolini.

A vitória italiana sobre os etíopes, mal equipados e mal preparados, era prevista, embora eles tenham feito um estardalhaço. *Sua real importância estava no fato de que ela demonstrava a ineficácia da segurança coletiva.* A Liga condenou a Itália como agressora e aplicou sanções econômicas, mas elas foram inúteis porque não incluíam a proibição da venda de petróleo e carvão ao país, mesmo que a escassez de petróleo resultante tivesse prejudicado gravemente o esforço de guerra italiano. O prestígio da Liga sofreu mais um golpe quando veio à tona que o ministro do exterior britânico, Sir Samuel Hoare, tinha feito um acordo secreto com Laval, o primeiro-ministro francês (dezembro de 1935), para entregar uma parte grande da Abissínia à Itália, mais do que os italianos tinham conseguido capturar até então (ver Mapa 5.2). A opinião pública na Grã-Bretanha ficou tão indignada que a ideia foi abandonada.

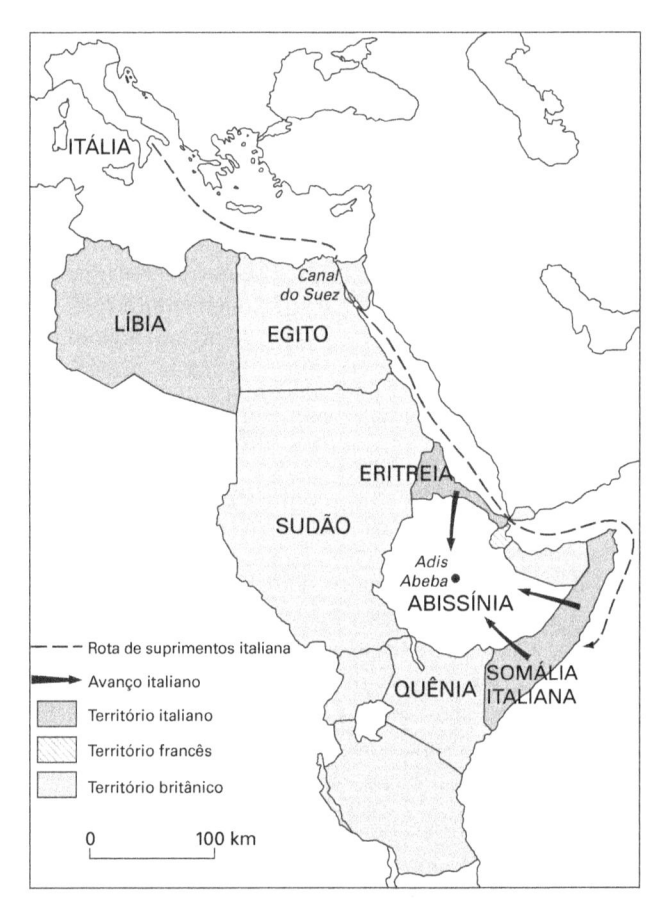

Mapa 5.2 A posição da Abissínia e os territórios da Grã-Bretanha, França e Itália.
Fonte: Nichol e Lang, *Work Out Modern World History* (Macmillan, 1990), p. 47

As razões para essa postura fraca diante da Itália eram que a Grã-Bretanha e a França estavam militar e economicamente despreparadas para a guerra e ansiosas para evitar qualquer ação (como sanções relacionadas ao petróleo) que pudesse provocar uma declaração de guerra por parte de Mussolini. Também tinham esperanças de reavivar a Frente de Stresa e usar a Itália como aliada contra a verdadeira ameaça contra a paz na Europa, a Alemanha, de forma que seu objetivo era chegar à conciliação com Mussolini.

Infelizmente, os resultados foram desastrosos:

- A Liga e a ideia de segurança coletiva ficaram desacreditadas.
- Mussolini ficou incomodado com as sanções de qualquer forma, e começou a estabelecer amizade com Hitler, que não havia criticado a invasão e não aplicou sanções. Em retorno, Mussolini suspendeu suas objeções à anexação da Áustria pela Alemanha. Hitler aproveitou a preocupação geral com a Abissínia para mandar tropas para a Renânia.

3. Quando a Guerra Civil Espanhola estourou em 1936, *Mussolini mandou ampla ajuda a Franco, o líder nacionalista de direita*, com esperanças de estabelecer um terceiro Estado fascista na Europa e ter bases navais na Espanha de onde pudesse ameaçar a França. Sua justificativa era que ele queria impedir o avanço do comunismo.
4. A Itália chegou a um entendimento com Hitler, conhecido como *Eixo Roma-Berlim*. Mussolini disse que o Eixo era uma linha desenhada entre Roma e Berlim, em torno da qual "todos os Estados europeus que desejassem a paz poderiam girar". Em 1937 a Itália aderiu ao *Pacto Anticomintern* com a Alemanha e o Japão, no qual todos os três prometiam se manter lado a lado contra o bolchevismo. Essa inversão de sua política anterior e sua amizade com a Alemanha não eram completamente bem vistas na Itália, e começou a se espalhar a decepção com Mussolini.
5. *Sua popularidade ressurgiu temporariamente com a participação no acordo de Munique, de setembro de 1938* (ver Seção 5.5), que parecia ter garantido a paz, mas Mussolini não conseguiu tirar as conclusões certas do alívio sentido por seu povo (ou seja, a maioria não queria outra guerra) e cometeu mais um ato de agressão...
6. *Em abril de 1939 tropas italianas ocuparam de repente a Albânia*, encontrando muito pouca resistência. Essa foi uma operação sem sentido, já que a Albânia já estava sob controle econômico italiano, mas Mussolini queria um triunfo para imitar a recente ocupação da Tchecoslováquia por Hitler.
7. Deixando-se entusiasmar por seus êxitos, *Mussolini assinou uma aliança integral com a Alemanha, o Pacto de Aço* (maio de 1939), no qual a Itália prometia apoio militar total em caso de guerra. Mussolini estava comprometendo a Itália com um envolvimento cada vez mais profundo com a Alemanha, o que viria a destruí-lo no final.

5.3 QUAIS ERAM OS OBJETIVOS DE HITLER COM A POLÍTICA EXTERNA E ATÉ ONDE ELE TEVE ÊXITO NO FINAL DE 1938?

(a) Hitler pretendia fazer da Alemanha uma grande potência novamente

Ele esperava conseguir este objetivo ao:

- Destruir o detestado acordo de Versalhes.
- Fortalecer o exército.

- Recuperar territórios perdidos como o Sarre e o Corredor Polonês.
- Trazer os povos de fala alemã para dentro do Reich, o que implicaria a anexação da Áustria e a tomada de território da Tchecoslováquia e da Polônia, ambas com grandes minorias alemãs como resultado do acordo de paz.

Há algumas discordâncias sobre quais poderiam ser as intenções de Hitler para além desses objetivos. A maioria dos historiadores acredita que anexar a Áustria e partes da Tchecoslováquia e da Polônia era apenas o início, e que Hitler pretendia seguir anexando o restante desses dois países e depois conquistar e ocupar a Rússia, avançando para o leste até os Montes Urais. As "fronteiras nacionais", disse ele, "são apenas estabelecidas pelo homem e pelo homem podem ser alteradas". As mudanças de fronteira que Hitler tinha em mente dariam aos alemães o que ele chamava de *Lebensraum* (espaço vital). Ele alegava que a população da Alemanha era grande demais para a região a que estava limitada, e que era necessária mais terra para proporcionar comida para o povo alemão, bem como uma área em que o excesso de população alemã pudesse se estabelecer e colonizar. Outra vantagem era que o comunismo seria destruído. A próxima etapa seria obter colônias na África e bases navais no Atlântico e em torno dele.

Nem todos os historiadores concordam com esses outros objetivos. A. J. P. Taylor, por exemplo, afirmou que Hitler nunca teve qualquer plano detalhado para adquirir *Lebensraum* e nunca pretendeu que houvesse uma guerra de grandes proporções. No máximo, estava preparado para uma guerra limitada com a Polônia. "Ele foi até onde foi porque outros não souberam o que fazer com ele", concluiu Taylor. Martin Broszat também acredita que os escritos e discursos de Hitler sobre o *Lebensraum* não constituíam um programa real que ele seguisse passo a passo, sendo mais provável que fossem exercícios de propaganda voltados a atrair apoio ao Partido Nazista.

(b) Uma série de sucessos

Fossem quais fossem suas verdadeiras intenções de longo prazo, Hitler começou sua política externa com uma série quase ininterrupta de brilhantes sucessos, o que foi uma das principais razões de sua popularidade na Alemanha. No final de 1938, quase todos os objetivos do primeiro conjunto foram atingidos, sem guerra e com a aprovação da Grã-Bretanha. Somente os alemães na Polônia ainda tinham que ser trazidos para dentro do Reich. Infelizmente, foi ao não conseguir fazer isso por meios pacíficos que Hitler tomou a fatídica decisão de invadir a Polônia.

1. Considerando-se que a Alemanha ainda estava frágil em termos militares em 1933, *Hitler tinha que agir com cautela no início*. Ele retirou o país da Conferência Mundial sobre Desarmamento e da Liga das Nações, alegando que a França não aceitava que a Alemanha tivesse igualdade de armamentos. Ao mesmo tempo, insistia em que a Alemanha estava disposta a se desarmar se outros estados fizessem o mesmo, que ele só queria a paz. Essa era uma de suas técnicas favoritas: agir com firmeza, ao mesmo tempo em que acalmava seus oponentes com o tipo de discursos conciliatórios que sabia que eles queriam ouvir.

2. *A seguir, Hitler assinou um pacto de não agressão de 10 anos com os poloneses (janeiro de 1934)*, que manifestavam preocupação com a possibilidade de os alemães tentarem retomar o Corredor Polonês. Isso representava uma espécie de triunfo para Hitler, e a Grã-Bretanha considerou o ato como mais uma evidência de suas intenções pacíficas, arruinando a Pequena Entente da França, que dependia muito da Polônia, e garantindo a neutralidade polonesa sempre que a Alemanha decidisse agir contra a Áustria e a Tchecoslováquia. Por outro lado, melhorou as relações entre França e Rússia que estavam, ambas, preocupa-

das com a aparente ameaça da Alemanha nazista.
3. Em julho de 1934, Hitler sofreu um revés em suas ambições de *Anschluss* (união) entre Alemanha e Áustria. Os nazistas austríacos, estimulados por Hitler, promoveram uma revolta e assassinaram o chanceler Engelbert Dollfuss, que havia sido apoiado por Mussolini. Entretanto, quando Mussolini movimentou tropas mais uma vez para a fronteira com a Áustria e avisou os alemães para que ficassem de fora, a revolta se desfez. Hitler, pego de surpresa, teve que aceitar que a Alemanha ainda não tinha poder para forçar essa questão e negou ter responsabilidade pelas ações dos nazistas austríacos.
4. *O Sarre foi devolvido à Alemanha (janeiro de 1935)* após um plebiscito em que 90% votaram a favor. Embora a votação constasse do acordo de paz, a propaganda nazista aproveitou ao máximo o êxito. Hitler anunciou que todas as causas de queixas entre a França e a Alemanha tinham sido canceladas.
5. O primeiro rompimento bem-sucedido do Tratado de Versalhes por parte de Hitler veio em março de 1935, quando ele anunciou a *volta do serviço militar obrigatório*. Sua desculpa era que a Grã-Bretanha acabara de anunciar aumentos na força aérea e a França tinha ampliado o serviço militar de 12 a 18 meses (a justificativa desses países era o rearmamento alemão). Para preocupação delas, Hitler disse a seus surpresos generais e ao restante do mundo que aumentaria seu exército em tempos de paz para 36 divisões (cerca de 600.000 homens), ou seja, seis vezes mais do que era permitido pelo tratado de paz. Os generais não precisavam se preocupar: embora a Frente de Stresa tenha condenado essa violação de Versalhes, não foi tomada qualquer atitude. A Liga estava impotente, e a Frente se desfez de qualquer forma, como resultado do próximo sucesso de Hitler...

6. Entendendo astutamente o quanto a Frente de Stresa era frágil, Hitler fez com que a Grã-Bretanha se desligasse ao oferecer limitar a marinha alemã a 35% da força da marinha britânica. A Grã-Bretanha aceitou prontamente, assinando o *Acordo Naval Anglo-Germânico (junho de 1935)*. O pensamento dos britânicos parece ter sido de que, já que os alemães estavam rompendo o Tratado de Versalhes ao construir uma frota, seria melhor que ela fosse limitada. Sem consultar seus dois Aliados, a Grã-Bretanha tinha fechado os olhos para o rearmamento da Alemanha, que seguia acumulando forças. No final de 1938, o exército estava com 51 divisões (cerca de 800.000 homens), mais os reservistas, havia 21 navios de grande porte (barcos de guerra, cruzadores e destróieres) e muitos outros em construção, além de 47 submarinos. Tinha sido construída uma grande força aérea de mais de 5.000 aviões.
7. Encorajado por seus êxitos, Hitler assumiu o risco calculado de *mandar tropas para a zona desmilitarizada da Renânia (março de 1936)*, uma quebra dos acordos de Versalhes e Locarno. Embora as tropas tivessem ordens para recuar diante do primeiro sinal de oposição francesa, não houve resistência, com exceção dos protestos de costume. Ao mesmo tempo, muito ciente do clima de pacifismo entre seus oponentes, Hitler os acalmou oferecendo-lhes um tratado de paz para durar 25 anos.
8. Ainda em 1936, Hitler consolidou a posição da Alemanha chegando a um entendimento com Mussolini (*o Eixo Roma-Berlim*) e assinando o *Pacto Anticomintern com o Japão* (ao qual também se juntou a Itália em 1937). Alemães e italianos ganharam experiência ajudando Franco a vencer a Guerra Civil Espanhola. Uma de suas proezas mais notórias nessa guerra foi o bombardeio da indefesa cidadezinha basca

de Guernica pela Legião Condor alemã (ver Seção 15.3).

9. *O Anschluss com a Áustria (março de 1938)* era o maior sucesso de Hitler até então (ver Seção 44(d) para a situação na Áustria). As coisas chegaram ao ápice quando os nazistas austríacos promoveram antes grandes manifestações em Viena, Graz e Linz, que o governo do chanceler Schuschnigg não conseguiu controlar. Dando-se conta de que esse poderia ser o prelúdio de uma invasão alemã, Schuschnigg anunciou um referendo para decidir se a Áustria deveria continuar independente. Hitler decidiu agir antes que o referendo acontecesse, para o caso de a votação decidir contra a união, e tropas alemãs invadiram, tornando a Áustria parte do Terceiro Reich. Era um triunfo para a Alemanha: revelava a fragilidade da Grã-Bretanha e da França que, mais uma vez, só protestaram. Isso reduziu o valor do novo entendimento alemão com a Itália e representou um duro golpe à Tchecoslováquia, que agora poderia ser atacada do sul, além do oeste e do norte. Tudo estava pronto para o começo da campanha de Hitler para obter os Sudetos de fala alemã, campanha que terminaria em triunfo na Conferência de Munique de setembro de 1938.

Antes de examinar os eventos de Munique, seria uma boa ideia fazer uma pausa e considerar porque foi permitido que Hitler rompesse todas essas vezes o acordo de Versalhes. A razão poderia ser resumida em uma palavra: *appeasement, ou seja, apaziguamento*.

5.4 A POLÍTICA DE APAZIGUAMENTO (*APPEASEMENT*)

(a) O que significa o termo "appeasement"?

O *appeasement* foi a política de conciliação seguida pelos britânicos, e mais tarde pelos franceses, de evitar a guerra com potências agressivas como Japão, Itália e Alemanha, e de atender a suas demandas, desde que não fossem absurdas demais.

Houve duas fases distintas nessa política

1. *Entre meados da década de 1920 e o ano de 1937*, havia um sentimento vago de que a guerra deveria ser evitada a qualquer custo, e a Grã-Bretanha e, às vezes, a França, foram sendo levadas, aceitando os vários atos de agressão e rupturas de Versalhes (Manchúria, Abissínia, rearmamento alemão, reocupação da Renânia).

2. Ao se tornar primeiro-ministro britânico em maio de 1937, Neville Chamberlain deu um novo impulso a essa política. Ele acreditava na iniciativa, descobria o que Hitler queria e lhe mostrava que as exigências razoáveis poderiam ser atendidas por meio de negociação em vez de força.

O início do apaziguamento pôde ser identificado na política britânica na década de 1920, com os planos Dawes e Young, que tentavam conciliar com os alemães, e também com os Tratados de Locarno e sua omissão vital – a Grã-Bretanha não concordou em garantir as fronteiras leste da Alemanha (ver Mapa 5.3), que até mesmo Stresemann, o "bom alemão", disse que deveriam ser revisadas. Quando Austen Chamberlain, ministro britânico de relações exteriores (e meio-irmão de Neville), afirmou, na época de Locarno, que nenhum governo britânico deveria jamais arriscar os ossos de um único granadeiro britânico em defesa de Corredor Polonês, parecia aos alemães que a Grã-Bretanha tinha dado as costas ao Leste Europeu. A política de apaziguamento atingiu seu ápice em Munique, onde a Grã-Bretanha e a França estavam tão determinadas a evitar a guerra com a Alemanha que deram de presente a Hitler os Sudetos, desencadeando a destruição da Tchecoslováquia. Mesmo com concessões tão grandes como essas, o apaziguamento fracassou.

Mapa 5.3 Os ganhos de Hitler antes da Segunda Guerra Mundial.

(b) Como se podia justificar a política de apaziguamento?

Na época em que a política de apaziguamento estava sendo implementada, parecia haver razões muito boas em seu favor, e seus defensores (que incluíam MacDonald, Baldwin, Simon e Hoare, bem como Neville Chamberlain) estavam convencidos de que sua política estava correta:

1. *Era considerado essencial evitar a guerra*, que provavelmente seria mais devastadora do que jamais havia sido, como demonstraram os horrores da Guerra Civil Espanhola. O grande medo era o bombardeio de cidades indefesas. As memórias dos horrores da Primeira Guerra Mundial continuavam assombrando muitas pessoas. A Grã-Bretanha, ainda sofrendo as consequências da crise econômica, não podia se dar ao luxo de um amplo rearmamento e das despesas incapacitantes de uma guerra de grandes proporções. Os governos britânicos pareciam ter o apoio de uma *opinião pública fortemente pacifista*. Em fevereiro de 1933, a Oxford Union aprovou que não lutaria por Rei nem País. Baldwin e seu Governo Nacional tiveram uma imensa vitória eleitoral em novembro de 1935, pouco depois de ele declarar: "Dou minha palavra de honra de que não haverá grandes armamentos".

2. *Muitos achavam que a Alemanha e a Itália tinham queixas legítimas*. A Itália foi enganada em Versalhes e a Alemanha foi tratada de forma dura demais. Sendo assim, os britânicos deveriam mostrar simpatia para com eles – na opinião dos alemães, deveriam tentar revisar as mais detestadas cláusulas de Versalhes, o que acabaria com a necessidade de agressão alemã e levaria à amizade anglo-germânica.

3. Como a Liga das Nações parecia estar impotente, Chamberlain acreditava que a única forma de resolver disputas era por meio do *contato pessoal entre líderes*. Assim, ele achava que conseguiria controlar e civilizar Hitler e trazer Mussolini para a barganha, fazendo com que eles respeitassem o direito internacional.

4. *A cooperação econômica entre Grã--Bretanha e Alemanha seria boa para ambas.* Se a primeira ajudasse a economia da segunda a se recuperar, a violência interna diminuiria.
5. *O medo da Rússia comunista era grande*, principalmente entre os conservadores britânicos. Muitos deles acreditavam que a ameaça comunista era maior do que o perigo de Hitler. Alguns políticos britânicos estavam dispostos a ignorar as características desagradáveis do nazismo na esperança de que a Alemanha de Hitler servisse de amortecedor à expansão do comunismo para o Ocidente. Na verdade, muitos deles admiravam a energia de Hitler e suas conquistas.
6. Por trás de todos esses sentimentos estava a crença de que a Grã-Bretanha não deveria tomar nenhuma ação militar se ela levasse à *guerra total, pois estava totalmente despreparada.* Os chefes militares britânicos disseram a Chamberlain que o país não tinha força suficiente para lutar em uma guerra contra mais de um país ao mesmo tempo. Mesmo a marinha, que era a mais forte do mundo depois da norte--americana, teria tido dificuldades de defender seu império amplo e, ao mesmo tempo, proteger os navios mercantes no caso de guerra simultânea contra Alemanha, Japão e Itália. A força aérea estava angustiada com a falta de bombardeiros e caças de longo alcance. Os Estados Unidos ainda eram favoráveis ao isolamento e a França estava fraca e dividida. Chamberlain apressou o rearmamento britânico para que "ninguém tratasse o país com qualquer atitude que não fosse o respeito". Quanto mais durasse o apaziguamento, mais forte ficaria a Grã-Bretanha, e isso deteria a agressão, ou pelo menos essa era a esperança de Chamberlain.

(c) Qual foi o papel da política de apaziguamento nas questões internacionais, no período de 1933 a 1939?

O apaziguamento teve um profundo efeito sobre a forma como as relações internacionais se desenvolveram. Embora possa ter funcionado com alguns governos alemães, com Hitler, essa política estava fadada ao fracasso. Muitos historiadores acreditam que ela convenceu Hitler da complacência e da fragilidade da Grã--Bretanha e da França a tal nível que ele estava disposto a arriscar um ataque à Polônia, iniciando assim a Segunda Guerra Mundial.

É importante enfatizar que o apaziguamento era principalmente uma política britânica, com a qual os franceses nem sempre estavam de acordo. Poincaré enfrentou os alemães (ver Seção 4.2(c)) e, embora Briand fosse a favor do apaziguamento, se opôs à proposta de união alfandegária austro-germânica em 1931. Louis Barthou, ministro das relações exteriores por alguns meses em 1934, acreditava na firmeza diante de Hitler e visava construir um forte grupo contrário à Alemanha que incluiria a Itália e a URSS. É por isso que ele pressionou pela entrada da Rússia na Liga das Nações, o que aconteceu em setembro de 1934. Ele disse à Grã-Bretanha e à França que "se opusessem à legalização do rearmamento alemão" contrário aos Tratados de Versalhes. Infelizmente, Barthou foi assassinado em outubro de 1934, junto com o rei Alexandre da Iugoslávia que fazia uma visita de Estado à França, ambos foram baleados por terroristas croatas pouco depois de o rei chegar a Marselha. O sucessor de Barthou, Pierre Laval, assinou uma aliança com a Rússia em maio de 1935, embora fosse um acordo fraco, por não conter disposição estabelecendo cooperação militar, já que Laval não acreditava nos comunistas. Ele depositava suas principais esperanças na amizade com Mussolini, mas elas foram arrasadas com o fracasso do Pacto Hoare-Laval (ver Seção 5.2(b)). Depois disso, os franceses ficaram tão profundamente divididos entre esquerda e direita que nenhuma política externa decisiva parecia possível. Como a direita admirava Hitler, os franceses foram atrás dos britânicos.

Exemplos da política de apaziguamento em funcionamento

1. *Nenhuma ação foi tomada para conter o visível rearmamento alemão*. Lorde Lothian, um Liberal, fez um comentário revelador sobre isso, depois de visitar Hitler em janeiro de 1935: "Estou convencido de que Hitler não quer a guerra... o que os alemães querem é um exército forte que lhes possibilite lidar com a Rússia".
2. *O Acordo Naval Anglo-Germânico* tolerando o rearmamento alemão foi assinado sem qualquer consulta à França ou à Itália, o que rompeu a Frente de Stresa, abalou em muito a confiança francesa na Grã-Bretanha e incentivou Laval a buscar entendimentos com Mussolini e Hitler.
3. Houve apenas uma *ação britânica pouco entusiasmada contra a invasão italiana da Abissínia*.
4. Os franceses, embora incomodados com a reocupação alemã da Renânia (março de 1936), *não mobilizaram suas tropas*. Eles estavam profundamente divididos e extremamente cautelosos, e não receberam suporte dos britânicos, que estavam impressionados com a oferta de uma paz de 25 anos feita por Hitler. Na verdade, Lorde Londonderry (Conservador e Ministro do Ar de 1931 a 1935), teria enviado a Hitler um telegrama parabenizando-o por seu sucesso. Lorde Lothian afirmou que as tropas alemãs só tinham entrado em seu "pátio dos fundos".
5. *Nem a Grã-Bretanha nem a França intervieram na Guerra Civil Espanhola*, embora a Alemanha e a Itália tenham enviado ajuda decisiva a franco. A Grã-Bretanha tentou seduzir Mussolini a retirar suas tropas reconhecendo oficialmente a posse italiana sobre a Abissínia (abril 1938), mas Mussolini não cumpriu sua parte do acordo.
6. Embora a Grã-Bretanha e a França tenham protestado muito contra a *Anschluss* entre Alemanha e Áustria (março de 1938), muitos na Grã-Bretanha a consideravam como *a união natural de um grupo alemão com outro*. Mas a falta de ação por parte dos britânicos encorajou Hitler a fazer exigências sobre a Tchecoslováquia, o que gerou o ato supremo de conciliação por parte de Chamberlain e o maior triunfo de Hitler até então: Munique.

5.5 DE MUNIQUE À DEFLAGRAÇÃO DA GUERRA: DE SETEMBRO DE 1938 A SETEMBRO DE 1939

Nesse ano fatídico, Hitler promoveu duas campanhas de pressão: uma contra a Tchecoslováquia e outra contra a Polônia.

(a) Tchecoslováquia

Parece provável que Hitler tenha decidido destruir a Tchecoslováquia como parte de sua política de *Lebensraum* (espaço vital), e porque detestava os tchecos por sua democracia, por serem eslavos e porque seu Estado foi criado pelo acordo de Versalhes (ver Seção 4.4(b) para a situação na Tchecoslováquia). Sua localização era importante do ponto de vista estratégico, pois o controle da área traria grandes vantagens para a dominação militar e econômica alemã na Europa central.

1 A campanha de propaganda nos Sudetos

A desculpa de Hitler para uma campanha aberta de propaganda era que 3,5 milhões de alemães sudetos, sob a liderança de Konrad Henlein, estavam sendo discriminados pelo governo tcheco. É verdade que o desemprego era mais grave entre os alemães, mas isso ocorria porque uma grande parcela deles trabalhava na indústria, onde o desemprego era mais alto em função da depressão. Os nazistas organizaram enormes manifestações nos Sudetos e ocorreram confrontos entre tchecos e alemães. O presidente tcheco, Edvard Beneš, temia que Hitler estivesse provocando os distúrbios para que tropas alemãs pudessem entrar e "restaurar a ordem". Chamberlain e Daladier, o primeiro-ministro francês, tinham medo de que se isso acontecesse, começaria a guerra. Eles estavam dispostos a quase qualquer coisa para evitar a guerra e fizeram uma enorme pressão sobre os tchecos para que fizessem concessões a Hitler.

Beneš acabou aceitando que os alemães dos Sudetos fossem entregues à Alemanha. Chamberlain voou até a Alemanha e se reuniu com Hitler em Berchtesgaden (15 de setembro), explicando a oferta. Hitler parecia aceitar, mas em uma segunda reunião em Godesberg, somente uma semana depois, ele aumentou suas demandas: ele queria mais território da Tchecoslováquia e a entrada imediata de tropas alemãs nos Sudetos. Beneš não concordava com isso e ordenou imediata mobilização do exército tcheco. Os tchecos tinham fortificado muito suas fronteiras com a Alemanha, a Áustria e a Hungria, construindo *bunkers* e defesas antitanque. Seu exército tinha sido ampliado e eles estavam esperançosos de que, com ajuda de seus aliados, principalmente França e URSS, qualquer ataque alemão poderia ser repelido. Certamente não teria sido tão fácil para os alemães.

2 A Conferência de Munique, 29 de setembro de 1938

Quando parecia que a guerra era inevitável, Hitler convidou Chamberlain e Daladier para uma conferência entre quatro potências, que

Ilustração 5.1 Chamberlain e Hitler em Munique, Setembro de 1938.

se reuniu em Munique (ver Ilustração 5.1). Nela, foi aceito um plano apresentado por Mussolini (mas, na verdade, elaborado pelo Ministério de Relações Exteriores da Alemanha). Os Sudetos seriam imediatamente entregues à Alemanha, a Polônia ganharia Teschen e a Hungria receberia o sul da Eslováquia. A Alemanha, junto com as outras três potências, garantiria o restante da Tchecoslováquia. Nem os tchecos nem os russos foram convidados para a conferência. Aos primeiros foi dito que, se resistissem à decisão de Munique, não receberiam qualquer ajuda da Grã-Bretanha e da França, mesmo que a França tivesse garantido as fronteiras tchecas em Locarno. Em função dessa traição por parte da França e da falta de solidariedade da Grã-Bretanha, a resistência militar tcheca parecia impotente: eles não tiveram escolha senão aceitar a decisão da conferência. Poucos dias depois, Beneš renunciou.

Na manhã seguinte à Conferência de Munique, Chamberlain fez uma reunião privada com Hitler, na qual os dois assinaram uma declaração, um "pedaço de papel", preparado por Chamberlain, prometendo que a Grã-Bretanha e a Alemanha abririam mão de intenções bélicas uma contra a outra e usariam a consulta para resolver qualquer problema que surgisse. Quando Chamberlain voltou à Grã-Bretanha, mostrando o "pedaço de papel" para as câmeras dos jornais cinematográficos, foi recebido com êxtase pelo povo, que achava que a guerra tinha sido evitada. Ele próprio afirmou: "Acho que haverá paz para nosso tempo".

Entretanto, nem todo mundo estava tão entusiasmado: Churchill chamou Munique de "uma derrota total e absoluta"; Duff Cooper, o Primeiro Lorde do Almirantado, renunciou a seu cargo no gabinete, dizendo que não se poderia confiar em que Hitler mantivesse o acordo. Eles tinham razão.

3 A destruição da Tchecoslováquia, março de 1939

Como resultado do Acordo de Munique, a Tchecoslováquia foi mutilada, com a perda de 70% de sua indústria pesada, um terço de sua população, cerca de um terço de seu território e quase todas suas fortificações cuidadosamente preparadas, principalmente para a Alemanha. A Eslováquia e a Rutênia receberam autogovernos para questões internas, embora ainda houvesse um governo central em Praga. No início de 1939 a Eslováquia, estimulada pela Alemanha, começou a exigir a independência completa de Praga e parecia que o país estava por se desagregar. Hitler pressionou o primeiro-ministro eslovaco, o padre Jozef Tiso, para que declarasse independência e solicitasse ajuda alemã, mas Tiso foi extremamente cauteloso.

Foi o novo presidente tcheco, Emil Hacha, quem fez com que as coisas chegassem a um ponto culminante. Em 9 de março de 1939, o governo de Praga avançou sobre os eslovacos para impedir a esperada declaração de independência: o gabinete foi deposto, Tiso foi posto em prisão domiciliar e os prédios do governo eslovaco em Bratislava foram ocupados pela polícia. Isso deu a Hitler sua chance para agir: Tiso foi levado a Berlim, Hitler o convenceu de que era hora. Em Bratislava, Tiso e os eslovacos proclamaram a independência (14 de março) e, no dia seguinte, pediram proteção da Alemanha, embora, como aponta Ian Kershaw (em *Hitler, 1936-1945: Nemesis*), isso só aconteceu depois que "navios de guerra alemães no Danúbio tinham apontado suas armas contra os gabinetes do governo eslovaco".

A seguir, o presidente Hacha foi convidado a ir a Berlim, onde Hitler lhe disse que, para proteger o Reich Alemão, deveria ser imposto um protetorado alemão no que havia sobrado da Tchecoslováquia. Tropas alemãs foram posicionadas para invadir o país e Hacha deveria ordenar que o exército tcheco não reagisse. Goering ameaçou que Praga seria bombardeada se ele se recusasse. Diante de tal intimidação, Hacha achou que não tinha alternativa senão concordar e, em 15 de março de 1939, tropas alemãs ocuparam o restante da Tchecoslováquia enquanto o exército tcheco permanecia nos alojamentos. A Boêmia e a Morávia (as principais regiões tchecas) foram declaradas um protetorado dentro do Reich alemão, a Eslováquia deveria ser um Estado independente, mas sob proteção do Reich, e a Rutênia foi ocupada por tropas húngaras. A Grã-Bretanha e a França protestaram, mas, como de costume, não tomaram nenhuma atitude. Chamberlain disse que a garantia de fronteiras tchecas dadas em Munique não se aplicavam porque, tecnicamente, o país não havia sido invadido – as tropas alemãs tinham entrado por convite. Hitler foi recebido com entusiasmo quando visitou os Sudetos (ver Ilustração 5.2).

Contudo, a ação alemã causou uma grande onda de críticas: pela primeira vez, os apaziguadores não conseguiam justificar o que Hitler tinha feito, pois ele tinha quebrado sua promessa e tomado território que não era alemão. Até mesmo Chamberlain achou que a coisa estava indo longe demais, e sua atitude endureceu.

(b) Polônia

Após tomar o porto lituano de Memel (que era assumidamente habitado em grande parte por alemães), Hitler voltou suas atenções à Polônia.

1 Hitler exige a devolução de Danzig

Os alemães não aceitavam a perda de Danzig e do Corredor Polonês, em Versalhes, e agora que estava garantido que a Tchecoslováquia ficaria fora do caminho, a neutralidade polonesa não era mais necessária. Em abril de 1939, Hitler exigiu a *devolução de Danzig e uma estrada e uma ferrovia através do corredor, ligando a Prússia Oriental ao restante da Alemanha.* Essa exigência, na verdade, não deixava de ser razoável, já que Danzig era

Ilustração 5.2 Multidões entusiasmadas saúdam Hitler em sua primeira visita aos Sudetos cedidos.

predominantemente de fala alemã, mas vindo tão imediatamente após a captura da Tchecoslováquia, os poloneses estavam convencidos de que as demandas alemãs eram apenas as preliminares de uma invasão. Já fortalecida pela promessa britânica de ajuda em caso de "qualquer ação que claramente ameaçasse a independência da Polônia", o ministro de relações exteriores, o coronel Beck, rejeitou as exigências alemãs e se recusou a participar de uma conferência. Sem dúvida, ele tinha medo de outra Munique. A pressão britânica sobre os poloneses para entregar Danzig não surtiu efeito. Hitler provavelmente ficou surpreso com a resistência de Beck e esperava manter boas relações com os poloneses, pelo menos no futuro próximo.

2 Os alemães invadem a Polônia

A única forma com que a promessa britânica à Polônia poderia ser tornada efetiva era por meio de uma aliança com a Rússia, mas os britânicos eram tão lentos e hesitantes em suas negociações por uma aliança que Hitler chegou primeiro e assinou um pacto de não agressão entre Alemanha e URSS (24 de agosto). Hitler estava agora convencido de que, com a Rússia neutra, a Grã-Bretanha e a França não arriscariam uma intervenção. Quando os britânicos ratificaram sua garantia à Polônia, Hitler considerou um blefe; quando os poloneses ainda assim se recusaram a negociar, começou uma invasão alemã total, no início do dia 1º de setembro de 1939.

Chamberlain ainda não havia abandonado completamente a política de apaziguamento e sugeriu que as tropas alemãs fossem retiradas e a realização de uma conferência, sem que houvesse respostas dos alemães. Somente quando cresceu a pressão no parlamento e no país foi que Chamberlain mandou um ultimato à Alemanha: se as tropas alemãs não fossem retiradas da Polônia, a Grã-Bretanha declararia guerra. Hitler nem se deu o trabalho de responder. Quando o ultimato expirou, às 11 da manhã de 3 de setembro, a Grã-Bretanha estava em guerra com a Alemanha. Pouco tempo depois, a França também declarou guerra.

5.6 POR QUE A GUERRA ECLODIU? QUEM OU O QUE FOI RESPONSÁVEL?

Ainda se debate quem ou o que foi responsável pela Segunda Guerra Mundial.

- Os Tratados de Versalhes tem sido responsabilizados por encher os alemães de ressentimento e desejo de vingança.
- A Liga das Nações e a ideia de segurança coletiva tem sido criticadas porque não foram capazes de garantir desarmamento geral e controlar potenciais agressores.
- A crise econômica mundial tem sido mencionada (ver Seções 14.1(e-f) e 22.6(c)), já que, sem ela, Hitler provavelmente nunca teria conseguido subir ao poder.

Embora esses fatores certamente tenham ajudado a criar o tipo de atmosfera que pode muito bem ter levado à guerra, era necessário algo mais. Vale a pena relembrar que, no final de 1938, a maioria das queixas da Alemanha haviam sido resolvida: as indenizações tinham sido canceladas, as cláusulas do desarmamento tinham sido ignoradas, a Renânia estava remilitarizada, a Áustria e a Alemanha estavam unidas, e 3,5 milhões de alemães haviam sido trazidos da Tchecoslováquia para dentro do Reich. A Alemanha era uma grande potência, mais uma vez. Sendo assim, o que deu errado?

(a) Os apaziguadores foram culpados?

Alguns historiadores já sugeriram que a política de apaziguamento teve muita responsabilidade na deterioração da situação até a guerra. Eles afirmam que a *Grã-Bretanha e a França deveriam ter assumido uma postura firme com Hitler antes que a Alemanha se tornasse forte demais*: um ataque anglo-francês no oeste da Alemanha em 1936, quando a Renânia foi ocupada, teria dado uma lição em Hitler e poderia tê-lo derrubado do poder. Abrindo-lhe caminho, os apaziguadores aumentaram seu prestígio em casa. Como escreveu Alan Bullock, "o êxito e a falta de resistência tentaram Hitler a ir adiante, a correr riscos maiores". Ele poderia não ter planos definidos para a guerra, mas depois da rendição de Munique, estava tão convencido de que a Grã-Bretanha e a França se manteriam passivas de novo que decidiu pagar para ver na guerra com a Polônia.

Chamberlain também foi criticado por escolher a questão errada na qual se opor a Hitler. Afirma-se que as reivindicações alemãs por Danzig e rotas pelo corredor eram mais razoáveis do que suas demandas pelos Sudetos (que continha quase um milhão de não alemães). A Polônia era difícil para a Grã-Bretanha e a França defenderem e militarmente muito mais fraca do que a Tchecoslováquia. Portanto, Chamberlain deveria ter se mantido firme em Munique e defendido os tchecos, que eram fortes em termos militares e industriais, e tinham excelentes fortificações.

Os defensores de Chamberlain, por outro lado, afirmam que sua motivação em Munique era dar tempo para que a Grã-Bretanha se armasse para uma luta posterior contra Hitler. Pode-se admitir que Munique possibilitou ganhar um ano crucial durante o qual a Grã-Bretanha conseguiu avançar com seu programa de rearmamento. John Charmley, em seu livro *Chamberlain and the Lost Peace*, afirma que Chamberlain tinha muito poucas opções que não fossem agir como agiu, já que suas políticas eram muito mais realistas do que qualquer das alternativas possíveis, como construir uma grande aliança, incluindo a França e a URSS. Essa ideia foi sugerida na época por Churchill e defendida recentemente, de forma não totalmente convincente, pelo historiador R. A. C. Parker. Qualquer líder "normal", como Stresemann, teria respondido positivamente às políticas razoáveis de Chamberlain, mas, infelizmente, Hitler não era um estadista alemão típico.

(b) A URSS tornou a guerra inevitável?

A URSS foi acusada de tornar a guerra inevitável ao assinar o pacto de não agressão com a Alemanha em 23 de agosto de 1939, o que também incluía um acordo secreto para que a Polônia fosse dividida entre os dois países. Afirma-se que Stalin deveria ter se aliado ao Ocidente e à Polônia, assustando Hitler para que ele mantivesse a paz. Por outro lado, os britânicos eram os mais relutantes em se aliar aos russos. Chamberlain não confiava neles (porque eles eram comunistas), nem os poloneses, e achava que eles eram militarmente fracos. Historiadores russos justificam o pacto dizendo que ele deu à URSS tempo para preparar suas defesas contra um possível ataque alemão.

(c) Hitler foi o responsável?

Durante e imediatamente após a guerra, houve um consenso geral fora da Alemanha, segundo o qual Hitler era o culpado. Ao atacar a Polônia em todas as frentes, em vez de simplesmente ocupar Danzig e o Corredor, Hitler mostrou que pretendia não apenas ter de volta os alemães que havia perdido em Versalhes, mas destruir a Polônia. Martin Gilbert afirma que sua motivação era acabar com o estigma de derrota na Primeira Guerra Mundial: "pois o único antídoto para a derrota em uma guerra é a vitória na seguinte". Hugh Trevor-Roper e muitos outros historiadores acreditam que Hitler *pretendia uma guerra de grandes proporções desde o princípio*. Eles afirmam que ele odiava o comunismo e queria destruir a Rússia e controlá-la permanentemente. Dessa forma, a Alemanha adquiriria a *Lebensraum*, o que só poderia ser conseguido com uma grande guerra. A destruição da Polônia era parte essencial da invasão da Rússia, e o pacto de não agressão era simplesmente uma forma de acalmar as desconfianças russas e manter o país neutro para poder lidar com a Polônia.

As evidências dessa teoria são retiradas do livro de Hitler, *Mein Kampf* (Minha luta) e do Memorando Hossbach, um sumário elaborado feito pelo ajudante de Hitler, o coronel

Hossbach, de uma reunião que aconteceu em novembro de 1937, na qual Hitler explicou seus planos de expansão para seus generais. Outra fonte importante de evidências é o *Livro Secreto* de Hitler, que ele finalizou em torno de 1928, mas nunca publicou.

Se essa teoria está correta, não se pode culpar a política de apaziguamento pela guerra, exceto pelo fato de tornar as coisas mais fáceis para Hitler. Ele tinha seus planos, sua "planta" para a ação, e isso significava que a guerra era inevitável mais cedo ou mais tarde. Os alemães, como um todo, também ficaram felizes com essa interpretação. Se Hitler era o culpado, e se ele e os nazistas poderiam ser considerados como um acidente grotesco, um momento de exceção na história da Alemanha, isso significaria que o povo alemão estava amplamente isento de culpa.

Nem todo mundo aceitou essa interpretação. A. J. P. Taylor, em seu livro *The Origins of the Second World War* (1961), propôs a teoria mais polêmica em relação ao início da guerra. Ele acreditava que *Hitler não pretendia causar uma guerra de grandes proporções e esperava, no máximo, uma guerra curta com a Polônia*. Segundo Taylor, os objetivos de Hitler eram semelhantes aos dos governantes anteriores da Alemanha: ele estava simplesmente dando continuidade às políticas de líderes como Bismarck, o Kaiser Guilherme II e Stresemann; a única diferença era que os métodos dele eram mais inescrupulosos.

Hitler era um oportunista brilhante se aproveitando dos erros dos apaziguadores e de eventos como a crise da Tchecoslováquia em fevereiro de 1939. Taylor achava que a ocupação alemã do restante da Tchecoslováquia em março daquele ano não foi resultado de um plano sinistro de longo prazo e sim "um subproduto imprevisto dos eventos na Eslováquia" (a demanda eslovaca por mais independência do governo de Praga). Enquanto Chamberlain calculou mal ao achar que poderia tornar Hitler respeitável e civilizado, este entendeu mal as mentes de Chamberlain e dos britânicos. Como Hitler poderia prever que os britânicos e franceses seriam tão incoerentes a ponto de apoiar a Polônia (onde sua reivindicação de terras era mais razoável) depois de lhe ter aberto caminho sobre a Tchecoslováquia (onde o que ele pedia era muito menos válido)?

Sendo assim, para Taylor, Hitler foi atraído para a guerra quase que por acidente, depois que os poloneses bancaram seu blefe. Muita gente na Grã-Bretanha ficou indignada com Taylor por achar que ele estava tentando "limpar a barra" de Hitler, mas ele não o estava defendendo; na verdade, era o contrário – Hitler ainda era culpado, e também o era o povo alemão, por serem agressivos. "Hitler foi uma criação da história alemã e do presente alemão. Ele não teria tido importância sem o apoio e a cooperação do povo alemão... Muitas centenas de alemães executaram suas ordens malignas sem escrúpulo ou questionamento".

Interpretações mais recentes tendem a minimizar a teoria da "continuidade" e destacar as *diferenças de objetivos entre governantes alemães anteriores e Hitler e os nazistas*. Até 1937, a política externa nazista poderia ser considerada tipicamente conservadora ou nacionalista. Somente quando se corrigiu tudo o que havia sido feito de errado em Versalhes – o principal objetivo dos conservadores e nacionalistas – as diferenças cruciais começaram a se revelar. O memorando Hossbach mostra que Hitler estava se preparando para ir muito além e embarcar em uma política expansionista ambiciosa. Mas ainda há mais do que isso. Como aponta Neil Gregor, o que ele tinha em mente era uma "guerra racial de destruição, muito diferente da que se viveu em 1914-1918". Ela começou com o desmembramento da Polônia, continuou com o ataque contra a URSS e culminou em uma terrível guerra genocida – a destruição dos judeus e outros grupos que os nazistas consideravam inferiores à raça superior alemã. "O nazismo era uma nova força destrutiva cuja visão de dominação imperial era radicalmente diferente" do que qualquer coisa que tivesse acontecido antes.

A que conclusão chegamos? Hoje, mais de 40 anos depois de Taylor publicar seu famoso livro, muito poucos historiadores aceitam a teoria de que Hitler não tivesse planos de longo prazo para a guerra. Alguns autores recentes acham que Taylor ignorou muitas evidências que não se encaixavam em sua própria teoria. É verdade que alguns dos êxitos de Hitler se concretizaram através de um oportunismo inteligente, mas havia muito mais por trás disso. Embora provavelmente não tivesse um plano formulado passo a passo, detalhado, de longo prazo, está claro que ele tinha uma visão básica, pela qual trabalhava em todas as oportunidades. Essa visão era uma Europa dominada pela Alemanha, e ela só poderia ser realizada através da guerra.

Restam poucas dúvidas, então, de que Hitler foi amplamente responsável pela guerra. O historiador alemão Eberhard Rickel, escrevendo em 1984, afirmou que

> Hitler estabeleceu para si dois objetivos: uma guerra de conquistas e a eliminação dos judeus... [seu] objetivo máximo era o estabelecimento de uma grande Alemanha que nunca havia existido antes na história. O caminho rumo a essa grande Alemanha era uma guerra de conquistas travada principalmente à custa da Rússia Soviética.... onde a nação alemã deveria ganhar espaço vital para gerações futuras... militarmente, a guerra seria fácil porque a Alemanha só enfrentaria a oposição de um país de bolcheviques judeus e eslavos incompetentes.

Sendo assim, provavelmente não era uma guerra mundial que Hitler tinha em mente. Alan Bullock acredita que ele não queria guerra com a Grã-Bretanha; tudo o que ele pedia era que a Grã-Bretanha não interferisse em sua expansão na Europa e lhe permitisse derrotar a Polônia e a URSS em campanhas separadas.

O mais recente biógrafo de Hitler, Ian Kershaw, não vê razão para mudar a conclusão geral de que Hitler deve ser responsabilizado.

> Hitler nunca teve dúvidas, e disse isso em inúmeras ocasiões, de que o futuro da Alemanha só poderia ser determinado através da guerra... A guerra – a essência do sistema nazista que havia se desenvolvido sob sua liderança – era inevitável para ele. Só o momento e o rumo estavam em questão. E não havia tempo para esperar.

PERGUNTAS

1. "Os êxitos de política externa de Hitler entre 1935 e 1939 foram resultado de suas próprias habilidades técnicas e sua capacidade de explorar a fragilidade de seus oponentes". Até que ponto você concorda com essa visão?
2. Até que ponto você acha que a política externa de Hitler era simplesmente uma continuação das políticas seguidas pelos governos alemães anteriores?
3. Examine as evidências contra e a favor da visão de que Hitler não tinha planos claros de longo prazo para a guerra.
4. "Hitler tinha um objetivo maior em termos de política externa: expansão para o leste". Explique por que concorda ou discorda dessa declaração.
5. Até que ponto a política de conciliação pode ser responsabilizada pela deflagração da Segunda Guerra Mundial?
6. "A responsabilidade por essa terrível catástrofe recai sobre os ombros de um único homem, o chanceler alemão, que não hesitou em jogar o mundo no sofrimento para servir a suas próprias ambições sem sentido" (Neville Chamberlain falando para a Câmara dos Comuns, em 1º de setembro de 1939). Até que ponto você concorda que essa seja uma avaliação justa das causas da Segunda Guerra Mundial?

A Segunda Guerra Mundial
1939-1945

6

RESUMO DOS EVENTOS

Diferente da guerra de 1914-1918, a Segunda Guerra Mundial foi de movimentação rápida, muito mais complexa, com campanhas de grande porte acontecendo no Pacífico e no Extremo Oriente, no norte da África e bem no coração da Rússia, bem como nas regiões central e ocidental da Europa e no Atlântico. *A guerra se divide em quatro fases claramente definidas.*

1 As primeiras ações: setembro de 1939 a dezembro de 1940

No final de setembro, os alemães e os russos ocuparam a Polônia. Depois de uma pausa de cinco meses (conhecida como a "guerra falsa")*, forças alemãs ocuparam a Dinamarca e a Noruega (abril de 1940). Em maio a Holanda, a Bélgica e a França foram atacadas e derrotadas em pouco tempo, o que deixou a Grã-Bretanha sozinha para enfrentar os ditadores (Mussolini declarou guerra em junho, pouco antes da queda da França). A tentativa de Hitler de bombardear a Grã-Bretanha para forçá-la a se submeter foi frustrada na Batalha da Grã-Bretanha (julho a setembro de 1940), mas os exércitos de Mussolini invadiram o Egito e a Grécia.

---

* N. de R. T.: Esse período, caracterizado pela historiografia anglo-sexônica como phoney war (guerra fingida, falsa) é denominada pelos franceses drôle de guerre (guerra esquisita, estranha) e pelos alemães de Sitzkrieg (guerra de posição ou sentada).

2 Cresce a ofensiva do Eixo: de 1941 ao verão de 1942

A guerra agora começava a evoluir para um conflito mundial. Primeiramente Hitler, confiante em uma vitória rápida sobre a Grã-Bretanha, invadiu a Rússia (junho de 1941), rompendo o pacto de não agressão assinado apenas dois anos antes. Depois, os japoneses forçaram os Estados Unidos a entrar na guerra ao atacar sua base naval de Pearl Harbor (dezembro de 1941) e, em seguida, territórios como as Filipinas, Malásia, Cingapura e Burma, espalhados em uma ampla região. Nessa etapa da guerra não parecia haver maneira de parar os alemães e os japoneses, embora os italianos tivessem menos sucesso.

3 As ofensivas são contidas: do verão de 1942 ao verão de 1943

Essa fase da guerra assistiu a três batalhas importantes nas quais forças do eixo foram derrotadas.

- Em junho de 1942, os norte-americanos repeliram um ataque japonês à Ilha de Midway, impondo grandes perdas.
- Em outubro, os alemães, sob o comando de Rommel, avançando para o Egito, foram parados em El Alamein e depois expulsos do norte da África.
- A terceira batalha foi na Rússia, onde, em setembro de 1942, os alemães tinham penetrado até Stalingrado. Os russos resistiram com tanta força que no mês de

fevereiro seguinte o exército alemão estava cercado e foi forçado a se render.

Nesse meio-tempo, a guerra no ar continuava, com ambos os lados bombardeando as cidades inimigas, enquanto, no mar, como na Primeira Guerra Mundial, britânicos e norte-americanos continham a maior parte da ameaça dos submarinos alemães.

4 As potências do Eixo derrotadas: julho de 1943 a agosto de 1945

Os enormes recursos e poder dos Estados Unidos e da URSS, combinados com um esforço total da Grã-Bretanha e seu império, foram desgastando, aos poucos, as potências do Eixo. A Itália foi a primeira eliminada, seguida de uma invasão anglo-americana da Normandia (junho de 1944) que libertou a França, a Bélgica e a Holanda. Posteriormente, tropas Aliadas cruzaram o Reno e capturaram Colônia. No leste, os russos expulsaram os alemães e avançaram sobre Berlim através da Polônia. *Os alemães se renderam em maio de 1945 e o Japão, em agosto, depois de os norte-americanos terem jogado uma bomba atômica em Hiroshima e outra em Nagasaki.*

6.1 AS AÇÕES INICIAIS: DE SETEMBRO DE 1939 A DEZEMBRO DE 1940

(a) A Polônia derrotada

Os poloneses foram derrotados rapidamente pela tática alemã de *Blitzkrieg* (guerra-relâmpago), que não tinham condições de enfrentar. Elas consistiam em rápidos ataques de tanques e divisões motorizadas (*Panzers*) apoiadas por poder aéreo. A *Luftwaffe* (a força aérea alemã) tirou de ação o sistema polonês de ferrovias e destruiu a força aérea do país. A resistência polonesa foi heroica, mas nada pôde fazer, pois não tinha divisões motorizadas e tentava parar o avanço alemão com cargas pesadas de cavalaria. A Grã-Bretanha e a França pouco fizeram para ajudar sua aliada diretamente, porque o procedimento de mobilização francês era lento e desatualizado, e era difícil transportar soldados até a Polônia em número suficiente para ser eficaz. Quando os russos invadiram o leste da Polônia, a resistência desabou. *No dia 29 de setembro, a Polônia foi dividida entre Alemanha e Rússia* (como acordado pelo pacto de agosto de 1939).

(b) A "guerra falsa"

Muito pouco aconteceu na região ocidental da Europa pelos cinco meses seguintes. No leste, os russos assumiram a Estônia, a Letônia e a Lituânia e invadiram a Finlândia (novembro de 1939), forçando o país a entregar seus territórios de fronteira que possibilitariam aos russos se defender melhor contra qualquer ataque vindo do ocidente. Enquanto isso, franceses e alemães preparavam suas respectivas defesas, as linhas Maginot e Siegfried. Hitler parecia ter esperanças de que a pausa enfraquecesse a determinação da Grã-Bretanha e da França e as fizesse negociar a paz. Essa falta de ação agradou aos generais de Hitler, que não estavam convencidos de que o exército alemão tivesse força suficiente para atacar no ocidente. Foi a imprensa dos Estados Unidos que descreveu esse período como a "guerra falsa".

(c) A Dinamarca e a Noruega invadidas, abril de 1940

As tropas de Hitler ocuparam a Dinamarca e desembarcaram nos principais portos noruegueses em abril de 1940, destroçando com violência a calma aparente da "guerra falsa". O controle da Noruega era importante para os alemães porque Narvik era a principal saída para o minério de ferro sueco, vital para a indústria de armamentos alemã. Os britânicos estavam interferindo nesse comércio colocando minas nas águas costeiras norueguesas, e os alemães receavam que eles pudessem tentar tomar alguns dos portos da Noruega, o que eles realmente planejavam fazer. O almirante Raeder, comandante da marinha alemã, considerou que os fiordes seriam excelentes bases navais de onde atacar as linhas de suprimento transatlânticas britânicas. Quando um destróier britânico perseguiu o navio alemão *Altmark* e resgatou 300 prisioneiros britânicos a bordo, Hitler decidiu que era hora de agir. No dia 9 de abril, tropas alemãs desembarcaram em Oslo, Kristiansand, Stavanger, Bergen e Trondheim. Embora tenham chegado uns dias depois, as tropas britânicas e francesas não conseguiram desalojar os alemães, que já estavam estabelecidos. Depois de um sucesso temporário em Narvik, todas as tropas aliadas foram retiradas no início de junho, em função da crescente ameaça à própria França. *Os alemães tiveram êxito* porque os noruegueses foram pegos de surpresa e suas tropas nem estavam mobilizadas. Os nazistas locais, sob a liderança de Vidkun Quisling, deram toda a ajuda possível aos invasores. Os britânicos não tinham apoio aéreo, enquanto a força aérea alemã fustigava constantemente os Aliados. *Essa campanha da Noruega teve importantes resultados*:

- A Alemanha teve garantidas suas bases e seu suprimento de minério de ferro, mas perdeu três cruzadores e 10 destróieres, o que tornou sua marinha menos eficaz em Dunquerque do que poderia ter sido (ver (d), abaixo).
- Expôs a incompetência do governo Chamberlain. Ele foi forçado a renunciar e *Winston Churchill tornou-se primeiro-ministro britânico*. Embora houvesse críticas aos erros de Churchill, não restam dúvidas de que ele proporcionou o que era necessário na época: ímpeto, sentido de urgência e a capacidade de fazer com que seu gabinete de coalizão funcionasse bem como um todo.

(d) Hitler ataca a Holanda, a Bélgica e a França

Os ataques à Holanda, à Bélgica e à França foram lançados simultaneamente no dia 10 de maio e, mais uma vez, os métodos de *Blitzkrieg* trouxeram vitórias rápidas. Os holandeses, abalados pelo bombardeio de Rotterdam, que matou quase mil pessoas, renderam-se depois de apenas quatro dias. A Bélgica se manteve por mais tempo, mas sua rendição no final de maio deixou as tropas francesas e britânicas perigosamente expostas enquanto as divisões motorizadas alemãs varriam o norte da França. Somente Dunquerque permanecia em mãos aliadas. Entre 27 de maio e 4 de junho a marinha britânica foi fundamental na evacuação de mais de 338.000 soldados dessa cidade, dois terços dos quais eram britânicos. Essa foi uma façanha impressionante em face de constantes ataques da *Luftwaffe* nas praias. Talvez fosse impossível se Hitler não tivesse ordenado a interrupção do avanço dos alemães sobre Dunquerque (24 de maio), provavelmente porque o terreno pantanoso e os inúmeros canais eram inadequados para tanques.

Os eventos em Dunquerque foram importantes: um terço de um milhão de soldados Aliados foram resgatados para lutar de novo e Churchill usou isso com propósitos de propaganda para dar um impulso ao moral, com o "espírito de Dunquerque". Na verdade, foi um duro golpe nos Aliados: os soldados em Dunquerque perderam suas armas e seu equipamento, e ficou impossível para a Grã-Bretanha ajudar a França.

Os alemães agora avançavam para o sul: *Paris foi capturada em 14 de junho e a França se rendeu no dia 22 do mesmo mês*. Diante da insistência de Hitler, foi assinado o armistício em Compiègne, no mesmo vagão de trem que havia sido usado para o armistício de 1918. Os alemães ocuparam o norte da França e a costa do Atlântico (ver Mapa 6.1), o que lhes dava valiosas bases de submarinos, e o exército francês foi desmobilizado. À França não ocu-

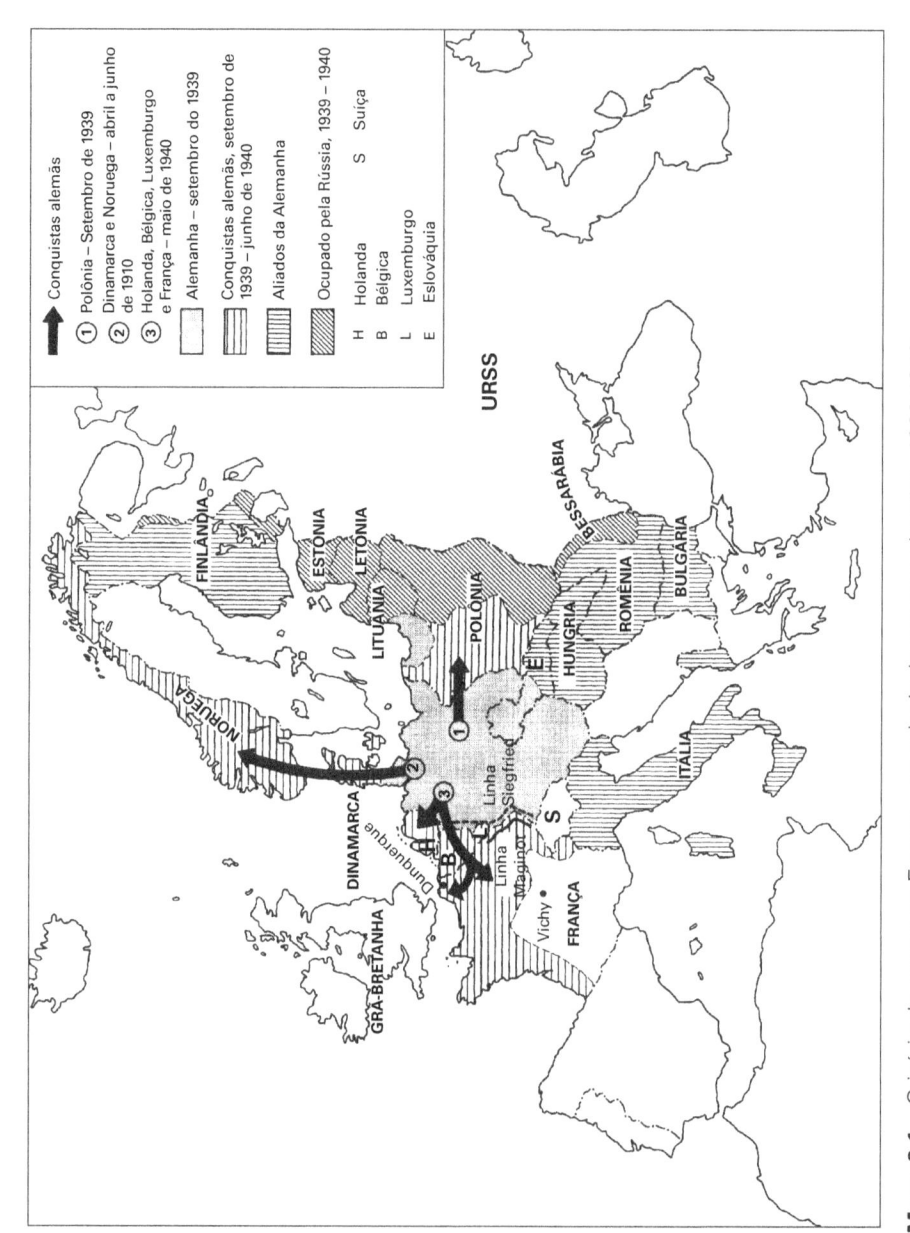

Mapa 6.1 O início da guerra na Europa – os principais ataques alemães, 1939-1940.

Fonte: D. Heater. *Our World This Century* (Oxford, 1992) p. 73.

pada foi permitido ter seu próprio governo sob o comando do marechal Pétain, mas sem independência real e colaborando com os alemães. A posição da Grã-Bretanha era agora bastante precária. Lorde Halifax, o ministro das relações exteriores, permitiu que fossem feitas consultas secretas via Washington sobre quais seriam os termos dos alemães para a paz. Até Churchill Pensou na possibilidade de uma paz negociada.

(e) Por que a França foi derrotada tão rapidamente?

1. *Os franceses estavam psicologicamente despreparados para a guerra e com divisões profundas entre direita e esquerda.* A direita simpatizava com o fascismo, admirava as realizações de Hitler na Alemanha e queria um acordo com ele. Os comunistas, seguindo o pacto de não agressão entre Alemanha e URSS, também eram contrários à guerra. O longo período de inação durante a "guerra falsa" deu tempo para o desenvolvimento de um partido de direita favorável à paz, encabeçado por Laval. Ele afirmava que não tinha sentido continuar a guerra, agora que os poloneses, que deveriam estar ajudando, tinham sido derrotados.

2. *Havia fragilidades militares graves*
   - A França tinha que enfrentar todo o peso de uma ofensiva alemã completa, ao passo que, em 1914, metade das forças alemãs tinha sido dirigida contra a Rússia.
   - O Alto Comando Francês ficou feliz por se acomodar atrás da Linha Maginot, uma linha de defesa que ia da Suíça às fronteiras com a Bélgica. Infelizmente, a Linha Maginot não continuava ao longo da fronteira entre França e Bélgica, em parte porque isso poderia ter ofendido os belgas, e porque Pétain acreditava que a região das Ardenas seria uma barreira forte o suficiente, mas foi exatamente aí que os alemães fizeram a ruptura.
   - A França tinha tantos tanques e veículos blindados quanto a Alemanha, mas, em vez de estarem concentrados em divisões completamente blindadas, (como os alemães) possibilitando mais velocidade, eles estavam divididos de forma que cada divisão de infantaria tinha alguns. Isso reduzia a velocidade dos soldados em marcha (infantaria).
   - As divisões alemãs eram apoiadas por aviões de combate, outra área negligenciada pelos franceses.

3. *Os generais franceses cometeram erros fatais.*
   - Não foi feita qualquer tentativa de ajudar a Polônia atacando a Alemanha na parte ocidental em setembro de 1939, o que poderia ter sido uma boa chance de sucesso.
   - Não houve movimentação de tropas dos fortes da Linha Maginot (a maioria dos quais estavam completamente inativos) para ajudar a bloquear o rompimento que os alemães faziam no rio Meuse (13 de maio de 1940).
   - A comunicação era má entre o exército e a força aérea, de forma que a defesa para expulsar os bombardeiros alemães geralmente não chegava.

4. *As derrotas militares deram à direita derrotista a chance de vir a público e pressionar o governo por um cessar-fogo.* Quando até mesmo Pétain, de 84 anos, o herói de Verdun de 1916, exigiu a paz, o primeiro-ministro Reynaud renunciou e Pétain assumiu seu lugar.

(f) A Batalha da Grã-Bretanha (12 de agosto a 30 de setembro de 1940)

Esta batalha foi travada no ar, quando a *Luftwaffe* de Goering tentou destruir a Royal Air Force (RAF) britânica *como uma preliminar à invasão da Grã-Bretanha*. Os alemães bombardearam baías, estações de radar, aeródromos e fábricas de munição. Em setembro começaram a bombardear Londres em retaliação a um ataque aéreo britânico sobre Berlim. A RAF impôs grandes perdas à *Luftwaffe* (foram perdidos 1.389 aviões alemães em comparação com 792 britânicos); quando ficou claro que o poder aéreo britânico estava longe de ser destruído, Hitler mandou suspender a invasão. *As razões para o sucesso britânico foram:*

- A rede britânica de novas estações de radar deu alerta total quando os alemães se aproximavam para atacar.
- Os bombardeiros alemães estavam mal-armados. Embora os caças britânicos (Spitfires e Hurricanes) não fossem muito melhores do que os Messerschmitts alemães, estes eram prejudicados por sua limitada autonomia – só conseguiam carregar combustível suficiente para voar por cerca de 90 minutos.
- O desvio para bombardear Londres foi um erro, porque aliviou a pressão sobre o espaço aéreo no momento crítico.

A batalha da Grã-Bretanha foi provavelmente o primeiro momento decisivo da guerra: pela primeira vez os alemães tinham sido contidos, o que demonstrava que não eram invencíveis. A Grã-Bretanha conseguiu permanecer na luta, fazendo com que Hitler (que ia atacar a Rússia) arriscasse a situação fatal de guerra em duas frentes. Como afirmou Churchill em sua homenagem aos pilotos de caça britânicos: "Nunca, no campo dos conflitos humanos, tantos deveram tanto a tão poucos".

(g) Mussolini invade o Egito, setembro de 1940

Não querendo ser superado por Hitler, Mussolini enviou um exército a partir da colônia italiana da Líbia, que penetrou quase 100 km no Egito (setembro de 1940), enquanto outro exército italiano invadiu a Grécia a partir da Albânia (outubro). Entretanto, os britânicos logo expulsaram os italianos do Egito, fizeram com que recuassem até a Líbia e os derrotaram em Bedafomm, capturando 130.000 prisioneiros e 400 tanques. Eles pareciam estar em condições para assumir o controle de toda a Líbia. Os aviões da marinha britânica afundaram metade da frota italiana ancorada em Taranto e ocuparam Creta. Os gregos forçaram os italianos a recuar e invadiram a Albânia. Mussolini estava começando a ser um constrangimento para Hitler.

6.2 A OFENSIVA DO EIXO SE AMPLIA: DE 1941 AO VERÃO DE 1942

(a) Norte da África e Grécia

As primeiras ações de Hitler em 1941 foram para ajudar seu vacilante aliado. Em fevereiro, ele enviou Erwin Rommel e o Afrika Korps a Trípoli e, junto com os italianos, eles expulsaram os britânicos da Líbia. Depois de muito avançar e recuar, em junho de 1942, os alemães estavam no Egito, aproximando-se de El Alamein, a pouco mais de 100 km de Alexandria (ver Mapa 6.2).

Em abril de 1941 as forças de Hitler invadiram a Grécia, no dia seguinte à chegada de 60.000 soldados britânicos, australianos e neozelandeses para ajudar os gregos. Os alemães capturaram Atenas, forçando os britânicos a se retirar e, após bombardear Creta, lançaram uma invasão de paraquedistas sobre a ilha. Mais uma vez, os britânicos foram forçados a se retirar (maio de 1941).

As campanhas na Grécia tiveram efeitos importantes:

- Foram depressivas para os Aliados, que perderam cerca de 36.000 homens.
- Muitas tropas foram retiradas do norte da África, enfraquecendo as forças britânicas ali, exatamente quando precisavam ter mais eficácia contra Rommel.
- Mais importante no longo prazo foi o fato de que o envolvimento de Hitler na Grécia e na Iugoslávia (que os alemães invadiram ao mesmo tempo da Grécia) pode ter retardado o ataque à Rússia, que esta-

→ à Ofensivas e avanços dos Aliados, 1942-1944

Mapa 6.2 Norte da África e Mediterrâneo.

va planejado para 15 de maio e foi postergado em cinco semanas. Se a invasão tivesse acontecido em maio, os alemães poderiam ter capturado Moscou antes da chegada do inverno.

(b) A invasão da Rússia (Operação Barbarossa) começou em junho de 1941

Hitler pode ter tido várias motivações:

- Ele temia que os russos pudessem atacar a Alemanha enquanto ela ainda estava ocupada no ocidente.
- Ele esperava que os japoneses atacassem a Rússia no Extremo Oriente.
- Quanto mais poderosos os japoneses ficassem, menos chances haveria de os Estados Unidos entrarem na guerra (ou pelo menos era isso o que Hitler pensava).
- Mas, acima de tudo, havia seu ódio ao comunismo e seu desejo de *Lebensraum* (espaço vital).

Segundo o historiador Alan Bullock, "Hitler invadiu a Rússia pela simples razão de que ele sempre pretendeu estabelecer os alicerces de seu Reich de mil anos por meio da anexação do território situado entre o Vístula e os Urais". Já se sugeriu que o ataque à Rússia foi o grande erro de Hitler, mas, como afirmou Hugh Trevor-Roper, "para Hitler, a campanha russa não era um luxo, e sim a aposta final e total do Nazismo e não poderia ser postergada. Era agora ou nunca". Hitler não esperava uma guerra longa, como disse a um de seus generais: "Só temos que chutar a porta e toda a estrutura podre virá abaixo".

Os alemães atacaram em três direções:

- no norte, em direção a Leningrado,
- no centro, em direção a Moscou,
- no sul, através da Ucrânia.
- Foi *Blitzkrieg* em escala impressionante, envolvendo cerca de 5,5 milhões de homens e 3.550 tanques apoiados por 5.000 aviões e 47.000 peças de artilharia. Cidades importantes como Riga, Smolensk e Kiev foram capturadas (ver Mapa 6.3).

Os russos foram surpreendidos com a guarda baixa, apesar de alertas britânicos e norte-

---- Linha do avanço alemão em dezembro de 1941
········ Linha alemã em novembro 1942

Mapa 6.3 A Frente Russa.

-americanos de que o ataque alemão era iminente. Stalin aparentemente acreditava que podia confiar em que Hitler mantivesse o pacto de não agressão nazi-soviético e desconfiava muito de informações que viessem da Grã-Bretanha ou dos Estados Unidos. Os russos estavam reequipando seu exército e sua força aérea, e muitos de seus generais, graças aos expurgos de Stalin, eram inexperientes (ver Seção 17.3(b)).

Contudo, as forças alemãs não conseguiram capturar Leningrado e Moscou, sendo gravemente prejudicadas pelas chuvas fortes de outubro, que transformaram as estradas russas em lama, e pelas intensas geadas de novembro e dezembro, quando, em alguns lugares, a temperatura caiu – 38°C. Os alemães tinham roupas inadequadas ao inverno porque Hitler esperava que as campanhas estivessem terminadas no outono. Mesmo na primavera de 1942, nenhum progresso foi feito no norte, quando Hitler decidiu concentrar um impulso principal no sentido sudeste, rumo ao Cáucaso, para tomar os campos de petróleo.

(c) Os Estados Unidos entram na guerra, dezembro de 1941

Os Estados Unidos foram trazidos para a guerra pelo ataque japonês a Pearl Harbor (sua base naval nas ilhas do Havaí) em 7 de dezembro de 1941 (ver Ilustração 6.1). Até então, os norte-americanos, ainda com intenções de permanecer no isolamento, tinham se mantido neutros, embora, após a lei conhecida como *Lend-Lease Act* (Lei de empréstimo e arrendamento de abril 1941), tivesse dado enorme ajuda financeira à Grã-Bretanha.

Ilustração 6.1 Pearl Harbor, 7 de dezembro de 1941: navios de guerra dos Estados Unidos em ruínas após o ataque aéreo japonês.

As motivações japonesas para o ataque estavam vinculadas a seus problemas econômicos. O governo acreditava que eles logo ficariam sem matérias-primas e desejava para territórios como Birmânia e Malásia, da Grã-Bretanha, que tinham borracha, petróleo e estanho, e às Índias Orientais Holandesas (in- donésia), também ricas em petróleo. Como Grã-Bretanha e Holanda não estavam em condições de defender suas possesões, os japoneses se prepararam para atacar, embora provavelmente preferissem evitar a guerra com os Estados Unidos. Contudo, as relações entre os dois Estados pioravam constantemente. Os norte-americanos ajudavam os chineses, que estavam em guerra com o Japão; quando os japoneses convenceram a França de Vichy a permitir que ocupassem a Indochina francesa (onde estabeleceram bases militares), o presidente Roosevelt exigiu sua retirada e impôs um embargo ao fornecimento de petróleo ao Japão (26 de junho de 1941). Seguiram-se longas negociações nas quais os japoneses tentaram persuadir os norte-americanos a levantar o embargo, mas chegou-se a um impasse quando estes insistiram em uma retirada japonesa da Indochina e da própria China. Quando o agressivo general Tojo se tornou primeiro-ministro, a guerra parecia inevitável.

O ataque foi organizado de forma brilhante pelo almirante Yamamoto. Não houve declaração de guerra: 353 aviões japoneses chegaram a Pearl Harbor sem serem detectados e, em duas horas, destruíram 350 aeronaves e 5 navios de guerra; 3.700 homens foram mortos ou feridos gravemente. Roosevelt chamou o 7 de dezembro de "uma data que viverá na infâmia".

Pearl Harbor teve importantes resultados:

- Deu aos japoneses o controle do pacífico e, em maio de 1942, eles tinham capturado Malásia, Cingapura, Hong Kong e Birmânia (que eram parte do Império Britânico), as Índias Orientais Holandesas, as Filipinas e duas possessões norte-americanas, Guam e a Ilha de Wake (ver Mapa 6.4).
- Fez com que Hitler declarasse guerra aos Estados Unidos.

Declarar guerra aos Estados Unidos pode ter sido o erro mais grave de Hitler. Ele não precisava, nesse momento, ter se comprometido com isso, e os Estados Unidos poderiam ter se concentrado na guerra do Pacífico. Todavia, os alemães já tinham assegurado aos japoneses que viriam em sua ajuda se houvesse guerra com os Estados Unidos. Hitler pressupôs que o presidente Roosevelt declararia guerra à Alemanha mais cedo ou mais tarde, então quis que a Alemanha declarasse guerra antes, para mostrar ao povo alemão que era ele quem controlava os eventos e não os norte-americanos.

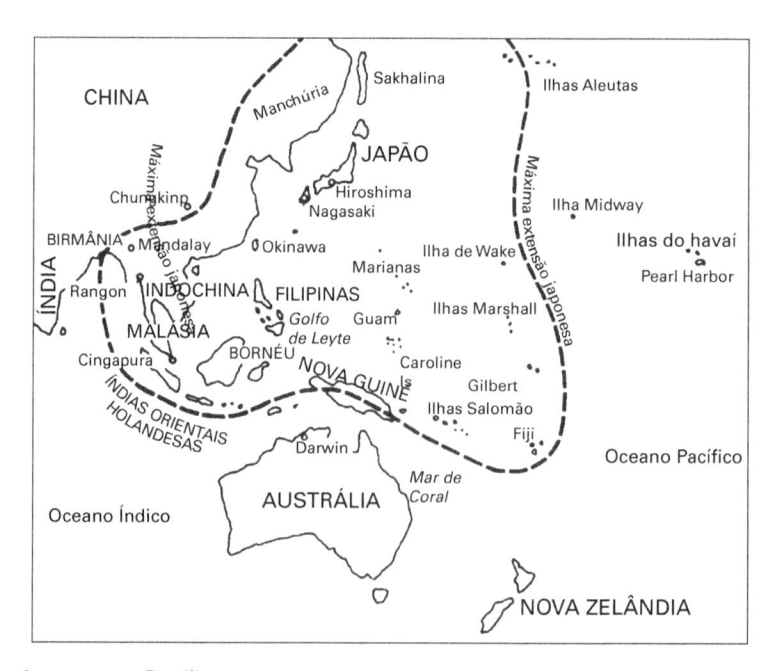

Mapa 6.4 A guerra no Pacífico.

Assim sendo, a Alemanha agora se depararia com o imenso potencial dos Estados Unidos. Isso significava que, com os enormes recursos da URSS e da Comunidade Britânica reunidos, quanto mais a guerra durasse, menos chances haveria de vitória do Eixo. Era essencial que eles dessem golpes rápidos e decisivos antes que a contribuição dos norte-americanos fizesse efeito.

(d) Um comportamento brutal por parte de alemães e japoneses

O comportamento de alemães e japoneses em seus territórios conquistados era inescrupuloso e brutal. Os nazistas tratavam os povos do Leste Europeu como seres subumanos que serviam apenas para ser escravos da raça superior alemã. Os judeus deveriam ser exterminados (ver Seção 6.8). Nas palavras do jornalista e historiador norte-americano William Shirer:

> A degradação nazista afundou a um nível raras vezes vivenciado pelo homem em seu tempo sobre a Terra. Milhões de homens e mulheres decentes e inocentes foram levados ao trabalho forçado, milhões foram torturados nos campos de concentração e outros milhões (incluindo cerca de seis milhões de judeus) foram massacrados a sangue frio ou deixados deliberadamente para que morressem de fome, e seus restos, queimados.

Isso era amoral e tolo: nos países dos Bálcãs (Letônia, Lituânia e Estônia) e na Ucrânia, o governo soviético era tão impopular que um tratamento decente teria transformado o povo em aliado dos alemães.

Os japoneses tratavam mal seus prisioneiros de guerra e os povos asiáticos. Mais uma vez, era um equívoco: muitos asiáticos, como os da Indochina, inicialmente os receberam bem, pois eles os estavam libertando do controle europeu. Os japoneses esperavam organizar seus novos territórios em um grande império econômico conhecido como a *Esfera de Coprosperidade da Grande Ásia Oriental*, que seria defendido pelo poder marítimo e aéreo. Contudo, o mau tratamento por parte dos japoneses em pouco tempo fez com que os asiáticos se voltassem contra o comando de Tóquio, dando início a firmes movimentos de resistência, geralmente com envolvimento comunista.

6.3 AS OFENSIVAS CONTIDAS: DO VERÃO DE 1942 AO VERÃO DE 1943

Em três áreas separadas de luta, as forças do Eixo foram derrotadas e começaram a perder terreno.

- Ilha Midway
- El Alamein
- Stalingrado

(a) A Ilha Midway, junho de 1942

Na Ilha Midway, no Pacífico, os norte-americanos repeliram um poderoso ataque japonês, que incluía cinco porta-aviões, cerca de 400 aviões, 17 navios de guerra de grande porte e uma invasão de 5.000 soldados. Os norte-americanos, com apenas três porta-aviões e 233 aviões, destruíram quatro dos porta-aviões e cerca de 330 aviões japoneses. *Houve várias razões para a vitória norte-americana contra probabilidades muito mais altas de derrota*:

- Eles haviam rompido o código de rádio japonês e sabiam exatamente quando e onde os ataques seriam lançados.
- Os japoneses estavam confiantes demais e cometeram dois erros fatais:
- - dividiram suas forças, possibilitando que os norte-americanos se concentrassem na força principal dos porta-aviões;
- - atacaram com aviões oriundos de todos os porta-aviões ao mesmo tempo, de forma que, quando estavam se rearmando, toda sua frota estava extremamente vulnerável.

Nesse momento, os norte-americanos lançaram um contra-ataque de bombardeiros de mergulho, que arremetiam inesperadamente de 5.800 metros, afundando dois dos porta-aviões e seus aviões.

Midway revelou-se um momento decisivo na batalha crucial pelo Pacífico: a perda dos porta-aviões e aviões de combate fragilizou gravemente os japoneses, e dali em diante os norte-americanos mantiveram sua dianteira nessas duas áreas, principalmente bombardeiros de mergulho. Embora tivessem muito mais navios de combate e cruzadores, os japoneses eram ineficazes na maioria das vezes. A única maneira de travar a guerra nas vastas expansões do Pacífico era por meio de poder aéreo operando a partir de porta-aviões. Aos poucos, os norte-americanos, sob o comando do general MacArthur, foram recuperando as Ilhas do Pacífico, começando em agosto de 1942 por desembarques nas Ilhas Salomão. A luta foi longa e acirrada, e continuou durante 1943 e 1944, um processo que os norte-americanos chamavam de *"island hopping"*, ou seja, "saltar de ilha em ilha".

(b) El Alamein, outubro de 1942

Em El Alamein, no Egito, o oitavo exército britânico, comandado por Montgomery, obrigou os Afrika Korps de Rommel a recuar. Essa grande batalha foi o ponto culminante de vários enfrentamentos na área de El Alamein: inicialmente o avanço do Eixo foi contido temporariamente (julho); quando Rommel tentou romper as linhas, foi parado mais uma vez em Alam Halfa (setembro); por fim, várias semanas mais tarde, na batalha de outubro, ele foi expulso do Egito definitivamente por britânicos e neozelandeses.

Os Aliados tiveram sucesso em parte porque, durante a pausa de sete semanas, tinham chegado muitos reforços, superando alemães e italianos em número – 80.000 homens e 540 tanques contra 230.000 soldados e 1.440 tanques. Além disso, o poder aéreo dos Aliados foi vital, atacando constantemente as forças do Eixo e afundando seus navios de suprimento quando estes cruzavam o Mediterrâneo, de forma que, em outubro, havia grave escassez de comida, óleo e munição. Ao mesmo tempo, a força aérea era suficiente para proteger as próprias rotas de abastecimento do Oitavo Exército. As preparações habilidosas de Montgomery provavelmente decidiram a questão, embora ele já tenha sido criticado por ser cauteloso demais e por permitir que Rommel e metade de suas forças escapassem para a Líbia.

No entanto, não há dúvidas de que *a vitória de El Alamein foi outro momento decisivo na guerra*:

- Impediu que o Egito e o Canal do Suez caíssem nas mãos dos alemães.
- Pôs fim à possibilidade de uma ligação entre as forças do Eixo no Oriente Médio e as da Ucrânia.
- Mais do que isso, levou à completa expulsão das forças do Eixo do Norte da África. Estimulou os desembarques de tropas britânicas nos territórios franceses do Marrocos e da Argélia para ameaçar os alemães e italianos a partir do ocidente, enquanto o Oitavo Exército fechava o cerco sobre eles a partir da Líbia. Cercados na Tunísia, 275.000 alemães e italianos foram forçados a se render (maio de 1943), e os Aliados ficaram bem posicionados para uma invasão da Itália. A guerra no deserto drenou grande parte dos recursos alemães que poderiam ser usados na Rússia, onde faziam muita falta.

(c) Stalingrado

Em Stalingrado, a ponta sul da invasão alemã na Rússia, que havia penetrado profundamente através da Crimeia, capturando Rostov, finalmente foi contida. *Os alemães chegaram a Stalingrado no final de agosto de 1942*, embora a cidade tenha sido mais ou menos destruída, os russos recusavam se render. Em novembro eles contra-atacaram ferozmente, cercando os alemães, cujas linhas de abastecimento foram esticadas perigosamente em um grande movimento de pinças. Com sua retaguarda interrompida, o comandante alemão von Paulus não teve alternativa razoável a se render com 94.000 homens (2 de fevereiro de 1943).

Se Stalingrado tivesse caído, a rota de abastecimento para o petróleo russo do Cáucaso teria sido cortada e os alemães teriam esperanças de avançar ao longo do rio Don para atacar Moscou pelo sudeste. Esse plano teve que ser abandonado, mas havia mais do que isso em jogo, e *a derrota foi uma catástrofe para os alemães*: destruiu o mito de que eles eram invencíveis e levantou o moral dos russos, que continuaram com mais contra-ataques, forçando os alemães a abandonar o cerco a Leningrado e recuar de sua posição a oeste de Moscou. Agora, era só uma questão de tempo antes de os alemães, em quantidade muito inferior e com poucos tanques e armas, serem expulsos da Rússia.

6.4 QUAL FOI O PAPEL DAS FORÇAS NAVAIS ALIADAS?

A seção anterior mostrou como a combinação de poder marítimo e aéreo foi a chave do sucesso na guerra do Pacífico e como, após o choque inicial de Pearl Harbor, os norte-americanos conseguiram construir essa superioridade em ambos os setores, o que acabaria levando a uma derrota do Japão. Ao mesmo tempo, a marinha britânica, como na Primeira Guerra Mundial, teve um papel vital: proteger os navios mercantes que traziam suprimentos de comida, afundar submarinos e aviões de ataque de superfície da Alemanha, bloquear o país e transportar e abastecer tropas aliadas que estavam lutando no norte da África e, mais tarde, na Itália. No início o sucesso foi variado, principalmente porque os britânicos não tinham entendido a importância do apoio aéreo nas operações navais e tinham poucos porta-aviões e, portanto, sofreram derrotas na Noruega e em Creta, onde os alemães tinham superioridade no ar. Além disso, os alemães tinham muitas bases navais na Noruega, na Dinamarca, na França e na Itália. Apesar disso, a marinha britânica conseguiu importantes conquistas.

(a) Êxitos britânicos

1. *Aeronaves do porta-aviões* Illustrious *afundaram metade da frota italiana em Taranto (novembro de 1940)*. No mês de março seguinte, mais cinco navios de guerra foram destruídos perto do Cabo Matapan.
2. *A ameaça dos navios de carga disfarçados foi anulada pelo afundamento do* Bismarck, *o único encouraçado da Alemanha na época (maio de 1941)*.
3. *A marinha destruiu os transportes de invasão alemães* quando estavam a caminho de Creta (maio de 1941) embora não tenha conseguido impedir o desembarque das tropas de paraquedistas.
4. *Os britânicos proporcionaram escoltas para comboios que transportavam suprimentos para ajudar os russos*. Eles navegavam pelo Ártico até Murmansk no extremo norte da Rússia. A partir de setembro de 1941 os primeiros 12 comboios chegaram sem incidentes, mas aí os alemães começaram a atacá-los, até que o comboio PQ 17 perdeu 23 navios de 36 (junho de 1942). Depois desse desastre os comboios no Ártico não foram retomados até novembro de 1943, quando foi possível dispor de escoltas mais fortes. Ao todo, 40 comboios navegaram: 720 de um total de 811 navios mercantes chegaram em segurança, com cargas valiosas para os russos, incluindo 5.000 tanques, 7.000 aviões e milhares de toneladas de carne enlatada.
5. *Sua contribuição mais importante foi a vitória na Batalha do Atlântico* (ver abaixo).
6. *As forças marítima e aérea, juntas, possibilitaram uma grande invasão da França em junho de 1944* (ver abaixo, Seção 6.6(b)).

(b) A batalha do Atlântico

Essa foi a luta contra os submarinos alemães, que tentavam deixar a Grã-Bretanha sem comida e sem matérias primas. No início de 1942 os alemães tinham 90 submarinos em operação e 250 em construção. Nos seis primeiros meses daquele ano, os Aliados perderam mais de 4 milhões de toneladas de carga de navios mercantes e destruíram apenas 21 submarinos. As perdas chegaram a um pico de 108 navios em março de 1943 – quase dois terços dos quais em comboio. Entretanto, depois disso o número de afundamentos começou a diminuir, enquanto aumentavam as perdas de submarinos. Em julho de 1943 os aliados conseguiram fabricar navios mais rapidamente do que os submarinos eram capazes de afundá-los e a situação estava sob controle.

As razões para o sucesso dos Aliados foram:

- os *Liberators*, de longo alcance, deram mais proteção aérea para os comboios;
- as escoltas e os aviões ganharam experiência;
- os britânicos introduziram os novos radares centimétricos, pequenos o suficiente para caber em um avião e que permitiam detectar os submarinos em condições de baixa visibilidade e à noite.

A vitória foi tão importante quanto Midway, El Alamein e Stalingrado. A Grã-Bretanha não teria sido capaz de aguentar as perdas de março de 1943 e permanecer na guerra.

6.5 QUAL A CONTRIBUIÇÃO DO PODER AÉREO PARA A DERROTA DO EIXO?

(a) Conquistas do poder aéreo aliado

1. *A primeira conquista importante foi a Batalha da Grã-Bretanha (1940)*, quando a RAF derrotou ataques da *Luftwaffe*, fazendo com que Hitler abandonasse seus planos de invasão (ver Seção 6.1(f)).

2. *Em conjunto com a marinha britânica, os aviões cumpriram papéis variados*: os ataques bem-sucedidos à frota italiana em Taranto e no Cabo Matapan, o afundamento do encouraçado alemão Tirpitz por bombardeiros pesados na Noruega (novembro de 1943), a proteção dos comboios no Atlântico e as operações antissubmarinos. Na verdade, em maio de 1943 o almirante Doenitz, chefe da marinha alemã, reclamou a Hitler que desde a introdução dos novos radares, mais submarinos estavam sendo destruídos por aviões do que por navios da marinha.

3. *A força aérea dos Estados Unidos, junto com a marinha, cumpriu um papel vital para vencer a guerra no pacífico contra os japoneses*. Bombardeiros de mergulho operando a partir de porta-aviões venceram a batalha da Ilha de Midway em junho de 1942 (ver Seção 6.3(a)). Posteriormente, na campanha do "salto de ilha em ilha", os ataques de bombardeiros pesados prepararam o caminho para o desembarque de fuzileiros navais, por exemplo, nas Ilhas Mariana (1944) e nas Filipinas (1945). Aviões de transporte norte-americanos mantiveram o fluxo vital de suprimentos aos Aliados durante a campanha para recapturar a Birmânia.

4. *A RAF participou de campanhas específicas que teriam sido impossíveis sem ela*: por exemplo, durante a guerra no deserto, operando a partir de bases no Egito e na Palestina, ela bombardeou constantemente os navios de suprimentos de Rommel no Mediterrâneo e seus exércitos em terra.

5. Britânicos e norte-americanos usaram paraquedistas mais tarde, para ajudar nos desembarques na Sicília (julho de 1943) e na Normandia (junho de 1944), e deram proteção por ar aos exércitos invasores (contudo, uma operação semelhante em Arnhem, na Holanda, em setembro de 1944, foi um fracasso.)

Ilustração 6.2 Mulheres salvam seus pertences depois de uma ataque aéreo a Londres.

(b) Bombardeios Aliados de cidades alemãs e japonesas

A ação mais polêmica foi o bombardeio Aliado de cidades alemãs e japonesas. Os alemães tinham bombardeado Londres e outras importantes cidades e portos britânicos nos anos de 1940 e 1941(Ilustração. 6.2), mas esses ataques diminuíram durante o ataque alemão à Rússia, o qual demandava toda a força da *Luftwaffe*. Britânicos e norte-americanos retaliaram com o que chamaram de "ofensiva aérea estratégica", ou seja, ataques maciços a alvos militares e industriais para deter o esforço de guerra alemão. O Ruhr, Colônia, Hamburgo e Berlim sofreram muito. Às vezes os ataques parecem ter sido realizados para destruir o moral dos civis, como quando 50.000 pessoas foram mortas em um único bombardeio noturno em Dresden (fevereiro de 1945).

No início de 1945 os norte-americanos lançaram uma série de ataques devastadores sobre o Japão, a partir de bases nas Ilhas Marianas. Em um único bombardeio sobre Tóquio, em março, 80.000 pessoas foram mortas e um quarto da cidade, destruído. Tem-se debatido qual teria sido a eficácia dos bombardeios para apressar a derrota do Eixo. Com certeza causaram enormes perdas de vidas civis e ajudaram a destruir o moral, mas os críticos dizem que também houve pesadas perdas de tripulações, pois mais de 158.000 membros das forças aéreas aliadas foram mortos somente na Europa.

Outros afirmam que esse tipo de bombardeio, que causou a morte de milhares de civis inocentes, era moralmente errado (diferentemente de bombardeios que visavam áreas industriais, ferrovias e pontes). Estimativas de mortes de civis alemães por bombardeios Aliados variam entre 600.000 e um milhão; os ataques aéreos alemães sobre a Grã-Bretanha mataram mais de 60.000 civis. O escritor sueco Sven Lindquist, em seu recente livro *A History of Bombing*, sugeriu o que chamou de "ataques sistemáticos sobre civis alemães em suas casas" deveriam ser considerados "crimes segundo o direito humanitário internacional para a proteção de civis". Entretanto, Robin Niellands defende os bombardeios, dizendo que isso é o que acontece durante a guerra total e, no contexto do que os alemães tinham feito no Leste Europeu e os japoneses em seus territórios ocupados, era o necessário "preço da paz".

Com relação à pergunta sobre se os bombardeios ajudaram a encurtar a guerra, a conclusão agora parece ser que a campanha contra a Alemanha não foi eficaz antes do outono de 1944. A produção industrial alemã continuou a aumentar até julho de 1944. Depois disso, graças à crescente precisão dos bombardeios e o uso dos novos caças Mustang de cobertura, que conseguiam superar todos os caças alemães, a produção de óleo sintético caiu rapidamente, gerando grave escassez de combustível. Em outubro, as vitais fábricas de armamentos Krupp, em Essen, foram tiradas de ação permanentemente, e o esforço de guerra foi interrompido em 1945. Em junho daquele ano os japoneses foram reduzidos ao mesmo estado.

No final, portanto, depois de muitos esforços desperdiçados no início, a *estratégica ofensiva aérea dos Aliados foi uma das razões decisivas para a derrota do Eixo*: além de estrangular a produção de combustível e armamentos e destruir as comunicações ferroviárias, ela fez com que muitos aviões fossem desviados da frente oriental, ajudando os russos a avançar para a Alemanha.

6.6 AS POTÊNCIAS DO EIXO DERROTADAS: DE JULHO DE 1943 A AGOSTO DE 1945

(a) A queda da Itália

Essa foi a primeira etapa no colapso do Eixo. Tropas britânicas e norte-americanas desembarcaram na Sicília por terra e por ar (10 de julho de 1943) e rapidamente capturaram toda a ilha, *o que causou a queda de Mussolini, demitido pelo rei*. Tropas Aliadas atravessaram para Salerno, Reggio e Taranto no continente e capturaram Nápoles (outubro de 1943).

O marechal Badoglio, sucessor de Mussolini, assinou um armistício e trouxe a Itália para a guerra no lado dos Aliados, mas os alemães, determinados a manter a Itália, enviaram rapidamente tropas pelo Passo de Brenner para ocupar Roma e o norte. Os Aliados desembarcaram uma força em Anzio, 50 km ao sul de Roma (janeiro de 1944), mas seguiram-se enfrentamentos acirrados antes da captura de Monte Cassino (maio) e Roma (junho). Milão, ao norte, só foi tomada em abril de 1945. A campanha deveria ter terminado muito antes se os Aliados fossem menos cautelosos nos primeiros tempos e se os norte-americanos não insistissem em manter muitas divisões atrás, para a invasão da França. *Não obstante, a eliminação da Itália contribuiu para a vitória final dos Aliados*:

- A Itália proporcionou bases aéreas para bombardear os alemães na Europa central e nos Bálcãs;
- Tropas alemãs foram mantidas ocupadas quando eram necessárias para resistir aos russos.

(b) Operação Overlord, 6 de junho de 1944

A Operação Overlord – a invasão da França (também conhecida como Segunda Frente) – começou no "Dia D", 6 de junho de 1944. Achava-se que era chegada a hora de a Itália ser eliminada, os submarinos serem postos sob controle e os Aliados conquistarem superioridade. Os russos vinham exigindo que os Aliados abrissem essa Segunda Frente desde 1941, para aliviar a pressão sobre eles. Os desembarques aconteceram do mar e do ar, em uma extensão de 100 metros de praias da Normandia (apelidadas de Utah, Omaha, Gold, Juno e Sword) entre Cherbourg e Le Havre (ver Mapa 6.5). Houve forte resistência por parte dos alemães, mas, no final da primeira semana, 326.000 homens com tanques e caminhões pesados tinham desembarcado em segurança (ver Ilustração 6.3).

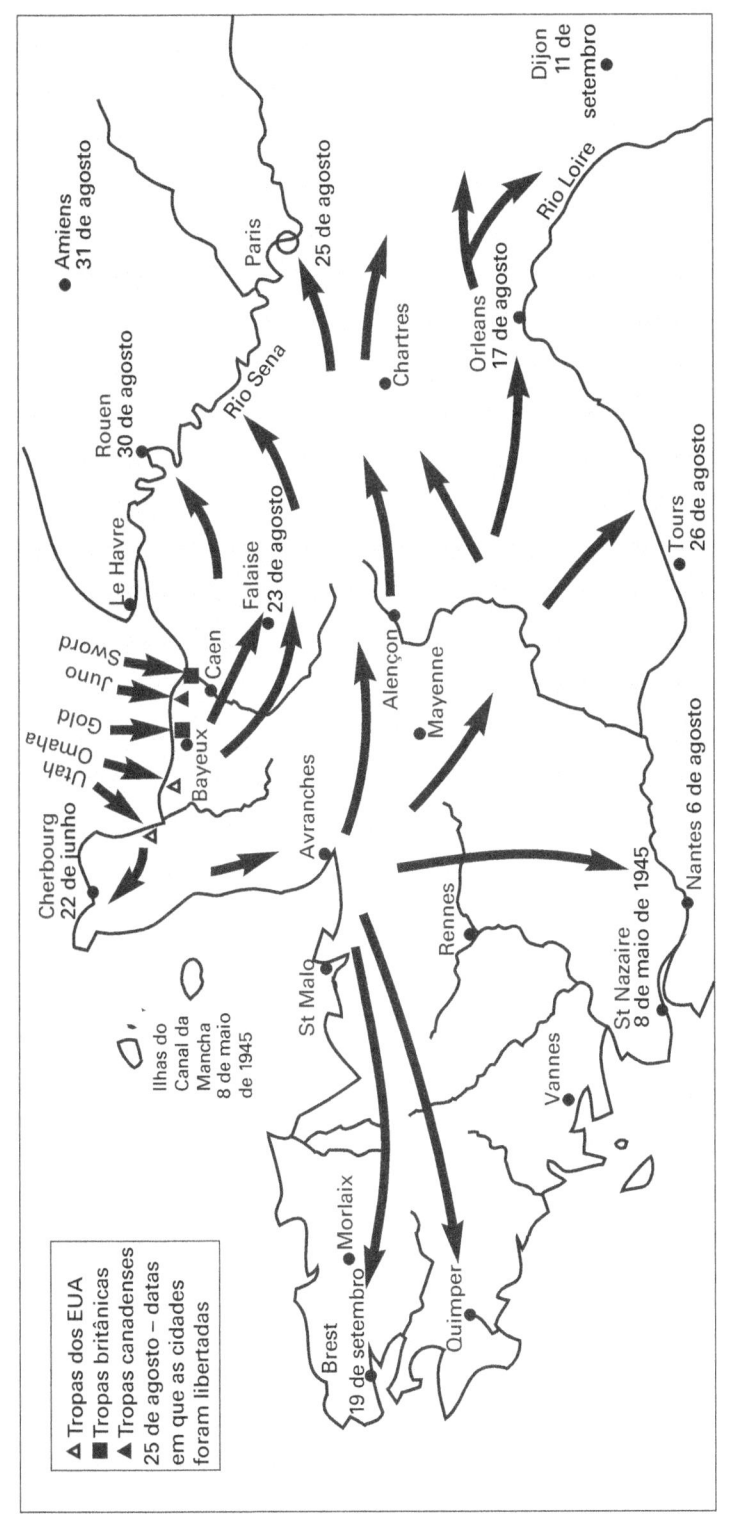

Mapa 6.5 Os desembarques do Dia D, em 6 de junho de 1944, e a libertação do norte da França.

Ilustração 6.3 Dia D, 6 de junho de 1944: tropas de assalto desembarcando na Normandia.

Foi uma operação impressionante: usou os portos pré-fabricados "Mulberry", que foram rebocados da Grã-Bretanha e posicionados próximo à costa da Normandia, principalmente em Arromanches (Praia Dourada), e PLUTO – tubulações subaquáticas, na sigla em inglês para *pipelines under the ocean* – que levavam combustível para motores. Ao final, 3 milhões de soldados Aliados desembarcaram. Em poucas semanas, a maior parte do norte da França estava libertada (Paris em 25 de agosto), colocando fora de ação os locais de onde os mísseis foguetes alemães V1 e V2 foram lançados com efeitos devastadores sobre o sudeste britânico. Na Bélgica, Bruxelas e Antuérpia foram libertadas em setembro.

(c) "Rendição incondicional"

Com os alemães forçados a recuar na França e na Rússia, houve pessoas de ambos os lados que esperavam que pudesse haver um armistício seguido de uma paz negociada, que era como a Primeira Guerra Mundial tinha terminado. Entretanto, o próprio Hitler sempre falou em lutar até a morte e havia sérias diferenças entre os próprios Aliados em relação à questão das negociações de paz. Já em janeiro de 1943, o presidente Roosevelt anunciou que os Aliados estavam lutando pela "*rendição incondicional da Alemanha, da Itália e do Japão*". Churchill e a maioria de seus aliados ficaram desanimados com isso por achar que destruía todas as chances de uma paz negociada. Membros do serviço secreto britânico chegaram a entrar em contato com seus equivalentes alemães e com membros da resistência alemã aos nazistas, que esperavam convencer os generais alemães a ajudá-los a derrubar Hitler. Eles acreditavam que isso levaria à abertura de negociações de paz. Os líderes nazistas ficaram muito satisfeitos com o anúncio de Roosevelt. Goebbels afirmou: "Eu nunca conseguiria imaginar um *slogan* tão estimulante. Se nossos inimigos ocidentais nos dizem que não vão negociar conosco, que seu único objetivo é nos destruir, como pode qualquer alemão, goste ou não, fazer qualquer coisa que não seja lutar com toda a sua força?".

Muitos norte-americanos importantes, incluindo o general Eisenhower, eram contrários à "rendição incondicional" porque entendiam que ela prolongaria a guerra e causaria perdas desnecessárias de vidas. Várias vezes, nas semanas anteriores ao dia D, os chefes do Estado Maior norte-americano pressionaram Roosevelt para mudar de ideia, mas ele foi inflexível, já que isso poderia ser tomado pelas potências do Eixo como um sinal de fraqueza. A política foi levada adiante por Roosevelt até sua morte em abril de 1945 e por seu sucessor, Harry S. Truman. Não houve tentativas de negociar a paz com a Alemanha nem com o Japão até que os dois países se renderam. Thomas Fleming calculou que, no período entre o Dia D e o final da guerra, em agosto de 1945, cerca de dois milhões de pessoas foram mortas. Muitas dessas vidas talvez pudessem ter sido salvas se houvesse a perspectiva de uma paz negociada para estimular a resistência alemã a derrubar Hitler. Sendo assim, conclui Fleming, a política de rendição incondicional foi "um ultimato escrito com sangue".

(d) O assalto à Alemanha

Com o sucesso da segunda frente, os aliados começaram a se unir para a invasão da própria Alemanha. Se eles tivessem esperado que os exércitos alemães se desarticulassem rapidamente, poderiam ter tido uma grande decepção. A guerra foi prolongada pela resistência desesperada dos alemães e por mais discordâncias entre os britânicos e os norte-americanos. Montgomery queria um ataque rápido para atingir Berlim, mas Eisenhower era favorável a um avanço cauteloso ao longo de uma frente ampla. *O fracasso britânico em Arnhem, na Holanda*, em setembro de 1944, parecia sustentar a visão de Eisenhower, embora, na verdade, a operação Arnhem (uma tentativa de paraquedistas de cruzar o Reno e flanquear a linha Siegfried alemã) poderia ter funcionado se os soldados tivessem desembarcado perto das duas pontes do Reno.

Consequentemente, a posição de Eisenhower prevaleceu e tropas aliadas foram dispersadas em uma frente de 1000 km (ver Mapa 6.6), *com resultados negativos*:

- Hitler conseguiu lançar uma ofensiva em direção às mal defendidas Ardenas, rumo à Antuérpia.
- Os alemães romperam as linhas norte-americanas e avançaram 100 km, causando um enorme rombo na linha de frente (dezembro de 1944).

Ações resolutas por parte de britânicos e norte-americanos frearam o avanço e fizeram com que os alemães recuassem a sua posição original. Mas a Batalha das Ardenas, como ficou conhecida, foi importante porque Hitler arriscou tudo no ataque e perdeu 250.000 homens e 600 tanques, que nesse momento não poderiam ser substituídos. No início de 1945 a Alemanha estava sendo invadida em ambas as frentes, do leste e do oeste. Os britânicos ainda queiram avançar e tomar Berlim antes dos russos, mas o comandante supremo Eisenhower não se deixou apressar e Berlim caiu nas mãos das forças de Stalin em abril (Ilustração 6.4). Hitler cometeu suicídio e a Alemanha se rendeu.

(e) A derrota do Japão

No dia 6 de agosto de 1945, os norte-americanos lançaram uma bomba atômica sobre Hiroshima,

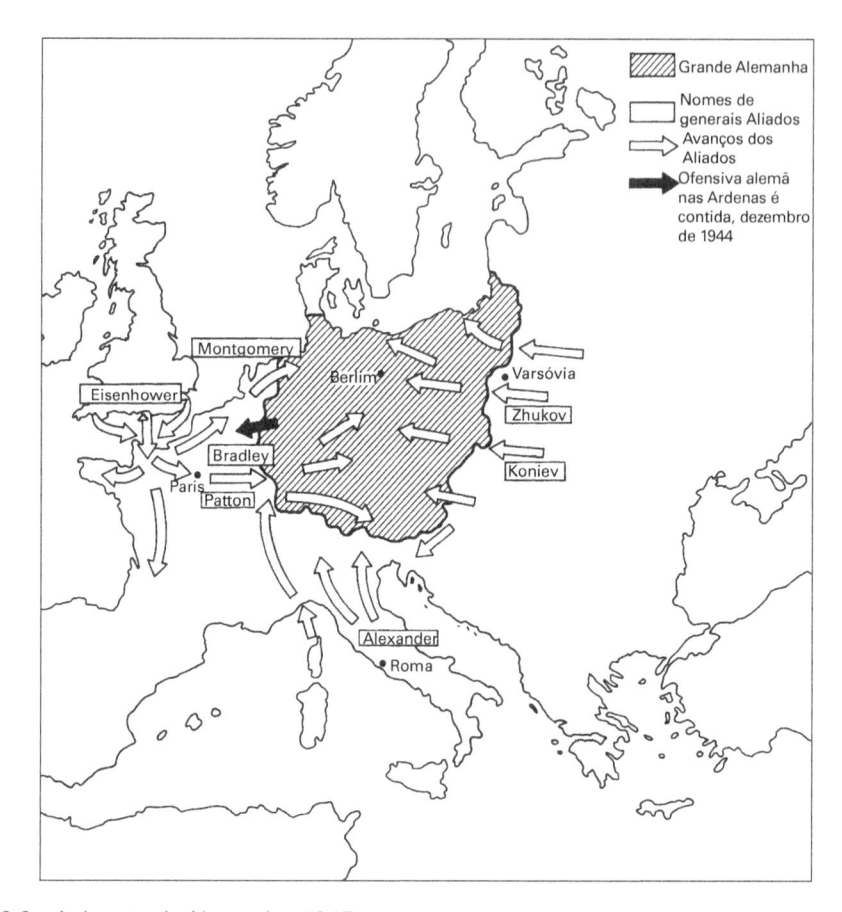

Mapa 6.6 A derrota da Alemanha, 1945.
Fonte: D. Heater, *Our World This Century* (Oxford, 1992), p. 90

matando, talvez, 84.000 pessoas e deixando milhares de outras morrendo lentamente de envenenamento por radiação. Três dias depois outra bomba foi lançada em Nagasaki (Ilustração 6.5), que pode ter matado outras 40.000, depois disso o governo japonês se rendeu. A justificativa do presidente Truman era que ele estava salvando vidas norte-americanas, já que, caso contrário, a guerra poderia ter se arrastado por mais um ano. Muitos historiadores acreditam que os bombadeios não eram necessários, visto que os japoneses já tinham dado sinais de querer a paz em julho, através da Rússia. Uma sugestão é que a verdadeira razão para os bombardeios era terminar a luta rapidamente antes que os russos (que haviam prometido entrar na guerra contra o Japão) conquistassem muito território japonês, o que lhes daria direito de compartilhar a ocupação do país. O uso das bombas também foi uma demonstração à URSS do enorme poder dos Estados Unidos.

6.7 POR QUE AS POTÊNCIAS DO EIXO PERDERAM A GUERRA?

As razões podem ser resumidas assim:

- escassez de matérias-primas;
- os aliados aprenderam com seus erros e fracassos;
- as potências do Eixo estavam diante de muitos desafios;

Ilustração 6.4 Soldados russos vitoriosos em cima do prédio do Reichstag, em Berlim.

Ilustração 6.5 Nagasaki, um mês após o lançamento da bomba atômica.

- o avassalador impacto dos recursos combinados de Estados Unidos, URSS e o Império Britânico;
- erros táticos por parte das potências do Eixo;

(a) Escassez de matérias-primas

Tanto a Itália quanto o Japão tinham que importar suprimento, e mesmo a Alemanha tinha falta de borracha, algodão, níquel e, depois de 1944, petróleo. Essas faltas não são, necessariamente, fatais, mas o sucesso dependia de um fim rápido da guerra, que certamente parecia provável no início, graças à velocidade e à eficiência da *Blitzkrieg* alemã. Contudo, a sobrevivência da Grã-Bretanha em 1940 era importante porque manteve a frente ocidental viva até que os Estados Unidos entrassem na guerra.

(b) Os aliados aprenderam rapidamente com seus erros iniciais

Em 1942 eles já sabiam como conter os ataques da *Blitzkrieg* e sabiam a importância do apoio aéreo e dos porta-aviões, e portanto, construíram uma superioridade aérea e naval que venceu batalhas no Atlântico e no Pacífico que foi privando lentamente seus inimigos de suprimentos.

(c) As potências do Eixo simplesmente assumiram tarefas demais

Hitler não parecia entender que a guerra contra a Grã-Bretanha também envolveria seu império e que as tropas da Alemanha teriam que ser muito dispersas – na frente russa, nos dois lados do Mediterrâneo e no litoral oeste da França. Os japoneses cometeram o mesmo erro: nas palavras do historiador militar Liddell-Hart, "eles se dispersaram muito além de sua capacidade de manter suas conquistas. Isso porque o Japão era uma ilha pequena, com poder industrial limitado". No caso da Alemanha, Mussolini tem parte da responsabilidade: sua incompetência drenava constantemente os recursos de Hitler.

(d) Os recursos combinados dos Estados Unidos, da URSS e do Império Britânico

Estes recursos eram tão amplos que quanto mais a guerra durava, menos as potências do Eixo tinham chance de vitória. Os russos rapidamente transferiram sua indústria para leste dos montes Urais e assim conseguiram continuar a produção, mesmo que os alemães tivessem ocupado vastas áreas no ocidente. Em 1945 eles tinham quatro vezes mais tanques que os alemães e tinham condições de colocar o dobro de homens em campo. Quando atingiu o pico de produção, a máquina de guerra dos Estados Unidos era capaz de construir 70.000 tanques e 120.000 aviões por ano, o que os japoneses e alemães não conseguiam igualar.

(e) Erros táticos graves

- Os japoneses não entenderam a importância dos porta-aviões e concentraram força demais na construção de encouraçados.
- Hitler não conseguiu abastecer a campanha de inverno na Rússia e ficou obcecado com a ideia de que os exércitos alemães não deveriam recuar, o que levou a muitos desastres, principalmente em Stalingrado, e deixou suas tropas muito expostas na Normandia (1944).
- Talvez o mais grave de todos tenha sido a decisão de Hitler de se concentrar na produção de foguetes V em vez de desenvolver aviões a jato que poderiam ter restaurado a superioridade aérea da Alemanha e impedir os bombardeios devastadores de 1944 e 1945.

6.8 O HOLOCAUSTO

Ao invadir a Alemanha e a Polônia, os exércitos Aliados começaram a fazer descobertas terríveis. No final de julho de 1944, forças soviéticas que se aproximavam de Varsóvia se depararam com o campo de extermínio de Maidanek, próximo a Lublin. Encontraram centenas de corpos insepultos e sete câmaras de gás. As fotografias tiradas em Maidanek foram as primeiras a revelar ao restante do mundo os indescritíveis horrores desses campos. Mais tarde, veio a público que mais de 1,5 milhão de pessoas foram assassinadas em Maidanek; a maioria era de judeus, mas também havia prisioneiros de guerra soviéticos, bem como poloneses que tinham se oposto à ocupação alemã. Esse foi apenas um dos pelos menos 20 campos estabelecidos pelos alemães para implementar o que chamavam de "Solução Final" (*Endlosung*) do "problema judeu". Entre dezembro de 1941, quando os primeiros judeus foram mortos em Chelmno, na Polônia, e maio de 1945, quando os alemães se renderam, cerca de 5,7 milhões de judeus foram mortos, junto com centenas de milhares de não judeus – ciganos, socialistas, comunistas, homossexuais e pessoas com problemas mentais.

Como foi possível permitir que uma atrocidade dessas acontecesse? Era o ápice de uma longa história de antissemitismo na Alemanha? Ou a culpa deveria ser colocada total e exclusivamente em Hitler e os nazistas? Hitler vinha planejando o extermínio dos judeus desde que chegou ao poder ou isso lhe foi forçado pelas circunstâncias da guerra? Essas são algumas das questões com que os historiadores tem se deparado ao tentar explicar como pôde acontecer um crime tão monstruoso contra a humanidade.

As primeiras interpretações do Holocausto podem ser divididas em dois grupos principais:

- *Intencionalistas* – historiadores que acreditavam que a responsabilidade pelo holocausto foi de Hitler, que esperava exterminar os judeus desde que chegou ao poder e planejou isso.
- *Funcionalistas* – historiadores que acreditavam que a "solução final" foi, de certa forma, forçada sobre Hitler pelas circunstâncias da guerra.
- Também há um pequeno grupo de autores de orientação equivocada, com simpatias antissemitas, que tentam diminuir a importância do Holocausto. Eles argumentaram que o número de mortos foi exagerado em muito, que nem o próprio Hitler sabia o que estava acontecendo, e que outros nazistas, como Himmler, Heydrich e Goering, tomaram a iniciativa. Alguns inclusive negaram que o Holocausto tenha acontecido. Todos esses autores já perderam muito da sua credibilidade.

(a) Os intencionalistas

Eles afirmam que Hitler foi pessoalmente responsável pelo Holocausto. Desde sua juventude em Viena, ele tinha sido venenosamente antissemita. Em seu livro *Mein Kampf* (Minha luta) ele culpava os judeus pela derrota da Alemanha na primeira guerra mundial e por todos os problemas do país desde então. Em seu discurso ao Reichstag em janeiro de 1939, Hitler declarou: "Se o judaísmo financeiro internacional, dentro e fora da Europa, conseguir jogar as nações mais uma vez em uma guerra mundial, o resultado não será a bolchevização do mundo, com uma vitória dos judeus, mas sim a aniquilação da raça judaica na Europa". Os intencionalistas enfatizam a continuidade entre suas ideias no início dos anos de 1920 e as políticas concretas que foram implementadas na década de 1940. Nas palavras de Karl Dietrich Bracher, embora possa não ter tido um plano-mestre, Hitler certamente sabia o que queria e isso incluía a aniquilação dos judeus. A solução final "era só uma questão de tempo e oportunidade". Os críticos de sua teoria questionam por que só no final de 1941 – quase nove anos depois de chegar ao poder – Hitler começou a assassinar judeus. Por que ele se contentou com uma legislação antijudaica se estava determinado a exterminá-los? Na verdade, depois da *Kristallnacht*, a Noite dos

Cristais, um ataque às propriedades de judeus e sinagogas por toda a Alemanha em novembro de 1938, Hitler ordenou a contenção e um retorno à não violência.

(b) Os funcionalistas

Eles acreditam que foi a Segunda Guerra Mundial que agravou o "problema judaico". Cerca de 3 milhões de judeus viviam na Polônia, e quando os alemães conquistaram a parte ocidental do país no outono de 1939 e ocuparam o restante em junho de 1941, essas pessoas tiveram a má sorte de cair no controle nazista. A invasão da URSS em junho de 1941 trouxe mais uma dimensão ao "problema judeu", já que havia vários milhões de judeus nas repúblicas ocupadas no oeste da URSS – a Bielorrússia e a Ucrânia. Os funcionalistas afirmam que foi a forte pressão dos números que levou os nazistas e os líderes das SS na Polônia a pressionar pelo assassinato em massa de judeus. As visões de Hitler eram bem conhecidas entre os círculos nazistas e ele simplesmente respondeu às demandas de líderes nazistas locais na Polônia. Hans Mommsen, um dos principais funcionalistas, acredita que Hitler era um "ditador fraco", ou seja, com mais frequência seguia o que sugeriam outros do que tomava iniciativas próprias (ver Seção 14.6(d) para mais detalhes sobre a teoria do "ditador fraco"). Em 2001 Mommsen ainda sugeria que não havia evidências de tendências genocidas antes de 1939.

Segundo Ian Kershaw em sua biografia de Hitler (publicada em 2000), "a forma personalizada de comando de Hitler era um convite a iniciativas radicais vindas de baixo e lhes dava sustentação, desde que elas fossem na mesma linha de seus objetivos definidos amplamente". O caminho para o avanço ao Terceiro Reich foi antecipar o que o Führer queria, "sem esperar por instruções, tomar iniciativas para promover o que se supunha serem os objetivos e desejos de Hitler". A frase usada para descrever esse processo era "trabalhar em direção ao Führer". Os intencionalistas não se sensibilizam com essa interpretação porque acham que ela absolve Hitler de responsabilidade pessoal pelas atrocidades cometidas durante a guerra. Contudo, a conclusão não é necessariamente essa: muitas dessas iniciativas nem seriam propostas se seus subordinados não estivessem cientes da "vontade do Führer".

Alguns historiadores consideram que o debate entre intencionalistas e funcionalistas tinha sentido em outro momento e que ambas as abordagens podem levar a equívocos. Por exemplo, Allan Bullock, em *Hitler and Stalin* (1991), aponta que a interpretação mais óbvia de genocídio seria uma combinação de ambas as visões. Richard Overy, em *The Dictators* (2004), afirmar que

> ambas as visões sobre a busca do genocídio desviam a atenção da realidade central de todos os judeus depois de 1933: fosse o genocídio explícito ou implícito nas políticas antijudaicas da década de 1930,... a xenofobia vingativa e violenta promovida pelo regime tinha como principal objetivo os judeus, durante toda a duração da ditadura.

Quais eram as motivações de Hitler? Por que ele era tão obsessivamente antijudaico? Em um memorando escrito por Hitler em 1936, não importa o quanto possa parecer louco hoje, fica claro que ele realmente via os judeus como uma ameaça à Alemanha. Ele acreditava que o mundo, liderado pela Alemanha, estava às vésperas de uma luta racial e política histórica contra as forças do comunismo, que ele considerava como um fenômeno judaico. Se a Alemanha falhasse, o *volk* (povo) alemão seria destruído e o mundo entraria em uma nova Idade das Trevas. Era uma questão de sobrevivência nacional alemã diante de uma conspiração mundial judaica. Nas palavras de Richard Overy:

> O tratamento dos judeus só era compreensível pelo prisma distorcido das ansie-

dades e aspirações nacionais alemãs. O sistema se dispôs deliberadamente a criar a ideia de que a sobrevivência da Alemanha dependia da exclusão ou, se fosse necessária, da aniquilação dos judeus.

Foi a convergência entre o preconceito antijudaico inflexível de Hitler e sua autojustificativa, junto com uma oportunidade de ação, que culminaram na terrível "batalha apocalíptica entre 'arianos' e 'judeus'".

(c) A "solução final" toma forma

Allan Bullock afirmou que a melhor maneira de explicar como o Holocausto aconteceu é combinar os elementos de intencionalistas e funcionalistas. Desde o início da década de 1920, Hitler havia incumbido a si próprio e ao Partido Nazista destruir o poder dos judeus e a expulsá-los da Alemanha, mas a forma exata com que isso seria feito ficou indefinida. "É muito provável", escreve Bullock, "que entre as fantasias a que se dava em privado... havia o malévolo sonho no qual cada homem, mulher ou criança de raça judaica seria abatido... Mas como, quanto, até mesmo se o sonho chegaria a ser realizado, permanecia incerto".

É importante lembrar que Hitler era um político inteligente que prestava muita atenção à opinião pública. Durante seus primeiros anos como chanceler, ele tinha muita ciência de que a chamada "questão judaica" não era uma grande preocupação para o povo alemão. Consequentemente, ele não foi mais longe do que as leis de Nuremberg (1935) (ver Seção 14.4(6), Ponto 11), e até mesmo elas foram introduzidas para satisfazer os nazistas linha-dura. Hitler permitiu a *kristallnacht* em novembro de 1938 pela mesma razão e para testar o sentimento popular. Quando a opinião pública reagiu desfavoravelmente, ele chamou a um fim da violência e se concentrou em excluir os judeus o máximo possível da vida alemã. Eles foram estimulados a emigrar, e suas propriedades e bens foram confiscados. Antes da eclosão da guerra, bem mais de um milhão de judeus deixaram o país e foram discutidos planos para remover o maior número deles à força para Madagascar.

Foi o início da guerra, e principalmente a invasão da Rússia (junho de 1941), que mudou radicalmente a situação. Segundo Richard Overy, isso não foi considerado uma oportunidade acidental e não planejada para uma política antijudaica mais rígida, mas como "uma extensão da Guerra Fria antissemita em que a Alemanha tinha se envolvido desde, pelo menos, sua derrota em 1918". A ocupação da Polônia inteira e de grandes áreas de URSS fez com que muito mais judeus passassem a estar sob controle alemão, mas, ao mesmo tempo, as condições de guerra tornavam sua emigração quase impossível. Na Polônia cerca de 2,5 milhões de judeus foram retirados à força de suas casas e arrebanhados em guetos superlotados em cidades como Varsóvia, Lublin e Lódź. Em 1939, por exemplo, 375.000 judeus moravam em Varsóvia, e depois que capturaram a cidade, os alemães construíram um muro em torno dos bairros judeus. Mais tarde, judeus de outras partes da Polônia foram transferidos para Varsóvia, até que, em julho de 1941, havia cerca de 445.000 judeus espremidos nesse pequeno gueto. Os oficiais nazistas reclamavam dos problemas de dar conta de um número tão grande de judeus – as condições nos guetos eram terríveis, a comida era mantida deliberadamente escassa e havia risco de epidemias. No final, 78.000 pessoas morreram de doenças e inanição.

Em dezembro de 1941, pouco depois que a Alemanha declarou guerra aos Estados Unidos, Hitler declarou publicamente que sua profecia de janeiro de 1939, sobre a aniquilação dos judeus da Europa, seria realizada em pouco tempo. No dia seguinte, Goebbels escreveu em seu diário: "A guerra mundial chegou, o extermínio dos judeus deve ser uma consequência necessária". Não existem evidências sólidas sobre quando se decidiu começar a implementar a "solução final" –

matar os judeus – mas pode-se dizer que foi no outono de 1941.

A decisão foi resultado da combinação de vários eventos e circunstâncias:

- A autoconfiança de Hitler estava em um novo pico depois das vitórias alemãs, principalmente nos primeiros êxitos da Operação Barbarossa.
- Hitler já tinha deixado claro que a guerra no leste era algo novo. Como diz Allan Bullock, era "uma aventura racista-imperialista ... uma guerra ideológica de destruição, na qual todas as regras convencionais da guerra, da ocupação e assim por diante, deveriam ser desconsideradas, os comissários políticos deveriam ser mortos imediatamente e a população civil, submetida a execução sumária e represálias coletivas". O extermínio dos judeus era só mais um passo. Nas palavras de Richard Overy: "Isso era coerente com o longo histórico de antissemitismo dele e sempre foi expresso no idioma da guerra até a morte".
- Agora seria possível implementar a solução final na Polônia e na URSS, fora da Alemanha. Hitler não teria necessidade de se preocupar com a opinião pública alemã; haveria censura rígida de todas as notícias nos territórios ocupados.

Os nazistas não perderam tempo. À medida que suas forças avançavam mais profundamente sobre a URSS, os comunistas e os judeus eram cercados para matança, pelas SS e pelo exército regular. Por exemplo, em dois dias, no final de setembro de 1941, cerca de 34.000 judeus foram mortos em uma ribanceira em Babi Yar, nos arredores de Kiev, na Ucrânia. Em Odessa, na Crimeia, pelo menos 75.000 judeus foram mortos. Qualquer não judeu que tentasse ocultar ou proteger judeus de qualquer forma seria morto sem cerimônia, junto com judeus e comunistas.

Em janeiro de 1942, pouco depois de os primeiros judeus serem mandados às câmaras de gás em Chelmno, na Polônia, foi realizada uma conferência em Wannsee (Berlim) para discutir a logística da retirada de até 11 milhões de judeus de suas casas em todas as partes da Europa e os transportar para os territórios ocupados. Inicialmente a ideia parecia ser ir matando os judeus por meio de trabalhos forçados e inanição, mas isso logo mudou para uma política de destruí-los sistematicamente antes que a guerra terminasse. Hitler não participou da Conferência de Wannsee; ele manteve um papel bastante secundário com relação à Solução Final. Nunca se encontrou qualquer ordem para sua implementação assinada por ele, o que é considerado por alguns historiadores como evidência de que Hitler não deve ser responsabilizado pelo Holocausto, mas essa é uma posição difícil de sustentar. Ian Kershaw, após examinar profundamente essas evidências, chega à seguinte conclusão:

> Não pode haver dúvidas: o papel de Hitler foi decisivo e indispensável no caminho para a Solução Final... Sem ele e o regime singular que ele encabeçava, a criação de um programa para o extermínio físico dos judeus teria sido impensável.

(d) Genocídio

À medida que o programa de extermínio ganhava força, os judeus do Leste Europeu eram levados a Belzec, Sobibor, Treblinka e Maidanek no leste da Polônia; a maioria dos que vinham da Europa Ocidental ia para Auschwitz-Birkenau no sudeste da Polônia (ver Mapa 6.7). Entre julho e setembro de 1942, cerca de 300.000 judeus foram transportados do gueto de Varsóvia ao campo de extermínio de Treblinka. No final de 1942, mais de quatro milhões deles já haviam sido mortos. Mesmo quando os rumos da guerra começaram a se voltar contra os alemães durante 1943, Hitler insistiu em que o programa deveria continuar, e assim aconteceu (Ilustração 6.6), mesmo depois que estava perfeitamente claro para todos que a guerra seria perdida. Em abril de 1943,

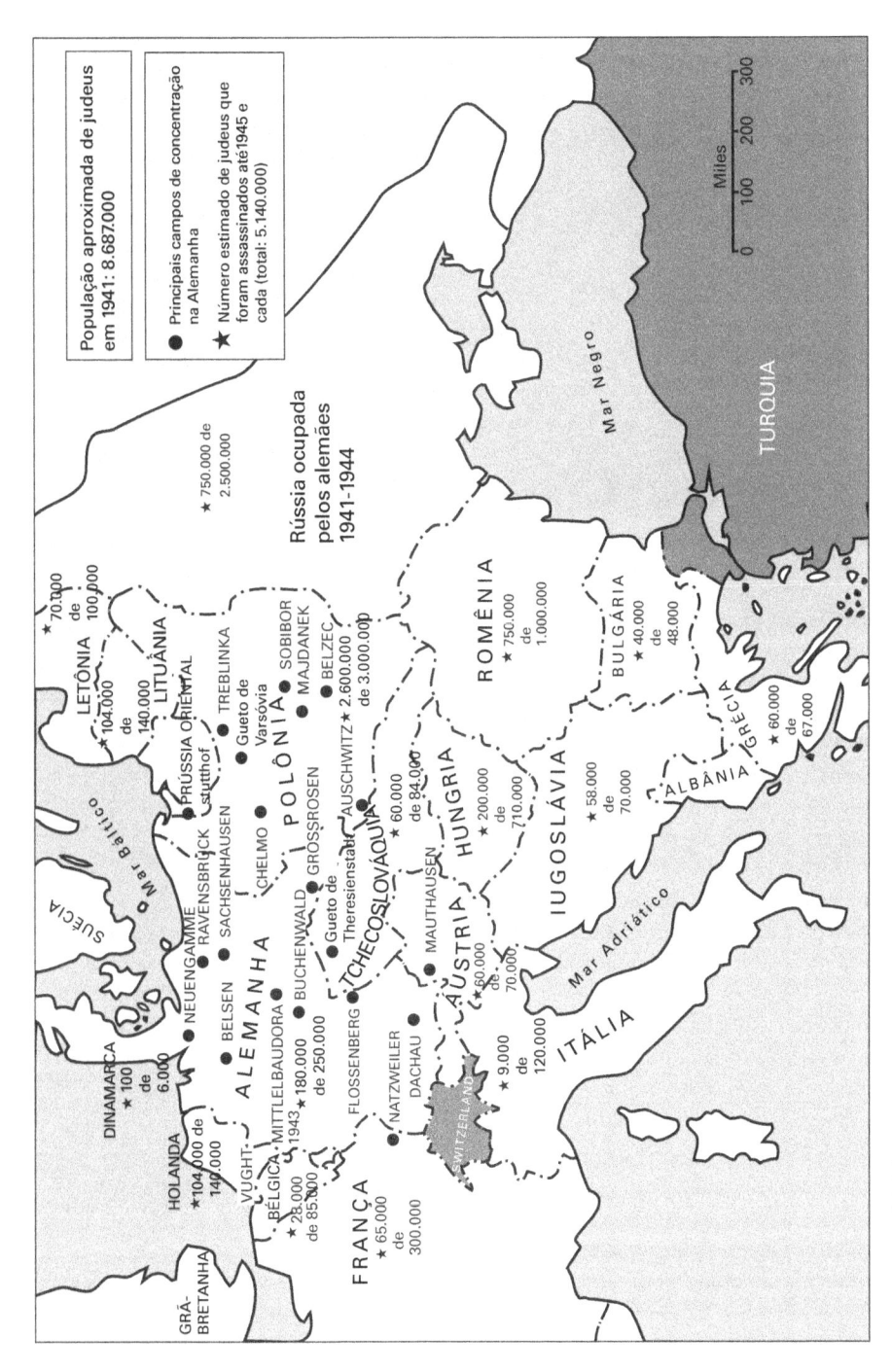

Mapa 6.7 O Holocausto.

Ilustração 6.6 Corpos no campo de concentração de Belsen.

os judeus remanescentes do gueto de Varsóvia se revoltaram, o levante foi esmagado de forma brutal e a maioria foi morta. Somente cerca de 10.000 ainda estavam vivos quando Varsóvia foi libertada em janeiro de 1945. Em julho de 1944, após as forças alemãs terem ocupado a Hungria, cerca de 400.000 judeus húngaros foram levados a Auschwitz. À medida que forças russas avançavam através da Polônia, as SS organizavam marchas forçadas dos campos da morte para a Alemanha, e a maioria dos prisioneiros morreu no caminho ou foi morta quando chegou à Alemanha. Em 6 de agosto de 1944, com os russos há apenas 150 km de distância, os alemães retiraram 70.000 judeus do gueto de Lódź, no sudeste de Varsóvia, e os levaram a Auschwitz, onde metade foi mandada imediatamente às câmaras de gás.

> Allan Bullock apresenta essa horripilante descrição do que acontecia quando cada novo lote de judeus chegava a um dos campos da morte:
>
>> Eles eram submetidos à mesma rotina assustadora. Médicos vestidos de branco – com um gesto da mão – selecionavam os que tinham condições de ser *trabalhados* até a morte. O restante deveria deixar suas roupas e seus pertences e depois, em uma coluna horripilante de homens e mulheres nus, carregando seus filhos ou de mãos dadas com eles e tentando confortá-los, eram levados como gado às câmaras de gás. Quando os gritos iam morrendo e as portas eram abertas, eles ainda estavam de pé, tão apertados que não tinham como cair. Mas onde havia seres humanos antes, agora havia cadáveres que deveriam ser removidos para serem queimados nos fornos. Esse era o espetáculo diário que Hitler teve o cuidado de nunca assistir e que assombra a imaginação de qualquer pessoa que tenha estudado as evidências.

Que tipo de pessoa poderia cometer tamanhos crimes contra a humanidade? O historiador Daniel Goldhagen, em seu livro *Hitler's Willing Executioners*, publicado em 1996, sugere que o povo alemão era particularmente antissemita e foi coletivamente responsável pelas muitas atrocidades cometidas durante o Terceiro Reich. Isso incluiu não apenas a Solução Final do "problema judaico", mas também o programa de eutanásia no qual foram mortas cerca de 700.000 pessoas consideradas deficientes ou com problemas mentais, o tratamento cruel dos poloneses durante a ocupação e a forma assustadora com que eram tratados prisioneiros de guerra e populações civis.

Embora a teoria de Goldhagen provavelmente vá longe demais, não restam dúvidas de que grande parte dos alemães comuns estava disposta a seguir Hitler e os outros líderes nazistas. Talvez estivessem convencidos pelos argumentos de homens como Himmler que disse a um grupo de comandantes da SS: "Nós tínhamos o direito moral, tínhamos o dever de destruir essas pessoas que queriam nos destruir". A SS, originalmente o regimento de guarda-costas de Hitler, junto com a política de segurança, comandantes de campos e guardas, e *gauleiters* (administradores) locais, estiveram todos profundamente implicados, assim como grande parte do *Wehrmacht* (o exército alemão), que foi ficando cada vez mais cruel à medida que a guerra no leste avançava. Líderes de grandes empresas e donos de fábricas aceitavam se aproveitar da mão de obra barata dos prisioneiros dos campos, e outros, com prazer, punham as mãos em propriedades e outros bens confiscados dos judeus; especialistas médicos se dispunham a usar judeus em experimentos que causassem suas mortes. Em todos os níveis da sociedade alemã houve pessoas que aproveitaram de bom grado a chance de lucrar com o destino de judeus desamparados.

Mas esse comportamento não se limitava aos alemães: muitos cidadãos poloneses e soviéticos colaboraram por vontade própria com o genocídio. Apenas três dias depois que começou a invasão da URSS, 1.500 judeus foram assassinados de forma selvagem na Lituânia por milícias locais e, em pouco tempo, milhares foram mortos por não alemães na Bielorrússia e na Ucrânia. Entretanto, sem Hitler e os nazistas para proporcionar a autoridade, a legitimidade, o apoio e a motivação, nada disso teria sido possível.

Por outro lado, não se deve esquecer que muitos alemães arriscaram corajosamente suas vidas para ajudar os judeus, dando-lhes abrigo e organizando rotas de fuga, mas era uma atividade muito perigosa e essas pessoas muitas vezes acabavam em campos de concentração. Da mesma forma, na Polônia, havia muitas pessoas dispostas a ajudar fugitivos judeus. Em um livro recente, o historiador Gunnar Paulsson sugere que em Varsóvia havia uma rede de, talvez, 90.000 "pessoas decentes e honestas", mais de 10% da população da cidade, direta ou indiretamente envolvidas em ajudar os judeus de várias formas. Isso questiona a visão comum de que os poloneses aceitaram tranquilamente o extermínio em massa de seus compatriotas judeus.

6.9 QUAIS FORAM OS EFEITOS DA GUERRA?

(a) Uma enorme destruição

Houve uma enorme destruição de vidas, casas, indústrias e comunicações na Europa e na Ásia (Ilustrações 6.2, 6.5 e 6.6).

Quase 40 milhões de pessoas morreram: bem mais de metade delas eram russas, 6 milhões eram polonesas, 4 milhões de alemãs, 2 milhões de chinesas e 2 milhões de japonesas. A Grã-Bretanha e os Estados Unidos saíram da guerra com comparativamente poucas perdas. (ver Figura 6.1).

Outros dois milhões de pessoas foram tiradas de casa: algumas foram levadas para a Alemanha para fazer trabalho escravo, outras foram colocadas em campos de concentração e outras foram forçadas a fugir por exércitos invasores. As potências vitoriosas ficaram com o problema de como repatriá-las (providenciar seu retorno a casa).

Amplas regiões da Alemanha, principalmente suas áreas industriais e muitas cidades importantes, estavam em ruínas. Grande

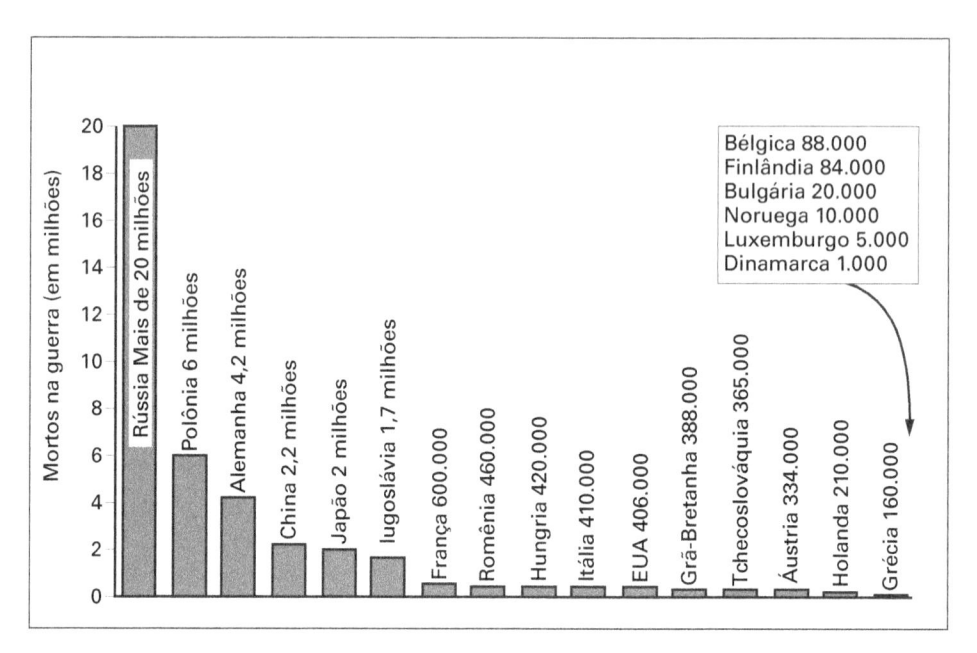

Figura 6.1 Mortos na Segunda Guerra Mundial.

Dados do gráfico:
- Rússia: Mais de 20 milhões
- Polônia: 6 milhões
- Alemanha: 4,2 milhões
- China: 2,2 milhões
- Japão: 2 milhões
- Iugoslávia: 1,7 milhões
- França: 600.000
- Romênia: 460.000
- Hungria: 420.000
- Itália: 410.000
- EUA: 406.000
- Grã-Bretanha: 388.000
- Tchecoslováquia: 365.000
- Áustria: 334.000
- Holanda: 210.000
- Grécia: 160.000
- Bélgica: 88.000
- Finlândia: 84.000
- Bulgária: 20.000
- Noruega: 10.000
- Luxemburgo: 5.000
- Dinamarca: 1.000

parte da Rússia ocidental foi completamente devastada e cerca de 25 milhões de pessoas estavam desabrigadas. A França também sofreram muito: levando-se em conta a destruição de moradias, fábricas, ferrovias, minas e gado, cerca de 50% de toda a sua riqueza foi perdida. Na Itália, onde os danos foram muito graves no sul, essa quantidade era de mais de 30%. O Japão sofreu muitos prejuízos e teve uma grande quantidade de pessoas mortas pelos bombardeios.

Embora o custo tenha sido alto, fez com que o mundo se livrasse do nazismo, que tinha sido responsável por terríveis atrocidades. A mais notória foi o Holocausto – o assassinato deliberado, em campos de extermínio, de mais de cinco milhões de judeus e centenas de milhares de não judeus, principalmente na Polônia e na Rússia (ver Seção 6.8).

(b) Não houve acordo de paz que englobasse tudo

Desta vez foi diferente do final da Segunda Guerra Mundial, quando foi negociado um acordo em Versalhes que abrangia tudo. Principalmente porque a desconfiança que havia ressurgido entre a URSS e o Ocidente nos meses finais da guerra tornou impossível o acordo em muitos pontos.

Contudo, foi assinada uma série de tratados separados:

- A *Itália* perdeu suas colônias africanas e abriu mão de suas reivindicações em relação à Albânia e à Abissínia (Etiópia).
- A *URSS* assumiu a parte leste da Tchecoslováquia, o distrito de Petsamo, a área em torno do lago Ladoga da Finlândia e se manteve na Letônia, na Lituânia e na Estônia, que tinha ocupado em 1939.
- A *Romênia* recuperou o norte da Transilvânia que os húngaros tinham ocupado durante a guerra.
- *Trieste*, reivindicada pela Itália e pela Iugoslávia, foi declarada território livre protegido pela Organização das Nações Unidas.
- Mais tarde, em São Franciso (1951), o *Japão* concordou em entregar todo o territó-

rio tomado nos 90 anos anteriores, o que incluía uma retirada completa da China.

Porém, os *russos* se recusavam a qualquer acordo com relação à Alemanha e a Áustria, exceto que elas deveriam ser ocupadas por tropas aliadas e que a Prússia Oriental deveria ser dividida entre Rússia e Polônia.

(c) A guerra estimulou importantes mudanças sociais

Além dos deslocamentos de populações durante a guerra, quando as hostilidades terminaram, milhões de pessoas foram forçadas a sair de seus locais de moradia. Os piores casos provavelmente aconteceram em áreas tomadas da Alemanha pela Rússia e pela Polônia e nas regiões de fala alemã da Hungria, Romênia e Tchecoslováquia. Cerca de dez milhões de alemães foram forçados a sair e se mudar para a Alemanha Ocidental, para que nenhum futuro governo alemão pudesse reivindicar aqueles territórios. Em alguns países, principalmente na URSS e na Alemanha, houve ampla reconstrução de cidades em ruínas. Na Grã-Bretanha, a guerra estimulou, entre outras coisas, o Relatório Beveridge (1942), um plano para introduzir um Estado de bem-estar social.

(d) A guerra gerou a produção de armas nucleares

Na primeira vez que foram usadas essas armas na história, em Hiroshima e Nagasaki, demonstrou-se o seu terrível poder de destruição. O mundo ficou sob ameaça de uma guerra nuclear que poderia muito bem ter destruído o planeta inteiro. Algumas pessoas afirmam que isso funcionou como contenção, assustando tanto os dois lados da guerra fria que eles foram contidos ou desestimulados a lutar entre si.

(e) Terminou a dominação do restante do mundo pela Europa

Os quatro países da Europa Ocidental que cumpriram um papel central nas questões mundiais por mais de metade do século XX estavam agora muito mais fracos do que antes. A Alemanha estava devastada e dividida, e a França e a Itália estavam à beira da falência. Embora a Grã-Bretanha parecesse forte e vitoriosa, com seu império intacto, o custo da guerra foi destrutivo. Os Estados Unidos tinham ajudado a Grã-Bretanha a se manter durante a guerra mandando suprimentos, mas eles tinham que ser pagos depois. Assim que a guerra terminou, o novo presidente norte-americano, Truman, interrompeu abruptamente qualquer outra ajuda, deixando a Grã-Bretanha em um estado lastimável, já que o país tinha dívidas externas de mais de 3 bilhões de libras, muitos de seus investimentos estrangeiros foram vendidos e sua capacidade de exportar mercadorias foi reduzida em muito. O país foi forçado a pedir outro empréstimo aos Estados Unidos, que foi concedido com juros altos, o que resultou em uma dependência forte e desconfortável dos norte-americanos.

(f) O surgimento das superpotências

Os Estados Unidos e a URSS surgiram como as duas nações mais poderosas do mundo e não estavam mais tão isoladas quanto antes da guerra. Os Estados Unidos sofreram relativamente pouco com a guerra e desfrutaram de grande prosperidade ao abastecer os outros Aliados com materiais de guerra e comida. Tinham a maior marinha e a maior força aérea do mundo e possuíam a bomba atômica. A URSS, embora muito fragilizada, ainda tinha o maior exército do mundo. Ambos os países estavam muito desconfiados das intenções um do outro, agora que os inimigos em comum, o Japão e a Alemanha, foram derrotados. A rivalidade dessas duas superpotências na Guerra Fria foi a característica mais importante das relações internacionais por quase meio século depois de 1945 e foi uma ameaça constante à paz mundial (ver capítulo a seguir)

(g) Descolonização

A guerra estimulava o movimento em direção à descolonização. As derrotas impostas à Grã-Bretanha, Holanda e França pelo Japão, e a ocupação de seus territórios na Malásia, Cingapura e Birmânia (britânicos), Indochina Francesa e as Índias Orientais Holandesas destruíram a tradição de superioridade e invencibilidade europeias. Não se poderia esperar que, tendo lutado para se livrar dos japoneses, os povos asiáticos aceitassem voltar ao controle europeu. Eles foram conquistando a independência completa, embora não sem luta, em muitos casos. Isso, por sua vez, intensificou as demandas por independência entre povos da África e o Oriente Médio, e na década de 1960, o resultado foi um amplo leque de novos Estados (ver Capítulos 24 e 25). Os líderes de muitas dessas nações emergentes se reuniram em uma conferência em Argel em 1973 e deixaram claro que se consideravam como um Terceiro Mundo, o que significava que *queriam permanecer neutros ou não alinhados* na luta entre os dois mundos – comunismo e capitalismo. Geralmente pobres e subdesenvolvidas em termos industriais, as novas nações costumavam desconfiar muito das motivações do comunismo e do capitalismo e estavam descontentes com sua própria dependência econômica das potências ricas do mundo.

(h) A Organização das Nações Unidas (ONU)

Surgiu como sucessora da Liga das Nações. Seu principal objetivo era tentar manter a paz mundial e, no geral, tem conseguido muito mais sucesso do que sua infeliz predecessora (ver Capítulos 3 e 9).

PERGUNTAS

1. As ideias de Hitler sobre o futuro

Estude as fontes A e B e responda às perguntas que seguem.

Fonte A
Extrato do discurso de Hitler aos líderes da SS, novembro de 1938.

> Temos que ter claro que, nos próximos 10 anos, certamente nos depararemos com importantes conflitos, sem precedentes: não se trata apenas da luta das nações que, neste caso, são apresentadas pelo lado oposto simplesmente como uma frente, mas é a luta ideológica do mundo judaico, da maçonaria, do marxismo e das igrejas do mundo. Essas forças – das quais eu suponho que os judeus sejam o espírito motivador, a origem de tudo o que é negativo – é claro que se a Alemanha e a Itália não forem aniquiladas, *elas* serão aniquiladas. Essa é uma conclusão simples. Na Alemanha, os judeus não podem aguentar. É uma questão de anos. Vamos expulsá-los cada vez mais, com uma crueldade sem precedentes.

Fonte B
Extratos do discurso de Hitler ao Reichstag, 30 de janeiro de 1939.

> Muitas vezes, durante a minha vida, fui profeta, e em geral fui ironizado. Na época da minha luta pelo poder, os judeus foram os primeiros a receber com risadas minhas profecias de que um dia eu assumiria a liderança do Estado, e aí eu daria uma solução ao problema judaico. Acho que essa risada oca que um dia existiu, nesse meio tempo, já trancou na garganta. Hoje quero ser profeta de novo: Se o judaísmo financeiro internacional dentro e fora da Europa conseguir jogar as nações mais uma vez em uma guerra mundial, o resultado não será a bolchevização do mundo, com uma vitória dos judeus, mas sim a aniquilação da raça judaica na Europa.

Fonte: Ambas as fontes citadas em Ian Kershaw, *Hitler 1936-45: Nemesis* (Allen Lane/Penguin, 2000).

(a) Que evidências essas fontes revelam em relação ao estado de espírito de Hitler e sobre seu pensamento com relação a paz, guerra e judeus?

(b) Usando as fontes e seu próprio conhecimento, examine as evidências a favor e contra a visão de que a Solução Final foi forçada a Hitler pelas circunstâncias da Segunda Guerra Mundial.

2. Explique por que a Alemanha teve êxito na Segunda Guerra Mundial até o final de 1941, mas acabou derrotada em 1945.

3. Explique por que você concorda ou discorda da visão de que a visão aliada na Segunda Guerra Mundial foi garantida principalmente pela contribuição da URSS.

7 A Guerra Fria
Problemas de Relações Internacionais Após a Segunda Guerra Mundial

RESUMO DOS EVENTOS

Próximo ao final da guerra a harmonia que existia entre a URSS, os Estados Unidos e o Império Britânico começou a se desgastar e as velhas suspeitas vieram à tona mais uma vez. As relações entre a Rússia soviética e o Ocidente logo ficaram tão difíceis que, embora não acontecessem lutas propriamente ditas entre os dois campos opostos, a década posterior a 1945 assistiu à primeira fase do que ficou conhecido como *Guerra Fria*. Ela continuou, apesar de vários "degelos", até o colapso do comunismo no Leste Europeu em 1989-1991. O que aconteceu foi que, em vez de permitir que sua hostilidade mútua se expressasse em lutas abertas, as potências rivais se atacavam com propaganda e medidas econômicas e com uma política geral de não cooperação.

Ambas as superpotências – os Estados Unidos e a URSS – reuniram aliados ao seu redor: entre 1945 e 1948 a URSS atraiu para suas órbitas a maioria dos países do Leste Europeu, com a subida ao poder de governos comunistas na Polônia, Hungria, Romênia, Bulgária, Iugoslávia, Albânia, Tchecoslováquia e Alemanha Oriental (1949). Um governo comunista se estabeleceu na Coreia do Norte (1948) e o bloco comunista parecia estar mais fortalecido em 1949 quando Mao Tse-Tung acabou vitorioso na longa guerra civil na China (ver Seção 19.4). Por outro lado, os Estados Unidos aceleraram a recuperação do Japão e o estimularam como aliado, trabalhando junto com a Grã-Bretanha e outros 14 países europeus, assim como a Turquia, aos quais deram muita ajuda econômica para construir um bloco anticomunista.

Cada bloco enxergava motivações ulteriores e agressivas em qualquer coisa que o outro sugerisse. Houve uma longa disputa, por exemplo, em relação a fronteira entre a Polônia e a Alemanha, e não se chegou a nenhum acordo permanente sobre a Alemanha e a Áustria. Então, em meados dos anos de 1950, após a morte de Stalin (1953), os novos líderes russos começaram a falar em "coexistência pacífica", e a atmosfera gelada entre os dois blocos começou a relaxar. Concordou-se em retirar todas as tropas de ocupação da Áustria (1955), mas as relações não melhoraram o suficiente para permitir um acordo sobre a Alemanha e as tensões cresciam em relação ao Vietnã e a crise dos mísseis de Cuba (1962).

7.1 O QUE CAUSOU A GUERRA FRIA?

(a) Diferenças de princípio

A causa básica de conflito estava nas diferenças de princípios entre países comunistas e capitalistas ou liberal-democráticos.

- *O sistema comunista* de organização do Estado e da sociedade se baseava nas ideias de Karl Marx que acreditava que a riqueza de um país deveria ser de propriedade coletiva e compartilhada por todos. A economia deveria ter planejamento centralizado, os interesses e o bem-estar da clas-

se trabalhadora deveriam ser salvaguardados por políticas sociais do Estado.
- *O sistema capitalista*, por outro lado, opera com base na propriedade privada da riqueza do país. As forças motrizes por trás do capitalismo são a iniciativa privada na busca do lucro e a preservação do poder da riqueza privada.

Desde que foi estabelecido o primeiro governo comunista do mundo na Rússia (URSS) em 1917 (ver Seção 16.2(d)), os governos da maioria dos estados capitalistas o viam com desconfiança e tinham receio de que o comunismo se espalhasse para outros países. Isso significaria o fim da propriedade privada da riqueza, bem como a perda de poder político por parte das classes ricas. Quando a guerra civil começou na Rússia em 1918, vários Estados capitalistas – os Estados Unidos, a Grã-Bretanha, a França e o Japão – enviaram tropas ao país para ajudar as forças anticomunistas. Os comunistas venceram a guerra, mas Josef Stalin, que se tornou líder da Rússia em 1929, tinha certeza de que haveria outra tentativa por parte das potências capitalistas de destruir o comunismo na Rússia. A invasão alemã do país em 1941 provou que ele estava certo. A necessidade de autopreservação contra a Alemanha e o Japão fez com que a URSS, os Estados Unidos e a Grã-Bretanha esquecessem suas diferenças e trabalhassem juntos, mas assim que a derrota da Alemanha passou a ser só uma questão de tempo, ambos os lados, principalmente Stalin, começaram a planejar o pós-guerra.

(b) As políticas externas de Stalin contribuíram para as tensões

O objetivo de Stalin era aproveitar a situação militar e fortalecer a influência da Rússia na Europa. Quando os exércitos nazistas desabaram, ele tentou ocupar o máximo possível de território alemão e adquirir a maior quantidade de terra que conseguisse em países como Finlândia, Polônia e Romênia. Nisso ele teve muito sucesso, mas o Ocidente estava alarmado com o que considerava agressão soviética e acreditava que Stalin estava comprometido com a difusão do comunismo à maior parcela possível do planeta.

(c) Os políticos norte-americanos e britânicos eram hostis ao governo soviético

Durante a guerra, os Estados Unidos, sob a liderança do presidente Roosevelt, enviaram materiais de todos os tipos à Rússia, em um sistema conhecido como *"Lend-Lease"*, ou "empréstimo e arrendamento", e Roosevelt estava inclinado a acreditar em Stalin. Mas após a morte de Roosevelt em abril de 1945, seu sucessor, Harry S. Truman, confiava menos e endureceu sua atitude em relação aos comunistas. Alguns historiadores acreditam que a principal motivação de Truman para lançar as bombas atômicas não foi simplesmente derrotar o Japão, que já estava pronto para se render de qualquer modo, mas mostrar a Stalin o que poderia acontecer à Rússia se ele ousasse ir longe demais. Stalin suspeitava de que os Estados Unidos e a Grã-Bretanha ainda queriam destruir o comunismo e achava que a demora desses países em lançar a invasão da França, a Segunda Frente (que só aconteceu em junho de 1944), foi calculada deliberadamente para manter a maior pressão sobre os russos e levá-los a um ponto de exaustão. Eles também não informaram Stalin sobre a existência da bomba atômica até pouco antes de seu uso no Japão, e rejeitaram a solicitação da Rússia de compartilhar a ocupação do país. *Acima de tudo, o Ocidente tinha a bomba atômica e a URSS não.*

Sendo assim, qual lado foi responsável?

Na década de 1950 a maioria dos historiadores, como o norte-americano George Kennan (em seu livro Memoirs, 1925-1950 (Bantam, 1969)), culpava Stalin, afirmando que seus motivos eram sinistros e que ele pretendia espalhar o comunismo o máximo possível pela Europa e pela Ásia, destruindo o capitalismo. A forma-

ção da OTAN (ver a seguir a Seção 7.2(i)) e a entrada dos Estados Unidos na Guerra da Coreia em 1950 (ver Seção 8.1) foram a autodefesa do Ocidente contra a agressão comunista.

Por outro lado, os historiadores soviéticos, e durante os anos de 1960 e 1970, alguns norte-americanos, afirmavam que *a responsabilidade pela Guerra Fria não deveria ser colocada em Stalin e nos russos*. Sua teoria era de que a Rússia tinha sofrido perdas enormes durante a guerra e, portanto, seria de esperar que Stalin quisesse se certificar de que os Estados vizinhos eram amigos, devido à fragilidade do país em 1945. Eles acreditavam que os motivos de Stalin eram puramente defensivos e que a URSS não representava ameaça real ao Ocidente. Alguns norte-americanos afirmam que os Estados Unidos deveriam ter sido mais compreensivos e não desafiado a ideia de "esfera de influência" soviética no Leste Europeu. As ações de políticos dos Estados Unidos, principalmente Truman, provocaram a hostilidade russa sem necessidade. Essa visão ficou conhecida entre os historiadores como *revisionismo*.

A principal razão por trás dessa nova visão era que no final da década de 1960, muitas pessoas passaram a criticar a política externa norte-americana, principalmente o envolvimento do país na Guerra do Vietnã (ver Seção 8.3). Isso fez com que alguns historiadores reconsiderassem a atitude dos Estados Unidos em relação ao comunismo em geral; eles achavam que os governos tinham ficado obcecados com a hostilidade em relação aos Estados comunistas e estavam dispostos a assumir uma visão mais simpática em relação às dificuldades de Stalin após o final da Segunda Guerra Mundial.

Posteriormente, uma terceira visão foi proposta por alguns historiadores norte-americanos e se tornou popular nos anos de 1980, conhecida como interpretação pós-revisionista. Eles se beneficiaram da possibilidade de poder olhar muitos documentos novos e visitar arquivos que não foram abertos a outros historiadores. As novas evidências sugeriam que a situação no final da guerra era muito mais complicada do que pensavam os historiadores anteriores e isso os levou a assumir uma visão intermediária, afirmando que ambos os lados deveriam assumir parte da culpa pela Guerra Fria. Eles acreditam que as políticas econômicas dos Estados Unidos, como o Plano Marshall (ver Seção seguinte, 7.2(e)) visavam deliberadamente a aumentar a influência política do país na Europa, mas também acreditavam que, embora não tivesse planos de longo prazo para espalhar o comunismo, Stalin era um oportunista que aproveitaria qualquer fragilidade no Ocidente para expandir a influência soviética. Os métodos brutos dos soviéticos de impor governos comunistas aos Estados do Leste Europeu serviam de prova às afirmações de que os objetivos de Stalin eram expansionistas. Com suas posições fortificadas e profundas desconfianças entre si, os Estados Unidos e a URSS criaram uma atmosfera na qual todas ações internacionais poderiam ser interpretadas de duas formas. O que se afirmava ser necessário para autodefesa por um lado era considerado pelo outro como evidência de intenção agressiva, como mostram os eventos descritos na seção seguinte, mas pelo menos a guerra aberta foi evitada, porque os norte-americanos relutavam em usar a bomba atômica de novo, a menos que fossem atacados diretamente, ao passo que os russos não ousavam fazer esse ataque.

7.2 COMO A GUERRA FRIA EVOLUIU ENTRE 1945 E 1953?

(a) A conferência de Yalta (fevereiro de 1945)

Esta reunião aconteceu na Rússia (na Crimeia) e teve a participação dos três líderes Aliados, Stalin, Roosevelt e Churchill, para que pudessem planejar o que aconteceria quando a guerra terminasse (Ilustração 7.1). *Na época, parecia ser um sucesso, tendo atingido acordos em vários pontos.*

- Uma nova organização, chamada de *Nações Unidas*, substituiria a fracassada Liga das Nações.

- *A Alemanha seria dividida em zonas de ocupação* – russa, norte-americana e britânica (mais tarde, foi incluída uma zona francesa) – enquanto Berlim (que ficou no meio da zona russa) também seria dividida em zonas correspondentes. Arranjos semelhantes seriam feitos para a Áustria.
- Seriam permitidas eleições livres nos Estados do Leste Europeu.
- Stalin prometeu se unir à guerra contra o Japão, na condição de que a Rússia recebesse toda a Ilha de Sakhalin e algum território na Manchúria.

Entretanto, havia nefastos *sinais de problemas* em relação ao que seria feito com a Polônia. Ao varrer o país, expulsando os alemães, o exército russo havia estabelecido um governo comunista em Lublin, mesmo que já houvesse um governo polonês no exílio em Londres. Ficou acordado em Yalta que alguns membros (não comunistas) do governo sediado em Londres deveriam participar do governo de Lublin, enquanto a Rússia poderia manter uma faixa de território no leste da Polônia, que havia anexado em 1939. Entretanto, Roosevelt e Churchill não estavam satisfeitos com as exigências de Stalin de que a Polônia devesse receber todo o território alemão a leste dos rios Oder e Neisse, e não houve acordo nesse ponto.

(b) **A conferência de Potsdam (julho de 1945)**

Nesta reunião a atmosfera foi diferente, bem mais fria. Os três líderes no início da conferência eram Stalin, Truman (substituindo Roosevelt, que morrera em abril) e Churchill, mas este foi substituído por Clement Attlee, o

Ilustração 7.1 Churchill, Roosevelt e Stalin em Yalta, fevereiro de 1945.

novo primeiro-ministro britânico, após a vitória eleitoral dos trabalhistas.

A guerra com a Alemanha tinha terminado, mas não chegaram a um acordo em relação ao futuro de longo prazo do país. As grandes perguntas eram se, ou quando, as quatro zonas poderiam voltar a se juntar para formar um país unificado. O país seria desarmado, o partido nazista seria desmantelado e seus líderes julgados como criminosos de guerra. Acertou-se que os alemães deveriam indenizar os danos que haviam causado durante a guerra. A maioria desses pagamentos, (conhecidos como "indenizações") iria para a URSS, que teria permissão para retirar bens que não fossem alimentícios de sua própria zona e também das outras, desde que enviasse suprimentos às zonas ocidentais da Alemanha em retorno.

Foi em relação à Polônia que ocorreu a principal divergência. Truman e Churchill ficaram incomodados porque a Alemanha a leste da linha Oder-Neisse tinha sido ocupada por tropas russas e estava sendo governada pelo governo polonês pró-comunista, que expulsou cerca de cinco milhões de alemães que moravam na área, o que não foi acordado em Yalta (ver Mapa 7.1). Truman não informou Stalin sobre a exata natureza da bomba atômica, embora Churchill tenha sido informado. Poucos dias depois do encerramento da conferência as duas bombas atômicas foram lançadas sobre o Japão e a guerra acabou rapidamente, em 10 de agosto, sem necessidade de ajuda russa (embora os russos tivessem declarado guerra ao Japão no dia 8 e invadido a Manchúria). Eles anexaram o sul da ilha de Sakhalina, como tratado em Yalta, mas não lhes foi permitido participar da ocupação do Japão.

(c) O comunismo estabelecido no Leste Europeu

Nos meses que se seguiram a Potsdam, os russos interferiam sistematicamente nos países do Leste Europeu para estabelecer governos pró-comunistas. Isso aconteceu na Polônia, Hungria, Bulgária, Albânia e Romênia. Em alguns casos seus oponentes foram presos e assassinados. Na Hungria, por exemplo, os russos permitiram eleições livres, mas, embora os comunistas tivessem recebido menos de 20% dos votos, eles garantiram que uma maioria de membros do gabinete fosse de comunistas. Stalin assustou ainda mais o Ocidente com um discurso muito divulgado em fevereiro de 1946, no qual ele disse que o comunismo e o capitalismo nunca poderiam conviver em paz, e que eram inevitáveis futuras guerras até uma vitória final do comunismo. Entretanto, historiadores russos afirmaram que o discurso foi relatado no Ocidente de forma enganadora e distorcida, principalmente por George Kennan que era representante diplomático dos Estados Unidos em Moscou.

Churchill respondeu a tudo isso com um discurso em Fulton, Missouri (EUA), em março de 1946, no qual ele repetiu uma expressão que havia usado antes: "De Stettin, no Báltico, a Trieste, no Adriático, uma cortina de ferro desceu sobre o continente" (ver Mapa 7.2). Afirmando que os russos tendiam a uma "expansão indefinida de seu poder e de suas doutrinas", ele conclamou a uma aliança ocidental firme contra a ameaça comunista. O discurso gerou uma resposta dura de Stalin, que revelou seus medos em relação à Alemanha e a necessidade de fortalecer a segurança soviética. O distanciamento entre Oriente e Ocidente estava aumentando constantemente, e Stalin conseguiu denunciar Churchill como um "provocador da guerra". Mas nem todos no Ocidente concordavam com Churchill – mais de cem parlamentares do partido trabalhista britânico assinaram uma moção criticando o líder conservador por sua atitude.

(d) Os russos continuaram aumentando seu controle no Leste Europeu

No final de 1947, todos os países daquela região, com exceção da Tchecoslováquia, tinham um governo inteiramente comunista. As

▨▨▨ Território tomado pela Polônia da Alemanha: a leste da linha Oder-Neisse e parte da Prússia

≡≡≡ Território adquirido pela URSS durante a guerra

Zonas de ocupação na Alemanha e Áustria
1 Russa   3 Francesa
2 Britânica 4 Norte-americana

Mapa 7.1 A Europa depois de 1945.

eleições eram fraudadas, membros não comunistas de governos de coalizão eram expulsos, muitos eram presos e executados, e com o tempo, todos os outros partidos políticos foram dissolvidos. Tudo isso acontecia sob os olhos vigilantes da polícia secreta e de soldados russos. Além disso, Stalin tratava a zona russa da Alemanha como se fosse território russo, permitindo a existência somente do partido comunista e drenando seus recursos vitais.

Mapa 7.2 Regiões Central e Leste da Europa durante a Guerra Fria.
Fonte: D. Heater, *Our World This Century* (Oxford, 1992), p. 129

A Iugoslávia era o único país fora do padrão. Ali, o governo do marechal Tito foi eleito de forma legal em 1945. Tito venceu as eleições em função de seu imenso prestígio como líder da resistência antialemã. Foram suas forças, e não os russos, que libertaram a Iugoslávia da ocupação alemã, e Tito não gostava das tentativas de interferência por parte de Stalin.

O Ocidente estava profundamente irritado com o tratamento que a Rússia dava ao leste europeu, que desconsiderava sua promessa de eleições livres, feita em Yalta. Ainda assim, não deveria ter ficado surpreso com o que estava acontecendo: até mesmo Churchill tinha concordado com Stalin em 1944, em que grande parte do Leste Europeu deveria ser esfera de influência russa. Stalin poderia afirmar que governos amigos em Estados vizinhos eram necessários para autodefesa, que esses Estados nunca haviam sido democráticos de qualquer forma e que o comunismo traria o progresso tão necessário a países atrasados. Foram os métodos de Stalin para obter controle que incomodaram o Ocidente e deram origem aos eventos importantes que se seguiram.

(e) A Doutrina Truman e o Plano Marshall

1 A Doutrina Truman

Esta doutrina surgiu a partir dos eventos na Grécia, onde os comunistas estavam tentando derrubar a monarquia. Tropas britânicas, que ajudaram a libertar a Grécia dos alemães em 1944, haviam restaurado a monarquia, mas agora estavam sentindo o peso de apoiá-la contra os comunistas que recebiam ajuda da Albânia, da Bulgária e da Iugoslávia. Ernest Bevin, o ministro de relações exteriores da Grã-Bretanha, apelou aos Estados Unidos e Truman anunciou (março de 1947) que o país apoiaria povos livres que estivessem resistindo a ser subjugados por minorias armadas ou por pressões externas". A Grécia imediatamente recebeu enormes quantidades de armas e outros suprimentos e, em 1949, os comunistas foram derrotados. A Turquia, que também parecia estar sob ameaça, recebeu cerca de 60 milhões de dólares em ajuda. A Doutrina Truman deixava claro que os Estados Unidos não tinham intenção de voltar ao isolamento em que haviam estado após a Primeira Guerra Mundial e sim estavam comprometidos com *uma política de contenção do comunismo*, não apenas na Europa, mas também no mundo todo, incluindo Coreia e Vietnã.

2 O Plano Marshall

Anunciado em junho de 1947, foi uma extensão econômica da Doutrina Truman. O secretário de estado norte-americano George Marshall apresentou seu Programa para a Recuperação da Europa (PRE) que oferecia ajuda financeira e econômica onde fosse necessário. "Nossa política", ele declarou, "não está direcionada contra qualquer país ou doutrina, mas contra a fome, a pobreza, o desespero e o caos". Um de seus objetivos era promover a recuperação econômica da Europa, garantindo mercados para as exportações europeias, mas a meta principal era provavelmente política: o comunismo tinha menos probabilidade de assumir controle de uma Europa ocidental próspera. Em setembro, 16 países (Grã-Bretanha, França, Itália, Bélgica, Luxemburgo, Holanda, Portugal, Áustria, Grécia, Turquia, Islândia, Noruega, Suécia, Dinamarca, Suíça e as zonas ocidentais da Alemanha) elaboraram um plano conjunto para o uso da ajuda norte-americana. Nos quatro anos seguintes, 13 bilhões de dólares de ajuda do Plano Marshall foram despejados na Europa Ocidental, estimulando a recuperação da agricultura e da indústria que em muitos países estava em situação de caos em função da devastação da guerra.

Os russos estavam cientes de que o Plano Marshall significava mais do que pura benevolência. Embora, teoricamente, houvesse ajuda disponível para o Leste Europeu, o ministro russo de relações exteriores, Molotov, denunciou a ideia como sendo "o imperialismo dos dólares". Ele considerava como um dispositivo norte-americano ostensivo para obter controle da Europa Ocidental e, pior ainda, para interferir no leste Europeu, que Stalin considerava como sendo a esfera de influência da Rússia. A URSS rejeitou a oferta, e nem a seus satélites, nem à Tchecoslováquia, que estava demonstrando interesse, foi permitido aproveitá-la. A "cortina de ferro" parecia uma realidade e o evento seguinte só serviu para fortalecê-la.

(f) O Cominform

O Bureau Comunista de Informações foi a resposta soviética ao Plano Marshall. Estabelecido por Stalin em setembro de 1947, era uma organização voltada a reunir os vários partidos comunistas europeus. Todos os Estados satélites eram membros, e os partidos comunistas francês e italiano estavam representados. O objetivo de Stalin era aumentar seu controle sobre os satélites: ser comunista não era suficiente, tinha que ser comunismo no estilo russo. O Leste Europeu deveria ser industrializado, coletivizado e centralizado, os Estados deveriam fazer comércio basicamente com os membros do Cominform, e todos os contatos com países não comunistas eram desestimulados. Quando a Iugoslávia objetou foi expulsa do Cominform, (1948) embora tenha continuado comunista. Em 1947 *foi introduzido o Plano Molotov* que oferecia ajuda russa aos satélites. Foi estabelecida outra organização, conhecida como Comecon (Conselho de Assistência Econômica Mútua) para articular suas políticas econômicas.

(g) Os comunistas tomam o poder na Tchecoslováquia (fevereiro de 1948)

Este evento representou um grande golpe no bloco ocidental, já que a Tchecoslováquia era o único Estado democrático que restava no leste da Europa. Havia um governo de coalizão entre comunistas e outros partidos de esquerda que tinha sido eleito livremente em 1946. Os comunistas fizeram 38% dos votos e 114 cadeiras no parlamento de 300, e tinham um terço do gabinete. O primeiro-ministro, Klement Gottwald, era comunista, o presidente Beneš e o ministro das relações exteriores Jan Masaryk, não. Eles esperavam que a Tchecoslováquia, com suas indústrias altamente desenvolvidas, *permanecesse como uma ponte entre o Ocidente e o Oriente*.

Contudo, a crise surgiu no início de 1948. As eleições deveriam acontecer em maio, e todos os sinais diziam que os comunistas perderiam terreno, pois eram responsabilizados pela rejeição do país ao Plano Marshall, que poderia ter acabado com a contínua escassez de comida. Eles decidiram agir antes das eleições; já no controle dos sindicatos e da polícia, tomaram o poder em um golpe armado. Todos os ministros não comunistas, com exceção de Beneš e Masaryk, renunciaram. Poucos dias depois, o corpo de Masaryk foi encontrado sob a janela de seu gabinete. Sua morte foi descrita oficialmente como suicídio, mas quando os arquivos foram abertos depois do colapso do comunismo em 1989, foram encontrados documentos provando de forma cabal que ele foi assassinado. As eleições foram realizadas em maio, mas havia apenas uma única lista de candidatos – todos comunistas. Beneš renunciou e Gottwald se tornou presidente.

As potências ocidentais e a ONU protestaram, mas não se sentiam capazes de tomar qualquer atitude porque não tinham como provar o envolvimento russo – o golpe foi uma questão puramente interna. Entretanto, não resta dúvida de que Stalin, desaprovando as conexões tchecas com o Ocidente e seu interesse na ajuda do Plano Marshall, havia incentivado os comunistas tchecos a agir. Tampouco foi coincidência que várias das divisões russas que ocuparam a Áustria tenham sido levadas à fronteira tcheca. A ponte entre Ocidente e Oriente tinha desaparecido e *a "cortina de ferro" estava completa*.

(h) O bloqueio e a ponte-aérea de Berlim (junho de 1948 a maio de 1949)

Neste momento, a Guerra Fria chegou à sua primeira grande crise, que surgiu a partir das *divergências em relação ao tratamento da Alemanha*.

1. No final da guerra, como foi acordado em Yalta e Potsdam, *a Alemanha e Berlim foram divididas em quatro zonas*. Enquanto as três potências ocidentais faziam o melhor que podiam pela or-

ganização econômica e política de suas zonas, Stalin, determinado a fazer com que a Alemanha pagasse por todo o dano causado à Rússia, tratava sua zona como satélite drenando seus recursos.

2. *No início de 1948, as três zonas ocidentais foram fundidas para formar uma unidade econômica* cuja prosperidade, graças ao Plano Marshall, contrastava claramente com a pobreza da zona russa. O Ocidente queria que todas as zonas se unificassem e tivessem autogoverno o mais rápido possível, mas Stalin tinha decidido que seria mais seguro para seu país se ele mantivesse a zona russa separada, com seu próprio governo comunista, pró-Rússia. A perspectiva das três zonas se reunificarem já era suficientemente alarmante para Stalin, porque ele sabia que elas seriam parte do bloco ocidental.

3. *Em junho de 1948, o Ocidente introduziu uma nova moeda e acabou com os controles de preços em sua zona e em Berlim Ocidental.* Os russos decidiram que a situação em Berlim tinha se tornado insustentável. Já irritados com o que consideravam uma ilha de capitalismo 150 km dentro da zona comunista, eles consideravam impossível ter duas moedas diferentes na mesma cidade e ficavam constrangidos com o contraste entre a prosperidade de Berlim Ocidental e a pobreza da área ao redor dela.

A resposta russa foi imediata: todas as ligações por estradas, ferrovias e canais entre Berlim Ocidental e a Alemanha Ocidental foram fechadas, com objetivo de forçar o Ocidente a se retirar dessa parte da cidade levando-a à inanição. As potências ocidentais, convencidas de que um recuo seria o prelúdio de um ataque russo à Alemanha Ocidental, estavam determinadas a aguentar. Elas decidiram levar suprimentos de avião, julgando, com razão, que os russos não ousariam atirar em seus aviões de transporte. Truman teve o cuidado de enviar uma frota de bombardeiros B-29 a ser posicionados nas pistas de decolagem britânicas. Nos 10 meses que se seguiram, dois milhões de toneladas de suprimentos foram levados de avião a uma cidade bloqueada em uma operação impressionante que manteve os 2,5 milhões de berlineses ocidentais alimentados e aquecidos durante o inverno. Em maio de 1949 os russos admitiram o fracasso ao suspender o bloqueio.

O evento teve resultados importantes:

- O desfecho deu um grande impulso psicológico às potências ocidentais, embora tenha feito com que as relações com a Rússia piorassem como nunca.
- Fez com que as potências ocidentais articulassem suas defesas por meio da formação da OTAN.
- Fez com que, como não era possível qualquer acordo, a Alemanha fosse condenada a permanecer dividida pelo futuro próximo.

(i) A formação da OTAN

A formação da Organização do Tratado do Atlântico Norte (OTAN) aconteceu em abril de 1949. O bloqueio de Berlim mostrou a falta de prontidão militar do Ocidente e o assustou, levando a preparações definitivas. Já em março de 1948, Grã-Bretanha, França, Holanda, Bélgica e Luxemburgo assinaram o *Tratado de Defesa de Bruxelas*, prometendo colaboração militar em caso de guerra. Agora se juntavam a eles Estados Unidos, Canadá, Portugal, Dinamarca, Irlanda, Itália e Noruega. Todos assinaram o *Tratado do Atlântico Norte*, concordando em considerar um ataque a um deles como um ataque a todos e colocando suas forças de defesa sob comando conjunto da OTAN, que coordenaria a defesa do Ocidente. Esse foi um evento muito importante: os norte-americanos abandonaram sua tradicional política contrária a "alianças sobrepostas" e, pela primeira vez, comprometiam-se de antemão com a ação militar. Previsivelmente, Stalin tomou isso como um desafio, e as tensões permaneceram elevadas.

(j) As duas Alemanhas

Como não havia perspectiva de que os russos permitissem uma Alemanha unificada, as potências ocidentais foram em frente sozinhas a estabeleceram a *República Federal da Alemanha, conhecida como Alemanha Ocidental (agosto de 1949)*. Foram realizadas eleições e Konrad Adenauer se tornou o primeiro chanceler. Os russos responderam estabelecendo sua zona como a *República Democrática Alemã ou Alemanha Oriental (outubro de 1949)*. A Alemanha permaneceu dividida até que o colapso do comunismo no lado oriental (novembro-dezembro de 1989) possibilitou, em outubro de 1990, reunificar os dois Estados em uma única Alemanha. (ver Seção 10.6(c)).

(k) Mais armas nucleares

Quando se soube, em setembro de 1949, que a URSS tinha conseguido explodir uma bomba nuclear, começou uma corrida armamentista. Truman respondeu dando autorização para os Estados Unidos produzirem uma *bomba de hidrogênio* muitas vezes mais poderosa do que a bomba atômica. Seus assessores para defesa produziram um documento secreto, conhecido como NSC-68 (abril 1950), que mostra que eles tinham passado a considerar os russos como fanáticos a quem nada conteria em seu objetivo de espalhar o comunismo em todo o mundo e sugeriram que as despesas e os armamentos deveriam ser mais do que triplicados em uma tentativa de derrotar o comunismo.

Não eram apenas os russos que alarmavam os norte-americanos: *um governo comunista foi proclamado na China (outubro de 1949)* depois de o líder comunista Mao Tse-tung derrotar Chiang Kai-shek, o líder nacionalista que tinha sido apoiado pelos Estados Unidos e que agora era forçado a fugir para a ilha de Taiwan (Formosa). Quando a URSS e a China comunista assinaram um tratado de aliança em fevereiro de 1950, os medos norte-americanos de um avanço de uma maré comunista pareciam estar em vias de se realizar. Foi nessa atmosfera de ansiedade dos Estados Unidos que os holofotes da Guerra Fria se voltaram para a Coreia, onde em junho de 1950, tropas da Coreia do Norte, comunista, invadiram a Coreia do Sul (ver Seção 8.1).

7.3 ATÉ QUE PONTO HOUVE UM DEGELO DEPOIS DE 1953?

Não restam dúvidas de que, em alguns aspectos, as relações Ocidente-Oriente começaram a melhorar depois de 1953, embora ainda houvesse áreas de discordância e que o degelo não fosse constante.

(a) As razões do degelo

1 A morte de Stalin

A morte de Stalin provavelmente foi o ponto de partida do degelo, porque trouxe ao primeiro plano os novos líderes russos – Malenkov, Bulganin e Kruschov – que queriam melhorar as relações com os Estados Unidos. Suas razões provavelmente tinham a ver com o fato de que, em agosto de 1953, os russos e os norte-americanos já tinham desenvolvido a bomba de hidrogênio: os dois lados tinham agora um equilíbrio tão preciso que as relações internacionais tinham que ser relaxadas para se evitar a guerra nuclear.

Nikita Kruschov explicou a nova política em um famoso discurso (fevereiro de 1956) no qual criticava Stalin e dizia que a coexistência pacífica com o Ocidente era não apenas possível, mas também essencial: "Só há dois caminhos – a coexistência pacífica ou a mais destrutiva guerra da história. Não há um terceiro caminho". Isso não quer dizer que *Kruschov* tivesse aberto mão da ideia de um mundo dominado pelo comunismo; isso ainda viria, mas seria atingido quando as potências ocidentais reconhecessem a superioridade do sistema econômico soviético e não quando fossem derrotadas em guerra. Da mesma forma ele pretendia conquistar Estados neutros para o comunismo através de ajudas econômicas generosas.

2 McCarthy desacreditado

Os sentimentos anticomunistas nos Estados Unidos, que tinham sido acirrados pelo senador Joseph McCarthy, começaram a arrefecer quando ele caiu em descrédito em 1954. Aos poucos foi ficando claro que o próprio McCarthy era uma espécie de fanático e quando começou a acusar importantes generais de ter simpatias pelo comunismo, ele foi longe demais. O senado o condenou por uma ampla maioria e ele fez um ataque tolo ao novo presidente republicano Eisenhower por apoiar o senado. Pouco tempo depois, Eisenhower anunciou que o povo norte-americano queria ter uma postura amistosa em relação ao povo soviético.

(b) Como o degelo se expressou?

1 Os primeiros sinais

- A assinatura do acordo de paz de Panmunjom encerrou a Guerra da Coreia em julho de 1953 (Ver Seção 8.1 (c)).
- No ano seguinte, terminou a guerra na Indochina (Ver Seção 8.3(c-e)).

2 Os russos fizeram concessões importantes em 1955

Eles concordaram em abrir mão de suas bases militares na Finlândia e suspenderam seu veto à admissão de 16 novos Estados-membros na ONU. A disputa com a Iugoslávia foi resolvida quando Kruschov fez uma visita a Tito. O Cominform foi abandonado, sugerindo mais liberdade para os Estados-satélite.

3 A assinatura do Tratado do Estado Austríaco (maio de 1955)

Este foi o evento mais importante no degelo. No final da guerra, em 1945, a Áustria foi dividida em quatro zonas de ocupação, com a capital, Viena, localizada na zona russa. Diferentemente da Alemanha, foi permitido que tivesse seu próprio governo, porque não era considerada como um inimigo derrotado, e sim como um Estado libertado dos nazistas. O governo austríaco só tinha poderes limitados e o problema era semelhante ao da Alemanha: enquanto as três potências de ocupação ocidentais organizavam a recuperação de suas zonas, os russos insistiam em obter indenizações, principalmente na forma de alimentos, da sua. Nenhum acordo permanente parecia provável, mas no início de 1955 os russos foram persuadidos, principalmente pelo governo austríaco, a colaborar mais. Eles também tinham receio de uma fusão entre a Alemanha Ocidental e a Áustria Ocidental.

Como resultado do acordo, todas as tropas de ocupação foram retiradas e a Áustria se tornou independente, com suas fronteiras de 1937. Ela não deveria se unir à Alemanha, tinha forças armadas estritamente limitadas e deveria permanecer neutra em qualquer disputa entre Ocidente e Oriente. Isso significava que não poderia entrar para a OTAN nem para a Comunidade Econômica Europeia. Um ponto que deixou os austríacos descontentes foi a perda da região de fala alemã do Sul do Tirol, que a Itália pôde manter.

(c) O degelo foi apenas parcial

A política de Kruschov era uma mescla curiosa que os líderes ocidentais tinham dificuldade de entender. Enquanto tomava as atitudes conciliatórias recém-descritas, ele respondia rapidamente a qualquer coisa que parecesse uma ameaça ao Oriente e não tinha qualquer intenção de relaxar o controle da Rússia sobre seus satélites. Os húngaros descobriram isso a um alto custo em 1956, quando *um levante em Budapeste contra o governo comunista foi esmagado inescrupulosamente por tanques russos (ver Seção 9.3(e) e 10.5(d))*. Às vezes, ele parecia estar disposto a ver até onde poderia pressionar os Estados Unidos sem que eles o enfrentassem:

- *O Pacto de Varsóvia (1955)* foi assinado entre a Rússia e seus satélites pouco depois de a Alemanha Ocidental ser admitida na OTAN. O Pacto era um acordo de defesa mútua, que o Ocidente tomou

como um gesto contrário à participação da Alemanha Ocidental na OTAN.
- Os russos continuavam a construir seus armamentos nucleares (ver Seção seguinte).
- A situação em Berlim causava mais tensão (ver abaixo).
- A ação mais provocativa de todas foi quando Kruschov instalou mísseis soviéticos em Cuba, a menos de 150 km da costa dos Estados Unidos (1962).

A situação em Berlim

As potências ocidentais ainda se recusavam a dar reconhecimento oficial à República Democrática Alemã (a Alemanha Oriental) que os russos tinham estabelecido em resposta à criação da Alemanha Ocidental em 1949. Em 1958, talvez estimulados pela aparente liderança da URSS em algumas áreas da corrida nuclear, Kruschov anunciou que a URSS não reconhecia mais os direitos das potências ocidentais em Berlim Ocidental. Quando os norte-americanos deixaram claro que resistiriam a qualquer tentativa de expulsá-los, Kruschov não foi adiante com a questão.

Em 1960, foi a vez de Kruschov se incomodar quando um avião espião U-2 dos Estados Unidos foi derrubado mais de 1.500 km dentro da Rússia. O presidente Eisenhower se recusou a pedir desculpas, defendendo o direito dos Estados Unidos de fazer voos de reconhecimento. Kruschov se retirou bruscamente da conferência que acabava de começar em Paris (Ilustração 7.2) e parecia que o degelo poderia ter terminado.

Em 1961 Kruschov sugeriu mais uma vez, agora para o novo presidente dos Estados Unidos, John F. Kennedy, que o Ocidente deveria se retirar de Berlim. Os comunistas estavam constrangidos pelo alto número de refugiados que escapavam da Alemanha Oridental para a Berlim Ocidental, uma média de 200.000 por ano, em um total de mais de 3 milhões desde 1945. Quando Kennedy se recusou foi construído o Muro de Berlim (agosto de 1961), uma monstruosidade de 45 km que cruzava toda a cidade, bloqueando de forma eficaz a rota de fuga (ver Mapa 7.3 e Ilustrações 7.3 e 7.4).

7.4 A CORRIDA ARMAMENTISTA NUCLEAR E A CRISE DOS MÍSSEIS DE CUBA (1962)

(a) A corrida armamentista começa a acelerar

A corrida armamentista entre Oriente e Ocidente começou para valer próximo do final de 1949, depois que os russos produziram sua própria bomba atômica. Os norte-americanos tinham uma grande vantagem nas bombas desse tipo, mas os russos estavam determinados a alcançá-los, mesmo que a produção de armas nucleares representasse um fardo enorme à economia. Quando os Estados Unidos fabricaram a muito mais poderosa bomba de hidrogênio, perto do final de 1952, os russos fizeram o mesmo no ano seguinte, e em pouco tempo tinham desenvolvido um bombardeiro com autonomia suficiente para alcançar os Estados Unidos.

Os norte-americanos permaneceram muito à frente em número de bombas nucleares e bombardeiros, mas foram os russos que assumiram a liderança em agosto de 1957 quando produziram um novo tipo de arma – o míssil balístico intercontinental (ICBM), uma ogiva nuclear transportada por um foguete tão poderoso que podia atingir os Estados Unidos mesmo quando fosse disparada de dentro da URSS. Para não ficar para trás, os norte-americanos logo produziram sua própria versão do ICBM (conhecida como Atlas) e em pouco tempo tinham uma quantidade muito maior do que os russos. Os Estados Unidos também começaram a construir mísseis com um alcance mais curto, conhecidos como *Jupiters* e *Thors*, que poderiam atingir a URSS de pontos de lançamento na Europa e na Turquia. *Quando os russos conseguiram lançar o primeiro satélite terrestre do mundo (Sputnik I) em 1958*, os norte-americanos acharam, mais uma vez, que não poderiam fi-

Ilustração 7.2 Nikita Kruschov fica irritado na Conferência de Paris, em 1960, ao protestar aos norte-americanos pelo incidentes com o U-2.

car para trás. Em poucos meses eles lançaram seu próprio satélite terrestre.

(b) A crise dos mísseis de Cuba, 1962

Cuba se envolveu na Guerra Fria em 1959 quando Fidel Castro, que acabara de tomar o poder do corrupto ditador Batista, que era apoiado pelos norte-americanos, indignou os Estados Unidos nacionalizando propriedades e fábricas do país vizinho (ver Seção 8.2). À medida que as relações de Cuba com os Estados Unidos pioraram, com a URSS elas melhoraram: em janeiro do 1961 *os Estados Unidos romperam relações com Cuba* e os russos aumentaram sua ajuda econômica.

Convencido de que Cuba era agora um Estado comunista em tudo, menos no nome, o novo presidente dos Estados Unidos, John F. Kennedy, aprovou o plano de um grupo de apoiadores de Batista para invadir Cuba a partir de bases norte-americanas na Guatemala (América Central). A Agência Central de Inteligência dos Estados Unidos (*Central Intelligence Agency*, a CIA), uma espécie de serviço secreto, estava profundamente envolvida.

Nos Estados Unidos dessa época, havia uma visão geral de que era permitido a eles interferir nas questões internas de países soberanos e derrubar qualquer regime que considerassem hostil e próximo demais para que eles se sentissem confortáveis. A pequena for-

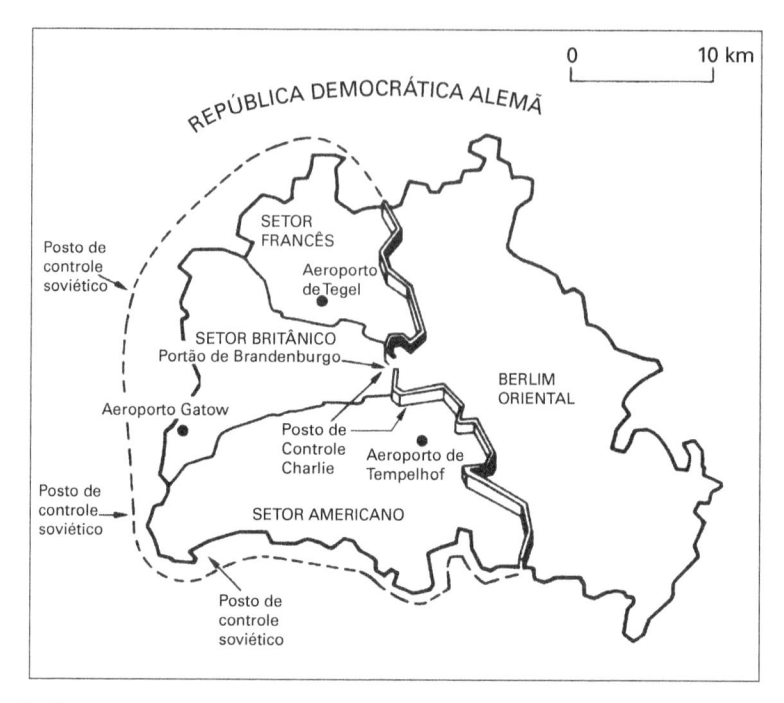

Mapa 7.3 Berlim e o muro, 1961.

Ilustração 7.3 O Muro de Berlim: à direita, Berlim Oriental, à esquerda, Berlim Ocidental.

Ilustração 7.4 O muro de Berlim: um morador de Berlim Oriental, de 18 anos, agoniza depois de ser baleado durante uma tentativa de fuga (esquerda). Ele é retirado por guardas da Alemanha Oriental (direita).

ça invasora de cerca de 1.400 homens desembarcou na Baía dos Porcos em abril de 1961, mas a operação foi tão mal planejada e mal realizada que as forças de Castro e seus dois aviões a jato não tiveram dificuldades para esmagá-la. Posteriormente, naquele mesmo ano, Castro anunciou que havia se tornado marxista e que Cuba era um Estado socialista. Kennedy continuava sua campanha para destruir Castro de várias maneiras: navios mercantes cubanos eram afundados, instalações na ilha eram sabotadas e tropas norte-americanas realizavam exercícios de invasão. Castro pediu ajuda militar à URSS.

Kruschov decidiu instalar mísseis nucleares em Cuba, dirigidos aos Estados Unidos, cujo ponto mais próximo estava há pouco mais de 150 km de Cuba. Ele pretendia instalar mísseis com um alcance de até 3.000 km, o que significaria que todas as grandes cidades na região central e leste do país, como Nova York, Washington, Chicago e Boston, estariam ameaçadas. Foi uma decisão arriscada, e houve um grande choque nos Estados Unidos quando, em outubro de 1962, fotografias tiradas por aviões espiões mostraram uma base de mísseis em construção (ver Mapa 7.4). Por que Kruschov tomou uma decisão tão arriscada?

- Os russos tinham perdido sua liderança em ICBMs, de modo que essa foi uma forma de tentar retomar a iniciativa das mãos dos Estados Unidos.
- Ela colocaria os norte-americanos sob o mesmo tipo de ameaça que os russos tinham que suportar com os mísseis norte-americanos instalados na Turquia. Como o próprio Kruschov escreveu em suas memórias, "os norte-americanos tinham nos cercado com bases militares, agora eles

saberiam o que é ter mísseis inimigos apontando para você".
- Era um gesto de solidariedade com seu aliado Castro, que estava sob ameaça constante; os mísseis poderiam ser usados contra tropas invasoras dos Estados Unidos.
- Testaria a determinação do novo e jovem presidente Kennedy.
- Talvez Kruschov pretendesse usar os mísseis para barganhar com o Ocidente a remoção dos mísseis norte-americanos da Europa ou uma retirada de Berlim.

Os assessores militares de Kennedy exigiram que ele lançasse ataques aéreos contra as bases, mas ele agiu com mais cautela: colocou as tropas em alerta, começou um bloqueio de Cuba para manter afastados os 25 navios russos que estavam trazendo mísseis ao país e exigiu a desmontagem das plataformas dos mísseis e a remoção dos que já estavam em Cuba. A situação era tensa e o mundo parecia à beira da guerra nuclear. O secretário-geral da ONU, U Thant, apelou para que ambos os lados tivessem prudência.

Kruschov tomou a primeira iniciativa: ordenou que os navios russos retornassem e acabaram chegando a um acordo. Kruschov prometeu retirar os mísseis e desmontar as plataformas; em retorno, Kennedy prometeu que os Estados Unidos não invadiriam Cuba de novo e passou a desarmar os mísseis Jupiter na Turquia (embora não permitisse que isso fosse anunciado publicamente).

A crise durou somente alguns dias, *mas fora extremamente tensa e seus resultados eram importantes*. Os dois lados poderiam

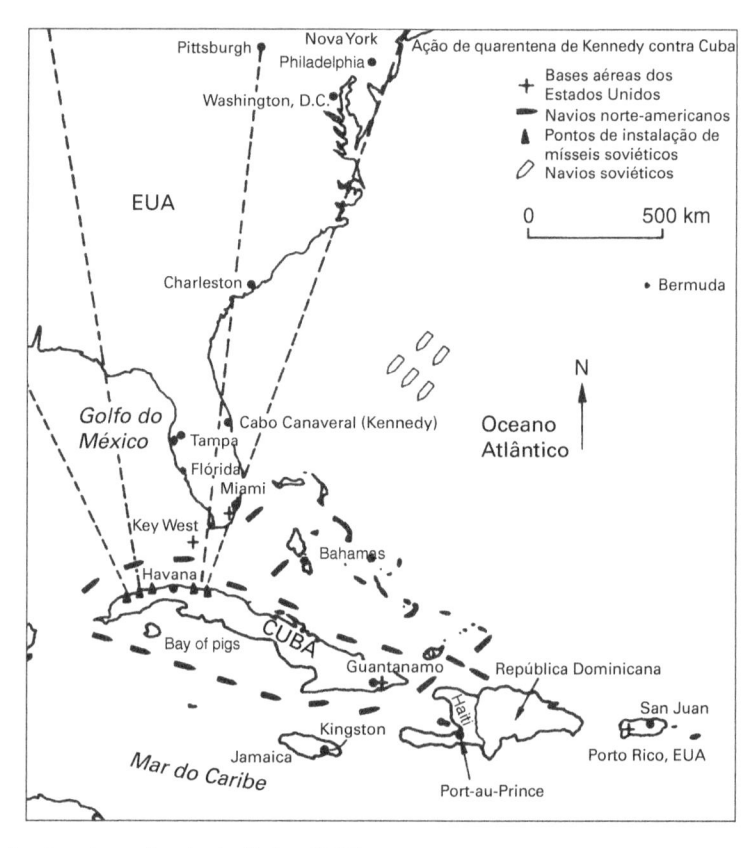

Mapa 7.4 A crise dos mísseis de Cuba, 1962.

afirmar ter ganhado alguma coisa, mas o mais importante era que ambos entenderam a facilidade com que poderia ter iniciado uma guerra nuclear e quão terríveis teriam sido os resultados. O evento pareceu fazer com que ambos refletissem e gerou um relaxamento importante da tensão. *Foi estabelecida uma linha telefônica (o "telefone vermelho") entre Moscou e Washington* para possibilitar consultas rápidas e em julho de 1963, a URSS, os Estados Unidos e a Grã-Bretanha assinaram um Tratado de Proibição de Testes Nucleares, concordando em só realizar testes nucleares debaixo da terra, para evitar mais poluição da atmosfera.

Embora a maneira com que Kennedy lidou com a crise tenha sido muito elogiada no início, historiadores posteriores tem sido mais críticos. Sugeriu-se que ele deveria ter bancado o blefe de Kruschov, atacado Cuba e derrubado Castro. Por outro lado, alguns historiadores criticaram Kennedy por deixar que a crise se desenvolvesse, afirmando que, como os mísseis de longo alcance soviéticos já podiam alcançar os Estados Unidos desde a Rússia, os mísseis instalados em Cuba não representavam exatamente uma nova ameaça.

(c) A corrida continua durante a década de 1970

Embora em público os russos afirmassem que o desfecho da crise era uma vitória, privadamente eles admitiam que seu principal objetivo – estabelecer bases de mísseis próximas aos Estados Unidos – tinha fracassado. Mesmo a retirada de tropas norte-americanas e mísseis Jupiter da Turquia nada significavam, pois os Estados Unidos tinham agora outra ameaça, *os mísseis balísticos (conhecidos como Polaris, mais tarde, Poseidon) que poderiam ser lançados de submarinos (SLBMs)* no Mediterrâneo Oriental.

Os russos decidiram jogar todas as forças para alcançar os norte-americanos em seu estoque de ICBMs e SLBMs. Sua motivação não era apenas aumentar sua própria segurança: eles esperavam que, se conseguissem chegar a algum ponto próximo à igualdade, teriam uma boa chance de persuadir os norte-americanos a limitar e reduzir o aumento das armas. À medida que se envolviam mais profundamente na guerra no Vietnã (1961-1975), menos os Estados Unidos tinham para gastar em armas nucleares, e aos poucos, mas sempre, os russos começaram a alcançá-los. No início da década de 1970, eles superaram os Estados Unidos e seus aliados em número de ICBMs e SLBMs, e construíram uma nova arma, o míssil anti-balístico (*anti-ballistic missile*, o ABM), que poderia destruir mísseis que se aproximassem antes que eles atingissem seus alvos.

No entanto, os norte-americanos estavam à frente em outros campos, pois tinham desenvolvido uma arma ainda mais terrível, o *veículo de reentrada independente multiplamente orientável (multiple independently targetable re-entry vehicle (MIRV))*, um míssil que poderia transportar até 14 ogivas separadas, cada uma podendo ser programada para um alvo diferente. Os russos logo desenvolveram sua versão do MIRV, conhecida como SS-20 (1977), apontando para a Europa Ocidental, mas não eram tão sofisticados quanto e MIRV e carregavam apenas três ogivas.

No final dos anos de 1970, os Estados Unidos responderam desenvolvendo *mísseis de cruzeiro (Cruise), instalados na Europa*, cujo avanço era chegar voando a baixas altitudes e assim conseguiam penetrar sob os radares russos.

E assim continuou; a esta altura, os dois lados tinham o suficiente em armamentos apavorantes para destruir o mundo várias vezes seguidas. O principal perigo era que um lado ou outro poderia ser tentado a experimentar vencer uma guerra nuclear atacando primeiro e destruindo todas as armas do outro antes que este tivesse tempo de retaliar.

(d) Protestos contra armas nucleares

Pessoas de muitos países estavam preocupadas com a forma com que as grandes potências continuavam a acumular armas nucleares e não avançavam no sentido de controlá-las. Foram construídos movimentos para tentar persuadir governos a abolir as armas nucleares.

Na Grã-Bretanha a Campanha pelo Desarmamento Nuclear, que tinha começado em 1958, pressionava o governo a assumir a liderança para que a Grã-Bretanha fosse o primeiro país a abandonar as armas nucleares, o que ficou conhecido como desarmamento unilateral (desarmamento por parte de um único país). Eles esperavam que os Estados Unidos e a URSS seguissem a Grã-Bretanha e também se livrassem de suas armas nucleares. Foram feitas manifestações e passeatas de massas e em todas as Páscoas eles faziam uma marcha de protesto de Londres até Aldermaston (onde havia uma base de pesquisas em armas nucleares) e de volta (Ilustração 7.5).

Contudo, nenhum governo britânico ousou correr o risco, por acreditar que o desarmamento unilateral deixaria o país vulnerável a um ataque da URSS, só cogitando abandonar as armas como parte de um acordo geral entre todas as grandes potências (desarmamento multilateral). Durante os anos de 1980, houve manifestações em muitos países europeus, inclusive na Alemanha Ocidental e na Holanda. Na Grã-Bretanha muitas mulheres protestaram acampando ao redor da base norte-americana em Greenham Common (Berkshire), onde estavam posicionados os mísseis de cruzeiro. O medo era que se os norte-americanos lançassem qualquer desses mísseis, a Grã-Bretanha poderia ser quase destruída por uma retaliação nuclear russa. No longo prazo, talvez a enormidade do evento e todos os movimentos de protesto tenham cumprido algum papel no sentido de fazer com que ambos os lados se sentassem à mesa de negociações (ver Seção 8.6).

Ilustração 7.5 Manifestantes da Campanha pelo Desarmamento Nuclear chegam a Aldermaston e exigem que a Grã-Bretanha, os Estados Unidos e a URSS parem de fabricar, testar e acumular armas nucleares, 1958.

PERGUNTAS

1. Causas da Guerra Fria
Estude a fonte A e responda as perguntas a seguir.

Fonte A
Resposta de Stalin ao discurso de Churchill sobre a "Cortina de Ferro", em uma entrevista ao Pravda, em 13 de março de 1941.
Fonte: Citado em Martin McCauley, *The Origins of the Cold War, 1941-1949* (Longman, 1995).

(a) Explique por que Stalin considerou o discurso de Churchill sobre a cortina de ferro como uma "jogada perigosa".
(b) Usando as evidências apresentadas pela fonte e seu próprio conhecimento, explique até onde você concordaria com a visão de que os Estados Unidos foram os principais responsáveis pelo desenvolvimento da Guerra Fria entre 1945 e 1953.

2. Em que aspectos o Plano Marshall, a divisão de Berlim, a tomada de poder comunista da Tchecoslováquia e a formação da OTAN contribuíram para o desenvolvimento da Guerra Fria?
3. Até onde está correto se falar em um "degelo" na guerra fria nos anos posteriores a 1953?
4. Quais foram as causas da crise dos mísseis de Cuba? Como ela se resolveu e quais foram as suas consequências?

Considero (o discurso de Churchill) como uma jogada perigosa, calculada para semear a discórdia entre os países Aliados e impedir a colaboração entre eles. O Sr. Churchill assume agora a posição dos provocadores da guerra e não está só. O Sr. Churchill tem amigos não apenas na Grã-Bretanha, mas também nos Estados Unidos...

As seguintes circunstâncias não devem ser esquecidas: os alemães fizeram sua invasão da URSS por terra, através da Polônia, da Romênia, da Bulgária e da Hungria. Eles conseguiram invadir através desses países porque, na época, havia neles governos hostis à URSS. Como resultado da invasão alemã, a URSS perdeu cerca de sete milhões de pessoas no total. Em outras palavras, a perda de vidas do país foi várias vezes maior do que a da Grã-Bretanha e dos Estados Unidos juntas. Então, o que pode surpreender no fato de que a URSS, ansiosa em relação à sua futura segurança, tente garantir que haja governos com uma atitude leal a ela nesses países? Como pode alguém que não tenha perdido o bom senso descrever as aspirações pacíficas da URSS como tendências expansionistas por parte de nosso estado?

8
A Expansão do Comunismo Fora da Europa e Seus Efeitos nas Relações Internacionais

RESUMO DOS EVENTOS

Embora o primeiro Estado comunista tenha sido estabelecido na Europa (na Rússia em 1917), o comunismo não se limitou ao continente, espalhando-se mais tarde pela Ásia, onde surgiram vários outros Estados, cada um com sua marca de marxismo. Já em 1921, estimulado pela Revolução Russa, foi formado o Partido Comunista Chinês (PCC), o qual, inicialmente, operava em conjunto com o Kuomintang (KMT), o partido que tentava governar a China e controlar os generais que estavam lutando entre si pelo poder. Ao estabelecer controle sobre uma parte maior da China, o KMT se sentiu forte o suficiente para prescindir da ajuda dos comunistas e tentou destruí-los, dando início a uma guerra civil entre o dois grupos.

A situação se tornou mais complexa quando os japoneses ocuparam a província chinesa da Manchúria em 1931 e invadiram outras partes da China em 1937. Quando a Segunda Guerra Mundial terminou com a derrota e a retirada dos japoneses, o líder do KMT, Chiang Kai-shek, ajudado pelos Estados Unidos, e os comunistas liderados por Mao Tse-tung, ainda estavam lutando. *Mao acabou triunfando em 1949*, e Chiang e seus apoiadores fugiram para a ilha de Taiwan (Formosa). Era o segundo país importante que seguia a Rússia em direção ao comunismo (ver Seção 19.4). Em 1951 os chineses invadiram e ocuparam o vizinho Tibete; uma revolta dos tibetanos em 1959 foi esmagada e desde então o país segue sob comando chinês.

Nesse meio-tempo, o comunismo também conquistou terreno na Coreia, que estava sob controle do Japão desde 1910. Depois da derrota dos japoneses em 1945 o país foi dividido em duas zonas: o norte, ocupado pelos russos e o sul, pelos norte-americanos. Os primeiros estabeleceram um governo comunista em sua zona, e como não se chegou a acordo sobre um governo para todo o país, a Coreia, como a Alemanha, permaneceu dividida em dois Estados. Em 1950 *a Coreia do Norte, comunista, invadiu a Coreia do Sul*. Forças das Nações Unidas (em sua maioria, norte-americanas) foram ajudar o Sul, enquanto os chineses ajudavam o norte. Depois de muitos avanços e recuos, a guerra terminou em 1953, com a Coreia do Sul permanecendo não comunista.

Em Cuba, no início de 1959, Fidel Castro derrubou o corrupto ditador Batista. Embora Fidel não fosse comunista no princípio, os Estados Unidos logo se voltaram contra ele, principalmente em 1962, quando descobriram que havia mísseis russos instalados na ilha (ver Seção 7.4(b). Esses mísseis acabaram retirados após uma tensa crise durante a Guerra Fria, que levou o mundo à iminência de uma guerra nuclear.

No Vietnã, uma situação parecida com a da Coreia ocorreu depois que os vietnamitas obtiveram a independência da França (1954): o país foi dividido, temporariamente, pensava-se, em norte (comunista) e sul (não comunista). Quando explodiu uma rebelião no sul contra o governo corrupto, os norte-vietnamitas deram ajuda aos rebeldes. Os Estados Unidos se envolveram muito, apoiando o governo do Vietnã do Sul para barrar o avanço do comunismo. Em 1973 os Estados Unidos se retiraram da luta, as forças sul-vietnamitas rapidamente entraram em colapso e o país todo se unificou sob um governo comunista (1975). Antes do final da guerra, os vizinhos **Camboja** e **Laos** também se tornaram comunistas.

Na **América do Sul**, que tinha uma tradição de ditaduras militares de direita, o comunismo teve pouco sucesso, com exceção do **Chile**, onde, em 1970, um governo marxista foi democraticamente eleito, com Salvador Allende como presidente. Esse foi um evento interessante, mas de curta duração, já que em 1973 o governo foi derrubado e Allende, morto.

A **África** assistiu à instalação de governos com fortes conexões marxistas em **Moçambique** (1975) e **Angola** (1976) que tinham acabado de conquistar suas independências de Portugal. Isso causou mais alarme e interferência por parte do Ocidente (ver Seções 24.6(d) e 25.6).

Durante a segunda metade dos anos de 1970, começou um degelo mais sólido na Guerra Fria, *com o período conhecido como* détente *(um relaxamento mais permanente de tensões)*, mas houve vários soluços, como a invasão russa do Afeganistão (1979), antes de Mikhail Gorbachov (que se tornou líder russo em março de 1985), que fez um esforço realmente obstinado para terminar a Guerra Fria de uma vez por todas, e foram assinadas algumas limitações aos armamentos.

Foi então que a situação mudou dramaticamente: em 1989 o comunismo começou a ruir no Leste Europeu. Em 1991 o bloco comunista estava desintegrado e as Alemanhas Ocidental e Oriental foram reunificadas. Inclusive a URSS foi dividida e deixou de ser comunista. Embora o comunismo se mantivesse na China, no Vietnã e na Coreia do Norte, a Guerra Fria estava definitiva e verdadeiramente encerrada.

8.1 A GUERRA NA COREIA E SEUS EFEITOS NAS RELAÇÕES INTERNACIONAIS

(a) Antecedentes da guerra

As origens da guerra residem no fato de que a Coreia estava sob ocupação do Japão desde 1910. Quando os japoneses foram derrotados (agosto de 1945), os Estados Unidos e a URSS concordaram em dividir o país em duas zonas ao longo do paralelo 38 (a linha da latitude do grau 38) ao norte, para que pudessem organizar conjuntamente a rendição e a retirada dos japoneses – a Rússia ao norte (que fazia fronteira com a Coreia) e os norte-americanos ao sul. Para os Estados Unidos não seria uma divisão permanente. As Nações Unidas queriam eleições livres para todo o país e os norte-americanos concordavam, acreditando que, como sua zona continha dois terços da população, o norte comunista perderia a votação. Entretanto, a unificação da Coreia, assim como a da Alemanha, em pouco tempo se tornou parte da rivalidade da Guerra Fria: não se chegou a nenhum acordo, e a divisão artificial continuou (ver Mapa 8.1).

Foram realizadas eleições no sul sob supervisão da ONU, e foi fundada *a República da Coreia, independente, ou Coreia do Sul*, com Syngman Rhee como presidente e a capital em Seul (agosto de 1948). No mês seguinte, os russos criaram a República Democrática Popular da Coreia ou Coreia do Norte, sob o governo comunista de Kim Il Sung, com a capital em Pyongyang. Em 1949 as tropas russas e norte-americanas foram retiradas, deixando uma situação potencialmente perigosa: a maioria dos coreanos estava muito descontente com a divisão artificial que fora imposta a seu país por forasteiros, mas ambos os líderes reivindicavam o direito de governar todo o país. Em pouco tempo ficou claro que Syngman Rhee era um autoritário inescrupuloso, enquanto Kim Il Sung era ainda pior, pois parecia estar se espelhando em Stalin, prendendo e executando muitos de seus críti-

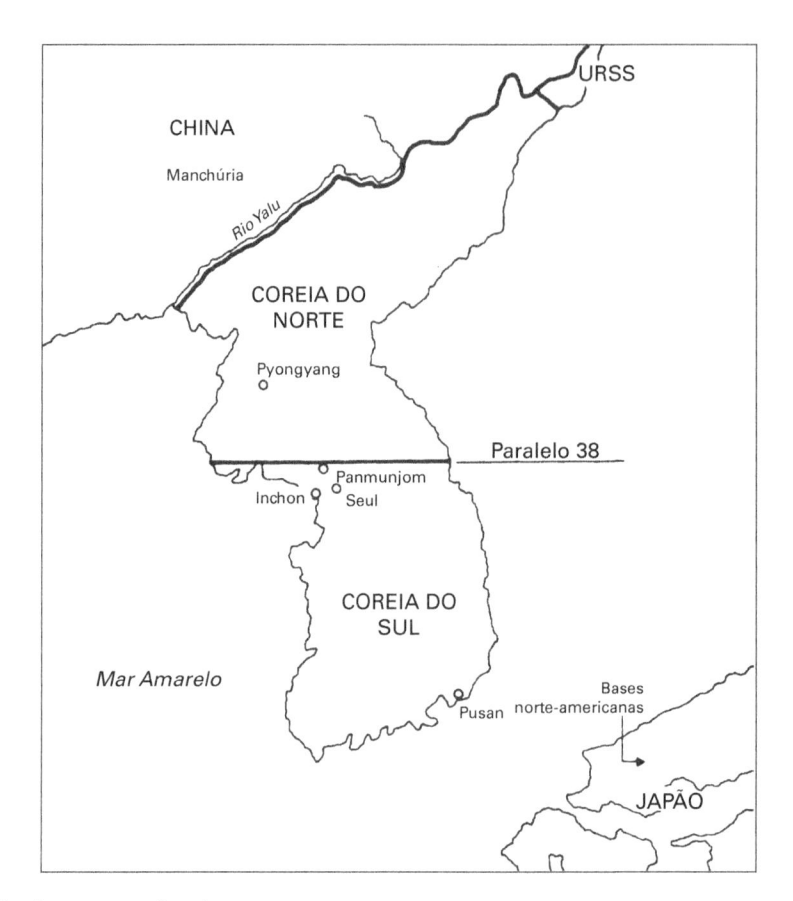

Mapa 8.1 A guerra na Coreia.

cos. Sem aviso tropas norte-coreanas invadiram a Coreia do Sul em junho de 1950.

(b) Por que os norte-coreanos invadiram o sul?

Ainda hoje não está claro como o ataque se originou ou de quem foi a ideia. *Já foram apresentados as seguintes sugestões*:

- Foi ideia do próprio Kim Il Sung, possivelmente estimulado por uma declaração de Dean Acheson, secretário de estado norte-americano, no início dos anos de 1950. Acheson falava de quais áreas no Pacífico os Estados Unidos pretendiam defender e, por alguma razão, não incluiu a Coreia.

- Kim Il Sung pode ter sido estimulado pelo governo comunista chinês que, na mesma época, estava concentrando tropas na província de Fukien, em frente a Taiwan, como se estivessem por atacar Chiang Kai-shek.

- Talvez Stalin e os russos também fossem responsáveis querendo testar a determinação de Truman. Eles haviam dado tanques e outros equipamentos aos norte-coreanos. Uma tomada do poder pelos comunistas no sul fortaleceria a posição da Rússia no Pacífico e seria um gesto esplêndido contra os Estados Unidos, para compensar o fracasso de Stalin em Berlim Ocidental.

- Os comunistas afirmaram que a Coreia do Sul tinha iniciado a guerra, quando tropas do "bandido traidor" Syngman Rhee atravessaram o paralelo 38.

Provavelmente a visão mais aceita hoje em dia é a de que o próprio Kim Il Sung teve a ideia de uma campanha para unificar a península e que a URSS e a China aprovaram o plano e prometeram ajuda na forma de materiais de guerra, mas deixaram claro que não tinham qualquer desejo de se envolver diretamente.

(c) Os Estados Unidos agem

Havia várias razões para a decisão do presidente Truman de intervir:

- Ele estava convencido de que o ataque era obra de Stalin e o considerou como um desafio deliberado e parte de um amplo plano da Rússia de ampliar o comunismo o máximo possível.
- Alguns norte-americanos consideravam a invasão semelhante às políticas de Hitler na década de 1930. A conciliação com os agressores havia fracassado naquela época, de modo que era essencial não cometer o mesmo erro mais uma vez.
- Truman achava que era importante apoiar a Organização das Nações Unidas, que havia substituído a Liga das Nações. A Liga não foi capaz de preservar a paz porque as grandes potências – principalmente os Estados Unidos – não se dispuseram a apoiá-la.
- Truman era um presidente Democrata, ele e seu partido estavam sofrendo fortes críticas dos Republicanos por não agir contra o que consideravam como o perigoso avanço do comunismo mundial. Um senador Republicano, Joseph McCarthy, afirmava que o departamento de estado estava "infestado" de comunistas que estariam, na verdade, trabalhando para a URSS (ver Seção 23.3). Truman estava ansioso para mostrar que essa afirmação era infundada.

Assim, as políticas desenvolvidas pelos Estados Unidos mudaram de forma decisiva: em vez de somente ajuda econômica e promessas de apoio, Truman decidiu que era essencial para o Ocidente assumir uma posição apoiando a Coreia do Sul. Tropas norte-americanas foram enviadas do Japão à Coreia mesmo antes de a ONU ter decidido qual seria sua atitude. O Conselho de Segurança da organização exigiu que a Coreia do Norte retirasse suas tropas e, quando isso foi ignorado, pediu que os Estados-membros enviassem ajuda à Coreia do Sul. Essa decisão foi tomada na ausência da delegação russa, que estava boicotando as reuniões em protesto pela recusa da ONU a permitir que o novo regime de Mao estivesse representado, e que certamente teria vetado a decisão. Os Estados Unidos e outros 14 países (Austrália, Canadá, Nova Zelândia, China Nacionalista, França, Holanda, Bélgica, Colômbia, Grécia, Turquia, Panamá, Filipinas, Tailândia e Grã-Bretanha) enviaram tropas, embora a ampla maioria fossem norte-americanas. Todas as forças estavam sob o comando do general norte-americano MacArthur.

Sua chegada foi no momento exato para impedir que toda a Coreia do Sul fosse tomada pelos comunistas. Em setembro, forças comunistas capturaram todo o país, exceto o sudeste, em torno do porto de Pusan. Reforços da ONU choveram sobre Pusan e, no dia 15 de setembro, fuzileiros navais dos Estados Unidos desembarcaram em Inchon, próximo a Seul, pouco mais de 300 km atrás das linhas de frente comunistas. Seguiu-se um colapso incrivelmente rápido das forças norte-coreanas: no final de setembro tropas da ONU entraram em Seul e limparam o sul dos comunistas. Em lugar de propor um cessar-fogo, agora que o objetivo original da ONU tinha sido atingido, Truman ordenou uma invasão da Coreia do Norte, com aprovação da ONU, visando a unificar o país e realizar eleições livres. O ministro chinês de relações exteriores, Zhou Enlai alertou que a China resistiria se as tropas da ONU entrassem na Coreia do Norte, mas o alerta foi ignorado. No final de outubro, elas capturaram Pyongyang, ocuparam dois terços do país e chegaram ao rio Yalu, a fronteira entre a Coreia do Norte e a China.

O governo chinês ficou alarmado: os Estados Unidos já tinham posicionado uma frota entre Taiwan e o continente para impedir um ataque a Chiang, e parecia haver todas as probabilidades de invasão da Manchúria (a parte da China que faz fronteira com a Coreia do Norte). Em novembro, portanto, os chineses lançaram uma contraofensiva de grandes proporções, com mais de 300.000 soldados descritos como "voluntários". Em meados de janeiro de 1951, expulsaram as tropas da ONU da Coreia do Norte, atravessaram o paralelo 38 e capturaram Seul mais uma vez. MacArthur ficou chocado com o poder das forças chinesas e afirmou que a melhor maneira de derrotar o comunismo era atacar a Manchúria, com bombas atômicas se fosse necessário. Entretanto, Truman achava que isso provocaria uma guerra em grande escala, o que os Estados Unidos não queriam, de forma que *decidiu se contentar em simplesmente conter o comunismo*. MacArthur perdeu seu posto de comando. Em junho tropas da ONU expulsaram os comunistas da Coreia do Sul mais uma vez (Ilustração 8.1) e fortificaram a fronteira. Foram iniciadas negociações de paz em Panmunjom que duraram dois anos e terminaram em 1953 com um acordo segundo o qual a fronteira estaria localizada no paralelo 38, onde era antes de começar a guerra.

(d) Os resultados da guerra foram amplos

1. Para a Coreia foi um desastre: o país ficou devastado, cerca de quatro milhões de soldados e civis coreanos foram mortos e cinco milhões de pessoas estavam desabrigadas. A divisão parecia permanente; ambos os Estados continuaram muito desconfiados um do outro e alta-

Ilustração 8.1 Fuzileiros navais dos Estados Unidos vigiam prisioneiros norte-coreanos que estão nus para que possam revistar suas roupas em busca de armas escondidas.

mente armados, e houve violações constantes do cessar-fogo.
2. Truman podia tirar alguma satisfação de ter contido o comunismo e afirmar que seu sucesso, mais o rearmamento norte-americano, dissuadiram o comunismo mundial de mais agressões. Contudo, muitos Republicanos achavam que os Estados Unidos tinham perdido uma oportunidade de destruir o comunismo na China e essa sensação contribuiu para os excessos do macarthismo (ver Seção 23.3).
3. A ONU tinha exercido sua autoridade e revertido um ato de agressão, mas o mundo comunista a denunciou como uma ferramenta dos capitalistas.
4. O desempenho militar da China comunista foi impressionante. O país tinha impedido a unificação da Coreia sob influência norte-americana e agora era claramente uma potência mundial. O fato de não ter um assento na ONU parecia ainda menos razoável.
5. O conflito deu uma nova dimensão à Guerra Fria. As relações dos Estados Unidos com a China estavam permanentemente tensas, assim como com os russos. O padrão conhecido, em que ambos os lados tentavam construir alianças, surgia agora na Ásia, além da Europa. A China apoiou os comunistas indochineses em sua luta por independência da França, e ao mesmo tempo oferecia ajuda a países subdesenvolvidos do Terceiro Mundo, na Ásia, África e América Latina. Foram assinados acordos de "coexistência pacífica" com Índia e Birmânia (1954).

Nesse meio-tempo, os norte-americanos tentaram cercar a China com bases: em 1951 foram assinados acordos defensivos com a Austrália e a Nova Zelândia, e em 1954, esses três Estados, junto com a Grã-Bretanha e a França, estabeleceram a Organização do *Tratado* do Sudeste Asiático (*South East Asia Treaty Organization, SEATO*). Contudo, os Estados Unidos ficaram decepcionados quando somente três países asiáticos – o Paquistão, a Tailândia e as Filipinas – se filiaram à SEATO. Estava claro que muitos queriam ficar de fora da Guerra Fria e continuar sem se comprometer.

As relações entre Estados Unidos e China sempre foram ruins, em função da situação de Taiwan. Os comunistas ainda esperavam capturar a ilha e destruir Chiang Kai-shek e seu partido nacionalista para sempre, mas os norte-americanos estavam comprometidos com a defesa de Chiang e queriam manter Taiwan como base militar.

8.2 CUBA

(a) Por que Fidel subiu ao poder?

A situação que resultou na chegada de Fidel Castro ao poder, em janeiro de 1959, foi-se acumulando ao longo de vários anos.

1. *Havia um ressentimento antigo entre os cubanos em função da influência norte-americana no país* que vinha desde 1898, quando os Estados Unidos ajudaram a resgatar Cuba do controle espanhol. Embora a ilha tenha continuado como república independente, de tempos em tempos eram necessárias tropas norte-americanas para manter a estabilidade, a ajuda financeira e os investimentos dos Estados Unidos mantinham a economia cubana em movimento. Na verdade, a afirmação de que os Estados Unidos controlavam a economia cubana tinha algo de real: as empresas norte-americanas detinham controle de indústrias cubanas (açúcar, tabaco, têxteis, ferro, níquel, cobre, manganês, papel e rum), eram donas de metade das terras, cerca de três quartos das ferrovias, toda a produção de eletricidade e do sistema telefônico inteiro. Os Estados Unidos eram o principal mercado para as exportações de Cuba, das quais o açúcar era, de longe, a mais importante. Tudo isso

explica por que o embaixador dos Estados Unidos em Havana (a capital cubana) costumava ser chamado de o segundo homem mais importante em Cuba. A conexão norte-americana não precisaria causar tanto descontentamento se tivesse resultado em um país administrado de forma eficiente, mas isso não aconteceu.
2. Embora fosse próspera em comparação com outros países latino-americanos, *Cuba era dependente demais da exportação de açúcar, e a riqueza do país estava concentrada nas mãos de uns poucos*. O desemprego era um problema grave, variando de cerca de 8% da força de trabalho nos cinco meses de colheita de açúcar a mais de 30% no restante do ano. Mesmo assim, não havia seguro-desemprego, e os sindicatos, dominados por trabalhadores que tinham empregos o ano todo nos engenhos, nada faziam para ajudar. A pobreza e o desemprego contrastavam muito com a riqueza em Havana e nas mãos de membros do governo; consequentemente, *as tensões sociais eram altas*.
3. *Não havia sido estabelecido qualquer sistema político eficaz*. Em 1952 Fulgencio Batista, que era um importante político desde 1933, tomou o poder em um golpe militar e começou a governar como ditador. Não introduziu qualquer reforma e, segundo o historiador Hugh Thomas, "passava muito tempo cuidando de seus assuntos privados e de suas fortunas no exterior, deixando muito pouco tempo para os assuntos do Estado". Além de corrupto, seu regime era violento.
4. *Como não havia perspectiva de uma revolução social pacífica*, cresceu o sentimento de que era necessária uma revolução violenta. O principal expoente dessa visão era Fidel Castro, um jovem advogado com origens de classe média que se especializou em defender os pobres. Antes de chegar ao poder, Fidel era mais um nacionalista liberal do que comunista, queria livrar Cuba de Batista e da corrupção, e introduzir reforma agrária limitada de forma que todos os camponeses recebessem alguma terra. Depois de uma tentativa malsucedida de derrubar Batista em 1953, que lhe rendeu dois anos de cadeia, Fidel começou uma campanha de guerrilha e sabotagem nas cidades. Os rebeldes logo passaram a controlar as serras do leste e do norte e conquistaram o apoio popular ali, realizando a política de reforma agrária de Fidel.
5. *A reação de Batista funcionou a favor de Fidel*. Ele fez represálias selvagens contra os guerrilheiros, torturando e matando suspeitos. Inclusive grande parte da classe média passou a apoiar Fidel, como a forma mais provável de se livrar de um ditador brutal. O moral do exército mal remunerado de Batista começou a desmoronar no verão de 1958, depois de uma tentativa fracassada de destruir as forças de Fidel. Os Estados Unidos começaram a se sentir constrangidos com o comportamento de Batista e cortaram o fornecimento de armas, o que representou um duro golpe no prestígio do ditador. Em setembro, uma pequena força rebelde, sob o comando do argentino Che Guevara, apoiador de Fidel, obteve o controle da principal estrada que cruzava a ilha e se preparava para avançar sobre Santa Clara. Em 1º de janeiro de 1959 Batista fugiu de Cuba, foi estabelecido um governo liberal com Fidel no comando.

(b) Como as relações exteriores de Cuba foram afetadas?

As relações de Cuba com os Estados Unidos não deterioraram imediatamente. Fidel Castro era considerado, no máximo, um social-democrata, de forma que a maioria dos norte-americanos estava disposta a lhe dar uma chance. Em pouco tempo ele indignou os Estados Unidos ao nacionalizar terras e fábricas de propriedade de norte-americanos. O presidente Eisenhower ameaçou parar de importar açúcar cubano, forçando Fidel a assinar um acordo comercial com a Rússia. Em julho de 1960, quando os norte-americanos cumpriram sua ameaça, a URSS prometeu comprar açúcar de Cuba, e Fidel confiscou o que restava de propriedade norte-americana. À medida que as relações de Cuba com os Estados Unidos pioravam, as relações com a URSS melhoravam: em janeiro de 1961 os Estados Unidos romperam relações diplomáticas com Cuba, mas os russos já estavam fornecendo ajuda econômica. (Com relação ao que aconteceu depois – a invasão da Baía dos Porcos e a crise dos mísseis – ver Seção 7.4(b)). Após a crise dos mísseis, as relações entre os Estados Unidos e Cuba permaneceram frias. A atitude de outros Estados latino-americanos, a maioria com governos de direita, era de extrema suspeição. Em 1962 eles expulsaram Cuba da Organização de Estados Americanos (OEA), o que só tornou o país mais dependente da URSS.

(c) Fidel e seus problemas

Cuba era muito dependente dos Estados Unidos – e mais tarde, da URSS – para a venda da maior parte de suas exportações de açúcar; a economia se baseava na indústria açucareira e estava à mercê de flutuações nos preços do produto. O governo e a administração estavam completamente tomados pela corrupção, e ainda havia graves problemas de desemprego e pobreza. O novo governo lançou-se a enfrentar tudo com entusiasmo e dedicação. O historiador David Harkness escreve que, durante os primeiros 10 anos, Fidel pegou um país pobre e atrasado pelo pescoço e o fez estremecer, criando padrões de vida novos e radicalmente diferentes. A terra agriculturável foi assumida pelo governo e foram introduzidas fazendas coletivas, fábricas e empresas foram nacionalizadas, houve tentativas de modernizar e aumentar a produção de açúcar, bem como introduzir novos setores e reduzir a dependência de Cuba em relação ao açúcar. As reformas sociais incluíram tentativas de melhorar a educação, a moradia, a saúde, as instalações médicas e as comunicações. Havia igualdade para os negros e mais direitos para as mulheres. Havia cinemas, teatros, concertos e exposições de arte ambulantes. O próprio Fidel parecia ter uma energia ilimitada e estava constantemente viajando pela ilha, fazendo discursos e pedindo que as pessoas fizessem mais esforços.

No final da década de 1970, o governo poderia afirmar ter tido um sucesso considerável, principalmente no campo das reformas sociais. Todas as crianças estavam recebendo alguma educação (em vez de menos da metade antes de 1959), o saneamento, a higiene e a saúde foram melhorados em muito, o desemprego e a corrupção, reduzidos, e havia uma sensação de igualdade e estabilidade maior do que jamais havia existido. A ampla maioria das pessoas parecia apoiar o governo. Esses êxitos foram conquistados contra um pano de fundo de contínuo assédio e tentativas de desestabilização por parte dos Estados Unidos que incluíam um embargo comercial, ataques com bombas a fábricas cubanas, refinarias de petróleo e usinas de açúcar. No governo do presidente Nixon (1969-1974), a campanha se intensificou a tal ponto que os Estados Unidos chegaram a patrocinar o terrorismo. Nos anos de 1990, o embargo econômico a Cuba ficou mais rígido do que nunca e foi condenado pela União Europeia, mas o governo Clinton rejeitou essa "interferência".

Previsivelmente, em função desses problemas, algumas das políticas de Fidel tiveram pouco êxito: a tentativa de diversificar a produção industrial e agrícola foi decepcionante e a economia da ilha continuou dependendo de forma pouco saudável da qualidade da colheita de açúcar, do preço mundial do produto e da disposição da URSS e seus satélites de comprar as exportações cubanas. Em 1980, a lavoura de açúcar foi reduzida por causa de uma infecção por fungos, enquanto a de tabaco foi gravemente afetada por outro fungo, jogando a ilha em uma crise econômica, aumentando mais uma vez o desemprego e fazendo com que milhares de pessoas começassem a emigrar para os Estados Unidos. Foi introduzido racionamento de comida e toda a economia estava sendo altamente subsidiada pela URSS. Em 1991, quando a URSS se dividiu e deixou de ser comunista, Cuba perdeu sua mais forte apoiadora.

Entretanto, o regime de Fidel continuou sobrevivendo. Durante os últimos anos do século XX, a economia foi impulsionada por um crescimento no turismo. Fidel continuou a desfrutar de boas relações com a Venezuela: em outubro de 2000, o governo venezuelano concordou em fornecer petróleo a Cuba por preços favoráveis. Não obstante, a maioria dos Estados latino-americanos considerava o país como um pária; Cuba foi o único país do continente que não foi convidado para a Cúpula das Américas, realizada em Quebec em 2001. Uma nova crise econômica se desenvolveu em 2002, causada em parte pela seca e a consequente colheita fraca de açúcar de 2001, e em parte porque os ataques terroristas de setembro de 2001 nos Estados Unidos prejudicaram o turismo. As atenções agora se voltavam muito à questão de quem sucederia o presidente Fidel Castro, que fez 78 anos em 2005, e seu mais provável sucessor parecia ser seu irmão Raul.*

8.3 AS GUERRAS NO VIETNÃ, 1946-1954 E 1961-1975

A Indochina, que consistia em três áreas, Vietnã, Laos e Camboja, fazia parte do império francês no sudeste da Ásia e foi cenário de conflitos quase permanentes desde o final da Segunda Guerra Mundial. Na primeira fase do conflito os povos dessas áreas lutaram por sua independência dos franceses e a conquistaram. A segunda fase (1961-1975) começou com a guerra civil no Vietnã do Sul. Os Estados Unidos intervieram para impedir mais expansão do comunismo, mas acabaram tendo que admitir o fracasso.

(a) 1946-1954

De 1946 até 1954 os vietnamitas lutaram pela independência em relação à França. A Indochina estava ocupada pelos japoneses durante a guerra. A resistência a japoneses e franceses foi organizada pela *Liga pela Independência Vietnamita (Vietminh)*, liderada pelo comunista Ho Chi Minh, que havia passado muitos anos na Rússia aprendendo a organizar revoluções. A Vietminh, embora liderada por comunistas, era uma aliança de todos os matizes de opinião política que queriam o fim do controle estrangeiro. No final da guerra, em 1945, Ho Chi Minh declarou a independência de todo o Vietnã. Quando ficou claro que os franceses não tinham qualquer intenção de permitir uma independência total, começaram as hostilidades, dando início a uma luta de oito anos que terminou com a derrota francesa em Dien Bien Phu (maio de 1954). Os militares do Vietminh tiveram sucesso, em parte, por serem mestres nas táticas de guerrilha e ter apoio massivo do povo vietnamita, e porque os franceses, ainda sofrendo dos efeitos da Guerra Mundial, não conseguiram enviar tropas suficientes. O fator decisivo foi, provavelmente, que, a partir de 1950, o novo governo chinês de Mao Tse-tung forneceu armas e equipamentos aos rebeldes. Os Estados Unidos também se envolveram: considerando a luta como parte da Guerra Fria e da luta contra o comunismo, os norte-americanos forneceram aos franceses ajuda militar e econômica, mas não foi suficiente.

Segundo o Acordo de Genebra (1954), Laos e Camboja deveriam ser independentes, e o Vietnã foi dividido temporariamente em

---
* N. de R. T.: Em 2006 Fidel se afastou, por razões de saúde, sendo, efetivamente, substituído por seu irmão Raúl.

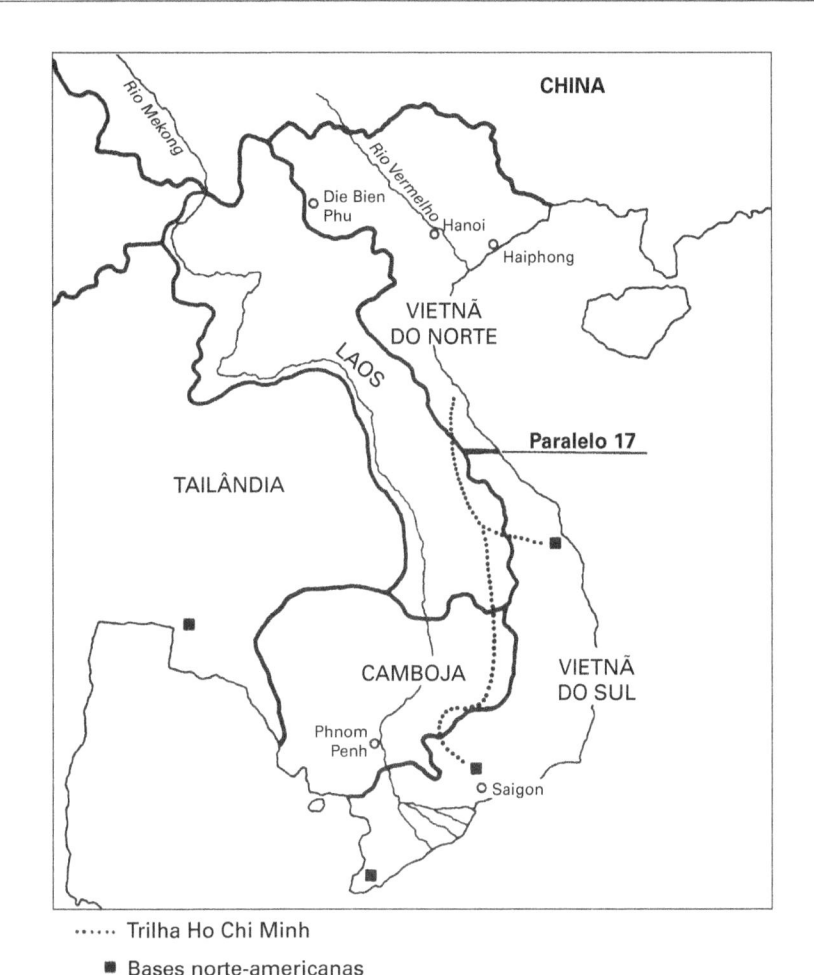

Mapa 8.2 As guerras no Vietnã.

dois Estados no paralelo 17 (ver Mapa 8.2). O governo de Ho Chi Minh foi reconhecido no Vietnã do norte, o Vietnã do Sul teria um governo separado até o futuro próximo, mas haveria eleições em julho de 1956 para todo o país que então seria unificado. Ho Chi Minh ficou decepcionado com a divisão, mas tinha confiança de que os comunistas venceriam as eleições nacionais. Acontece que as eleições nunca foram realizadas, e parecia provável uma repetição da situação da Coreia. Uma guerra civil foi se desenvolvendo no Vietnã do Sul, que acabou envolvendo o Norte e os Estados Unidos.

(b) **O que causou a guerra civil no Vietnã do Sul e por que os Estados Unidos se envolveram?**

1. O governo do Vietnã do Sul, do presidente Ngo Dinh Diem (escolhido por um referendo nacional em 1955) se recusou a fazer os preparativos para eleições em todo o país. Os Estados Unidos, que apoiavam seu regime, não o pressionavam por medo de uma vitória comunista se as eleições acontecessem. O presidente Eisenhower (1953-1961) estava tão preocupado quanto havia estado Truman em relação ao avanço do comunismo e parecia obceca-

do com a "teoria do dominó", segundo a qual, se há uma fila de peças de dominós em pé, próximas, e uma for derrubada, esta baterá na próxima da linha e assim por diante. Eisenhower achava que isso poderia se aplicar a países: se um país da região "caísse" no comunismo, rapidamente "derrubaria" seus vizinhos.

2. Embora Ngo tenha começado com energia, seu governo perdeu popularidade em pouco tempo: ele vinha de uma família católica rica, enquanto três quartos da população eram camponeses budistas que se sentiam discriminados, exigindo uma reforma agrária do tipo realizado na China e no Vietnã do Norte. Ali, a terra foi retirada de proprietários ricos e redistribuída entre as pessoas mais pobres, o que não aconteceu no Vietnã do Sul. Ngo também adquiriu uma reputação – talvez não merecida de todo – de corrupto e era impopular entre os nacionalistas, que o consideravam muito sob influência dos Estados Unidos.

3. Em 1960, vários grupos de oposição, que incluíam muitos antigos membros comunistas da Vietminh, formaram a *Frente de Libertação Nacional (FLN)*, e exigiam um governo democrático de coalizão nacional que introduziria reformas e negociaria pacificamente um Vietnã unificado. Começou uma campanha de guerrilha, atacando representantes e prédios do governo. Os monges budistas tinham seu tipo especial de protesto: cometiam suicídio em público, ateando fogo em si mesmos. A credibilidade de Ngo declinou mais ainda quando ele desconsiderou todas as críticas, mesmo que fossem razoáveis, e toda a oposição como sendo de inspiração comunista. Na verdade, os comunistas eram apenas uma parte da *(FLN)*. Ngo também introduziu medidas de segurança rígidas. Ele foi derrubado e assassinado em um golpe do exército em novembro de 1963, depois do qual o país foi governado por uma sucessão de generais – com o presidente Nguyen Van Thieu sendo o que mais durou (1967-1975). A destituição de Ngo deixou a situação básica inalterada e a guerrilha continuou.

4. Quando ficou claro que Ngo não tinha como dar conta da situação, os Estados Unidos decidiram aumentar sua presença militar no Vietnã do Sul. Sob a presidência de Eisenhower eles tinham apoiado o regime desde 1954, com assessores econômicos e militares, e aceitaram a afirmação de Ngo de que os comunistas estavam por trás de todos os problemas. Depois de não conseguir derrotar o comunismo na Coreia do Norte e em Cuba, os Estados Unidos achavam que deveriam ser firmes. Kennedy e seu sucessor Lyndon Johnson estavam dispostos a ir além de fornecer ajuda econômica e assessores. Em público, os norte-americanos diziam que a intervenção era para proteger a independência do povo vietnamita, mas a verdadeira razão era garantir que o país permanecesse no bloco não comunista.

5. Essa determinação dos Estados Unidos se fortaleceu ao saber que o *Vietcong* (como eram conhecidos os guerrilheiros) (Ilustração 8.2) estava recebendo suprimentos, equipamento e tropas do Vietnã do Norte. Ho Chi Minh acreditava que essa ajuda se justificava: eram os Estados Unidos e o Sul que não respeitavam os acordos de Genebra; como o Vietnã do Sul não aceitava eleições nacionais, só a força poderia unificar as duas metades do país.

6. O envolvimento norte-americano no Vietnã foi diferente do papel cumprido na Coreia, onde eles lutaram como parte de uma coalizão da ONU. Entre um evento e outro, muitos novos membros tinham entrado para a ONU, a maioria deles, ex-colônias das potências europeias. Esses novos Estados eram críti-

Ilustração 8.2 Um suspeito vietcongue é executado em Saigon pelo chefe de polícia Nguyen Ngoc Loan, 1968.

cos em relação ao que consideravam intervenção não justificada dos Estados Unidos no que deveria ser um país independente. Não se poderia contar com eles para apoiar uma ação dos Estados Unidos através da ONU e, portanto, o país teve que agir por conta própria, sem participação da organização.

(c) As fases da guerra

Estas fases correspondem aos sucessivos presidentes dos Estados Unidos, cada uma com a introdução de novas políticas.

1. *Kennedy (1961-1963)* tentou manter o envolvimento norte-americano limitado a uma campanha antiguerrilha. Ele enviou cerca de 16.000 "assessores", além de helicópteros e outros equipamentos, introduziu a política da "*aldeia segura*", na qual camponeses locais eram deslocados em massa para aldeias fortificadas, deixando os *vietcongues* isolados do lado de fora. Isso fracassou porque a maioria dos vietcongues era de camponeses que simplesmente continuaram a atuar dentro das aldeias.

2. *Johnson (1963-1969)* se deparou com uma situação, segundo relatórios de assessores norte-americanos em 1964, em que o Vietcong e a FLN controlavam cerca de 40% das aldeias sul-vietnamitas e a população camponesa parecia lhes dar apoio. Ele partiu do pressuposto de que o Vietcong era controlado por Ho Chi Minh e decidiu bombardear o Vietnã do Norte (1965) na expectativa de que Ho suspendesse a campanha. Muitos historiadores responsabilizaram Johnson por comprometer os Estados Unidos tão profundamente no Vietnã, chamando-a de "a guerra de Johnson".

Avaliações recentes assumiram uma visão mais simpática da difícil situação de Johnson. Segundo Kevin Ruane, "longe de ser o falcão da lenda, os historiadores agora tendem a ver Johnson como um homem abalado por incertezas sobre que rumo tomar no Vietnã". Ele tinha receio de que uma intervenção dos Estados Unidos em grande escala traria a China para a guerra. Seu interesse verdadeiro era a campanha pela reforma social, seu programa "grande sociedade" (ver Seção 23.1(d)), mas ele herdou a situação como consequência de decisões tomadas pelos dois presidentes anteriores. Ele foi o azarado e achou que não tinha alternativa a honrar os compromissos deles. Nos sete anos seguintes, *foram lançadas mais toneladas de bombas no Vietnã do Norte do que haviam sido na Alemanha na Segunda Guerra Mundial*. Além disso, mais de meio milhão de soldados norte-americanos chegaram ao Sul. Apesar desses enormes esforços, o Vietcong conseguiu desencadear uma ofensiva em fevereiro de 1968, que capturou algo como 80% de todas as aldeias e cidades. Ainda que tenha perdido muito terreno depois, essa ofensiva convenceu muitos norte-americanos da falta de sentido da luta. A opinião pública dos Estados Unidos fez muita pressão sobre o governo para se retirar do Vietnã. Alguns especialistas militares disseram a Johnson que os Estados Unidos não poderiam ganhar a guerra a qualquer custo. Em 31 de março de 1968, Johnson anunciou que suspenderia o bombardeio do Vietnã do Norte, congelaria os efetivos e buscaria uma paz negociada. Em maio, foram abertas conversações de paz em Paris, mas não conseguiram chegar a nenhum compromisso rápido, e essas reuniões continuaram por cinco anos.
3. *Nixon (1969-1974)* entendeu que era necessária uma nova postura, já que a opinião pública dificilmente deixaria que ele enviasse mais soldados norte-americanos. No início de 1969 havia meio milhão de soldados dos Estados Unidos, 50.000 sul-coreanos e 750.000 sul-vietnamitas contra 450.000 Vietcongues, mais, talvez, 70.000 norte-vietnamitas. A ideia de Nixon ficou conhecida como "vietnamização": os norte-americanos rearmariam e treinariam o exército sul-vietnamita para cuidar da defesa do Vietnã do Sul, o que possibilitaria uma retirada gradual das tropas dos Estados Unidos (na verdade, metade delas já tinham sido mandadas de volta em meados de 1971). Por outro lado, Nixon retomou o bombardeio pesado do Vietnã do Norte e também da *Trilha Ho Chi Minh* no Laos e no Camboja, pela qual chegavam suprimentos e tropas do Vietnã do Norte. De nada adiantou: no final de 1972, o Vietcong controlava toda a metade leste do país. Nixon estava sob pressão em seu país e também da opinião pública mundial, para retirar as tropas. Vários fatores causaram uma reação contrária à guerra:

- o terrível bombardeio do Vietnã do Norte, do Laos e do Camboja;
- o uso de substâncias químicas para destruir vegetação e de gel de napalm inflamável, que queimava as pessoas vivas; os efeitos secundários das substâncias químicas fizeram com que muitos bebês nascessem com deformidades e deficiências.
- as mortes de milhares de civis inocentes. O incidente mais notório aconteceu em março de 1968, quando soldados norte-americanos cercaram os habitantes da aldeia de My Lai, incluindo idosos que carregavam crianças pequenas. Todos foram baleados e enterrados em covas coletivas; entre 450 e 500 pessoas foram mortas.

Nixon acabou reconhecendo que não havia um plano comunista monolítico para dominar o mundo. Na verdade, as relações entre a China e a URSS eram extremamente difíceis e houve inúmeros conflitos de fronteira entre os dois países na Mongólia. Nixon aproveitou sua chance para melhorar as relações com a China; foram suspensas as restrições ao comércio e às viagens, bem como os navios-patrulha norte-americanos no Estreito de Taiwan. No lado chinês, alguns dos generais de Mao lhe diziam que era hora de descongelar relações com os Estados Unidos. Em fevereiro de 1972, Nixon fez uma bem-sucedia visita a Beijing.

Acabaram organizando um cessar-fogo para janeiro de 1973. Acordou-se que as tropas norte-americanas seriam retiradas do Vietnã e tanto Norte quanto Sul respeitariam a fronteira do paralelo 17. Entretanto, os Vietcongues continuaram sua campanha e, sem a ajuda dos Estados Unidos, o governo do presidente Thieu em Saigon logo entrou em colapso e seus exércitos mal liderados se desintegraram. Em abril de 1975, Saigon foi ocupada pelo Vietnã do Norte e pelo Vietcong. *O Vietnã estava, finalmente, unificado e livre de intervenção estrangeira, sob um governo comunista.* No mesmo ano, foram estabelecidos governos comunistas no Laos e no Camboja. *A política dos Estados Unidos de impedir a expansão do comunismo no sudeste asiático terminou em completo fracasso.*

(d) Por que os Estados Unidos fracassaram?

1. A principal razão foi que o Vietcong e a FLN tinham amplo apoio entre as pessoas comuns que tinham queixas legítimas contra um governo que não conseguiu introduzir as reformas necessárias. Quando a Frente foi formada em 1960, os comunistas eram apenas um dos vários grupos de oposição. Ao ignorar os argumentos da FLN e optar por estimular um regime tão visivelmente deficiente em sua obsessão com a luta contra o comunismo, os Estados Unidos acabaram ajudando o avanço do comunismo no Sul.

2. Os Vietcongues, assim como o Vietminh antes deles, eram especialistas em guerrilhas e estavam lutando em território conhecido. Os norte-americanos tiveram muito mais dificuldades de enfrentá-los do que os exércitos convencionais com que se depararam na Coreia. Sem uniformes que possibilitassem distingui-los, os guerrilheiros poderiam facilmente se misturar com a população local de camponeses. Isso mostrou ser impossível interromper o abastecimento através da Trilha Ho Chi Minh.

3. Os Vietcongues receberam importante ajuda do Vietnã do Norte em termos de tropas, da China e da Rússia, que forneceram armas. Depois de 1970, a contribuição russa foi de importância vital e incluía fuzis, metralhadoras, artilharia de longo alcance, mísseis antiaéreos e tanques.

4. Os norte-vietnamitas se dedicavam a uma vitória eventual e à unificação de seu país. Eles demonstraram uma resiliência impressionante: apesar de imensas perdas e danos durante os bombardeios pelos Estados Unidos, eles respondiam evacuando populações das cidades e reconstruindo fábricas fora delas.

(e) Os efeitos da guerra foram muito amplos

O Vietnã estava unificado, mas o custo foi enorme. Entre um e dois milhões de civis vietnamitas perderam suas vidas e cerca de 18 milhões tinham ficado desabrigados. O exército norte-vietnamita provavelmente chegou a ter 900.000 homens mortos, ao passo que o Sul perdeu 185.000. Cerca de 48.000 soldados dos Estados Unidos perderam suas vidas, com outros 300.000 feridos. Em torno de um terço do Vietnã do Sul foi gravemente atingido por explosivos e desfolhantes. Os problemas de reconstrução eram enormes e as políticas do novo governo tinham aspectos desagradáveis, como campos de concentração para opositores e ausência de liberdade de expressão.

Além de ser um golpe no prestígio dos Estados Unidos, esse fracasso teve um profundo efeito na sociedade norte-americana. O envolvimento na guerra foi considerado em muitos círculos como um erro terrível, e isso, junto com o escândalo de Watergate, que forçou Nixon a renunciar (ver Seção 23.4), abalou a confiança em um sistema político que permitia que esse tipo de coisa acontecesse. Os veteranos de guerra, em lugar de serem tratados como heróis, com frequência se viam rejeitados. Futuros governos norte-americanos teriam que pensar com muito cuidado antes de comprometer o país tão profundamente em qualquer situação parecida. A guerra foi uma vitória para o mundo comunista, embora russos e chineses tenham reagido com contenção e não se gabassem muito disso, o que talvez indicasse que eles desejavam relaxar as tensões internacionais, embora agora tivessem mais uma força poderosa a seu lado, o exército vietnamita.

8.4 O CHILE SOB O GOVERNO DE SALVADOR ALLENDE, 1970-1973

Em setembro de 1970, Salvador Allende, um médico marxista com origens de classe média, venceu as eleições presidenciais liderando uma coalizão de esquerda que incluía comunistas, socialistas, radicais e sociais democratas, chamada Unidade Popular (UP). Foi uma vitória por margem estreita, em que Allende teve 36% dos votos contra 35% de seu rival mais próximo, mas suficiente para torná-lo presidente, o primeiro líder marxista do mundo a ser eleito em uma eleição democrática. Embora tenha durado apenas três anos, o governo Allende merece um exame mais detalhado por ser até hoje o único de seu tipo e mostrar que espécie de problemas provavelmente sejam enfrentados por um governo marxista tentando funcionar dentro de um sistema democrático.

(a) Como Allende chegou a ser eleito?

O Chile, ao contrário de muitos Estados sul-americanos, tinha uma tradição de democracia. Havia três principais partidos ou grupos de partidos

- a Unidade Popular, à esquerda;
- os Democrata-Cristãos (também de inclinação esquerdista)
- o Partido Nacional (uma coalizão liberal/conservadora).

O exército tinha pouca função na política, e a Constituição democrática (semelhante à dos Estados Unidos, com exceção do fato de o presidente não poder concorrer à reeleição imediatamente) geralmente era respeitada. A eleição de 1964 foi vencida por Eduardo Frei, líder da Democracia Cristã, que acreditava nas reformas sociais. Ele começou com vigor: a inflação foi reduzida de 38% para 25%, os ricos foram obrigados a pagar seus impostos em lugar de sonegá-los, 360.000 novas casas foram construídas, o número de escolas foi mais que dobrado e se introduziu uma reforma agrária limitada: mais de 1.200 propriedades rurais privadas que estavam sendo administradas de forma ineficiente foram confiscadas e dadas aos camponeses sem-terra. Frei também assumiu cerca de metade das minas de cobre de propriedade dos Estados Unidos, fazendo as indenizações correspondentes. O governo dos Estados Unidos admirava suas reformas e deu uma generosa ajuda econômica.

Em 1967, contudo, a maré começou a virar contra Frei: a esquerda considerava sua reforma agrária cautelosa demais e queria completa nacionalização da indústria de cobre (o produto de exportação mais importante do Chile), ao passo que a direita achava que ele já tinha ido longe demais. Em 1969, houve uma grave seca na qual foi perdida cerca de um terço da colheita; grandes quantidades de comida tiveram que ser importadas, fazendo com que a inflação disparasse novamente. Houve greves de mineiros de cobre exigindo salários mais altos e vários deles foram mortos por tropas do governo. Allende usou essa munição de forma habilidosa durante a campanha eleitoral de 1970, apontando que as realizações de Frei ficavam muito aquém de suas promessas. A coalizão de Allende tinha uma organização de campanha muito melhor do que os outros partidos e conseguia levar milhares de simpatizantes para as ruas. O próprio Allende inspirava confiança: elegante e culto, ele parecia o oposto exato do revolucionário violento. E as aparências não enganavam, pois ele acreditava que o comunismo poderia ter êxito sem uma revolução violenta. Na eleição de 1970, 36% dos eleitores votaram a favor de experimentar suas políticas.

(b) Os problemas e as políticas de Allende

Os problemas enfrentados pelo novo governo eram enormes: a inflação estava em mais de 30%, o desemprego, em 20%, a indústria, estagnada, e 90% da população vivia em uma pobreza tal que metade das crianças com menos de 15 anos sofria de desnutrição. Allende acreditava em redistribuição de renda, o que possibilitaria aos pobres comprar mais, e assim, estimularia a economia. Foram dados aumentos salariais gerais de cerca de 40% e as empresas não puderam aumentar os preços. O restante da indústria de cobre, têxteis e bancos foi nacionalizado, e a redistribuição de terras de Frei, acelerada. O exército recebeu um aumento de salários ainda maior do que todo o resto, para garantir seu apoio. Nas questões externas, Allende reatou relações diplomáticas com a Cuba de Fidel Castro, a China e a Alemanha Oriental.

Se as políticas de Allende teriam funcionado ou não no longo prazo é um tema aberto à discussão. Certamente ele manteve sua popularidade o suficiente para que a UP tivesse 49% dos votos nas eleições locais de 1972 e aumentar um pouco suas cadeiras nas eleições para o congresso nacional em 1973, mas seu experimento teve um fim abrupto e violento em setembro de 1973.

(c) Por que ele foi derrubado?

As críticas ao governo foram aumentando à medida que as políticas de Allende começaram a causar problemas.

- *A redistribuição de terras gerou uma redução na produção agrícola*, principalmente porque alguns fazendeiros cujas terras seriam tomadas pararam de semear e muitas vezes matavam seu gado (como os *kulaks* russos durante a coletivização – ver Seção 17.2(b)), o que gerou escassez de alimentos e mais inflação.
- Os investidores privados estavam assustados e *o governo ficou com poucas verbas para realizar as reformas sociais* (habitação, educação e serviços sociais) na velocidade que teria gostado.
- *A nacionalização do cobre foi decepcionante*: houve longas greves por melhores salários, a produção diminuiu e os preços mundiais do produto caíram de repente em cerca de 30%, gerando mais redução nas receitas do governo.
- Alguns comunistas que queriam uma postura mais incisiva em relação aos problemas do Chile, no estilo de Fidel Castro, foram ficando impacientes com a cautela de Allende e se recusavam a fazer concessões diante do fato de que ele não tinha uma maioria estável no parlamento. Eles formaram o Movimento de *Izquierda Revolucionaria* (MIR) que pressionava a não violenta UP a tomar fazendas e expulsar seus proprietários.
- Os Estados Unidos desaprovavam muito as políticas de Allende e fizeram tudo o que podiam para minar a economia do Chile. Outros governos sul-americanos estavam nervosos com a possibilidade de o Chile tentar exportar sua "revolução".

Pairando acima de todo o restante estava *o que aconteceria em setembro de 1976, quando deveria ter lugar a próxima eleição presidencial*. Segundo a Constituição, Allende não poderia concorrer, mas nenhum regime marxista jamais tinha permitido que lhe tirassem do poder pelo voto. A oposição temia, talvez justificadamente, que Allende estivesse planejando mudar a Constituição. Na situação de então, qualquer presidente que considerasse que sua legislação estava sendo bloqueada pelo Congresso poderia apelar para a nação por meio de um referendo. Com apoio suficiente, Allende poderia conseguir usar o dispositivo do referendo para adiar as eleições. Foi esse temor, ou assim se afirmou posteriormente, que fez com que os grupos de oposição se unissem para agir antes que Allende o fizesse. Eles organizaram uma grande greve e, tendo conquistado apoio do exército, a direita deu um golpe militar. O golpe foi organizado por generais importantes, que estabeleceram uma ditadura militar, a qual o *general Pinochet* passou a liderar. Líderes de esquerda foram assassinados ou presos, e o próprio Allende cometeu suicídio. A Agência Central de Inteligência dos Estados Unidos (CIA), ajudada pelo governo brasileiro (um regime militar repressivo) cumpriu um papel vital nos preparativos do golpe, como parte de sua política de impedir a expansão do comunismo na América Latina. Há provas de que a CIA vinha considerando a possibilidade de um golpe desde que Allende ganhou as eleições em 1970. Não há dúvidas de que o governo Nixon fez o máximo que pôde para desestabilizar o governo Allende nos três anos que se seguiram, minando a economia. O próprio Nixon teria dito que eles deveriam "fazer a economia chilena gritar".

O novo governo do Chile logo provocou críticas de outros países por seu tratamento violento de prisioneiros políticos e suas violações dos direitos humanos, mas o governo dos Estados Unidos, que tinha reduzido sua ajuda econômica enquanto Allende estava no poder, aumentou mais uma vez sua assistência. O regime de Pinochet teve algum sucesso econômico, e em 1980 reduziu uma taxa de inflação de cerca de 1.000% ao ano para proporções administráveis. Pinochet não tinha pressa de devolver o país a um governo civil e acabou permitindo eleições presidenciais em 1989, quando o candidato civil que ele apoiava sofreu uma pesada derrota, obtendo menos de 30% dos votos. Pinochet permitiu que o vencedor, o líder democrata-cristão Patricio Aylwin, assumisse a presidência (1990), mas a Constituição (introduzida em 1981) possibilitava ao próprio Pinochet permanecer como Comandante em Chefe das Forças Armadas por mais oito anos.

Pinochet saiu do poder na data marcada, em 1998, mas sua aposentadoria não funcionou como ele tinha planejado. Em uma visita a Londres no mesmo ano, foi preso e mantido na Grã-Bretanha por 16 meses, depois que o governo espanhol solicitou sua extradição para ser acusado de torturar cidadãos espanhois no Chile. Mais tarde, foi permitido que ele retornasse ao Chile por problemas médicos em março de 2000, mas um de seus mais duros oponentes, Ricardo Lagos, acabava de ser eleito presidente (janeiro de 2000) – o primeiro socialista desde Allende. Em pouco tempo, Pinochet enfrentava 250 acusações de abusos aos direitos humanos, mas em julho de 2001, o Tribunal de Apelações Chileno decidiu que o general, então com 86 anos, estava doente demais para ser julgado.

8.5 MAIS INTERVENÇÕES DOS ESTADOS UNIDOS

Vietnã, Cuba e Chile não foram os únicos casos em que os Estados Unidos intervieram durante a primeira metade da Guerra Fria. Trabalhando através da Agência Central de Inteligência (CIA), o Departamento de Estado agia em um número impressionante de países em nome da causa de preservar a liberdade e os direitos humanos e, acima de tudo, impedir a expansão do comunismo. Muitas vezes, os regimes que eram rotulados de comunistas e que se tentavam derrubar estavam simplesmente implementando políticas que iam contra os interesses dos Estados Unidos. Às vezes as atividades eram realizadas secretamente, deixando o povo norte-americano quase sem ter conhecimento do que estava acontecendo ou, como no caso de grandes intervenções militares, eram apresentadas como ações cirúrgicas necessárias contra o câncer do comunismo. Entre as técnicas estavam tentativas de assassinato, fraudes eleitorais, organização e financiamento de atos de terrorismo, desestabilização econômica e, como último recurso, intervenção militar completa.

Recentemente, vários ex-membros do departamento de Estado e da CIA, como William Blum e Richard Agee, e uma série de outros autores, incluindo o especialista em línguística de renome internacional Noam Chomsky, apresentaram descrições detalhadas de como os líderes norte-americanos tentaram construir sua influência e seu poder no mundo exercendo controle sobre países como Irã, Guatemala, Costa Rica, Indonésia, Guiana, Iraque, Camboja, Laos, Equador, Congo/Zaire, Brasil, República Dominicana, Gana, Uruguai, Bolívia, Timor Leste, Nicarágua e muitos outros. Não há espaço suficiente para examinarmos todos esses casos, mas alguns exemplos ilustrarão como a influência dos Estados Unidos chegou à maioria dos lugares do mundo.

(a) América Latina

A região conhecida como América Latina consiste em países da América do Sul, América Central, incluindo o México, e as ilhas do Caribe, como Cuba, Hispaniola (dividida em dois Estados, Haiti e a República Dominicana) e Jamaica. No final da Segunda Guerra Mundial a região ainda era economicamente subdesenvolvida em termos industriais e agrícolas, comparada com Estados Unidos e Europa, e muitos dos países dependiam de um número limitado de produtos que exportavam. A agricultura era atrasada porque a mão de obra camponesa era tão abundante e barata que os proprietários de terra ricos não tinham qualquer necessidade de se modernizar.

Um problema importante nos anos imediatamente posteriores à Segunda Guerra Mundial foi o enorme aumento da população. Sempre que parecia que um país estava avançando por meio de reforma agrária (na qual os camponeses recebiam sua própria terra), as vantagens eram neutralizadas pelo crescimento populacional. Muitas pessoas saíam das zonas rurais rumo às cidades, mas era difícil encontrar emprego. Quase todas as grandes cidades estavam cercadas de favelas improvisadas e imundas, sem água, esgoto nem eletricidade. A lacuna entre ricos e pobres aumentava e pouco progresso se fez para eliminar a pobreza e o analfabetismo. Não havia tradição de democracia, com exceção do Chile, e os países geralmente eram governados por ditadores que representavam os interessem dos ricos proprietários de terras que bloqueavam a maioria das tentativas de reforma.

Esse tipo de situação era terreno fértil para movimentos revolucionários, e todos os governos norte-americanos se dedicavam muito a garantir que partidos comunistas ou mesmo esquerdistas moderados ficassem de fora, já que todos esses países estavam às portas dos Estados Unidos, próximos demais para que houvesse segurança se eles "virassem comunistas". Washington dava muita ajuda econômica aos países da América Latina, mas suas motivações eram de vários tipos:

- Resolvendo os problemas econômicos, esperavam-se estimular governos reformistas moderados que melhorariam as condições o suficiente para impedir o crescimento do comunismo.
- Muitas vezes, a ajuda vinha na forma de empréstimos, que eram dados sob a condição de que uma parcela grande fosse gasta em produtos norte-americanos. Isso não ajudava às indústrias locais a se desenvolver e envolvia os governos no pagamento de altos juros.
- Com frequência a ajuda era cortada se as políticas de um governo fossem inaceitáveis aos Estados Unidos. Isso aconteceu

com a Cuba de Fidel Castro e com o Chile de Allende, o que permitia aos Estados Unidos exercer um considerável controle político por meios econômicos.

Na *Guatemala*, um governo reformista progressista liderado por Jacobo Arbenz foi eleito democraticamente em 1953, mas Washington não aprovou quando Arbenz tomou terras improdutivas de propriedade da empresa norte-americana United Fruit Company. Muitos norte-americanos influentes tinham interesses nessa enorme empresa, então decidiram cortar esse tipo de iniciativa pela raiz, antes que se espalhasse para outros países latino-americanos. Os adversários de Arbenz receberam armas e foram treinados na vizinha Honduras, e depois a CIA organizou um golpe, no qual forças apoiadas pelos Estados Unidos, lideradas por Castillo Armas, invadiram o país, derrubaram o governo Arbenz e o substituíram por um regime militar chefiado por Armas (1954). Esse novo regime deu início a uma campanha de prisões, torturas e execuções em massa de esquerdistas, sindicalistas e dissidentes de todos os tipos. No ano seguinte, Armas foi assassinado, apenas para ser substituído por outro militar, Miguel Ydigoras. Os Estados Unidos retomaram a ajuda e uma revolução contra Ydigoras foi reprimida com ajuda norte-americana em 1960. A Guatemala ainda permaneceu sob governo militar por décadas, e apesar de um chamado "acordo de paz" assinado em 1996, as violações dos direitos humanos continuam em escala elevadíssima, e a pobreza era terrível. Em 2001 o Índice de Desenvolvimento Humano da ONU, baseado em expectativa de vida, realizações educacionais, renda e produção *per capita* colocava o país abaixo de qualquer outro na América Latina, com exceção do Haiti.

O tamanho não era impedimento para a intervenção norte-americana: o *Brasil* ocupa quase metade da América do Sul e tem a quinta maior população do mundo, mas Washington não aprovava as políticas do líder brasileiro João Goulart, que se tornou presidente com todos os poderes em janeiro de 1963.* Seu programa incluía nacionalização e reforma agrária modesta, e foi aprovada uma lei limitando a quantidade de lucro que as empresas multinacionais poderiam enviar para fora do país. Ainda pior aos olhos dos Estados Unidos, ele se opôs às sanções contra Cuba e nomeou assessores de esquerda, o que foi considerado como um perigoso desvio rumo ao comunismo. Na verdade, Goulart não poderia, por qualquer esforço da imaginação, ser considerado comunista, pois era um milionário proprietário de terras e católico devoto. Mesmo assim, em 1964, foi derrubado por um golpe militar que contou com envolvimento e apoio norte-americano, embora o papel dos Estados Unidos tenha sido mantido em segredo. Pelos 21 anos que se seguiram, o país teve que suportar um brutal regime militar, mas Washington achava que valia a pena pagar o preço, já que o Brasil rompeu relações diplomáticas com Cuba e se tornou um aliado confiável dos Estados Unidos.

A intervenção norte-americana na *República Dominicana* foi mais ostensiva. Em 1963, Juan Bosch foi democraticamente eleito presidente. A administração Kennedy o considerava anticomunista e liberal, e recebeu bem sua eleição. Contudo, quando ele começou a implementar seu programa de reformas sociais, que incluía alguma reforma agrária e alguma nacionalização cautelosa, Washington se voltou contra ele, que foi derrubado por um golpe. Em abril de 1965, o novo governo era tão impopular que estouraram revoltas em muitos lugares, com objetivo de trazer Bosch de volta ao poder. Quando parecia que as revoltas estavam à beira de ter sucesso, os Estados Unidos enviaram cerca de 20.000 soldados que ajudaram a esmagá-las. Bosch nunca voltou ao poder.

Na Nicarágua, a ditadura Somoza, apoiada pelos Estados Unidos, foi derrubada pelas forças revolucionárias sandinistas (1979), cujo

---

* N. de R. T.: Vice-presidente, assumiu a presidência em setembro de 1961 em um regime parlamentarista, reconvertido em presidencialista via prebliscito em janeiro de 1963.

nome vinha de Augusto Sandino, um revolucionário que havia sido assassinado por ordens de Somoza em 1933. O governo sandinista começou a modernizar o país, introduzindo reformas sociais e econômicas, e foram estabelecidas relações próximas com Cuba. Em 1985, a Oxfam informou que os esforços do governo e seu compromisso com a melhoria das condições de seu povo eram excepcionais, mas a administração Reagan (1981-1989) fez tudo que estava em seu poder para minar o governo sandinista. Toda a ajuda econômica foi interrompida. Um exército de apoiadores de Somoza, conhecido como Contras, foi organizado, financiado e recebeu armas, mesmo que, em outubro de 1984, o Congresso dos Estados Unidos tenha proibido o fornecimento de armamentos a eles. Houve uma guerra civil total, na qual os Contras infligiram os maiores danos possíveis, destruindo escolas e hospitais, até que o governo se viu gastando metade de seu orçamento na guerra.

As eleições presidenciais de 1984 foram vencidas pelo candidato sandinista Daniel Ortega, que recebeu 63% dos votos. Equipes de observadores internacionais julgaram que a eleição foi justa, mas Washington afirmava que tinha sido fraudada. Em 1990, os Estados Unidos interferiram nas eleições, financiando o principal partido de oposição, a União Nacional de Oposição (UNO), e deixando claro ao povo nicaraguense que, se os sandinistas ganhassem, a guerra continuaria. A candidata da UNO venceu e os Estados Unidos tinham conseguido garantir um governo de direita para a Nicarágua.

(b) Sudeste da Ásia

A região conhecida como Indochina é composta por Vietnã, Laos e Camboja. Todos os três conquistaram sua independência da França pelos acordos de Genebra de 1954 (ver Seção 8.3 sobre o que aconteceu no Vietnã)

No *Laos*, após a independência, houve conflito entre o governo de direita apoiado pelos Estados Unidos e vários grupos esquerdistas liderados pelo Pathet Lao, um grupo de esquerda nacionalista que havia participado da luta contra os franceses. Inicialmente, o Pathet Lao mostrou-se disposto a participar de governos de coalizão, em uma tentativa de provocar mudanças sociais pacíficas. Os Estados Unidos consideravam os membros do grupo perigosos comunistas e a CIA e o Departamento de Estado organizaram uma série de intervenções que, em 1960, tinham retirado os esquerdistas de cargos importantes. A esquerda recorreu à luta armada e a CIA respondeu reunindo um exército de 30.000 anticomunistas de toda a Ásia para esmagar os insurgentes. Entre 1965 e 1973, a força aérea dos Estados Unidos realizou bombardeios regulares sobre o Laos, causando muitas mortes e devastação. De nada adiantou: a intervenção fortaleceu a determinação da esquerda. Depois da retirada norte-americana do Vietnã e do sudeste da Ásia e de os comunistas tomarem o poder no Camboja, a direita laosiana desistiu da luta e seus líderes abandonaram o país. Em dezembro de 1975, o Pathet Lao assumiu o controle pacificamente e foi fundada a República Popular do Laos (ver Seção 21.4).

No *Camboja* houve envolvimento norte-americano em um golpe que derrubou o regime do príncipe Sihanouk em 1970. As campanhas de bombardeio que precederam o golpe deixaram a economia cambojana em ruínas. A intervenção dos Estados Unidos foi seguida de cinco anos de guerra civil que terminou quando Pol Pot e o Khmer Vermelho tomaram o poder (ver Seção 21.3). Durante a Guerra do Vietnã de 1965-1973, os Estados Unidos usaram a *Tailândia* como base da qual bombardeavam o Vietnã do Norte. Em determinado momento, a presença dos norte-americanos na Tailândia era tão grande que eles pareciam ter tomado o país. Havia uma oposição considerável de tailandeses descontentes com a forma como seu país estava sendo usado, mas todas as críticas eram tratadas como sendo de inspiração comunista. Mais de 40.000 soldados dos Estados Unidos agiam para tentar suprimir guerrilheiros de oposição e no treinamento de forças do governo tailandês. Em agosto de 1966, o jornal Washington Post publicou que, em círculos do governo dos Estados Unidos, havia uma ideia forte de que "a continuação da ditadura na Tailândia serve aos Estados Unidos, já que garante as bases norte-americanas no país e, como disse um representante do governo de forma obtusa, 'é nosso verdadeiro interesse neste lugar'".

(c) África

Os Estados Unidos se interessaram muito pela África, onde, no final da década de 1950 e durante a de 1960, houve descolonização e surgiram muitos Estados independentes novos. No final da Segunda Guerra Mundial, os norte-americanos pressionaram os países europeus que ainda tinham colônias para que lhes dessem independência o mais cedo possível. Eles afirmavam que, em vista dos crescentes movimentos nacionalistas na África e na Ásia, as tentativas de manter colônias estimulariam o desenvolvimento do comunismo. Outra razão para essa atitude foi que os norte-americanos viam as nações que estavam surgindo como mercados potenciais nos quais eles poderiam fazer comércio e estabelecer influência econômica e política. Na atmosfera da Guerra Fria, o pior crime que qualquer governo poderia cometer, aos olhos dos Estados Unidos, era demonstrar o menor sinal de políticas de esquerda ou socialistas e qualquer simpatia pela URSS.

Em junho de 1960, o *Congo* (ex-Congo Belga) se tornou um Estado independente, com Patrice Lumumba como primeiro-ministro. O país dependia muito de suas exportações de cobre, mas o setor de minas de cobre, localizadas principalmente na província de Katanga, no leste, ainda era controlado por uma empresa belga. Alguns norte-americanos importantes também tinham interesses financeiros na empresa. Lumumba falava de "independência financeira" para o Congo, o que foi recebido por belgas e norte-americanos como "nacionalização". Os belgas e a CIA estimularam Katanga a se declarar independente do Congo para que eles pudessem manter o controle da indústria de cobre. Lumumba apelou por ajuda, inicialmente à ONU, e depois à URSS. Esse foi um erro fatal: a CIA e os belgas estimularam os adversários, de forma que ele foi destituído e, mais tarde, assassinado (janeiro de 1961), com profundo envolvimento da CIA. Após 1965, os Estados Unidos apoiaram o regime brutal e corrupto do general Mobutu, mandando, em várias ocasiões, tropas para reprimir rebeldes. Parecia não haver excesso interno que fosse demasiado, desde que Mobutu agisse como amigo dos Estados Unidos. Ele permaneceu no poder até maio de 1997 (ver Seção 25.5).

Gana se tornou independente em 1957, sob a liderança de Kwante Nkrumah, que tinha uma perspectiva socialista e queria tomar um caminho intermediário entre as potências ocidentais e o bloco comunista, o que significava ter boas relações com ambos os lados. Quando ele começou a forjar ligações com a URSS, a China e a Alemanha Oriental, soaram os alarmes em Washington. A CIA atuava em Gana e estava em contato com um grupo de oficiais do exército que se opunham ao estilo cada vez menos democrático de Nkrumah. Em 1966, enquanto Nkrumah estava ausente em viagem à China, o exército, apoiado pela CIA, lançou um golpe de Estado e ele foi forçado a se exilar (ver Seção 25.2).

(d) O Oriente Médio

O Oriente Médio era uma região importante, servindo como uma espécie de encruzilhada entre as nações ocidentais, o bloco comunista e os países do Terceiro Mundo da Ásia e da África. Sua outra característica importante é que produz uma grande parcela do petróleo do mundo. Os Estados Unidos e os países da Europa Ocidental estavam ansiosos para manter alguma influência na região, tanto para bloquear o avanço do comunismo quanto para manter algum controle sobre as reservas de petróleo. O governo Eisenhower (1953-1961) emitiu uma declaração que ficou conhecida como a Doutrina Eisenhower, em que dizia que os Estados Unidos estavam dispostos a usar a força das armas com o objetivo de ajudar qualquer país do Oriente Médio contra a agressão armada por parte de um país controlado pelo comunismo internacional. Em diferentes ocasiões desde 1945, os Estados Unidos intervieram na maioria dos países da região, desestabilizando ou derrubando governos que escolheram definir como "comunistas".

Em 1950, o xá (governante) do *Irã* assinou um tratado de defesa com os Estados Unidos direcionado contra a vizinha URSS, que vinha tentando estabelecer um governo comunista no norte do país. Em 1953, o primeiro-ministro Dr. Mossadeg nacionalizou uma companhia de petróleo britânica. Os Estados Unidos e a Grã-Bretanha organizaram um golpe, depondo Mossadeg e devolvendo controle completo ao xá, que permaneceu no poder por mais 25 anos, apoiado e sustentado integralmente por Washington, até ser derrubado em janeiro de 1979 (ver Seção 11.1(b)).

O *Iraque* esteve sob constante atenção dos Estados Unidos. Em 1958, o General Abdul Kassem derrubou a monarquia iraquiana e proclamou uma república. Ele era a favor de reformas e modernização e, embora ele próprio não fosse comunista, a nova atmosfera de liberdade e abertura estimulou o crescimento do Partido Comunista Iraquiano. Isso gerou desconforto em Washington, e o Departamento de Estado ficou ainda mais perturbado quando, em 1960, Kassem participou da criação da Organização dos países Exportadores de Petróleo (OPEP) que visava a romper o controle das companhias petrolíferas ocidentais sobre as vendas de petróleo do Oriente Médio. A CIA vinha tentando desestabilizar o país por vários anos, estimulando uma invasão turca, financiando guerrilheiros curdos que faziam campanhas por mais autonomia, e tentando assassinar Kassem. Em 1963, ela conseguiu: Kassem foi derrubado e morto em um golpe patrocinado pela agência e pela Grã-Bretanha.

A partir de 1979, os Estados Unidos financiaram Saddam Hussein, que se tornou líder do Iraque em 1968, apoiando-o contra o novo governo antiamericano no Irã. Depois da longa e inconclusiva guerra Irã-Iraque (1980-1988; ver Seção 11.9), as forças de Saddam invadiram e conquistaram o Kuait (agosto de 1990), sendo expulsas mais uma vez por forças da ONU, das quais o maior contingente era o norte-americano (ver Seção 11.10). Em 2003, os Estados Unidos, com ajuda britânica, finalmente derrubaram e capturaram Saddam (ver Seção 12.4(f) sobre o desenrolar da situação).

8.6 *DÉTENTE*: RELAÇÕES INTERNACIONAIS DOS ANOS DE 1970 AOS DE 1990

A palavra *détente* é usada para indicar um relaxamento permanente das tensões entre Oriente e Ocidente. Os primeiros sinais reais de *détente* puderam ser vistos no início dos anos 1970.

(a) Razões para a *détente*

À medida que cresciam os arsenais nucleares, os dois lados iam ficando com mais medo de uma catastrófica guerra nuclear em que não poderia haver um verdadeiro vencedor. Ambos estavam enojados pelos horrores do Vietnã. Além disso, os países tinham seus próprios motivos individuais para querer a *détente*.

- *Para a URSS, as despesas de se manter no mesmo nível dos Estados Unidos estavam sendo destrutivas.* Era essencial reduzir os gastos com defesa para poder dedicar mais recursos para elevar o padrão de vida aos níveis do Ocidente, tanto na URSS quanto em seus Estados-satélite, todos sofrendo dificuldades econômicas. Havia inquietação, principalmente na Polônia do início da década de 1970, o que ameaçava desestabilizar o bloco comunista. Ao mesmo tempo, os russos estavam tendo conflitos com a China e não queriam ficar de fora quando as relações entre China e Estados Unidos começaram a melhorar em 1971.
- *Os norte-americanos estavam começando a se dar conta de que deveria haver uma forma melhor de enfrentar o comunismo do que aquela que estava tendo tão pouco*

sucesso no Vietnã. Estava claro que havia limites para o que eles poderiam obter através do poder militar. Alguns deputados e senadores até já estavam voltando a falar em "isolacionismo".

- *Os chineses estavam preocupados com seu isolamento*, nervosos com as intenções dos Estados Unidos no Vietnã (depois do que acontecera na Coreia) e descontentes com a piora de suas relações com a URSS.
- *As nações da Europa Ocidental estavam preocupadas porque estariam na linha de frente em caso de uma guerra nuclear.* Willi Brandt, que se tornou chanceler da Alemanha Ocidental em 1969, trabalhava por melhores relações com o Leste Europeu, uma política conhecida como *Ostpolitik*.

(b) A URSS e os Estados Unidos

Os dois países haviam feito progressos com o "telefone vermelho" e o acordo sobre a realização exclusiva de testes nucleares subterrâneos (ambos em 1963). Um acordo assinado em 1967 proibiu o uso de armas nucleares no espaço exterior. O primeiro grande avanço veio em 1972, quando os dois países assinaram o Tratado de Limitação de Armas Estratégicas (*Strategic Arms Limitation Treaty, conhecido como SALT 1*), que decidia quantos ABMs, ICBMs e SLBMs cada lado poderia ter (ver Seção 7.4(a) e (c)); não houve acordo em relação aos MIRVs. O acordo não reduziu a quantidade de armamentos, mas conseguiu diminuir o ritmo da corrida armamentista. Os presidentes Brejnev e Nixon se reuniram três vezes, foram abertas negociações para mais um tratado conhecido como SALT 2, e os Estados Unidos começaram a exportar trigo para a Rússia.

Outro passo importante foi o *Acordo de Helsinque (julho de 1975)*, no qual os Estados Unidos, o Canadá, a URSS e a maioria dos países europeus aceitaram as fronteiras europeias estabelecidas após a Segunda Guerra Mundial (reconhecendo, assim, a divisão da Alemanha). Os países comunistas prometeram deixar que seus povos tivessem "direitos humanos", incluindo liberdade de expressão e liberdade para sair do país.

Entretanto, a détente não aconteceu sem alguns reveses, principalmente em 1979, quando a OTAN ficou nervosa com a instalação de 150 novos mísseis russos SS-20. A organização decidiu instalar mais de 500 mísseis *Pershing* e *Cruise* na Europa em 1983, como contenção a um possível ataque russo à Europa Ocidental. Ao mesmo tempo, o senado dos Estados Unidos decidiu não aceitar um tratado SALT 2, o que teria limitado o número de MIRVs. Quando os russos invadiram o Afeganistão no natal de 1979, e substituíram o presidente por outro que lhes era mais favorável, as antigas suspeitas ocidentais em relação às motivações russas renasceram.

Ambos os lados passaram a primeira metade dos anos 1980 fortalecendo seus arsenais nucleares, e o presidente Reagan (1981-1989) aparentemente deu autorização para um novo sistema de armamentos, a *Iniciativa Estratégica de Defesa (Strategic Defence Initiative, SDI)*, também conhecido como *"Guerra nas estrelas"*, que pretendia usar armas instaladas no espaço para destruir mísseis balísticos durante o voo.

A détente ganhou força mais uma vez graças à determinação do novo líder soviético, Mikhail Gorbachov (1985-1991), que fez reuniões de cúpula com Reagan e propôs um calendário de 15 anos para um processo "passo-a-passo com vistas a livrar a Terra de armas nucleares". Os norte-americanos responderam em algum nível, embora não estivessem dispostos a ir até onde Gorbachov queria. O resultado foi o tratado sobre forças nucleares intermediárias, INF (*intermediate nuclear forces*), formalmente assinado por Reagan e Gorbachov em Washington, em dezembro de 1987:

- Todas as armas nucleares terrestres de alcance intermediário (300 a 3.000 milhas ou 480 a 4.800 Km) deveriam ser eliminadas nos três anos seguintes. Isso afetava 436 ogivas norte-americanas e 1.575

soviéticas, e incluiria mísseis instalados na Alemanha Oriental e na Tchecoslováquia, e todos os mísseis *Cruise* e *Pershing* que os Estados Unidos tinham instalado na Europa.
* Havia disposições rígidas quanto à verificação, para que ambos os lados pudessem conferir que os armamentos estavam realmente sendo destruídos.

Porém, tudo isso representava, no máximo, apenas 4% dos estoques existentes de armas nucleares e ainda havia o obstáculo da Guerra nas Estrelas de Reagan, da qual ele não estava disposto a abrir mão, ainda que estivesse apenas na etapa de planejamento. O acordo tampouco incluía armamentos franceses ou britânicos. A primeira ministra Margaret Thatcher estava determinada a garantir que a Grã-Bretanha mantivesse seu próprio arsenal nuclear, e planejava desenvolver mísseis *Trident*, mais sofisticados que os *Cruise*. Não obstante, esse tratado INF representou uma virada importante na corrida armamentista nuclear, já que pela primeira vez haviam sido destruídas quaisquer armas.

Em 1985, a URSS estava muito constrangida com seu envolvimento no Afeganistão. Embora houvesse mais de 100.000 soldados soviéticos no país, eles não eram capazes de controlar os ferozes guerrilheiros islâmicos, o que drenava seus recursos e abalava seu prestígio. A hostilidade da China, a desconfiança dos Estados islâmicos em todo o mundo e as condenações repetidas por parte da ONU convenceram Gorbachov de que era hora de se retirar. Acabaram chegando a um acordo segundo o qual os russos começariam a retirar seus soldados do Afeganistão em 1º de maio de 1988, desde que os norte-americanos parassem de enviar ajuda ao movimento de resistência afegão.

(c) A China e os Estados Unidos

A China e os Estados Unidos tiveram atitudes extremamente hostis entre si desde a Guerra da Coreia, e isso parecia que iria continuar enquanto os norte-americanos apoiassem Chiang Kai-shek e os nacionalistas em Taiwan e os chineses, Ho Chi Minh. Porém, em 1971, os chineses inesperadamente convidaram uma equipe de tenis de mesa dos Estados Unidos para visitar a China (Diplomacia do Ping-Pong). Após o êxito daquela visita, os Estados Unidos responderam suspendendo seu veto à entrada da China na ONU, e a *China comunista, portanto, pôde se tornar membro da organização em outubro de 1971.* Os presidentes Nixon (Ilustração 8.3) e Ford fizeram visitas bem-sucedidas a Beijing (Pequim) (1972 e 1975). Ainda havia o problema de Taiwan para azedar a relação: embora Chiang Kai-shek tivesse morrido em 1975, seus apoiadores ainda ocupavam a ilha e os comunistas não ficariam satisfeitos até que ela estivesse sob controle deles. As relações melhoraram em 1978, quando o Democrata Carter decidiu retirar o reconhecimento da China Nacionalista, mas isso gerou queixas nos Estados Unidos, onde Carter foi acusado de trair seu aliado.

O ponto alto da *détente* entre a China e os Estados Unidos veio no início de 1979, quando *Carter deu reconhecimento formal à República Popular da China* e ambos os países enviaram embaixadores. As boas relações se mantiveram durante os anos de 1980. Os chineses ficaram ansiosos pela continuação da *détente* com os Estados Unidos, em função de seu conflito com o Vietnã (aliado da Rússia), que tinha começado em 1979. Em 1985, foi assinado um acordo sobre cooperação nuclear. As coisas mudaram de repente, para pior, quando o governo chinês usou soldados para dispersar uma manifestação de estudantes na Praça da Paz Celestial (*Tiananmen*), em Beijing (Pequim). O governo tinha medo de que a manifestação se transformasse em uma revolução que derrubasse o comunismo chinês. Pelo menos mil estudantes foram mortos e muitos, executados mais tarde, isso gerou condenações em todo o mundo. As tensões cresceram novamente em 1996, quando os chineses realizaram "exercícios navais" nos estreitos entre a China continental e Taiwan, em protesto contra as eleições democráticas que estavam por acontecer na ilha.

Ilustração 8.3 O presidente Nixon (direita) com o primeiro-ministro chinês Zhou Enlai, em sua visita a Beijing em 1972.

(d) Relações entre a URSS e a China

As relações entre a URSS e a China se deterioraram constantemente depois de 1956. Os dois países tinham assinado anteriormente um tratado de ajuda mútua e amizade (1950), mas depois os chineses não aprovaram as políticas de Kruschov, principalmente sua crença na "coexistência pacífica" e sua afirmação de que seria possível chegar ao comunismo com métodos que não fossem a revolução violenta. Isso ia contra as ideias de Lênin, líder da revolução comunista russa de 1917, de forma que os chineses acusaram os russos de *"revisionismo" – revisar ou reinterpretar os ensinamentos de Marx e Lênin para servir às suas próprias necessidades*. Eles estavam irritados com a linha "suave" de Kruschov em relação aos Estados Unidos. Em retaliação, os russos reduziram sua ajuda econômica à China.

O argumento ideológico não era a única fonte de problemas: havia também uma disputa de fronteiras. No século XIX, a Rússia tinha tomado partes grandes do território chinês ao norte de Vladivostock e na província de Sinkiang, que os chineses estavam reivindicando de volta, até então sem muito sucesso. Agora que a própria China estava seguindo uma política mais "suave" em relação aos Estados Unidos, o problema territorial parecia ser o principal eixo de conflito. No final dos anos de 1970, tanto a Rússia quanto a China estavam competindo por apoio norte-americano uma contra a outra, na liderança do mundo comunista. Para complicar ainda mais as coisas, os vietnamitas agora apoiavam a Rússia. Quando os chineses atacaram o Vietnã, (fevereiro de 1979), as relações chegaram ao fundo do poço. O ataque chinês foi, em parte, uma retaliação pela invasão vietnamita do Kampuchea (ex-Camboja) em dezembro de 1978, que derrubou o governo do Khmer Vermelho, liderado por Pol Pot, protegido da China, e, em parte, por uma disputa de fronteiras. Eles se retiraram após três semanas, tendo, nas palavras de Beijing, dado uma lição aos vietnamitas. *Em 1984, os chineses definiram suas queixas contra a URSS:*

- presença de tropas russas no Afeganistão;
- apoio soviético às tropas vietnamitas no Kampuchea;
- aumento das tropas soviéticas ao longo da fronteira da Mongólia e Manchúria.

Mikhail Gorbachov estava determinado a dar início a uma nova era nas relações sino-soviéticas. Foram assinados acordos quinquenais sobre comércio e cooperação econômica (julho de 1985), houve contatos regulares entre os dois governos e a reconciliação formal se deu em maio de 1989, quando Gorbachov visitou Beijing. Também em 1989, o Vietnã retirou suas tropas do Kampuchea, de forma que suas relações com a China melhoraram.

8.7 O COLAPSO DO COMUNISMO NO LESTE EUROPEU: A TRANSFORMAÇÃO DAS RELAÇÕES INTERNACIONAIS

(a) Agosto de 1988 a dezembro de 1991

Eventos impressionantes aconteceram no Leste Europeu entre agosto de 1988 e dezembro de 1991. O comunismo foi varrido por uma maré crescente de oposição popular e manifestações de massas, muito mais rapidamente do que qualquer pessoa poderia jamais ter imaginado.

- O processo começou na Polônia, em agosto de 1988, quando o sindicato "Solidariedade" organizou imensas greves contra o governo, que acabaram forçando-o a permitir eleições livres, nas quais os comunistas sofreram uma derrota pesada (junho de 1989). Os protestos revolucionários se espalharam rapidamente por todos os outros satélites russos.
- A Hungria foi a próxima a permitir eleições, nas quais os comunistas foram derrotados mais uma vez.
- Na Alemanha Oriental, o líder Erich Honecker quis dispersar as manifestações pela força, mas não teve apoio de seus colegas, e no final de 1989, o governo comunista renunciou. Em pouco tempo o Muro de Berlim foi derrubado e, mais impressionante do que qualquer outra coisa, *no verão de 1990, a Alemanha foi reunificada.*
- A Tchecoslováquia, a Bulgária e a Romênia derrubaram seus governos comunistas no final de 1989, e foram realizadas eleições multipartidárias na Iugoslávia em 1990 e na Albânia na primavera de 1991.
- No final de dezembro de 1991, até a URSS se dividiu em repúblicas separadas e o próprio Gorbachov renunciou. O domínio comunista na Rússia tinha acabado, após 74 anos.

(Ver Seções 10.6 e 18.3 para as razões por trás do colapso do comunismo no Leste Europeu)

(b) De que forma as relações internacionais foram afetadas?

Muitas pessoas no Ocidente pensaram que, com o colapso do comunismo no Leste Europeu, os problemas do mundo desapareceriam como que por milagre, mas nada poderia estar mais longe da verdade, e surgiu todo um leque de novos problemas.

1 A Guerra Fria tinha terminado

O resultado mais imediato foi que a ex-URSS e seus aliados não eram mais vistos pelo Ocidente como "o inimigo". Em novembro de 1990, os países da OTAN e do Pacto de Varsóvia assinaram um tratado concordando em que "não eram mais adversários" e que nenhuma das armas jamais seria usada, com exceção da autodefesa. A Guerra Fria estava terminada, e isso era um grande passo adiante. No entanto...

2 Novos conflitos surgiram em pouco tempo

Esses novos conflitos foram causados, muitas vezes, pelo nacionalismo. Durante a Guerra Fria, a URSS e os Estados Unidos, como vimos, mantinham um controle rígido, por meio da força se fosse necessário, sobre áreas em que seus interesses vitais pudessem ser afetados. Agora, um conflito que não afetasse diretamente os interesses de Oriente ou Ocidente provavelmente seria deixado para que encontrasse sua própria solução. O nacionalismo, que havia sido suprimido pelo comunismo, logo ressurgiu em alguns dos antigos Estados da URSS e em outros lugares. Às vezes as disputas eram resolvidas de forma pacífica, por exemplo, na Tchecoslováquia, onde os nacionalistas eslovacos insistiam em se separar para formar outro Estado, a Eslováquia. No entanto, começou uma guerra entre o Azerbaijão e a Armênia (duas ex-Repúblicas Soviéticas) onde as pessoas do norte queriam formar um Estado separado.*

O caso mais trágico foi o da Iugoslávia, que se desmembrou em cinco países diferentes – Sérvia (com Montenegro), Bósnia-Herzegovina, Croácia, Eslovênia e Macedônia. Em pouco tempo estourou uma guerra civil complexa na qual a Sérvia tentava conquistar o máximo possível de território da Croácia. Na Bósnia, sérvios, croatas e muçulmanos lutavam entre si em uma tentativa de estabelecer Estados próprios. A luta incrivelmente cruel se arrastou por quase quatro anos, até conseguirem um cessar-fogo em novembro de 1995 (ver Seção 10.7). Sendo assim, em um momento em que os países da Europa Ocidental avançavam para mais unidade com a Comunidade Européia, (ver Seção 10.8), os do Leste Europeu se desagregavam em unidades ainda menores.

3 Supervisão de armas nucleares

Outro receio, agora que os russos e os norte-americanos estavam menos dispostos a agir como "policiais", era que *países que tinham o que as potências consideravam governos instáveis ou irresponsáveis pudessem usar armas nucleares* – como, por exemplo, Iraque, Irã e Líbia. Uma das necessidades dos anos de 1990 era, portanto, melhor supervisão e con-

_____
* N. de R. T.: O autor de refere à região de Nagorno-Khanabak, encravada no Azerbaijão, mas povoada por armênios, que desejavam se reunir à Armênia.

trole internacionais sobre as armas nucleares, assim como as armas biológicas e químicas.

4 Problemas econômicos

Todos os antigos Estados comunistas enfrentavam outro problema – como lidar com o colapso econômico e com a intensa pobreza deixados pelas economias de "comando" comunistas, e como mudar para economias de "livre mercado". Eles precisavam de um programa cuidadosamente planejado de ajuda financeira do Ocidente, caso contrário, seria difícil criar estabilidade no Leste Europeu. O nacionalismo e as inquietações econômicas poderiam causar uma reação da direita, principalmente na própria Rússia, que poderia ser tão ameaçadora quanto um dia se considerou o comunismo. Certamente havia razões para preocupação em função do grande número de armas nucleares que ainda existia na região. Havia o risco de que a Rússia, desesperada para levantar dinheiro, vendesse algumas de suas armas nucleares para governos "inadequados".

5 A reunificação da Alemanha criou alguns problemas

Os polacos desconfiavam muito de uma Alemanha unida e poderosa, com receio de que ela pudesse tentar retomar o antigo território alemão a leste dos rios Oder e Neisse, dado à Polônia depois da Segunda Guerra Mundial. A Alemanha também se viu dando refúgio para pessoas que fugiam dos problemas em outros países da Europa. Em outubro de 1992, pelo menos 16.000 refugiados estavam entrando no país por mês, gerando violentos protestos de grupos de direita neonazistas, que acreditavam que a Alemanha já tinha problemas demais por conta própria sem admitir estrangeiros, principalmente a necessidade de modernizar a indústria e os serviços da ex-Alemanha Oriental.

6 As relações entre os aliados ocidentais

O desaparecimento do comunismo afetou as relações entre os aliados ocidentais, os Estados

Unidos, a Europa Ocidental e o Japão. Eles tinham se mantido unidos pela necessidade de ter uma postura firme contra o comunismo, mas agora surgiam diferenças relacionadas a comércio e até onde Estados Unidos e Japão estavam dispostos a resolver os problemas do Leste Europeu. Por exemplo, durante a guerra na Bósnia, as relações dos países da Europa Ocidental com os Estados Unidos ficaram tensas quando estes se recusaram a fornecer tropas para as forças de paz da ONU deixando o fardo a outros Estados-membros. A questão dominante era que os Estados Unidos haviam ficado como a única superpotência do mundo e era necessário ver como Washington escolheria cumprir esse novo papel no cenário mundial.

PERGUNTAS

1. **Os Estados Unidos e a guerra no Vietnã**
Estude as fontes A e B e responda as perguntas a seguir.

Fonte A
Memorando de John McNaughten, Secretário de Defesa Adjunto dos Estados Unidos, explicando suas preocupações com o caminho que a guerra estava tomando, março de 1966.

> Estou profundamente preocupado com a amplitude e intensidade da inquietação e a insatisfação públicas com a guerra... Principalmente com os jovens, os desfavorecidos, a *intelligentsia* e as mulheres. Será que a convocação de 20.000 reservistas polarizará a opinião a ponto de os pacifistas nos Estados Unidos saírem de controle, com recusas em massa a servir, lutar ou cooperar, ou pior? Pode haver um limite do qual muitos norte-americanos e grande parte do mundo não permitirão que os Estados Unidos passem. A imagem da maior superpotência do mundo matando ou ferindo gravemente 1.000 não combatentes por semana, enquanto tenta subjugar uma minúscula nação atrasada, por uma questão cujos os méritos são amplamente questionáveis, não é bonita. Poderia gerar uma distorção com um custo muito alto na consciência nacional norte-americana.

Fonte B
Relatório sobre a situação do Vietnã, preparado para o presidente Johnson por um grupo de oficiais militares em 1968.

> Duzentos mil soldados a mais não vão fortalecer o governo de Saigon, porque essa liderança não dá sinais de disposição, muito menos de capacidade de atrair a necessária lealdade ou apoio do povo. Isso significaria mobilizar reservistas e aumentar o orçamento militar. Haveria mais baixas norte-americanas, mais impostos. Esse descontentamento crescente, acompanhado, como certamente o será, pelo descumprimento cada vez maior da convocação para o serviço militar e maior inquietação nas cidades por se acreditar que estamos descuidando de problemas nacionais, corre um grande risco de provocar uma crise doméstica de proporções inéditas.

Fonte: Ambas as fontes são citadas em Howard Zinn, *A People's History of the United States* (Longman, 1996).

    (a) A partir das evidências na Fonte A, por que McNaughten estava insatisfeito com os rumos da guerra?
    (b) Examine o valor dessas fontes para um historiador que esteja estudando o impacto da Guerra do Vietnã sobre o povo norte-americano.
    (c) Usando as fontes e seu próprio conhecimento, explique por que, no final das contas, os Estados Unidos não tiveram sucesso em seu objetivo de salvar o Vietnã do Sul do comunismo.

2.
    (a) Explique por que a guerra eclodiu na Coreia em junho de 1950 e por que os Estados Unidos se envolveram?
    (b) Quais foram os desfechos e os efeitos da guerra na Coreia?

3. Por que houve um período de *détente* durante as décadas de 1970 e 1990, e de que maneiras ela se manifestou?
4. Explique como e por que o final da Guerra Fria teve efeitos profundos sobre as relações internacionais.

9 A Organização das Nações Unidas

RESUMO DOS EVENTOS

A Organização das Nações Unidas foi formada em outubro de 1945, depois da Segunda Guerra Mundial, para substituir a Liga das Nações, que se mostrou incapaz de conter ditadores agressivos como Hitler e Mussolini. Ao fundar a ONU as grandes potências tentavam eliminar algumas das fragilidades que tinham prejudicado a Liga. A Carta da ONU foi elaborada em São Francisco em 1945, e se baseava em propostas formuladas em uma reunião anterior entre URSS, Estados Unidos, China e Grã-Bretanha, em Dumbarton Oaks, Estados Unidos, em 1944. *Os objetivos da instituição eram*:

- preservar a paz e eliminar a guerra;
- acabar com as causas de conflito ao fomentar o progresso econômico, social, educacional, científico e cultural em todo o mundo, principalmente em países subdesenvolvidos;
- salvaguardar os direitos individuais de todos os seres humanos e dos povos e nações.

Apesar da cuidadosa formulação da Carta, a ONU foi incapaz de resolver muitos problemas das relações internacionais, especialmente os que foram causados pela Guerra Fria. Por outro lado, cumpriu um papel importante em várias crises internacionais, promovendo cessar-fogos, negociações e fornecendo tropas de paz. Seus êxitos no trabalho não político – cuidando de refugiados, protegendo os direitos humanos, fazendo planejamento econômico e tentando lidar com problemas de saúde, população e fome no mundo – foram enormes.

9.1 A ESTRUTURA DA ORGANIZAÇÃO DAS NAÇÕES UNIDAS

Atualmente, a ONU tem sete orgãos principais:

- Assembleia Geral.
- Conselho de Segurança.
- Secretariado.
- Tribunal Internacional de Justiça.
- Conselho de Tutela.
- Conselho Econômico e Social.
- Tribunal Penal Internacional (empossado em março de 2003).

(a) Assembleia geral

É a reunião de representantes de todos os países-membros; cada membro pode enviar até cinco representantes, embora haja apenas um voto por país. A Assembleia se reúne uma vez por ano, começando em setembro e permanecendo em sessão por cerca de três meses, mas os próprios membros, ou o Conselho de Segurança, podem convocar sessões especiais em momentos de crise. Sua função é discutir e tomar decisões sobre problemas internacionais, examinar o orçamento da ONU e quanto cada membro deve pagar, eleger os membros do Conselho de Segurança e supervisionar o trabalho de muitos outros orgãos da instituição. As decisões não tem que ser tomadas por votação unânime, como era o caso da Assembleia da Liga. Às vezes, basta uma maioria simples, embora questões que a assembleia considere muito importantes demandem uma maioria de dois terços, como decisões sobre admissão de novos membros ou expulsão de membros atuais, e sobre ações a serem tomadas para manter a paz. Todos os discursos e debates são traduzidos em seis línguas oficiais: inglês, francês, russo, chinês, espanhol e árabe.

(b) Conselho de segurança

O Conselho está em sessão permanente e sua função é lidar com as crises à medida que surgem, por meio de ações que pareçam adequadas e, se for necessário, convocando os membros para agir militar ou economicamente contra um agressor. O Conselho também deve aprovar solicitações de ingresso na ONU que demandarão uma aprovação por maioria de dois terços da Assembleia Geral. O Conselho começou com 11 membros, *cinco deles permanentes (China, França, Estados Unidos, URSS e Grã-Bretanha)* e outros seis eleitos pela Assembleia Geral para mandatos de dois anos. Em 1965, o número de membros não permanentes foi aumentado para 10. As decisões exigiam que pelo menos nove dos 15 membros votassem a favor, mas eles deveriam incluir todos os cinco membros permanentes, o que significa que *qualquer deles pode vetar uma decisão e impedir que se tome uma determinada atitude*. Na prática, foi sendo aceito aos poucos que a abstenção de um membro permanente não conte como veto, mas isso não está escrito na Carta.

Para garantir alguma ação em caso de veto por parte de um membro permanente, a Assembleia Geral (na época da Guerra da Coreia, em 1950), introduziu a resolução "Unidos pela Paz", que estabelecia que, se as propostas do Conselho de Segurança fossem vetadas, a Assembleia poderia se reunir em 24 horas e decidir o que fazer, mesmo uma ação militar, se fosse necessária. Em casos como este, para uma decisão da Assembleia só seria necessária uma maioria de dois terços. Mais uma vez, essa nova regra não foi acrescentada à Carta, e a URSS, que usou o veto mais do que qualquer outro membro, sempre sustentou que um veto do Conselho de Segurança deveria ter precedência sobre uma decisão da Assembleia Geral. Não obstante, a Assembleia agiu assim muitas vezes, ignorando os protestos russos.

Em 1950, surgiu um problema quando a nova República Popular da China solicitou ser aceita como membro da ONU, os Estados Unidos vetaram a solicitação, de forma que a Republica da China (Taiwan) manteve sua condição de membro e seu assento permanente no Conselho de Segurança. Os Estados Unidos bloquearam a solicitação da China todos os anos, pelos 20 anos seguintes. Em 1971, em um esforço para melhorar as relações com a China comunista, eles finalmente se abstiveram de vetar a solicitação e a Assembleia Geral votou a favor de a República Popular da China assumir a condição de membro e o assento de Taiwan no Conselho de Segurança.

(c) Secretariado

Esse orgão é o "escritório" da ONU (ver Ilustração 9.1), formado por mais de 50.000 funcionários que cuidam do trabalho administrativo, preparando atas de reuniões, traduções e informações. É chefiado pelo Secretário-Geral, que é indicado para um mandato de cinco anos pela Assembleia, por recomendação do Conselho de Segurança. Para garantir algum grau de imparcialidade, ele não vem de qualquer das grandes potências. O Secretário

Ilustração 9.1 Sede da ONU em Nova York. À direita, o edifício de 39 andares do Secretariado, ao centro, a Assembleia Geral ao fundo, a Biblioteca.

atua como principal porta-voz da ONU e está sempre na linha de frente das questões internacionais, tentando resolver os problemas do mundo. Até agora, o cargo foi ocupado por:

Trygve Lie, da Noruega (1946-1952)
Dag Hammarskjold, da Suécia (1952-1961)
U Thant, de Burma (1961-1971)
Kurt Waldheim, da Áustria (1971-1981)
Javier Pérez de Cuellar, do Peru (1981-1991)
Boutros Boutros-Ghali, do Egito (1991-1996)
Kofi Annan, de Ghana (1996-207)
Ban Ki-moon, da Coréia do Sul (desde 2007)

(d) Tribunal Internacional de Justiça

O Tribunal Internacional de Justiça, com sede em Haia (na Holanda), tem 15 juízes, todos de nacionalidades diferentes, eleitos conjuntamente para mandatos de nove anos (a cada três anos, aposentam-se cinco) pela Assembleia e o Conselho de Segurança. O órgão julga disputas entre Estados-membros. Vários casos foram tratados com sucesso, incluindo uma disputa de fronteira entre Holanda e Bélgica e uma discordância entre Grã-Bretanha e Noruega em relação a limites de pesca. Em outros casos, contudo, o êxito não foi tanto. Em 1946, por exemplo, a Grã-Bretanha acusou a Albânia de colocar minas perto da ilha grega de Corfu e exigiu indenizações por danos causados a navios britânicos. A Corte apoiou a demanda e ordenou que a Albânia pagasse um milhão de libras à Grã-Bretanha, mas esta se negou, afirmando que a corte não tinha direito de julgar o caso. Da mesma forma, em 1984 a Nicarágua processou os Estados Unidos por colocar minas em sua baía. O tribunal julgou em favor da Nicarágua e ordenou que os Estados Unidos pagassem indenização. Eles se recusaram a aceitar o veredicto e não se tomou mais nenhuma ação. Embora teoricamente o Conselho de Segurança tenha poder de tomar as "medidas adequadas" para garantir o cumprimento das decisões do tribunal, isso nunca foi feito. A corte só pode operar com êxito quando ambas as partes de uma disputa concordarem em aceitar o veredicto, seja qual for o lado favorecido.

(e) Conselho de Tutela

Este órgão substituiu a Comissão de Mandatos da Liga das Nações, que foi criada em 1919 para controlar os territórios tomados da Alemanha e da Turquia no final da Primeira Guerra Mundial. Algumas dessas áreas (conhecidas como *territórios em mandato* ou *mandatos*) foram entregues às potências vitoriosas, cuja tarefa era governá-los e os preparar para a independência (ver Seções 2.8 e 2.10). O Conselho de Tutela cumpriu sua função de forma satisfatória e, em 1970, a maioria dos mandatos tinha obtido sua independência (ver Seções 11. 1(b) e Capítulo 24).

Entretanto, *a Namíbia continuava sendo um problema*, já que a África do Sul se recusava a dar independência à região. Comandada por um governo que representava a minoria branca da população, a África do Sul não estava disposta a dar independência a um Estado localizado bem na sua fronteira, que teria um governo representando a maioria negra africana. A ONU condenou repetidamente o país por essa atitude. Em 1971, o Tribunal Internacional de Justiça decidiu que a ocupação da Namíbia pela África do Sul descumpria a legislação internacional e que ela deveria se retirar imediatamente. A África do Sul ignorou a ONU, mas à medida que outros Estados foram ganhando independência sob governos negros, foi ficando mais difícil manter sua posição na Namíbia e seu governo de minoria branca (ver Seções 25.6(b-c) e 25.8(e)). Finalmente, em 1990, a pressão do nacionalismo africano e da opinião mundial forçou a África do Sul a afrouxar seu controle sobre a Namíbia.

(f) O Conselho Econômico e Social (*Economic and Social Council, Ecosoc*)

Este órgão de 27 membros eleitos pela Assembleia Geral, dos quais um terço é substituído a cada ano, organiza os projetos como saúde, educação e outras questões sociais e econômicas. Sua tarefa é tão imensa que foram *criadas quatro comissões regionais (Europa, América Latina, África, Ásia e Extremo Oriente)*, bem como comissões sobre problemas populacionais, problemas relacionados a drogas, direitos humanos e a situação da mulher. O Ecosoc também coordena o trabalho de uma gama impressionante de outras comissões e agências especializadas, cerca de 30 ao todo. Entre as mais conhecidas estão a Organização Mundial do Trabalho (OMT), a Organização Mundial da Saúde (OMS) e a Organização para a Alimentação e Agricultura (FAO), a Organização para Educação, Ciência e Cultura (*United Nations Educational, Scientific, and Cultural Organization, Unesco*), o Fundo para a Infância (*United*

Nations Children's Fund, Unicef) e a Agência de Socorro a Refugiados (*United Nations Relief and Works Agency, Unrwa*). O alcance do Ecosoc se ampliou de tal forma que, em 1980, mais de 90% das despesas anuais da ONU eram dedicados às atividades anuais do órgão (ver Seção 9.5).

(g) O Tribunal Penal Internacional (TPI)

A ideia de um Tribunal Penal Internacional para julgar indivíduos acusados de crimes contra a humanidade foi discutida pela primeira vez por uma convenção da Liga das Nações em 1937, mas nada se concretizou. A Guerra Fria impediu qualquer outro avanço até que, em 1989, foi sugerido novamente, como uma forma possível de lidar com traficantes de drogas e terroristas. Os avanços no sentido de criar de tribunal permanente foram lentos mais uma vez, e se deixou que o Conselho de Segurança estabelecesse dois tribunais especiais de guerra para julgar indivíduos acusados de cometer atrocidades em 1994 em Ruanda e em 1995 na Bósnia. O caso de mais destaque foi o de Slobodan Milosevic, ex-presidente da Iugoslávia (ver Seção 10.7), que foi extraditado de Belgrado e entregue a representantes da ONU na Holanda. Seu julgamento começou em julho de 2001 em Haia, ele foi acusado de cometer crimes contra a humanidade na Bósnia, na Croácia e em Kosovo. Ele foi o primeiro ex-chefe de Estado a ficar diante de um tribunal internacional de justiça.

Nesse meio-tempo, em julho de 1998, foi assinado um acordo conhecido como Estatuto de Roma, por 120 Estados-membros da ONU, para criar um tribunal penal permanente para lidar com crimes de guerra, genocídio e outros crimes contra a humanidade. O novo tribunal, com 18 juízes eleitos, foi inaugurado formalmente em março de 2003, com sede em Haia (Holanda), mas o governo dos Estados Unidos não gostou da ideia de que alguns de seus cidadãos pudessem ser julgados no tribunal, principalmente os que estavam atuando como forças de paz e poderiam ficar expostos a "acusações de cunho político". Embora o governo Clinton tenha assinado o acordo de 1998, o presidente Bush insistiu na retirada da assinatura (maio de 2002). Consequentemente, os Estados Unidos não reconhecem o TPI e, em junho de 2003, tinham assinado acordos separados com 37 estados prometendo que nenhum funcionário norte-americano seria entregue ao TPI para ser julgado. Em alguns casos, o país ameaçou retirar a ajuda econômica ou militar se o Estado se recusasse a cumprir sua vontade.

9.2 QUAL É A DIFERENÇA ENTRE A ORGANIZAÇÃO DAS NAÇÕES UNIDAS E A LIGA DAS NAÇÕES?

(a) A ONU tem tido mais sucesso

Há algumas diferenças importantes que podem fazer da ONU um orgão mais bem-sucedido do que a Liga.

- A ONU passa muito mais tempo e gasta mais recursos em questões econômicas e sociais, seu alcance é muito mais amplo do que o da Liga. Todas as agências especializadas, com a exceção da Organização Mundial do Trabalho (fundada em 1919), foram estabelecidas em 1945 ou depois.
- A ONU está comprometida em salvaguardar os direitos humanos individuais, com os quais a Liga não se envolvia.
- As mudanças no procedimento da Assembleia Geral e o Conselho de Segurança (principalmente a resolução "Unidos pela Paz"), e o maior poder e prestígio do Secretário-Geral, têm possibilitado à ONU, de vez em quando, agir de forma mais decisiva do que a Liga jamais conseguiu.
- A ONU tem uma participação muito mais ampla e, assim, é uma organização

mundial muito mais verdadeira do que a Liga, com todo o prestígio extra que isso implica. Tanto URSS quanto Estados Unidos foram membros-fundadores da ONU, enquanto os Estados Unidos nunca entraram para a Liga. Entre 1963 e 1968, nada menos do que 43 novos membros entraram para a ONU, principalmente Estados emergentes da África e da Ásia, e em 1985 esse número chegaram a 159; a Liga nunca teve mais do que 50 membros. Posteriormente, muitos dos antigos Estados-membros da URSS passaram a fazer parte, e em 1993, o total chegou a 183. Em 2002, o Timor Leste, que por fim conquistara independência da Indonésia com ajuda da ONU, tornou-se o membro número 191.

(b) Algumas das fragilidades da Liga se mantém

Qualquer um dos cinco membros permanentes do Conselho de Segurança pode usar seu poder de veto para impedir uma ação decisiva. Assim como a Liga, a ONU não tem um exército próprio permanente e tem que usar forças que pertencem a seus Estados-membros (ver Seção 9.6).

9.3 QUE SUCESSO A ONU TEM CONSEGUIDO COMO ORGANIZAÇÃO VOLTADA À MANUTENÇÃO DA PAZ?

Embora o êxito tenha sido instável, pode-se dizer que a *ONU tem conseguido mais sucesso do que a Liga em seus esforços para manter a paz*, principalmente em crises que não envolvam diretamente os interesses das grandes potências, como a guerra civil no Congo (1960-1964) e a disputa entre Holanda e Indonésia pela Nova Guiné Ocidental. Por outro lado, com frequência ela tem sido tão ineficaz quanto a Liga em situações como o levante na Hungria em 1956 e na crise tcheca de 1968, em que os interesses de grandes potências – nesses casos, da URSS – pareciam ameaçados, e onde essa grande potência decidiu ignorar ou desafiar a ONU. A melhor forma de ilustrar os graus variáveis de sucesso da ONU é examinar algumas das principais disputas nas quais ela se envolveu.

(a) Nova Guiné Ocidental (1946)

Em 1946, a ONU ajudou a organizar a independência das Índias Orientais Holandesas, que se tornaram a Indonésia, em relação à Holanda (ver Mapa 24.3), mas não houve acordo em relação à Nova Guiné Ocidental (Irian Ocidental), que era reivindicada pelos dois países. Em 1961, começaram os conflitos; depois de U Thant apelar a ambos os lados para reabrir negociações, foi acordado (1962) que o território deveria se tornar parte da Indonésia. A transferência foi organizada e policiada por uma força da ONU. Nesse caso, a organização cumpriu um papel vital em fazer com que as negociações tivessem início, embora não tenha tomado, ela própria, uma decisão sobre o futuro de Irian Ocidental.

(b) Palestina (1947)

A disputa entre judeus e árabes na Palestina foi levada à ONU em 1947. Depois de uma investigação, a organização decidiu dividir a Palestina, estabelecendo o Estado de Israel (ver Seção 11.2). Essa foi uma das decisões mais polêmicas da ONU e não foi aceita pela maioria dos países árabes. A ONU foi incapaz de impedir uma série de guerras entre Israel e vários Estados árabes (1948-1949, 1967 e 1973) embora tenha feito um trabalho útil organizando cessar-fogos e proporcionando forças de supervisão, enquanto a agência de socorro aos refugiados cuidou dos refugiados árabes (Ilustração 9.2).

(c) A Guerra da Coreia (1950-1953)

Esta foi a única ocasião em que a ONU conseguiu agir de forma decisiva em uma crise envolvendo diretamente os interesses de

Ilustração 9.2 Supervisão de trégua pela ONU na Palestina.

uma das superpotências. Quando a Coreia do Sul foi invadida pela Coreia do Norte comunista em junho de 1950, o Conselho de Segurança aprovou imediatamente uma resolução condenando esta e convocou os Estados-membros a enviar ajuda ao Sul. Contudo, isso só foi possível em função da ausência temporária dos delegados russos, que teriam vetado a resolução se não estivessem boicotando as reuniões do Conselho (desde janeiro daquele ano) em protesto pela não aceitação da China comunista na ONU. Ainda que os delegados russos tenham retornado espertamente, era tarde demais para que impedissem a ação. Tropas de 16 países conseguiram repelir a invasão e preservar a fronteira entre as duas Coreias ao longo do paralelo 38 (ver Seção 8.1).

Embora o Ocidente tenha tratado esse evento como um grande sucesso da ONU, foi em grande parte uma operação norte-americana, e o governo dos Estados Unidos já tinha decidido intervir com força no dia anterior à decisão do Conselho de Segurança. Somente a ausência dos russos possibilitou que os Estados Unidos transformassem em uma operação da ONU. Essa situação não tinha probabilidade de se repetir, já que a URSS teria o cuidado de estar presente em todas as futuras reuniões do Conselho de Segurança.

A Guerra da Coreia teve resultados importantes para o futuro da ONU: um deles foi a aprovação da resolução "Unidos pela Paz", a qual permitiria que um veto no Conselho de Segurança fosse derrubado por uma votação na Assembleia Geral. Outro, foi o lançamento de um duro ataque dos russos contra o secretário geral Trvgve Lie, pelo que consideraram seu papel tendencioso na crise. Sua posição logo ficou insustentável e ele acabou concordando em se afastar, para ser substituído por Dag Hammarskjöld.

(d) A crise do Suez (1956)

Pode-se dizer que este evento mostrou a ONU em seu melhor momento. Quando o presidente egípcio Nasser nacionalizou subitamente o Canal do Suez, no qual franceses e britânicos detinham muitas participações, essas duas potências protestaram muito e enviaram tropas "para proteger seus interesses" (ver Seção 11.3). Ao mesmo tempo, os israelenses invadiram o Egito a partir do leste. O objetivo real de todos os três países era derrubar o presidente Nasser. Uma resolução do Conselho de Segurança condenando o uso da força foi vetada pela França e pela Grã-Bretanha, e a Assembleia geral, por uma maioria de votos de 64 a 5, condenou a invasão e exigiu a retirada das tropas. Em função do peso da opinião contrária, os agressores concordaram em se retirar, desde que a ONU garantisse um acordo razoável sobre o canal e impedisse que houvesse um massacre entre os árabes e israelenses. Uma força da ONU entrou com 5.000 soldados de 10 países diferentes, enquanto franceses, britânicos e israelenses se retiravam. O prestígio da ONU e de Dag Hammarskjöld, que lidou com a operação com razoável habilidade, cresceu muito, embora as pressões dos Estados Unidos e da Rússia também tivessem sido importantes para gerar um cessar-fogo. Entretanto, a ONU não teve o mesmo sucesso no conflito árabe-israelense de 1967 (ver Seção 11.4).

(e) O levante húngaro (1956)

Este levante aconteceu ao mesmo tempo da crise do Canal do Suez e mostrou a ONU em sua maior ineficácia. Quando os húngaros tentaram exercer sua independência do controle russo, tropas soviéticas entraram na Hungria para esmagar a revolta. O governo húngaro apelou à ONU, mas os russos vetaram uma resolução no Conselho de Segurança que exigia uma retirada de suas forças. A Assembleia Geral aprovou a mesma resolução e formou um comitê para investigar o problema, mas os russos se recusaram a cooperar com o órgão e não pôde ser feito qualquer avanço. Era visível o contraste com o Suez, onde a Grã-Bretanha e a França se dispuseram a ceder às pressões internacionais. Os russos simplesmente ignoraram a ONU e nada pôde ser feito.

(f) Guerra civil no Congo (1960-1964)

Neste caso a ONU montou sua operação mais complexa até hoje (ver Seção 25.5), com exceção da Coreia. Quando o Congo (conhecido como Zaire desde 1971) mergulhou no caos imediatamente após conquistar a independência, uma força da ONU de 20.000 soldados em seu maior contingente conseguiu restaurar algum tipo de ordem, mesmo precária. Foi estabelecido um fundo especial da ONU para o Congo, com o objetivo de ajudar na recuperação e no desenvolvimento do país devastado, *mas o custo financeiro era tão alto que a organização quase faliu*, principalmente quando URSS, França e Bélgica se recusaram a pagar suas contribuições às operações por desaprovar a forma como ela tinha lidado com a situação. A guerra também custou a vida de Dag Hammarskjöld, morto em um acidente de avião no Congo.

(g) Chipre

O Chipre tem mantido a ONU ocupada desde 1964. Colônia britânica a partir de 1878, a ilha conseguiu sua independência em 1960. Em 1963, começou uma guerra civil entre gregos, que eram cerca de 80% da população, e turcos. Em março de 1964, uma força de paz da ONU restaurou uma paz instável, mas eram necessários 3.000 soldados da organização permanentemente estacionados em Chipre para impedir que gregos e turcos se destroçassem. Mas isso não era o fim do problema: em 1974, os greco-cipriotas tentaram unificar a ilha com a Grécia, o que levou os turco-cipriotas, ajudados por tropas turcas invasoras, a tomar o norte da ilha para ser seu território. Eles passaram a expulsar todos os gregos que tinham o azar de morar nessa área. Mais uma vez, forças da ONU conseguiram um cessar-fogo e até hoje policiam a fronteira entre gregos e turcos, mas a organização ainda não conseguiu encontrar uma Constituição aceitável nem qualquer outro compromisso e não se anima a retirar as tropas.

(h) Caxemira

Na Caxemira a ONU se encontrou em uma situação semelhante à de Chipre. Depois de 1947, essa grande província, situada entre a Índia e o Paquistão (ver Mapa 24.1), era reivindicada por ambos os países. Já em 1948, a organização negociou um cessar-fogo depois que iniciaram os conflitos. Nesse momento, os indianos ocupavam a parte sul da Caxemira, os paquistaneses a parte norte, e pelos 16 anos seguintes, a ONU policiou a linha de cessar-fogo entre as duas zonas. Quando tropas paquistanesas invadiram a zona indiana em 1965, começou uma guerra curta, mas, mais uma vez, a organização conseguiu intervir e as hostilidades cessaram. Todavia, a disputa original permaneceu e em 1990, parecia haver poucas perspectivas de a ONU, ou qualquer outra agência, encontrar uma solução permanente.

(i) A crise da Tchecoslováquia (1968)

Esta crise foi quase uma repetição do levante na Hungria 12 anos antes. Quando os tchecos demonstraram o que Moscou considerava ser muita independência, foram enviadas tropas russas, junto com outras do Pacto de Varsóvia, para garantir a obediência à URSS. O Conselho de Segurança tentou aprovar uma moção condenando a ação, mas os russos a vetaram, afirmando que o governo tcheco tinha pedido sua intervenção. Embora os tchecos negassem, nada havia que a ONU pudesse fazer em vista da recusa da URSS em cooperar.

(j) O Líbano

Enquanto a guerra civil assolava o Líbano (1975-1987), as coisas se complicaram ainda mais por causa de uma disputa na fronteira no sul do país entre cristãos libaneses (ajudados pelos israelenses) e palestinos. Em março de 1978, os israelenses invadiram o sul do Líbano para destruir bases dos guerrilheiros palestinos de onde eram lançados ataques ao norte de Israel. Em junho de 1978, os israelenses concordaram em se retirar, desde que a ONU assumisse a responsabilidade por policiar a fronteira. A *Força Interina das Nações Unidas no Líbano (United Nations Interim Force in Lebanon, UNIFIL)*, com cerca de 7.000 soldados, foi enviada ao sul do país para supervisionar a retirada israelense e teve algum êxito em manter uma relativa paz na área, mas era uma luta constante contra violações de fronteira, assassinatos, terrorismo e tomada de reféns (ver Seção 11.8(b)).

Na década de 1990, um novo inimigo começou a assediar Israel a partir de bases no sul do Líbano: o grupo muçulmano xiita conhecido como Hezbollah, o qual, segundo o governo israelense, era apoiado pelo Irã e pela Síria. Em retaliação, os israelenses lançaram um grande ataque ao sul do Líbano (abril de 1996) e ocuparam a maior parte da região até 1999. Mais uma vez a Unifil ajudou a supervisionar uma retirada israelense e a força foi aumentada para cerca de 8.000 soldados. Em 2002, quando a região parecia calma por muitos anos, a força foi reduzida a cerca de 3.000.

(k) A guerra Irã-Iraque (1980-1988)

A ONU conseguiu dar fim a uma guerra longa entre Irã e Iraque. Depois de anos de tentativas de mediação, a organização acabou negociando um cessar-fogo, embora tenha que admitir que foi ajudada pelo fato de que ambos os lados estavam próximos da exaustão (ver Seção I 1.9).

9.4 MISSÕES DE PAZ DA ONU DESDE O FIM DA GUERRA FRIA

O final da Guerra Fria, infelizmente, não significou o fim dos conflitos potenciais: ainda havia uma série de disputas em andamento que se originou muitos anos antes. O Oriente Médio continuava volátil e havia muitos problemas no sudeste da Ásia e na África. Entre 1990 e 2003, a ONU realizou bem mais de 30 operações de paz. No pico de seu envolvimento, em meados dos anos de 1990, havia mais de 80.000 soldados de 77 países em serviço ativo. Alguns exemplos ilustram a complexidade cada vez maior dos problemas enfrentados pela organização e os crescentes obstáculos que dificultavam o êxito.

(a) A Guerra do Golfo de 1991

A ação da ONU durante a Guerra do Golfo de 1991 foi impressionante. Quando Saddam Hussein, do Iraque, enviou suas tropas para invadir e capturar o minúsculo, mas extremamente rico, Estado vizinho do Kuwait (agosto de 1990), o Conselho de Segurança da ONU o alertou para que retirasse ou enfrentasse as consequências. Diante da recusa, foi enviada uma grande força da ONU à Arábia Saudita. Em uma campanha curta e decisiva, as tropas iraquianas foram expulsas, tendo sofrido grandes perdas, e o Kuwait foi libertado (ver Seção 11.10), mas os críticos da ONU reclamavam que o Kuwait só foi ajudado porque o Ocidente precisava de seus estoques de petróleo. Outros países pequenos, que não tinham valor para o Ocidente, não receberam ajuda quando foram invadidos por vizinhos maiores (por exemplo, o Timor Leste tomado pela Indonésia em 1975).

(b) Camboja/Kampuchea

Os problemas no Camboja (Kampuchea) se arrastaram por cerca de 20 anos, mas a ONU acabou conseguindo uma solução. Em 1975, o Khmer Vermelho, uma guerrilha comunista liderada por Pol Pot, tomou o poder do governo de direita de Lon Nol e, depois, destituiu o Príncipe Sihanouk (ver Seção 21.3). Nos três anos seguintes, o regime brutal de Pol Pot assassinou cerca de um terço da população, até que, em 1978, o exército vietnamita invadiu o país, expulsou o Khmer vermelho e estabeleceu um novo governo. Inicialmente a ONU, estimulada pelos Estados Unidos, condenou essa ação, embora muitas pessoas achassem que o Vietnã tinha prestado um grande serviço ao povo do Camboja livrando-o do cruel regime de Pol Pot, mas tudo fazia parte da Guerra Fria, que significava que qualquer ação do Vietnã, aliado da URSS, seria condenada pelos Estados Unidos. O fim da Guerra Fria possibilitou que a ONU organizasse e fiscalizasse uma solução. As forças vietnamitas foram retiradas (setembro de 1989) e, depois de um longo período de negociações e persuasão, houve eleições (junho de 1993), vencidas pelo partido do Príncipe Sihanouk. O resultado foi amplamente aceito (embora não pelo que sobrou do Khmer Vermelho, que se recusou a tomar parte nas eleições) e o país começou a se estabilizar aos poucos.

(c) Moçambique

Moçambique, que obteve independência de Portugal em 1975, foi dilacerado pela guerra civil durante muitos anos (ver Seção 24.6(d)). Em 1990, o país estava em ruínas e ambos os lados, exaustos. Embora tenham assinado um acordo de cessar-fogo em Roma (outubro de 1992) em uma conferência organizada pela Igreja Católica e pelo governo italiano, ele não se sustentava. Houve muitas violações do cessar-fogo e era impossível realizar eleições naquela atmosfera. A ONU se envolveu integralmente, implementando um programa de desmobilização e desarmamento dos vários exércitos, distribuindo ajuda humanitária e organizando eleições, que aconteceram com êxito em outubro de 1994. Joachim Chissano, da Frelimo, foi eleito presidente e reeleito para mais um mandato em 1999.

(d) Somália

A Somália se desintegrou em uma guerra civil em 1991, quando o ditador Siad Barré foi derrubado e começou uma luta pelo poder entre apoiadores rivais dos generais Aidid e Ali Mohammed. A situação era caótica à medida que o abastecimento de alimentos e as comunicações se desarticularam e milhares de refugiados fugiram para o Quênia. A *Organização de Unidade Africana (OUA)* pediu ajuda da ONU e 37.000 soldados, principalmente norte-americanos, chegaram (dezembro de 1992) para salvaguardar a ajuda e para restaurar e organizar, desarmando os chefes militares locais. Estes, entretanto, principalmente Aidid, não estavam dispostos a ser desarmados, e a ONU começou a sofrer baixas. Os norte-americanos retiraram suas tropas (março de 1994), e as tropas da ONU que sobraram foram retiradas em março de 1995, deixando que os chefes militares brigassem até o final, mas a verdade é que a própria ONU tinha uma tarefa impossível desde o começo: desarmar, à força, dois exércitos extremamente poderosos que estavam determinados a seguir lutando entre si e combinar isso com um programa de ajuda humanitária. As intervenções militares da ONU tinham mais chances de sucesso quando, como na Coreia em 1950-1953 e na Guerra do Golfo de 1991, suas tropas apoiavam ativamente um lado contra o outro.

(e) Bósnia

Uma situação semelhante se desenvolveu na Bósnia (ver Seção 10.7(c)). Na guerra civil entre muçulmanos e sérvios do país, a ONU não enviou soldados suficientes para impor a lei e a ordem, em parte porque tanto a Comunidade Europeia quanto os Estados Unidos estavam relutantes em se envolver. A ONU foi ainda mais humilhada quando, em julho de 1995, não conseguiu impedir que as forças sérvias capturassem duas cidades – Srebrenica e Zepa – que o Conselho de Segurança tinha designado como áreas de segurança para muçulmanos. A impotência da ONU ficou ainda mais visível quando os sérvios assassinaram 8.000 homens muçulmanos em Srebrenica.

(f) Iraque – a derrubada de Saddam Hussein

Em março de 2003, os Estados Unidos e a Grã-Bretanha lançaram a invasão do Iraque, justificada por sua intenção de se livrar das armas de destruição em massa do país e libertar o povo iraquiano do brutal regime de Saddam Hussein (ver Seção 12.4). Os inspetores de armas da ONU já tinham passado meses no Iraque em busca de armas de destruição em massa, sem encontrar nada de importante. O ataque foi adiante, ainda que o Conselho de Segurança da ONU não tivesse dado sua autorização. Os Estados Unidos e a Grã-Bretanha tentaram passar uma resolução no Conselho aprovando a ação militar, mas a França, a Rússia, a China e a Alemanha queriam dar mais tempo a Saddam para que cooperasse com os inspetores de armas. Quando ficou claro que França e Rússia estavam dispostas a vetar a resolução, os Estados Unidos e a Grã-Bretanha decidiram seguir em frente de forma unilateral, sem submeter a resolução a uma votação no Conselho de Segurança, afirmando que as violações de resoluções anteriores da ONU por parte de Saddam eram uma justificativa para a guerra.

A ação norte-americana e britânica foi um duro golpe no prestígio da ONU. O secretário-geral Kofi Annan, falando na abertura da sessão anual da Assembleia Geral em setembro de 2003, disse que a ação tinha levado a ONU a uma "encruzilhada". Até então, todos os Estados precisavam de autorização do Conselho de Segurança se pretendessem usar a força para além do direito normal de autodefesa, como diz o Artigo 51 da Carta da ONU. Contudo, se os países continuassem agindo de forma unilateral e preventiva contra algo que considerassem uma ameaça, isso representaria um desafio fundamental a todos os princípios da paz e da estabilidade do mundo nos quais a ONU se baseava e que vinha tentando atingir, ainda que com imperfeições, nos últimos 58 anos. Isso só conseguiria, ele disse, estabelecer precedentes que resultariam em "uma proliferação do uso unilateral e ilegal da força".

9.5 QUE OUTRAS TAREFAS SÃO RESPONSABILIDADE DA ONU?

Embora o papel de manutenção da paz e de mediadora internacional da ONU chegue com mais frequência às manchetes, a maior parte de seu trabalho está relacionada com objetivos menos espetaculares, de salvaguardar os direitos humanos e estimular o progresso econômico, social, educacional e cultural no mundo todo. Neste livro, o espaço só é suficiente para examinarmos alguns exemplos.

(a) A Comissão de Direitos Humanos

Esse órgão funciona sob supervisão do Ecosoc e tenta garantir que todos os governos tratem seus povos de forma civilizada. Em 1948, a Assembleia Geral adotou uma *Declaração Universal de Direitos Humanos com 30 itens*, dizendo que todas as pessoas, não importa em que país vivam, devem ter certos direitos básicos, sendo que *os mais importantes são direito a*:

- um padrão de vida capaz de assegurar saúde à pessoa e a sua família;
- ser livre de escravidão, discriminação racial, detenção e prisão sem julgamento e tortura;
- ter um julgamento justo e ser considerada inocente até que se prove sua culpa;
- movimentar-se livremente em seu país e poder sair dele;
- casar-se, ter filhos, trabalho, propriedade e votar em eleições;
- ter opiniões e as expressar livremente.

Posteriormente, a Comissão, preocupada com a situação de crianças em muitos países, formulou a *Declaração dos Direitos da Criança (1959). Entre os mais importantes, todas as crianças devem ter:*

- alimentação e tratamento de saúde adequados;
- educação gratuita;
- oportunidade adequada para relaxar e brincar (protegidas contra o trabalho infantil excessivo);
- proteção contra discriminação racial religiosa e de outros tipos.

Todos os governos-membros devem apresentar um relatório trienal sobre a situação em que se encontram os direitos humanos em seu país, mas o problema da ONU é que muitos deles não apresentam e ignoram os termos das Declarações. Quando isso acontece, tudo o que a organização pode fazer é divulgar os países onde acontecem as violações mais flagrantes dos direitos humanos e esperar que a pressão da opinião mundial influencie os governos envolvidos. Por exemplo, a ONU realizou campanhas contra o *apartheid* na África do Sul (ver Seção 25.8) e contra o tratamento brutal que o General Pinochet dava aos prisioneiros políticos no Chile (ver Seção 8.4(c)). Mary Robinson (ex-presidente da República da Irlanda), que foi comissária da ONU para direitos humanos de 1997 a 2002, esforçou-se para aumentar a consciência mundial sobre os problemas, indicando e acusando os países culpados. Infelizmente, ela fez inimigos poderosos em função de suas críticas abertas sobre os históricos deles no campo dos direitos humanos, entre eles a Rússia, a China e os Estados Unidos (todos eles membros permanentes do Conselho de Segurança). O secretário-geral Annan estava satisfeito com o trabalho dela e queria que ela permanecesse por mais um mandato como Comissária, mas Mary foi substituída por Sergio Vieira de Mello, e foi amplamente divulgado que o segundo mandato dela teria sido barrado pelos Estados Unidos.

(b) A Organização Mundial do Trabalho (OMT)

A OMT funciona em sua sede em Genebra, com base nos princípios de que:

- todas as pessoas tem direito a um trabalho;
- deve haver oportunidades iguais para que todos tenham trabalho, independentemente de raça, sexo ou religião;
- deve haver padrões mínimos para condições de trabalho decentes;
- os trabalhadores devem ter o direito de se organizar em sindicatos e outras associações para negociar melhores condições de trabalho e salários (conhecido como negociação coletiva);
- deve haver seguridade social integral para todos os trabalhadores (como seguro para desemprego, saúde e maternidade).

A OMT faz um excelente trabalho de ajuda a países que estejam tentando melhorar as condições de trabalho e recebeu o Prêmio Nobel da Paz em 1969. Ela envia especialistas para demonstrar novos equipamentos e técnicas, estabelece centros de formação em países em desenvolvimento e dirige o Centro Internacional de Tecnologia Avançada e Formação Profissional, em Turim (Itália), que oferece formação vital, de alto nível, para pessoas em todo o Terceiro Mundo. Mais uma vez, contudo, assim como a Comissão de Direitos Humanos, está sempre enfrentando o problema de o que fazer quando os governos ignoram as regras. Por exemplo, muitos governos, incluindo os dos países comunistas e da América Latina, como Chile, Argentina e México, não permitiam que os trabalhadores se organizassem em sindicatos.

(c) A Organização Mundial da Saúde (OMS)

A OMS é uma das agências mais bem-sucedidas da ONU. Seu objetivo é levar o mundo a um ponto em que todos os seus povos estejam não apenas livres de doenças, mas também "em alto nível de saúde". Uma de suas primeiras tarefas foi enfrentar uma epidemia de cólera no Egito em 1947, que ameaçava se espalhar pela África e pelo Oriente Médio. A ação rápida de uma equipe da ONU em pouco tempo controlou a epidemia, que foi eliminada em poucas semanas. A OMS mantém atualmente um banco permanente de vacinas para o caso de novos surtos de cólera e trava uma batalha contínua contra outras doenças, como a malária, a tuberculose e a lepra. A organização oferece dinheiro para a formação de médicos, enfermeiros e outros trabalhadores da saúde em países em desenvolvimento, mantém os governos informados sobre novos medicamentos e fornece anticoncepcionais grátis para mulheres de países do Terceiro Mundo.

Uma da conquistas mais impressionantes foi a eliminação da varíola na década de 1980. Ao mesmo tempo, parecia que o caminho estava adiantado rumo à eliminação da malária, mas nos anos de 1970, apareceu uma nova variedade da doença que havia desenvolvido resistência a medicamentos antimalária. As pesquisas sobre esse tipo de medicamento se tornaram uma prioridade para a OMS. Em março de 2000, foi informado que o problema da tuberculose estava piorando e matando dois milhões de pessoas por ano.

O problema mais sério da saúde mundial nos últimos anos tem sido a epidemia de AIDS. A OMS tem feito um excelente trabalho de coleta de evidências e estatísticas, produzindo relatórios e pressionando as empresas farmacêuticas pela redução dos preços dos medicamentos para tratar o problema. Em junho de 2001, foi criado o Fundo Global da ONU para a AIDS, visando levantar 10 milhões de dólares por ano para combater a doença (ver Seção 27.4 para mais detalhes sobre a AIDS).

(d) A Organização para a Alimentação e Agricultura (*Food and Agriculture Organization*, FAO)

O objetivo da FAO é elevar o padrão de vida das pessoas estimulando melhorias na produção agrícola. A organização foi responsável pela introdução de novas variedades de milho e arroz, que tem maior rendimento e são menos suscetíveis a doenças. Especialistas da FAO mostram às pessoas dos países pobres como aumentar a produção de alimentos com o uso de fertilizantes, novas técnicas e novas máquinas, e são fornecidas verbas para financiar novos projetos. Seu principal problema é ter que lidar com emergências causadas por secas, inundações, guerras civis e outros desastres, quando é necessário abastecer um país de alimentos o mais rápido possível. A Organização tem feito um excelente trabalho e não restam dúvidas de que muito mais pessoas teriam morrido de fome ou desnutrição sem sua atuação. Entretanto, ainda há um longo caminho a ser percorrido: por exemplo, em 1984, especialistas da FAO revelaram que 35 milhões de pessoas morreram de fome, e 24 países africanos dependiam muito da ONU para abastecimento emergencial de alimentos em função da seca. Os críticos da FAO afirmam que ela gasta demais seus recursos com alimentos em lugar de estabelecer sistemas agrícolas melhores nos países pobres.

(e) Organização para Educação, Ciência e *Cultura* (*United Nations Educational, Scientific and Cultural Organization*, Unesco)

A partir de sua sede em Paris, a Unesco faz tudo o que pode para estimular a cooperação internacional entre cientistas, acadêmicos e artistas em todos os campos, com base na teoria de que a melhor forma de evitar a guerra é educando as mentes das pessoas para a busca da paz. Grande parte de seu tempo e de seus recursos são gastos estabelecendo escolas e faculdades para a formação de professores em países subdesenvolvidos. Às vezes, a agência se envolve em projetos culturais e científicos específicos, por exemplo, organizou uma *Década Internacional* da *Água* (1965-1975), durante a qual ela ajudou a financiar a pesquisa sobre o problema dos recursos hídricos do mundo. Depois das enchentes de 1968 em Florença, a Unesco cumpriu um papel importante no conserto e restauro de tesouros artísticos e prédios históricos danificados. Na década de 1980, a Unesco foi alvo de críticas por parte das potências ocidentais, que afirmavam que ela estava ficando politicamente motivada demais (ver Seção 9.6(c)).

(f) O Fundo das Nações Unidas para a Infância (*United Nations Children's Emergency Fund*, Unicef)

O Unicef foi fundado em 1946 para ajudar as crianças que ficaram sem casa depois da Segunda Guerra Mundial e tratou do problema de forma tão eficaz que foi decidido transformá-lo em uma agência permanente, retirando de seu nome a palavra "emergência" (1953). Sua nova função era *ajudar a melhorar a saúde e os padrões de vida das crianças em todo o mundo, principalmente em países mais pobres*. O órgão trabalha em conjunto com a OMS, instalando centros de saúde, formando trabalhadores da saúde e coordenando sistema de formação em saúde e saneamento. Apesar desses esforços, ainda é apavorante que em 1983, 15 milhões de crianças tenham morrido antes dos 5 anos, um número equivalente à população abaixo de 5 anos combinada de Grã-Bretanha, França, Itália, Espanha e Alemanha Ocidental. Naquele ano, o Unicef lançou sua campanha "revolução na saúde infantil", voltada a reduzir a taxa de mortalidade infantil através de métodos simples como estimular a amamentação materna (que é mais higiênica do que a feita com mamadeiras) e imunizar os bebês contra doenças comuns como sarampo, difteria, pólio e tétano.

(g) Agência das Nações Unidas de Socorro e Trabalho (*United Nations Relief and Works Agency*, Unrwa)

Esta agência foi estabelecida em 1950 para lidar com o problema dos refugiados árabes que foram forçados a sair de suas casas quando a Palestina foi dividida para formar o novo Estado de Israel (ver Seção 11.2). A Unrwa fez um ótimo trabalho fornecendo alimentação básica, vestimentas, abrigo e material de saúde. Posteriormente, quando ficou claro que os campos de refugiados seriam permanentes, a Agência começou a construir escolas, hospitais, casas e centros de formação para que os refugiados pudessem conseguir empregos e tornar os campos autossustentáveis.

(h) Agências financeiras e econômicas

1 O Fundo Monetário Internacional (FMI)

O FMI tem o objetivo de fomentar a cooperação entre países para estimular o crescimento do comércio e o desenvolvimento integral de seu potencial econômico. Possibilita empréstimos de curto prazo a países que estejam em dificuldades financeiras, desde que suas políticas econômicas tenham aprovação do Fundo e que estejam dispostos a alterar políticas se o FMI considerar necessário. Em meados dos anos de 1970, vários países do Terceiro Mundo estavam muito endividados (ver Seção 26.2), e em 1977, o FMI estabeleceu um fundo de emergência. Porém, houve muito descontentamento entre as nações mais pobres quando a Diretoria do FMI (dominado pelos países ocidentais ricos, principalmente os Estados Unidos, que fornece a maior parte do dinheiro) começou a impor condições para os empréstimos. À Jamaica e à Tanzânia, por exemplo, exigiu-se que alterassem suas políticas socialistas antes que fossem concedidos os empréstimos, o que foi considerado por muitos como uma interferência inaceitável nas questões internas de Estados-membros.

2 Banco Internacional para a Reconstrução e o Desenvolvimento (Banco Mundial)

O Banco oferece empréstimos para projetos de desenvolvimento específicos, como a construção de barragens para a geração de eletricidade e a introdução de novas técnicas agrícolas e campanhas de planejamento familiar. Mais uma vez, porém, os Estados Unidos, que fornecem a maior parcela de dinheiro para o banco, controlam suas decisões. Quando a Polônia e a Tchecoslováquia solicitaram empréstimos, ambos foram recusados porque eram para países comunistas. Os dois países se retiraram do banco e do FMI em protesto, a Polônia em 1950 e a Tchecoslováquia em 1954.

3 O Acordo Geral de Tarifas e Comércio (General Agreement on Tariffs and Trade, GATT)

Este acordo foi assinado em 1947, quando os Estados-membros da ONU concordaram em reduzir algumas de suas tarifas (impostos sobre importação) para estimular o comércio internacional. Os membros continuam a se reunir, sob a supervisão do Ecosoc, para tentar manter as tarifas o mais baixo possível em todo o mundo. Em janeiro 1995, o GATT se tornou a Organização Mundial do Comércio (OMC), o objetivo era liberalizar e monitorar o comércio mundial, e resolver disputas comerciais.

4 Conferência das Nações Unidas sobre Comércio e Desenvolvimento (United Nations Conference on Trade and Development, Unctad)

A Conferência se reuniu pela primeira vez em 1964 e logo se transformou em um orgão permanente, com o papel de estimular o desenvolvimento da indústria no Terceiro Mundo e pressionar os países ricos para que comprem seus produtos.

(i) Escritório para a Coordenação de Assuntos Humanitários (Office for the Coordination of Humanitarian Affairs, OCHA)

Este orgão começou como o Departamento de Assuntos Humanitários, estabelecido em 1991 para possibilitar que a ONU respondesse mais efetivamente aos desastres naturais e a "emergências complexas" (a expressão da ONU para desastres humanos causados por guerras e outros eventos políticos). Suas funções foram ampliadas em 1998 para incluir a articulação de respostas a todos os desastres humanitários e projetos para o desenvolvimento humano. Ao mesmo tempo, assumiu seu atual nome de OCHA. Tinha uma equipe de cerca de 860 membros, alguns trabalhando em Nova York, outros em Genebra, e outros, ainda, em campo.

Muito trabalho valioso de ajuda foi feito em toda uma série de situações de crise causadas por terremotos, furacões e inundações; a ajuda era mais necessária em países pobres, com infraestruturas menos desenvolvidas e alta densidade populacional. As estatísticas da ONU sugerem que somente em 2003, cerca de 200 milhões de vítimas de desastres naturais e 45 milhões de vítimas de "emergências complexas" receberam auxílio, diretamente da ONU ou organizado por ela. Mas uma crítica recorrente sobre o papel da ONU é que ela carece dos recursos e do poder para funcionar com a eficácia que poderia.

O maior desafio enfrentado pelo OCHA ocorreu no início de 2005, no que ficou conhecido como o desastre do *tsunami*. No primeiro dia útil depois do Natal de 2004, dois imensos terremotos aconteceram no Oceano Índico. O primeiro, de 9 graus na escala Richter, teve seu epicentro perto da costa da ilha Indonésia de Sumatra; o segundo, não tão forte, mas ainda assim registrando 7,3 graus, ocorreu a cerca de 80 km das Ilhas Nicobar. Esses dois terremotos desencadearam uma série de ondas imensas conhecidas como *tsunami*. Não havia qualquer sistema de alerta eficaz, e em poucas horas o *tsunami* estava atingindo o litoral de muitos países em torno do Oceano Índico, como a Indonésia, a Índia, as Ilhas Maldivas, o Sri Lanka, a Tailândia, a Malásia e até a Somália na costa leste da África. Em pouco tempo, estava claro que se tratava de uma catástrofe da mais alta magnitude; pelo menos 150.000 pessoas foram mortas e milhares de outras desapareceram. Os mais afetados foram a Indonésia, o Sri Lanka e a Tailândia onde, em algumas regiões litorâneas, cidades e vilas inteiras foram destruídas. Foi necessária uma imediata operação de ajuda, massiva e complexa, mas os problemas a serem enfrentados eram avassaladores.

A resposta de todo o mundo foi animadora: pessoas comuns responderam positivamente, de forma indistinta, aos apelos por dinheiro, governos estrangeiros prometeram enormes quantidades de dinheiro, 11 países mandaram tropas, navios e aviões, mais de 400 agências não governamentais e beneficentes, como Christian Aid, Cruz Vermelha, o Crescente Vermelho, o Exército da Salvação, Oxfam e Médicos Sem Fronteiras se envolveram em poucos dias. O problema básico era que nenhuma agência isolada estava no controle geral para direcionar os vários tipos de auxílio aos lugares onde eles eram necessários. Aos poucos, o OCHA conseguiu se estabelecer como o principal orgão de coordenação da operação, de forma que em meados de janeiro de 2005, os trabalhadores da operação de ajuda informavam que, após um começo lento e confuso, a operação estava se tornando eficaz. Um porta-voz da Oxfam disse que a ONU estava fazendo um bom trabalho, como qualquer um poderia esperar razoavelmente nas terríveis circunstâncias, e que eles estavam gratos pela liderança sincera de Jan Egeland, coordenador de ajuda emergencial da ONU e seu secretário-geral Kofi Annan.

Entretanto, havia uma operação de longo prazo pela frente: após salvar dezenas de milhares de pessoas da morte por inanição e doenças, o passo seguinte era reconstruir comunidades e restaurar infraestruturas.

9.6 VEREDICTO SOBRE A ORGANIZAÇÃO DAS NAÇÕES UNIDAS

A ONU existe há bem mais de meio século, mas ainda está longe de atingir seus objetivos básicos. O mundo continua cheio de problemas econômicos e sociais, os atos de agressão e as guerras continuam. *Os fracassos da organização foram causados, em certa medida, por fragilidades em seu sistema.*

(a) A falta de um exército permanente

Isso quer dizer que é difícil que Estados poderosos aceitem as decisões da organização se optarem por colocar o interesse próprio em primeiro lugar. Se a persuasão e a pressão do mundo não funcionarem, a ONU tem que depender de países-membros para fornecer tropas que lhe permitam fazer cumprir suas decisões. Por exemplo, a URSS conseguiu ignorar as exigências da ONU para retirar as tropas russas da Hungria (1956) e do Afeganistão (1980). O envolvimento da ONU na Somália (1992-1995) a na Bósnia (1992-1995) mostrou a impossibilidade da organização interromper uma guerra quando as partes em conflito não estiverem dispostas a parar de lutar. Os Estados Unidos e a Grã-Bretanha estavam determinados a atacar o Iraque em 2003, sem autorização da ONU, e ela nada pôde fazer a respeito, principalmente quando os Estados Unidos eram a única superpotência do mundo – de longe, o Estado mais poderoso do mundo.

(b) Quando a ONU deve se envolver?

Há uma discussão sobre quando, exatamente, a ONU deveria se envolver no decorrer de uma disputa. Às vezes ela espera demais e o problema se torna mais difícil de resolver; outras, ela hesita tanto que praticamente não se envolve, caso da guerra do Vietnã (ver Seção 8.3) e na guerra de Angola (ver Seção 25.6). Isso deixa a ONU exposta a acusações de indecisão, de falta de firmeza, fazendo com que alguns países tenham mais fé em suas próprias organizações regionais, como a OTAN, para manter a paz, e muitos acordos sejam gerados sem a participação da ONU, por exemplo, o fim da Guerra do Vietnã, a paz de Camp David entre Israel e Egito em 1979 (ver Seção 11.6), e a solução do problema da Rodésia/Zimbábue no mesmo ano (ver Seção 24.4(c)).

Nesse momento, os críticos afirmavam que a ONU estava se tornando irrelevante e não mais do que uma arena para discursos de propaganda. Parte do problema era que o Conselho de Segurança era impedido pelo veto que poderia ser usado por seus membros permanentes. Embora a resolução "Unidos pela Paz" conseguisse compensar um pouco, o veto ainda poderia causar longos atrasos antes de se realizarem ações decisivas. Anthony Parsons, que por muitos anos foi o representante permanente da Grã-Bretanha na ONU, dá dois exemplos recentes de ocasiões em que a ação precoce poderia ter impedido a luta:

> Se um agressor potencial soubesse que suas forças enfrentariam uma força armada das Nações Unidas, equipada e com autorização para lutar, seria um poderoso desestimulante... Essa força, se empregada no lado do Kuwait na fronteira com o Iraque em 1990, ou no lado croata da fronteira entre a Croácia e a Sérvia em 1991, poderia muito bem ter evitado que fossem desencadeadas as hostilidades.

(c) A crescente participação na ONU a partir dos anos de 1970

A crescente participação na ONU durante a década de 1970 trouxe novos problemas. Em 1970 membros do Terceiro Mundo (África e Ásia) configuravam uma clara maioria. À medida que essas nações começaram a trabalhar mais em conjunto, somente elas poderiam ter certeza de que suas resoluções seriam aprovadas, e foi ficando cada vez mais difícil para os blocos ocidental e comunista aprovarem suas resoluções na Assembleia Geral. As nações ocidentais já não conseguiam que tudo saísse como elas queriam e começaram a criticar o bloco do Terceiro Mundo por ser muito "político", ou seja, por uma atitude que elas desaprovavam. Por exemplo, em 1974, a Unesco aprovou resoluções condenando o "colonialismo" e o "imperialismo". Em 1979, quando o bloco ocidental apresentou uma moção condenando o terrorismo, ela foi derrotada pelos Estados árabes e seus apoiadores.

O atrito evoluiu para uma crise em 1983, no Congresso Geral da Unesco. Muitas nações ocidentais, incluindo os Estados Unidos, acusaram a Unesco de ser ineficaz e esbanjadora e de ter fins políticos inaceitáveis. O que fez com que as coisas chegassem a um ápice foi uma proposta de alguns países comunistas de licenciamento interno para jornalistas estrangeiros. Segundo os Estados Unidos, isso levaria a uma situação na qual os Estados-membros poderiam exercer uma censura eficaz sobre os órgãos de comunicação uns dos outros. Como resultado, os norte-americanos anunciaram que se retirariam da Unesco em 1º de janeiro de 1985, já que ela havia se tornado "hostil às instituições básicas de uma sociedade livre, principalmente o mercado e a imprensa livres". A Grã-Bretanha e Cingapura se retiraram em 1986 pelas mesmas razões, sendo que a primeira voltou a participar em 1997 e os Estados Unidos em 2002.

(d) Há um desperdício de esforços e recursos entre as agências

Algumas das agências, às vezes, parecem repetir o trabalho de outras. Os críticos afirmam que a OMS e a FAO tem muita sobreposição. A segunda foi criticada em 1984 por gastar demais em administração e não o suficiente na melhoria de sistemas agrícolas. O GATT e a Unctad parecem inclusive estar trabalhando um contra o outro: o primeiro tenta eliminar tarifas e qualquer outra coisa que restrinja o comércio, enquanto a segunda tenta obter tratamento preferencial para os produtos de países do Terceiro Mundo.

(e) Escassez de fundos

Ao longo de sua história, a ONU sempre teve falta de fundos. A ampla abrangência de seu trabalho faz com que ela precise de somas incrivelmente altas de dinheiro para financiar seu funcionamento, sendo totalmente dependente dos países-membros. Cada país paga uma contribuição anual baseada em sua riqueza geral e em sua capacidade de pagamento. Além disso, os membros pagam uma parte do custo de cada operação de paz, e também devem contribuir para os gastos dos orgãos especiais. Muitos países-membros se recusam a pagar de tempos em tempos, seja em função de dificuldades financeiras próprias, seja para marcar sua desaprovação de políticas das ONU. O ano de 1986 foi ruim financeiramente: nada menos do que 98 dos membros deviam dinheiro, principalmente os Estados Unidos, que reteve mais de 100 milhões de dólares até que a ONU reformasse seu sistema orçamentário e reduzisse sua extravagância. Os norte-americanos queriam que os países que davam mais tivessem mais autoridade sobre a forma como se gastaria o dinheiro, mas membros menores rejeitaram essa pretensão como sendo antidemocrática. Nas palavras de um dos delegados do Sri Lanka: "Nos processos políticos em nossos países, os ricos não tem mais votos do que os pobres. Gostaríamos que essa também fosse a prática da ONU".

Em 1987, foram introduzidas mudanças que davam mais controle aos principais financiadores sobre os gastos e a situação financeira logo melhorou, mas as despesas cresceram de forma alarmante no início dos anos de 1990, quando a ONU se envolveu em uma série de novas crises, no Oriente Médio (Guerra do Golfo), na Iugoslávia e na Somália. Em agosto de 1993, o secretário-geral, Dr. Boutros-Ghali, revelou que muitos países estavam com grandes atrasos em seus pagamentos. Ele alertou para o fato de que, a menos que houvesse uma injeção imediata de dinheiro dos países ricos do mundo, todas as operações de paz da ONU estariam em risco. Mesmo assim, norte-americanos e europeus achavam que já pagavam demais – os Estados Unidos (com cerca de 30%), a Comunidade Europeia (cerca de 35%) e o Japão (11%) pagavam três quartos das despesas e havia um sentimento de que muitos outros países ricos poderiam contribuir com mais do que contribuíam.

Apesar de todas essas críticas, seria equivocado descartar a ONU como sendo um fracasso, e não cabem dúvidas de que o mundo seria um lugar pior sem ela.

- Ela oferece uma assembleia mundial na qual representantes de 190 nações podem se reunir e conversar. Até a menor das nações tem a oportunidade de se fazer ouvir em um fórum mundial.
- Embora não tenha impedido guerras, a organização teve sucesso em fazer com que algumas delas terminassem mais rapidamente e impediu mais conflitos. Muito sofrimento humano e derramamento de sangue foram impedidos pelas ações das forças de paz da ONU e suas agências para refugiados.
- A ONU tem feito um trabalho valioso ao investigar e divulgar violações de direitos humanos em regimes repressivos, como os governos militares do Chile e do Zaire. Dessa forma tem conseguido, aos poucos, influenciar governos gerando pressão internacional sobre eles.
- Talvez a mais importante de suas conquistas tenha sido estimular a cooperação internacional sobre questões econômicas, sociais e técnicas.

Milhões de pessoas, principalmente em países pobres, vivem melhor, graças ao trabalho da ONU. Ela continua a se envolver nos problemas atuais: Unesco, OMT e OMS estão desenvolvendo um projeto conjunto para ajudar os viciados em drogas, e houve uma série de 15 conferências sobre AIDS, numa tentativa de articular a luta contra esse terrível flagelo, particularmente na África (ver Seção 27.4).

9.7 E O FUTURO DA ONU?

Muitas pessoas achavam que, com o final da Guerra Fria, a maioria dos problemas do mundo iria desaparecer. Isso, na verdade, não aconteceu, e na década de 1990 parecia haver mais conflitos do que jamais houvera antes, e o mundo parecia cada vez menos estável. Evidentemente ainda havia um papel de importância vital a ser cumprido pela ONU como mantenedora da paz internacional, e muitas pessoas estavam ansiosas para que a organização fosse reformada e se fortalecesse. O primeiro-ministro da Grã-Bretanha entre 1970 e 1974, Sir Edward Heath, sugeriu as seguintes reformas que ele achava que tornaria a ONU mais eficaz (em *Guardian Weekend*, 10 de julho de 1993):

- A ONU deve desenvolver um sistema melhor de inteligência, para capacitá-la a impedir o início de conflitos, em lugar de esperar que as coisas saiam de controle. Os serviços de inteligência das grandes potências deveriam dar à ONU informações regulares sobre possíveis lugares problemáticos.
- As operações de paz devem ser aceleradas; às vezes pode passar até quatro meses entre a decisão do Conselho de Segurança de enviar tropas e a chegada dessas tropas ao local. Os governos poderiam ajudar tendo unidades especialmente treinadas para serviços de paz, prontas para mobilização rápida.
- Todos os soldados devem ser treinados no mesmo nível elevado; na Somália, por exemplo, os soldados nigerianos e paquistaneses não haviam sido treinados adequadamente para lidar com situações delicadas. "A criação de uma organização militar central, que supervisione e articule o treinamento das forças de paz da

ONU, faria muito pela padronização dos níveis de treinamento e experiência das tropas que a ONU pode convocar".

- A ONU poderia fazer mais uso de outras organizações regionais, como a OTAN e a Liga Árabe. Por exemplo, poderia autorizar a Liga Árabe a policiar a fronteira entre o Iraque e o Kuwait, reduzindo assim a pressão sobre as tropas da ONU e as despesas.
- A ONU deve monitorar e restringir o fluxo de armas a lugares problemáticos potenciais. Por exemplo, armas norte-americanas foram usadas contra tropas dos Estados Unidos na Somália; soldados franceses na Guerra do Golfo foram atacados por jatos franceses Mirage de propriedade do Iraque. Se as várias facções não tivessem recebido armas, o mundo seria um lugar mais estável. "A ONU deve limitar a venda internacional de armas, através da adoção de um Código de Conduta unificado para os grandes exportadores de armamentos".
- Os membros permanentes do Conselho de Segurança da ONU devem ser ampliados. Desde o fim da Guerra Fria, a ONU tem sido dominada pelos Estados Unidos, a Grã-Bretanha e a França, e isso incomodou muitas nações do Terceiro Mundo. A inclusão de outros membros permanentes restauraria a harmonia e garantiria mais cooperação e boa vontade.

Kofi Annan, que assumiu o cargo de Secretário-Geral em dezembro de 1986, tinha adquirido uma excelente reputação nos anos anteriores como chefe das operações de paz da ONU, pois tinha muito conhecimento das fragilidades da organização e estava determinado a fazer alguma coisa a respeito. Ele ordenou uma revisão minuciosa das operações e o relatório resultante, publicado em 2001, recomendava, entre outras coisas, que a organização deveria ter forças permanentes do porte de brigadas de 5.000 soldados, que estariam prontas para mobilização imediata, comandadas por profissionais militares. O crescimento do terrorismo, principalmente com os ataques de 11 de setembro de 2001 em Nova York, levou Annan, agora no segundo mandato como Secretário-Geral, a apresentar sua *Agenda para avançar nas mudanças* (Setembro de 2002), um plano para reformas para fortalecer o papel da ONU na luta contra o terrorismo, que incluía uma necessária agilização do complicado sistema orçamentário. Essas coisas levam tempo, mas nenhuma das reformas sugeridas está além dos limites do possível.

O problema realmente grave, que vinha se gestando desde o final da Guerra Fria e o surgimento dos Estados Unidos como única superpotência, era o relacionamento futuro entre esse país e a ONU. As tensões começaram a crescer assim que o governo Bush assumiu em 2001: em seu primeiro ano, o novo governo rejeitou o Tratado sobre Mísseis Antibalísticos de 1972, o Protocolo de Kyoto de 1997 (que visava limitar a emissão de gases do efeito estufa). O Estatuto de Roma do novo Tribunal Penal Internacional, bem como as ofertas do Conselho de Segurança de uma resolução autorizando uma guerra contra o terrorismo (já que preferia levar a cabo sua própria autodefesa de qualquer forma que escolhesse). As tensões chegaram a um clímax em março de 2003, quando o governo dos Estados Unidos, ajudado e incitado pelo Reino Unido, decidiu atacar o Iraque *sem autorização da ONU e contra a vontade da maioria dos seus membros*. O poder norte-americano era tão desproporcional que o país podia ignorar a ONU e atacar como bem lhe aprouvesse, a menos que a organização oferecesse o desfecho que ele queria. O desafio para a ONU nos anos que se seguiram era como melhor aproveitar e fazer uso do poder e da influência dos Estados Unidos em vez de ser prejudicada e afastada por ele.

PERGUNTAS

1. A ONU e a crise na Hungria, 1956
Estude as fontes A e B e responda as perguntas a seguir.

Fonte A
Resolução da Assembleia geral da ONU de 6 de novembro de 1956.

> A Assembleia Geral observa, com profunda preocupação, a violenta repressão, por parte de tropas soviéticas, dos esforços do povo húngaro para conquistar liberdade e independência. Ela conclama a URSS a retirar suas forças da Hungria imediatamente, e exige que seja feita uma investigação externa sobre a situação na Hungria e um relatório para o Conselho de Segurança no menor tempo possível.

Fonte B
Declaração do novo governo húngaro ao Conselho de Segurança, 12 de novembro de 1956.

> As tropas soviéticas estão aqui com o propósito de manter a paz e restaurar a lei e a ordem por solicitação do governo húngaro. Não podemos permitir que observadores da ONU entrem na Hungria, já que a situação é puramente uma questão interna do Estado húngaro.

Fonte: Ambas as fontes são oriundas do *Keesings Contemporary Archives* sobre 1956

(a) Quais as evidências que essas fontes fornecem sobre as dificuldades enfrentadas pela ONU?
(b) "O problema da Organização das Nações Unidas é que ela nunca foi unida". Explique por que você concorda ou discorda desse veredicto sobre a ONU no período de 1950 a 1989.

2 "Restam poucas dúvidas de que o trabalho social, econômico e humanitário da ONU foi muito mais bem-sucedido e valioso do que seu papel na manutenção da paz". Examine a validade desse veredicto sobre o trabalho da Organização das Nações Unidas.
3 "A ONU só teve sucesso em solucionar conflitos quando uma das superpotências interveio para apoiá-la". Até que ponto você concordaria com essa visão?
4 Até que ponto se poderia dizer que a ONU tem tido mais êxito ao lidar com os conflitos desde 1990 do que durante a Guerra Fria?

As duas Europas, Oriental (do Leste) e Ocidental, desde 1945

10

RESUMO DOS EVENTOS

No final da Segunda Guerra Mundial, em 1945, a Europa estava tumultuada. Muitas regiões, principalmente a Alemanha, a Itália, a Polônia e as partes ocidentais da URSS, tinham sido devastadas, e mesmo as potências vitoriosas, como a Grã-Bretanha e a URSS, estavam em graves dificuldades financeiras em função das despesas com a guerra. Havia um imenso trabalho de reconstrução a ser feito e muitas pessoas achavam que a melhor forma de fazer isso era através de um esforço conjunto. Alguns, inclusive, pensavam em termos de uma Europa unida, como os Estados Unidos da América, em que os países do continente se juntariam em um sistema federal de governo. Porém, a Europa logo de dividiu em duas em função do Plano Marshall, destinado a promover sua recuperação (ver Seção 7.2(e)). Os países da Europa Ocidental fizeram uso de bom grado da ajuda norte-americana, mas a URSS se recusava a permitir que os países do Leste Europeu a aceitassem, por medo de que seu controle sobre a região fosse prejudicado. A partir de 1947, as duas partes do continente se desenvolveram separadamente, mantidas afastadas pela "cortina de ferro" de Josef Stalin.

Os Estados da Europa Ocidental se recuperaram de forma surpreendentemente rápida dos efeitos da guerra, graças a uma combinação de ajuda norte-americana, um aumento na demanda mundial por produtos europeus, rápidos avanços tecnológicos e planejamento cuidadoso por parte dos governos. *Foram feitas algumas ações rumo à unidade, incluindo a fundação da OTAN e do Conselho da Europa (ambos em 1949) e da Comunidade Econômica Europeia (CEE) em 1957.* Na Grã-Bretanha, o entusiasmo por esse tipo de unidade cresceu de forma mais lenta do que em outros países por medo de que ameaçassem a soberania do país, que decidiu não participar da CEE quando ela foi criada. Quando a Grã-Bretanha mudou de ideia, em 1961, os franceses vetaram sua entrada, e somente em 1972 sua participação foi finalmente aceita.

Enquanto isso, os países comunistas do Leste Europeu tinham que se contentar em serem satélites da URSS. *Eles também avançaram em direção a um tipo de unidade econômica e política com a introdução do Plano Molotov (1947), a formação do Conselho pela Assistência Econômica Mutua (Council for Mutual Economic Assistance, COMECON) em 1949 e do Pacto de Varsóvia (1955).* Até sua morte, em 1953, Stalin tentou fazer com que esses Estados fossem o mais semelhantes possível à URSS, mas depois disso, eles começaram a mostrar mais independência. A Iugoslávia, sob o comando de Tito, já tinha desenvolvido um sistema mais descentralizado, em que as comunas eram um elemento importante. A Polônia e a Romênia introduziram variações bem-sucedidas, mas os húngaros (1956) e os tchecos (1968) foram longe demais e acabaram invadidos por tropas soviéticas, tendo que ceder. Durante a década de 1970, os Estados do Leste Europeu desfrutaram de um período de prosperidade comparativa, mas nos anos de 1980, sentiram os efeitos da depressão mundial.

A insatisfação com o sistema comunista começou a aparecer. No curto período entre meados de 1988 e o final de 1991, o comunismo entrou em colapso na URSS e em todos os Estados do Leste Europeu, com exceção da Albânia, onde sobreviveu até março de 1992. A Alemanha, que foi dividida em dois Estados separados desde pouco depois da guerra, um comunista e outro não, (ver Seção 7.2(h)), foi reunificada (outubro de 1990), voltando a ser um dos países mais poderosos da Europa. Com o fim do comunismo, a Iugoslávia, infelizmente, se desintegrou em uma longa guerra civil (1991-1995).

No Ocidente, a Comunidade Europeia, que a partir de 1992 ficou conhecida como União Europeia, continuou a funcionar com êxito. Muitos dos antigos países comunistas passaram a solicitar sua entrada na União, e em 2005, o número de membros chegava a 25, mas esse aumento trouxe alguns problemas.

10.1 OS ESTADOS DA EUROPA OCIDENTAL

O curto espaço só permite uma rápida olhada nos três países mais influentes da Europa continental.

(a) França

Durante a Quarta República (1946-1958), a França era politicamente fraca, e embora sua indústria estivesse modernizada e florescendo, a agricultura parecia estagnada. Os governos eram fracos porque a nova Constituição dava muito pouco poder ao Presidente. Havia cinco grandes partidos e isso fazia com que os governos fossem coalizões que mudavam constantemente: nos 12 anos de poder da Quarta República, houve 25 governos diferentes, na maioria fracos demais para governar de forma eficaz. Houve vários desastres:

- A derrota francesa na Indochina (1954) (ver Seção 8.3(a));
- O fracasso no Suez (1956) (ver Seção 1 1.3);
- Rebelião na Argélia, que derrubou o governo em 1958.

O General de Gaulle (Ilustração 10.1) saiu de sua aposentadoria para liderar o país. Ele introduziu uma nova Constituição dando mais poder ao presidente (que se tornou a base da Quinta República) e deu independência à Argélia. De Gaulle deixou o cargo em 1969, depois de uma onda de greves e manifestações contrárias, entre outras coisas, à natureza autoritária e antidemocrática do regime.

A Quinta República continuou a proporcionar governos estáveis sob os dois presidentes que se seguiram, ambos de direita – Georges Pompidou (1969-1974) e Valéry Giscard d'Estaing (1974-1981). François Mitterrand, o líder socialista, foi presidente por um longo período, de 1981 até 1995, quando Jacques Chirac, do direitista RPR (*Rassemblement pour la République*) foi eleito presidente pelos sete anos seguintes. As questões dominantes na França, nos anos de 1990, foram a recessão e o desemprego contínuos, dúvidas sobre o papel do país na Comunidade Europeia (havia apenas uma maioria muito pequena em setembro de 1992 a favor do Tratado de Maastricht (ver Seção 10. 4(h)), e inquietações em relação à Alemanha reunificada. Quando o primeiro-ministro de Chirac, Alain Juppé, deu início a cortes com o objetivo de colocar a economia francesa em forma para a introdução do Euro – a nova moeda europeia – que deveria acontecer em 2002, houve muitas manifestações e greves (dezembro de 1995).

Não foi surpresa quando houve uma guinada à esquerda nas eleições parlamentares de maio de 1997. A coalizão conservadora de Chirac perdeu sua maioria no parlamento, e o líder socialista Lionel Jospin se tornou primeiro-ministro. Suas políticas estiveram voltadas a reduzir o déficit orçamentário a não mais de 3% do PIB (Produto Interno Bruto), como era requisito da União Europeia para aderir à nova moeda. Elas não geraram muito entu-

Ilustração 10.1 O chanceler da Alemanha Ocidental Adenauer (esquerda) com o presidente francês, de Gaulle.

siasmo e, nas eleições presidenciais de 2002, a apatia geral dos eleitores permitiu que Jospin sofresse uma derrota e ficasse em terceiro lugar, deixando Chirac e o líder nacionalista de direita Jean-Marie le Pen para disputar um segundo turno. Chirac venceu com facilidade, recebendo 80% dos votos, e seu segundo mandato presidencial foi até 2008.

(b) A República Federal da Alemanha (Alemanha Ocidental)

Fundada em 1949, a República Federal da Alemanha experimentou uma recuperação impressionante – um "milagre econômico" – sob o governo conservador do chanceler Konrad Adenauer (1949-1963), conseguido graças ao Plano Marshall, por uma alta taxa de investimentos em novas indústrias e equipamentos e pelo reinvestimento dos lucros na indústria em vez de os distribuir na forma de dividendos mais elevados ou salários mais altos (o que aconteceu na Grã-Bretanha). A recuperação industrial foi tão completa que, em 1960, a Alemanha Ocidental já estava produzindo 50% mais aço do que a Alemanha unificada produzia em 1938. Todas as classes compartilharam a prosperidade, as aposentadorias e o auxílio às crianças eram ajustados ao custo de vida, e 10 milhões de novas moradias foram oferecidas.

A nova Constituição incentivou a tendência em direção a um sistema bipartidário, o que significava uma melhor chance de governo forte. Os dois principais partidos eram:

- Os Democratas-Cristãos (CDU) – o partido conservador de Adenauer;
- Os Social-Democratas (SDP) – um partido socialista moderado.

Havia um partido menor, o Partido Democrático Livre (*Freie Demokratische Partei, FDP*). Em 1979, foi fundado o Partido Verde, com um programa baseado em questões ecológicas e ambientais.

Os sucessores de Adenauer na CDU, Ludwig Erhard (1963) e Kurt Georg Kiesinger (1966-1969), deram continuidade ao bom trabalho, embora tenha havido alguns reveses e um crescimento do desemprego, o que fez com que o apoio fosse redirecionado ao SDP, que permaneceu no poder, com apoio do FDP, por 13 anos, inicialmente sob o comando de Willi Brandt (1969-1974) e depois, de Helmut Schmidt (1974-1982). Depois dos prósperos anos de 1970, a Alemanha Ocidental começou a sofrer cada vez mais com a recessão mundial. Em 1982, o desemprego havia atingido a cifra de 2 milhões. Quando Schmidt propôs aumentar as despesas para estimular a economia, o FDP, mais cauteloso, retirou seu apoio e Schmidt teve que renunciar (outubro de 1982). Formou-se uma nova coalizão de direita, entre a CDU, a bávara União Social-Cristã (CSU), com apoio do FDP, e o líder da CDU Helmut Kohl se tornou chanceler. A recuperação veio em pouco tempo – as estatísticas de 1985 mostram uma taxa saudável de crescimento econômico de 2,5% e uma grande explosão nas exportações. Em 1988, essa explosão terminou e o desemprego subiu a 2,3 milhões, mas Kohl conseguiu se manter no poder e teve a honra de se tornar o primeiro chanceler da Alemanha reunificada em outubro de 1990 (ver Seção 10.6(e)).

A reunificação trouxe problemas enormes para a Alemanha – o custo da modernização da parte oriental e de fazer crescer sua economia aos padrões ocidentais representou um grande fardo para o país. Foram despejados milhões de marcos e começou o processo de privatização das indústrias estatais. Kohl prometeu fazer a recuperação sem aumentar impostos e garantiu que ninguém ficaria em pior situação depois da unificação. Nenhuma dessas promessas mostrou-se possível: houve aumento de impostos e cortes nos gastos do governo. A economia estagnou, o desemprego aumentou e o processo de recuperação levou muito mais tempo do que qualquer um tivesse previsto. Depois de 16 anos, os eleitores se voltaram contra Kohl e, em 1998, o líder do SDP, Gerhard Schröder, tornou-se chanceler.

A economia continuou sendo o maior desafio do novo chanceler. O governo não conseguiu melhorar muito a situação e Schröder foi eleito por uma margem estreita de votos em 2002. No verão de 2003, o desemprego chegava a 4,4 milhões, ou 10,6% da força de trabalho registrada. No final do ano, o déficit orçamentário passava do teto de 3% para a participação no Euro. A França tinha o mesmo problema. Ambos os países foram aceitos, recebendo uma advertência, mas a situação não evoluiu positivamente. O ministro das finanças da Alemanha admitiu que a meta de equilibrar o orçamento até 2006 não poderia ser atingida sem outro "milagre econômico".

(c) Itália

A nova República da Itália começou com um período de prosperidade e um governo estável chefiado por Gasperi (1946-1953), mas depois, muitos dos antigos problemas da era pré-Mussolini ressurgiram: com pelo menos sete grandes partidos, indo desde os comunistas, à esquerda, até os neofascistas, à direita, era impossível para um partido ter maioria no parlamento. Os dois principais partidos eram:

- os Comunistas (PCI);
- a Democracia Cristã (DC).

A Democracia Cristã era o partido predominante no governo, mas dependia constantemente de alianças com partidos menores de centro e de esquerda. Houve uma série de governos de coalizão fracos, que não conseguiram resolver problemas de inflação e desemprego. Um dos políticos de maior sucesso foi o socialista Bettino Craxi, primeiro-ministro de 1983 a 1987; durante seu mandato, a inflação e o desemprego foram reduzidos, mas quando a Itália entrou nos anos de 1990, os problemas eram basicamente os mesmos.

- Havia uma divisão entre norte e sul: o primeiro, com sua indústria moderna e competitiva, era relativamente próspero, ao passo que no segundo, a Calábria, a Sicília e a Sardenha eram atrasadas, com um padrão de vida muito mais baixo e mais desemprego.
- A Máfia ainda era uma força poderosa, agora intensamente envolvida no tráfico

de drogas, e parecia estar ganhando força no norte. Dois juízes que tinham julgado casos relacionados à organização foram assassinados (1992) e a criminalidade parecia fora de controle.
- A política parecia tomada pela corrupção, com muitos políticos importantes sob suspeição. Mesmo líderes altamente respeitados como Craxi se revelaram envolvidos em negociatas corruptas (1993), ao passo que outro, Giulio Andreotti, sete vezes primeiro-ministro, foi preso e acusado de trabalhar para a Máfia (1995).
- O governo tinha uma dívida imensa e a moeda era fraca. Em setembro de 1992, a Itália, junto com a Grã-Bretanha, foi forçada a se retirar do Mecanismo de Taxa de Câmbio e desvalorizar a Lira.

Politicamente, a situação mudou radicalmente no início dos anos de 1990, com o colapso do comunismo no Leste Europeu. O PCI mudou seu nome para Partido Democrático da Esquerda (PDS), enquanto a Democracia Cristã se rompeu. Seu principal sucessor foi o Partido Popular (PPI). O campo de esquerda encolheu e houve uma crescente polarização entre esquerda e direita. À medida que os anos de 1990 avançavam, as atenções se voltavam para várias questões: a reforma da campanha eleitoral (várias tentativas que fracassaram), preocupações com o número crescente de imigrantes ilegais (que, alegava-se, estavam sendo contrabandeados para dentro do país por grupos da Máfia) e o impulso para fazer com que a economia ficasse forte o suficiente para se unir ao Euro em 2002.

Em maio de 2001, houve uma eleição geral que pôs fim a mais de seis anos de governos de centro-esquerda. Silvio Berlusconi, magnata das comunicações, considerado o homem mais rico da Itália, foi eleito primeiro-ministro em uma coalizão de direita. Ele prometeu, nos cinco anos seguintes, impostos mais baixos, um milhão de novos empregos, aposentadorias mais altas e melhores serviços públicos. Era um líder folclórico e polêmico, que em pouco tempo enfrentava acusações de suborno e vários outros crimes financeiros. Parecia haver alguma dúvida sobre se ele conseguiria completar seu mandato como primeiro-ministro, mas elas acabaram quando seu governo aprovou leis que, na prática, davam-lhe imunidade contra acusações enquanto estivesse no cargo.

10.2 O CRESCIMENTO DA UNIDADE NA EUROPA OCIDENTAL

(a) **Razões para se querer mais unidade**

Em todos os países da Europa Ocidental, havia pessoas que queriam mais unidade. Elas tinham ideias diferentes sobre qual seria exatamente a melhor forma de unidade: algumas simplesmente queriam que as nações tivessem uma cooperação mais próxima, outras conhecidas como "federalistas", queriam ir até o fim e ter um sistema federal como o dos Estados Unidos. *As razões por trás desse pensamento eram*:

- A melhor maneira de a Europa se recuperar dos estragos da guerra era que todos os países fossem econômica e militarmente viáveis e se ajudar entre si, compartilhando seus recursos.
- Os Estados individuais eram pequenos demais e suas economias, muito fracas para que fossem econômica e militarmente viáveis separadamente em um mundo dominado por superpotências, os Estados Unidos e a URSS.
- Quanto mais os países da Europa Ocidental trabalhassem juntos, menos chances haveria de uma nova guerra entre eles. Era a melhor forma para uma rápida reconciliação entre França e Alemanha.
- Ações conjuntas possibilitariam mais eficácia para que a Europa Ocidental resistisse à expansão do comunismo da URSS.
- Os alemães estavam particularmente ávidos pela ideia, porque achavam que ela os ajudaria a obter aceitação como nação responsável mais rapidamente do que após a

Primeira Guerra Mundial, quando a Alemanha teve que esperar oito anos antes de poder entrar para a Liga das Nações.
- Os franceses achavam que mais unidade lhes possibilitaria influenciar as políticas da Alemanha e combater antigas preocupações com segurança.

Winston Churchill foi um dos mais fortes defensores de uma Europa unida. Em março de 1943, ele falou dessa necessidade ao Conselho da Europa, e em um discurso em Zurique, em 1946, sugeriu que a França e a Alemanha Ocidental deveriam assumir a liderança para "uma espécie de" Estados Unidos da Europa.

(b) Os primeiros passos na cooperação

Os primeiros passos na cooperação econômica, militar e política foram dados em pouco tempo, embora os federalistas estivessem muito decepcionados por não haverem se concretizado os Estados Unidos da Europa já em 1950.

1 Organização Europeia de Cooperação Econômica (OECE)

Essa organização foi fundada oficialmente em 1948, e representou a primeira iniciativa rumo à unidade econômica. Começou como resposta à oferta norte-americana de ajuda através do Plano Marshall, quando Ernest Bevin, o ministro de relações exteriores britânico, assumiu a frente na organização de 16 nações europeias (ver Seção 7.2(e)) para elaborar um plano para melhor uso da ajuda, que ficou conhecido como *Programa de Recuperação da Europa (PRE)*. O comitê de 16 nações se transformou na permanente OECE, e sua primeira função, cumprida com sucesso no decorrer dos quatro anos seguintes, era distribuir a ajuda dos Estados Unidos entre seus membros. Depois disso, ela continuou, mais uma vez com grande sucesso, para estimular o comércio entre seus membros reduzindo as restrições. A organização foi ajudada *pelo Acordo Geral sobre Tarifas e Comércio (GATT)* da ONU, cuja função era reduzir tarifas, e pela *União Europeia de Pagamentos (UEP)*, que estimulava o comércio melhorando o sistema de pagamentos entre Estados-membros, para que cada um pudesse usar sua própria moeda. A OECE teve tanto êxito que o comércio entre seus membros dobrou nos primeiros seis anos. Quando os Estados Unidos e o Canadá aderiram, no final de 1961, ela passou a se chamar *Organização para a Cooperação e Desenvolvimento Econômico (OCDE)*. A Austrália e o Japão entraram mais tarde.

2 Organização do Tratado do Atlântico Norte (OTAN)

A OTAN foi criada em 1949 (ver Seção 7.2(i), para uma lista de Estados-membros) como sistema de defesa mútua em caso de ataque a um dos membros. Na cabeça da maioria das pessoas, a URSS era a fonte mais provável de qualquer ataque. A OTAN não era apenas uma organização europeia, incluía também os Estados Unidos e o Canadá. A Guerra da Coreia (1950-1953) fez com que os Estados Unidos pressionassem e conseguissem a integração das forças da OTAN sob um comando centralizado, e foi estabelecido em Paris um Comando *Supremo* das Forças Aliadas na *Europa (Supreme Headquarters Allied Powers Europe, SHAPE)* e um general norte-americano, Dwight D. Eisenhower, era o comandante supremo das forças da OTAN. Até o fim de 1955, a OTAN parecia estar se desenvolvendo de forma impressionante: as forças disponíveis para a defesa da Europa Ocidental tinham quadruplicado e alguns afirmavam que a organização impediu a URSS de atacar a Alemanha Ocidental. Mas logo surgiram os problemas: os franceses não estavam satisfeitos com o papel dominante dos Estados Unidos e, em 1966, o presidente de Gaulle retirou a França da organização, para que as forças francesas e sua política nuclear não fossem controladas por estrangeiros. Comparada com o Pacto de Varsóvia comunista, a OTAN era fraca: com 60 divisões de tropas em 1980, ficava muito aquém de sua meta de 96 divisões, enquanto o bloco comunista poderia se gabar de ter 102 divisões e o triplo de tanques da OTAN.

3 O Conselho da Europa

Fundado em 1949, foi a primeira tentativa de algum tipo de unidade política. Seus membros-fundadores foram Grã-Bretanha, Bélgica, Holanda, Luxemburgo, Dinamarca, França, Irlanda, Itália, Noruega e Suécia. Em 1971, todos os países da Europa Ocidental (com exceção de Portugal e Espanha) tinham entrado, assim como Turquia, Malta e Chipre, perfazendo 18 membros ao todo. Com sede em Estrasburgo, era integrado pelos primeiros-ministros dos países membros e uma assembleia de representantes escolhidas pelos parlamentares dos Estados, mas não tinha poderes, já que vários Estados, incluindo a Grã-Bretanha, recusavam-se a entrar para qualquer organização que ameaçasse sua soberania. O conselho poderia debater questões prementes e fazer recomendações, e realizou trabalhos úteis patrocinando acordos sobre os direitos humanos, mas foi uma grande decepção para os federalistas.

10.3 OS PRIMÓRDIOS DA COMUNIDADE EUROPEIA

Conhecida em seus primórdios como Comunidade Econômica Europeia (CEE) ou Mercado Comum Europeu, a comunidade foi estabelecida oficialmente nos termos do Tratado de Roma (1957), assinado por seis membros-fundadores: França, Alemanha Ocidental, Itália, Holanda, Bélgica e Luxemburgo.

(a) Etapas da evolução da Comunidade

1 Benelux

Em 1944, os governos da Bélgica, Holanda e Luxemburgo, reunidos no exílio em Londres porque seus países estavam ocupados pela Alemanha, começaram a fazer planos para quando a guerra acabasse. Eles concordaram em estabelecer a União Alfandegária Benelux, na qual não haveria tarifas nem outras barreiras alfandegárias, para que o comércio pudesse fluir livremente. A força motriz por trás disso era Paul-Henri Spaak, o líder socialista belga que foi primeiro-ministro de 1947 a 1949; a união entrou em funcionamento em 1947.

2 O Tratado de Bruxelas (1948)

Segundo esse tratado, a Grã-Bretanha e a França se juntaram aos três países do Benelux nos votos de "colaboração militar, econômica, social e cultural". Enquanto a colaboração militar acabou resultando na OTAN, o passo seguinte na cooperação econômica foi a CECA.

3 A Comunidade Europeia de Carvão e Aço (CECA) (European Coal and Steel Community, ECSC)

A CECA foi estabelecida em 1951, foi criação de Robert Schuman (Ilustração 10.2), que foi ministro de relações exteriores da França de 1948 a 1953. Assim como Spaak, ele era muito favorável à cooperação internacional, e esperava que o envolvimento da Alemanha Ocidental melhorasse as relações entre França e Alemanha e ao mesmo tempo, tornasse a indústria europeia mais eficiente. Seis países se somaram:

- França.
- Alemanha Ocidental.
- Itália.
- Bélgica.
- Holanda.
- Luxemburgo.

Todos os impostos sobre o comércio de carvão, ferro e aço entre os seis foram cancelados e foi criada uma Alta Autoridade para dirigir a comunidade e organizar um programa conjunto de expansão, mas os britânicos se recusaram a entrar porque achavam que isso significava dar o controle de suas indústrias a uma autoridade externa. A CECA foi um sucesso tão grande, mesmo sem a Grã-Bretanha (a pro-

Ilustração 10.2 Robert Schuman.

dução de aço cresceu quase 50% nos primeiros cinco anos), que *os seis decidiram ampliá-la para incluir a produção de todos os bens*.

4 A CEE

Mais uma vez, Spaak, agora primeiro-ministro da Bélgica, foi uma das forças motrizes. Os acordos estabelecendo a CEE completa foram assinados em Roma, em 1957, e entraram em vigor integralmente em janeiro de 1958. Os seis países removeriam, aos poucos, todos os impostos e cotas alfandegárias para que houvesse concorrência livre e um mercado comum. As tarifas seriam mantidas contra não membros, mas até mesmo essas foram reduzidas. O tratado também mencionava a melhoria das condições de vida e de trabalho, ampliação da indústria, estímulo ao desenvolvimento das regiões atrasadas do mundo, salvaguardar a paz e a liberdade, e trabalhar por uma maior união dos povos europeus. Era claramente algo muito maior do que simplesmente um mercado comum nas mentes de algumas das pessoas envolvidas. Por exemplo, Jean Monnet (Ilustração 10.3), um economista francês que era presidente da Alta Autoridade da CECA, estabeleceu um *comitê de ação para trabalhar pelos Estados Unidos da Europa*. Assim como a CECA, a CEE em pouco tempo começou a decolar, em cinco anos era o maior exportador e o maior comprador de matérias-primas do mundo, e perdia apenas para os Estados Unidos em produção de aço. Mais uma vez, a Grã-Bretanha havia decidido ficar de fora.

(b) A máquina da Comunidade Europeia

- A *Comissão Europeia* era o orgão que dirigia o dia-a-dia da Comunidade. Sediada em Bruxelas, sua equipe era composta por funcionários públicos e economistas especializados que tomavam as decisões econômicas importantes. Ela tinha muitos poderes, podendo se contrapor a possíveis críticas e oposição de governos dos seis membros, embora, teoricamente, suas decisões tivessem que ser aprovadas pelo Conselho de Ministros.

- O *Conselho de Ministros* consistia em representantes dos governos de cada um dos países-membros. Sua função era intercambiar informações sobre as políticas econômicas de seus governos e tentar coordená-los e mantê-los funcionando em linhas semelhantes. Houve um certo atrito entre o Conselho e a Comissão: esta muitas vezes parecia relutante em dar ouvidos ao assessoramento do Conselho e estava sempre jogando grandes quantidades de novas normas e regulamentos.

Ilustração 10.3 Jean Monnet.

- O *Parlamento Europeu*, que se reunia em Estrasburgo, consistia em 198 representantes escolhidos por parlamentares dos Estados-membros, que podiam discutir questões e fazer recomendações, mas não tinham qualquer controle sobre a Comissão ou o Conselho. Em 1979, foi introduzido um novo sistema de escolha de representantes: em vez de serem indicados pelos parlamentos, eles passaram a ser eleitos diretamente, pelo povo da Comunidade (ver Seção 10.4(b)).
- O *Tribunal de Justiça das Comunidades Europeias* foi estabelecido para lidar com quaisquer problemas que pudessem surgir da interpretação e aplicação do Tratado de Roma, e logo passou a ser considerado como o orgão ao qual as pessoas poderiam apelar quando se considerasse que seu governo estava infringindo as regras da Comunidade.
- Também associada à CEE estava a Euratom, uma organização na qual as seis nações juntavam seus esforços para o desenvolvimento de energia atômica.

Em 1967, a CEE, a CECA e a Euratom se fundiram formalmente e, abandonando a palavra "econômica", passaram a se chamar simplesmente Comunidade Europeia (CE).

(c) A Grã-Bretanha se mantém atrás

Foi uma ironia que, embora Churchill tivesse sido um dos mais ardentes apoiadores de uma Europa unificada, ao se tornar primeiro-ministro de novo em 1951, ele parece ter perdido qualquer entusiasmo que pudesse ter pela participação da Grã-Bretanha nela. O governo conservador de Anthony Eden (1955-1957) decidiu não assinar o Tratado de Roma de 1957. *Havia várias razões para a recusa britânica a entrar.* A principal objeção era que, se entrassem para a comunidade, não teriam mais controle completo de sua economia. A Comissão Europeia em Bruxelas poderia tomar decisões vitais que afetariam as questões econômicas internas da Grã-Bretanha. Embora os governos dos outros seis países estivessem dispostos a fazer esse sacrifício pelo interesse de uma maior eficiência geral, o governo britânico não estava. Também havia receios de que a participação da Grã-Bretanha prejudicasse a relação com a Comunidade Britânica, bem como sua chamada "relação especial" com os Estados Unidos, que não era compartilhada pelas outras nações da Europa. A maioria dos políticos britânicos tinha medo de que a unidade econômica levasse à unidade política e à perda da soberania britânica.

Por outro lado, a Grã-Bretanha, e alguns dos outros países da Europa fora da CEE, estavam preocupados com a possibilidade de serem excluídos da venda de suas mercadorias aos membros da comunidade, em função das altas tarifas sobre importações de fora. Consequentemente, em 1959, a Grã-Bretanha assumiu a liderança na organização de um grupo rival, a *Associação Europeia de Livre Comércio (AELC)* (ver Mapa 10.1). Grã-Bretanha, Dinamarca, Noruega, Suécia, Suíça, Áustria e Portugal concordaram em abolir gradualmente as tarifas entre si. A Grã-Bretanha se dispunha a entrar em uma organização como a AELC porque não eram cogitadas políticas econômicas comuns e não havia Comissão para interferir nas questões internas dos países.

(d) A Grã-Bretanha decide entrar

Menos de quatro anos após a assinatura do Tratado de Roma, os britânicos mudaram de ideia e anunciaram que queriam entrar para a CEE. *Suas razões eram as seguintes*:

- Em 1961, estava claro que a CEE era um grande sucesso, sem a Grã-Bretanha. Desde 1953, a produção francesa tinha aumentado em 75%, enquanto a da Alemanha crescera quase 90%. A economia da Grã-Bretanha teve muito menos êxito: durante o mesmo período, a produção no país tinha aumentado apenas em 30%.
- A Economia britânica parecia estar estagnada em comparação com as outras

economias dos Seis, e em 1960 houve um déficit no balanço de pagamentos de 270 milhões de libras.
- Embora a AELC tenha conseguido aumentar o comércio entre seus membros, esse aumento era pouco quando comparado com o sucesso da CEE.
- A Comunidade Britânica, apesar de sua imensa população, nem se aproximava do poder de compra da CEE. O primeiro-ministro britânico Harold Macmillan não achava que precisasse haver conflito entre a participação da Grã-Bretanha na CEE e seu comércio com a Comunidade Britânica. Havia sinais de que a CEE estava disposta a fazer arranjos especiais para possibilitar que os países do segundo grupo e algumas outras ex-colônias europeias se tornassem sócios. Também seria possível que os parceiros da Grã-Bretanha na AELC entrassem.
- Outro argumento em favor do ingresso era que, uma vez que a Grã-Bretanha estivesse dentro, a concorrência de outros membros da CEE estimularia a indústria britânica a se esforçar mais e ter mais eficiência. Macmillan também argumentava que o país não poderia dar-se o luxo de

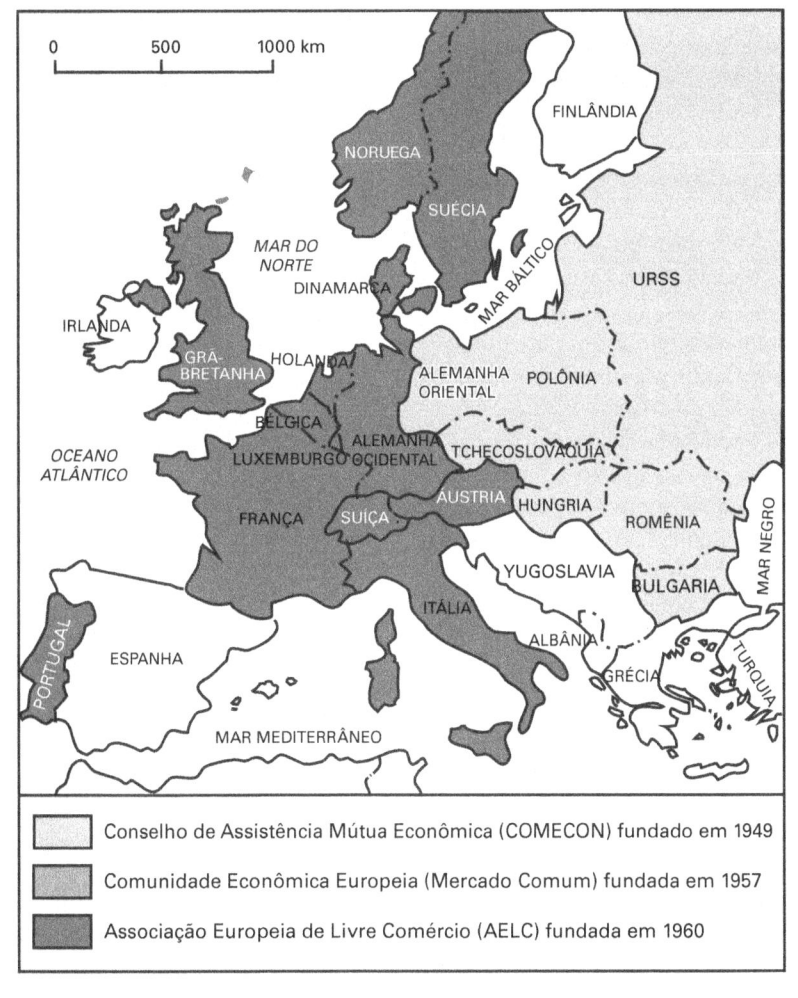

Mapa 10.1 Uniões econômicas na Europa, 1960.

ficar de fora caso a CEE evoluísse para uma união política.

A tarefa de negociar a entrada da Grã--Bretanha na CEE foi confiada a Edward Heath, um entusiasta da unidade europeia. As conversações começaram em outubro de 1961 e, embora houvesse algumas dificuldades, foi um choque quando o presidente francês Charles de Gaulle rompeu as negociações e vetou o ingresso da Grã-Bretanha (1963; Ilustração 10.4).

(e) Por que os franceses se opuseram à entrada da Grã-Bretanha na CEE?

- *De Gaulle afirmava que a Grã-Bretanha tinha problemas econômicos demais e só viria a enfraquecer a CEE.* Ele também era contrário a se fazer qualquer concessão à Comunidade Britânica, argumentando que isso seria drenar os recursos da Europa. Mesmo assim, a CEE tinha acabado de aceitar a ajuda às ex-colônias da França na África.
- Os britânicos acreditavam que o motivo real de de Gaulle era *seu desejo de continuar dominando a Comunidade* e a Grã--Bretanha seria uma rival à altura.
- De Gaulle não estava satisfeito com a "conexão norte-americana" da Grã-Bretanha, acreditando que, em função desses vínculos muito próximos com os Estados Unidos, a participação do país possibilitaria que os norte-americanos dominassem as questões europeias. Isso produziria, disse ele, "um agrupamento atlântico colossal sob dependência e controle dos Estados Unidos". Ele estava incomodado porque os Estados Unidos tinham prometido fornecer mísseis Polaris à Grã-Bretanha, mas não tinham feito a mesma oferta à França. Ele estava determinado a provar que a França era uma grande potência e não precisava da ajuda norte-americana. Foi esse atrito entre França e Estados Unidos que acabou levando de Gaulle a retirar a França da OTAN (1966).
- Por fim, havia o problema da agricultura francesa: a CEE protegia seus agricultores com altas tarifas (impostos de importação) de forma que os preços eram muito mais altos do que na Grã-Bretanha. A agricultura britânica era altamente eficiente e subsidiada para manter os preços baixos. Se isso continuasse após a entrada da Grã-Bretanha, os agricultores franceses, com suas fazendas menores e menos eficientes, estariam expostos à concorrência da Grã-Bretanha e talvez, da Comunidade Britânica.

Nesse meio-tempo, o sucesso da CEE continuava sem a Grã-Bretanha. As exportações da Comunidade cresciam de forma contínua e o valor de suas exportações era constantemente mais alto do que das importações. A Grã-Bretanha, por outro lado, geralmente tinha um balanço comercial deficitário e em 1964, foi forçada a tomar muito dinheiro emprestado no FMI para recompor reservas de ouro que encolhiam rapidamente. Mais uma vez, em 1967, de Gaulle vetou a solicitação de ingresso da Grã-Bretanha.

(f) Os seis passam a ser os nove (1973)

Mais tarde, em 1º de janeiro de 1973, junto com Irlanda e Dinamarca, a Grã-Bretanha conseguiu entrar na CEE e os Seis passaram a ser os Nove. *A entrada da Grã-Bretanha foi possível por dois fatores principais.*

- O presidente de Gaulle renunciou em 1969 e seu sucessor, Georges Pompidou, era mais simpático à Grã-Bretanha.
- O primeiro-ministro conservador britânico Edward Heath negociou com grande habilidade e tenacidade, e fazia sentido que, tendo sido um europeu comprometido por tanto tempo, ele tenha sido o líder que finalmente trouxe a Grã-Bretanha para a Europa.

Ilustração 10.4 O presidente de Gaulle considera que há "obstáculos descomunais" à entrada da Grã-Bretanha no Mercado Comum.

10.4 A COMUNIDADE EUROPEIA DE 1973 A MAASTRICHT (1991)

Os principais eventos e problemas depois que os Seis se tornaram os Nove em 1973 foram os seguintes:

(a) A Convenção de Lomé (1975)

Desde o início, a CEE foi criticada por ser demasiadamente voltada para dentro e autocentrada e por, aparentemente, não demonstrar interesse em usar qualquer parte de sua riqueza para ajudar os países pobres do mundo. Esse acordo, feito em Lomé, a capital do Togo, África Ocidental, ajudou a contrabalançar as críticas, embora vários críticos afirmassem que era muito pouco. Ele possibilitava que as mercadorias de mais de 40 países na África e no Caribe, a maioria de ex-colônias europeias, entrassem na CEE livres de impostos, e também prometia ajuda econômica. Outros países pobres do Terceiro Mundo foram acrescentados à lista mais tarde.

(b) Eleições diretas ao parlamento europeu (1979)

Embora já existisse há mais de 20 anos, a CEE ainda estava muito distante das pessoas comuns. Uma razão para introduzir eleições era tentar gerar mais interesse e fazer com que essas pessoas entrassem mais em contato com as questões da Comunidade.

As primeiras eleições aconteceram em junho de 1979, quando foram eleitos 410 eurodeputados. França, Itália, Alemanha Ocidental e Grã-Bretanha tiveram direito a 81 cada, Holanda a 25, Bélgica a 24, Dinamarca a 16, Irlanda a 15 e Luxemburgo a 6. O comparecimento variou muito de país para país. Na Grã-Bretanha foi decepcionante – menos de um terço do eleitorado britânico teve interesse suficiente para se dar ao trabalho de ir votar. Em alguns outros países, contudo, principalmente na Itália e na Bélgica, a participação foi de mais de 80%. Em termos gerais, no novo parlamento europeu, os partidos de direita e de centro tinham uma maioria confortável sobre a esquerda.

As eleições aconteceriam a cada cinco anos. Quando chegou o momento das novas eleições, a Grécia entrou para a Comunidade. Assim como a Bélgica, ela teve direito a 24 cadeiras, elevando o total a 434. No parlamento europeu, os partidos de centro e de direita mantiveram uma pequena maioria. A participação dos eleitores na Grã-Bretanha foi, mais uma vez, decepcionante, de apenas 32%. Já na Bélgica, foi de 92%, na Itália e em Luxemburgo, mais de 80%, mas nesses três países, o voto era mais ou menos obrigatório. A participação mais alta em um país onde o voto era facultativo foi de 57% na Alemanha Ocidental.

(c) A introdução do Mecanismo de Taxa de Câmbio (MTC) (1979)

Este sistema foi introduzido para vincular as moedas dos Estados-membros com vistas a limitar a possibilidade de que moedas individuais (a lira italiana, os francos da França, Luxemburgo e Bélgica e o marco alemão) pudessem mudar de valor em relação às moedas dos outros membros. A moeda de um país poderia mudar de valor dependendo do desempenho de sua economia: uma economia forte geralmente significava uma moeda forte. Esperava-se que a vinculação das moedas ajudasse a controlar a inflação e acabasse levando a uma moeda única para toda a CEE. Inicialmente, a Grã-Bretanha decidiu não colocar a libra esterlina no MTC, e cometeu o erro de aderir em outubro de 1990, quando a taxa de câmbio estava relativamente alta.

(d) Aumenta o número de membros da Comunidade

Em 1981, a Grécia aderiu, seguida de Portugal e Espanha em 1986, elevando o total de membros a 12 e a população da Comunidade a mais de 320 milhões (esses países não tiveram permissão para entrar antes porque seus sistemas políticos não eram democráticos, ver Capítulo 15, Resumo dos eventos.) Sua chegada causou novos problemas: eles estavam entre os países mais pobres da Europa e sua presença aumentou a influência das nações menos industrializadas dentro da Comunidade. Dali em diante, aumentaria a pressão desses países por mais ação para ajudar os menos desenvolvidos e, assim, aumentar o equilíbrio econômico entre ricos e pobres. O número de membros aumentou mais uma vez em 1995, quando a Áustria, a Finlândia e a Suécia, três países relativamente ricos, aderiram à comunidade. Para mais aumentos, ver Seção 10.8.

(e) A Grã-Bretanha e o orçamento da CEE

Durante os primeiros anos de sua participação, muitos britânicos ficaram decepcionados, porque a Grã-Bretanha parecia não estar conseguindo qualquer benefício evidente da CEE. A República da Irlanda (Eire), que entrou ao mesmo tempo, imediatamente viveu um surto de prosperidade à medida em que suas exportações, principalmente de produtos agrícolas, encontraram novos mercados prontos para recebê-los dentro da Comunidade. A Grã-Bretanha, por sua vez, parecia estar estagnada nos anos de 1970, e embora suas exportações para a Comunidade tivessem de fato aumentado, suas importações aumentaram muito mais. O país não estava produzindo mercadorias suficientes para exportar pelos preços certos. Os concorrentes estrangeiros conseguiam produzir por menos e assim conquistavam uma fatia maior do mercado. As estatísticas do Produto Interno Bruto (PIB) de 1977 eram reveladoras. O PIB é o valor em dinheiro da produção total de um país, com todos os tipos de produtos. Para saber a eficiência de um país, os economistas dividem seu PIB por sua população, o que mostra quanto está sendo produzido *per capita*. A Figura 10.1 mostra que a Grã-Bretanha era economicamente um dos países menos eficientes da CEE, enquanto a Dinamarca e a Alemanha Ocidental estavam no topo.

Em 1980, irrompeu uma grande crise quando a Grã-Bretanha descobriu que sua contribuição orçamentária para aquele ano seria de 1,209 bilhão de libras, enquanto a da Alemanha Ocidental seria de 699 milhões e a França só teria que pagar 3 milhões. A Grã-Bretanha protestou dizendo que sua contribuição era absurdamente alta, considerando-se o estado geral de sua economia. A diferença era tão grande pela forma como se calculava a contribuição orçamentária, que levava em consideração a quantidade de impostos sobre importações recebida por cada governo a partir de mercadorias que entrassem de fora da CEE. Uma parcela desses impostos recebidos tinha que ser dada como parte da contribuição orçamentária anual. Infelizmente, para os britânicos, eles importavam muito mais mercadorias de fora da CEE do que qualquer um dos outros membros, e era por isso que o pagamento era tão alto. Depois de algumas negociações duras por parte da primeira-ministra britânica Margaret Thatcher, chegou-se a um acordo: a contribuição foi reduzida a um total de 1,346 bilhões de libras nos três anos seguintes.

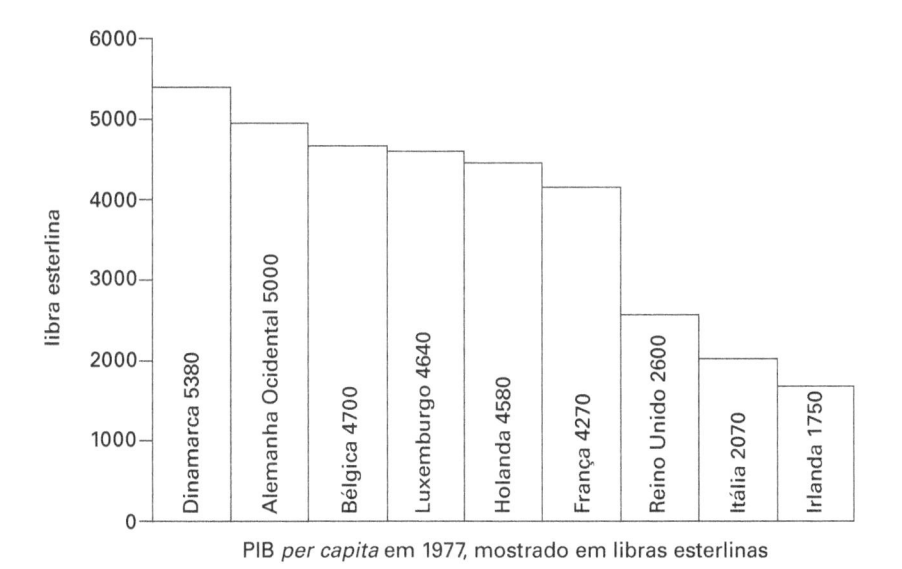

Figura 10.1 Estatísticas do PIB *per capita* (1977).

Fonte: baseado em estatísticas citadas em Jack B. Watson, *Success in World History since* 1945 (John Murray, 1989), p. 150)

(f) As mudanças de 1986

Eventos animadores aconteceram em 1986, quando todos os 12 membros, trabalhando em conjunto, negociaram algumas mudanças importantes que, esperava-se, melhorariam a CEE. Entre elas:

- um avanço para um mercado completamente livre e comum (sem restrições de qualquer tipo sobre o comércio interno e o movimento de mercadorias) a partir de 1992;
- mais controle da CEE sobre saúde, segurança, proteção do meio-ambiente e dos consumidores;
- mais estímulo à pesquisa científica e à tecnologia;
- mais ajuda a regiões atrasadas;
- introdução de votação por maioria sobre muitas questões no Conselho de Ministros, o que impediria que uma medida fosse vetada somente por um Estado que considerasse seus interesses nacionais ameaçados;
- mais poderes para o parlamento europeu, para que pudesse aprovar medidas com menos atraso. Isso fez com que os parlamentos nacionais dos Estados-membros fossem perdendo controle sobre suas próprias questões internas.

Os últimos dois pontos agradaram às pessoas favoráveis à criação dos Estados Unidos da Europa, mas em alguns Estados-membros, principalmente a Grã-Bretanha e a Dinamarca, fizeram ressurgir a velha polêmica sobre soberania nacional. Thatcher desagradou alguns dos outros líderes europeus ao se posicionar contra quaisquer movimentos rumo a uma Europa politicamente unida: "Um governo federal centralizado na Europa seria um pesadelo; a cooperação com outros países europeus não deve se dar à custa da individualidade, os costumes e tradições nacionais tornaram a Europa grande no passado".

(g) A Política Agrícola Comum (PAC)

Um dos aspectos mais polêmicos da CEE era sua Política Agrícola Comum (PAC). Para ajudar os agricultores e os estimular a permanecer no negócio e para que a Comunidade pudesse continuar produzindo grande parte de seus próprios alimentos, decidiu-se pagar subsídios (dinheiro extra para complementar seus lucros). Isso lhes garantiria lucros compensadores e, ao mesmo tempo, manteria os preços em níveis razoáveis para os consumidores, e foi um negócio tão bom para os agricultores que eles foram estimulados a produzir muito mais do que se poderia vender. Mesmo assim, a política se manteve, até que, em 1980, cerca de três quartos de todo o orçamento da CEE estava sendo pago a cada ano em subsídios aos agricultores. A Grã-Bretanha, a Holanda e a Alemanha Ocidental pressionaram por uma limitação desses subsídios, mas o governo francês relutava em concordar com isso porque não queria desagradar aos agricultores de seu país, que estavam se saindo muito bem com os subsídios.

Em 1984, foram introduzidas cotas máximas de produção pela primeira vez, mas isso não resolveu o problema. Em 1987, o estoque acumulado de produção chegou a proporções ridículas e havia um enorme "lago" de vinho e uma "montanha" de manteiga, de um milhão e meio de toneladas, suficiente para abastecer a CEE por um ano. Havia leite em pó suficiente para cinco anos, e somente os custos de armazenagem eram de um milhão de libras por dia. Entre os esforços para se livrar do excedente, vendeu-se barato à URSS, à Índia, ao Paquistão e a Bangladesh, distribuiu-se manteiga de graça aos pobres dentro da Comunidade e ela foi usada para fabricar ração animal. Parte da manteiga mais velha foi queimada em caldeira.

Tudo isso ajudou a causar uma enorme crise orçamentária em 1987: a Comunidade estava 3 bilhões de libras no vermelho e tinha dívidas de 10 bilhões. Em um esforço determinado para resolver o problema, a CEE introduziu um programa rígido de cortes de produção e um congelamento de preços para dar um aperto geral nos agricultores da Europa. Isso causou protestos entre eles, mas no final de 1988, estava conseguindo algum sucesso e os excedentes diminuíam constantemente. Os Estados-membros estavam agora começando a se concentrar na preparação de 1992, quando a introdução do mercado europeu único traria a remoção de todas as barreiras internas ao comércio e, algumas pessoas esperavam, muito mais integração monetária.

(h) Maior integração: o Tratado de Maastricht (1991)

Em dezembro de 1991, foi realizada uma reunião de cúpula de todos os chefes dos Estados-membros em Maastricht (Holanda), e foi elaborado um acordo para "uma nova etapa no processo de criação de uma união ainda mais próxima dos povos da Europa". Alguns pontos acordados foram

- mais poder para o parlamento europeu;
- maior união econômica e monetária, a culminar na adoção de uma moeda comum (o Euro) compartilhada por todos os Estados-membros, perto do final do século;
- uma política exterior e de segurança comum;
- um calendário a ser estabelecido, com as etapas na quais isso será atingido.

A Grã-Bretanha se opôs muito às ideias de uma Europa federal, de uma união monetária e de toda uma parte do tratado conhecida como *Capítulo Social*, que era *uma lista de regulamentações voltadas a proteger as pessoas no trabalho*. Havia regras sobre

- condições de trabalho seguras e saudáveis;
- igualdade no trabalho entre homens e mulheres;
- consulta aos trabalhadores e sua informação sobre o que está acontecendo;
- proteção dos trabalhadores que se tornem redundantes.

A Grã-Bretanha afirmava que essas medidas aumentariam os custos de produção e gerariam desemprego. Os outros membros pareciam achar que o tratamento adequado dos trabalhadores era mais importante. No final, em função das objeções britânicas, *o Capítulo Social foi retirado do Tratado* e ficou para os governos individuais decidir se implementavam ou não. O restante do Tratado de Maastricht, sem o Capítulo Social, teve que ser ratificado (aprovado) pelos parlamentos nacionais dos 12 membros, e isso foi terminado em outubro de 1993.

Os governos francês, holandês e belga deram forte apoio ao Tratado porque achavam que era a melhor maneira de garantir a contenção e o controle do poder da Alemanha reunificada dentro da Comunidade. As pessoas comuns não estavam tão entusiasmadas com o Tratado quanto seus líderes. O povo da Dinamarca inicialmente votou contra, e foi necessária uma campanha firme por parte do governo para que ele fosse aprovado por uma pequena maioria em um segundo referendo (maio de 1993). O povo suíço votou por não aderir à Comunidade (dezembro de 1992), assim como os noruegueses. Até mesmo no referendo francês, a maioria em favor de Maastricht foi mínima. Na Grã-Bretanha, onde o governo não permitiu o referendo, os Conservadores se dividiram em relação à Europa e o Tratado só foi aprovado por uma ínfima minoria no parlamento.

Em meados da década de 1990, depois de quase 40 anos de existência, a Comunidade Europeia (conhecida desde 1992 como União Europeia) tinha sido um grande sucesso economicamente e tinha fomentado boas relações entre seus Estados-membros, mas havia questões vitais a serem enfrentadas:

- Até onde a cooperação política poderia se aproximar da econômica?
- O colapso do comunismo nos Estados do Leste Europeu trouxe consigo todo um cenário novo. Esses Estados (Mapa 10.2) quereriam se juntar à União Europeia e, caso quisessem, qual deveria ser a atitude dos já membros? Em abril de 1994, a Polônia e a Hungria solicitaram formalmente seu ingresso.

10.5 UNIDADE COMUNISTA NO LESTE EUROPEU

Os países comunistas do Leste Europeu foram reunidos em uma espécie de unidade sob a liderança da URSS. A principal diferença entre a unidade no Leste Europeu e a do Ocidente era que os países da primeira foram forçados a entrar nela pela URSS (ver Seção 7.2 (d, e, g) ao passo que os membros da CEE aderiram voluntariamente. No final de 1948, havia nove países no bloco comunista: a própria URSS, Albânia, Bulgária, Tchecoslováquia, Alemanha Oriental, Hungria, Polônia, Romênia e Iugoslávia.

(a) Organização do bloco comunista

Stalin decidiu transformar todos os Estados em cópias da URSS, com os mesmos sistemas político, econômico e educacional, e os mesmos Planos Quinquenais. Todos tinham que realizar a maior parte de seu comércio com a Rússia e suas políticas externas e forças armadas eram controladas por Moscou.

1 O Plano Molotov

Este foi o primeiro passo patrocinado pelos russos em direção a um bloco oriental economicamente unido. A ideia do primeiro-ministro russo, Molotov, era uma resposta à oferta norte-americana de ajuda através do Plano

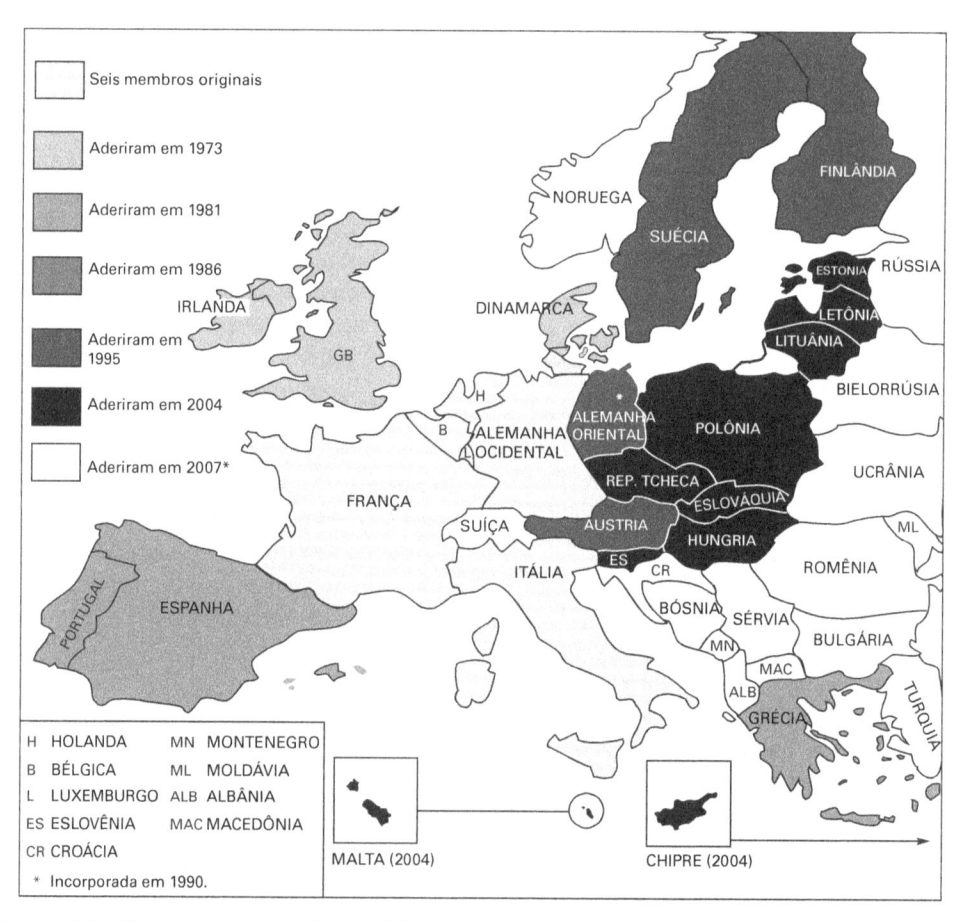

Mapa 10.2 O crescimento da Comunidade e da União Europeia.

Marshall (ver Seção 7.2(e)). Como os russos se recusaram a permitir que qualquer um de seus satélites aceitasse a ajuda, Molotov achava que eles deveriam oferecer uma alternativa. O Plano era basicamente um conjunto de acordos comerciais entre a URSS e seus satélites, negociados durante o verão de 1947, voltado a estimular o comércio no Leste Europeu.

2 O Bureau Comunista de Informações (Communist Information Bureau, Cominform)

Este orgão foi estabelecido pela URSS na mesma época do Plano Molotov. Todos os países comunistas tinham que ser membros e seu objetivo era político: garantir que todos os governos seguissem a mesma linha do governo soviético em Moscou. Ser comunista não era suficiente; era necessário que fosse comunismo no estilo russo.

3 O Conselho de Assistência Econômica Mútua (Council for Mutual Economic Assistance, Comecon)

O Comecon foi estabelecido pela URSS em 1949, com o objetivo de planejar as economias de cada país. Toda a indústria foi nacionalizada (teve o controle assumido pelo Estado) e a agricultura foi coletivizada (organizada em um sistema de grandes fazendas estatais). Posteriormente, Nikita Kruschov (líder russo de 1956 a 1964) tentou usar o Comecon para organizar o bloco comunista em uma única economia integrada. Ele queria que a Alemanha Oriental e a Tchecoslováquia se desenvolvessem como as principais regiões industriais, e a Hungria e a Polônia se concentrassem na agricultura, mas isso provocou reações hostis em muitos países, e Kruschov teve que mudar seus planos para permitir mais variações dentro das economias dos diferentes países. O bloco oriental teve algum sucesso economicamente, aumentando a produção, mas seu PIB médio (ver Seção 10.4(e) para uma explicação sobre o PIB) e sua eficiência geral ficavam abaixo dos da CEE. A Albânia tinha o título questionável de país mais atrasado da Europa. Na década de 1980, as economias dos países do bloco do Leste tiveram dificuldades, como escassez, inflação e uma queda no padrão de vida.

Mesmo assim, o bloco comunista tinha um bom padrão de serviços sociais. Em alguns países do Leste Europeu, os serviços de saúde eram tão bons quanto os de alguns países da CEE, se não melhores. Por exemplo, na Grã-Bretanha dos anos de 1980, havia, em média, um médico para cada 618 pessoas, enquanto na URSS esse número era de 258 e na Tchecoslováquia, de 293. Apenas a Albânia, a Iugoslávia e a Romênia tinham uma relação pior do que a da Grã-Bretanha.

4 O Pacto de Varsóvia (1955)

O Pacto de Varsóvia foi assinado pela URSS e todos os seus Estados-satélites, com exceção da Iugoslávia. Eles prometeram defender uns aos outros em caso de qualquer ataque de fora. Os exércitos dos países-membros passaram a estar sob um controle geral de Moscou. Ironicamente, na única vez em que as tropas do Pacto de Varsóvia tomaram parte em uma ação conjunta foi contra um de seus próprios membros – a Tchecoslováquia – quando a URSS não aprovou as políticas internas tchecas (1968).

(b) Tensões no bloco do Leste

Embora houvesse alguns desacordos na CEE em relação a problemas como a Política Agrícola Comum e a soberania de cada país, elas não eram tão graves quanto as tensões que ocorreram entre a URSS e alguns de seus satélites. Nos primeiros anos do Cominform, Moscou considerava que deveria reprimir qualquer líder ou movimento que parecesse ameaçar a solidariedade no bloco comunista. Por vezes, os russos não hesitaram em usar a força.

1 A Iugoslávia desafia Moscou

A Iugoslávia foi o primeiro Estado a enfrentar Moscou. Ali, o líder comunista Tito devia muito de sua popularidade à sua bem-sucedida resistência às forças nazistas que ocuparam o país durante a Segunda Guerra Mundial. Em 1945, ele foi legalmente eleito líder da nova República Iugoslava, de forma que não devia sua posição aos russos. Em 1948, entrou em atrito com Stalin. *Tito estava determinado a seguir seu próprio estilo de comunismo, e não o do líder russo.* Ele era contrário à supercentralização (tudo controlado e organizado do centro pelo governo), opunha-se ao plano de Stalin para a economia iugoslava e às constantes tentativas russas de interferir nas questões do país, queria estar livre para fazer comércio com o Ocidente, assim como com a URSS. Por isso, Stalin expulsou a Iugoslávia do Cominform e cortou a ajuda econômica, na expectativa de que o país logo ficasse arruinado economicamente e que Tito fosse forçado a renunciar. Entretanto, Stalin cometeu um erro de cálculo: Tito era popular demais para ser derrubado por pressões externas, e Stalin decidiu que seria muito arriscado invadir a Iugoslávia. Tito conseguiu se manter no poder e *continuou a operar o comunismo à sua maneira*, o que incluía contato integral e comércio com o Ocidente e aceitação de ajuda do Fundo Monetário Internacional (FMI).

Os iugoslavos começaram a reverter o processo de centralização: indústrias foram desnacionalizadas e, em lugar de serem estatais, elas se tornaram propriedade pública, administradas por representantes dos trabalhadores por meio de conselhos e assembleias. O mesmo aconteceu na agricultura: as comunas, a unidade mais importante do Estado, eram grupos de famílias, cada um contendo algo entre 5.000 e 100.000 pessoas. A Assembleia da Comuna organizava questões relacionadas a economia, educação, saúde, cultura e bem-estar. O sistema foi um exemplo admirável de pessoas comuns cumprindo um papel na tomada de decisões que afetavam de perto suas próprias vidas, tanto no trabalho quanto na comunidade. Suas conquistas foram muitas, porque os trabalhadores tinham interesses pessoais no sucesso de sua empresa e de sua comuna. Muitos marxistas achavam que essa era a forma como um verdadeiro Estado comunista deveria ser gerido, em vez da supercentralização da URSS.

Todavia, havia algumas fragilidades. Uma delas era a falta de disposição dos trabalhadores para demitir colegas, outra era a tendência a pagar muito a si mesmos, levando a um número exagerado de empregados e a custos e preços elevados. Mas, com seus elementos capitalistas (como diferenciais salariais e um mercado livre), esse foi um sistema marxista alternativo que muitos Estados africanos em desenvolvimento, principalmente a Tanzânia, consideraram atrativo.

Kruschov decidiu que o rumo mais sábio para agir seria melhorar suas relações com Tito. Em 1955, ele visitou Belgrado, a capital da Iugoslávia (Ilustração 10.5), e se desculpou pelas ações de Stalin. A ruptura foi resolvida totalmente quando, no ano seguinte, Kruschov deu sua aprovação formal ao estilo bem-sucedido de comunismo de Tito.

2 Stalin age contra outros líderes

À medida que a desavença com a Iugoslávia se ampliava, Stalin providenciava a prisão de quaisquer líderes comunistas em outros países que tentassem seguir políticas independentes. Ele conseguiu isso porque a maioria desses líderes carecia da popularidade de Tito e devia sua posição ao apoio russo, o que não tornava a forma como eles foram tratados menos ultrajante.

- *Na Hungria*, o ministro do exterior Laszlo Rajk e o do interior, János Kádár, ambos comunistas opostos a Stalin, foram presos. Rajk foi enforcado, Kádár foi para a cadeia e torturado, e cerca de 200.000 pessoas foram expulsas do partido (1949).
- *Na Bulgária*, o primeiro-ministro Traichko Koslov foi preso e executado (1949).
- *Na Tchecoslováquia*, o secretário-geral do Partido Comunista Rudolph Slánský, e depois outros ministros do gabinete, foram executados (1952).

- *Na Polônia*, o líder do Partido Comunista e vice-presidente Wladislaw Gomułka foi preso porque falara a favor de Tito.
- *Na Albânia*, o premier comunista Koze Xoxe foi deposto e executado por simpatizar com Tito.

3 Kruschov: caminhos diferentes rumo ao socialismo

Após a morte de Stalin, em 1953, havia sinais de que os satélites poderiam ter mais liberdade. Em 1956, Kruschov fez um discurso memorável no 20º Congresso do Partido Comunista, que logo ficou famoso, já que ele o usou para criticar muitas políticas de Stalin e parecia disposto a reconhecer que havia "diferentes vias rumo ao socialismo" (ver Seção 18.1(a)). Ele resolveu os problemas com a Iugoslávia e, em abril de 1956, aboliu o Cominform, que vinha incomodando os parceiros da Rússia desde que foi estabelecido, em 1947. Contudo, eventos na Polônia e na Hungria logo mostraram que havia limites claros à nova tolerância de Kruschov...

(c) Crise na Polônia

Em junho de 1956, houve uma greve geral e uma enorme manifestação contra o governo e contra os soviéticos em Poznan. As faixas exigiam "pão e liberdade" e os trabalhadores estavam protestando contra o baixo padrão de vida, reduções salariais e altos impostos. Embora tenham sido dispersados por tropas polonesas, a tensão permaneceu alta durante todo o verão. Em outubro, tanques russos cercaram a capital polonesa Varsóvia, embora até então não tivessem agido. No final, *os russos decidiram aceitar um acordo*: Gomułka, que havia sido preso por ordens de Stalin, pôde ser indicado novamente como primeiro-secretário do Partido Comunista. Aceitou-se que o comunismo polonês poderia se desenvolver à sua própria maneira, desde que acompanhasse a Rússia nas questões de política exterior. Os russos obviamente acreditavam que poderiam confiar que Gomułka não se desviaria muito. As relações entre os dois países continuaram razoavelmente boas, embora a versão polonesa de comunismo certamente não seria aceita

Ilustração 10.5 O Marechal Tito (esquerda) com Kruschov (centro) sepultam suas diferenças.

por Stalin. Por exemplo, a coletivização da agricultura foi introduzida muito lentamente, e provavelmente apenas 10% das terras agricultáveis chegaram a ser coletivizadas. A Polônia também comercializava com países de fora do bloco comunista. Gomułka permaneceu no poder até renunciar, em 1970.

(d) A Revolução Húngara (1956)

A situação na Hungria terminou de forma bastante distinta da que ocorreu na Polônia. Após a morte de Stalin (1953), o líder que lhe era favorável, Rakosi, foi substituído por um comunista moderado, Imry Nagy. Contudo, Rakosi continuava a interferir e derrubou Nagy (1955). A partir dali, o descontentamento contra o governo foi crescendo constantemente até explodir em um levante total (outubro de 1956). *Suas causas foram várias*:

- Havia ódio ao regime brutal de Rakosi, sob o qual pelo menos 2.000 pessoas foram executadas e outras 200.000 foram colocadas na prisão e em campos de concentração.
- O padrão de vida das pessoas comuns estava piorando, enquanto líderes odiados do Partido Comunista levavam vidas confortáveis.
- Havia um intenso sentimento antirrusso.
- O discurso de Kruschov no 20º congresso e o retorno de Gomułka ao poder na Polônia encorajaram os húngaros a resistir a seu governo.

Rakosi foi derrubado, Nagy se tornou primeiro-ministro, e o popular cardeal católico Mindszenty, que estava preso há seis anos por suas ideias anticomunistas, foi libertado.

Até esse momento, os russos pareciam dispostos a aceitar algum acordo, como haviam feito na Polônia, *mas Nagy foi longe demais, anunciando planos de montar um governo que incluísse membros de outros partidos políticos, e falava em retirar a Hungria do Pacto de Varsóvia*. Os russos não permitiriam isso: se Nagy conseguisse o que queria, a Hungria poderia se tornar um Estado não comunista e deixar de ser um aliado da URSS, o que estimularia as pessoas em outros países do bloco do Leste a fazer o mesmo. Tanques russos invadiram, cercaram a capital Budapeste e abriram fogo (3 de novembro). Os húngaros resistiram bravamente e a luta durou duas semanas antes dos russos conseguirem controlar o país. Cerca de 20.000 pessoas foram mortas e outras 20.000, presas. Nagy foi executado, embora lhe tivessem prometido um salvo-conduto, e talvez 200.000 pessoas tenham fugido do país e ido para o Ocidente. Os russos instalaram como novo líder húngaro János Kádár, que, embora tivesse sido preso antes por ordens de Stalin, era agora um confiável aliado de Moscou, e permaneceu no poder até 1988.

(e) A crise na Tchecoslováquia (1968)

Após a intervenção militar na Hungria, os russos não interferiram de forma tão direta em lugar algum até 1968, quando lhes pareceu que os tchecos estavam se desviando muito da linha comunista aceita. Nesse meio-tempo, eles tinham permitido variações consideráveis entre os Estados e, por vezes, não pressionavam pela aplicação de planos impopulares. Por exemplo, a Iugoslávia, a Albânia e a Romênia continuavam com suas próprias versões de comunismo. Em 1962, quando Kruschov sugeriu que cada Estado-satélite deveria se concentrar em um produto específico, os húngaros, os romenos e os poloneses, que queriam desenvolver uma economia completa, protestaram muito e a ideia foi silenciosamente abandonada. Desde que não fossem introduzidas políticas que ameaçassem a dominação do Partido Comunista, os russos pareciam relutantes em interferir. Em meados da década de 1960, foi a vez dos tchecos descobrirem até onde poderiam ir antes de os russos mandarem parar. Seu governo era comandado por um comunista pró-Moscou, Antonin Novotny, e *a oposição foi crescendo aos poucos, por várias razões*.

- Os tchecos eram industrial e culturalmente os mais avançados entre os povos do

bloco oriental e *se opunham ao controle supercentralizado que os russos exerciam sobre sua economia*. Não parecia ter sentido que eles fossem obrigados a usar minério de ferro de baixa qualidade da Sibéria quando poderiam estar usando um de alto teor da Suécia.
- Entre 1918 e 1938, quando a Tchecoslováquia era um Estado independente, os tchecos desfrutaram de muita liberdade, *mas agora estavam descontentes com todas as restrições à liberdade pessoal*. Jornais, livros e revistas sofriam uma pesada censura (ou seja, só podiam publicar o que o governo permitisse), e não havia liberdade de expressão. Qualquer pessoa que criticasse o governo poderia ser presa.
- Quando tentavam fazer passeatas de protesto, as pessoas eram dispersadas pela polícia, que usavam métodos violentos e brutais.

As coisas chegaram ao ápice em janeiro de 1968, quando Novotny foi forçado a renunciar e Alexander Dubček se tornou primeiro-secretário do Partido Comunista. *Ele e seus apoiadores tinham um programa completamente novo*.

- O Partido Comunista não mais ditaria as políticas.
- A indústria seria descentralizada, ou seja, as fábricas seriam dirigidas por conselhos de trabalhadores em vez de serem controladas da capital por representantes do partido.
- Em vez de as fazendas serem coletivizadas (propriedade e direção do Estado), elas se tornariam cooperativas independentes.
- Haveria poderes mais amplos para os sindicatos.
- Haveria mais comércio com o Ocidente e liberdade para viajar para o exterior; a fronteira com a Alemanha Ocidental, que estava fechada desde 1948, seria aberta imediatamente.
- Haveria liberdade de expressão e de imprensa; as críticas ao governo seriam estimuladas. Dubček acreditava que, embora o país pudesse permanecer comunista, o governo deveria conquistar o direito de permanecer no poder respondendo aos desejos do povo. Ele chamava isso de "socialismo com rosto humano".
- Ele foi muito cuidadoso em garantir aos russos que a Tchecoslováquia iria permanecer no Pacto de Varsóvia e continuaria sendo um aliado confiável.

Durante a primavera e o verão de 1968, esse programa foi implementado. Os russos ficavam cada vez mais preocupados com ele, e em agosto, houve uma grande invasão da Tchecoslováquia por tropas russas, polonesas, búlgaras, húngaras e alemãs orientais. O governo tcheco decidiu não resistir para evitar o tipo de derramamento de sangue que havia acontecido na Hungria em 1956. O povo tcheco tentou resistir passivamente, entrando em greve e fazendo manifestações pacíficas contra os russos, mas, no final, o governo foi forçado a abandonar seu novo programa. No ano seguinte Dubček foi substituído por Gustáv Husák, um líder comunista que fazia o que Moscou mandasse e assim conseguiu ficar no poder até 1987.

Os russos intervieram porque Dubček ia permitir liberdade de expressão e de imprensa, o que acabaria por gerar reivindicações semelhantes no bloco soviético. Os russos não ousavam arriscar, porque poderia gerar protestos de massa e levantes na própria URSS. Havia pressões demandando ações russas por parte de outros líderes comunistas, principalmente na Alemanha Oriental, que receavam que os protestos pudessem ultrapassar a fronteira da Tchecoslováquia e entrar na Alemanha. Pouco tempo depois, Leonid Brejnev, o líder russo que ordenou a invasão, anunciou o que chamou de *Doutrina Brejnev*, a qual dizia que a intervenção nas questões internas de qualquer país comunista se justificava se houvesse ameaça ao socialismo (com o que ele queria dizer comunismo).

(f) O bloco comunista avança para o colapso

Embora os países do Leste Europeu parecessem, na superfície, estar firmemente sob controle russo, o descontentamento contra a linha dura de Moscou ia crescendo, principalmente na Polônia e na Tchecoslováquia.

- *Na primeira, Gomułka foi forçado a renunciar depois de protestos (1970), e seu substituto, Gierek, também renunciou (1980) depois de agitação nas indústrias, escassez de alimentos e greves no porto de Gdansk e outras cidades.* O novo governo foi forçado a permitir a formação de um sindicato independente, conhecido como Solidariedade. Os russos mandaram tropas para a fronteira com a Polônia, mas não houve invasão desta vez, talvez porque eles tinham mandado tropas para o Afeganistão e não estivessem dispostos a arriscar outro envolvimento militar tão cedo.
- *Os Acordos de Helsinque (1975) causaram problemas no bloco comunista.* Esses acordos foram assinados em uma conferência em Helsinque (capital da Finlândia) por todos os países da Europa (com exceção de Albânia e Andorra) e também por Canadá, Estados Unidos e Chipre. Eles prometiam trabalhar por mais cooperação nas questões econômicas e na manutenção da paz, bem como para proteger os direitos humanos. Em pouco tempo, as pessoas na URSS e em outros países comunistas estavam acusando seus governos de não permitir direitos humanos básicos.
- *Na Tchecoslováquia, foi formado um grupo de direitos humanos chamado Carta 77 (em 1977), e na década de 1980, passou a expressar mais suas críticas ao governo de Husák.* Em dezembro de 1986, um porta-voz do grupo disse: "Enquanto Husák viver, a estagnação política reinará suprema; uma vez que ele se vá, o partido explodirá".
- *A essas alturas, todos os Estados comunistas estavam sofrendo graves problemas econômicos*, muito piores do que os da CEE. Embora não muitas pessoas no Ocidente se dessem conta, o comunismo e seu bloco se aproximavam rapidamente do colapso e da desintegração.

10.6 POR QUE E COMO O COMUNISMO DESABOU NO LESTE EUROPEU?

No curto período entre agosto de 1988 e dezembro de 1991, o comunismo foi varrido no Leste Europeu. A Polônia foi a primeira a rejeitar o comunismo, seguida de perto por Hungria, Alemanha Oriental e o restante, até que, no final de 1991, mesmo a Rússia tinha deixado de ser comunista, depois de 74 anos. Por que esse colapso dramático aconteceu?

(a) Fracasso econômico

O comunismo, como existia no Leste Europeu, foi um fracasso econômico. Simplesmente não gerou o padrão de vida que seria possível, dados os vastos recursos disponíveis. Os sistemas econômicos eram ineficientes, supercentralizados e sujeitos a restrições. Todos os países deveriam fazer a maioria do seu comércio dentro do bloco comunista. Em meados da década de 1980, havia problemas por todas as partes. Segundo Misha Glenny, correspondente da BBC no Leste Europeu,

> as lideranças do Partido Comunista se recusavam a admitir que a classe trabalhadora estivesse em condições mais miseráveis, respirando mais ar poluído e bebendo mais água contaminada, do que as classes trabalhadoras do Ocidente... o histórico do comunismo em saúde, educação, habitação e uma série de outros serviços sociais tinha sido atroz.

O aumento do contato com o Ocidente na década de 1980, mostrou às pessoas o quanto o Leste estava atrasado em comparação com o Ocidente e sugeriu que seu padrão de vida estava caindo ainda mais. Também mostrou que a causa de todos os seus problemas deveria ser seus próprios líderes e o sistema comunista.

(b) Mikhail Gorbachov

Mikhail Gorbachov, que se tornou líder da URSS em março de 1985, deu início ao processo que levou ao colapso do Império Soviético. Ele reconheceu os problemas do sistema e admitiu que era uma "situação absurda" que a URSS, o maior produtor de aço, combustível e energia do mundo, sofresse escassez em função de desperdício e ineficiência (ver Seção 18.3 para a situação na URSS). Ele esperava salvar o comunismo revitalizando-o e o modernizando, introduzindo as novas políticas da *glasnost* (transparência) e *perestroika* (reforma econômica e social). As críticas ao sistema foram estimuladas em busca de melhorias, desde que ninguém criticasse o Partido Comunista. Ele também esperava arquitetar a derrubada dos líderes comunistas antiquados e linha-dura na Tchecoslováquia, e provavelmente esteve envolvido na derrubada dos líderes da Alemanha Oriental, da Romênia e da Bulgária. Sua esperança era de que líderes mais progressistas aumentassem as chances de salvar o comunismo nos Estados-satélites da Rússia.

Infelizmente, para Gorbachov, uma vez iniciado o processo de reformas, mostrou-se impossível controlá-lo. O momento mais perigoso para qualquer regime repressivo é quando ele tenta se reformar fazendo concessões. Elas nunca são suficientes para satisfazer os críticos e, na Rússia, esses críticos inevitavelmente se voltaram contra o próprio Partido Comunista, e exigiam mais. A opinião pública ficou contra o próprio Gorbachov, porque muitas pessoas achavam que ele não estava avançando com velocidade suficiente.

O mesmo aconteceu nos Estados-satélites: os líderes comunistas consideraram difícil se adaptar à nova situação de ter um líder mais progressista do que eles em Moscou. *Os críticos ficaram mais ousados ao se dar conta de que Gorbachov não mandaria tropas soviéticas para invadir e atirar neles.* Sem esperar ajuda de Moscou, quando a crise chegou, nenhum dos governos comunistas estava preparado para usar força suficiente contra os manifestantes (com exceção da Romênia). Quando eles chegaram, as rebeliões tinham se espalhado demais e teria sido necessário um enorme comprometimento de tanques e tropas para segurar todo o Leste Europeu ao mesmo tempo. Tendo acabado de conseguir se retirar do Afeganistão, Gorbachov não queria um envolvimento ainda maior. No final, foi um triunfo do "poder popular": os manifestantes desafiaram deliberadamente a ameaça de violência em quantidades tão imensas que as tropas teriam que ter atirado em uma parcela enorme da população nas cidades grandes para manter o controle.

(c) A Polônia sai na frente

O general Jaruzelski, que se tornou líder em 1981, estava disposto a assumir uma linha dura: quando o Solidariedade (o novo movimento sindical) exigiu um referendo para demonstrar o forte apoio com que contava, Jaruzelski declarou lei marcial (ou seja, o exército assumiu o controle), proibiu o Solidariedade e prendeu milhares de ativistas. O exército obedecia suas ordens porque todo mundo ainda tinha medo de uma intervenção militar russa. Em julho de 1983, o governo estava firme no controle: Jaruzelski achou que era seguro suspender a lei marcial e os membros do Solidariedade foram libertados aos poucos. Mas o problema subjacente ainda estava lá: todas as tentativas de melhorar a economia fracassaram. Em 1988, quando Jaruzelski tentava economizar cortando subsídios do governo, começaram as greves, porque as mudanças fizeram com que os preços dos alimentos aumentassem. Desta vez, Jaruzelski decidiu não arriscar o uso da força, pois sabia que não haveria apoio de Moscou e se deu conta de que precisava da oposição para lidar com a crise econômica. Em fevereiro de 1989, iniciaram-se conversações entre o governo comunista, o Solidariedade e outros grupos de oposição (a Igreja Católica foi eloquente em suas críticas). Em abril de 1989, chegaram a um acordo sobre mudanças na Constituição.

- o Solidariedade poderia se tornar um partido político;
- haveria duas casas no parlamento, uma câmara baixa e um senado;
- na câmara baixa, 65% das cadeiras tinham que ser dos comunistas;
- o senado seria eleito livremente – sem cadeiras comunistas garantidas;
- as duas câmaras votando juntas elegeriam o presidente, que escolheria um primeiro-ministro.

Nas eleições de junho de 1989, o Solidariedade elegeu 92 das 100 cadeiras no senado, e 160 das 161 que podia disputar na câmara baixa. Para formar governo, chegou-se a um acordo: Jaruzelski foi eleito presidente por uma pequena margem, graças a todas as cadeiras comunistas garantidas na câmara baixa, mas escolheu um apoiador do Solidariedade, Tadeusz Mazowiecki, como primeiro-ministro, o primeiro líder não comunista no bloco do Leste (agosto). Mazowiecki escolheu um governo misto de comunistas e apoiadores do Solidariedade. A nova Constituição mostrou-se apenas provisória. Depois da queda do comunismo nos outros Estados do Leste Europeu, outras mudanças na Polônia suspenderam as cadeiras comunistas garantidas e nas eleições de dezembro de 1990, Lech Walesa, o líder do Solidariedade, foi eleito presidente. A revolução pacífica na Polônia estava completa.

(d) A Revolução pacífica se espalha para a Hungria

Quando os poloneses derrubaram o comunismo sem interferência da URSS, era só uma questão de tempo antes que o restante do Leste Europeu tentasse seguir seu caminho. Na Hungria, até mesmo o próprio Kádár admitiu que o padrão de vida havia caído nos últimos cinco anos e culpava a má administração, má organização, maquinário e equipamentos desatualizados no setor estatal da indústria. Ele anunciou novas medidas de descentralização: conselhos por empresa e administradores eleitos. Em 1987, houve conflitos no Partido Comunista entre os que queriam mais reformas e os que queriam um retorno ao controle central rígido. Esse embate chegou ao ápice em maio de 1988, quando, em meio a uma cena dramática na conferência partidária, Kádár e oito de seus apoiadores foram excluídos do Politburo em uma votação, deixando os progressistas no controle.

Mas, assim como na URSS, os avanços não eram profundos o suficiente para muitas pessoas. Dois grandes partidos de oposição passaram a atuar cada vez mais, a liberal Aliança dos Democratas Livres e o Fórum Democrático, que defendia os interesses de agricultores e camponeses. A liderança comunista húngara, seguindo o exemplo dos poloneses, decidiu avançar pacificamente. Foram realizadas eleições livres em março de 1990 e, apesar de uma mudança de nome, para Partido Socialista Húngaro, os comunistas sofreram uma derrota arrasadora. A eleição foi vencida pelo Fórum Democrático, cujo líder Jozsef Antall, tornou-se primeiro-ministro.

(e) A Alemanha reunificada

Na Alemanha Oriental, Erich Honecker, que era líder comunista desde 1971, recusava-se a fazer reformas e pretendia se manter firme, junto com a Tchecoslováquia, a Romênia e o restante, para sustentar o comunismo. Mas *Honecker logo foi atropelado pelos eventos*:

- Gorbachov, desesperado para obter ajuda financeira da Alemanha Ocidental para a URSS, fez uma visita ao chanceler Kohl em Bonn e prometeu ajudar a dar um fim à Europa dividida, em retorno por ajuda econômica alemã. Na verdade, ele estava secretamente prometendo liberdade para a Alemanha Oriental (junho de 1989).

- Em agosto e setembro de 1989, milhares de alemães orientais começaram a escapar para o lado ocidental através da Polônia, Tchecoslováquia e Hungria, quando esta abriu suas fronteiras com a Áustria.
- A Igreja Protestante na Alemanha Oriental se tornou o foco de um partido de oposição chamado Novo Fórum, que buscava o fim do regime comunista repressivo e ateísta. Em outubro de 1989, houve uma onda de manifestações em toda a Alemanha Oriental, exigindo liberdade e o fim do comunismo.

Honecker queria ordenar que o exército abrisse fogo contra os manifestantes, mas outros líderes comunistas não estavam dispostos a causar um grande derramamento de sangue. Eles destituíram Honecker, e seu sucessor, Egon Krenz, fez concessões. O muro de Berlim foi aberto (9 de novembro de 1989) com uma promessa de eleições livres.

Quando as grandes potências começaram a dar sinais de que não impediriam uma Alemanha reunificada, os partidos políticos da Alemanha Ocidental avançaram para o Leste. O chanceler Kohl fez uma viagem eleitoral e a versão oriental de seu partido (CDU) teve uma vitória arrasadora (março de 1990). O líder da CDU na Alemanha Oriental, Lothar de Maiziere, tornou-se primeiro-ministro. Ele esperava ações graduais rumo à reunificação, mas, mais uma vez, a pressão do "poder do povo" fez tudo antes disso. Quase todo mundo na Alemanha Oriental parecia querer a união imediata.

A URSS e os Estados Unidos concordaram que a reunificação poderia acontecer. Gorbachov prometeu que todas as tropas russas seriam retiradas da Alemanha Oriental até 1994. A França e a Grã-Bretanha, que não estavam tão satisfeitas com a reunificação alemã, sentiram-se compelidas a ir a favor da corrente. A Alemanha foi formalmente reunificada em 3 de outubro de 1990. Nas eleições para toda a Alemanha, (dezembro de 1990) a aliança conservadora CDU/CSU, junto com seus apoiadores liberais do FDP, teve uma vitória confortável sobre o SDP, social-democrata. Os comunistas (rebatizados de Partido do Socialismo Democrático – PDS) conquistaram somente 17 das 662 cadeiras do *Bundestag* (a câmara baixa do parlamento). Helmut Kohl se tornou o primeiro chanceler de toda a Alemanha desde a Segunda Guerra Mundial.

(f) Tchecoslováquia

A Tchecoslováquia tinha uma das mais bem-sucedidas economias do Leste Europeu. O país negociava amplamente com o Ocidente, sua indústria e seu comércio se mantiveram dinâmicos durante a década de 1970, mas, no início dos anos de 1980, a economia passou a ter problemas, principalmente porque houve muito poucas tentativas de modernizar a indústria. Husák, que estava no poder desde 1968, renunciou (1987), mas seu sucessor, Milos Jakes, não tinha reputação de reformista. As coisas mudaram subitamente em questão de dias, no que ficou conhecido como a Revolução de Veludo. Em 17 de novembro de 1989, houve uma manifestação muito grande em Praga, na qual muitas pessoas foram feridas pela violência policial. A Carta 77, agora liderada pelo famoso dramaturgo Václav Havel, organizou mais oposição e depois que Alexander Dubček discursou em um ato, pela primeira vez desde 1968, foi declarada uma greve nacional. Isso bastou para derrubar o regime comunista: Jakes renunciou e Havel foi eleito presidente (29 de dezembro de 1989).

(g) O restante do Leste Europeu

O fim do comunismo nos outros Estados do Leste Europeu foi um processo menos claro.

1 Romênia

Na Romênia, o regime comunista de Nicolae Ceaușescu (líder desde 1965) era um dos mais brutais e repressivos que existiam no mundo. Sua polícia secreta, a Securitate, foi responsável por muitas mortes. A revolução chegou breve e sangrenta: começou em Timisoara, uma cidade no oeste da Romênia, com uma manifestação de apoio a um padre popular que estava sendo assediado pela Securitate, que foi reprimida brutalmente, com muitas pessoas mortas (17 de dezembro de 1989). Esse fato gerou indignação em todo o país e, quatro dias depois, quando Ceaușescu e sua mulher apareceram na sacada da sede do Partido Comunista em Bucareste para discursar em uma manifestação de massas, foram recebidos com vaias e gritos de "assassinos de Timisoara". A cobertura da TV foi interrompida de repente e Ceaușescu abandonou seu discurso. Parecia que toda a população de Bucareste saíra às ruas. Inicialmente, o exército atirou na multidão e muitas pessoas foram mortas e feridas. No dia seguinte, as massas saíram de novo, mas agora o exército se recusava a continuar a matança, e os Ceaușescu tinha perdido o controle. Eles foram presos, julgados por um tribunal militar e fuzilados (25 de dezembro de 1989).

Os odiados Ceaușescu já não existiam, mas muitos elementos do comunismo permaneciam na Romênia. O país nunca teve um governo democrático e a posição foi esmagada de forma tão cruel que não havia um equivalente do Solidariedade polonês ou do Carta 77 tcheco. Formou-se um comitê chamado Frente de Salvação Nacional (FSN), que estava repleto de ex-comunistas, que queriam reformas. Ion Iliescu, que havia sido membro do governo de Ceaușescu até 1984, foi escolhido como presidente. Ele venceu uma eleição presidencial em maio de 1990, e a FSN venceu as eleições para um novo parlamento. Eles negavam veementemente que o novo governo fosse comunista sob um nome diferente.

2 Bulgária

Na Bulgária, o líder comunista *Todor Zhivkov* estava no poder desde 1954 e tinha rejeitado teimosamente todas as reformas, mesmo quando pressionado por Gorbachov. Os comunistas progressistas decidiram se livrar dele. O Politburo votou pela sua destituição (dezembro de 1989) e em junho de 1990, foram realizadas eleições livres. Os comunistas, agora chamados de Partido Socialista da Bulgária, tiveram uma vitória confortável sobre o principal partido de oposição, a União de Forças Democráticas, provavelmente porque sua máquina de propaganda disse às pessoas que a introdução do capitalismo traria o desastre econômico.

3 Albânia

A Albânia era comunista desde 1945, quando a resistência comunista tomou o poder e instalou uma república. Portanto, assim como na Iugoslávia, os russos não foram responsáveis pela introdução do comunismo. Desde 1946 até sua morte em 1985, o líder tinha sido *Enver Hoxha*, um grande admirador de Stalin e imitador fiel de seu sistema. Sob comando do novo líder Ramiz Alia, a Albânia continuou sendo o país mais pobre e mais atrasado da Europa. No inverno de 1991, muitos jovens albaneses tentaram escapar de sua pobreza cruzando o Mar Adriático para a Itália, mas a maioria deles foi mandada de volta. Nessa época, estavam começando a estourar manifestações e as estátuas de Hoxha e Lênin eram derrubadas. Com o tempo, a liderança comunista cedeu ao inevitável e permitiu eleições livres. Em 1992, foi eleito o primeiro presidente não comunista, Sali Befsla.

4 Iugoslávia

Os eventos mais trágicos aconteceram na Iugoslávia, onde o final do comunismo levou a uma guerra civil e à desarticulação do país (ver Seção 10.7).

(h) O Leste Europeu após o comunismo

Os países do Leste Europeu se depararam com problemas semelhantes em termos gerais: como passar de uma economia planejada, ou "de comando" para uma economia livre, onde governassem as "forças de mercado". A indústria pesada, a qual, teoricamente, deveria ser privatizada, era, em grande parte, antiquada e não competitiva, e agora perdera seus mercados garantidos no bloco comunista, de forma que ninguém queria comprar suas ações. Embora as lojas estivessem mais bem abastecidas do que antes, os preços dos produtos ao consumidor dispararam e muito poucas pessoas podiam comprá-los. O padrão de vida estava ainda mais baixo do que nos últimos anos do comunismo, e viria muito pouca ajuda do Ocidente. Muitas pessoas tinham esperado uma melhoria milagrosa e, não fazendo concessões para a gravidade dos problemas, em pouco tempo estavam decepcionadas com seus novos governos.

- *Os alemães orientais* eram os mais afortunados, tendo a riqueza da ex-Alemanha Ocidental para ajudá-los. Mas mesmo lá havia tensões: muitos alemães ocidentais estavam insatisfeitos com as imensas quantidades do dinheiro "deles" que eram despejadas no lado oriental, eles tinham que pagar impostos mais elevados e se submeter a taxas de juros mais altas. Os orientais não gostavam das grandes quantidades de ocidentais que agora entravam e conseguiam os melhores empregos.
- *Na Polônia*, os primeiros quatro anos de governo não comunista foram difíceis para as pessoas comuns, já que o governo ia adiante com sua reorganização da economia. Em 1994, havia sinais claros de recuperação, mas muitas pessoas estavam profundamente decepcionadas com seu novo governo democrático. Na eleição presidencial de dezembro de 1995, Lech Walesa foi derrotado por um antigo membro do Partido Comunista, Aleksander Kwasniewski.
- *Na Tchecoslováquia*, havia problemas de outra espécie: a Eslováquia, a metade leste do país, exigia independência, e durante um tempo, parecia haver uma forte possibilidade de guerra civil. Felizmente, houve um acordo pacífico e o país foi dividido em dois – a República Tcheca e a Eslováquia (1992).
- Como era de se esperar, os avanços econômicos mais lentos aconteceram na Romênia, na Bulgária e na Albânia, onde a primeira metade dos anos de 1990 foi acossada por queda na produção e inflação.

10.7 GUERRA CIVIL NA IUGOSLÁVIA

A Iugoslávia foi formada depois da Primeira Guerra Mundial e consistia no Estado da Sérvia anterior à guerra, mais os territórios conquistados por este da Turquia em 1913 (contendo principalmente muçulmanos) e território tomado do derrotado Império Habsburgo. O país incluía pessoas de muitas nacionalidades diferentes e o Estado foi organizado em termos federais. Eram seis repúblicas: Sérvia, Croácia, Montenegro, Eslovênia, Bósnia-Herzegovina e Macedônia. Havia também duas províncias, Vojvodina e Kosovo, que eram associadas à Sérvia. Durante o comunismo e sob a liderança de Tito, os sentimentos nacionalistas dos diferentes povos foram mantidos estritamente sob controle e as pessoas eram incentivadas a se considerar iugoslavas em primeiro lugar, em vez de sérvias ou croatas. As diferentes nacionalidades conviviam em paz, e aparentemente tinham conseguido deixar para trás suas lembranças das atrocidades cometidas durante a Segunda Guerra Mundial. Uma delas foi quando apoiadores croatas e muçulmanos do regime fascista estabelecido pelos italianos para governar a Croácia e a Bósnia durante a guerra foram responsáveis pelo assassinato de 700.000 sérvios.

Contudo, ainda havia um movimento nacionalista croata, e alguns de seus líderes, como Franjo Tudjman, passaram períodos na cadeia. Tito, que morreu em 1980, tinha deixado planos minuciosos para que o país fosse governado por uma presidência coletiva após sua morte. Ela consistiria em um representante de cada uma das seis repúblicas e de cada uma das duas províncias, e um presidente diferente desse conselho seria eleito a cada ano.

(a) As coisas começam a dar errado

Embora a liderança coletiva parecesse estar funcionando bem no início, em meados dos anos de 1980, as coisas começaram a dar errado.

- *A economia estava com problemas*, com a inflação em 90% em 1986 e um milhão de desempregados, ou seja, 13% da população trabalhadora. Havia diferenças entre as regiões: por exemplo, a Eslovênia era razoavelmente próspera enquanto partes da Sérvia eram muito pobres.
- *Slobodan Milošević*, que se tornou presidente da Sérvia em 1988, tem grande parte da responsabilidade pela tragédia que se seguiu, pois acirrou deliberadamente os sentimentos nacionalistas sérvios para aumentar sua popularidade, usando a situação em Kosovo. Ele afirmava que a minoria sérvia estava sendo aterrorizada pela maioria albanesa, embora não houvesse evidências definitivas disso. O tratamento linha-dura que o governo sérvio dava aos albaneses provocou manifestações e os primeiros surtos de violência. Milošević permaneceu no poder após as primeiras eleições livres na Sérvia, em 1990, tendo conseguido convencer os eleitores de que agora ele era nacionalista, e não comunista. Ele queria preservar o Estado federal unido da Iugoslávia, mas pretendia que a Sérvia fosse a república dominante.
- *No final de 1990*, também foram realizadas eleições livres nas outras repúblicas, e assumiram governos não comunistas. Eles estavam descontentes com a atitude da Sérvia – e ninguém mais do que Franjo Tudjman, ex-comunista agora líder da direitista União Democrata Croata e presidente da Croácia. Ele fez tudo o que pôde para incitar o nacionalismo croata e queria um Estado independente da Croácia.
- *A Eslovênia também queria se tornar independente*, de forma que o futuro parecia pouco alentador para a Iugoslávia unida. Apenas Milošević se opunha ao desmembramento do Estado, mas queria que ele se mantivesse nos termos da Sérvia e se recusava a fazer qualquer concessão a outras nacionalidades. Ele se recusou a aceitar um croata como presidente da Iugoslávia (1991) e usava dinheiro federal iugoslavo para ajudar a economia da Sérvia.
- *A situação se complicou porque cada república tinha minorias étnicas*: havia cerca de 600.000 sérvios morando na Croácia, uns 15% da população, e cerca de 1,3 milhão de sérvios na Bósnia-Herzegovina, mais ou menos um terço da população. Tudjman não dava garantias aos sérvios que moravam na Croácia, o que deu à Sérvia a desculpa para anunciar que defenderia todos os sérvios vivendo sob governo croata. A guerra não era inevitável: com estadistas dispostos a fazer concessões sensíveis, poderiam ter sido encontradas soluções pacíficas, mas estava claro que, se a Iugoslávia se desmembrasse, com homens como Milošević e Tudjman no poder, havia poucas chances de um futuro pacífico.

(b) Avançando para a guerra: a Guerra Servo-Croata

O ponto de crise foi atingido em junho de 1991, quando a Eslovênia e a Croácia se declararam independentes, contra os desejos da Sérvia. A luta parecia provável entre tropas do exército federal iugoslavo (majoritariamente sérvio) estacionadas nesses países, e as novas milícias croata e eslovena, que acabavam de ser formadas. A guerra civil foi evitada na Eslovênia principalmente porque havia poucos sérvios morando lá. A CEE conseguiu atuar como mediadora e garantir a retirada de soldados iugoslavos da Eslovênia.

Contudo, a história foi diferente na Croácia, com sua grande minoria Sérvia. Tropas sérvias invadiram a região leste do país (Eslavônia oriental) onde viviam muitos sérvios, e outras cidades, incluindo Dubrovnik, no litoral da Dalmácia, foram bombardeadas. No final de agosto de 1991, eles tinham conquistado cerca de um terço do país. Somente então, tendo conquistado todo o território que queria, foi que Milošević concordou com um cessar-fogo. Uma força da ONU de 13.000 soldados, a Unprofor, foi enviada para policiá-la (fevereiro de 1992). Então, a comunidade internacional já tinha reconhecido a independência da Eslovênia, da Croácia e da Bósnia-Herzegovina.

(c) A guerra na Bósnia-Herzegovina

Justamente quando as hostilidades entre Croácia e Sérvia estavam arrefecendo, uma luta ainda mais sangrenta estava por estourar na Bósnia, que continha uma população mista, com 44% de muçulmanos, 33% de sérvios e 17% de croatas. A Bósnia declarou independencia sob a presidência do muçulmano Alia Izetbegović (março de 1992). A CEE reconheceu sua independência, cometendo o mesmo erro que havia cometido com a Croácia – deixou de certificar se o novo governo garantiria um tratamento justo a suas minorias. Os sérvios da Bósnia rejeitavam a nova Constituição e se opunham a um presidente muçulmano. *Em pouco tempo, iniciou a luta entre eles, que recebiam ajuda e estímulo da Sérvia, e os muçulmanos da Bósnia.* Os sérvios tinham esperanças de que uma ampla faixa de terra no leste da Bósnia, que fazia fronteira com a Sérvia, pudesse se desligar do país dominado pelos muçulmanos e se tornar parte da Sérvia. Ao mesmo tempo, a Croácia atacou e ocupou partes do norte da Bósnia onde morava a maior parte dos croatas bósnios.

Todos os lados cometeram atrocidades, mas parecia que os sérvios da Bósnia eram os mais culpados. Eles realizaram "limpeza étnica", que significa expulsar a população civil muçulmana das áreas de maioria sérvia, colocando-a em campos, e em alguns casos, assassinando todos os homens. Esse tipo de barbarismo não era visto na Europa desde o tratamento nazista dos judeus durante a Segunda Guerra Mundial. Sarajevo, a capital da Bósnia, foi sitiada e bombardeada pelos sérvios, e em todo o país houve caos: dois milhões de refugiados foram expulsos de suas casas pela "limpeza étnica" e não havia alimentação e material médico suficiente.

A força da ONU, Unprofor, fez o melhor que podia para distribuir ajuda, mas seu trabalho era muito difícil porque ela não dispunha de artilharia ou aviação de apoio. Mais tarde, a ONU tentou proteger os muçulmanos declarando Srebrenica, Zepa e Gorazde, as três principais cidades muçulmanas na região sérvia, como "áreas seguras", mas não foram oferecidos soldados suficientes para defendê-las se os sérvios decidissem atacar. A CEE estava relutante em mandar tropas e os norte-americanos achavam que a Europa deveria ser capaz de resolver seus próprios problemas, mas concordaram em impor sanções econômicas à Sérvia para forçar Milošević a parar de ajudar os sérvios da Bósnia. A guerra se arrastou até 1995, houve negociações intermináveis, ameaças de ação por parte da OTAN e tentativas de obter um cessar-fogo, mas não conseguiram avançar.

Durante o ano de 1995, aconteceram mudanças cruciais que possibilitaram a assinatura de um acordo de paz em novembro. *O comportamento sérvio acabou sendo demais para a comunidade internacional:*

- Forças sérvias voltaram a bombardear Sarajevo, matando várias pessoas, depois de ter prometido retirar suas armas pesadas (maio).

- Os sérvios fizeram os soldados da força de paz da ONU como reféns para deter bombardeios aéreos da OTAN.
- Eles atacaram e capturaram Srebrenica e Zepa, duas das "áreas seguras" da ONU, e na primeira, cometeram o que talvez seja o maior ato de barbarismo, matando cerca de 8.000 muçulmanos em um surto final terrível de "limpeza étnica".

Depois disso, as coisas avançaram rapidamente:

1. Croatas e muçulmanos (que haviam assinado um cessar-fogo em 1994) concordaram em lutar juntos contra os sérvios. As regiões da Eslavônia do leste (maio) e Krajina (agosto) foram recapturadas aos sérvios.
2. Em uma conferência em Londres, com a participação dos norte-americanos, acertou-se o uso de bombardeios aéreos da OTAN e o emprego de uma "força de reação rápida" contra os sérvios bósnios se eles continuassem a agressão.
3. Os sérvios da Bósnia ignoraram isso e continuaram a bombardear Sarajevo; 27 pessoas foram mortas por um único morteiro em 28 de agosto. A isso se seguiu um bombardeio massivo de posições dos sérvios da Bósnia, que continuou até que eles concordassem em afastar suas armas de Sarajevo. Foram enviadas mais tropas da ONU, embora, na verdade, a posição da organização estivesse fragilizada porque a OTAN estava dirigindo a operação agora. A estas alturas, os líderes dos sérvios da Bósnia, Radovan Karadzic e o general Mladic, tinham sido indiciados pelo Tribunal Europeu para crimes de guerra.
4. O presidente Milošević, da Sérvia, já estava farto da guerra e queria que as sanções econômicas contra seu país fossem suspensas. Com os líderes sérvios da Bósnia desacreditados aos olhos internacionais como criminosos de guerra, ele conseguiu representar os sérvios em uma mesa de negociações.
5. Com os norte-americanos assumindo a liderança, foi acordado um cessar-fogo e os presidentes Clinton e Yeltsin concordaram em trabalhar conjuntamente para acordos de paz. *Houve uma conferência de paz nos Estados Unidos, em Dayton (Ohio) em novembro, e foi assinado formalmente um tratado de paz em Paris (dezembro de 1995):*

- A Bósnia continuaria sendo um Estado único, com um único parlamento e um presidente eleitos, e Sarajevo unificada como sua capital.
- O Estado consistiria em duas seções: a federação Muçulmana bósnio-croata e a república bósnio-sérvia.
- Gorazde, a "área segura" sobrevivente, ficaria nas mãos dos muçulmanos, ligada a Sarajevo por um corredor através do território sérvio.
- Todos os criminosos de guerra indiciados foram banidos da vida pública.
- Todos os refugiados bósnios, mais de um milhão, teriam o direito de retorno, e haveria liberdade de ir e vir em todo o novo Estado.
- 60.000 soldados da OTAN policiariam o novo acordo.
- Entendia-se que a ONU suspenderia as sanções econômicas sobre a Sérvia.*

Houve um alívio geral pela paz, embora não houvesse reais vencedores e o acordo estivesse cheio de problemas. Só o tempo diria se seria possível manter o novo Estado (Mapa 10.3) ou se a república bósnio-sérvia acabaria tentando se separar e se juntar à Sérvia.

---

* N. de R: Na verdade, o país continuava a ser denominado Iugoslávia até 2003, e até 2006 de República da Sérvia e Montenegro, quando a última se tornou independente. Em 2008 a província de Kosovo declarou unilateralmente sua independência da Sérvia, ainda não reconhecida.

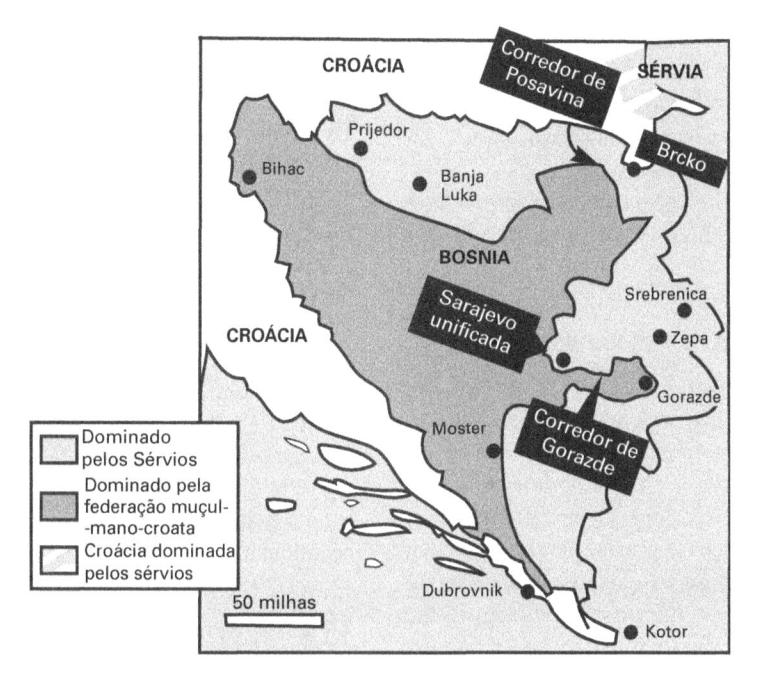

Mapa 10.3 O acordo de paz na Bósnia.

(d) O conflito em Kosovo

Restava o problema do Kosovo, onde a maioria albanesa era profundamente contrário às políticas linha-dura de Milošević e à perda de muito de sua autonomia local provincial. Os protestos não violentos começaram já em 1989, liderados por Ibrahim Rugova. Os eventos na Bósnia desviaram a atenção da situação do Kosovo que foi ignorada em termos gerais durante as negociações de paz nos Estados Unidos em 1995. Como os protestos pacíficos não impressionavam Milosevic, elementos albaneses mais radicais passaram ao primeiro plano com a formação do Exército de Libertação do Kosovo (ELK). Em 1988, a situação havia chegado a proporções de guerra civil, à medida que o governo sérvio tentava suprimir o ELK. Na primavera de 1999, forças sérvias desencadearam uma ofensiva total, cometendo atrocidades contra os albaneses, que foram noticiadas amplamente no exterior e a atenção do mundo finalmente se voltou a Kosovo.

Quando as negociações de paz começaram, a comunidade internacional decidiu que algo deveria ser feito para proteger os albaneses de Kosovo. Forças da OTAN realizaram bombardeios polêmicos contra a Iugoslávia, na esperança de forçar Milosevic a ceder, mas isso só fez com que ele ficasse mais determinado e ordenasse uma campanha de limpeza étnica que expulsou milhares de pessoas de etnia albanesa do Kosovo para os Estados vizinhos da Albânia, Macedônia e Montenegro. Os bombardeios aéreos da OTAN continuavam e, em junho de 1999, com a economia de seu país em ruínas, Milošević aceitou um acordo de paz promovido pela Rússia e pela Finlândia. Ele foi forçado a retirar todas as forças sérvias de Kosovo; grande parte da população civil sérvia foi com elas, com medo de represálias albanesas, e a maioria dos refugiados albaneses conseguiu retornar a Kosovo. Forças da ONU e da OTAN de 40.000 soldados chegaram para manter a paz, enquanto a Unmik (a missão da ONU no Kosovo) supervisionaria a administração do país até que seu governo fosse capaz de assumir.

No final de 2003, ainda havia 20.000 soldados da força de paz no país, e os kosovares estavam ficando impacientes, reclamando de pobreza, desemprego e corrupção entre membros da Unmik.

(e) A queda de Milošević

Em 1998, Milosevic tinha cumprido dois mandatos como presidente da Sérvia e a Constituição o impedia de concorrer a um terceiro. Contudo, ele conseguiu se manter no poder ao fazer com que o parlamento iugoslavo o indicasse presidente da Iugoslávia em 1997 (embora a Iugoslávia então consistisse somente em Sérvia e Montenegro). Em maio de 1999, ele foi indiciado pelo Tribunal Penal Internacional para a ex-Iugoslávia (em Haia, na Holanda), com base no fato de que, como presidente da Iugoslávia, foi responsável por crimes contra o direito internacional cometidos por tropas federais desse país no Kosovo.

A opinião pública foi aos poucos se voltando contra Milosevic ao longo de 2000, por causa de dificuldades econômicas, escassez de alimentos e combustível, e inflação. A eleição presidencial de setembro de 2000 foi vencida por seu principal oponente, Vlojislav Kostunica, mas um tribunal constitucional declarou o resultado nulo e inválido. Aconteceram manifestações de massa contra Milošević na capital, Belgrado. Quando multidões entraram à força no parlamento federal e tomaram o controle de estações de TV, Milošević assumiu a derrota e Kostunica se tornou presidente. Em 2001, Milošević foi preso e entregue ao Tribunal Penal Internacional em Haia para enfrentar acusações por crimes de guerra. Seu julgamento começou em julho daquele ano.

Porém, o novo governo logo teve que lutar para enfrentar o legado de Milošević: um tesouro vazio, uma economia arruinada por anos de sanções internacionais, inflação galopante e uma crise de combustíveis. O padrão de vida caiu muito para a maioria das pessoas. Os partidos que haviam se unido para derrotar Milošević em pouco tempo entraram em desacordo. Nas eleições do final de 2003, os extremistas do nacionalismo radical sérvio foram o terceiro maior partido individual, à frente do partido de Kostunica, que ficou em segundo. O líder dos Radicais, Vojislav Seselji, que diziam ser admiradores de Hitler, estava na cadeia em Haia esperando julgamento por crimes de guerra. O resultado das eleições foi uma grande decepção para os Estados Unidos e para a União Europeia, que esperavam que o nacionalismo sérvio extremo tivesse sido erradicado.

10.8 A EUROPA DESDE MAASTRICHT

Com o sucesso continuado da União Europeia, mais Estados solicitaram seu ingresso. Em janeiro de 1995, Suécia, Finlândia e Áustria se tornaram membros, elevando o total a 15. Entre os principais estados da Europa Ocidental, somente Noruega, Islândia e Suíça continuaram de fora. Mudanças importantes foram introduzidas pelo *Tratado de Amsterdã*, assinado em 1997, aprofundando e esclarecendo alguns dos pontos do acordo de Maastricht de 1991: a União assumiu a promoção de mais emprego, padrão de vida mais alto e melhores condições de trabalho e políticas sociais mais generosas. O Conselho de Ministros recebeu poder de punir os membros que violassem os direitos humanos, e o parlamento europeu teve seus poderes aumentados. As mudanças entraram em vigor em 1º de maio de 1999.

(a) Aumento e reforma

À medida que a Europa entrava no novo milênio, a nova moeda europeia, o Euro, foi introduzida em 12 dos Estados-membros em

1º de janeiro de 2002, e havia a perspectiva de um aumento gradual da União Europeia. Chipre, Malta e Turquia solicitaram seu ingresso, bem como Polônia e Hungria, todos com esperanças de entrar em 2004. Outros países do Leste Europeu estavam ávidos para ingressar, como República Tcheca, Eslováquia, Estônia, Letônia, Lituânia, Croácia, Eslovênia, Bulgária e Romênia. Parecia haver todas as probabilidades de que, em 2010, a União dobrasse de tamanho. *Essa perspectiva levantou uma série de questões e preocupações.*

- Afirmava-se que a maioria dos países ex-comunistas do Leste Europeu era tão atrasada economicamente que não conseguiria entrar em pé de igualdade com membros avançados, como Alemanha e França.
- Havia receios de que a União Europeia ficasse grande demais, o que tornaria a tomada de decisões mais lenta e impossibilitaria o consenso em quaisquer políticas mais importantes.
- Os federalistas, que queriam uma integração política maior, acreditavam que ela seria quase impossível em uma União de 25 ou 30 Estados, a menos que surgisse uma Europa de duas velocidades. Os países que eram a favor da integração poderia avançar rapidamente rumo a um sistema federal semelhante ao dos Estados Unidos, ao passo que o restante poderia andar mais devagar, ou não andar, se fosse o caso.
- Havia um sentimento de que as instituições da União Europeia precisavam de reformas para se tornarem mais abertas, mais democráticas e mais eficientes, para acelerar a formulação de políticas. O prestígio e a autoridade da União Europeia receberam um golpe duro em 1999, quando um relatório revelou corrupção e fraudes generalizadas em altas esferas, e toda a comissão de 20 membros foi obrigada a renunciar.

(b) O Tratado de Nice

Foi para tratar da necessidade de reforma, em preparação para o aumento, que o Tratado de Nice foi acordado em dezembro de 2000 e assinado formalmente em fevereiro de 2001, para entrar em vigor em 1 de janeiro de 2005.

- *Seriam introduzidas novas regras nas votações no Conselho de Ministros* para a aprovação de políticas. Muitas áreas políticas exigiam uma votação unânime, o que fazia com que um país pudesse efetivamente vetar uma proposta. Agora, a maioria das áreas políticas seria transferida para um sistema conhecido como "votação por maioria qualificada", que exigia que uma nova política fosse aprovada por membros que representassem pelo menos 62% da população da União Europeia e tivesse o apoio da maioria dos membros ou uma maioria de votos. Entretanto, impostos e seguridade social ainda exigiriam aprovação unânime. O número de membros do Conselho deveria ser aumentado: os "quatro grandes" (Alemanha, Reino Unido, França e Itália) teriam, cada um, 29 membros em vez de 10, ao passo que os países menores tiveram seu número aumentado em proporções mais ou menos semelhantes – Irlanda, Finlândia e Dinamarca, sete membros em vez de quatro, e Luxemburgo, quatro em vez de dois. Ao ingressar, em 2004, a Polônia teria 27 membros, o mesmo número da Espanha.
- *A composição do parlamento europeu para refletir mais de perto o tamanho da população de cada membro.* Isso significava que todos, com exceção da Alemanha e de Luxemburgo, teriam menos parlamentares do que antes – a Alemanha, de longe o maior membro, com uma população de 82 milhões, manteria suas 99 cadeiras, e Luxemburgo, o menor, com 400.000, continuaria com suas 6 cadeiras. O Reino Unido (59,2 milhões), a França (59 milhões) e a Itália (57,6 milhões) te-

riam, cada um, 72 cadeiras em vez de 87; a Espanha (39,4 milhões) teria 50 cadeiras em vez de 64, e assim por diante, até a Irlanda, (3,7 milhões), que teria 12 cadeiras em vez de 15. Nas mesmas bases, foram estabelecidos números para os prováveis novos membros: por exemplo, a Polônia, com uma população de tamanho semelhante à da Espanha, teria 50 cadeiras e a Lituânia (como a Irlanda, com 3,7 milhões) teria 12.

- *Os cinco maiores países, Alemanha, Grã--Bretanha, Itália e Espanha, teriam apenas 1 comissário Europeu cada um, em vez de dois.* Cada Estado-membro teria um comissário, até um máximo de 27, e o presidente da Comissão teria mais independência dos governos nacionais.
- *Seria permitida a "cooperação reforçada".* Isso significa que qualquer grupo de oito ou mais Estados-membros que quisessem avançar rumo a uma maior integração em áreas específicas teriam permissão para fazê-lo.
- Foi aceita uma proposta da Alemanha e da Itália segundo a qual se deveria realizar uma conferência para esclarecer e formalizar a Constituição da União Europeia até 2004.
- Foi aprovado um plano para a Constituição de uma *Força de Reação Rápida da União Europeia (European Union Rapid Reaction Force, RRF),* de 60.000 soldados, para dar apoio militar em caso de emergência, embora fosse enfatizado que a OTAN ainda seria a base do sistema de defesa da Europa. Isso não agradou ao presidente da França, Jacques Chirac, que queria que a RRF fosse independente da OTAN, nem aos Estados Unidos, que tinham receio de que a iniciativa de defesa europeia acabasse por excluí-los. Em outubro de 2003, enquanto se discutia em Bruxelas o melhor procedimento com os planos de defesa da União Europeia, o governo norte-americano reclamou que não estava sendo informado em relação às intenções da Europa, afirmando que estes planos "representavam um dos maiores riscos à relação transatlântica". Parecia que, embora os norte-americanos quisessem que a Europa assumisse uma parcela maior da defesa do mundo e do fardo antiterrorista, a intenção era que isso fosse feito sob direção dos Estados Unidos, trabalhando através da OTAN e não de forma independente.

Antes de entrar em vigor, em janeiro de 2005, o Tratado de Nice teria que ser aprovado por todos os 15 Estados-membros. Portanto, foi um sério golpe quando, em junho de 2001, a Irlanda o rejeitou em um referendo. O país foi um dos membros mais ativos e pró-europeus da União Europeia, mas os irlandeses não gostavam do fato de que as mudanças aumentariam o poder dos Estados maiores, principalmente a Alemanha, e reduziriam a influência dos menores. Eles também não estavam satisfeitos com a perspectiva de participação irlandesa nas forças de paz. Ainda havia tempo para os irlandeses mudarem de ideia, mas a situação precisaria ser tratada com cuidado para que os eleitores fossem convencidos a apoiar o acordo. Quando o presidente da Comissão Europeia, o italiano Romano Prodi, anunciou que a ampliação da União Europeia poderia seguir em frente independentemente do voto dos irlandeses, o governo irlandês ficou indignado. Sua declaração gerou acusações em toda a União Europeia de que seus líderes estavam desconectados dos cidadãos comuns.

(c) Problemas e tensões

Em lugar de uma transição tranquila para uma Europa ampliada e unida em maio de 2004, o período posterior à assinatura do Tratado de Nice acabou sendo cheio de problemas e tensões. Alguns tinham sido previstos, mas a maioria foi inesperada.

- Previsivelmente, *ampliaram-se as divisões entre os que queriam uma união muito mais forte – uma espécie de Estados Unidos da Europa – e os que desejavam uma associação mais frouxa, na qual o poder permanecesse nas mãos dos Estados-membros*. O chanceler alemão Gerhard Schröder queria um governo europeu forte, com mais poder dado à Comissão Europeia e ao Conselho de Ministros, e uma Constituição da União Europeia que corporificasse sua visão de sistema federal. Ele tinha o apoio da Bélgica, da Finlândia e de Luxemburgo. Por outro lado, a Grã-Bretanha achava que a integração política tinha ido longe o suficiente e não queria que os governos dos países individuais perdessem mais de seus poderes. O caminho em frente era através de maior cooperação entre os governos nacionais, e não entregando o controle a um governo federal em Bruxelas ou Estrasburgo.
- *Os ataques terroristas de 11 de setembro de 2001 nos Estados Unidos jogaram a União Europeia na confusão*. Seus líderes rapidamente declararam solidariedade aos Estados Unidos e prometeram toda a cooperação possível na guerra contra o terrorismo. Contudo, as questões externas e de defesa eram áreas em que a União Europeia não estava bem equipada para a ação coletiva rápida. Ficou para os líderes dos Estados individuais – Schröder, Chirac e o primeiro-ministro britânico Blair – tomar iniciativas e prometer ajuda militar contra o terrorismo. Isso, em si, descontentava outros países menores, que se sentiam deixados de lado e ignorados.
- *O ataque contra o Iraque por parte dos Estados Unidos e do Reino Unido, em março de 2003,* (ver Seção 12.4) *gerou novas tensões*. A Alemanha e a França se opuseram firmemente a qualquer ação militar não autorizada pela ONU, acreditando que era possível desarmar o Iraque por meios pacíficos e que a guerra causaria a morte de milhares de civis inocentes, destruiria a estabilidade de toda a região e prejudicaria a luta global contra o terrorismo. Por outro lado, Espanha, Itália, Portugal e Dinamarca, junto com a perspectiva de novos membros – Polônia, Hungria e a República Tcheca – estavam a favor da ação conjunta da Grã-Bretanha com os Estados Unidos. O secretário de defesa norte-americano Donald Rumsfeld desconsiderou a oposição francesa e alemã, afirmando que esses países representavam a "velha Europa". Foi realizada uma reunião emergencial do Conselho Europeu em Bruxelas, em fevereiro, mas não conseguiram resolver as diferenças básicas: a Grã-Bretanha, a Itália e a Espanha queriam ação militar imediata ao passo que a França e a Alemanha pressionavam por mais diplomacia e mais inspetores de armas. Essa incapacidade de concordar com uma resposta unificada à situação do Iraque não contribuiu para as perspectivas de formular uma política externa e de defesa comum, como exigia a nova Constituição europeia a ser debatida em dezembro de 2003.
- *Uma lacuna de outra natureza se abriu em função de questões orçamentárias*. No outono de 2003, foi revelado que tanto a França quanto a Alemanha descumpriram a regra da União Europeia, estabelecida em Maastricht, de que os déficits orçamentários não poderiam exceder os 3% do PIB. Mas não foi tomada qualquer atitude: os ministros de finanças da União Europeia decidiram que os dois países teriam mais um ano para cumprir a regra. No caso da França, o teto de 3% era rompido pelo terceiro ano consecutivo. Essa distorção das regras em favor dos dois maiores membros enfureceu os menores. Espanha, Áustria, Finlândia e Holanda se opuseram à decisão de lhes dar mais pra-

zo, o que levantou várias questões: O que aconteceria se países menores quebrassem a regra – eles também teriam tolerância? Caso tivessem, isso não tornaria todo o sistema orçamentário uma piada? O limite de 3% era realista em uma época de estagnação econômica?

- O golpe mais sério – em dezembro de 2003 – veio quando *uma reunião de cúpula, em Bruxelas, foi desarticulada sem chegar a um acordo sobre a nova Constituição europeia*, que pretendia agilizar e simplificar a forma como a União funcionava. A discordância com relação à questão dos poderes de voto era o principal obstáculo.

A incapacidade de concordar com a nova Constituição não era um desastre total, e a ampliação da União Europeia ainda poderia seguir em frente como planejado em 1º de maio de 2004. Os 10 novos membros eram República Tcheca, Chipre, Estônia, Hungria, Letônia, Lituânia, Malta, Polônia, Eslováquia e Eslovênia. Romênia e Bulgária aderiram em 2007. Mas estava claro que o futuro da União seria cheio de problemas. Com uns 27 membros com os quais lidar, a principal questão era como equilibrar os interesses dos países menores com os dos maiores. Felizmente, a maioria dos problemas parece ter sido superada quando, em junho de 2004, foi elaborado um Tratado Constitucional a ser apresentado aos países-membros para ratificação. A nova Constituição era uma espécie de triunfo: ela reunia a confusa mescla dos tratados anteriores e proporcionava uma tomada de decisões muito mais fácil. Ela parecia permitir aos parlamentos nacionais muito mais poder do que antes – por exemplo, havia um procedimento para que os membros saíssem da União se assim desejassem e os Estados mantinham seu poder de veto sobre impostos, política externa e defesa. As áreas sobre as quais a União Europeia tinha controle geral eram a política de concorrência, alfândega, políticas comerciais e proteção da vida marinha. A disputa sobre o sistema de votação também foi resolvida: a aprovação de alguma medida exigia o apoio de pelo menos 15 países representando 65% da população total da União, de 455 milhões. Finalmente, para bloquear uma medida, seriam necessários quatro países com 35% da população. Essa era uma salvaguarda para impedir que os países maiores controlassem os interesses dos menores. A Espanha, que havia protestado muito porque as propostas anteriores deixavam os membros menores em desvantagem, ficou satisfeita com o acordo. O problema seguinte era fazer com que a nova Constituição fosse ratificada por todos os membros, o que envolveria pelo menos seis referendos nacionais.

(d) O futuro da União Europeia

Todos esses problemas não devem levar à conclusão de que a União Europeia é um fracasso. O que quer que aconteça no futuro, nada anula o fato de que, desde 1945, os países da Europa Ocidental estão em paz. Parece improvável que eles venham a guerrear entre si de novo, se não for absolutamente certo. Dado o passado assolado por guerras da Europa, essa é uma conquista considerável, que deve ser atribuída, em grande medida, ao movimento europeísta.

Porém, o desenvolvimento da União não está completo. No decorrer do próximo meio século, a Europa poderá se tornar um Estado federal unido ou, mais provavelmente, pode permanecer sendo uma organização muito mais frouxa politicamente, mas com sua própria Constituição reformada e agilizada. Muitas pessoas esperam que a União Europeia se torne forte e influente o suficiente para ser o contrabalanço dos Estados Unidos que, em 2004, parecia estar em uma posição de dominar o mundo e transformá-lo em uma série de cópias de si mesmo. A União Europeia já demonstrou seu potencial. Com a ampliação de 2004, a economia da União já rivaliza com a dos Estados Unidos em tamanho e em coesão, fornecendo bem mais da metade da ajuda ao desenvolvimento no mundo, bem mais do que os Estados Unidos – e a distância entre as contribuições de um e de outro estava crescendo o tempo todo. Mesmo alguns observadores norte-americanos reconhecem o potencial da União Europeia: Jeremy Rifkin escreveu: "É a Europa que está em evidência"... Nós, norte-americanos, costumávamos dizer que vale a pena morrer pelo sonho americano. O novo sonho europeu é algo pelo qual vale a pena viver".

A União Europeia mostrou que está preparada para enfrentar os Estados Unidos. Em março de 2002, foram anunciados planos para lançar um sistema europeu de satélites espaciais chamado Galileo, para permitir que navios e aviões civis navegassem e se localizassem com mais precisão. Os Estados Unidos já tinham um sistema semelhante (o GPS), mas que era usado principalmente com propósitos militares. O governo norte-americano protestou fortemente contra a proposta da União Europeia porque o sistema europeu poderia interferir nos seus sinais. O presidente francês Chirac alertou que, caso fosse permitido que os Estados Unidos dominassem o espaço, "isso iria levar nossos países inevitavelmente a se tornar, no princípio, vassalos científicos e tecnológicos, e depois, vassalos industriais e econômicos dos Estados Unidos". A União sustentou sua posição e o plano foi em frente. Segundo Will Hutton, "os Estados Unidos queriam um monopólio completo desses sistemas de posicionamento por satélite... a decisão da União Europeia é uma importante declaração de interesse comum e também uma afirmação de superioridade tecnológica: Galileo é um sistema melhor do que o GPS".

Claramente, a União Europeia ampliada tem um vasto potencial, embora vá ter que lidar com algumas fragilidades graves. A Política Agrícola Comum continua a estimular altos níveis de produção à custa de qualidade e causa muito prejuízo às economias do mundo em desenvolvimento; isso merece mais atenção, assim como todo o sistema de regulamentação dos padrões alimentícios. O confuso conjunto de instituições precisa ser simplificado e suas funções, formalizadas em uma nova Constituição. E, talvez mais importante, os políticos da União Europeia devem tentar se manter em sintonia com os desejos e sentimentos do público em geral. Eles precisam se esforçar mais para explicar o que estão fazendo, para que possam conquistar o respeito e a confiança dos cidadãos comuns da Europa. Em uma ação que contribui para o futuro, o Parlamento Europeu aprovou por ampla maioria o ex-primeiro-ministro de Portugal, José Manuel Barroso, como presidente da Comissão Europeia.* O novo presidente se comprometeu a reformar a União, aproximá-la de seus cidadãos e sua maioria apática, torná-la integralmente competitiva e lhe dar uma nova visão social. Seu mandato de cinco anos começou em novembro de 2004.

PERGUNTAS

1. **O fim se aproxima para o comunismo na República Democrática Alemã (Alemanha Oriental)**

Estude a fonte e responda as perguntas a seguir.

Fonte A
Uma descrição dos eventos em Leipzig em 8 de outubro de 1989.

> Mikhail Gorbachov deixou vazar a público que alertara Erich Honecker de que as "tropas soviéticas não estarão disponíveis para ser usadas contra manifestantes na RDA, dizendo-lhe: 'a vida pune quem se nega a avançar'": naquela noite, houve manifestações em Berlim e Dresden; a Stasi (polícia secreta) reprimiu a maioria delas com muita violência...
> Mas foi no dia seguinte, em Leipzig, que veio o grande teste. Leipzig, onde a Igreja Luterana havia dado muito apoio aos manifestantes, teve destaque na campanha por reformas e democracia. No início da manhã de 8 de outubro,

---
* N de R.: Reeleito em 2009.

a Stasi foi de fábrica em fábrica, de escritório em escritório, alertando as pessoas que elas não deveriam participar da grande manifestação que estava planejada para aquela tarde... Milhares de soldados foram mobilizados e assumiram posição em todas as esquinas, e tanques e veículos blindados foram colocados nas principais intersecções. Nos telhados próximos à estação, foram posicionados atiradores ... os militares e a Stasi tinham ordens de atirar nos manifestantes se não houvesse outra forma de pará-los. Se os soldados tivessem aberto fogo, como na China, poderia ter funcionado... As indicações são de que o exército e, talvez até a Stasi, não estavam dispostos a levar a cabo as ordens que tinham recebido. Há evidências de que representantes soviéticos souberam da possibilidade de que estivesse sendo planejado um massacre e alertaram contra isso. Os manifestantes marcharam pelas ruas e os soldados os observaram passar... o governo buscava uma rota de fuga. Nove dias depois, Erich Honecker renunciou como líder do partido.

Fonte: John Simpson, *Despatches from the Barricades* (Hutchinson, 1990).

(a) O que se pode aprender da fonte sobre as razões para o colapso do comunismo no Leste Europeu?
(b) Explique por que Gorbachov alertara Honecker que as tropas soviéticas não estariam disponíveis para ser usadas contra os manifestantes na Alemanha Oriental?
(c) De que forma a Alemanha veio a ser reunificada em 1989-1990 e qual o papel de Helmut Kohl e Mikhail Gorbachov no processo?

2. Explique até onde você concorda ou discorda com a visão de que a União Europeia se tornou mais forte após sua ampliação em 1973.
3. Por que e de que maneiras os países do Leste Europeu buscaram relações mais próximas entre si depois da Segunda Guerra Mundial?
4. De que formas e por que razões a atitude britânica em relação à Europa mudou no período de 1945 a 1991?

O Conflito no Oriente Médio   11

RESUMO DOS EVENTOS

A região conhecida como Oriente Médio tem sido uma das mais problemáticas do mundo, principalmente depois de 1945. Guerras interestatais e guerras civis acontecem quase sem parar e praticamente não houve época de paz em toda a região. O Oriente Médio consiste no Egito, Sudão, Jordânia, Síria, Líbano, Iraque, Arábia Saudita, Kuwait, Irã, Turquia e Iêmen, os Emirados Árabes Unidos e Omã (ver Mapa 11. 1). A maioria desses países, com exceção da Turquia e do Irã, é habitada por árabes. O Irã, embora não seja um Estado árabe, contém muitos árabes que moram em uma área em torno do extremo norte do Golfo Pérsico. O Oriente Médio também inclui o pequeno Estado judaico de Israel, que a ONU criou em 1948, na Palestina.

A criação de Israel na Palestina, uma área pertencente a árabes palestinos, indignou a opinião árabe em todo o mundo (outros Estados árabes fora do Oriente Médio são o Marrocos, a Argélia, a Tunísia e a Líbia). Os árabes culpavam principalmente a Grã-Bretanha, que, acreditavam, tinha mais simpatia pelos judeus do que pelos árabes. Mais do que ninguém, eles culpavam os Estados Unidos, que apoiaram a ideia de um Estado Judeu com muita firmeza. Os países árabes se recusaram a reconhecer Israel como Estado legal e prometeram destruí-lo. Embora tenha havido quatro guerras curtas entre Israel e os vários Estados árabes (1948-1949, 1956, 1967 e 1973), os ataques árabes fracassaram e Israel sobreviveu, mas o conflito entre Israel e os palestinos se arrastou e, mesmo no final do século, não tinham conseguido qualquer acordo de paz permanente.

O desejo árabe de destruir Israel tendeu por muito tempo a obscurecer todas as outras preocupações, mas dois outros temas perpassavam as questões do Oriente Médio, que se misturam com a luta anti-Israel:

- o desejo de alguns árabes de chegar à unidade política e econômica entre os países árabes;
- o desejo de muitos árabes de dar um fim à intervenção estrangeira em seus países.

O Oriente Médio atraiu muita atenção das potências ocidentais e comunistas, por sua posição estratégica e ricos recursos de petróleo. Além disso, havia uma série de conflitos envolvendo Estados árabes individualmente:

- Houve guerra civil no Líbano, que durou cerca de 15 anos, a partir de 1975.
- Houve uma guerra entre Irã e Iraque, de 1980 a 1988.
- Na Primeira Guerra do Golfo (1990-1991), tropas iraquianas invadiram o Kuwait e foram expulsas por uma coalizão internacional liderada pelos Estados Unidos.

As interpretações da situação no Oriente Médio variam dependendo do ponto de vista do qual se olhe. Por exemplo, muitos po-

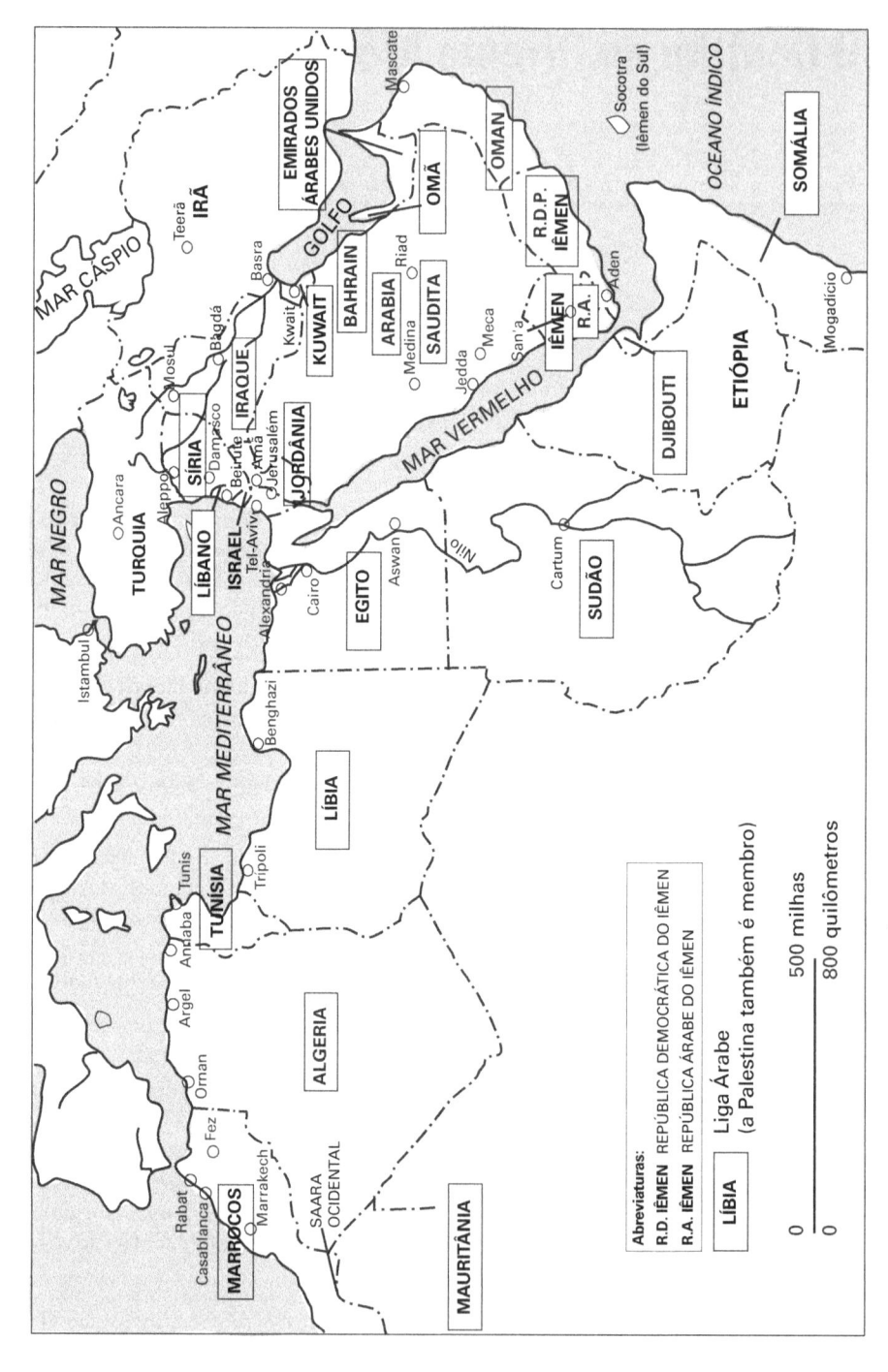

Mapa 11.1 O Oriente Médio e o Norte da África. (Final dos anos de 1980).

líticos e jornalistas britânicos consideram o coronel Nasser (líder do Egito, 1954-1970) como algum tipo de fanático perigoso que era quase tão mau quanto Hitler. Por outro lado, a maioria dos árabes o considerava um herói, símbolo da ação do povo árabe rumo à unidade e à liberdade.

11.1 A UNIDADE ÁRABE E A INTERFERÊNCIA DE OUTROS PAÍSES

(a) Os árabes tem várias coisas em comum

Todos falam árabe, quase todos são muçulmanos (seguidores da religião do Islã), com exceção de cerca de metade da população do Líbano, que é cristã, e a maioria deles queria ver a destruição do Estado de Israel, para que os árabes palestinos pudessem ter de volta a terra que consideram sua por direito. Muitos árabes queriam ver a unidade muito mais aprofundada, em uma espécie de união política e econômica, como a Comunidade Europeia. Já em 1931, uma conferência islâmica em Jerusalém fez este anúncio: "As terras árabes são um todo completo e indivisível... todos os esforços serão direcionados à sua independência completa, em sua totalidade, e unificadas".

Foram feitas várias tentativas de aumentar a unidade entre os Estados árabes.

- *A Liga Árabe, fundada em 1945*, incluía Egito, Síria, Jordânia, Iraque, Líbano, Arábia Saudita e Iêmen. Mais tarde, o número de membros aumentou para 20 em 1980, mas pouco foi conseguido em termos políticos e a organização foi prejudicada constantemente por conflitos internos.
- Até meados dos anos de 1950, a unidade árabe (às vezes chamada de panarabismo, em que "pan" significa "todos") recebeu um impulso com a *enérgica liderança do coronel Gamal Abdel Nasser, do Egito*, que conquistou enorme prestígio no mundo árabe depois da crise do Canal do Suez em 1956 (ver Seção 11.3). Em 1958, a Síria se uniu ao Egito para formar a República Árabe Unida, com Nasser como presidente, mas essa unidade durou somente até 1961, quando a Síria se retirou em função de tentativas de Nasser de dominar a união.
- Depois da morte de Nasser em 1970, seu sucessor, o presidente Sadat, organizou uma união menos rígida entre Egito, Líbia e Síria, conhecida como *Federação das Repúblicas Árabes*, mas ela nunca teve muita relevância.

Apesar de suas semelhanças, havia muitas questões sobre as quais os Estados árabes discordavam para que a unidade chegasse a ser realmente próxima, por exemplo:

- A Jordânia e a Arábia Saudita eram governadas (e ainda são) por famílias reais bastante conservadoras, que eram muito criticadas por serem muito pró-britânicas, pelos governos de Egito e Síria, que eram nacionalistas pró-árabes e socialistas.
- Os outros Estados árabes romperam com o Egito em 1979 porque este país assinou um tratado de paz separado com Israel (ver Seção 11.6), o que fez com que fosse expulso da Liga Árabe.

(b) Interferência no Oriente Médio por parte de outros países

- O envolvimento britânico e francês no Oriente Médio data de muitos anos atrás. A Grã-Bretanha governou o Egito de 1882 (quando tropas britânicas invadiram o país) até 1922, quando o país recebeu semi-independência sob comando de seu próprio rei, mas tropas britânicas permaneceram no Egito e os egípcios tinham que continuar fazendo o que a Grã-Bretanha queria. Pelo acordo de

Versalhes, no final da Primeira Guerra Mundial, Grã-Bretanha e França receberam grandes regiões do Oriente Médio tomadas dos turcos derrotados, para que mantivessem sob seu mandato. O Mapa 11.2 mostra quais áreas estavam envolvidas. Embora a Grã-Bretanha tenha concedido independência ao Iraque (1932) e à Jordânia (1946), ambos permaneceram pró-britânicos. A França deu independência à Síria e ao Líbano (1945), mas esperava manter alguma influência no Oriente Médio.

- O Oriente Médio tinha uma posição estratégica muito importante no mundo – funcionava como uma espécie de encruzilhada entre as nações ocidentais, o bloco comunista e os países do Terceiro Mundo na África e na Ásia.
- Em um determinado momento, o Oriente Médio produzia mais de um terço do abastecimento de petróleo do mundo, sendo que os principais países produtores eram Irã, Iraque, Arábia Saudita e Kuwait. Antes que o petróleo do Mar do Norte estivesse disponível e antes do advento da energia nuclear, as nações da Europa eram muito dependentes do fornecimento de petróleo proveniente do Oriente Médio e queriam ter certeza de que os países produtores teriam governos amigos que lhes vendessem o produto mais barato.
- A falta de unidade entre os Estados árabes estimulou outros países a intervir no Oriente Médio.

A maioria dos países árabes tinha governos nacionalistas que rejeitavam com muita intensidade a influência ocidental. Um por um, os governos considerados pró-Ocidente foram varridos e substituídos por regimes que

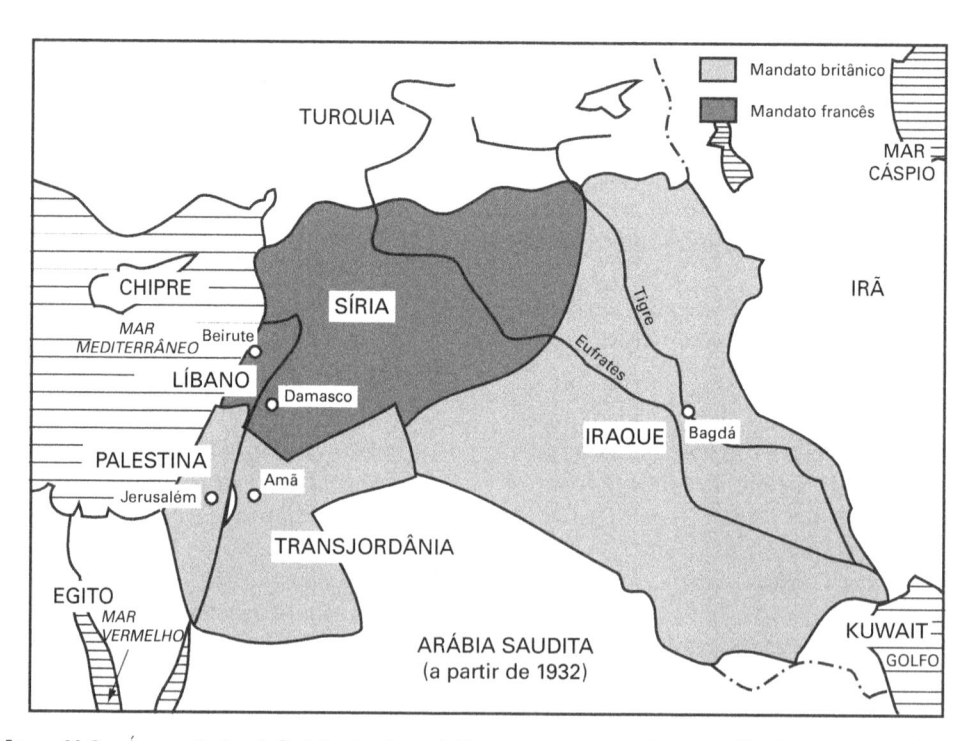

Mapa 11.2 Áreas dadas à Grã-Bretanha e à França como mandatos no final da Primeira Guerra Mundial.

queriam ser não alinhados, ou seja, agir de forma independente do Leste (bloco comunista) e do Ocidente.

1 Egito

No fim da Segunda Guerra Mundial, tropas britânicas permaneceram na zona do canal (a área em torno do Canal do Suez), o que permitiria à Grã-Bretanha controlá-lo. Metade das ações do canal era de propriedade de britânicos e franceses. Em 1952, um grupo de oficiais do exército egípcio, cansado de esperar que os britânicos fossem embora, derrubou Farouk, o rei do Egito (que consideravam pouco firme frente aos britânicos) e tomaram o poder. *Em 1954, o coronel Nasser havia se tornado presidente* e sua política de enfrentar os britânicos logo levou à Buerra do Suez, de 1956 (ver Seção 11.3 para informações completas), que gerou a humilhação completa da Grã-Bretanha e foi o fim da influência britânica no Egito.

2 Jordânia

O rei Abdullah tinha recebido seu trono dos britânicos em 1946 e foi assassinado em 1951 por nacionalistas, que achavam que ele era controlado demais pela Grã-Bretanha. Seu sucessor, o rei Hussein, teve que se comportar de forma muito cuidadosa para sobreviver. Ele deu fim ao tratado que permitia às tropas britânicas usar as bases na Jordânia (1957), e todas elas foram retiradas.

3 Iraque

O rei Faiçal do Iraque e seu primeiro-ministro, Nuri-es-Said, eram pró-britânicos. Em 1955, assinaram um acordo com a Turquia (*o Pacto de Bagdá*) para estabelecer uma política conjunta para defesa e economia. O Paquistão, o Irã e a Grã-Bretanha também se juntaram prometendo ajudar o Iraque se ele fosse atacado. A humilhação britânica na guerra do Canal do Suez de 1956 estimulou o movimento antibritânico no Iraque: Faiçal e Nuri-es-Said foram assassinados e o Iraque se tornou uma república (1958). O novo governo era simpático ao Egito e retirou o Iraque do Pacto de Bagdá, marcando o fim da tentativa britânica de cumprir um papel importante nas questões árabes.

4 Irã

Mudanças importantes estavam acontecendo no Irã, o único país do Oriente Médio que tinha fronteira com a URSS. Em 1945, os russos tentaram estabelecer um governo comunista no norte do Irã, a parte que fazia fronteira com a URSS e que tinha um Partido Comunista grande e ativo. O xá (governante) Reza Pahlevi, de formação ocidental, resistiu aos russos e assinou um tratado de defesa com os Estados Unidos (1950), que lhe dariam ajuda militar e econômica, incluindo tanques e caça-bombardeiros. Os norte-americanos viam a situação como parte da Guerra Fria, considerando o Irã como mais uma frente onde seria vital impedir um avanço comunista. Contudo, havia um movimento nacionalista forte no país, que rejeitava qualquer influência estrangeira. O sentimento logo começou a se voltar contra os Estados Unidos e também contra a Grã-Bretanha, porque esta tinha a maioria de ações da *Anglo-Iranian Oil Company* e de sua refinaria em Abadan. Havia um sentimento muito difundido de que os britânicos estavam levando uma parcela muito grande dos lucros, e em 1951, o premier do Irã, o Dr. Mossadeg, nacionalizou a empresa (colocou-a sob controle do governo iraniano). Entretanto, a maior parte do mundo, estimulado pela Grã-Bretanha, boicotava as exportações de petróleo do Irã e Mossadeg foi forçado a renunciar. Em 1954, chegou-se a um acordo no qual a *British Petroleum* teria 40% das ações. O Irã agora levaria 50% dos lucros, o que o xá conseguiu usar para um cauteloso programa de modernização e reforma agrária.

Isso não foi suficiente para a esquerda nem para os muçulmanos devotos, insatisfeitos com os vínculos próximos do xá com os Estados Unidos, aos quais consideravam uma influência imoral sobre seu país. Eles também suspeitavam que uma grande fatia da riqueza do país estava indo para fortuna privada do xá. Em janeiro de 1979, ele foi forçado a sair do país, e foi estabelecida uma república islâmica sob uma liderança religiosa, o Aiatolá (uma espécie de Alto Sacerdote) Khomeini. Assim como Nasser, ele queria que seu país fosse não alinhado.

11.2 A CRIAÇÃO DO ESTADO DE ISRAEL E A GUERRA ÁRABE-ISRAELENSE, 1948-1949

(a) Por que a criação do Estado de Israel levou à guerra?

1. A origem do problema data de quase 2000 anos atrás, no ano 71 d.C., *quando a maioria dos judeus foi expulsa pelos romanos da Palestina, que era sua terra.* Na verdade, pequenas comunidades judaicas ficaram na Palestina, e nos 1.700 anos seguintes houve um retorno gradual de judeus do exílio. Até o final do século XIX, todavia, não havia quantidade suficiente para fazer com que os árabes, que agora consideravam a Palestina sua terra, sentissem que eram ameaçados.
2. Em 1897, alguns judeus que viviam na Europa fundaram a *Organização Sionista Mundial*, em Basiléia, na Suíça. Os sionistas eram pessoas que acreditavam que os judeus deveriam poder retornar à Palestina e ter o que chamavam de "lar nacional", em outras palavras, um Estado judeu. Os judeus tinham sofrido perseguições recentes na Rússia, na França e na Alemanha, e um Estado judeu daria um refúgio seguro aos que viviam em todo o mundo. O problema era que a Palestina era habitada por árabes que estavam compreensivelmente alarmados com a perspectiva de perder suas terras para os judeus.
3. A Grã-Bretanha se envolveu em 1917, quando o ministro do exterior, Arthur Balfour, anunciou que *o país apoiava a ideia de um lar nacional Judeu na Palestina.* Depois de 1919, quando a Palestina se tornou um mandato britânico, grandes quantidades de judeus começaram a chegar, e os árabes protestaram muito junto aos britânicos, querendo:

 • uma Palestina independente para os árabes;
 • o fim da imigração dos judeus.

 O governo britânico declarou (1922) que não havia qualquer intenção de os judeus ocuparem toda a Palestina e que não haveria interferência nos direitos dos árabes palestinos. O próprio Balfour disse isso em sua declaração: "Nada será feito que possa prejudicar os direitos civis e religiosos das comunidades não judaicas na Palestina". Os britânicos tinham a esperança de convencer judeus e árabes a conviver pacificamente no mesmo Estado, sem entender a enorme lacuna religiosa existente entre os dois povos. E eles não cumpriram a promessa de Balfour.
4. A perseguição nazista aos judeus na Alemanha, depois de 1933, gerou uma enxurrada de refugiados e, em 1940, cerca de metade da Palestina era de judeus. A partir de 1936, houve protestos violentos por parte dos árabes e um levante, que os britânicos reprimiram com muita violência, matando mais de 3.000 árabes. *Em 1937, a British Peel Commission propôs dividir a Palestina em dois Estados separados*, um árabe e um judeu, mas os árabes rejeitaram a ideia. Os britânicos tentaram de novo em 1939, oferecendo um Estado independente árabe em 10 anos e a imigração judaica limitada a 10.000 por ano, mas desta vez foram os judeus que rejeitaram a proposta.
5. *A Segunda Guerra Mundial piorou muito a situação*: havia centenas de milhares de judeus refugiados da Europa de Hitler, procurando desesperadamente um lugar aonde ir. Em 1945, os Estados

Unidos pressionaram a Grã-Bretanha para permitir que 100.000 judeus entrassem na Palestina, e a reivindicação foi apoiada por David Ben Gurion, um dos líderes judeus, mas os britânicos, não querendo ofender os árabes, recusaram.

6. Os judeus, depois de tudo o que sua raça havia sofrido nas mãos dos nazistas, estavam determinados a lutar por seu "lar nacional". Eles deram início a uma campanha terrorista contra os britânicos e contra os árabes. Um dos incidentes mais espetaculares foi a explosão do hotel King David em Jerusalém, que os britânicos estavam usando como quartel-general; 91 pessoas foram mortas e muitas outras, feridas. Os britânicos responderam prendendo os líderes judeus e mandando retornar navios como o *Exodus*, cheio de judeus que pretendiam entrar na Palestina.

7. Os britânicos, fragilizados pelo esforço da Segunda Guerra Mundial, não se sentiam com forças para enfrentar a situação. Ernest Bevin, ministro do exterior trabalhista, pediu que a ONU tratasse do problema e, em novembro de 1947, a organização votou pela divisão da Palestina, destinando mais ou menos metade dela para a formação de um Estado Judeu independente. No início de 1948, os britânicos decidiram se retirar completamente e deixar que a ONU implementasse seu próprio plano. Embora já houvesse luta entre judeus e árabes (que tinham muito ressentimento pela perda de metade da Palestina), os britânicos retiraram todas as suas tropas. Em maio de 1948, Ben Gurion declarou a independência do novo Estado de Israel, que foi atacado imediatamente por Egito, Síria, Jordânia, Iraque e Líbano.

(b) Quem era responsável pela tragédia?

- *A maior parte do restante do mundo parecia culpar a Grã-Bretanha pelo caos na Palestina*. Muitos jornais britânicos que apoiavam o Partido Conservador também criticavam Bevin e o governo trabalhista por sua postura na situação. Dizia-se que as tropas britânicas deveriam ter permanecido mais tempo para garantir que a divisão da Palestina acontecesse sem problemas. Os árabes acusaram os britânicos de serem favoráveis aos judeus, começando por deixar que um número muito grande deles entrasse na Palestina e fazer com que eles, árabes, perdessem metade de sua pátria. Os judeus os acusavam de favorecer os árabes, por tentar limitar a imigração judaica.

- *Bevin responsabilizava os Estados Unidos pelo caos*, e há evidências para sustentar seu argumento. Foi o presidente Truman que pressionou a Grã-Bretanha para permitir a entrada de mais 100.000 judeus na Palestina em abril de 1946. Embora estivesse claro que isso deixaria os árabes ainda mais incomodados, Truman se recusou a fornecer tropas para ajudar a manter a ordem na Palestina e a deixar mais judeus entrarem nos Estados Unidos. Foi ele que rejeitou o plano britânico Morrison (julho de 1946), que teria estabelecido províncias judaicas e árabes separadas, sob supervisão britânica. Foram os norte-americanos que promoveram o plano de divisão na ONU, ainda que as nações árabes tivessem votado contra ele e isso certamente fosse gerar mais violência na Palestina.

- *Alguns historiadores defenderam os britânicos*, apontando que eles estavam tentando ser justos com ambos os lados e, no final, foi impossível convencer árabes e judeus a aceitar uma solução pacífica. A retirada britânica era compreensível: forçaria os norte-americanos e a ONU a assumir mais responsabilidade por uma situação que eles tinham ajudado a criar. Salvaria os britânicos que, desde 1945, tinham gastado 100 milhões de libras tentando manter a paz, e eles teriam dificuldades de gastar ainda mais.

(c) A guerra e seus resultados

A maioria das pessoas esperava que os árabes vencessem com facilidade, mas, contra probabilidades aparentemente muito grandes, *os israelenses os derrotaram e conquistaram ainda mais território do que a divisão lhes tinha dado*, acabando com cerca de três quartos da Palestina, mais o porto egípcio de Eilat, no Mar Vermelho. Os israelenses venceram porque lutaram desesperadamente, e porque muitos de seus soldados tinham adquirido experiência lutando no exército britânico na Segunda Guerra Mundial (cerca de 30.000 homens judeus se ofereceram para lutar pelos britânicos como voluntários). Os países árabes estavam divididos entre si e mal equipados. Os próprios palestinos estavam desmoralizados e sua organização militar tinha sido destruída pelos britânicos durante as rebeliões de 1936-1939.

O resultado mais trágico foi que os árabes palestinos se tornaram as vítimas inocentes: eles perderam subitamente três quartos de sua pátria e a maioria agora não tinha Estado próprio. Alguns estavam no novo Estado judeu de Israel, outros se encontravam morando na área ocupada pela Jordânia, conhecida como Cisjordânia. Depois de alguns judeus assassinarem toda a população de uma vila árabe em Israel, quase um milhão de árabes fugiu para Egito, Líbano, Jordânia e Síria, onde tinham que viver em miseráveis campos de refugiados. A cidade de Jerusalém foi dividida entre Israel e Jordânia. Os Estados Unidos, a Grã-Bretanha e a França garantiam as fronteiras de Israel, mas os Estados árabes não consideravam o cessar-fogo como permanente. Eles não reconheciam a legitimidade do Estado de Israel, e consideravam essa guerra como apenas o primeiro assalto da luta para destruir Israel e libertar a Palestina.

11.3 A GUERRA DO SUEZ DE 1956

(a) Quem foi responsável pela guerra?

É possível culpar diferentes países, dependendo do ponto de vista.

- Os árabes culpavam os israelenses, que deram início às hostilidades invadindo o Egito.
- O bloco comunista e muitos países árabes culpavam a Grã-Bretanha e a França, acusando-as de táticas imperialistas (tentar manter o controle do Oriente Médio contra os desejos das nações árabes) ao atacar o Egito. Eles acusavam os norte-americanos de estimular a Grã-Bretanha a atacar.
- Os britânicos, os franceses e os israelenses culpavam o coronel Nasser, do Egito, por ser contrário ao Ocidente, mas até mesmo os norte-americanos achavam que a Grã-Bretanha e a França tiveram uma reação exagerada ao usar a força, e a maioria dos historiadores britânicos concorda.

1. *O coronel Nasser, o novo governante do Egito*, era agressivamente favorável à unidade e à independência dos árabes, incluindo libertar a Palestina dos judeus. Quase tudo o que ele fazia irritava britânicos, norte-americanos e franceses:

    - Organizou guerrilheiros conhecidos com *fedayeen* (que sacrificam a si mesmos) para realizar sabotagem e assassinatos dentro de Israel, o os navios egípcios bloquearam o Golfo de Aqaba, que levava ao porto de Eilat, o qual os israelenses tinham tomado do Egito em 1949.
    - Em 1936, a Grã-Bretanha tinha assinado um acordo com o Egito que permitia aos britânicos manter tropas no Suez. Esse tratado expiraria em 1956 e a Grã-Bretanha queria renová-lo. Nasser se recusava e insistia em que todas as tropas britânicas deveriam se retirar imediatamente após o final do tratado. Ele mandou ajuda aos árabes argelinos em sua luta contra a França (ver Seção 24.5(c)), incitou os outros Estados árabes para que se opusessem ao pacto de Bagdá, patrocinado pela Grã-Bretanha, e forçou o rei Hussein da Jordâ-

nia a demitir o chefe de estado-maior de seu exército, que era britânico.
- Assinou um acordo sobre armamentos com a Tchecoslováquia (setembro de 1955) para comprar aviões de combate, bombardeiros e tanques russos, e especialistas do exército russo foram treinar o exército egípcio.

2. *Os norte-americanos ficaram indignados com isso*, já que significava que o Ocidente não mais controlaria o fornecimento de armas ao Egito, que agora se tornava parte da Guerra Fria: qualquer país que não fosse parte da aliança ocidental e que comprasse armas do Leste Europeu era, aos olhos dos Estados Unidos, tão mau quanto um país comunista. Isso foi considerado como uma trama sinistra dos russos para "entrar" no Oriente Médio.

Os norte-americanos, portanto, cancelaram uma ajuda prometida de 46 milhões de dólares para a construção de uma barragem em Aswan (julho de 1956); sua intenção era forçar Nasser a abandonar seu novo vínculo com os comunistas.

3. *Criou-se uma situação de crise quando Nasser retaliou imediatamente, nacionalizando o Canal do Suez*, com intenção de usar a receita proveniente dele para construir a barragem. (Ilustração 11.1). Aos acionistas do Canal, cuja maioria era de britânicos e franceses, foi prometida uma indenização.

4. *Anthony Eden, o primeiro-ministro conservador britânico, assumiu a liderança nesse momento*. Ele acreditava que Nasser estava a caminho de formar uma Arábia unida, sob comando egípcio e

Ilustração 11.1 O presidente Nasser, do Egito, aclamado por multidões no Cairo, após proclamar a nacionalização do Canal do Suez.

influência comunista, que poderia interromper o fornecimento de petróleo para a Europa quando quisesse. Ele considerava Nasser como mais um Hitler ou Mussolini e, segundo o historiador Hugh Thomas, "olhava o Egito pelo prisma da guerra". Ele não estava só nisso: Churchill afirmou: "Esse porco mal-intencionado não pode ser nosso interlocutor", e o novo líder trabalhista, Hugh Gaitskell, concordava que não se deveria fazer conciliação com Nasser como se fez com Hitler e Mussolini nos anos de 1930. Todo mundo na Grã-Bretanha ignorava o fato de que Nasser tinha oferecido indenizações aos acionistas e prometido que navios de todos os países (menos de Israel) poderiam usar o canal.

5. Começaram negociações secretas entre britânicos, franceses e israelenses e foi formulado um plano: Israel invadiria o Egito pela península do Sinai e tropas britânicas e francesas ocupariam o canal com o pretexto de que o estariam protegendo de sofrer danos na luta. O controle anglo-francês do canal seria restabelecido e a derrota, esperava-se, derrubaria Nasser do poder.

Pesquisas recentes mostraram que a guerra poderia ter sido facilmente evitada e que Eden era mais favorável a se livrar de Nasser por meios pacíficos. Na verdade, havia um plano secreto entre britânicos e norte-americanos (*Omega*) para derrubá-lo usando pressões políticas e econômicas. Em meados de outubro de 1956, Eden ainda estava disposto a continuar a dialogar com o Egito. Ele havia suspendido a operação militar e parecia haver uma boa chance de acordo em relação ao controle do Canal do Suez. Entretanto, Eden sofria pressão de vários lados para usar a força. O MI6 (o serviço de inteligência britânico) e alguns membros do governo, incluindo Harold Macmillan (Chanceler do Exchequer, o ministro da fazendo britânico), exigiam ação militar. Macmillan garantiu a Eden que os Estados Unidos não se oporiam ao uso da força pela Grã-Bretanha. No final, provavelmente foi a pressão do governo francês que fez com que Eden optasse por uma operação militar conjunta com França e Israel.

(b) Eventos da guerra

A guerra começou com a planejada invasão israelense do Egito (29 de outubro), que foi um sucesso brilhante, e em uma semana os israelenses capturaram toda a península do Sinai. Enquanto isso, britânicos e franceses bombardeavam pistas de pouso egípcias e desembarcavam tropas em Port Said, no extremo norte do canal. Os ataques geraram protestos no restante do mundo e os norte-americanos, que tinham receio de desagradar os árabes e os forçar a estabelecer relações mais próximas com a URSS, recusaram-se a apoiar a Grã-Bretanha, embora tivessem dado sinais anteriores de que esse apoio viria. Na ONU, norte-americanos e russos concordaram pela primeira vez: exigiram um cessar-fogo imediato e se prepararam para mandar uma força da ONU. Com a pressão da opinião pública contra si, Grã-Bretanha, França e Israel concordaram em se retirar, enquanto tropas da ONU chegavam para policiar a fronteira entre Egito e Israel.

(c) Os resultados da guerra

Foi uma humilhação completa para Grã-Bretanha e França, que não atingiram nenhum de seus objetivos, e foi um triunfo para o presidente Nasser.

- A guerra não conseguiu derrubar Nasser, e seu prestígio como líder do nacionalismo árabe contra a interferência dos europeus aumentou muito. Para o povo árabe comum, ele era um herói.
- Os egípcios bloquearam o canal (Ilustração 11.2), os árabes reduziram o fornecimento de petróleo para a Europa Ocidental, onde foi introduzido um racio-

Ilustração 11.2 Navios afundados bloqueiam o Canal do Suez na guerra de 1956.

namento temporário de gasolina e a ajuda russa substituiu a dos Estados Unidos.
- A ação dos britânicos logo fez com que perdessem o Iraque, como aliado pois o premier Nuri-es-Said passou a sofrer cada vez mais pressões de outros árabes em função de sua atitude pró-britânica. Ele foi assassinado em 1958.
- A Grã-Bretanha agora estava fraca e incapaz de seguir uma política externa independente dos Estados Unidos.
- Os argelinos se sentiram encorajados em sua luta por independência da França, o que conseguiram em 1962.

A guerra teve seu sucesso para Israel: embora tivesse sido forçado a devolver o território capturado do Egito, o país tinha causado perdas enormes em homens e equipamentos aos egípcios, que estes levariam anos para restaurar. Nos tempos que se seguiram, os ataques dos *fedayeen* cessaram e Israel teve um espaço para respirar, no qual poderia se consolidar. Depois da humilhação dos britânicos, os israelenses agora viam os Estados Unidos como seus principais apoiadores.

11.4 A GUERRA DOS SEIS DIAS, EM 1967

Os países árabes não haviam assinado tratado de paz no final da guerra de 1948-1949 e ainda se recusavam a dar reconhecimento oficial a Israel, e em 1967, eles voltaram a se juntar em uma tentativa decidida de destruí-lo. A liderança foi assumida pelo Iraque, pela Síria e pelo Egito.

(a) **Aumentam as tensões rumo à guerra**

1. *No Iraque*, um novo governo subiu ao poder em 1963, influenciado pelas ideias do *Partido Ba'ath* na vizinha Síria. Os apoiadores do Ba'ath (que significa "ressurreição") acreditavam na independência e na unidade árabe e tinham uma

perspectiva de esquerda, querendo reformas sociais e melhor tratamento para as pessoas comuns. Estavam dispostos a cooperar com o Egito, e em junho de 1967, seu presidente, Aref, anunciava: "Nosso objetivo é claro: varrer Israel do mapa".

2. *Na Síria*, levantes levaram o Partido Ba'ath ao poder em 1966, que apoiava a El Fatah, o movimento de libertação palestino, uma força guerrilheira mais eficaz do que os *fedayeen*. Os sírios também começaram a bombardear assentamentos judaicos a partir das colinas de Golan, que ficavam sobre a fronteira.

3. *No Egito*, o coronel Nasser era imensamente popular em função de sua liderança no mundo árabe e por suas tentativas de melhorar as condições no Egito com suas políticas sociais, que incluíam limitar o tamanho das fazendas a 100 acres e redistribuir a terra excedente aos camponeses. Foram feitas tentativas de industrializar o país e foram construídas mais de mil fábricas, quase todas sob controle do governo. O *projeto da represa de Aswan* era de importância vital, fornecendo eletricidade e água para a irrigação de outro milhão de acres de terra. Depois de atrasos iniciais na época da guerra do suez em 1956, as obras da represa finalmente começaram e o projeto foi terminado em 1971. Com tudo indo bem no país e com a perspectiva de ajuda do Iraque e da Síria, Nasser decidiu que era hora de outro ataque contra Israel, começou a movimentar tropas para a fronteira do Sinai e fechou o golfo de Aqaba.

4. *Os russos incentivaram o Egito e a Síria* e mantinham um fluxo de propaganda anti-Israel (porque este estava sendo apoiado pelos Estados Unidos). Seu objetivo era aumentar sua influência no Oriente Médio à custa dos norte-americanos e israelenses, e eles sinalizaram que enviariam ajuda em caso de guerra.

5. *Síria, Jordânia e Líbano* também acumularam tropas ao longo de suas fronteiras com Israel, enquanto contingentes do Iraque, da Arábia Saudita e da Argélia se uniram a eles. A situação de Israel parecia não ter solução.

6. *Os israelenses decidiram que a melhor política seria atacar antes, em vez de esperar para serem derrotados*, e lançaram uma série de ataques aéreos devastadores, que destruíram, em solo, a maior parte da força aérea egípcia (5 de junho). As tropas israelenses se movimentaram com uma velocidade impressionante, conquistando a faixa de Gaza e todo o Sinai do Egito, o restante de Jerusalém e a Cisjordânia da Jordânia e as Colinas de Golan da Síria. Os árabes não tiveram alternativa a aceitar uma ordem de cessar-fogo da ONU (10 de junho) e tudo estava terminado em menos de uma semana. As razões para o espetacular êxito israelense foram:

- O acúmulo lento e arrastado das tropas árabes, que deu todo o alerta aos israelenses;
- A superioridade israelense no ar;
- Preparações e comunicações árabes inadequadas.

(b) **Resultados da guerra**

1. *Para os israelenses, foi um sucesso espetacular*: desta vez, eles ignoraram a ordem da ONU de devolver o território capturado, que funcionava como uma série de zonas-tampão entre Israel e os Estados árabes (ver Mapa 11.3), e tornava muito mais fácil defender seu país. Entretanto, trazia um novo problema: como lidar com mais de um milhão de árabes que agora se encontravam sob governo israelense. Muitos deles estavam morando em campos de refugiados estabelecidos em 1948 na Cisjordânia e na Faixa de Gaza.

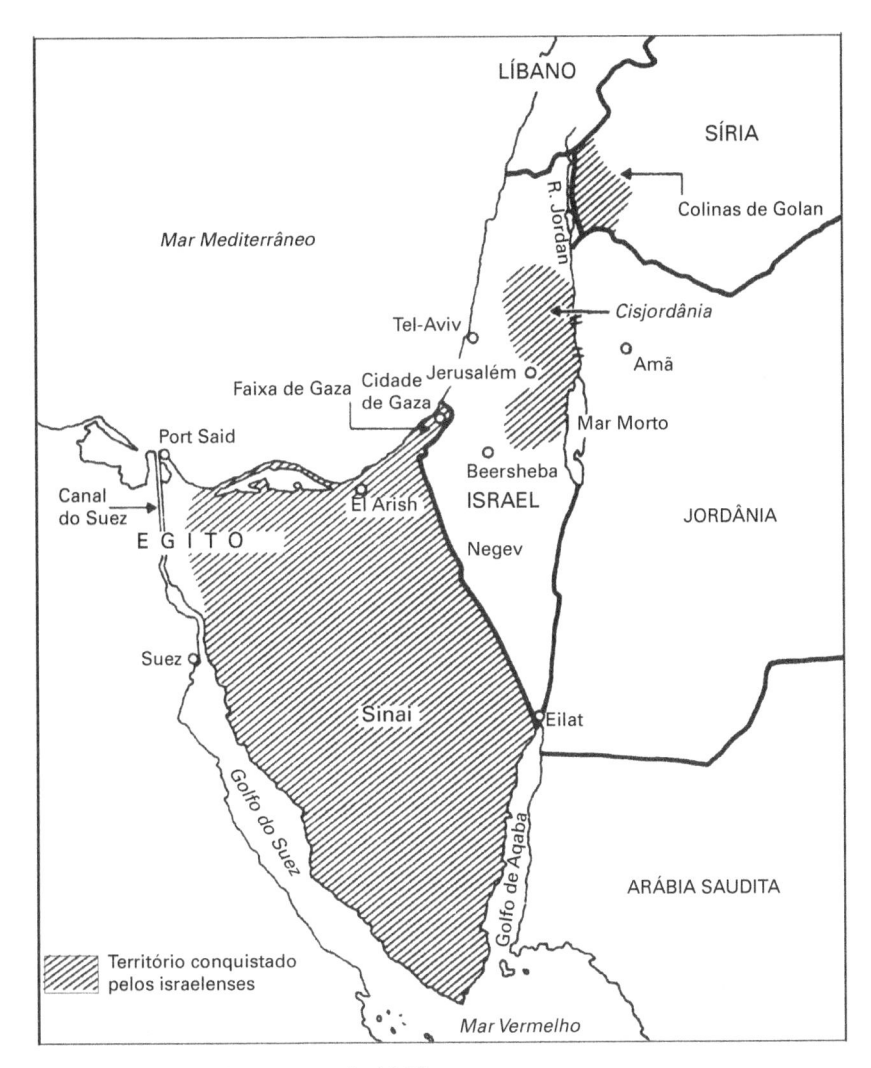

Mapa 11.3 A situação após a guerra de 1967.

2. Foi uma humilhação para os países árabes, principalmente para Nasser, que agora entendia que os árabes precisariam de ajuda externa para conseguir libertar a Palestina. Os russos foram uma decepção para ele, e não enviaram ajuda. Para tentar melhorar suas relações com Egito e Síria, eles começaram a fornecer armamentos modernos. Mais cedo ou mais tarde, os árabes tentariam, de novo, destruir Israel e libertar a Palestina. A próxima tentativa veio em 1973, com a Guerra do Yom Kippur.

11.5 A GUERRA DO YOM KIPPUR, EM 1973

(a) Eventos que levaram à guerra

Várias coisas combinaram para causar mais um conflito.

1. *Houve pressão sobre os Estados árabes por parte da Organização para a Libertação da Palestina (OLP)* sob a liderança de Yasser Arafat, pedindo mais ação. Quando muito pouco de ação aconteceu, um grupo mais extremista do que a OLP,

chamado Frente Popular para a Libertação da Palestina (FPLP), iniciou uma série de atentados terroristas para chamar a atenção do mundo para a grave injustiça que estava sendo cometida contra os árabes na Palestina. Eles sequestraram aviões e desviaram três deles para Amã, capital da Jordânia, onde foram explodidos (1970), causando um constrangimento para o rei Hussein da Jordânia, que agora era favorável a uma paz negociada, e em setembro de 1970, expulsou membros da OLP que estavam na Jordânia. Contudo, os ataques terroristas continuavam, chegando a um clímax quando alguns membros da equipe israelense foram assassinados na olimpíada de 1972, em Munique.
2. *Anwar Sadat, presidente do Egito desde a morte de Nasser em 1970, estava se convencendo cada vez mais da necessidade de uma paz negociada com Israel.* Ele se preocupava que o terrorismo da OLP fizesse a opinião pública se voltar contra a causa Palestina, e estava disposto a trabalhar com os Estados Unidos ou com a URSS, mas tinha esperanças de conquistar apoio norte-americano para os árabes, para que estes convencessem os israelenses a concordar com um acordo de paz. Contudo, os norte-americanos não quiseram se envolver.
3. *Sadat, junto com a Síria, decidiu atacar Israel novamente, esperando que isso forçasse os norte-americanos a atuar como mediadores.* Os egípcios se sentiam mais confiantes porque agora tinham armas russas modernas e seu exército tinha sido treinado por especialistas russos.

(b) A guerra começou em 6 de outubro de 1973

Forças egípcias e sírias atacaram cedo no feriado do Yom Kippur, um festival religioso judeu, esperando pegar os israelenses com a guarda baixa. Depois de alguns sucessos iniciais dos árabes, os israelenses, usando principalmente armas norte-americanas, conseguiram virar o jogo. Eles conseguiram manter todo o território que tinham capturado em 1967 e até cruzaram o Canal do Suez e entraram no Egito. Em um aspecto, o plano de Sadat tinha funcionado: tanto Estados Unidos quanto URSS decidiram que era hora de intervir para produzir um acordo de paz. Atuando com cooperação da ONU, eles organizaram o cessar-fogo, que ambos os lados aceitaram.

(c) Os resultados da guerra

1. No final da guerra, vislumbrava-se a esperança de ter algum tipo de paz permanente, e líderes egípcios e israelenses se reuniram (embora não na mesma sala) em Genebra. Os israelenses concordaram em retirar suas tropas do Canal do Suez (que estava fechado desde a guerra de 1967), possibilitando aos egípcios esvaziar e abrir o canal em 1975 (mas não a navios israelenses).
2. Um evento importante durante a guerra foi que os países árabes produtores de petróleo tentaram pressionar os Estados Unidos e os países da Europa Ocidental, que tinham simpatia por Israel, reduzindo o fornecimento, o que causou grave escassez, principalmente na Europa. Ao mesmo tempo, os produtores, muito cientes de que reservas e petróleo não eram ilimitadas, viam sua ação como uma forma de preservar recursos. Com isso em mente, a Organização dos Países Exportadores de Petróleo (OPEP) começou a aumentar muito os preços, o que contribuiu para a inflação e causou uma crise de energia nas nações industriais do mundo.

11.6 CAMP DAVID E A PAZ ENTRE EGITO E ISRAEL, 1978-1979

(a) Por que os dois lados começaram a conversar?

1. O presidente Sadat tinha se convencido de que *Israel não poderia ser destru-*

ído pela força, que era tolo continuar desperdiçando os recursos do Egito em guerras inúteis, mas foi necessária muita coragem para ser o primeiro líder árabe a se reunir pessoalmente com os israelenses. Até mesmo falar com os líderes israelenses poderia significar que o Egito reconhecia a existência legal do Estado de Israel. Ele sabia que a OLP e os Estados árabes mais agressivos, o Iraque e a Síria, rejeitariam veementemente qualquer aproximação. Apesar dos riscos, Sadat se ofereceu para ir a Israel e falar ao Knesset (o parlamento israelense).

2. *Os israelenses estavam com problemas econômicos*, em parte em função de suas enormes despesas militares e em parte por causa da recessão mundial. Os Estados Unidos estavam pressionando Israel para resolver suas diferenças com pelo menos alguns dos árabes. Eles aceitaram a oferta de Sadat, que visitou Israel em novembro de 1977, e Menachem Begin, o primeiro-ministro israelense, visitou o Egito no mês seguinte.

3. *O presidente norte-americano Jimmy Carter cumpriu um papel vital* para estabelecer negociações formais entre os dois lados, que começaram em setembro de 1978 em Camp David (perto de Washington).

(b) O Tratado de Paz e suas consequências

Com Carter na condição de intermediário, as conversações levaram a um tratado de paz em Washington, em março 1979 (ver Ilustração 11.3). *Os principais pontos acordados foram*:

- o estado de guerra que existia entre Egito e Israel desde 1948 estava agora terminado;
- Israel prometia retirar suas tropas do Sinai;
- o Egito prometia não atacar Israel de novo e garantia o fornecimento de seu pe-

Ilustração 11.3 Egito e Israel assinam um tratado de paz (março de 1979): (da esquerda para a direita) Anwar Sadat (Egito), Jimmy Carter (EUA) e Menachem Begin (Israel) na Casa Branca.

tróleo dos poços recentemente abertos no sul do Sinai;
- os navios israelenses poderiam usar o Canal do Suez.

O tratado foi condenado pela OLP e pela maioria dos outros Estados árabes (com exceção do Sudão e do Marrocos) e estava claro que um longo caminho ainda teria que ser percorrido antes de Israel conseguir assinar tratados semelhantes com a Síria e a Jordânia. A opinião mundial começou a se voltar contra Israel e a aceitar que a OLP tinha argumentos válidos em seu favor, mas quando os Estados Unidos tentaram reunir Israel e a OLP em uma conferência internacional, os israelenses não queriam cooperar. Em novembro de 1980, Begin anunciou que *Israel nunca devolveria as Colinas de Golan à Síria*, nem em troca de um tratado de paz, assim como *nunca permitiria que a Cisjordânia se tornasse parte de um Estado palestino independente*, o que seria uma ameaça mortal à existência de Israel. Ao mesmo tempo, crescia o descontentamento entre os árabes da Cisjordânia para com a política de Israel de estabelecer assentamentos judaicos em terras de propriedade de árabes. Muitos observadores temiam uma renovação da violência a menos que o governo de Begin adotasse uma postura mais moderada.

A paz também parecia ameaçada por um tempo, quando o presidente Sadat foi assassinado por soldados muçulmanos extremistas enquanto assistia a uma parada militar (outubro de 1981). Eles diziam que ele tinha traído a causa árabe e muçulmana ao fazer um acordo com os israelenses. Contudo, o sucessor de Sadat, Hosni Mubarak, anunciou corajosamente que daria continuidade ao acordo de Camp David.

Durante a maior parte da década de 1980, o conflito árabe-israelense foi ofuscado pela guerra Irã-Iraque (ver Seção 11.9), que ocupou grande parte da atenção do mundo árabe. Mas em 1987, houve manifestações de massa de palestinos que viviam nos campos de refugiados na Faixa de Gaza e na Cisjordânia. Eles protestavam contra as políticas repressivas de Israel e contra o comportamento brutal dos soldados israelenses nos campos de refugiados e nos territórios ocupados. A repressão israelense não conseguiu conter os protestos, e os duros métodos renderam uma condenação a Israel na ONU e em todo o mundo.

11.7 PAZ ENTRE ISRAEL E A OLP

A eleição de um governo menos agressivo (Trabalhista) em Israel, em junho de 1992, aumentou as esperanças de melhores relações com os palestinos. O primeiro-ministro Yitzak Rabin e o ministro do exterior Shimon Peres acreditavam na negociação e estavam dispostos a fazer concessões para obter uma paz duradoura. Yasser Arafat, líder da OLP, respondeu e iniciaram as conversações, mas havia tanta desconfiança e suspeita mútua depois de tantos anos de hostilidades que era difícil avançar. Contudo, ambos os lados perseveraram e, no início de 1996, aconteceram mudanças impressionantes.

(a) O acordo de paz de setembro de 1993

Este primeiro grande avanço aconteceu em uma conferência em Oslo, e ficou conhecido como *os Acordos de Oslo*. Acordou-se que:

- Israel reconheceria formalmente a OLP;
- A OLP reconheceria o direito de existir de Israel e prometia abrir mão do terrorismo;
- Os palestinos teriam autogoverno limitado em Jericó (na Cisjordânia) e em parte da Faixa de Gaza, áreas ocupadas por Israel desde a guerra de 1967. As tropas israelenses seriam retiradas dessas áreas.

Grupos extremistas em ambos os lados se opuseram ao acordo. A Frente Popular para a Libertação da Palestina ainda queria um Estado palestino completamente independente. Os colonos israelenses na Cisjordânia eram contra todas as concessões à OLP, mas os líderes moderados em ambos os lados mostraram grande coragem e determinação, principalmente Yossi Beilin, o vice-ministro do exterior israelense, e Mahmoud Abbas (também conhecido como Abu Mazen), um dos assessores de Arafat. Dois anos mais tarde, eles deram um passo ainda mais importante, construindo os Acordos de Oslo.

(b) Autogoverno para os palestinos (setembro-outubro de 1995)

- Israel concordava em retirar suas tropas da Cisjordânia (com exceção de Hebron), em etapas, ao longo de vários anos, repassando poderes civis e segurança à OLP. Isso daria fim ao controle israelense de áreas que o país dominava desde 1967 (ver Mapa 11.4). As áreas permaneceriam desmilitarizadas.
- As áreas seriam governadas por um parlamento ou Conselho Palestino de 88 membros, a ser eleito no início de 1996

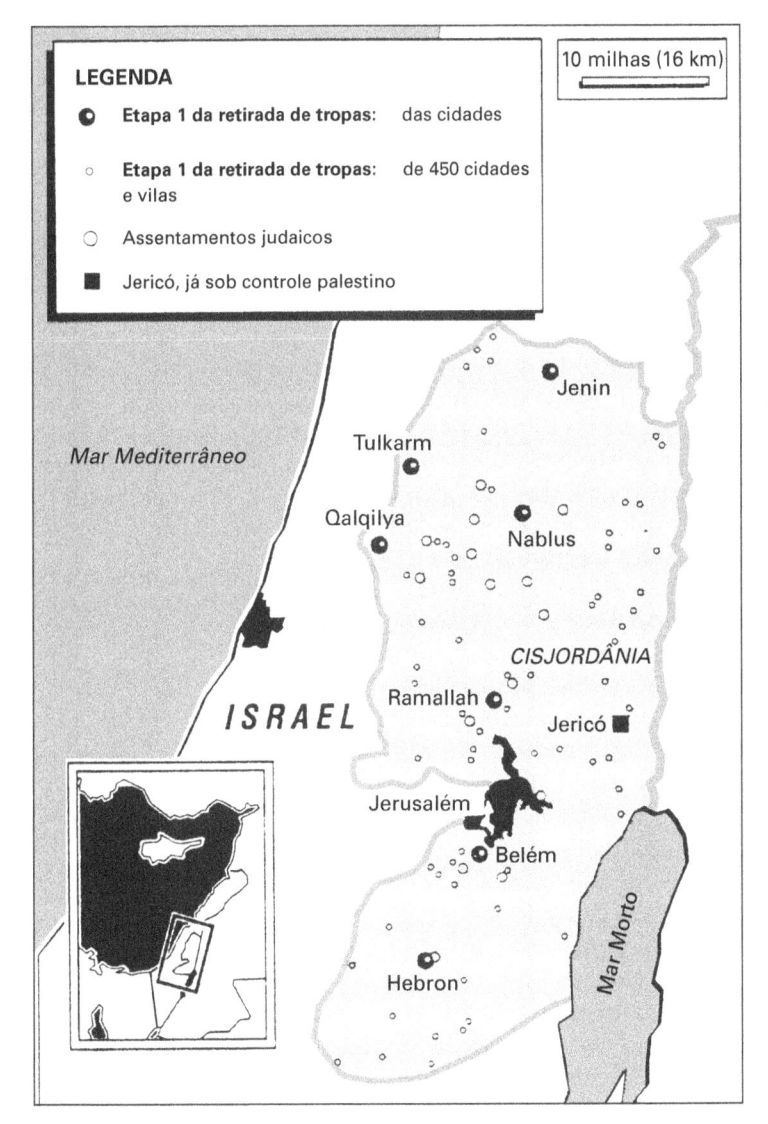

Mapa 11.4 O acordo israelo–palestino, 1995.

Fonte: The Guardian, 25 de setembro de 1995

por todos os moradores da Cisjordânia e residentes árabes de Jerusalém de mais de 18 anos. Jerusalém Oriental deveria ser a capital.*
- Todos os prisioneiros palestinos (cerca de 6.000) seriam libertados em três etapas.

A maior parte dos líderes do mundo elogiou essa brava tentativa de trazer paz à problemática região, mas, mais uma vez, extremistas em ambos os lados afirmavam que seus líderes eram culpados de uma "vergonhosa rendição". Tragicamente, o primeiro-ministro Yitzak Rabin foi assassinado por um fanático israelense pouco antes de discursar para uma manifestação pela paz (4 de novembro de 1995). Peres se tornou primeiro-ministro. O assassinato gerou um grande sentimento de repulsa contra os extremistas e o acordo foi sendo implementado aos poucos. Em janeiro de 1996, o rei Hussein da Jordânia fez uma visita oficial a Israel pela primeira vez, 1.200 prisioneiros palestinos foram libertados e foram iniciadas conversações de paz entre Israel e Síria. As eleições prometidas foram realizadas. Embora os extremistas conclamassem as pessoas a boicotá-las, a participação foi animadora, de mais de 80%. Como se esperava, Yasser Arafat foi eleito presidente palestino e seus apoiadores conquistaram uma grande maioria no parlamento, que deveria ter mandato até 1999, quando, esperava-se, um acordo de paz permanente teria sido atingido.

Entretanto, a situação mudou rapidamente durante a primavera de 1996: quatro atentados suicidas, realizados pelo grupo militante palestino Hamas (Cislâmico), custaram 63 vidas; o grupo militante xiita Hezbollah bombardeou vilas no norte de Israel, a partir do sul do Líbano. Tudo isso possibilitou que o líder linha-dura do Likud, Benjamin Netanyahu, que denunciou as políticas trabalhistas como "muito suaves" em relação aos palestinos, tivesse uma vitória apertada nas eleições de maio de 1996, desanimando grande parte do mundo e colocou em dúvida todo o processo de paz.

---

* N. de R.: Medida não aceita em Israel.

11.8 CONFLITO NO LÍBANO

Originalmente parte do Império Otomano (turco), o Líbano (ver Mapa 11.5) foi transformado em um mandato francês no final da Primeira Guerra Mundial e obteve independência completa em 1945. O país logo se tornou próspero, ganhando dinheiro com bancos e servindo de importante ponto de saída para as exportações da Síria, da Jordânia e do Iraque. Contudo, em 1975 começou uma guerra civil, e embora a guerra propriamente dita tenha terminado em 1976, o caos e a desordem continuaram durante os anos de 1980, à medida que diferentes facções lutavam para conquistar influência.

(a) O que fez com que a guerra civil fosse deflagrada in 1975?

1 Diferenças religiosas

O potencial para problemas estava lá desde o início, já que o país era uma *mistura desconcertante de diferentes grupos religiosos*, alguns muçulmanos, outros cristãos, que haviam se desenvolvido de forma independente, separados uns dos outros por cadeias de montanhas.

Havia quatro grupos cristãos principais:

- Maronitas (os mais ricos e mais conservadores);
- Gregos ortodoxos;
- Católicos romanos;
- Armênios.

Havia três principais grupos muçulmanos:

- Xiitas – o maior grupo, principalmente de classe trabalhadora pobre;
- Sunitas – um grupo menor, mas mais rico e com mais influência política do que os xiitas;
- Drusos – um pequeno grupo que vivia no centro do país, na maioria camponeses.

Havia uma longa história de ódio entre Maronitas e Drusos, mas ele parecia ser contido pela Constituição cuidadosamente elaborada, que tentava dar representação justa para todos os grupos. O presidente era sempre um maroni-

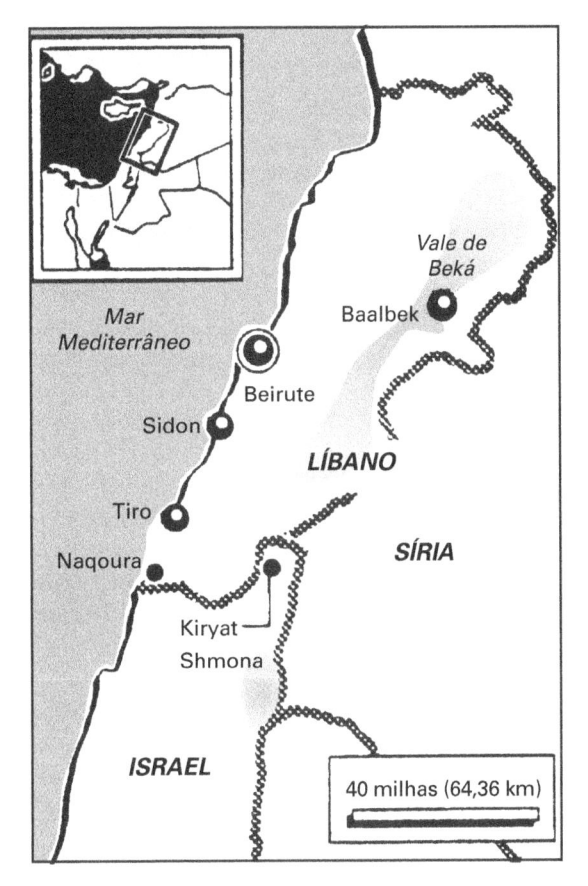

Mapa 11.5 O Líbano.
Fonte: The Guardian, maio de 1996

ta, o primeiro-ministro, um sunita, e o presidente do parlamento, um xiita, e o chefe do Estado Maior do exército, um druso. Das 43 cadeiras do parlamento, os maronitas tinham 13, os sunitas, 9, os xiitas 8, os gregos ortodoxos, 5, os drusos, 3, os católicos, 3, e os armênios, 2.

2 A presença dos refugiados palestinos de Israel

Esse fator complicava ainda mais a situação. Em 1975, já havia pelo menos meio milhão deles vivendo em campos miseráveis, longe dos principais centros populacionais. Os palestinos não eram muito bem vistos no Líbano porque estavam sempre se envolvendo em incidentes de fronteira com Israel, provocando a reação dos israelenses no sul do país. Principalmente os palestinos, sendo esquerdistas e muçulmanos, alarmavam os cristãos maronitas conservadores, que os consideravam uma perigosa influência desestabilizadora. Em 1975, a OLP tinha sua sede no Líbano, o que fazia com que a Síria, seu principal apoiador, estivesse constantemente interferindo nas questões libanesas.

3 Uma disputa entre muçulmanos e cristãos por direitos de pesca (1975)

O equilíbrio delicado entre muçulmanos e cristãos foi rompido em 1975 por uma disputa relacionada a direitos de pesca. Tudo começou com um incidente aparentemente menor, mas cresceu quando alguns palestinos ficaram do lado dos muçulmanos e um grupo de cristãos de direita, conhecidos como *Falange*, começou a atacar palestinos. Em pouco tempo, se desenvolveu uma guerra civil total: os maronitas a viram como uma chance de expulsar os palestinos, que haviam formado uma aliança com os drusos (inimigos de longa data dos maronitas).

Provavelmente, seja impossível descobrir com certeza qual lado foi responsável pelo crescimento da guerra. Ambos afirmavam que a disputa original pela pesca poderia ter sido resolvida com facilidade e se acusavam por fazer crescer a violência. De qualquer forma, a OLP certamente esteve envolvida: os falangistas diziam que guerrilheiros da organização tinham atirado em uma igreja onde alguns líderes partidários assistiam à missa; a OLP afirmava que os falangistas tinham iniciado atacando um ônibus que transportava palestinos.

Por um tempo, parecia que os drusos venceriam, mas isso alarmava os israelenses, que ameaçavam invadir o Líbano. Os sírios não queriam que isso acontecesse, de forma que, em 1976, o presidente sírio Assad enviou tropas ao Líbano para manter a OLP sob algum tipo de controle. A ordem foi restabelecida e isso representou um revés para ela e para os drusos. Agora eram os sírios que controlavam o Líbano. Yasser Arafat, o líder da OLP, teve que concordar em retirar suas tropas da região ao redor de Beirute (a capital do Líbano).

(b) O caos continua

Passaram-se mais de 10 anos antes que algo parecido com paz fosse restabelecido no Líbano, à medida que diferentes conflitos surgiam em lugares distintos.

1. *No sul, na fronteira com Israel, logo começou a luta entre palestinos e cristãos.* Os israelenses usaram essa oportunidade para mandar tropas em auxílio aos cristãos. Foi declarado um pequeno Estado cristão semi-independente do Líbano Livre, sob o comando do Major Haddad. Os israelenses o apoiaram porque funcionava com uma zona-tampão para protegê-los de outros ataques palestinos. Os palestinos e os muçulmanos contra-atacaram, e embora em 1982 houvesse 7.000 soldados da Unifil (*United Nations Interim Force in Lebanon*) na região, manter a paz era uma luta constante.
2. *Em 1980, houve uma breve luta entre apoiadores dos dois principais grupos maronitas* (as famílias Gemayel e Chamoun), vencida pelos primeiros.
3. *Em 1982, em represália à um ataque palestino em Israel, tropas israelenses invadiram o Líbano e penetraram até Beirute.* Durante um tempo, os Gemayels, apoiados pelos israelenses, controlaram a capital. Durante esse período, os palestinos foram expulsos e a partir dali a OLP ficou dividida. Os de linha-dura foram para o Iraque e o restante se dispersou por diferentes países árabes, onde não eram bem-vindos. Os israelenses se retiraram e uma força multinacional (formada por tropas dos Estados Unidos, França, Itália e Grã-Bretanha) assumiu seu lugar para manter a paz. Todavia, uma série de ataques e atentados suicidas a bomba forçou sua retirada.
4. *Em 1984, uma aliança de milícias xiitas* (conhecida como Amal) *e drusa, apoiadas pela Síria, expulsou o presidente Gemayel de Beirute e os próprios xiitas e drusos passaram a se enfrentar pelo controle de Beirute ocidental.* Yasser Arafat usou a confusão geral para rearmar os palestinos nos campos de refugiados.

No final de 1986, a situação era extremamente complexa.

- A milícia xiita Amal, apoiada pela Síria, alarmada com a força renovada da OLP, que parecia que iria estabelecer um Estado dentro do Estado, estava cercando os cam-

pos de refugiados na esperança de fazer com que se rendessem por causa da fome.
- Ao mesmo tempo, uma aliança de drusos, sunitas e comunistas estava tentando expulsar Amal de Beirute Ocidental. Outro grupo xiita mais extremista, conhecido como Hezbollah (Partido de Deus), que era apoiado pelo Irã, também estava envolvido na luta.
- No início de 1987, recomeçaram as lutas ferozes entre as milícias xiitas e drusas pelo controle de Beirute Ocidental. Vários europeus e norte-americanos que tinham ido à área para negociar a libertação de outros, capturados antes, foram feitos reféns.
- Com o país aparentemente em estado de total desintegração, o presidente Assad, da Síria, respondendo a uma solicitação do governo libanês, enviou seus tanques e tropas mais uma vez a Beirute Ocidental (fevereiro de 1987) e, em uma semana, a calma foi restabelecida.

(c) Por fim, a paz

Embora continuassem os assassinatos de figuras importantes, a situação se estabilizou aos poucos. Em setembro de 1990, *foram introduzidas mudanças importantes na Constituição do país, dando aos muçulmanos uma representação mais justa*. O número de cadeiras da Assembleia Nacional foi aumentado para 108, divididas igualmente entre cristãos e muçulmanos. O governo, com ajuda da Síria, foi aos poucos restabelecendo sua autoridade sobre uma parcela cada vez maior do país e conseguiu desmobilizar a maior parte das milícias. O governo também conseguiu a libertação de todos os reféns ocidentais, os últimos em junho de 1992. Tudo isso se deu muito em função da presença da Síria. Em maio de 1991, os dois Estados assinaram um tratado de "irmandade e coordenação", mas ele foi muito criticado pelos israelenses, que afirmavam que o tratado caracterizava uma anexação, na prática, do Líbano à Síria.

11.9 A GUERRA IRÃ-IRAQUE, 1980-1988

O Oriente Médio e o mundo árabe foram jogados em uma nova confusão em setembro de 1980, quando tropas iraquianas invadiram o Irã.

(a) As motivações do Iraque

O presidente do Iraque, Saddam Hussein, tinha vários motivos para lançar o ataque.

- *Ele receava que o islã militante se espalhasse para o outro lado da fronteira do Iraque com o Irã*, que tinha se tornado uma República Islâmica em 1979, sob a liderança do Aiatolá Khomeini e seus apoiadores muçulmanos xiitas fundamentalistas. Eles acreditavam que o país deveria ser governado segundo a religião islâmica, com um código moral estrito garantido através de severas punições. Segundo Khomeini, "no Islã, o poder legislativo de estabelecer leis pertence ao Deus todo-poderoso". A população do Iraque era majoritariamente muçulmana sunita, mas havia uma grande minoria xiita. Saddam, cujo governo era laico, temia que os xiitas pudessem se levantar contra ele e executou alguns de seus líderes no início dos anos de 1980. Os iranianos retaliaram lançando ataques do outro lado da fronteira.
- *Os iraquianos afirmavam que a província iraquiana do Cuzistão, localizada na fronteira, deveria pertencer a eles por direito*. Essa região era povoada por muitos árabes, e Saddam esperava que eles saíssem em apoio ao Iraque (a maioria dos iranianos era de persas, e não de árabes).
- *Havia uma antiga disputa sobre o canal de Shatt-el-Arab*, uma saída importante para as exportações de petróleo de ambos os países e que formava parte da fronteira entre os dois. O Shatt-el-Arab já tinha estado completamente sob controle iraquiano, mas cinco anos antes o governo

iraniano forçou o Iraque a compartilhar o controle com o Irã.

- *Saddam achava que as forças iranianas estariam frágeis e desmoralizadas, tão pouco tempo depois de os fundamentalistas tomarem o poder*, e esperava uma vitória rápida. Em pouco tempo ficou claro que ele tinha errado em muito o cálculo.

(b) A guerra se arrasta

Os iranianos logo se organizaram para enfrentar a invasão, que começou com o Iraque tomando o canal disputado, ao que eles responderam com ataques de infantaria em massa contra posições iraquianas muito fortificadas. No papel, o Iraque parecia muito mais forte, já que estava bem abastecido de tanques soviéticos, helicópteros de combate e mísseis, além de algumas armas britânicas e norte-americanas. Contudo, os guardas revolucionários iranianos, inspirados por sua religião e prontos para se tornarem mártires, lutavam com determinação fanática e, com o tempo, começaram a também receber equipamentos modernos (mísseis antiaéreos antitanque) da China e da Coreia do Norte (e, secretamente, dos Estados Unidos). À medida que a guerra se arrastava, o Iraque se dedicava a estrangular as exportações de petróleo do Irã, que pagavam por suas armas. Enquanto isso, o Irã capturava território iraquiano, e no início de 1987, suas tropas estavam a 15 km de Basra, a segunda cidade mais importante do Iraque, que teve que ser evacuada. A essas alturas, a disputa territorial tinha se perdido em meio ao conflito racial e religioso mais profundo: Khomeini tinha jurado nunca parar de lutar até que os fundamentalistas muçulmanos xiitas tivessem destruído o "ímpio" regime de Saddam.

A guerra teve importantes repercussões internacionais.

- *A estabilidade de todo o mundo árabe estava ameaçada.* Os países mais conservadores – Arábia Saudita, Jordânia e Kuwait – deram apoio cauteloso ao Iraque, mas Síria, Argélia, Iêmen do Sul e OLP o criticavam por iniciar uma guerra em um momento em que, segundo eles, os países árabes deveriam estar concentrados na destruição de Israel. Os sauditas e outros países do Golfo, desconfiados do estilo fundamentalista de islã de Khomeini, queriam sua capacidade de dominar o Golfo Pérsico. Já em novembro de 1980, uma conferência de cúpula árabe em Amã (Jordânia), para formular novos planos para lidar com Israel, não conseguiu decolar porque os Estados contrários ao Iraque, liderados pela Síria, recusaram-se a participar.

- *Os ataques às exportações de petróleo do Irã ameaçavam o abastecimento de energia do Ocidente*, e em várias ocasiões atraíram navios de guerra norte-americanos, russos, britânicos e franceses para a região, elevando a temperatura internacional. Em 1987, houve uma reviravolta mais perigosa na situação quando navios petroleiros, fosse qual fosse sua nacionalidade, foram ameaçados por minas e não estava claro qual lado havia sido responsável por sua colocação.

- *O sucesso dos soldados fundamentalistas xiitas do Irã, especialmente a ameaça a Basra, alarmava os governos árabes laicos*, e muitos árabes tinham medo do que poderia acontecer se o Iraque fosse derrotado. Até mesmo o presidente Assad, da Síria, inicialmente um forte apoiador do Irã, estava preocupado com a possibilidade de o Iraque se dividir e se tornar outro Líbano, o que poderia desestabilizar a própria Síria. Foi realizada uma conferência islâmica no Kuwait (janeiro de 1987) com a participação de representantes de 44 países, mas os líderes iranianos se recusaram a participar, e não se chegou a nenhum acordo sobre como dar um fim à guerra.

- A guerra entrou em uma etapa nova e mais terrível em 1987, quando os dois países começaram a bombardear as capitais um do outro, Teerã (Irã) e Bagdá (Iraque), causando milhares de mortes.

(c) O fim da guerra, 1988

Embora nenhum dos lados tenha atingido seus objetivos, o custo da guerra, em termos econômicos e de vidas humanas, estava sendo pesado. Ambos os lados começaram a procurar uma maneira de dar fim à luta, embora, durante um tempo, continuassem a despejar propaganda. Saddam falava de "vitória total" e os iranianos queriam "rendição total". A ONU se envolveu, teve algumas conversas francas com ambos os lados e obteve um cessar-fogo (agosto de 1988), monitorado por tropas da organização. Contra todas as expectativas, a trégua durou. Em outubro de 1988, foram iniciadas negociações de paz e finalmente houve acordo em 1990.

11.10 A GUERRA DO GOLFO, 1990-1991

Mesmo depois de ter aceitado os termos de paz no final da guerra Irã-Iraque, Saddam Hussein deu início a seu próximo ato de agressão. Suas forças invadiram e ocuparam rapidamente o pequeno Estado vizinho do Kuwait (agosto de 1990).

(a) As motivações de Saddam Hussein

- Seu verdadeiro motivo provavelmente era pôr as mãos na riqueza do Kuwait, já que estava com muita falta de dinheiro depois da longa guerra com o Irã. O Kuwait, embora pequeno, tinha valiosos poços de petróleo, que Saddam agora poderia controlar.
- Ele afirmava que o Kuwait era, historicamente, parte do Iraque, embora o país tivesse existido como um território separado, um protetorado britânico, desde 1899, ao passo que o Iraque só foi criado depois da Primeira Guerra Mundial.
- Ele não esperava qualquer ação por parte de outros países agora que as tropas estavam firmemente entrincheiradas no Kuwait, e

tinha o exército mais forte da região. Ele achou que a Europa e os Estados Unidos estavam razoavelmente favoráveis a ele, já que lhe tinham fornecido armas durante a guerra com o Irã. Afinal de contas, os Estados Unidos o tinham apoiado durante toda a guerra contra o regime iraniano que tinha derrubado o xá, aliado dos Estados Unidos. Os norte-americanos o valorizavam como uma influência estabilizadora na região e no próprio Iraque, e não tinham agido quando Saddam reprimiu os xiitas nem quando ele esmagou brutalmente os curdos (que estavam exigindo um Estado independente) no norte do Iraque, em 1988.

(b) O mundo se une contra Saddam Hussein

Mais uma vez, como no caso do Irã, Saddam fez uma avaliação equivocada. O presidente norte-americano Bush assumiu a liderança da pressão por uma ação para retirar os iraquianos do Kuwait. A ONU deu início a sanções econômicas contra o Iraque, cortando suas exportações de petróleo, sua principal fonte de receita. Ordenou-se a Saddam que retirasse suas tropas até 15 de janeiro de 1991, quando a ONU usaria de "todos os meios necessários" para removê-los. Saddam esperava que isso fosse um blefe e falava na "mãe de todas a guerras" se tentassem retirá-lo, mas Bush e Margaret Thatcher tinham decidido que o poder de Saddam deveria ser contido. Ele controlava uma quantidade muito grande do óleo necessário ao Ocidente. Felizmente para a Grã-Bretanha e os Estados Unidos, a Arábia Saudita, a Síria e o Egito também estavam nervosos com relação ao que Saddam poderia fazer a seguir e apoiaram a ação da ONU.

Apesar de esforços diplomáticos frenéticos, Saddam Hussein achava que se retirar do Kuwait não era uma saída honrosa, ainda que soubesse que havia uma força de mais de 600.000 homens reunida na Arábia Saudita. Mais de 30 países contribuíram com soldados, armamentos ou dinheiro. Por exemplo,

Estados Unidos, Grã-Bretanha, França, Itália, Egito, Síria e Arábia Saudita forneceram tropas, enquanto a Alemanha e o Japão doaram dinheiro. Quando terminou o prazo de 15 de janeiro, foi lançada a *Operação Tempestade no Deserto* contra os iraquianos.

A campanha, em duas partes, teve rápido êxito. Primeiro, uma série de bombardeios sobre Bagdá (a capital iraquiana), cujos desafortunados cidadãos mais uma vez sofreram pesadas baixas, e sobre alvos militares, como estradas e pontes. A segunda fase, o ataque ao exército iraquiano propriamente dito, começou em 24 de fevereiro. *Em quatro dias, os iraquianos foram expulsos do Kuwait e debandaram.* O país foi libertado e Saddam Hussein aceitou a derrota, mas, embora o Iraque tivesse perdido muitos soldados (algumas estimativas situam as mortes iraquianas em 90.000, comparadas com apenas 400 dos aliados), foi permitido a Saddam que se retirasse com grande parte de seu exército intacto. Os iraquianos em retirada ficaram à mercê dos aliados, mas Bush decretou um cessar-fogo, com receio de os aliados perderem o apoio dos outros países árabes e de que a matança continuasse.

(c) Depois da guerra – Saddam Hussein sobrevive

A guerra teve consequências negativas para muitos iraquianos. Fora do Iraque, havia grandes expectativas de que Saddam Hussein fosse derrubado em pouco tempo, depois dessa derrota humilhante. Houve levantes dos curdos no norte e dos muçulmanos xiitas no sul, e parecia que o país estava se desmembrando, mas os Aliados deixaram a Saddam uma quantidade suficiente de soldados, tanques e aviões para lidar com a situação, e ambas as rebeliões foram esmagadas cruelmente. No início, ninguém interveio: Rússia, Síria e Turquia tinham suas próprias minorias curdas e não queriam que a rebelião se espalhasse do Iraque para seus territórios. Da mesma forma, uma vitória xiita no sul do Iraque provavelmente aumentaria o poder do Irã na região, e os Estados Unidos não queriam isso. Contudo, a opinião pública mundial foi ficando tão indignada com a continuidade dos bombardeios cruéis de Saddam sobre seu povo que os Estados Unidos e a Grã-Bretanha, com apoio da ONU, declararam a proibição de voos nessas zonas e usaram seu poder aéreo para manter fora os aviões de Saddam, que permaneceu no poder.

A guerra e o período posterior foram muito reveladores em relação às motivações do Ocidente e das grandes potências, cuja preocupação básica não era com justiça internacional nem com questões morais sobre o que é certo ou errado, e sim com seus próprios interesses. Eles só agiram contra Saddam porque achavam que ele ameaçava seu abastecimento de petróleo. Muitas vezes, no passado, quando outras nações pequenas foram invadidas, não houve qualquer ação internacional. Por exemplo, quando o Timor Leste foi ocupado pela vizinha Indonésia, em 1975, o restante do mundo ignorou, porque seus interesses não estavam ameaçados. Depois da Guerra do Golfo, Saddam, que, em qualquer avaliação, deve constar entre os ditadores mais brutais do século, pôde permanecer no poder porque o Ocidente achava que sua sobrevivência era uma forma de manter o Iraque unido e a região estável.

11.11 ISRAELENSES E PALESTINOS SE ENFRENTAM MAIS UMA VEZ

(a) O fracasso dos Acordos de Oslo

Benjamin Netanyahu, primeiro-ministro israelense de maio de 1996 a maio de 1999, nunca aceitou os acordos feitos em Oslo. Ele passou grande parte de seu mandato tentando recuar dos compromissos assumidos pelo governo israelense anterior e começou a construir enormes assentamentos judaicos na periferia de Jerusalém, que isolariam vilas árabes no lado leste da cidade do restante da Cisjordânia. Isso só causou mais protestos violentos por parte dos palestinos. Yasser Arafat libertou alguns militantes do Hamas da cadeia e suspendeu a cooperação com Israel. O presidente norte-americano, Clinton, tentou manter o processo de paz em andamento, reunindo ambos os lados em Camp David em outubro de 1998, mas houve poucos avanços. Netanyahu, enfrentando recessão e desemprego crescente, convocou eleições em maio de 1999. O candidato a primeiro-ministro do Partido Trabalhista (que agora se chamava "Um Israel") foi o general aposentado Ehud Barak, que fez uma campanha em cima de promessas de crescimento econômico e um impulso renovado pela paz, e teve uma vitória decisiva.

A vitória de Barak levantou muitas esperanças: ele queria uma paz abrangente com a Síria (que não havia assinado um tratado de paz com Israel depois da guerra de 1973) e com os palestinos, e se esforçou muito para consegui-lo. Infelizmente, seus esforços fracassaram.

- Embora os sírios tenham concordado em conversar, as negociações acabaram se rompendo em março de 2000, quando eles insistiam em que deveria haver um retorno às fronteiras anteriores à Guerra dos Seis Dias, antes de qualquer outra conversação. Barak não poderia concordar com isso sem afastar de si a maioria dos israelenses.
- Apesar disso, em maio de 2000, Barak implementou sua promessa de campanha de retirar as tropas israelenses do sul do Líbano, onde elas policiavam a zona desde 1985.
- Barak ofereceu compartilhar Jerusalém com os palestinos, mas Arafat se recusou e continuava a exigir soberania total sobre Jerusalém leste.

No verão de 2000, o governo de Barak estava se desagregando, pois muitos de seus apoiadores achavam que eles estavam fazendo concessões demais aos árabes e nada recebendo em retorno. Uma reunião de cúpula em Camp David, patrocinada pelos Estados Unidos, fracassou.

Clinton fez mais um esforço para trazer a paz antes de terminar seu mandato como presidente (o novo presidente, George W. Bush, assumiria o cargo em 20 de janeiro de 2001). Em uma reunião na Casa Branca (em dezembro de 2000), ele anunciou seu novo plano para representantes de ambos os lados. Avançava-se um pouco rumo às demandas dos palestinos: os israelenses deveriam se retirar completamente de Gaza e de 95% da Cisjordânia, e haveria um Estado palestino independente. Com relação a Jerusalém, "o princípio geral é de que as áreas árabes são palestinas e as judaicas são israelenses". Em uma conferência realizada em Taba, no Egito, para discutir o plano (janeiro de 2001), o acordo parecia estar angustiantemente próximo, permanecendo somente a questão de Jerusalém, mas nenhum dos lados aceitou ceder nesse ponto fundamental. O processo de paz de Oslo tinha naufragado.

(b) O problema de Jerusalém

Os acordos de Oslo tinham deixado de lado várias questões vitais, como a situação de Jerusalém, o direito de retorno dos refugiados de 1948 e o futuro dos assentamentos judaicos nas áreas ocupadas por Israel desde 1967. A intenção era que esses problemas espinhosos fossem negociados mais próximo do final de um período de transição de cinco anos, mas a primeira vez em que eles foram discutidos em detalhes foi na reunião de cúpula de Clinton, em Camp David, em julho de 2000.

A intenção original, no momento da criação de Israel, era que Jerusalém estivesse sob controle internacional. Entretanto, a luta de 1948-1949 acabou com a Jordânia governando a parte oriental e Israel, a parte ocidental. Essa posição se manteve até a Guerra dos Seis Dias, em 1967, quando Israel capturou Jerusalém Oriental, junto com toda a Cisjordânia, a qual ocupa até hoje. O problema é que Jerusalém tem uma grande importância simbólica para ambos os lados. Para os judeus, era sua antiga capital, e eles acreditam que o Monte do Templo era o lugar de seu Templo em épocas bíblicas. Para os muçulmanos, Jerusalém conhecida como Al-Haram al-Sharif, é o lugar de onde o profeta Maomé subiu aos céus.

Os israelenses estavam determinados a manter Jerusalém. Tomaram terras árabes e construíram novos assentamentos judeus, violando o direito internacional. A opinião internacional e a ONU condenaram repetidamente as atividades israelenses, mas em 1980, o Knesset (o parlamento israelense) aprovou a Lei sobre Jerusalém, que declarava que "a cidade, completa e unificada, é a capital de Israel". Isso provocou uma onda de críticas de israelenses moderados, que achavam que era desnecessário, da opinião mundial e do Conselho de Segurança da ONU, que aprovou uma resolução condenando Israel. Até mesmo os Estados Unidos, que quase sempre apoiavam Israel, abstiveram-se de votar. É por isso que os acordos de 1995, que pela primeira vez reconheciam a possibilidade de Jerusalém ser dividida, eram um avanço tão grande. Também explica porque os palestinos ficaram tão decepcionados quando Netanyahu abandonou a ideia, após o assassinato de Yitzak Rabin (ver Seção 11.7(b)). Quando a reunião de cúpula promovida por Clinton fracassou, em julho de 2000, outra explosão de violência foi inevitável.

(c) Sharon e a intifada

Em 28 de setembro de 2000, Ariel Sharon, líder do partido oposicionista Likud, cercado de um grande contingente de seguranças, fez uma visita muito divulgada ao Monte do Templo, em Jerusalém. Ele afirmava que estava indo levar uma "mensagem de paz", mas para a maioria do restante do mundo, parecia que esse era um gesto para enfatizar a soberania israelense sobre toda Jerusalém, e até mesmo uma tentativa deliberada de provocar a violência, que daria fim ao processo de paz. Se essa era realmente o sua motivação, ele teve completo sucesso. A visita desencadeou revoltas que se espalharam do Monte do Templo por toda a Cisjordânia e Gaza, e entre os árabes em Israel, logo se transformando em um levante total que ficou conhecido como a intifada de al-Aqsa (Jerusalém). Depois do fracasso das tentativas finais de Clinton de trazer a paz, em janeiro de 2001, Sharon foi eleito primeiro-ministro, derrotando Barak, que era visto como muito inclinado a fazer concessões a Yasser Arafat (fevereiro de 2001).

Sharon imediatamente anunciou que não haveria mais negociações enquanto durasse a violência. Seu objetivo era controlar a intifada com uma mistura de ação militar intensa e pressão internacional. Infelizmente, quanto mais drástica era a ação militar de Israel, menos apoio internacional o país conseguia. *Pelos três anos que se seguiram, o ciclo trágico de atentados suicidas, enormes retaliações de Israel e curtos períodos de cessar-fogo se intercalaram com esforços internacionais inúteis de intermediação, não diminuiu.* Por exemplo:

- Um suicida do Hamas matou com uma bomba cinco israelenses em Netanya, um balneário muito frequentado. Os israelenses responderam com 16 bombardeios aéreos, matando 16 palestinos na Cisjordânia (maio de 2001).
- Os israelenses assassinaram Abu Ali Mustafa, vice-líder da Frente Popular para a Libertação da Palestina (FPLP), em Ramallah, a sede da Autoridade Palestina (agosto de 2001).
- Após os atentados de 11 de setembro nos Estados Unidos, o presidente Bush deu um passo para impedir que a questão Palestina se misturasse com sua "guerra ao terrorismo". Ele anunciou novos planos para a paz, que incluíam um Estado palestino independente com Jerusalém Oriental como sua capital.
- A FPLP assassinou o ministro do turismo de Israel, um antipalestino linha-dura e amigo de Sharon (outubro de 2001).

- Suicidas do Hamas mataram 25 israelenses em Haifa e Jerusalém, e outros 10 foram mortos quando uma bomba explodiu em um ônibus. Israel respondeu ocupando Ramallah e cercando as instalações onde estavam a residência e os escritórios de Arafat. Este condenou o terrorismo e demandou um cessar-fogo imediato. O Hamas declarou a interrupção dos atentados suicidas (dezembro de 2001). O cessar-fogo durou apenas quatro semanas.
- Nos primeiros meses de 2002, a luta ficou mais cruel. Depois de pistoleiros palestinos matarem seis soldados israelenses perto de Ramallah, os israelenses ocuparam dois grandes campos de refugiados palestinos em Nablus e Jenin. Os palestinos realizaram mais atentados e os israelenses enviaram 150 tanques e 20.000 soldados para a Cisjordânia e a Faixa de Gaza, e atacaram o prédio de Arafat em Ramallah mais uma vez. Sharon parecia estar fazendo tudo o que estivesse em seu poder para ferir Arafat, menos mandar assassiná-lo diretamente. Houve intensos confrontos no campo de refugiados de Jenin e os palestinos afirmaram que as forças de Israel tinham realizado um massacre. A ONU enviou uma equipe para investigar essas afirmações, mas os israelenses se recusaram a deixar que ela entrasse (fevereiro-abril de 2002). Em março, a ONU, pela primeira vez, apoiou a ideia de um Estado palestino independente. O secretário-geral Annan acusou Israel de "ocupação ilegal" de terras palestinas.
- Mesmo assim, a equipe da ONU coletou informações suficientes para publicar um relatório sobre as condições na Cisjordânia e na Faixa de Gaza (chamadas de "territórios ocupados"), em setembro de 2002. O material acusava Israel de causar uma catástrofe humanitária entre os palestinos: a economia foi destruída, o desemprego estava em 65%, metade da população vivia com menos de dois dólares por dia, escolas e casas foram postas abaixo por tratores, pessoas foram deportadas e foi imposto um toque de recolher. As ambulâncias eram impedidas de passar em barreiras nas estradas.
- Os Estados Unidos e Israel consideravam Yasser Arafat como o principal obstáculo para os avanços, já que ele não queria fazer concessões importantes e não tinha disposição ou poder para interromper de forma duradoura os ataques palestinos. Não tendo conseguido matá-lo nos ataques à sua residência, a liderança israelense tentou excluí-lo, recusando-se a se reunir com ele e exigindo a indicação de outro líder para representar os palestinos nas negociações. Consequentemente, Mahmoud Abbas (Abu Mazen) foi indicado ao recém-criado posto de primeiro-ministro, embora Arafat permanecesse como presidente e continuasse a estar realmente no poder na autoridade palestina (março de 2003).

(d) O "mapa" do caminho para a paz?

Esse novo plano de paz foi elaborado originalmente em dezembro de 2002 por representantes da União Europeia, Rússia, ONU e Estados Unidos. As discussões formais foram adiadas pela eleição geral em Israel de janeiro de 2003 (vencida por Sharon), pela guerra no Iraque e pela insistência de Israel e Estados Unidos de que só tratariam com Abbas, e não com Arafat. Por fim, em 30 de abril de 2003, o plano foi apresentado formalmente a Abbas e a Sharon. *O "mapa" visava a chegar a um acerto final sobre todo o conflito israelo-palestino até o final de 2005. Seus pontos básicos eram*:

- a criação de um Estado palestino independente, democrático e viável que existisse lado a lado e em paz e segurança com Israel e seus outros vizinhos.
- deveria haver um "fim incondicional da violência" em ambos os lados, um con-

gelamento nos assentamentos israelenses, o desmantelamento de todos os assentamentos "ilegais" construídos desde que Sharon subiu ao poder em março de 2001, e uma nova Constituição e eleições para a Palestina – tudo a ser atingido até o final de 2003;
- após as eleições palestinas, haveria uma conferência internacional para definir fronteiras provisórias do novo Estado, até o final de 2003;
- nos dois anos seguintes – até o final de 2005 – Israel e Palestina negociariam detalhes finais como os outros assentamentos, refugiados, a situação de Jerusalém e as fronteiras.

O "mapa" foi aceito em princípio por palestinos e israelenses, embora Sharon tivesse várias reservas, por exemplo, ele não reconhecia o direito de retorno dos refugiados palestinos a suas antigas casas em Israel. O gabinete israelense aprovou o plano por uma margem estreita, na primeira vez em que aceitava a ideia de um Estado palestino incluindo algum território que tivessem ocupado desde a Guerra dos Seis Dias em 1967. Com relação à Cisjordânia e à faixa de Gaza, Sharon fez uma declaração histórica. "Manter 3,5 milhões de pessoas sob ocupação é ruim para nós e para eles. Minha conclusão de que temos que chegar a um acordo de paz".

(e) O que causou a mudança de atitude de Israel?

A mudança de opinião de Sharon não veio simplesmente do nada: já em novembro de 2002, ele tinha convencido seu partido, o Likud, de que era inevitável aceitar um Estado palestino mais cedo ou mais tarde, e que teriam que ser feitas "concessões dolorosas" assim que acabasse a violência. Com base nessa plataforma, o Likud venceu as eleições gerais de janeiro de 2003 e Sharon permaneceu como primeiro-ministro. Uma combinação de razões fez com que ele abrisse mão de sua visão linha-dura de um Grande Israel que iria do Mediterrâneo ao rio Jordão, incluindo a totalidade de Jerusalém.

- Depois de quase três anos de violência, Sharon começou a ser dar conta de que sua política não estava funcionando. A violência e a determinação da resistência palestina impressionavam e desanimavam muitos israelenses. Embora a opinião internacional tenha condenado os atentados suicidas palestinos, as respostas israelenses desproporcionais eram ainda mais impopulares. Foram os palestinos, considerados os mais fracos, que conquistaram a simpatia do restante do mundo, com exceção dos Estados Unidos, que quase que invariavelmente, apoiavam e financiavam Israel.
- A opinião dos moderados israelenses se voltou contra a abordagem linha-dura e muitos cidadãos estavam horrorizados com eventos como o "massacre" do campo de refugiados de Jenin. Yitzhak Laor, escritor e poeta israelense, escreveu: "Não restam dúvidas de que a 'política do assassínio' de Israel – sua matança de políticos importantes – jogou gasolina no fogo... A retroescavadeira, que já foi símbolo da construção de um novo país, tornou-se um monstro, seguindo os tanques, para que todo mundo possa assistir ao desaparecimento de mais uma casa de família, de mais um futuro.... Escravizar uma nação, fazer com que se ajoelhe, simplesmente não funciona". Uma estimativa sugeria que 56% dos israelenses apoiavam o "mapa".
- Até o presidente Bush acabou começando a perder a paciência com Sharon. Os Estados Unidos denunciaram o ataque ao centro de operações de Arafat e disseram a Sharon para retirar suas tropas da Cisjordânia, indicando que seus ataques aos palestinos estavam ameaçando destruir a coalizão liderada pelos norte-americanos contra o regime Talibã e Osama bin La-

den. Bush receava que, a menos que se fizesse algo para conter Sharon, os países árabes – Egito, Jordânia e Arábia Saudita – poderiam se retirar da coalizão. Bush também ameaçou reduzir a ajuda norte-americana a Israel. A primeira reação de Sharon foi de raiva e desafio, mas no final ele teve que obedecer, e começou uma retirada gradual de tropas da Cisjordânia.

- As tendências populacionais foram sugeridas como mais uma possível influência sobre Sharon. No início de 2004, a população de Israel e da Palestina era de cerca de 10 milhões, sendo 5,4 milhões de judeus e 4,6 árabes. Nas taxas de crescimento populacionais de então, o número de árabes palestinos superaria o número de judeus dentro de seis a dez anos. Em 20 anos, essa tendência ameaçaria a própria existência do Estado judeu, pois, se o Estado é verdadeiramente democrático como dizem os israelenses, os palestinos teriam direitos de voto igual e seriam maioria. A melhor solução para ambos os lados seria a paz e a criação de dois Estados separados, o mais rápido possível.

(f) Tempos difíceis pela frente

Embora ambos os lados tivessem aceitado o "mapa" em princípio, ainda havia sérias dúvidas sobre aonde ele estava levando. Na primavera de 2004, não tinham feito progressos na implementação de qualquer dos pontos e o plano estava atrasado. Apesar de todos os esforços, um cessar-fogo duradouro mostrou-se impossível, a violência continuava e Mahmoud Abbas renunciou com irritação, responsabilizando os israelenses por agir de forma "provocativa" sempre que grupos militantes palestinos – Hamas, Jihad Islâmica e Fatah – começassem um cessar-fogo. Ele também estava envolvido em uma luta pelo poder com Arafat, que não lhe dava plenos poderes para negociar como achasse melhor, e foi substituído por Ahmed Qurie, que também tinha participado das discussões em Oslo, em 1993.

Em outubro de 2003, alguns israelenses críticos de Sharon, incluindo Yossi Beilin (que também havia participado dos Acordos de Paz de Oslo), realizaram conversações com os líderes palestinos e, juntos, produziram um *plano de paz rival, extraoficial*, que foi lançado com grande publicidade em uma cerimônia em Genebra, em dezembro, e recebido como um sinal de paz. Os israelenses faziam algumas concessões: Jerusalém seria dividida e incorporada ao Estado palestino, Israel abriria mão da soberania sobre o Monte do Templo e abandonaria 75% dos assentamentos judeus na Cisjordânia, que seriam incorporados ao novo Estado palestino. Contudo, em retorno, os palestinos deveriam abrir mão do direito de retorno dos refugiados e aceitar indenização financeira. Para a ampla maioria dos palestinos, essa questão estava no centro do problema e eles nunca poderiam se submeter de bom grado a um acordo como esse. Para os israelenses, o abandono de tantos assentamentos era igualmente inaceitável. O impasse continuou ao longo de 2004.

(g) Por que o processo de paz encalhou dessa maneira?

Basicamente, a razão foi que, embora representassem algumas concessões por parte dos israelenses, o "mapa" e os chamados acordos de Genebra não iam longe o suficiente e omitiam vários pontos que os palestinos tinham direito de ter expectativa de ver incluídos.

- Não havia reconhecimento real de que a presença israelense em Gaza e na Cisjordânia era uma ocupação ilegal e assim foi desde 1967. Israel ignorava uma ordem da ONU para evacuar todo o território capturado durante a Guerra dos Seis Dias (incluindo as Colinas de Golan, tomadas da Síria)
- As fronteiras eram chamadas de "provisórias". Os palestinos suspeitavam que a ideia de Sharon era ter um Estado palestino fraco formado por uma série de enclaves separados uns dos outros por território israelense.

- Havia o espinhoso problema dos assentamentos israelenses. O "mapa" mencionava o desmantelamento dos assentamentos "ilegais" construídos desde 2001, que eram cerca de 60. Isso sugeria que todos os outros – quase 200, onde moravam mais de 450.000 pessoas, metade deles em Jerusalém Oriental ou próximo, o restante na Cisjordânia e Gaza – eram legais, mas era possível afirmar que eles eram ilegais, já que haviam sido construídos em território ocupado. O "mapa" não fazia qualquer menção ao seu desmantelamento.
- Não havia qualquer referência ao enorme muro de segurança, de 347 quilômetros, sendo construído pelos israelenses na Cisjordânia, estendendo-se de norte a sul, e fazendo voltas para incluir alguns dos maiores assentamentos israelenses. O muro atravessava terras e oliveirais palestinos, em alguns lugares isolando os palestinos das fazendas que proporcionavam seu sustento. Estimava-se que, quando o muro estivesse pronto, 300.000 palestinos estariam presos em suas aldeias (reservas), sem conseguir acessar suas terras.
- Acima de tudo, havia a questão dos refugiados e seu sonho de retornar à sua pátria anterior a 1948, um desejo formulado em diversas resoluções da ONU. No lado israelense, eles acreditavam que, caso o sonho palestino se tornasse realidade, isso destruiria seu próprio sonho, o Estado judeu.

Em janeiro de 2004, Sharon anunciou que se não houvesse avanços em direção a uma paz negociada, Israel seguiria em frente e imporia sua própria solução, retirando-se de alguns assentamentos e reposicionando as comunidades judaicas. As fronteiras seriam redefinidas para criar um Estado separado da Palestina, mas seria menor do que o previsto no "mapa". A situação foi jogada no caos mais uma vez em março de 2004, quando os israelenses assassinaram o xeque Ahmed Yassin, fundador e líder do Hamas.

Ainda naquele mês, Sharon anunciou sua própria solução unilateral: os israelenses destruiriam seus assentamentos na faixa de Gaza, mas manteriam controle de todos, menos de quatro dos localizados na Cisjordânia. Embora isso fosse uma mudança fundamental em relação ao "mapa" por parte dos israelenses, a proposta recebeu apoio absoluto do presidente Bush, que disse não ser realista esperar uma retirada israelense completa de terras ocupadas na guerra de 1967, nem que os refugiados palestinos tivessem expectativas de voltar para "casa." Como era de se esperar, isso causou indignação total no mundo árabe, as tensões foram ainda mais inflamadas em abril de 2004, quando os israelenses assassinaram o Dr. al-Rantissi, sucessor do xeque Yassin e avisaram que Yasser Arafat poderia ser o próximo alvo. Isso gerou uma reação violenta dos militantes palestinos, os israelenses retaliaram lançando um ataque sobre o campo de refugiados de Rafah, matando 40 pessoas, inclusive crianças.

Yasser Arafat parecia estar acenando com um ramo de oliveira quando disse a um jornal israelense que reconhecia o direito de Israel de permanecer como Estado judeu e estava disposto a aceitar o retorno de apenas uma parte dos refugiados palestinos. A oferta não foi bem recebida entre militantes palestinos e não houve resposta por parte dos israelenses.

Enquanto isso, o Tribunal Internacional de Justiça de Haia analisou a legalidade do muro de segurança da Cisjordânia. Os palestinos ficaram muito satisfeitos quando o tribunal decidiu (julho de 2004) que a barreira era ilegal e que os israelenses deveriam destruí-lo e indenizar as vítimas, mas o primeiro-ministro Sharon rejeitou a decisão do tribunal, dizendo que Israel tinha o direito sagrado de lutar contra os terroristas de todas as formas necessárias. Os israelenses se mostraram ainda mais provocadores com um anúncio de que pretendiam construir um novo assentamento perto de Jerusalém, que cercaria a Jerusalém Oriental palestina e tornaria impossível a essa área se tornar a capital de um Estado palestino. Isso violava o acordo aceito por Israel no "mapa" de não construir mais assentamentos e o anúncio gerou condenação no restante do mundo, com exceção dos Estados Unidos, que deram aprovação tácita.

A situação mudou com a morte de Yasser Arafat, em dezembro de 2004. O primeiro-ministro palestino Mahmoud Abbas (também conhecido como Abu Mazen), teve uma vitória clara na eleição para presidente, recebendo cerca de 70% dos votos (janeiro de 2005). Ele era um moderado que tinha se oposto constantemente à violência. Consequentemente, o presidente dos Estados Unidos, Bush, que vinha se recusando a tratar com Arafat, sinalizou sua disposição de se reunir com o novo presidente e demandou que palestinos e israelenses reduzissem a tensão e avançassem rumo à paz.

PERGUNTAS

1. Os Estados Unidos e a Guerra do Golfo, 1990-1991

Estude a fonte e responda as perguntas a seguir.

Fonte A

Reportagem na revista *Fortune*, 11 de fevereiro de 1991.

> O presidente e seus homens fizeram horas extras para neutralizar os pacificadores que trabalhavam por conta própria no mundo árabe, França e URSS, que ameaçavam dar a Saddam uma saída honrosa da jaula que Bush estava construindo. Bush repetia muitas vezes o mantra: não há negociação, não há acordo e, principalmente, não há vínculo com uma conferência de paz palestina. "Nosso empregos, nosso estilo de vida, nossa própria liberdade e a liberdade de nossos países amigos em todo o mundo vão sofrer", ele disse, "se o controle das maiores reservas de petróleo do mundo caíssem nas mãos daquele homem, Saddam Hussein".

Fonte: Citado em William Blum, *Killing Hope* (Zed Books, 2003).

(a) O que a fonte revela sobre as motivações dos Estados Unidos para agir contra Saddam Hussein após ele invadir o Kuwait?

(b) Mostre como as forças de Saddam Hussein foram expulsas do Kuwait e derrotadas.

(c) Explique por que foi permitido que Saddam permanecesse no controle no Iraque apesar de sua derrota.

2. Por que, e com que resultados, árabes e israelenses lutaram as guerras de 1967 e 1973?

3. "Terrorismo e violência em vez de diplomacia pacífica". Até onde você concordaria com essa visão das atividades da OLP no Oriente Médio no período de 1973 a 1995?

4. "Os Estados Unidos e a URSS intervieram no Oriente Médio no período de 1956 a 1979 simplesmente para preservar a estabilidade política e econômica na região". Até onde você acha que essa visão é válida?

12 A Nova Ordem Mundial e a Guerra Contra o Terrorismo Global

RESUMO DOS EVENTOS

Quando o comunismo desabou no Leste Europeu e a URSS se desmembrou em 1991, a Guerra Fria chegou ao fim. *Os Estados Unidos ficaram como a única superpotência do mundo.* Depois da vitória sobre o comunismo, estavam cheios de confiança e orgulho da superioridade de seu estilo de vida e de suas instituições. Os otimistas achavam que o mundo agora poderia esperar um período de paz e harmonia, durante o qual os Estados Unidos, que se consideravam a terra da liberdade e da benevolência, liderariam o restante do mundo em seu avanço, onde quer que fosse preciso, rumo à democracia e à prosperidade. Além disso, sempre que fosse necessário, o país atuaria como polícia do mundo, mantendo os "Estados delinquentes" (*rogue states*) sob controle e fazendo com que andassem na linha. Francis Fukuyama, professor de Economia Política da Universidade Johns Hopkins, chegou a afirmar que o mundo tinha chegado ao "fim da história", no sentido de que a História, vista como o desenvolvimento de sociedades humanas ao longo de várias formas de governo, tinha chegado ao seu clímax com a democracia liberal moderna e o capitalismo de mercado.

Contudo, a nova ordem mundial se revelou muito diferente. Grande parte do restante do mundo não queria ser levada a lugar algum pelos Estados Unidos e discordava de sua visão de mundo. Como o país era militar e economicamente muito poderoso, era difícil para os pequenos países desafiá-lo de formas convencionais. Para os extremistas, parecia que o terrorismo era a única forma de atingir os norte-americanos e seus aliados. O terrorismo não era nada de novo – os anarquistas foram responsáveis por muitos assassinatos na virada do século XIX para o XX; nesses dois séculos, havia muitas organizações terroristas, mas eram, geralmente, localizadas, realizando campanhas em suas próprias regiões. Havia, por exemplo, o ETA, que queria (e ainda quer) um Estado basco completamente independente da Espanha, e o IRA, que queria a Irlanda do Norte unificada com a República da Irlanda. Foi na década de 1970 que os terroristas começaram a atuar fora de seu próprio território. Por exemplo, em 1972, terroristas árabes mataram 11 atletas israelenses na Olimpíada de Munique, e houve uma série de explosões de bombas em aviões. Nos anos de 1980, ficou claro que os Estados Unidos eram o alvo principal:

- houve um atentado à embaixada norte-americana em Beirute (Líbano) em 1983;
- um avião de uma companhia aérea norte-americana, que voava de Frankfurt a Nova York caiu na cidade escocesa de Lockerbie depois que uma bomba explodiu a bordo (1988);
- uma bomba explodiu no World Trade Center, em Nova York, em fevereiro de 1993;

- as embaixadas dos Estados Unidos no Quênia e na Tanzânia foram atacadas em 1998;
- houve um atentado ao navio de guerra norte-americano Cole no porto de Aden, no Iêmen (2000).

Essa campanha culminou nos terríveis eventos de 11 de setembro de 2001, quando o World Trade Center, em Nova York, foi completamente destruído (ver Ilustração 12.1). A responsabilidade por esse ataque recaiu sobre a al-Qaeda (que significa "a Base"),* uma organização árabe liderada por Osama bin Laden que fazia campanha contra interesses ocidentais e anti-islâmicos. O presidente dos Estados Unidos, George W. Bush, anunciou imediatamente uma "declaração de guerra ao terrorismo". Seus objetivos eram derrubar o regime talibã no Afeganistão, considerado cúmplice e colaborador da al-Qaeda, capturar Osama bin Laden e destruir a organização. Bush também ameaçava atacar e derrubar qualquer regime que estimulasse ou acolhesse os terroristas. O primeiro da lista era para ser Saddam Hussein, do Iraque, e também ameaçavam agir contra o Irã e a Coreia do Norte – três países que, segundo Bush, formavam "eixo do mal".

O regime talibã no Afeganistão foi derrubado em pouco tempo (outubro de 2001), e os Estados Unidos, com ajuda da Grã-Bretanha, passaram a lidar com o Iraque, onde Saddam Hussein também foi deposto (abril-maio de 2003) e capturado posteriormente. Embora esses regimes tenham sido derrubados com relativa facilidade, revelou-se muito mais difícil substituí-los por administrações viáveis e estáveis que pudessem trazer paz e prosperidade a seus conturbados países. Enquanto isso, o terrorismo continuava.

12.1 A NOVA ORDEM MUNDIAL

Logo após a "vitória" dos norte-americanos na Guerra Fria, vários representantes disseram, em nome dos Estados Unidos, que o país esperava uma era de paz e cooperação internacional. Eles sugeriam que os Estados Unidos, a única superpotência do mundo – toda-poderosa e não desafiável – estavam agora comprometidos com boas ações, apoio à justiça internacional, liberdade e direitos humanos, erradicação da pobreza e a disseminação da educação, saúde e democracia em todo o mundo. Compreensivelmente, os norte-americanos estavam cheios de orgulho das conquistas de seu país. Em 1997, David Rothkopf, ministro do governo Clinton, escreveu: "Os norte-americanos não devem negar o fato de que, de todas as nações no mundo, a deles é a mais justa, a mais tolerante e o melhor modelo para o futuro".

Mesmo assim, em vez de serem adorados e admirados universalmente, os Estados Unidos, ou melhor, os governos dos Estados Unidos, acabaram sendo odiados com tanta violência em alguns lugares que as pessoas eram levadas a cometer os mais terríveis atos de terrorismo em protesto contra o país e seu sistema. Como isso aconteceu? *Como a era pós-Guerra Fria, que parecia tão cheia de esperança, acabou tão cheia de ódio e horror?* Em termos simples, havia milhões de pessoas em muitos países do mundo que não compartilhavam as vantagens do próspero estilo de vida norte-americano nem viam muitos sinais de que eles estivessem verdadeiramente tentando fazer qualquer coisa para diminuir a distância entre pobres e ricos, ou para lutar por justiça e direitos humanos.

Muitos autores norte-americanos estavam cientes dos riscos dessa situação. Nicholas Guyatt, em seu livro *Another American Century*, publicado em 2000, apontava para o fato de que

> Muitas pessoas em todo o mundo estão frustradas pela complacência e impenetrabilidade dos Estados Unidos e pelo fato de que a aparente ausência de soluções políticas a isso (como uma ONU verda-

---

* N. de R.: ou "a organização"

Ilustração 12.1 Nova York – 11 de setembro de 2001: uma violenta explosão atinge a torre sul do World Trade Center quando o voo 175 da United Airlines vindo de Boston, sequestrado, atinge o prédio.

deiramente multilateral e independente) provavelmente vai levar muitos a medidas radicais e extremas... [há] grandes e perigosos bolsões de ressentimento em relação aos Estados Unidos em todo o mundo, baseados não no fundamentalismo ou na insanidade, mas em uma percepção real de desequilíbrio do poder, e uma verdadeira frustração com a impotência dos meios políticos para a mudança.

"Enquanto permanecerem isolados dos efeitos de suas ações", concluiu ele, "os Estados Unidos terão pouca noção do verdadeiro desespero que geram nos outros".

Quais eram essas ações dos Estados Unidos que geraram tanto desespero nos outros? Claramente, havia uma combinação complexa de ações e políticas que levavam a essas ações extremas.

- *A política exterior dos Estados Unidos continuava no mesmo rumo intervencionista dos tempos da Guerra Fria.* Por exemplo, em dezembro de 1989, pelo menos 2000 civis foram mortos quando os Estados Unidos invadiram e bombardearam o Panamá, em uma operação voltada a prender Manuel Noriega, o líder panamenho que representou o poder por trás dos presidentes do país durante os anos de 1980. Ele trabalhara para a CIA e foi apoiado pelos Estados Unidos até 1987, quando foi acusado de tráfico de drogas e lavagem de dinheiro. A dura operação norte-americana resultou em sua captura e transferência para os Estados Unidos para ser julgado. A Organização dos Estados Americanos propôs uma resolução "lamentando profundamente a intervenção militar no Panamá". A resolução foi aprovada por 20 votos a um, sendo que esse um era os Estados Unidos.

    Na década de 1990, os norte-americanos ajudaram a suprimir movimentos esquerdistas no México, Colômbia, Equador e Peru. Em 1999, participaram do polêmico bombardeio da Sérvia. Duas vezes – 1999 e 2001 – agentes norte-americanos intervieram nas eleições nicaraguenses, na primeira vez para derrotar o governo esquerdista, na segunda, para impedir que a esquerda voltasse ao poder. Esse tipo de política estava fadado a gerar ressentimento, principalmente agora que não poderia ser justificado como parte da campanha contra o avanço do comunismo global. Nas palavras de William Blum (em *Rogue State*): "O inimigo era, e continua sendo, qualquer governo ou movimento, ou mesmo indivíduo, que esteja no caminho da expansão do império norte-americano".

- *Em outros momentos, os Estados Unidos deixaram de intervir em situações em que a opinião pública internacional esperava sua participação decisiva.* Em Ruanda, em 1994, o país relutava em cumprir um papel importante, já que não havia interesses seus diretamente envolvidos e a intervenção em uma escala suficientemente grande teria sido cara. Em função dos atrasos, cerca de um milhão de pessoas foram massacradas. Nas palavras de Nicholas Guyatt: "Relutantes em abrir mão de seu papel central nas questões mundiais, mas não dispostos a comprometer tropas e dinheiro para operações da ONU, os Estados Unidos atrofiaram a causa da manutenção da paz em um momento em que a situação em Ruanda demandava uma resposta flexível e dinâmica". O outro grande exemplo do fracasso norte-americano foi o conflito árabe-israelense: embora tenham se envolvido na tentativa de trazer a paz, os Estados Unidos ficaram claramente do lado de Israel. George W. Bush se recusou a tratar com Yasser Arafat, considerando-o nada mais que um terrorista. Essa incapacidade de produzir um acordo justo para o conflito provavelmente é a principal razão para a extrema hostilidade árabe.

- *Os Estados Unidos deixaram muitas vezes de apoiar a ONU.* Em 1984, por exemplo, o presidente Reagan falava sobre a importância da lei e da ordem internacionais: "Sem lei", disse ele, "só pode haver caos e desordem". Contudo, no dia anterior, ele tinha rejeitado o veredicto do Tribunal Internacional de Justiça que condenava os Estados Unidos pelo uso ilegal da força ao colocar minas nas baías da Nicarágua. Posteriormente, o tribunal ordenou os Estados Unidos a pagar uma indenização à Nicarágua, mas o governo se recusou e aumentou seu apoio financeiro aos mercenários que estavam tentando desestabilizar o governo democraticamente eleito do país. A ONU não conseguiu fazer valer sua decisão.

Os Estados Unidos tem uma longa história de vetos às resoluções do Conselho de Segurança e de oposição às resoluções da Assembleia Geral. Alguns exemplos demonstram essa atitude. Em 1985, foram o único país a votar contra uma resolução propondo novas políticas que melhorariam a garantia dos direitos humanos (aprovada por 130 a 1). Da mesma forma, em 1987, foram o único membro a votar contra uma resolução voltada a fortalecer os serviços de comunicação no Terceiro Mundo (140 a 1). Em 1996, em uma Cúpula Mundial sobre Alimentação organizada pela ONU, os Estados Unidos se recusaram a apoiar a visão geral de que era direito de todos "ter acesso a comida nutritiva e segura". Como explica de forma sucinta Noam Chomsky (em *Hegemony or Survival*): "Quando deixa de ser um instrumento de unilateralismo norte-americano em questões relacionada às elites, a ONU é descartada". O país chegou a votar contra propostas da ONU de controle do terrorismo, supostamente porque queria lutar contra ele à sua maneira. Tudo isso – antes de 11 de setembro – só poderia resultar no enfraquecimento da organização e do direito internacional. Nas palavras de Michael Byers, "o direito internacional, da forma como o aplicam os Estados Unidos, guarda poucas relações com o direito internacional como é entendido em qualquer outro lugar.... é possível que... o país esteja, na verdade, tentando criar regras novas e excepcionais só para si".

- *O presidente George W. Bush tem sido menos entusiasta de alguns acordos feitos por administrações anteriores.* Em seu primeiro ano no cargo – e antes do 11 de setembro – ele rejeitou o Tratado sobre Mísseis Antibalísticos de 1972, retirou-se do Protocolo de Kyoto de 1997, sobre mudança climática, interrompeu os novos contatos diplomáticos com a Coreia do Norte e se recusou a cooperar nas discussões sobre controle de armas químicas.

- *A economia dos Estados Unidos é tão poderosa que as decisões tomadas em Washington e Nova York tem repercussão mundial*. Com a crescente globalização da economia mundial, as empresas norte-americanas tem interesses em todo o mundo. Os Estados Unidos mantém firme controle do Banco Mundial e do Fundo Monetário Internacional, de forma que países que solicitem empréstimos devem garantir que suas políticas internas sejam aceitáveis aos norte-americanos. Em 1995, o novo presidente do Banco Mundial, James Wolfensohn, anunciou que queria que o banco fizesse mais para promover o alívio das dívidas, o bom governo, a educação e a saúde do Terceiro Mundo, mas Washington se opôs, defendendo a estrita austeridade. Na verdade, segundo Will Hutton, "o sistema financeiro internacional foi moldado para ampliar o poder financeiro e político dos Estados Unidos e não para promover o bem público mundial". No final de 2002, estava claro que os Estados Unidos estavam em busca do que alguns observadores chamaram de "uma grandiosa estratégia imperial" que levaria a uma nova ordem mundial na qual eles "dariam as cartas".

12.2 A ASCENSÃO DO TERRORISMO GLOBAL

(a) Como se define "terrorismo"?

Ken Booth e Tim Dunne, em seu recente livro *Worlds in Collision*, apresentam esta definição:

O terrorismo é um método de ação política que usa a violência (ou produz o medo deliberadamente) contra civis e contra a infraestrutura civil para influenciar o comportamento, infligir punição ou praticar a vingança. Para os autores, a questão é fazer com que o grupo-alvo tenha medo do hoje, medo do amanhã e medo entre si. O terrorismo é um ato, não uma ideologia. Seus instrumentos são homicídios, assassinatos em massa, sequestros, explosões, raptos e intimidação. Esses atos podem ser cometidos por Estados, bem como por grupos privados.

Qualquer definição de terrorismo tem seus problemas. Por exemplo, as pessoas que estão lutando por independência, como os Mau Mau no Quênia (ver Seção 24.4(b)) e o Congresso Nacional Africano na África do Sul (ver Seção 25.8), são terroristas ou revolucionários que lutam pela liberdade? Nos anos de 1960, Nelson Mandela era considerado terrorista pelos governos brancos da África do Sul e ficou na cadeia por 27 anos, e hoje, é respeitado e reverenciado por negros e brancos em todo o mundo. E que dizer de Yasser Arafat, o líder palestino? O presidente Bush se recusou a se reunir com ele porque, segundo os norte-americanos, ele não passava de um terrorista. Mesmo assim, quando o governo israelense realizou ataques semelhantes aos dos palestinos, isso não foi considerado terrorismo, e sim ações legítimas de um governo contra o terrorismo. Claramente, depende do lado em que se está, e qual deles vence no final.

(b) Grupos terroristas

Algumas das organizações terroristas mais conhecidas atuavam no Oriente Médio:

A *Organização Abu Nidal* (OAN) foi um dos primeiros grupos a se fazer sentir. Formado em 1974, era apenas uma ramificação da Organização para a Libertação da Palestina de Yasser Arafat (OLP), a qual não considerava suficientemente agressiva. A OAN estava comprometida com um Estado palestino completamente independente e tinha suas bases no Líbano e na Palestina (em alguns dos campos de refugiados) e tinha apoio da Síria, do Sudão e, no início, da Líbia. Ela foi responsável por operações em cerca de 20 países diferentes, incluindo atentados em aeroportos de Roma e Viena (1985) e diversos sequestros de aviões. Desde o início dos anos de 1990, a OAN está menos ativa.

O Hezbollah (Partido de Deus), também conhecido como *Jihad Islâmica (Guerra Santa)*, foi formado no Líbano em 1982, após a invasão israelense, (ver a Seção 11.8(b)). Predominantemente xiitas muçulmanos, eles afirmavam ser inspirados pelo Aiatolá Khomeini, governante do Irã, e seu objetivo era seguir o exemplo dele, estabelecendo um Estado islâmico no Líbano e expulsando os israelenses dos territórios ocupados na Palestina. O Hezbollah foi considerado responsável por vários ataques à embaixada dos Estados Unidos em Beirute nos anos de 1980 e por fazer diversos reféns ocidentais em 1987, incluindo Terry Waite, enviado de paz especial do arcebispo de Canterbury. Na década de 1990, começou a estender sua esfera de operações, atacando alvos na Argentina, como a embaixada israelense (1992) e, posteriormente, um centro cultural israelense (1994).

O Hamas (Movimento de Resistência Islâmica) foi formado em 1987 com o objetivo de estabelecer um Estado islâmico independente da Palestina. Tentava combinar resistência armada a Israel com atividade política, apresentando candidatos a algumas das eleições para a autoridade palestina. O Hamas tem apoio maciço na Cisjordânia e na faixa de Gaza e, nos últimos anos, tem se especializado em atentados suicidas com bombas contra alvos israelenses.

A *al-Qaeda (a Base)* é o mais famoso grupo terrorista da atualidade. Consistindo principalmente em muçulmanos sunitas, foi formada perto do final dos anos de 1980 como parte da luta para expulsar forças soviéticas que tinham invadido o Afeganistão em 1979 (ver Seção 8.6(b)). Como isso poderia ser descrito como parte da Guerra Fria, a al-Qaeda foi financiada e treinada pelos Estados Unidos, entre outros países ocidentais. Depois que a retirada russa do Afeganistão se completou (fevereiro de 1989), a al-Qaeda ampliou seus horizontes, dando início a uma campanha geral em apoio ao estabelecimento de governos islâmicos. O alvo especial era o regime não religioso conservador da Arábia Saudita, a terra natal de Osama bin Laden protegida por tropas norte-americanas. A al-Qaeda tinha o objetivo de forçar os norte-americanos a retirar as tropas para que um regime islâmico pudesse subir ao poder. Um objetivo secundário era dar um fim ao apoio dos Estados Unidos a Israel. Estima-se que a organização tenha cerca de 5.000 membros, com células em muitos países.

Talvez o grupo terrorista mais conhecido fora do Oriente Médio tenha sido os *Tigres do Tamil* no Sri Lanka, formado por hindus que moravam no norte ou no leste do país, enquanto a maioria da população da ilha era de budistas. Os Tigres atuavam desde o início dos anos de 1980 em favor de uma pátria independente, usando atentados suicidas, assassinato de políticos importantes, bem como ataques a prédios públicos e santuários budistas. Nos anos de 1990, tinham mais de 10.000 soldados e a luta tinha atingido proporções de guerra civil. Sua ação mais notória foi o assassinato do primeiro-ministro da Índia, Rajiv Ghandi, em 1991. Em 2001, foi obtida uma trégua e, embora ela tenha sido rompida várias vezes, em 2003 havia sinais animadores de que se poderia chegar a um acordo pacífico.*

Provavelmente, o grupo terrorista mais bem sucedido foi o Congresso Nacional Africano (CNA) na África do Sul. Formado em 1912, só adotou métodos violentos nos anos de 1960, quando o *apartheid* se tornou mais brutal. Depois de uma longa campanha, o governo que defendia a supremacia branca acabou por sucumbir à pressão da opinião mundial, bem como do CNA. Nelson Mandela foi libertado (1990) e foram realizadas eleições multirraciais (1994). Mandela, o antigo "terrorista", tornou-se o primeiro presidente negro da África do Sul. Houve muitas outras organizações, por exemplo, o Movimento Revolucionário Tupac Amaru no Peru, que visava livrar o país da influência dos Estados Unidos; o Grupo Islâmico na Argélia, que queria estabelecer um Estado islâmico em lugar do governo não religioso existente, e o Exército de Libertação Nacional na Bolívia, que tinha como objetivo acabar com a influência norte-americana no país.

(c) O terrorismo se torna global e antiamericano

Foi no início da década de 1970 que os grupos terroristas começaram a operar fora de seus próprios países. Em 1972, aconteceu o assassinato dos 11 israelenses nas Olimpíadas de Munique, por um grupo pró-palestino autodenominado Setembro Negro. Aos poucos, foi ficando claro que os Estados Unidos e seus interesses eram o principal alvo dos atentados. Depois da queda do Xá do Irã, apoiado pelos Estados Unidos, no início de 1979, houve uma grande onda de sentimento antiamericano na região. Em novembro de 1979, um grande exército de milhares de estudantes iranianos atacou a embaixada na capital Teerã, tomou 52 norte-americanos como reféns e os manteve retidos por 15 meses. As demandas do novo governante do país, o aiatolá Khomeini, incluíam entregar o ex-xá para que ele pudesse ser julgado no Irã e um reconhecimento por parte dos Estados Unidos de culpa por todas as suas interferências no Irã antes de 1979. Somente quando os Estados Unidos concordaram em liberar 8 milhões de dólares em bens iranianos congelados os reféns puderam voltar para casa. Esse incidente foi considerado como uma humilhação nacional pelos norte-americanos e mostrou ao restante do mundo que havia limites para o poder dos Estados Unidos, mas, pelo menos, os reféns não foram feridos. Depois disso, os atos antiamericanos se tornaram mais violentos.

---

* N. de R.: Posteriormente os combates foram retomados e o movimento derrotado militarmente no início de 2009.

- Em 1983, o Oriente Médio passou ao centro das atenções e crescia o ressentimento para com a amplitude dos interesses e intervenções norte-americanos na região. Especialmente impopular era o apoio a Israel, que tinha invadido o Líbano em 1982. Em abril de 1983, um caminhão levando uma enorme bomba entrou na embaixada dos Estados Unidos em Beirute, a capital libanesa. O prédio desabou, matando 63 pessoas. Em outubro de 1983, um ataque semelhante foi feito contra o quartel-general dos fuzileiros navais norte-americanos em Beirute, matando 242 pessoas. No mesmo dia, outro caminhão com suicidas entrou em uma base militar francesa em Beirute; desta vez, 58 soldados franceses foram mortos. Em dezembro, a ação foi redirecionada à cidade do Kuwait, onde um caminhão carregado de explosivos entrou na embaixada dos Estados Unidos, matando quatro pessoas. Todos os quatro ataques foram organizados pela Jihad Islâmica, provavelmente apoiados pela Síria e pelo Irã.
- Pouco antes do natal de 1988, um avião de uma companhia aérea norte-americana transportando 259 pessoas para Nova York explodiu e caiu na cidade escocesa de Lockerbie, matando todos a bordo e mais 11 pessoas em terra. Nenhuma organização reivindicou o ataque, mas as suspeitas recaíram sobre o Irã e a Síria e mais tarde foram redirecionadas à Líbia. Com o tempo, o governo líbio entregou dois suspeitos de colocar a bomba. Em janeiro de 2000, eles foram julgados em um tribunal escocês funcionando em sessão especial na Holanda e um deles foi condenado pela morte das 270 vítimas e sentenciado à prisão perpétua, enquanto o outro foi absolvido. Contudo, muitas pessoas acreditam que a condenação era duvidosa – as provas eram extremamente frágeis – e que a Síria e o Irã eram os verdadeiros culpados.
- Em fevereiro de 1993, uma bomba explodiu no porão do World Trade Center, em Nova York, matando seis pessoas e ferindo centenas.
- Os interesses dos Estados Unidos na África eram o próximo alvo: no mesmo dia – 7 de agosto de 1988 – foram lançados atentados a bomba contra as embaixadas em Nairóbi (Quênia) e Dar-es-Salaam (Tanzânia). No total, 252 pessoas foram mortas e milhares, feridas, mas a ampla maioria das vítimas era de quenianos, com somente 12 mortos norte-americanos. Os Estados Unidos estavam convencidos de que a al-Qaeda era responsável pelos ataques, principalmente quando a Organização Exército Islâmico, que era considerada muito próxima a Osama bin Laden, divulgou uma declaração dizendo que os atentados eram uma vingança pelas injustiças que os Estados Unidos tinham cometido contra os países islâmicos. A declaração também ameaçava que aquilo era só o começo – haveria mais atentados e os Estados Unidos enfrentariam um "destino negro".

  O presidente Clinton ordenou uma retaliação imediata – os Estados Unidos dispararam mísseis de cruzeiro contra complexos no Afeganistão e no Sudão, que estariam produzindo armas químicas. Entretanto, essa tática pareceu um tiro pela culatra. Um dos locais bombardeados revelou-se uma fábrica comum de remédios e houve uma violenta reação antiamericana em todo o Oriente Médio.
- Outubro de 2000 trouxe um novo tipo de ação terrorista: o ataque ao destróier norte-americano Cole, que estava reabastecendo no porto de Aden (no Iêmen) e seguiria rumo ao Golfo Pérsico. Dois homens jogaram um barquinho cheio de explosivos contra o lado do navio, aparentemente na esperança de afundá-lo. Eles não conseguiram, mas a explosão fez um enorme buraco no casco do Cole, matando 17 marinheiros e ferindo muitos outros. Os danos foram consertados com facilidade,

mas, mais uma vez, era uma humilhação para a maior superpotência do mundo ser incapaz de defender sua propriedade em regiões hostis. A mensagem dos países islâmicos era clara: "Não queremos vocês aqui". Os Estados Unidos dariam ouvidos e mudariam suas políticas?

(c) Os Estados Unidos foram culpados de terrorismo?

Se aceitarmos que a definição de "terrorismo" deve incluir atos cometidos por Estados, além de por indivíduos ou grupos, então teremos que fazer a seguinte pergunta: Quais Estados foram culpados de terrorismo, no sentido de que seus governos foram responsáveis por algumas ou mesmo por todas as atividades mencionadas – homicídios, assassinatos em massa, sequestros, atentados à bomba, raptos e intimidação? A lista de candidatos é longa. Os mais óbvios devem ser a Alemanha nazista, a URSS sob o comando se Stalin, a China comunista, o regime sul-africano do *apartheid*, o Chile durante o regime de Pinochet, o Camboja de Pol Pot e a Sérvia de Milošević. Mas e a afirmação chocante de que os Estados Unidos também foram culpados de terrorismo? A acusação já foi feita, não apenas por árabes e esquerdistas latino-americanos, mas por respeitados observadores ocidentais e pelos próprios norte-americanos, e está relacionada à pergunta de por que houve tantos atentados terroristas direcionados contra os Estados Unidos.

Poucas pessoas no Ocidente poderiam ter cogitado fazer essa pergunta 20 anos atrás, mas, desde o final da Guerra Fria e, principalmente, depois dos atentados de 11 de setembro, vários autores tem reavaliado de forma radical o papel dos Estados Unidos nas questões internacionais desde o final da Segunda Guerra Mundial. Sua motivação, na maioria dos casos, é um verdadeiro desejo de encontrar explicações de por que as políticas do governo norte-americano geraram tanta hostilidade. Segundo William Blum, em seu livro *Rogue State*, de 1945 até o final do século, os Estados Unidos tentaram derrubar mais de 40 governos estrangeiros e esmagar mais de 30 movimentos populista-nacionalistas que lutavam contra regimes intoleráveis. Nesse processo, o país provocou o fim da vida para muitas pessoas e condenou milhões mais a uma vida de agonia e desespero.

As Seções 8.4-5 deram exemplos dessas ações norte-americanas na América do Sul, no Sudeste da Ásia, na África e no Oriente Médio, e a primeira seção deste capítulo mostrou que a política externa dos Estados Unidos continuava essencialmente na mesma linha depois de 1990.

Noam Chomsky (professor do Massachusetts Institute of Technology) diz (em seu livro *Rogue States*) que os atos "terroristas" contra os Estados Unidos muitas vezes foram cometidos em retaliação a suas próprias ações. Por exemplo, parece muito provável que a destruição do avião norte-americano sobre Lockerbie, em 1988, tenha sido uma retaliação pela derrubada de um avião de uma companhia aérea iraniana pelos Estados Unidos, que causou a perda de 290 vidas, alguns meses antes. Atos semelhantes, que precipitaram retaliações, foram os bombardeios à Líbia em 1986 e a derrubada de dois aviões líbios em 1989; nesses casos, todavia, os norte-americanos afirmavam que suas ações eram em retaliação por afrontas líbias anteriores. Um dos mais terríveis atos de terrorismo foi um carro-bomba colocado fora de uma mesquita em Beirute, em março de 1985. A bomba foi programada para explodir quando os fiéis saíssem depois das orações de sexta-feira: 80 pessoas inocentes foram mortas, incluindo muitas mulheres e crianças, e mais de 200 foram feridas gravemente. O alvo era um árabe suspeito de terrorismo, mas ele saiu ileso. Sabe-se que o atentado foi organizado pela CIA, com ajuda da inteligência britânica. Infelizmente, esse é o tipo de ação que provavelmente transforma muçulmanos comuns em terroristas "fanáticos". Em 1996, a Anistia

Internacional informava: "Em todo o mundo, em um dia qualquer, um homem, uma mulher ou uma criança tem probabilidades de ser expulso de sua casa, torturado, morto ou de 'desaparecer' nas mãos de governos ou grupos políticos armados. Na maioria dos casos, os Estados Unidos tem parte da culpa".

Lloyd Pettiford e David Harding (em *Terrorism: The New World War*) concluem que as políticas externas dos Estados Unidos devem assumir grande parte da responsabilidade pelo aumento do terrorismo, já que "os Estados Unidos parecem totalmente determinados a garantir que o mundo inteiro esteja aberto a seu acesso irrestrito e que qualquer forma alternativa de sociedade seja considerada estritamente contra as normas". Noam Chomsky afirma (em *Who are the Global Terrorists?*) que Washington criou

> uma rede de terror internacional de escala inédita e a empregou no mundo todo, com efeitos letais e duradouros. Na América Central, o terror guiado e apoiado pelos Estados Unidos chegou a seus níveis mais extremos.... Pouco surpreende que o pedido de Washington por apoio em sua guerra de vingança pelo 11 de setembro tenha tido pouca ressonância na América Latina.

12.3 O 11 DE SETEMBRO E A GUERRA AO "TERRORISMO"

(a) Os ataques de 11 de setembro

No início da manhã de 11 de setembro de 2001, quatro aviões que faziam voos domésticos nos Estados Unidos foram sequestrados. O primeiro foi jogado deliberadamente contra a Torre Norte, de 100 andares, do World Trade Center em Nova York. Depois de 15 minutos, um segundo avião bateu na Torre Sul. Cerca de uma hora depois do impacto, toda a Torre Sul desabou em um enorme amontoado de entulho, abalando gravemente vários prédios ao redor. Depois de outros 25 minutos, a Torre Norte também se desintegrou. Nesse meio-tempo, um terceiro avião foi jogado contra o Pentágono, o edifício, próximo a Washington, que abriga o Departamento de Defesa dos Estados Unidos, e o quarto não atingiu seu alvo e caiu em uma área rural da Pensilvânia, não longe de Pittsburgh. Foi a mais impressionante atrocidade jamais vivenciada em solo norte-americano: custou as vidas de cerca de 2.800 pessoas no World Trade Center, mais de cem no prédio do Pentágono e umas 200 que viajavam nos aviões, incluindo os sequestradores. As câmeras de TV filmaram o segundo avião batendo na Torre Sul e o desabamento das torres, e essas imagens, mostradas repetidamente, só aumentaram o horror e a incredulidade do mundo diante do que estava acontecendo. Não foram mortos somente norte-americanos: soube-se que cidadãos de mais de 40 outros países estavam entre as vítimas, seja nos edifícios, seja como passageiros nos aviões.

Embora nenhuma organização tenha reivindicado a autoria dos atentados, o governo dos Estados Unidos pressupôs que Osama bin Laden e a al-Qaeda eram culpados. Com certeza, eles foram realizados por profissionais com formação, com considerável suporte financeiro, como os membros da al-Qaeda, que sabe-se que eram, 5.000 ativistas altamente treinados. Recuperando-se rapidamente do choque inicial, o presidente Bush anunciou que os Estados Unidos caçariam e puniriam não apenas os autores do que chamou de "esses atos de guerra", mas também quem os apoiasse e desse abrigo. Os atentados foram condenados pela maioria dos governos do mundo, embora houvesse relatos de palestinos e outros grupos muçulmanos celebrando a humilhação dos Estados Unidos. O presidente iraquiano Saddam Hussein teria dito que os Estados Unidos estavam "colhendo os espinhos de sua política externa".

(b) Bush e a "guerra ao terrorismo"

O governo dos Estados Unidos imediatamente tentou capitalizar a solidariedade mundial e criar uma coalizão para lutar contra o terrorismo. A OTAN condenou os atentados e declarou que um ataque contra um dos membros seria tratado como um ataque contra todos os 19. Cada país seria chamado a ajudar, se fosse necessário. Em pouco tempo, foi montada uma coalizão de países para permitir o congelamento dos bens dos terroristas e a coleta de informações de amplo alcance. Alguns dos países prometeram ajudar na ação militar contra os terroristas e contra o governo talibã do Afeganistão, acusado de abrigar a al-Qaeda e Osama bin Laden. Algumas das declarações de Bush durante esse período foram perturbadoras para outros governos. Por exemplo, ele afirmou que os países estariam "conosco ou contra nós", sugerindo que não existia o direito de permanecer neutro. Ele também falou de um "eixo do mal" no mundo, o qual seria necessário enfrentar. Os Estados "maus" seriam o Iraque, o Irã e a Coreia do Norte. Isso abriu a possibilidade de uma longa série de operações militares, com os Estados Unidos cumprindo a função de "polícia do mundo" ou "o brigão do bairro", dependendo do lado em que se estivesse.

Isso causou algum alarme, e não apenas nos três Estados mencionados. O chanceler alemão Gerhard Schröder declarou que, embora seu país estivesse disposto a "oferecer as instalações militares apropriadas" aos Estados Unidos e seus aliados, ele não considerava que houvesse um estado de guerra com qualquer país em particular e acrescentou que "tampouco estamos em guerra com o mundo islâmico". Essa resposta cautelosa se devia a dúvidas sobre se um ataque direto sobre o Afeganistão seria justificado pelo direito internacional. Como explica Michael Byers (especialista em direito internacional da Universidade Duke, na Carolina do Norte),

> para manter a coalizão contra o terrorismo, a resposta militar dos Estados Unidos tinha que ser necessária e proporcional. Isso quer dizer que os ataques deveriam ser dirigidos cuidadosamente contra os que eles acreditavam ser os responsáveis pelas atrocidades em Nova York e Washington. Mas se os Estados Unidos escolhessem Osama bin Laden e a al-Qaeda como seus alvos, contrariariam a visão de muitos, de que os atentados terroristas, em si, não justificavam respostas militares contra Estados soberanos.

Foi por essa razão que os Estados Unidos ampliaram sua afirmação de autodefesa para incluir o governo talibã do Afeganistão, que era acusado de apoiar os atentados terroristas. Sendo assim, o Conselho de Segurança da ONU aprovou duas resoluções que não autorizavam ação militar pela Carta da ONU, mas sim *como direito de autodefesa pelo direito internacional consuetudinário*. A seguir, os Estados Unidos emitiram um ultimato aos talibãs, exigindo que entregassem bin Laden e alguns de seus colegas diretamente às autoridades norte-americanas. Diante da rejeição, estava montado o cenário para o uso da força.

(c) Histórico dos ataques ao Afeganistão

A história dos 30 anos anteriores no Afeganistão foi extremamente violenta e confusa. Em 1978, um governo de esquerda tomou o poder e deu início a um programa de modernização, mas em um país de autoridade islâmica forte, mudanças como *status* igual para homens e mulheres e secularização da sociedade eram consideradas como uma afronta ao islã. Houve uma oposição dura, e começou uma guerra civil. Em 1979, tropas soviéticas entraram no país para apoiar o governo, com medo de que a derrubada do regime por uma revolução muçulmana fundamentalista, como a que aconteceu no Irã em 1979, agitaria os milhões de muçulmanos que eram cidadãos soviéticos e desestabilizaria as repúblicas com populações muçulmanas substanciais.

A URSS esperava uma campanha curta, mas o governo dos Estados Unidos tratou o assunto como parte da Guerra Fria e mandou muita ajuda à oposição muçulmana no Afeganistão. Havia vários grupos muçulmanos rivais, mas todos trabalhavam juntos – conhecidos coletivamente como *Mujahideen* – para expulsar os russos. Em 1986, os *mujahideen* (que significa "os que travam a jihad") estavam recebendo grandes quantidades de armamentos dos Estados Unidos e da China via Paquistão, sendo que os mais importantes eram mísseis terra-ar, que tinham um efeito devastador sobre as forças aéreas afegãs e soviéticas. Uma das organizações que lutava com os *mujahideen* era a al-Qaeda de Osama bin Laden, que, ironicamente, recebera treinamento, armas e dinheiro dos Estados Unidos.

Com o tempo, o líder soviético Mikhail Gorbachov entendeu que estava em situação semelhante à que os norte-americanos encontraram no Vietnã. Ele teve que reconhecer que a guerra no Afeganistão não poderia ser vencida e, em fevereiro de 1989, todas as tropas soviéticas foram retiradas. Deixado lutando sozinho para se defender, o governo socialista do Afeganistão sobreviveu até 1992, quando finalmente foi derrubado. Os *mujahideen* formaram um governo de coalizão, mas o país logo entrou em caos total à medida que as facções rivais lutavam pelo poder. No final da década de 1990, a facção conhecida como "talibã" (que significa "estudantes"*) foi aos poucos assumindo o controle do país, expulsando os grupos rivais de cada região. Os talibãs eram uma facção muçulmana conservadora formada por pashtuns, o grupo étnico do sudeste do país, principalmente da província de Kandahar. No final de 2000, eles controlavam a maioria do país, com exceção do nordeste, onde tinham a oposição de grupos étnicos rivais – uzbeques, tadjiques e hazaras – conhecidos como "Aliança do Norte".

Os talibãs geraram desaprovação internacional em função de suas políticas.

- As mulheres foram quase que totalmente excluídas da vida pública e impedidas de continuar como professoras, médicas e em outras profissões.
- Foram introduzidas punições penais duras.
- Suas políticas culturais não pareciam razoáveis: por exemplo, a música foi proibida. Todo o mundo ficou consternado quando o regime ordenou a destruição de duas enormes estátuas de Buda esculpidas na pedra e datadas dos séculos IV e V a.C. Especialistas culturais as consideravam como tesouros únicos, mas os talibãs as explodiram, alegando que elas eram ofensivas ao islã.
- O governo permitia que o país fosse usado como refúgio de campo de treinamento de militantes islâmicos, incluindo Osama bin Laden.
- Em função de uma combinação dos estragos causados por anos de guerra civil, a economia estava em ruínas. Havia escassez grave de alimentos, na medida em que os refugiados, que não conseguiam mais se sustentar na terra, afluíam para as cidades. Mesmo assim, a ONU tentou distribuir alimentos em Cabul, a capital, o governo fechou os escritórios da organização, opondo-se à influência estrangeira e ao fato de que as mulheres afegãs estavam ajudando no trabalho de ajuda humanitária. Muito poucos Estados reconheceram o regime talibã e sua impopularidade deu um impulso ao plano dos Estados Unidos de usar a força contra ele.

(d) O talibã derrubado

Em 7 de outubro de 2001, foi lançada uma operação conjunta entre Estados Unidos e Grã-Bretanha contra o Afeganistão. Alvos militares talibãs foram atacados com mísseis de cruzeiro disparados de navios. Mais tarde, caças norte-americanos de longo alcance começaram uma ofensiva contra posições talibãs no noroeste. Em 14 de outubro, os talibãs ofereceram entregar bin Laden a um país intermediário, embora não diretamente aos Estados Unidos, em troca do fim do bombardeio, mas o presidente Bush rejeitou essa oferta e se recusou a negociar. Inicialmente, as forças talibãs ofereceram uma forte resistência, e no fim do mês, ainda controlavam a maior parte do país. Entretanto, durante o mês de novembro, sob pressão de ataques aéreos continuados dos Estados Unidos e das forças da Aliança do Norte, começaram a perder o controle. Em

---

* N. de R.: de religião.

12 de novembro, abandonaram Cabul e em pouco tempo foram expulsos de sua principal base de poder, a província de Kandahar. Muitos fugiram para as montanhas ou cruzaram a fronteira para o Paquistão. Os Estados Unidos continuaram a bombardear a região das montanhas, esperando espremer bin Laden e seus guerrilheiros da al-Qaeda, sem sucesso.

Os Estados Unidos e seus Aliados tinham atingido um de seus objetivos: o impopular regime talibã tinha terminado, mas bin Laden permanecia foragido e ainda era um homem livre, supondo-se que ainda estivesse vivo, em 2004. Em 27 de novembro, houve uma conferência de paz em Bonn (Alemanha) sob os auspícios da ONU, para decidir sobre um novo governo para o Afeganistão. Não era fácil levar a paz para esse país problemático. No início de 2004, o governo central do presidente Hamid Karzai, em Cabul, lutava para impor sua autoridade sobre os difíceis chefes militares no norte. Ele contava com o apoio de tropas norte-americanas que ainda estavam na "guerra contra o terror", e por tropas da OTAN, que tentavam manter a paz e ajudar a reconstruir o país. Mas era uma tarefa árdua, pois o evento mais negativo era que os talibãs tinham se reagrupado no sul, financiados, em parte, pela produção de heroína. Representantes da ONU estavam preocupados com que o Afeganistão pudesse, mais uma vez, transformar-se em um "Estado delinquente" nas mãos dos cartéis de drogas. O problema é que cerca de metade do Produto Interno Bruto do país vinha das drogas ilegais. À medida que a violência continuava, até as agências de ajuda passaram a ser atacadas. No verão de 2004, a organização *Médicos sem Fronteiras*, que tinha trabalhado no país por 25 anos, decidiu se retirar, o que representava um duro golpe para os afegãos comuns.

Mesmo assim, as eleições prometidas, realizadas em novembro de 2004, puderam acontecer de forma bastante pacífica, apesar das ameaças de violência do talibã. O presidente Karzai foi eleito para um mandato de cinco anos, com 55,4% dos votos, o que era menos do que ele esperava, mas suficiente para que afirmasse que agora tinha legitimidade e um mandato concedido pelo povo. Seu novo slogan era "participação nacional". Ele visava a construção de um governo de moderados, e imediatamente lançou uma campanha para tirar de cena os chefes militares locais, eliminar o tráfico de drogas e convencer os agricultores a se mudar para outras lavouras em vez de cultivar papoulas de ópio.*

(e) A "guerra contra o terror" é uma luta entre o Islã e o Ocidente?

Desde o início de sua campanha, Osama bin Laden afirmava que ela era parte de uma disputa mundial entre o Ocidente e o Islã. Já em 1996, ele havia emitido uma fátua (ordem religiosa) para que todos os muçulmanos matassem pessoal norte-americano na Somália e na Arábia Saudita. Em 1998, ele ampliou a fátua: "Matar todos os norte-americanos e seus aliados, civis e militares, é um dever individual de qualquer muçulmano que possa fazê-lo em qualquer país no qual isso seja possível". Quando começou o ataque ao Afeganistão, ele tentou apresentá-lo não como uma guerra contra o terrorismo, mas como uma guerra contra o Afeganistão e contra o Islã em geral. Conclamou os muçulmanos que viviam em países cujos governos tinham oferecido ajuda aos Estados Unidos para que se rebelassem contra seus líderes. Falava de vingança pelos 80 anos de humilhação que os muçulmanos tinham sofrido nas mãos das potências coloniais: "O que os Estados Unidos estão experimentando agora é apenas uma cópia do que nós experimentamos". O segundo homem de bin Laden, Ayman al-Zawahiri, disse que os atentados de 11 de setembro dividiram o mundo em dois lados: "O lado dos crentes e o dos infiéis. Todos os muçulmanos devem colaborar na luta para tornar essa religião vitoriosa".

---

* N. de R.: Posteriormente o talibã voltou à cena, inclusive atuando no Paquistão, demandando o envio de reforços americanos ao Afeganistão. A realização de Xangai, em 2009, mostrou-se um processo complicado, com acusações de fraude.

(f) O que bin Laden esperava dessa campanha?

- Bin Laden tinha interesses especiais na Arábia Saudita, o país onde foi criado e educado. Depois de suas façanhas lutando contra as forças soviéticas no Afeganistão, ele voltou ao país, mas em pouco tempo entrou em conflito com o governo, uma monarquia conservadora que, ele achava, era muito subserviente aos Estados Unidos. Ele acreditava que, como país muçulmano, a Arábia Saudita não deveria ter permitido a mobilização de forças dos Estados Unidos e de outros países em seu território durante a Guerra do Golfo de 1991, porque isso seria uma violação da terra sagrada do Islã (Meca e Medina, as duas cidades sagradas do Islã, estão localizadas na Arábia Saudita). O governo confiscou sua cidadania e ele foi forçado a fugir para o Sudão, que tinha um regime muçulmano fundamentalista. Sendo assim, bin Laden esperava se livrar das bases militares norte-americanas, que ainda estavam na Arábia Saudita no início de 2001. Em segundo lugar, queria conseguir a derrubada do governo saudita e sua substituição por um regime islâmico.

  A essas alturas, o regime saudita estava começando a se preocupar com a diminuição de sua popularidade. Muitas pessoas da geração mais jovem estavam sofrendo com o desemprego e simpatizavam com o antiamericanismo de bin Laden, o que levou o governo a tentar reduzir sua colaboração com os Estados Unidos. Embora tenha condenado os atentados de 11 de setembro, relutava a permitir que aviões militares norte-americanos usassem suas bases, e não participou ativamente da campanha contra o Afeganistão. Isso incomodou os Estados Unidos, que passaram a retirar quase todas as suas tropas do país e estabeleceram um novo quartel-general no Catar. O primeiro objetivo de bin Laden tinha sido atingido, e o segundo parecia bastante possível, à medida que aumentava a inquietude e os grupos da al-Qaeda operando na Arábia Saudita se fortaleciam. Houve um número cada vez maior de ataque a prédios que abrigavam pessoal estrangeiro. Sem tropas norte-americanas para sustentá-lo, o regime saudita parecia ter boas probabilidades de enfrentar um tempo difícil.

- Bin Laden esperava forçar um acordo no conflito israelo-palestino: ele apoiava a criação de um Estado palestino, e, de preferência, queria a destruição do Estado de Israel. Obviamente isso não foi conseguido, e não parece haver perspectiva de qualquer tipo de acordo, a menos que os Estados Unidos usem sua influência política e financeira sobre Israel.

- Ele esperava provocar um confronto mundial entre o mundo islâmico e o Ocidente, para que, em última análise, todas as tropas e influências estrangeiras sobre o mundo muçulmano e árabe fossem eliminadas. Alguns observadores acham que essa foi a razão pela qual ele planejou os atentados de 11 de setembro nos Estados Unidos: ele calculava que os norte-americanos responderiam com violência desproporcional, o que uniria o mundo muçulmano contra eles. Uma vez eliminada a influência e a exploração ocidentais, os Estados muçulmanos poderiam se concentrar na melhoria de condições e em aliviar a pobreza à sua própria maneira, conseguiriam introduzir o direito Charia – a lei antiga do islã – que, eles afirmavam, tinha sido suplantada pela influência estrangeira.

Às vezes, parecia que bin Laden estava no caminho de conseguir a polarização que desejava, e que alguns autores norte-americanos estavam prevendo há anos. Por exemplo, Robert Kaplan, escrevendo em 2000, alertou que o mundo estava por se dividir: o Ocidente seria ameaçado por uma onda de violência por parte de culturas estrangeiras. Samuel Huntington também previu um "choque de civilizações" a partir do final da Guerra Fria. Contudo, isso não levava em conta o fato de que nos anos de

1990, os Estados Unidos haviam apoiado muçulmanos em Kosovo, Bósnia, Somália e Chechênia. No período posterior ao 11 de setembro, muitas nações muçulmanas se colocaram ao lado norte-americanos e ofereceram ajuda. O Paquistão deu ajuda vital, e seu presidente Musharraf condenou os extremistas muçulmanos por construir uma reputação negativa para o Islã. Nem todos os países que os Estados Unidos consideravam como Aliados correram para se somar à causa: a maioria dos países da América Latina foi contrária a apoiar a guerra contra o terror dos Estados Unidos.

Muitos autores muçulmanos respeitados rejeitaram a teoria do "choque de civilizações". Abdullahi Ahmed An-Na'im, professor de direito em Atlanta, Estados Unidos, e anteriormente da Universidade de Cartum (Sudão), afirma que "todos os governos de países predominantemente muçulmanos agiram de forma clara e constante, segundo seus próprios interesses econômicos, políticos e de segurança. O que está acontecendo em todas as partes é simplesmente a política do poder, como sempre, e não a manifestação de um choque de civilizações". Sendo assim, o Paquistão recebeu uma considerável ajuda financeira em troca de sua cooperação, assim como o Cazaquistão, o Tadjiquistão e o Uzbequistão. Outro muçulmano, Ziauddin Sardar, escreveu (*Observer*, 16 de setembro de 2001) que "o Islã não tem como explicar a ação dos sequestradores suicidas, assim como o cristianismo não consegue explicar as câmaras de gás, ou o catolicismo, o atentado à bomba em Omagh. Esses são atos que vão além da crença, de pessoas que há muito abandonaram o caminho do Islã". Ele insistia em que as ações terroristas eram completamente estranhas à fé e ao raciocínio do Islã. A maioria dos líderes ocidentais, principalmente o primeiro-ministro britânico Blair, esforçava-se para salientar que esta não era uma guerra contra o Islã, e sim contra um pequeno grupo de terroristas muçulmanos e os Estados delinquentes que os estavam protegendo.

Essa visão provavelmente está próxima da verdade: que a ampla maioria dos muçulmanos é de homens e mulheres comuns e as pessoas no Terceiro Mundo estão diante do problema de sempre: a luta para dar de comer a suas famílias. Elas não tem tempo nem inclinação para participar de uma luta entre civilizações rivais. Os terroristas representam apenas uma corrente do fundamentalismo islâmico militante, intolerante e antimoderno. Todas as religiões tem seus fanáticos, cujas crenças extremas muitas vezes contradizem a própria religião que eles dizem seguir. Alguns observadores acreditam que o fundamentalismo islâmico pode ter passado de seu momento culminante. Francis Fukuyama, escrevendo em 2002, afirmava que a ideia de um Estado teocrático islâmico puro é atraente em teoria, mas que a realidade não o é tanto.

> Os que realmente tiveram que viver sob um regime desses, por exemplo, no Irã e no Afeganistão, vivenciaram ditaduras opressivas cujos líderes tem menos ideias do que a maioria das outras pessoas sobre como superar problemas de pobreza e estagnação.... Mesmo quando os eventos de 11 de setembro aconteceram, havia demonstrações permanentes em Teerã e em muitas outras cidades iranianas por parte de dezenas de milhares de jovens cheios do regime islâmico querendo uma ordem política mais liberal.

Contudo, embora a situação não tivesse ainda atingido a etapa de uma "luta de civilizações", o risco estava presente. A causa principal por trás de grande parte do terrorismo é a pobreza e o abuso aos direitos humanos no Terceiro Mundo, além da distância cada vez maior entre ricos e pobres. De um lado, havia o sistema capitalista ocidental, crescendo a partir da globalização baseada no lucro e sua inescrupulosa exploração do restante do mundo; de outro, o Terceiro Mundo, que se considerava marginalizado e destituído, e onde todos os tipos de problemas eram profundos – fome, seca, AIDS, dívidas incapacitantes e governos corruptos que abusavam dos direitos humanos e não compartilhavam a riqueza de seus países entre os cidadãos comuns. Alguns desses governos foram apoiados pelo Ocidente porque eram bons para suprimir terroristas potenciais. O problema da guerra contra o terrorismo, até o momento, é que ela se concentrava em ação militar e de polícia, sem muitas evidências de ações bem sucedidas na construção de nações. Aos olhos dos árabes e muçulmanos, toda a situação era sintetizada no conflito israelo-árabe. De um lado estava Israel, rico, altamente armado e apoiado pelos Estados Unidos; de outro, os palestinos, marginalizados, privados de sua terra, atingidos pela pobreza e sem muitas esperanças de melhorias. Até que esses problemas fossem tratados de forma séria, seria improvável que uma guerra contra o terrorismo fosse vencida.

12.4 A QUEDA DE SADDAM HUSSEIN

(a) Histórico do ataque contra o Iraque

Após sua derrota na primeira guerra do golfo (1990-1991), Saddam Hussein pode permanecer no poder (ver Seção 11.10(c)). Ele derrotou levantes dos curdos no norte e dos xiitas no sul, sendo especialmente brutal no tratamento dos rebeldes. Quando os refugiados escaparam para os pântanos, Saddam fez com que as áreas fossem drenadas, e milhares de xiitas foram mortos. Ele já tinha usado armas químicas em sua guerra contra o Irã e contra os curdos, e era sabido que tinha um programa de armas biológicas. Em 1995, o Iraque tinha um programa bastante avançado de armas nucleares. Embora estivessem relutantes em derrubar Saddam Hussein em função do caos que poderia vir daí, os Estados Unidos e o Reino Unido tentaram limitá-lo dando continuidade ao embargo comercial que foi imposto pela ONU pouco depois que as tropas iraquianas invadiram o Kuwait. Em 2000, essas sanções completaram 10 anos em vigor, mas pareciam ter pouco efeito sobre Saddam; eram os iraquianos comuns que sofriam, em função de escassez de alimentos e material de saúde. Em setembro de 1998, o diretor do programa de ajuda da ONU, Denis Halliday, renunciou dizendo que não poderia mais levar adiante uma política tão "imoral e ilegal". Em 1999, o Unicef informava que, desde 1990, mais de meio milhão de crianças tinham morrido de desnutrição e falta de medicamentos como resultado direto das sanções.

Entretanto, as sanções conseguiram garantir que Saddam permitisse inspeções de seu programa nuclear por membros da Agência Internacional de Energia Atômica (AIEA), autorizados por uma resolução do Conselho de Segurança da ONU. Descobriu-se que os iraquianos tinham todos os componentes necessários para fabricar ogivas nucleares e que a construção estava acontecendo. Em 1998, a equipe da AIEA destruiu todos os locais de desenvolvimento nuclear de Saddam e retirou seu equipamento. Nesse momento, contudo, não se falava em tirá-lo do poder, já que ele estava mantendo os curdos e os xiitas sob controle, e assim, impedindo a desestabilização da região.

(b) Os Estados Unidos e o Reino Unido se preparam para atacar

Os sinais de alerta vieram do discurso sobre o Estado da União do presidente Bush, em janeiro de 2002, quando ele fez referência aos Estados delinquentes do mundo, que eram uma ameaça em função de suas "armas de destruição em massa". Eles os descreveu como um "eixo do mal", e os países mencionados foram o Iraque, o Irã e a Coreia do Norte. Em pouco tempo, ficou claro que os Estados Unidos, estimulados por sua vitória relativamente fácil no Afeganistão, estavam por voltar suas atenções ao Iraque. A mídia dos Estados Unidos começou a tentar convencer o restante do mundo de que Saddam Hussein representava uma séria ameaça e que a única solução era uma "mudança de regime". *As justificativas apresentadas pelos norte-americanos para atacar o Iraque eram as seguintes:*

- Saddam tinha armas químicas, biológicas e nucleares e estava trabalhando em um

programa para produzir mísseis balísticos que poderiam voar mais de 1.220 Km (rompendo assim, o limite de 150 Km). Esses eram os mísseis necessários para o uso de armas de destruição em massa.
- A situação mundial como um todo tinha mudado desde 11 de setembro de 2001; a guerra contra o terrorismo exigia que os países que apoiavam e estimulavam as organizações terroristas fossem contidos.
- O Iraque estava acolhendo grupos terroristas, incluindo membros da al-Qaeda, que tinham um campo de treinamento especializado em químicos e explosivos. Os serviços de inteligência iraquianos estavam cooperando com a rede da al-Qaeda, e, juntos, representavam uma enorme ameaça aos Estados Unidos e seus aliados.
- Quanto mais a ação fosse postergada, maior se tornaria o risco. Khidir Hamza, exilado iraquiano que havia trabalhado no programa nuclear de seu país, disse aos Estados Unidos, em agosto de 2002, que Saddam teria armas nucleares em condições de uso em 2005. Alguns apoiadores da guerra compararam a situação com os anos de 1930, quando os conciliadores não conseguiram enfrentar Hitler e permitiram que ele se tornasse poderoso demais.

(c) Oposição à guerra

Embora o primeiro-ministro do Reino Unido, Tony Blair, tivesse prometido apoio a um ataque dos Estados Unidos contra o Iraque, havia muito menos entusiasmo no restante do mundo do que tinha havido na campanha contra os talibãs no Afeganistão. Houve demonstrações enormes contra a guerra no Reino Unido, na Austrália e em muitos outros países, e mesmo nos próprios Estados Unidos. *Os opositores da guerra apresentavam os seguintes argumentos*:

- Dado que todas as suas instalações nucleares tinham sido destruídas em 1998, e que haviam sido impostas sanções comerciais ainda mais rígidas, era improvável que Saddam fosse capaz de reconstruir suas estruturas para produzir armas de destruição em massa. Scott Ritter, inspetor-chefe de armas da ONU no Iraque, declarou (em setembro de 2002), que: "Desde 1998, o Iraque está fundamentalmente desarmado. Entre 90 e 95% de suas armas de destruição em massa foram comprovadamente eliminadas. Isso inclui todas as fábricas usadas para produzir armamentos químicos, biológicos e nucleares e mísseis balísticos de longo alcance". Estava claro que o Iraque era uma ameaça muito menor em 2002 do que havia sido em 1991. Havia uma sensação de que os perigos tinham sido exagerados por oponentes de Saddam exilados, que estavam fazendo tudo o que podiam para pressionar os Estados Unidos a depô-lo.
- Mesmo que Saddam tivesse todas essas armas de destruição em massa, seria improvável que ele ousasse usá-las contra os Estados Unidos e seus aliados. Um ataque desse tipo garantiria sua derrubada rápida. Ele também não tinha invadido outro país, como fizera em 1990, de forma que essa justificativa não poderia ser usada para atacar o Iraque.
- Não havia evidências suficientes de que o Iraque estivesse acolhendo terroristas da al-Qaeda. A intervenção militar norte-americana tornaria a situação pior, estimulando sentimentos antiocidentais ainda mais violentos. Relatórios do Congresso publicados em 2004 concluíram que os críticos da guerra tinham razão: Saddam não tinha estoques de armas de destruição em massa e não havia ligações entre ele, a al-Qaeda e os atentados de 11 de setembro de 2001.
- A guerra deveria ser o último recurso, e deveria ser dado mais tempo para que os inspetores de armas da ONU completassem suas buscas de armas de destruição em massa. Qualquer ação militar deveria ser apoiada pela ONU.
- Sugeriu-se que as reais motivações dos Estados Unidos nada tinham a ver com a guerra contra o terrorismo, sendo simples-

mente um caso em que a única superpotência do mundo ampliava ostensivamente seu controle – "manter a preeminência global dos Estados Unidos". Um grupo de importantes Republicanos (o partido do presidente Bush) já tinha apresentado, em 1998, um documento exigindo que o presidente Clinton implementasse uma política exterior que definisse o novo século de forma "favorável aos princípios e interesses dos Estados Unidos". Eles sugeriam "a derrubada do regime de Saddam Hussein do poder". Se Clinton não agisse, "estariam em risco a segurança das tropas norte-americanas na região e de nossos amigos e aliados, como Israel, bem como dos Estados árabes moderados e uma significativa proporção das reservas de petróleo do mundo.... As políticas norte-americanas não podem continuar a ser prejudicadas por uma insistência equivocada na unanimidade dentro do Conselho de Segurança da ONU". Tendo recentemente retirado a maioria de suas forças da Arábia Saudita, os Estados Unidos considerariam o Iraque o substituto perfeito, que lhes possibilitaria continuar exercendo controle sobre o petróleo da região.

(d) As Nações Unidas e a guerra

Em vista das dúvidas manifestadas, e sob pressão de Tony Blair, o presidente Bush decidiu dar uma chance à ONU, para ver o que ela conseguia. Em novembro de 2002, o Conselho de Segurança aprovou uma resolução (1441) conclamando Saddam Hussein a se desarmar ou "enfrentar graves consequências". O texto era um meio-termo entre Estados Unidos e Reino Unido de um lado e França e Rússia (que se opunham à guerra) de outro. A resolução não dava aos Estados Unidos autorização total para atacar o Iraque, mas mandava claramente uma mensagem forte a Saddam sobre o que ele poderia esperar se não atendesse. O Conselho de Segurança avaliaria se o Iraque deixasse de cumprir as novas demandas das inspeções, mais rígidas. O Iraque aceitou a resolução, e Hans Blix e sua equipe de 17 inspetores de armas voltaram ao país após uma ausência de quatro anos.

Bush e Blair estavam impacientes com o atraso, e em janeiro de 2003, Blair começou a pressionar por uma segunda resolução do Conselho de Segurança que autorizasse a invasão do Iraque. Bush declarou que, embora uma segunda resolução lhe satisfizesse, ele não a considerava necessária; ele afirmava que a Resolução 1441 já dava autoridade aos Estados Unidos para atacar Saddam. Os Estados Unidos, o Reino Unido e a Espanha pressionavam por outra resolução, enquanto a França, a Rússia e a China estavam inflexíveis em que os inspetores de armas deveriam ter mais tempo antes de se tomar qualquer ação militar. No final de fevereiro de 2003, Blix informava que os iraquianos estavam cooperando e tinham concordado em destruir alguns mísseis que foram descobertos. Estados Unidos, Reino Unido e Espanha desconsideraram a informação como sendo uma "tática protelatória" de Saddam, embora, em março, o Iraque tenha realmente começado a destruir os mísseis. Blix descreveu esse fato como uma "medida substancial de desarmamento". O presidente francês Chirac deixou claro que vetaria qualquer resolução do Conselho de Segurança que autorizasse a guerra contra o Iraque (10 de março).

Porém, os norte-americanos desdenharam das objeções da França e da Alemanha, chamando esses países de a "velha Europa", desconectada das tendências do momento. Os mesmos três países estavam determinados a seguir em frente: emitiram um ultimato conjunto a Saddam, dando-lhe 48 horas para sair do Iraque. Quando foi ignorado, forças dos Estados Unidos e do Reino Unido deram início a ataques aéreos e uma invasão do sul do Iraque através do Kuwait (20 de março). Os Estados Unidos afirmavam que 30 países tinham concordado em participar de sua coalizão, embora somente o Reino Unido e a Austrália tenham dado contribuição militar. Quando a invasão começou, o historiador norte-americano Arthur Schlesinger escreveu no jornal *Los Angeles Times*:

> O presidente adotou uma política de "autodefesa antecipatória" que é alarmantemente semelhante à que o Japão empregou em Pearl Harbor, em uma data que, como disse um presidente anterior dos Estados Unidos, viverá na infâmia.... A onda global de simpatia que tomou conta dos Estados Unidos depois do 11 de setembro deu lugar a uma onda global de ódio diante de sua arrogância e militarismo.... mesmo em países amigos, o público considera Bush como uma ameaça à paz maior do que Saddam Hussein.

(e) Saddam Hussein derrubado

Inicialmente, as forças invasoras fizeram progressos mais lentos do que seria de se esperar, já que muitas unidades de soldados iraquianos

Ilustração 12.2   Uma escultura da cabeça de Saddam Hussein no meio da rua em Bagdá, Iraque, 10 de abril de 2003.

ofereceram forte resistência. As forças dos Estados Unidos foram prejudicadas pela recusa da Turquia a permitir que unidades norte-americanas assumissem posições em seu território, impossibilitando aos Estados Unidos fazer um avanço significativo sobre Bagdá a partir do norte. Forças avançando a partir do sul foram obstruídas por fortes tempestades no deserto. No início de março, a rápida vitória ainda não tinha sido atingida, e se anunciou que o número de soldados norte-americanos seria dobrado a 200.000 até o final de abril. Enquanto isso, continuava o assalto a Bagdá por bombardeiros pesados e mísseis de cruzeiro. Posteriormente, soube-se que nas primeiras semanas do ataque, até 15.000 iraquianos foram mortos, dos quais 5.000 eram civis.

A reação internacional à invasão foi majoritariamente desfavorável. Houve muitas manifestações de protesto em todo o mundo árabe, onde a ação dos Estados Unidos foi vista simplesmente como uma atitude ostensiva visando a construção de um império. Um porta-voz iraniano disse que ela levaria à "total destruição da segurança e da paz", enquanto a Arábia Saudita conclamava a evitar a ocupação militar do Iraque. Também houve condenação por parte da Indonésia (que tinha a maior população muçulmana do mundo), da Malásia, da França, da Alemanha e da Rússia. Contudo, alguns países expressaram seu apoio, como Filipinas, Espanha, Portugal e Holanda, assim como alguns dos antigos países comunistas do Leste Europeu, principalmente a Polônia. Isso surpreendeu muitas pessoas, mas a razão era simples: os Estados Unidos tinham enorme prestígio aos olhos deles em função do papel vital que haviam cumprido na derrota do comunismo.

No início de abril, o peso e a força enorme dos invasores começaram a ficar visíveis. As unidades iraquianas começaram a desertar e a resistência desabou. As tropas norte-americanas capturaram Bagdá, enquanto os britânicos tomaram Basra, a principal cidade do sul. Em 9 de abril, foi anunciado que a ditadura de 24 anos de Saddam estava terminada e o mundo assistiu a imagens de TV de um tanque norte-americano derrubando uma estátua dele em Bagdá, aplaudido por uma multidão em júbilo. O próprio Saddam desapareceu por um tempo, mas foi capturado em dezembro de 2003. Em 1º de maio, o presidente Bush declarou que a guerra tinha acabado.

(f) Depois da guerra

O ano seguinte à derrubada de Saddam não transcorreu como o presidente Bush esperava. Não foram encontradas armas de destruição em massa. Pior que isso, em janeiro de 2004, Paul O'Neill, ex-secretário do tesouro que foi demitido no final de 2002 por discordar do restante do governo em relação ao Iraque, fez revelações sensacionais. Ele afirmou que Bush já estava determinado a depor Saddam desde janeiro de 2001, quando assumiu, e que o 11 de setembro deu a justificativa conveniente. O discurso sobre a ameaça de armas de destruição em massa era meramente uma cobertura, já que o governo sabia perfeitamente bem que Saddam não tinha esse tipo de arma. Sendo assim, a principal justificativa para a guerra apresentada por Bush e Blair parecia ter sido invalidada.

À medida que continuava a ocupação do Iraque pelos Estados Unidos e pelo Reino Unido, *os iraquianos, cuja maioria tinha ficado agradecida pela deposição de Saddam, iam ficando impacientes*. Parecia haver poucas evidências de que os norte-americanos tentassem "construir uma nação", e seus métodos para manter a ordem eram muitas vezes insensíveis. Eles tampouco pareciam ter qualquer plano claro para o futuro do Iraque. Inevitavelmente, o sentimento antiamericano crescia e, em junho de 2003, a resistência armada estava a pleno vapor. No início, os ataques eram realizados somente por gente leal a Saddam, mas, em pouco tempo, outros grupos se juntaram a eles: nacionalistas que queriam que seu país fosse livre e independente e muçulmanos sunitas que queriam algum tipo de Estado islâmico.

No mundo árabe fora do Iraque, houve uma onda de antiamericanismo. Os militantes afluíam ao país para dar apoio a seus pares muçulmanos contra os Estados Unidos, que consideravam como o grande inimigo do Islã. A violência aumentou à medida que suicidas, usando táticas do Hamas e do Hezbollah, explodiam sedes da ONU, delegacias de polícia, o hotel Baghdad, iraquianos que cooperavam com os Estados Unidos, e pessoal militar norte-americano. No final de 2003, 300 soldados norte-americanos tinham sido mortos – desde que o presidente Bush declarou que a guerra tinha acabado. Então, embora os lutadores da al-Qaeda provavelmente não estivessem atuando no Iraque antes da invasão, eles certamente passaram a fazê-lo depois dela. Os norte-americanos esperavam que a captura de Saddam gerasse uma redução da violência, mas parecia ter feito pouca diferença.

O que o movimento de resistência queria?
Um porta-voz de um dos grupos nacionalistas disse: "Não queremos ver nosso país ocupado por forças que estão claramente em busca de seus próprios interesses, em vez de buscar devolver o Iraque aos iraquianos". Uma das coisas que enfureciam os iraquianos era a forma como as empresas norte-americanas estavam sendo premiadas com contratos de reconstrução do país, excluindo-se todos as outras.

Parecia que todo o foco de atenção internacional estava direcionado ao Iraque. O que acontecesse ali teria repercussões no Oriente Médio e em toda a esfera das relações internacionais. Os riscos eram enormes.

- Em um país com tantos grupos religiosos, étnicos e políticos diferentes, que esperança haveria de que surgisse um forte movimento com uma maioria viável a partir das eleições? Se o país caísse na guerra civil, qual seria a ação a ser tomada pelos norte-americanos?
- A al-Qaeda se fortaleceu pelo aumento do sentimento antiamericano e antiocidental. Também havia uma série de novas redes de militantes islâmicos, com bases na Europa e no Oriente Médio. Em 2004, Londres foi apontada como importante centro para recrutamento, arrecadação de fundos e fabricação de documentos falsos. Havia relatos de células de militantes islâmicos na Polônia, na Bulgária, na Romênia e na República Tcheca. Os atentados terroristas continuavam: mesmo antes da guerra do Iraque, uma bomba explodiu em um balneário localizado em uma ilha de Bali (parte da Indonésia) matando quase 200 pessoas, muitas das quais eram australianos em férias (outubro de 2002). A Indonésia foi alvo, mais uma vez, em agosto de 2003 quando uma bomba explodiu do lado de fora de um hotel de propriedade norte-americana em Jacarta (a capital), matando 10 muçulmanos, mas apenas um europeu.

O alvo seguinte foi a Turquia, quando Istambul sofreu quatro atentados suicidas com bombas em cinco dias. Dois aconteceram ao lado de sinagogas judaicas, um próximo ao banco londrino HSBC, enquanto a quarta causava muitos danos ao consulado britânico, matando o cônsul-geral do Reino Unido. Os ataques contra alvos do Reino Unido foram programados para coincidir com uma visita do presidente Bush a Londres. Ao todo, nos quatro ataques, pelos quais a al-Qaeda foi responsabilizada, cerca de 60 pessoas foram mortas, a maioria turcos muçulmanos locais.

Em março de 2004, cerca de 200 pessoas foram mortas em Madri, em múltiplos atentados a bomba em quatro trens, no horário de pico da manhã. Inicialmente, o governo espanhol pensou tratar-se de trabalho do ETA, o movimento separatista basco, mas posteriormente ficou claro que os terroristas responsáveis eram um grupo marroquino aliado da al-Qaeda. Eles haviam supostamente agido em retaliação pelo fato de que a Espanha apoiara os Estados Unidos e o Reino Unido em seu ataque ao Iraque. Os ataques tiveram resultados políticos inesperados: na eleição geral espanhola realizada três dias depois, o governo de José María Aznar, que tinha apoiado a guerra e enviado tropas ao Iraque, foi derrotado pelos socialistas, que se opuseram à guerra. Apenas quatro semanas depois, o novo primeiro-ministro, Zapatero, retirou todos os soldados espanhois do Iraque.

• Enquanto a disputa israelo-palestina permanecesse sem ser resolvida e as tropas norte-americanas estivessem no Iraque, parecia haver poucas chances de um fim da "guerra ao terrorismo". Alguns observadores sugeriram, como primeiro passo, a retirada do pessoal norte-americano e britânico do Iraque e sua substituição por uma administração provisória da ONU, sustentada por tropas da própria organização, de qualquer país, menos dos Estados Unidos e Reino Unido! Assim, o avanço em direção à democracia poderia ser cuidadosamente planejado, poderia ser elaborada uma Constituição e realizadas eleições sob os auspícios da ONU.

Em 2004, a maioria dos observadores experientes dizia a mesma coisa: os Estados Unidos, o país mais poderoso do mundo, deveria escutar o que os iraquianos moderados estavam dizendo se quisessem evitar o caos total no Oriente Médio e a perspectiva de outro Vietnã. A situação continuava a piorar. Em abril, os norte-americanos enfrentaram um levante xiita total, liderado pelo clérigo radical Muqtada al Sadr, que queria que o Iraque se tornasse um Estado islâmico xiita. Os Estados Unidos sofreram constrangimentos quando surgiram histórias de prisioneiros iraquianos sendo torturados, sofrendo abusos e humilhados por seus soldados.

Uma das principais preocupações do presidente Bush era que ele teria que enfrentar a reeleição em novembro de 2004. Era importante para ele tentar dar um fim ao envolvimento no Iraque antes disso, se possível. Decidiu-se passar a autoridade aos iraquianos no final de junho de 2004. A transferência de poder para o governo provisório seguiu como planejada e foram feitas algumas tentativas de incluir representantes de todos os diferentes grupos iraquianos. Por exemplo, o primeiro-ministro, Ayad Allawi, era um xiita secular e líder do partido do Acordo Nacional Iraquiano; o presidente, Ajil al-Yawer, era um sunita. Havia dois vice-presidentes, um curdo e o outro, líder do partido islamista xiita Da'wa. O Conselho de Segurança da ONU aprovou por unanimidade um calendário para o país avançar rumo à verdadeira democracia. Eleições democráticas diretas para uma Assembleia Nacional Transitória deveriam acontecer até janeiro de 2005. A Assembleia elaboraria uma Constituição permanente, sob a qual seria eleito um novo governo democrático até o final daquele ano.

Os norte-americanos esperavam que a transferência de autoridade trouxesse uma redução na violência. Entretanto, muitos iraquianos consideravam seus novos governantes como simples marionetes dos Estados Unidos. Opositores do governo lançaram atentados a bomba contra soldados e outros funcionários iraquianos e estrangeiros, e sabotaram oleodutos. A falta de credibilidade do governo aumentou por conta de sua dependência do apoio de 160.000 soldados estrangeiros, a maioria norte-americanos, britânicos e poloneses, já que o exército e a polícia do próprio Iraque não conseguiam manter a segurança. Não obstante, as eleições foram em frente como planejado, em janeiro de 2005. Apesar das tentativas de sabotagem do processo, cerca de 8,5 milhões de iraquianos desafiaram os suicidas e ataques de morteiro para eleger representantes na Assembleia Nacional de 275 membros. A Aliança Islâmica Xiita Iraquiana teve uma grande vitória, obtendo 140 cadeiras, enquanto a Aliança do Curdistão ficou em segundo com 75 cadeiras. A maioria dos muçulmanos sunitas boicotou as eleições, o que significava que a maioria xiita, que tinha sido oprimida sob o governo de Saddam, tinha agora uma posição forte, embora tivesse que formar alianças com alguns dos partidos menores, já que muitas decisões importantes requeriam uma maioria de dois terços no parlamento. Embora a violência continuasse, o novo parlamento se reuniu pela primeira vez em março de 2005. Foi acertado que o xiita Ibrahim Jafari seria o primeiro-ministro e o líder curdo Jalal Talabani, o presidente. Muitas das pessoas que discursaram disseram que queriam que o governo fosse includente, para que os árabes sunitas se envolvessem, formando assim um verdadeiro governo de unidade nacional.

12.5 O CENÁRIO INTERNACIONAL EM 2005

Ainda não se sabia se a "guerra de civilizações", que alguns temiam e outros desejavam, iria se materializar integralmente ou se o fundamentalismo islâmico militante, como alguns previram, seria eclipsado quando os muçulmanos moderados se cansassem de suas regras e restrições rígidas e do tratamento que davam às mulheres. Havia alguns sinais positivos:

- O Irã, o segundo país no "eixo do mal" do presidente Bush, assinou um acordo com ministros do exterior europeus para ser aberto e honesto com relação a seu programa nuclear, embora não tenha prometido abrir mão de suas armas nucleares (outubro de 2003), achando que isso seria arriscado demais enquanto Israel tivesse bombas nucleares.
- Mais surpreende, a Líbia, por tanto tempo considerada como um Estado delinquente pelo Ocidente, demonstrava disposição de cooperar. Em agosto de 2003, o líder líbio, coronel Kadafi, concordou em pagar indenização às famílias dos mortos no atentado de Lockerbie. A ONU respondeu suspendendo as sanções comerciais e financeiras sobre a Líbia, que estava em vigor desde 1992. Depois, em dezembro, a Líbia prometeu abrir mão de armas de destruição em massa e convidou a AIEA para inspecionar e desmontar suas instalações nucleares.

Os Estados Unidos podiam afirmar que sua guerra contra o terror, principalmente o ataque contra o Iraque, tinha assustado iranianos e líbios para que cooperassem, mas isso seria ignorar os anos de discretos e pacientes esforços de diálogo e negociação, investidos desde 1999 por alguns países europeus, principalmente o Reino Unido, para convencer o Irã e a Líbia de que a coexistência pacífica era possível. Pode-se dizer que essa foi a verdadeira razão para esses importantes avanços. Como disse um editorial do *Guardian* (22 de dezembro de 2003),

> Que pena que as supostas armas de destruição em massa do Iraque não puderam ser entregues de forma semelhante, inteligente, não violenta.... Esse processo lento de aproximação estava em curso muito antes de Bush atacar Bagdá, mas foram necessárias habilidades diplomáticas britânicas para trazer à tona a questão dessas armas, fazer as conexões e chegar ao acordo ardiloso.

Essas concessões por parte dos dois países muçulmanos geraram demandas de muitos lados para que Israel também abrisse mão de suas armas nucleares. Se esse país se recusasse, significaria que havia dois pesos e duas medidas no controle de armas: amigos dos Estados Unidos, incluindo Israel, Índia e Paquistão, tinham permissão para manter suas armas nucleares, enquanto aqueles considerados como ameaça deveriam abandonar as suas.

As relações internacionais estavam em uma situação complicada. Havia um desacordo básico entre os Estados Unidos, que eram favoráveis a métodos militares para lidar com o terrorismo e os Estados delinquentes, e os países da Europa Ocidental, que em sua maioria favoreciam o diálogo e as tentativas de construir confiança. Entre ambos, havia Tony Blair e o Reino Unido, tentando gerar aproximação e convencer os Estados Unidos, inicialmente, a parar de ameaçar regimes de que não gostam e depois a jogar seu peso na busca de um acordo justo para o conflito israelo-palestino.

PERGUNTAS

1. Os Estados Unidos e a Nova Ordem Mundial
Estude as fontes e responda as perguntas a seguir.

Fonte A
A visão de Robert Kagan, autor norte-americano de textos sobre política, em 1998.

> A verdade é que a hegemonia benevolente exercida pelos Estados Unidos é boa para uma enorme parcela da população mundial. Com, certeza, é um arranjo melhor do que todas as alternativas realistas...
> Os Estados Unidos devem se recusar a cumprir determinadas convenções internacionais, como o Tribunal Penal Internacional e o acordo de Kyoto sobre aquecimento global. Os Estados Unidos devem apoiar o controle de armas, mas nem sempre para si mesmos. Devem viver segundo dois pesos e duas medidas.

Fonte: Citado em William Blum, *Killing Hope* (Zed Books, 2003).

Fonte B
A visão de Ken Booth e Tim Dunne, dois especialistas britânicos em política internacional.

> Não acreditamos que os "Estados Unidos" sejam odiados ... são as políticas de sucessivos governos norte-americanos que são tão odiadas: a maneira com que a única superpotência do mundo tenta sempre que as coisas sejam da sua maneira; sua política externa por vezes brutal e seu lucrativo projeto de globalização; seu apoio a tiranos enquanto dá discursos de democracia e direitos humanos.... Em qualquer situação humana, essas potências tendem a provocar a hostilidade daqueles que não são escutados nem conseguem as coisas à sua maneira.
> Nesse contexto, como sociedade, os Estados Unidos são uma ideia à qual incontáveis vítimas afluem, buscando refúgio da tirania e da fome. Os Estados Unidos são um dos únicos países a tratar a imigração como um recurso econômico em vez de um fardo.

Fonte: Ken Booth e Tim Dunne (organizadores), *Worlds in Collision: Terror and the Future of Global Order* (Palgrave Macmillan, 2002).

(a) Como essas fontes ajudam a explicar por que havia tanto sentimento antiamericano no final do século XX?
(b) A Fonte B se refere à "política externa por vezes brutal e o lucrativo projeto de globalização" dos Estados Unidos. Usando seu próprio conhecimento, explique se você acha que essa é uma descrição justa das ações dos Estados Unidos nas décadas de 1980 e de 1990.
(c) De que formas o antiamericanismo se manifestou entre 1980 e 2004?

2. Examine as evidências a favor e contra a visão de que, no início do século XXI, o mundo estava testemunhando uma "luta de civilizações" entre o Islã e o Ocidente.
3. Explique por que o final da guerra fria não foi seguido de um período de paz e estabilidade mundial.

Parte II
A ASCENSÃO DO FASCISMO E DOS GOVERNOS DE DIREITA

Itália, 1918-1945
O Surgimento do Fascismo

RESUMO DOS EVENTOS

A unificação da Itália só se completou em 1870, e o novo Estado sofria de fragilidade econômica e política. A Primeira Guerra Mundial foi um fardo muito grande sobre sua economia e havia uma grande decepção por seu tratamento no tratado de Versalhes. Entre 1919 e 1922, houve cinco governos diferentes, todos incapazes de tomar as ações decisivas que a situação exigia. Em 1919, *Benito Mussolini fundou o Partido Fascista Italiano*, que conquistou 35 cadeiras nas eleições de 1921. Ao mesmo tempo, parecia haver um perigo real de uma revolução de esquerda. Em uma atmosfera de greves e rebeliões, os fascistas realizaram uma "Marcha sobre Roma", que culminou com o rei Vitório Emanuel convidando Mussolini para formar um governo (outubro de 1922); ele permaneceu no poder até julho de 1943.

Aos poucos, Mussolini foi assumindo os poderes de um ditador e tentou controlar toda a vida do povo italiano. Inicialmente, parecia que seu regime autoritário poderia trazer benefícios duradouros à Itália, e ele ganhou popularidade com sua política externa ousada e bem-sucedida (ver Seção 5.2). Posteriormente, ele cometeu o erro fatal de entrar na Segunda Guerra Mundial no lado da Alemanha (junho de 1940) mesmo sabendo que a Itália não teria condições de se envolver em outra guerra. Depois de derrotar os italianos, os britânicos, que capturaram as possessões africanas da Itália e ocuparam a Sicília, voltaram-se contra Mussolini. Ele foi deposto e preso (julho de 1943), mas resgatado pelos alemães (setembro) e colocado como governante marionete no norte da Itália, sustentado por tropas alemãs. Em abril de 1945, quando tropas britânicas e norte-americanas avançavam para o norte pela Itália, rumo a Milão, Mussolini tentou escapar para a Suíça, mas foi capturado e morto a tiros por seus inimigos italianos (conhecidos como "*partisans*"). Seu corpo foi levado a Milão e perdurado pelos pés em praça pública – um fim ignominioso para um homem que tinha comandado a Itália por 20 anos.

13.1 POR QUE MUSSOLINI CONSEGUIU CHEGAR AO PODER?

(a) Decepção e frustração

No verão de 1919, havia uma atmosfera geral de decepção e frustração na Itália, produzida por uma combinação de fatores:

1 Decepção com os ganhos da Itália com o tratado de Versalhes

Quando a Itália entrou na guerra, os Aliados prometeram Trentino, o sul do Tirol, a Ístria, Trieste, parte da Dalmácia, a Adália, algumas ilhas do Mar Egeu e um protetorado sobre a Albânia. Embora tenha recebido as quatro primeiras regiões, o restante foi dado a outros países, principalmente a Iugoslávia. A Albânia ficaria independente. Os italianos se sentiram enganados em função de seus bravos esforços durante a guerra e da perda de cerca de 700.000 homens. Especialmente irritante era o fato de não terem obtido Fiúme (dada à Iugoslávia), embora essa não fosse realmente uma das regiões que lhes haviam sido prometidas. Gabriele d'Annunzio, um famoso poeta romântico, marchou com algumas centenas de apoiadores e ocupou Fiúme antes que os iugoslavos tivessem tempo de fazê-lo. Algumas unidades do exército desertaram e apoiaram d'Annunzio, dando-lhe armas e munição, e ele começou a ter esperanças de derrubar o governo, mas em junho de 1920, depois de ele se manter em Fiúme por 15 meses, o novo primeiro-ministro, Giovanni Giolitti, decidiu que deveria ser restaurada a autoridade do governo e ordenou que o exército retirasse d'Annunzio de Fiúme – uma ação arriscada, já que ele era considerado um herói nacional. O exército obedeceu a ordens e d'Annunzio se rendeu sem luta, mas isso tornou o governo muito impopular.

2 Os efeitos econômicos da guerra

Os efeitos da guerra sobre a economia e o padrão de vida foram desastrosos. O governo tinha feito grandes empréstimos, principalmente dos Estados Unidos, e essas dívidas tinham que ser pagas. Como a lira continuava caindo (de 5-1 em relação ao dólar em 1914 para 28-1 em 1921), o custo de vida também aumentou, pelo menos cinco vezes. Havia desemprego enorme porque a indústria pesada cortou sua produção do tempo da guerra, e 2,5 milhões de soldados tinham dificuldades de encontrar empregos.

3 Desprezo cada vez maior pelo sistema parlamentar

Nas eleições de 1919, foram introduzidos o voto para todos os homens e a representação proporcional. Embora isso desse uma representação mais justa do que o sistema anterior, fazia com que houvesse um grande número de partidos no parlamento. Após a eleição de março de 1921, por exemplo, havia pelo menos nove deles representados, como liberais, nacionalistas, socialistas, comunistas, o partido popular católico e fascistas. Isso tornava difícil para qualquer um obter uma maioria e os governos de coalizão eram inevitáveis. Não era possível haver qualquer política mais permanente porque se sucederam cinco gabinetes com maiorias frágeis. Havia uma impaciência crescente que parecia feita para impedir um governo firme.

(b) Houve uma onda de greves em 1919 e 1920

A industrialização da Itália nos anos posteriores à unificação levou ao desenvolvimento de um partido socialista e sindicatos fortes. Sua maneira de protestar contra a confusão em que se encontrava o país foi organizar uma onda de greves em 1919 e 1920. Elas foram acompanhadas por distúrbios, saques de lojas e ocupação de fábricas por trabalhadores. Em Turim, surgiam os conselhos de fábrica, à imagem dos sovietes russos (ver Seção 16.2(c), Item 2). No sul, as ligas socialistas de agricultores tomaram terras de proprietários ricos e de cooperativas. O prestígio do governo afundou ainda mais por sua incapacidade de proteger a propriedade, e muitos proprietários estavam convencidos de que estava por vir uma revolução de esquerda, principalmente quando o Partido Comunista Italiano foi fundado em janeiro de 1921. Contudo, as chances de revolução estavam diminuindo: as greves e ocupações de fábricas estavam definhando, porque, embora os trabalhadores tentassem manter a produção, reivindicando controle das fábricas, isso se mostrou impossível (os fornecedores se recusavam a lhes dar matérias-primas e eles precisavam de engenheiros e administradores). Na verdade, a formação do Partido Comunista tornou menos provável a revolução, porque dividiu as forças da esquerda, mas o medo da revolução permanecia forte.

(c) Mussolini atraiu amplo apoio

Mussolini e o Partido Fascista eram atrativos a muitas parcelas da sociedade porque, como ele mesmo disse, seu objetivo era resgatar a Itália de governos fracos. Mussolini (nascido em 1883), filho de um ferreiro da Romagna, teve um início de vida profissional variado, tendo trabalhado por um tempo como auxiliar de pedreiro e depois como professor de escola primária. Politicamente, começou como socialista e construiu um nome como jornalista, tornando-se editor do jornal socialista *Avanti*. Ele rompeu com os socialistas porque eles eram contra a intervenção da Itália na guerra, e deu início a seu próprio jornal, *Il Popolo d'Italia*. Em 1919, fundou o partido fascista com um programa socialista e republicano e demonstrava simpatia pelas ocupações de fábricas de 1919-1920. As seções locais do partido eram conhecidas como *fasci di combattimento* (grupos de luta) – a palavra *fasces* significa o feixe de varas com um machado saliente para simbolizar a autoridade e o poder dos cônsules da Roma Antiga (ver Figura 13.1). Nessa etapa, os fascistas eram contra a monarquia, a Igreja e as grandes empresas.

O novo partido não conquistou cadeiras nas eleições e 1919. Isso, somado ao fracasso das ocupações de fábricas, fez com que Mussolini mudasse de rumo. Ele surgiu, então, como defensor da empresa privada e da propriedade, atraindo o tão necessário apoio financeiro dos ricos interesses empresariais. Começando no final dos anos de 1920, esquadrões de fascistas usando camisas negras atacavam e queimavam regularmente as sedes locais dos socialistas e os escritórios de seus jornais, e agrediam os parlamentares socialistas. No final de 1921, mesmo sendo extremamente vago, seu programa político tinha obtido o apoio dos proprietários em geral, porque eles o viam como uma garantia da lei e da ordem (principalmente depois da formação do Partido Comunista em janeiro de 1921). Tendo conquistado as grandes empresas, Mussolini começou a fazer discursos conciliatórios com relação à Igreja Católica. O papa Pio XI levou a Igreja a se alinhar a ele, considerado como uma boa arma anticomunista. Quando

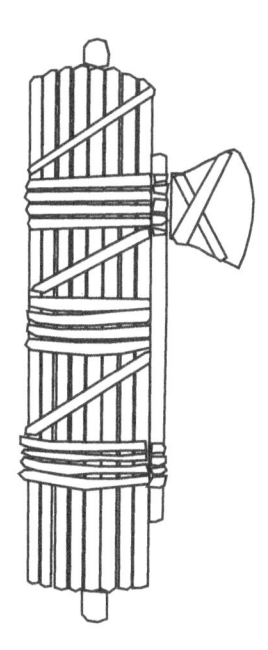

Figura 13.1 O símbolo fascista.

Mussolini anunciou que havia abandonado a parte republicana de seu programa (setembro de 1922), até mesmo o rei começou a olhar os fascistas de forma mais favorável. No espaço de três anos, Mussolini tinha passado da extrema esquerda à extrema direita.

(d) Falta de oposição eficaz

Os grupos antifascistas não foram capazes de cooperar entre si e não fizeram esforços firmes para manter os fascistas de fora. Os comunistas se recusavam a cooperar com os socialistas, e Giolitti (primeiro-ministro de junho de 1920 a julho de 1921) realizou as eleições de maio de 1921 na esperança de que os fascistas, ainda sem representação no parlamento, conquistassem algumas cadeiras e apoiassem seu governo. Ele estava disposto a fechar os olhos para a violência, achando que eles se tornariam mais responsáveis quando estivessem presentes no parlamento. Contudo, eles conquistaram 35 cadeiras enquanto os socialistas tiveram 123. Claramente, não se poderia cogitar uma tomada de poder pelos fascistas, embora o número de seus esquadrões em todo o país aumentasse rapidamente. Os socialistas devem receber grande parte da culpa por se recusarem a trabalhar com o governo para conter a violência fascista. Uma coalizão do bloco nacionalista de Giolitti e dos socialistas poderia ter criado um governo razoavelmente estável, excluindo os fascistas, mas os socialistas não cooperaram e isso fez com que Giolitti renunciasse em desespero. Os socialistas tentaram usar a situação em vantagem própria chamando uma greve geral no verão de 1922.

(e) A tentativa de greve geral, verão de 1922

Esse evento ajudou os fascistas, que conseguiram tirar vantagem dele: eles anunciaram que se o governo não conseguisse conter a greve, eles a esmagariam por conta própria. Quando a greve fracassou por falta de apoio, Mussolini conseguiu posar como quem salvaria a nação do comunismo e, em outubro de 1922, os fascistas se sentiam confiantes o suficiente para realizar sua "Marcha sobre Roma". Enquanto cerca de 50.000 camisas-negras convergiam para a capital e outros ocupavam importantes cidades no norte, o primeiro-ministro, Luigi Facta, estava preparado para resistir. Mas o rei Vitório Emanuel III se recusou a declarar estado de emergência e, em vez disso, convidou Mussolini, que tinha permanecido nervosamente em Milão, para vir a Roma (Ilustração 13.1) e formar um novo governo, o que ele fez de bom grado, chegando de trem. Logo após, os fascistas estimularam o mito de que tinham tomado o poder em uma luta heroica, mas isso foi conseguido legalmente, pela mera ameaça da força, enquanto o exército e a polícia ficaram olhando.

O papel do rei foi importante: ele tomou a decisão crucial de não usar o exército para conter os camisas-negras, embora muitos historiadores acreditem que o exército regular teria pouca dificuldade de dispersar os esquadrões desorganizados e mal armados, muitos dos quais chegaram de trem. A marcha foi um enorme blefe que funcionou. As razões pelas quais o rei decidiu ficar contra a resistência armada continuam um pouco misteriosas, já que ele aparentemente relutou em discuti-las. Entre as sugestões estão:

- falta de confiança em Facta;
- dúvidas sobre se podia confiar que o exército, com suas simpatias fascistas, obedeceria às suas ordens;
- receio de uma longa guerra civil se o exército não fosse capaz de esmagar rapidamente os fascistas.

Não restam dúvidas de que o rei tinha uma certa quantidade de simpatia com relação ao objetivo fascista de proporcionar governo forte e também tinha medo de que alguns dos generais pudessem forçá-lo a abdicar em favor de seu primo, o Duque de Aosta, que apoiava abertamente os fascistas. Qualquer que tenha sido a motivação do rei, o resultado foi claro: Mussolini se tornou o primeiro premiê fascista da história.

Ilustração 13.1 Mussolini e seus apoiadores pouco depois da Marcha sobre Roma.

13.2 O QUE SIGNIFICA O TERMO "FASCISMO"?

É importante tentar definir o que significava o termo "fascista", porque mais tarde ele foi aplicado a outros regimes e governantes, como Hitler, Franco (Espanha), Salazar (Portugal) e Perón (Argentina), que às vezes eram bastante diferentes da versão italiana do fascismo. Hoje em dia, há uma tendência entre a esquerda a rotular de "fascista" a qualquer um que tenha visões de direita. O fato de que o fascismo nunca tenha produzido um grande autor teórico que pudesse explicar claramente suas filosofias, como Marx fez para o comunismo, dificulta entender exatamente o que estava envolvido nele. Os objetivos mutantes de Mussolini antes de 1923 sugerem que sua principal preocupação era simplesmente conquistar o poder, depois de parecer ter empobrecido suas ideias ao longo do tempo. Depois de alguns anos, ficou visível que o fascismo, como Mussolini tentou aplicá-lo na prática, incluía algumas características básicas:

- *Nacionalismo extremo*. Uma ênfase no renascimento da nação após um período de declínio; construção da grandeza e do prestígio do Estado, acarretando a superioridade do próprio país sobre os outros.
- *Um sistema totalitário de governo*. Ou seja, uma forma de vida completa na qual o governo tentava entusiasmar e mobilizar a grande massa de pessoas comuns, e também controlar e organizar, com forte disciplina, o maior número possível de aspectos da vida das pessoas. Isso era considerado necessário para promover a grandeza do Estado, que era tida como mais importante do que os interesses do indivíduo.
- *Um Estado de partido único era essencial*. Não havia espaço para a democracia. O fascismo era especialmente hostil para com o comunismo, o que explica muito de sua popularidade com as grandes empresas e os ricos. Os membros do Partido Fascista eram a elite da nação e se dava muita ênfase ao culto do líder/herói, que obtinha apoio de massa com discursos eletrizantes e propaganda habilidosa.
- *Autossuficiência econômica (autarquia)*. Isso era de importância vital para o de-

senvolvimento da grandeza do Estado. Sendo assim, o governo deveria direcionar a vida econômica da nação (embora não no sentido marxista de que o Estado é proprietário de fábricas e terras).
- *Força e violência militares* faziam parte da forma de vida. O próprio Mussolini disse: "A paz é um absurdo: o fascismo não acredita nela". Por isso ele estimulava o mito de que eles tinham tomado o poder pela força, permitiam o tratamento violento de adversários e críticos e implementavam uma política externa agressiva.

13.3 MUSSOLINI INTRODUZ O ESTADO FASCISTA

Não houve mudança súbita no sistema de governo e nas instituições do Estado. Mussolini era apenas o primeiro-ministro de um gabinete de coalizão no qual apenas quatro de 12 ministros eram fascistas, e ele tinha que agir com cautela. Entretanto, o rei lhe havia dado poderes especiais, que durariam até o final de 1923, para lidar com a crise. Seu exército privado de camisas-negras foi legalizado, tornando-se a Milícia Voluntária pela Segurança Nacional (MVSN). A Lei Accerbo (novembro de 1923) alterou as regras para as eleições gerais. Dali em diante, o partido que recebesse mais votos em uma eleição geral teria automaticamente dois terços das cadeiras do parlamento. Como resultado da eleição seguinte (abril de 1924) os fascistas e seus apoiadores conquistaram 404 cadeiras enquanto os partidos de oposição só conseguiram 107. O sucesso da direita poderia ser explicado pelo desejo geral de um governo forte que colocasse o país de pé novamente, depois dos fracos governos de minoria dos anos anteriores.

A partir do verão de 1924, usando uma mistura de violência e intimidação e ajudado pelas divisões entre seus oponentes, Mussolini foi construindo o governo e a sociedade italianos segundo linhas fascistas. Ao mesmo tempo, consolidava seu próprio domínio sobre o país, que estava praticamente completo em 1930. Entretanto, ele ainda parecia não ter ideias "revolucionárias" sobre como mudar a Itália para melhor. Na verdade, é difícil escapar da conclusão de que seu principal interesse era aumentar seu poder pessoal.

(a) Somente o Partido Fascista era permitido

Adversários persistentes do regime eram exilados ou assassinados, sendo que os casos mais conhecidos foram os dos socialistas Giacomo Matteotti e Giovanni Amendola, ambos agredidos até a morte por assassinos fascistas. Porém, o sistema italiano nunca foi tão brutal como o regime nazista na Alemanha e, depois de 1926, quando Mussolini se sentiu mais seguro, a violência foi reduzida em muito. *Outras mudanças na Constituição fizeram com que:*

- o primeiro-ministro (Mussolini) só tivesse que responder ao rei, e não ao parlamento (1925);
- o primeiro-ministro pudesse governar por decreto, o que significava que novas leis não precisavam ser discutidas no parlamento (1926);
- o eleitorado fosse reduzido de cerca de 10 milhões para 3 milhões (os mais ricos).

Embora o parlamento ainda se reunisse, todas as decisões importantes eram tomadas pelo Grande Conselho Fascista, que sempre fazia o que Mussolini dizia. Na prática, Mussolini, que adotou o título de *Il Duce* (o líder), era um ditador.

(b) Mudanças no governo local

As câmaras e os prefeitos municipais foram abolidos e as cidades eram governadas por funcionários indicados por Roma. Na prática, os chefes locais do Partido Fascista (conhecidos como *ras*) costumavam ter tanto poder quanto os que tinham cargos de governo.

(c) Censura

Foi aplicada uma rígida censura à imprensa: jornais e revistas antifascistas foram proibidos e seus editores, substituídos por apoiadores do fascismo. O rádio, o cinema e o teatro eram controlados da mesma forma.

(d) A educação controlada

A educação nas escolas e universidades era supervisionada de perto. Os professores tinham que usar uniformes e foram escritos novos livros-texto para glorificar o sistema fascista. As crianças eram estimuladas a criticar qualquer professor que não tivesse entusiasmo pelo partido. As crianças e os jovens eram forçados a entrar para as organizações jovens do governo, que tentavam doutriná-los com o brilhantismo do Duce e as glórias da guerra. A outra mensagem central era total obediência à autoridade, o que era necessário porque tudo era visto em termos de luta – "Acredite, obedeça, lute!"

(e) Políticas de emprego

O governo tentou promover a cooperação entre patrões e trabalhadores e dar um fim à guerra de classes no que ficou conhecido como "o Estado corporativo". Sindicatos controlados pelos fascistas tinham direito exclusivo de negociar pelos trabalhadores, e tanto sindicatos quanto associações empresariais estavam associados em corporações e deveriam trabalhar juntas para resolver disputas sobre salários e condições de trabalho. Greves de trabalhadores e patronais não eram permitidas. Em 1934, havia 22 corporações, cada uma lidando com um setor da economia, e assim Mussolini esperava controlar os trabalhadores e dirigir a produção e a economia. Para compensar por sua perda de liberdade, os trabalhadores tiveram garantidos benefícios como descanso dominical, férias anuais pagas, previdência social, instalações esportivas e teatrais e viagens baratas nas férias.

(f) Chegou-se a um entendimento com o Papa

O papado tinha sido hostil ao governo italiano desde 1870, quando todo o território que lhe pertencia (Estados Papais) fora incorporado ao novo reino da Itália. Embora tivesse sido simpático a Mussolini em 1922, o papa Pio XI desaprovava o crescente autoritarismo do governo fascista (as organizações fascistas jovens, por exemplo, entravam em conflito com os *scouts* católicos). Mussolini, que provavelmente era ateu, mesmo assim estava muito ciente do poder da Igreja Católica, e se dispôs a conquistar a simpatia de Pio, que, como bem sabia o Duce, estava obcecado com o medo do comunismo. O resultado foi o *Tratado de Latrão de 1929*, pelo qual a Itália reconhecia a Cidade do Vaticano como Estado soberano, pagava ao papa uma enorme quantia em dinheiro como indenização por todas as suas perdas, aceitava a fé católica como religião oficial do Estado e tornava a instrução religiosa obrigatória em todas as escolas. Em retorno, o papado reconhecia o reino da Itália. *Alguns historiadores consideram o final da longa ruptura entre Igreja e Estado como sendo a realização mais duradoura e valiosa de Mussolini.*

Até onde o regime de Mussolini era totalitário?

Parece claro que, apesar de seus esforços, Mussolini não foi capaz de criar um sistema completamente totalitário no sentido fascista, sem "qualquer indivíduo ou grupo que não esteja controlado pelo Estado", nem tão capilar como o Estado nazista na Alemanha. Ele nunca conseguiu eliminar completamente a influência do rei e do papa, e este se tornou muito crítico de Mussolini quando ele começou a perseguir os judeus no final dos anos de 1930. O historiador e filósofo Benedetto Croce e outros professores universitários foram críticos constantes do fascismo, e ainda assim sobreviveram, aparentemente porque Mussolini tinha receio da reação estrangeira hostil caso os prendesse. Mesmo os simpatizantes fascistas admitiam que o sistema corporativo não era um sucesso no controle da produção. Segundo a historiadora Elizabeth Wiskemann, "como um todo, os grandes industriais apenas faziam gestos de submissão e, na prática, compravam sua liberdade dos fascistas com contribuições generosas aos fundos do partido". Quanto à massa da população, parecia estar disposta a tolerar o fascismo enquanto ele parecesse trazer benefícios, mas logo se cansou dele quando suas inadequações foram reveladas por seus fracassos durante a Segunda Guerra Mundial.

13.4 QUAIS BENEFÍCIOS O FASCISMO TROUXE PARA O POVO ITALIANO?

O que realmente importava para as pessoas comuns era se as políticas do regime eram eficazes ou não. Mussolini resgatou a Itália dos governos fracos como tinha prometido ou foi, como alegavam alguns críticos da época, somente um discurso vazio cujo governo era tão corrupto e ineficiente quanto os anteriores?

(a) Um início promissor

Boa parte das políticas fascistas estava relacionada com a economia, embora Mussolini entendesse muito pouco do assunto. O grande impulso era em direção à autossuficiência, que era considerada essencial para uma "nação guerreira". Os primeiros anos pareciam bem-sucedidos ou pelo menos era isso que a propaganda do governo dizia às pessoas.

1. *A indústria era estimulada* com subsídios do governo onde fosse necessário, de forma que a produção de ferro e aço tinha dobrado em 1930 e a de seda artificial aumentou 10 vezes. Em 1937, a produção de energia hidroelétrica duplicou.
2. *A "batalha do trigo"* estimulou os agricultores a se concentrar na produção desse cereal como parte do impulso por autossuficiência. Em 1935, as importações de trigo tinham sido reduzidas em 75%.
3. *Foi lançado um programa de recuperação de terras* que incluía a drenagem de pântanos, irrigação e plantação de florestas em áreas montanhosas, mais uma vez, como parte do impulso para melhorar e aumentar o rendimento agrícola. O grande exemplo era o Pântano Pontino, perto de Roma.
4. *Foi formulado um impressionante programa de obras públicas*, entre outras coisas, para reduzir o desemprego, que incluía a construção de estradas, pontes, blocos de apartamentos, estações de trem, estádios esportivos, escolas e novas cidades em terra recuperada. A partida foi dada eletrificando as principais linhas ferroviárias, e o grande motivo de orgulho fascista era a seleção italiana ter vencido a Copa do Mundo de futebol duas vezes, em 1934 e em 1938!
5. *A organização "Dopolavoro" (Depois do Trabalho)* dava aos italianos coisas para fazer em seu tempo livre. Havia férias baratas, viagens e cruzeiros e a *Dopolavoro* também controlava os teatros, as sociedades dramáticas, as bibliotecas, as orquestras, as orquestras de sopros e as organizações esportivas.
6. Para promover a imagem da Itália como grande potência, Mussolini implementou uma política exterior vigorosa (ver Seção 5.2).

Entretanto, a promessa dos primeiros anos de governo de Mussolini nunca se cumpriu em muitos aspectos.

(b) Problemas sem resolver

Mesmo antes de a Itália se envolver na Segunda Guerra Mundial, estava claro que o fascismo não tinha resolvido muitos dos problemas do país.

1. *Pouco tinha sido feito para resolver a escassez básica de matérias-primas* – carvão e petróleo – e poderia ter sido feito muito mais esforço para fornecer energia hidroelétrica. Como produtora de ferro e aço, a Itália não conseguia se igualar a um pequeno país como a Bélgica (ver Tabela 13.1).
2. *Embora a "Batalha do Trigo" tenha sido uma vitória, isso só foi conseguido à custa da agropecuária*, cuja produção caiu. O clima no sul é muito mais adequado a pastagens e pomares do que ao cultivo de trigo, e estas atividades teriam sido muito mais lucrativas aos agricultores. Como resultado disso, a agricultura permaneceu ineficiente e seus trabalhadores continuaram sendo a classe mais pobre do país. Seus salários caíram entre 20 e 40% durante a década de 1930. A Itália ainda tinha o que era conhecida como uma "economia dualista" – o norte era industrial e comparativamente próspero, ao passo que o sul era majoritariamente agrícola, atrasado e pobre. As tentativas de autossuficiência tinham sido um fracasso sinistro.
3. *Mussolini aumentou muito o valor da lira*, em 90-1 em relação à libra esterlina, em vez de 150-1 (1926), em uma tentativa de mostrar que a Itália tinha uma moeda forte. Infelizmente, isso encareceu as exportações italianas no mercado mundial e reduziu os pedidos, principalmente na indústria de algodão. Muitas fábricas estavam trabalhando três dias por semana e os trabalhadores sofriam reduções salariais entre 10 e 20% – antes da crise econômica mundial que começou em 1929.
4. *A grande depressão, que começou em 1929 com a quebra da bolsa de Wall Street nos Estados Unidos (ver Seção 22.6), piorou as coisas*. As exportações caíram, o desemprego aumentou para 1,1 milhão, e mesmo assim, o Duce se recusou a desvalorizar a lira até 1936. Em vez disso, as remunerações e os salários foram reduzidos e, embora o custo de vida estivesse diminuindo em função da depressão, a remuneração caía mais do que os preços, de forma que os trabalhadores sofreram uma queda de 10% em seus ganhos reais. Especialmente frustrante para os trabalhadores industriais era o fato de não terem como protestar, já que as greves eram ilegais e os sindicatos, fracos. A economia também era prejudicada pelas sanções impostas à Itália pela Liga das Nações depois da invasão da Etiópia em 1935.
5. *Outro fracasso do governo era o campo dos serviços sociais*, sem nada que se parecesse a um "Estado de bem-estar". Até 1943, não houve qualquer seguro-saúde oficial do governo, e sim um seguro-desemprego apenas suficiente, que nem durante a depressão melhorou.
6. *O regime era ineficiente e corrupto*, portanto, muitas de suas políticas não eram implementadas. Por exemplo, apesar de toda a publicidade sobre a recuperação de terras, somente um décimo do progra-

Tabela 13.1 Produção italiana de ferro e aço (em milhões de toneladas)

	Ferro			Aço		
	1918	1930	1940	1918	1930	1940
Itália	0,3	0,5	1,0	0,3	0,5	1,0
Bélgica	–	3,4	1,8	–	3,4	1,9
Alemanha	11,9	9,7	13,9	15,0	11,5	19,0
EUA	39,7	32,3	43,0	45,2	41,4	60,8

ma havia sido implementado em 1939, e as obras estavam paralisadas mesmo antes de começar a guerra. Imensas somas de dinheiro desapareceram nos bolsos de funcionários corruptos. Parte do problema era que Mussolini tentava, cada vez mais, fazer tudo ele próprio, recusando-se a delegar porque queria controle total, mas era impossível para um único homem fazer tanta coisa, e acabava sendo um fardo intolerável. Segundo seu biógrafo Dennis Mack Smith, "ao tentar controlar tudo, ele acabou controlando muito pouco ... embora desse ordens constantes, não tinha como verificar seu cumprimento. Como os funcionários sabiam disso, eles muitas vezes fingiam obedecer, e não levavam adiante qualquer ação".

13.5 OPOSIÇÃO E QUEDA

A conclusão deve ser que após a primeira onda de entusiasmo por Mussolini e seu novo sistema, o italiano médio recebeu pouco benefício do regime, e provavelmente o desencanto se instalou muito antes da Segunda Guerra Mundial começar. Mesmo assim, não havia muita oposição a ele. Isso se devia, em parte, à dificuldade de organizar a oposição no parlamento e às pesadas punições aos adversários e críticos, e em parte a que os italianos tinham uma tradição de aceitar o que quer que acontecesse politicamente, com mínima revolta e muita resignação. O governo continuava a controlar os meios de comunicação, que seguiam dizendo às pessoas que Mussolini era um herói (Ilustração 13.2).

Ilustração 13.2 Mussolini discursando para uma multidão.

(a) Por que Mussolini acabou sendo derrubado?

- *Entrar na guerra foi um erro desastroso.* A maioria dos italianos era contra e já desaprovou quando Mussolini começou a demitir judeus de empregos importantes (1938), além de achar que a Itália estava se transformando em um satélite alemão. Economicamente, o país era incapaz de travar uma guerra de grandes proporções, o exército estava equipado com rifles e artilharia obsoletos; havia só mil aviões e nenhum tanque pesado. A declaração de guerra contra os Estados Unidos (dezembro de 1941) apavorou muitos dos apoiadores direitistas de Mussolini (como industriais e banqueiros), que estavam descontentes com os controles econômicos rígidos que viriam com os tempos de guerra.
- *O povo em geral sofria com as dificuldades.* Os impostos foram aumentados para pagar pela guerra, havia racionamento de comida, inflação altíssima e uma queda de 30% nos salários reais. Depois de novembro de 1942, houve bombardeios aéreos britânicos sobre cidades importantes. Em março de 1943, a inquietação era visível em greves em Milão e Turim, as primeiras desde 1922.
- Depois de uns êxitos iniciais, *os italianos sofreram uma sequência de derrotas* que culminaram na rendição de todas as tropas italianas no Norte da África (maio de 1943).
- *Mussolini parecia ter perdido o ritmo.* Ele padecia de uma úlcera no estômago e esgotamento nervoso. Tudo o que conseguia pensar era em demitir algum dos ministros que lhe haviam criticado. A gota d'água chegou com a captura da Sicília pelos Aliados (julho de 1943). Muitos dos próprios líderes fascistas se deram conta da loucura que era tentar continuar a guerra, mas Mussolini se recusava a fazer a paz porque isso seria abandonar Hitler. O Grande Conselho Fascista se voltou contra Mussolini, o rei o demitiu, ninguém levantou um dedo por ele, e o fascismo desapareceu.*

(b) Veredicto sobre o fascismo italiano

Esse ainda é um tópico muito polêmico na Itália, onde as memórias de experiências pessoais são fortes. Em termos gerais, *há duas interpretações da era fascista.*

1. Foi uma aberração temporária (um desvio da evolução normal dos acontecimentos) na história da Itália, o trabalho individual de Mussolini; o historiador A. Cassels o chama de "uma gigantesca traição da confiança da nação italiana por Benito Mussolini – uma criação artificial de Mussolini".
2. O fascismo cresceu naturalmente a partir da história italiana; o ambiente e as circunstâncias moldaram a ascensão e a queda do fascismo, e não o contrário.

A maioria dos historiadores aceita agora a segunda teoria, de que as raízes do fascismo residem na sociedade italiana tradicional e que o movimento floresceu nas circunstâncias posteriores à Segunda Guerra Mundial. O historiador italiano Renzo de Felice afirma que o fascismo era basicamente um movimento de uma "classe média emergente", ávida para desafiar o poder da classe dominante tradicional e liberal. Ele afirma que o movimento realizou muito, principalmente a modernização da economia italiana, que era muito atrasada em 1918. Por outro lado, o historiador britânico Martin Blinkhorn não aceita essa afirmação sobre a economia e afirma que de Felice não prestou atenção suficiente ao "lado negativo e brutal do fascismo". Outra historiadora, Elizabeth Wiskemann, afirma que as únicas realizações do fascismo que se mantinham no final da guerra eram seu acordo com o papa e as obras públicas, e mesmo essas po-

---

* N. de R. T.: Isto é, como regime de toda Itália, pois os alemães o libertaram e ocuparam o centro-norte do país onde Mussolini implantou a República de Saló, um regime fascista que se manteve até à rendição alemã em 1945.

deriam ter sido realizadas igualmente por um governo democrático.

A tendência mais recente entre historiadores italianos é retratar Mussolini, mais uma vez, como o líder inspirador que em nada poderia se equivocar até cometer o erro fatal de entrar na Segunda Guerra Mundial. Uma nova biografia, do escritor britânico Nicholas Farrell, publicada em 2003, assume a mesma linha, afirmando que Mussolini merece ser lembrado como um grande homem. Entretanto, essa interpretação não foi bem recebida pelos críticos, cuja maioria tem mais probabilidades de seguir o veredicto do grande historiador Benedetto Croce, que desconsiderou o fascismo como sendo uma "infecção moral de curta duração".

PERGUNTAS

1. **Interpretações do fascismo**
Estude as fontes A e B e responda as perguntas a seguir.

Fonte A
O historiador e político liberal Benedetto Croce, que se tornou membro do governo italiano em 1944, depois da derrubada de Mussolini, dá sua visão do fascismo (1944).

> O fascismo foi uma interrupção da conquista na Itália de uma "liberdade" cada vez maior, uma infecção moral de curta duração. Desde a virada do século, a "sensação de liberdade" liberal foi solapada pelo materialismo, pelo nacionalismo e por uma crescente admiração por figuras "heroicas". As massas e os políticos liberais eram facilmente manipulados por uma maioria de brutos fascistas.

Fonte B
O historiador italiano Renzo de Felice dá sua visão do fascismo (1977).

> O movimento fascista foi principalmente um movimento de uma classe média emergente para questionar o poder da classe política liberal tradicional. O espírito dessa nova classe média era vital, otimista e criativo. Foi, na verdade, um fenômeno revolucionário. Contudo, a única forma com que Mussolini conseguiu chegar ao poder foi por meio dos conservadores e infelizmente, ele foi dependente deles dali em diante e por isso nunca conseguiu atingir os objetivos do fascismo – revolucionar a Itália transformando-a em uma sociedade totalitária e corporativa.

Fonte: Ambas as fontes são resumidas em Martin Blinkhorn, *Mussolini and Fascist Italy* (Methuen, 1984).

(a) Que razões você poderia sugerir para visões tão diferentes do mesmo sistema por dois historiadores italianos?
(b) Usando as fontes e seu próprio conhecimento, explique por que Mussolini conseguiu chegar ao poder em 1922.
(c) Usando seu conhecimento da Itália sob o governo fascista, mostre qual das duas interpretações você considera mais convincente.

2. "O medo do comunismo foi o principal responsável pela subida de Mussolini ao poder na Itália em 1922". Explique se concorda ou discorda dessa visão.
3. De que formas e com que êxito Mussolini tentou introduzir uma forma de governo totalitária na Itália?
4. Que êxito tiveram as políticas internas e externas de Mussolini até 1940?

Alemanha, 1918-1945
a República de Weimar e Hitler

14

RESUMO DOS EVENTOS

À medida que a Alemanha caminhava para a derrota em 1918, a opinião pública se voltou contra o governo e, em outubro, o Kaiser, em uma tentativa desesperada de se manter no poder, indicou o Príncipe Max von Baden como chanceler. Ele era conhecido por sua posição favorável a uma forma mais democrática de governo na qual o parlamento tivesse mais poder, mas era tarde demais: em novembro, estourou a revolução, o Kaiser escapou para a Holanda e abdicou, e o príncipe Max renunciou. Friedrich Ebert, líder do Partido Social Democrata, de esquerda (SPD), tornou-se líder do governo. Em janeiro de 1919, realizou-se uma eleição geral, a primeira completamente democrática que jamais acontecera na Alemanha. Os social-democratas surgiram como o maior partido e Ebert se tornou o primeiro presidente da república. Eles tinham algumas ideias marxistas, mas acreditavam que a forma de chegar ao socialismo era pela democracia parlamentar.

O novo governo de forma nenhuma era bem visto por todos os alemães: mesmo antes das eleições, os comunistas tinham tentado tomar o poder no Levante Espartaquista (janeiro de 1919). Em 1920, os inimigos de direita da república ocuparam Berlim (o Golpe de Kapp). O governo conseguiu sobreviver a essas ameaças e a várias outras, incluindo o golpe de Hitler na Cervejaria de Munique (1923).

No final de 1919, a Assembleia Nacional (parlamento) tinha chegado a um acordo para uma nova Constituição. Ela estava se reunindo em Weimar porque Berlim ainda estava tomada pela revolta política. A Constituição de Weimar (às vezes considerada a mais perfeita Constituição democrática dos tempos modernos, pelo menos no papel) deu seu nome à República de Weimar e durou até 1933, quando foi destruída por Hitler. Ela passou por três fases:

1. *De 1919 ao final de 1923:* Um período de instabilidade e crise, no qual a república lutava para sobreviver.
2. *Do final de 1923 ao final de 1929:* Um período de instabilidade em que Gustav Stresemann era o principal político. Graças ao Plano Dawes de 1924, pelo qual os Estados Unidos fizeram enormes empréstimos, a Alemanha parecia estar se recuperando de sua derrota e vivia um período de grande expansão industrial.
3. *De outubro de 1929 a janeiro de 1933* Instabilidade, mais uma vez. A crise econômica mundial, que começou com a quebra de Wall Street em outubro de 1929, logo teve efeitos desastrosos sobre a Alemanha, produzindo seis milhões e meio de desempregados. O governo não conseguiu enfrentar a situação e, no final de 1932, a República de Weimar parecia à beira do colapso.

Enquanto isso, Adolf Hitler e seu Partido Nacional-Socialista dos Trabalhadores Alemães (Nazista – NSDAP) vinha desenvolvendo uma grande campanha de propaganda culpando o governo por todos os males da Alemanha e propondo soluções nazistas para os problemas. Em janeiro de 1933, o presidente Hindenburg indicou Hitler como chanceler e pouco depois ele providenciava para que a democracia deixasse de existir. A República de Weimar estava no fim, e dali até abril de 1945, Hitler foi o ditador da Alemanha. Somente a derrota na Segunda Guerra Mundial e a morte de Hitler (30 de abril de 1945) libertaram o povo alemão da tirania nazista.

14.1 POR QUE A REPÚBLICA DE WEIMAR FRACASSOU?

(a) Ela começou com graves desvantagens

1. *Aceitou o humilhante e impopular Tratado de Versalhes* (ver Seção 2.8), com suas limitações de armas, indenizações e a cláusula da culpa pela guerra, e assim, sempre foi associada à derrota e à desonra. Os nacionalistas alemães nunca conseguiram perdoá-la por isso.
2. *Havia uma tradicional falta de respeito pelo governo democrático* e uma grande admiração pelo exército e pela "classe dos oficiais" como sendo os líderes por direito da Alemanha. Em 1919, havia uma visão difundida de que o exército não tinha sido derrotado, e sim traído – "apunhalado pelas costas" – pelos democratas, que tinham concordado com o Tratado de Versalhes sem que houvesse necessidade. O que a maioria dos alemães não se dava conta que foi o General Ludendorff que pediu armistício enquanto o Kaiser ainda estava no poder (ver Seção 2.6(b)). Mas a lenda da "punhalada nas costas" foi avidamente estimulada por todos os inimigos da república.
3. *O sistema parlamentar introduzido na nova Constituição de Weimar tinha fragilidades*, sendo que a mais grave era o fato de se basear em um mecanismo proporcional de representação, de forma que todos os grupos políticos poderiam ter uma representação justa. Infelizmente, havia tantos grupos diferentes que nenhum partido poderia jamais vencer uma eleição por maioria. Por exemplo, em 1928 o Reichstag (a câmara baixa do parlamento) continha pelo menos oito grupos, dos quais os maiores eram os Social-Democratas, com 153 cadeiras, o Partido Nacional Alemão (DNVP) com 73, e o Partido Católico de Centro (Zentrum) com 62. O Partido Comunista Alemão (KPD) tinha 54 cadeiras, enquanto o Partido Popular Alemão (DVP – o partido liberal de Stresemann) tinha 45. Os grupos menores eram o Partido Popular Bávaro, com 16, e os Nacional-Socialistas, com apenas 12 cadeiras. Era inevitável a sucessão de governos de coalizão, com os Social-Democratas tendo que contar com liberais de esquerda e o centro católico. Nenhum partido conseguia implementar seu programa.
4. *Os partidos políticos tinham muito pouca experiência na operação de um sistema parlamentar democrático*, porque antes de 1919, o Reichstag não controlava a política. O chanceler tinha a autoridade final e era quem realmente governava o país. Sob a Constituição de Weimar, era o contrário: o chanceler era responsável diante do Reichstag, que tinha a palavra final, mas geralmente era incapaz de dar uma orientação clara porque os partidos não tinham aprendido a arte do acordo. Os comunistas e os nacionalistas não acreditavam mesmo na democracia e se recusavam a apoiar os Social-Democratas. A recusa comunista de trabalhar com o SPD fazia com que fosse impossível haver qualquer governo esquerdista forte. Os desacordos

se tornaram tão acirrados que alguns dos partidos organizaram seus próprios exércitos privados, inicialmente para autodefesa, mas a situação evoluiu para uma espécie de guerra civil. A combinação dessas fragilidades levou a surtos de violência e tentativas de derrubar a república.

(b) Surtos de violência

1 O levante espartaquista

Em janeiro de 1919, os comunistas tentaram tomar o poder no que ficou conhecido como o Levante Espartaquista (Espártaco foi um romano que liderou uma revolta de escravos em 71 a.C.). Inspirados pelo recente sucesso da Revolução Russa e liderados por Karl Liebknecht e Rosa Luxemburgo, eles ocuparam quase todas as grandes cidades da Alemanha. Em Berlim, o presidente Ebert se viu sitiado na chancelaria. O governo só conseguiu derrotar os comunistas porque aceitou a ajuda dos *Freikorps* (regimentos independentes levantados por ex-oficiais do exército anticomunistas). Era um sinal da fragilidade do governo que tivesse que depender de forças privadas, que ele próprio não controlava. Os dois líderes comunistas não receberam um julgamento justo, sendo simplesmente golpeados até a morte por membros dos *Freikorps*.

2 O golpe de Kapp (março de 1920)

Essa foi uma tentativa de grupos de direita de tomar o poder, desencadeada quando o governo tentou desmantelar os *Freikorps*. Eles se recusaram e declararam o Dr. Wolfgang Kapp como chanceler. Berlim foi ocupada por um regimento dos *Freikorps* e o gabinete fugiu para Dresden. O exército alemão (*Reichswehr*) não agiu contra o *Putsch* (golpe, ou levante) porque os generais simpatizavam com a direita política. No final, os trabalhadores de Berlim vieram ajudar o governo Social-Democrata chamando uma greve geral, que paralisou a capital. Kapp renunciou e o governo recuperou o controle, mas estava tão fraco que ninguém foi punido com exceção do próprio Kapp, que foi preso, e foram necessários dois meses para conseguir desarticular os *Freikorps*. Inclusive os ex-membros permaneceram hostis à república e muitos, mais tarde, entraram para os exércitos privados de Hitler.

3 Uma série de assassinatos políticos aconteceram

Esses assassinatos foram realizados principalmente por ex-membros dos *Freikorps*. Entre as vítimas estavam Walter Rathenau (o ministro do exterior judeu) e Gustav Erzberger (líder da delegação do armistício). Quando o governo buscou medidas fortes contra esses atos de terrorismo, houve grande oposição de partidos de direita, que simpatizavam com os criminosos. Ao mesmo tempo em que os líderes comunistas foram brutalmente assassinados, os tribunais deixaram que os criminosos de direita saíssem com punições leves e o governo não foi capaz de intervir. Na verdade, em toda a Alemanha, as profissões de advogado e professor, o serviço público e o Reichswehr tendiam a ser contrários a Weimar, o que era um obstáculo que prejudicava a república.

4 O golpe de Hitler na cervejaria de Munique

Outra ameaça ao governo ocorreu em novembro de 1923, na Baviera, em uma época em que havia muito descontentamento público com a ocupação francesa do Ruhr (ver Seção 4.2(c)) e a queda desastrosa no valor do marco (ver abaixo). Hitler, ajudado pelo general Ludendorff, queria assumir o controle do governo bávaro em Munique, e então liderou uma revolução nacional para depor o governo em Berlim. Entretanto, a polícia desbaratou com facilidade a marcha de Hitler, e o "Golpe da Cervejaria" (assim chamado porque a marcha saiu da cervejaria de Munique onde Hitler havia anunciado sua "revolução nacional" na noite anterior) em seguida desvaneceu. Hitler foi sentenciado a cinco anos de prisão, mas só cumpriu nove meses (porque as autoridades bávaras tinham alguma simpatia por seus objetivos).

5 Os exércitos privados se ampliam

A violência acabou nos anos de 1924 a 1929 quando a república se tornou mais estável, mas quando o desemprego cresceu, no início da década de 1930, os exércitos privados se ampliaram e ocorriam brigas de rua com regularidade, geralmente entre nazistas e comunistas. Todos os partidos tinham suas reuniões invadidas por exércitos rivais e a polícia parecia impotente para impedir que isso acontecesse.

Tudo isso mostrava que o governo era incapaz de manter a lei e a ordem, e o respeito por ele encolhia. Um número cada vez maior de pessoas começou a querer o retorno de um governo forte e autoritário, que mantivesse uma ordem pública rígida.

(c) Problemas econômicos

Provavelmente, o fracasso da república foi causado fundamentalmente pelos problemas econômicos que a atingiam constantemente e que ela não mostrou ser capaz de resolver de forma permanente.

1. *Em 1919, a Alemanha estava próxima da falência* em função das enormes despesas da guerra, que duraram muito mais do que a maioria das pessoas esperava.
2. *As tentativas do país de pagar as prestações das indenizações pioraram as coisas.* Em agosto de 1921, depois de pagar os 50 milhões de libras que eram devidos, a Alemanha pediu para suspender os pagamentos até que a economia se recuperasse. A França negou, e em 1922 os alemães afirmavam que não tinham condições de fazer o pagamento anual completo.
3. *Em janeiro de 1923, tropas francesas ocuparam o Ruhr* (uma importante região industrial alemã) em uma tentativa de confiscar mercadorias das fábricas e das minas. O governo alemão ordenou que os trabalhadores seguissem uma política de resistência passiva, e a indústria do Ruhr foi paralisada. Os franceses tinham fracassado em seu objetivo, mas o efeito sobre a economia alemã foi catastrófico, com inflação galopante e colapso do marco. A taxa de câmbio no final da guerra era de 20 marcos por dólar, mas, mesmo antes da ocupação do Ruhr, as dificuldades relacionadas às indenizações tinham feito com que a moeda caísse de valor. A Tabela 14.1 mostra o desastroso declínio do marco.

Em novembro de 1923, o valor do marco caía com tanta rapidez que um trabalhador que recebesse em notas dessa moeda tinha que gastá-las imediatamente, pois, se esperasse até o dia seguinte, suas notas não teriam valor (ver Ilustração 14.1). Foi somente quan-

Tabela 14.1 O colapso do marco alemão, 1918-1923

	Data	Marcos necessários para trocar por 1 libra esterlina
Novembro de	1918	20
Fevereiro de	1922	1.000
Junho de	1922	1.500
Dezembro de	1922	50.000
Fevereiro de	1923	100.000
Novembro de	1923	21.000.000.000

do o novo chanceler, Gustav Stresemann, introduziu a nova moeda conhecida como *Rentenmark*, em 1924, que a situação financeira finalmente se estabilizou.

O desastre financeiro teve efeitos profundos sobre a sociedade alemã: as classes trabalhadoras foram muito atingidas, com os salários não conseguindo acompanhar a inflação e os fundos dos sindicatos arrasados. Os mais afetados foram a classe média e os pequenos capitalistas, que perderam suas economias; muitos começaram a olhar para os nazistas em busca de melhoria. Por outro lado, proprietários de terras e industriais saíram bem da crise, porque ainda possuíam a riqueza material – ricas terras agricultáveis, minas e fábricas, o que fortaleceu o controle das grandes empresas sobre a economia alemã. Alguns historiadores chegaram a sugerir que a inflação foi arquitetada deliberadamente por ricos industriais com esse objetivo em mente. Essa acusação era impossível de provar de uma maneira ou de outra, embora a moeda e a economia tenham se recuperado com uma rapidez impressionante.

A situação econômica melhorou muito nos anos posteriores a 1924, em grande parte devido ao *Plano Dawes* daquele ano, que

Ilustração 14.1 Hiperinflação: meninos fazem pipas com notas sem valor no início dos anos de 1920.

proporcionou um empréstimo imediato dos Estados Unidos equivalente a 40 milhões de libras, relaxou as prestações fixas das indenizações e, na prática, permitiu à Alemanha pagar o que pudesse. As tropas francesas se retiraram do Ruhr. A moeda foi estabilizada, houve um grande crescimento nas indústrias de ferro, aço, carvão, produtos químicos e elétricos, e os proprietários de terra e industriais ricos toleravam a república, já que estavam tendo benefícios com ela. A Alemanha até conseguiu pagar as prestações de suas indenizações sob o Plano Dawes. Nesses anos relativamente prósperos, *Gustav Stresemann foi a figura política dominante*. Embora tenha sido chanceler somente de agosto a novembro de 1923, ele permaneceu como ministro do exterior até sua morte em outubro de 1929, dando assim uma continuidade vital e cumprindo um papel estabilizador.

O trabalho do Plano Dawes teve continuidade com o *Plano Young, acordado em outubro de 1929*, que reduzia o total das indenizações de 6,6 bilhões de libras esterlinas a 2 bilhões, a serem pagos em prestações anuais ao longo de 59 anos. A república teve outros êxitos nas questões externas, graças ao trabalho de Stresemann (ver Seção 4.1), e parecia estável e bem estabelecida, mas, por trás desse sucesso, algumas fragilidades fatais se mantinham e logo trariam o desastre.

4. A prosperidade dependia muito mais dos empréstimos dos Estados Unidos do que a maioria das pessoas se dava conta. Se os Estados Unidos se encontrassem em dificuldades financeiras e tivessem que interromper os empréstimos, a economia alemã seria abalada mais uma vez. Infelizmente, foi o que aconteceu em 1929.

5. Depois da quebra de Wall Street (outubro de 1929), desenvolveu-se uma crise econômica mundial (ver Seção 22.6). Os Estados Unidos cortaram qualquer outro empréstimo e começaram a cobrar muitos dos que haviam feito à Alemanha para pagamento em curto prazo, gerando uma crise de confiança na moeda e uma corrida aos bancos, muitos dos quais tiveram que fechar. A explosão industrial tinha gerado excesso de produção no mundo todo e as exportações alemãs, junto com as de outros países, foram muito reduzidas. Fábricas tiveram que fechar e em meados de 1931, o número de desempregados estava próximo dos 4 milhões. Infelizmente para a Alemanha, Stresemann, o político melhor preparado para lidar com a crise, morreu de um ataque cardíaco em outubro de 1929, com apenas 51 anos.

6. O governo do chanceler Bruning (Partido Católico de Centro) reduziu os serviços sociais, o seguro-desemprego, os salários e aposentadorias de representantes do governo e interrompeu o pagamento das indenizações. Foram introduzidas tarifas elevadas para impedir a entrada de produtos alimentícios estrangeiros e assim, ajudar os agricultores alemães, enquanto o governo comprava ações de fábricas atingidas pelo colapso. Porém, essas medidas não tiveram resultados rápidos, embora tenham ajudado depois de um tempo. O desemprego continuava a subir e na primavera de 1932, já atingia mais de 6 milhões de pessoas. O governo passou a ser criticado por quase todos os grupos da sociedade, principalmente os industriais e a classe trabalhadora, que exigiam ações mais decisivas. A perda de apoio da classe trabalhadora em função do desemprego crescente e a redução dos benefícios às pessoas atingidas por ele foi um golpe para a república. Portanto, no final de 1932, a Republica de Weimar foi levada à beira do colapso, mas, mesmo assim, ainda poderia ter sobrevivido se não houvesse alternativa.

(d) A alternativa: Hitler e os nazistas

Hitler e o partido nazista ofereciam o que parecia ser uma alternativa atraente quando a república estava no pico de sua ineficiência. Os destinos do partido estavam muito vinculados à situação econômica: quanto mais instável a economia, mais cadeiras os nazistas conquistavam no Reichstag, como mostra a Tabela 14.2.

Não restam dúvidas de que a ascensão de Hitler e dos nazistas, ajudada pela crise econômica, fo uma das causas mais importantes da queda da república.

(e) O que dava tanta popularidade aos nazistas?

1. *Eles ofereciam unidade nacional, prosperidade e pleno emprego* ao livrar a Alemanha do que afirmavam ser a causa real dos problemas: marxistas, "criminosos de novembro" (as pessoas que tinham concordado com o armistício em novembro de 1918 e, com o Tratado de Versalhes, mais tarde), jesuítas, maçons e judeus. Cada vez mais, os nazistas buscam colocar a culpa pela derrota da Alemanha na Primeira Guerra Mundial e todos os seus problemas posteriores nos judeus. A propaganda nazista usou muito o mito da "punhalada pelas costas" – a ideia de que o exército alemão poderia ter lutado, mas foi traído pelas pessoas que se renderam desnecessariamente.
2. *Eles prometiam derrubar o acordo de Versalhes*, que era muito impopular com a maioria dos alemães, e transformar a Alemanha em uma grande potência novamente. Isso incluiria trazer todos os alemães (da Áustria, Tchecoslováquia e Polônia) para dentro do Reich.
3. *O exército privado nazista, a* tropa de assalto conhecida como *SA* (*Sturmabteilung*) era atrativo aos jovens sem emprego, dando-lhes um pequeno salário e um uniforme.
4. Proprietários de terras e industriais ricos estimulavam os nazistas por *temer uma revolução comunista* e aprovavam a postura nazista de hostilidade aos comunistas. Há controvérsias entre os historiadores com relação a até onde ia esse apoio. Alguns historiadores marxistas alemães afirmam que a partir do início dos anos de 1920, os nazistas foram financiados por industriais como uma força anticomunista, que Hitler foi, na verdade, uma "ferramenta dos capitalistas", mas o historiador Joachim Fest acredita que a quantidade de dinheiro envolvida foi exagerada em muito e que, embora alguns industriais fossem secretamente favoráveis a que Hitler se tornasse chanceler, foi somente *depois* que ele chegou ao poder que as verbas começaram a fluir das grandes empresas para os cofres do partido.
5. *O próprio Hitler tinha habilidades políticas extraordinárias.* Ele possuía muita energia e força de vontade, e um dom impressionante para falar em público, o que lhe possibilitava apresentar suas

Tabela 14.2 O sucesso eleitoral nazista e o estado da economia, 1924-1932

Data		Cadeiras	Estado da economia
Março de	1924	32	Ainda instável após a inflação de 1923
Dezembro de	1924	14	Recuperando-se após o Plano Dawes
	1928	12	Prosperidade e estabilidade
	1930	107	Desemprego crescente – nazistas são segundo partido
Julho de	1932	230	Desemprego altíssimo – nazistas são maior partido
Novembro de	1932	196	Primeiros sinais de recuperação econômica

ideias com grande força emocional. Ele usava as últimas técnicas de comunicação moderna, como comícios de massa, passeatas, rádio e filmes, viagens de avião por toda a Alemanha. Muitos alemães passaram a vê-lo como um tipo de figura messiânica (salvador) (ver Ilustração 14.2). Uma versão completa de suas visões e objetivos foi descrita em seu livro *Mein Kampf* (Minha luta), que ele escreveu na prisão, *após o Golpe da Cervejaria.*

6. *O imenso contraste entre os governos da República de Weimar e o partido nazista impressionava as pessoas.* Os primeiros eram respeitáveis, insossos e incapazez de manter a lei e a ordem; o segundo prometia um governo forte, decisivo e o resgate do orgulho nacional – uma combinação irresistível.

7. *Contudo, sem a crise econômica, é duvidoso se Hitler teria tido muitas chances de conquistar o poder.* Foram o desemprego e a miséria social disseminados, juntamente com o medo do comunismo e do socialismo, que deram apoio das massas aos nazistas, e não apenas entre a classe trabalhadora (pesquisas recen-

Ilustração 14.2 Hitler com um grupo de jovens admiradores.

tes sugerem que, entre 1928 e 1932, os nazistas atraíram mais de 2 milhões de eleitores do SPD socialista), mas também entre a classe média mais baixa – empregados de escritórios, comerciantes, funcionários públicos, professores e pequenos agricultores.

Sendo assim, em julho de 1932, os nazistas eram o maior partido, mas Hitler não conseguiu se tornar chanceler, em parte porque os nazistas não tinham maioria geral (tinham 230 cadeiras entre as 608 do Reichstag), e porque ele não era muito "respeitável" – o presidente conservador Hindenburg o considerava um pretensioso e se recusava a tê-lo como chanceler. Dadas essas circunstâncias, era inevitável que Hitler chegasse ao poder? Essa ainda é uma polêmica entre os historiadores. Alguns acham que já no outono de 1932, nada poderia ter salvado a República de Weimar e que, consequentemente, nada poderia ter mantido Hitler fora. Outros são da opinião de que já era possível ver os primeiros sinais de melhorias econômicas, e que deveria ter sido possível bloquear o avanço de Hitler. Na verdade, as políticas de Bruning pareciam ter começado a dar resultados, embora ele tenha sido substituído como chanceler por Franz von Papen (Conservador/Nacionalista) em maio de 1932. Essa teoria parece ser sustentada pelo resultado das eleições de novembro de 1932, quando os nazistas perderam 34 cadeiras e cerca de 2 milhões de votos, o que representou um grave revés para eles. Parecia que a república estava dominando a tempestade e o desafio nazista iria desvanecer, mas, a essas alturas, outra influência entrou em cena, que matou a república ao deixar que Hitler chegasse ao poder legalmente.

(f) Hitler se torna chanceler (janeiro de 1933)

No final, foi a intriga política que levou Hitler ao poder. Uma pequena camarilha de políticos de direita, com apoio do *Reichswehr*, decidiu trazer Hitler para um governo de coalizão com os nacionalistas. Os principais conspiradores foram Franz von Papen e o general Kurt von Schleicher, e suas razões para essa decisão significativa foram as seguintes:

- Eles receavam que os nazistas tentassem tomar o poder por meio de um Putsch.
- Eles acreditavam que conseguiriam controlar Hitler melhor dentro do governo do que se ele permanecesse de fora, e que uma experiência de poder faria com que os nazistas modificassem seu extremismo.
- Os Nacionalistas tinham somente 37 cadeiras no Reichstag depois das eleições de julho de 1932. Uma aliança com os nazistas, que tinham 230 cadeiras, ajudaria muito a que tivessem maioria. Os Nacionalistas não acreditavam na verdadeira democracia: eles esperavam que, com a cooperação nazista, conseguiriam restaurar a monarquia e voltar ao sistema que havia existido sob o governo de Bismarck (chanceler de 1870 a 1890), no qual o Reichstag tinha muito menos poder. Ainda que isso destruísse a República de Weimar, esses políticos de direita estavam dispostos a seguir em frente porque lhes daria uma chance melhor de controlar os comunistas, que acabavam de ter seu melhor resultado até então na eleição de julho, conquistando 89 cadeiras.

Havia algumas manobras complicadas envolvendo Papen, Schleicher e um grupo de empresários ricos. O presidente Hindenburg foi convencido a demitir Bruning e nomear Papen como chanceler. Eles esperavam trazer Hitler como vice-chanceler, mas ele não aceitava menos do que ser ele próprio chanceler. Portanto, em janeiro de 1933, eles convenceram Hindenburg a convidar Hitler para ser chanceler com Papen como seu vice, mesmo que os nazistas tivessem perdido terreno nas eleições de novembro de 1932. Papen ainda acreditava que Hitler poderia ser controlado, e disse a um amigo: "Em dois meses, vamos ter colocado Hitler tão contra a parede que ele vai estar ganindo".

Assim sendo, Hitler conseguiu chegar ao poder legalmente, porque todos os outros partidos, incluindo o *Reichswehr*, estavam tão preocupados com a ameaça do comunismo que não reconheceram suficientemente o perigo dos nazistas e não se uniram em oposição a eles. Deveria ter sido possível excluir os nazistas, que perdiam terreno e estavam muito longe de uma maioria geral, mas em vez de se unir com outros partidos para excluí-los, os nacionalistas cometeram o erro fatal de convidar Hitler para o poder.

A República de Weimar poderia ter sobrevivido?

Embora houvesse sinais de melhoria econômica no final de 1932, talvez fosse inevitável, naquele momento, que a república de Weimar desabasse, já que os grupos conservadores poderosos e o exército estavam dispostos a abandoná-la e a substituir por um Estado conservador, nacionalista e antidemocrático como o que havia antes de 1914. Na verdade, é possível afirmar que a República de Weimar já tinha deixado de existir em maio de 1932, quando Hindenburg nomeou Papen chanceler, respondendo a ele, não ao *Reichstag*.

Era inevitável que Hitler e os nazistas subissem ao poder?

A visão majoritária é que isso não precisava ter acontecido. Papen, Schleicher, Hindenburg e os outros devem ser responsabilizados por se dispor a convidá-lo para assumir o poder e depois não conseguir controlá-lo. Segundo Ian Kershaw, o biógrafo mais recente de Hitler:

> Não havia inevitabilidade na ascensão de Hitler ao poder.... uma chancelaria com Hitler poderia ter sido evitada. Com a virada da depressão econômica, e com o movimento nazista diante de uma desagregação potencial se não chegasse ao poder em pouco tempo, o futuro – mesmo sob um governo autoritário – teria sido muito diferente.... Na verdade, as avaliações políticas equivocadas por parte daqueles que tinham acesso regular aos corredores do poder, em vez de qualquer ação do líder nazista, cumpriram um papel mais importante para lhe colocar na cadeira de chanceler.... A ansiedade para destruir a democracia, mais do que a avidez de trazer os nazistas ao poder, foi o que desencadeou os complexos eventos que levaram Hitler à chancelaria.

Contudo, algumas pessoas na Alemanha, mesmo na direita, tinham receio com relação à nomeação de Hitler. Kershaw nos conta que o general Ludendorff, que havia apoiado Hitler na época do Golpe de Munique em 1923, escrevia agora a Hindenburg: "O senhor entregou nossa Sagrada Pátria Alemã a um dos maiores demagogos de nossa época. Profetizo solenemente que esse homem execrável vai jogar nosso Reich em um abismo e trazer sofrimento inconcebível a nossa nação. As gerações futuras lhe amaldiçoarão no túmulo pelo que o senhor fez".

14.2 O QUE SIGNIFICAVA NACIONAL-SOCIALISMO?

O que *não* significava era nacionalização e distribuição da renda. A palavra "socialismo" foi incluída apenas para atrair o apoio dos trabalhadores alemães, embora tenha que se admitir que Hitler lhes prometia, sim, melhores condições. Na verdade, tinha muitas semelhanças com o fascismo de Mussolini (ver Seção 13.2). *Os princípios gerais do movimento eram os seguintes:*

1. Era mais do que apenas um entre tantos outros partidos políticos. *Era um modo de vida dedicado ao renascimento de uma nação*. Todas as classes da sociedade deveriam se unir em uma "comunidade nacional" (*Volksgemeinschaft*) para tornar a Alemanha uma grande nação e resgatar o orgulho nacional. Como os nazistas possuíam a única forma correta para chegar a isso, conclui-se que todos

os outros partidos, principalmente os comunistas, deveriam ser eliminados.
2. Dava-se muita ênfase à *organização inescrupulosamente eficiente de todos os aspectos das vidas das massas* sob o governo central para atingir a grandeza, com violência e terror, se necessário. O Estado era supremo; os interesses do indivíduo sempre vinham depois dos do Estado, ou seja, um Estado totalitário em que a propaganda tinha um papel fundamental a cumprir.
3. Como era provável que a grandeza só pudesse ser conquistada com a guerra, *todo o Estado deveria ser organizado em base militar*.
4. *A teoria da raça era de vital importância* – a humanidade poderia ser dividida em dois grupos: arianos e não arianos. Os primeiros eram os alemães, de preferência altos, loiros de olhos azuis e bonitos. Eles eram a raça superior, destinada a governar o mundo. Todo o restante, como os eslavos, as pessoas de cor e principalmente os judeus, era inferior e deveria ser excluído da "comunidade nacional", junto com outros grupos considerados inadequados para pertencer a ela, como ciganos e homossexuais. Os eslavos estavam destinados a se tornar a raça escrava dos alemães.

Todas as diversas facetas e detalhes do sistema nazista surgiam a partir desses quatro conceitos básicos. Tem havido muito debate entre os historiadores sobre se o nacional-socialismo foi *uma evolução natural da história alemã ou se foi uma exceção, uma distorção da evolução normal*. Muitos historiadores britânicos e norte-americanos afirmam que foi uma extensão natural do militarismo prussiano e das tradições alemãs. Os historiadores marxistas acreditavam que o nacional-socialismo e o fascismo em geral eram a etapa final do capitalismo ocidental, que estaria fadado a cair em função de suas falhas fatais. O historiador britânico R. Butler, escrevendo em 1942, acreditava que "o nacional-socialismo é o ressurgimento inevitável do terror do militarismo prussiano, como se viu durante o século XVIII". Sir Lewis Namier, judeu polonês que se radicou na Grã-Bretanha e se tornou um eminente historiador, foi compreensivelmente amargo:

> As tentativas de absolver o povo alemão de responsabilidades não convencem. E, com relação a Hitler e a seu Terceiro Reich, eles sugiram do povo, na verdade, das camadas inferiores do povo.... Os amigos dos alemães devem se perguntar por que indivíduos se tornaram cidadãos úteis e decentes, mas em grupos, tanto em seu país como no exterior, conseguem desenvolver tendências que representam uma ameaça a seu próximo? (*Avenues of History*)

Por outro lado, historiadores alemães como Gerhard Ritter e K. D. Bracher enfatizaram a contribuição pessoal de Hitler, afirmando que ele estava se esforçando para romper com o passado e introduzir algo completamente novo. O nacional-socialismo, portanto, foi um desvio grotesco da evolução histórica normal e lógica. Essa provavelmente é a visão majoritária e foi bem recebida na Alemanha, já que significava que o povo alemão, ao contrário do que afirma Namier, pode ser absolvido da maior parte da culpa.

Ian Kershaw reconhece que há elementos de ambas as interpretações na carreira de Hitler. Ele diz que

> as mentalidades que condicionavam os comportamentos das elites e das massas, e que possibilitaram a ascensão de Hitler, foram produto de correntes da cultura política alemã totalmente reconhecíveis no período de mais ou menos 20 anos antes da Primeira Guerra Mundial.... A maioria dos elementos da cultura política que alimentaram o nazismo era peculiarmente alemã.

Contudo, Kershaw também deixa claro que Hitler não era o produto lógico e inevitável de tendências antigas na cultura e nas crenças alemãs, nem um mero acidente na história da Alemanha: "Sem as condições únicas em que ele ganhou destaque, Hitler não teria sido coisa alguma.... ele explorou essas condições de forma brilhante".

14.3 HITLER CONSOLIDA SEU PODER

Hitler era austríaco, filho de um funcionário da alfândega em Braunau-am-Inn, na fronteira com a Alemanha. Queria ser artista, mas não foi admitido na Academia de Belas Artes de Viena, depois passou seis anos em péssimas condições financeiras, morando em pensões de Viena e desenvolvendo seu ódio pelos judeus.* Em Munique, Hitler tinha entrado para o minúsculo Partido dos Trabalhadores Alemães, de Anton Drexler (1919), onde logo assumiu o controle e transformou no Partido Nacional Socialista dos Trabalhadores *Alemães* (NSDAP). Agora, em janeiro de 1933, ele era chanceler de um governo de coalizão entre nacional-socialistas e nacionalistas, mas não estava satisfeito com a quantidade de poder que possuía: os nazistas tinham apenas três das 11 vagas no gabinete. Sendo assim, ele insistiu em uma eleição geral, na esperança de conquistar uma maioria geral para os nazistas.

(a) A eleição de março de 1933

A campanha eleitoral foi extremamente violenta. Como agora estavam no governo, os nazistas conseguiram usar o aparelho do Estado, incluindo a imprensa e o rádio, para tentar arrancar uma maioria. Pessoas em importantes cargos da polícia foram substituídas por nazistas de confiança, e foram chamados 50.000 policiais auxiliares, a maioria deles da SA e da SS (*Schutzstaffeln* – o segundo exército privado de Hitler, formado originalmente para ser sua guarda pessoal). Eles tinham ordens de evitar hostilidades com as SA e SS, mas não ter pena de comunistas e outros "inimigos do Estado". Reuniões de todos os partidos, com exceção dos nazistas e dos nacionalistas, eram atacadas e os oradores, agredidos, enquanto a polícia fingia não ver.

(b) O incêndio do Reichstag

O clímax da campanha eleitoral veio na noite de 27 de fevereiro, quando o Reichstag sofreu muitos danos por causa de um incêndio começado, aparentemente, por um anarquista holandês chamado van der Lubbe, que foi preso, julgado e executado sozinho. Foi sugerido que a SA sabia dos planos de van der Lubbe, mas deixou que ele fosse adiante e até começou seus próprios incêndios em outros lugares do prédio com a intenção de culpar os comunistas. Não há evidências conclusivas disso, mas o que é certo é que *Hitler usou o incêndio para incitar o medo ao comunismo e como um pretexto para proibir o partido*. Entretanto, apesar de todos os seus esforços, os nazistas não conseguiram conquistar a maioria. Com quase 90% do eleitorado tendo participado, os nazistas conquistaram 288 de 647 cadeiras, 36 a menos do que o número mágico – 324 – necessário para ter maioria sem precisar de acordos. Os nacionalistas, mais uma vez, obtiveram 52 cadeiras. Hitler ainda dependia do apoio de Papen e Hugenberg (líder dos nacionalistas). Esse acabou sendo o melhor desempenho dos nazistas em uma eleição "livre", e eles nunca conquistaram a maioria. Vale a pena lembrar que mesmo no pico de seu triunfo eleitoral, os nazistas foram apoiados por apenas 44% do eleitorado votante.

14.4 COMO HITLER CONSEGUIU SE MANTER NO PODER?

(a) A Lei Plenipotenciária, 23 de março de 1933

A base legal para seu poder foi a Lei Plenipotenciária, cuja aprovação foi forçada ao Rei-

---

* N. de R.: Participou da Primeira Guerra Mundial no exército alemão, sendo ferido e condecorado.

chstag em 23 de março de 1933, e que dizia que o governo poderia introduzir leis sem a aprovação do Reichstag pelos próximos quatro anos, poderia ignorar a Constituição e assinar acordos com outros países. Todas as leis seriam elaboradas pelo chanceler e entrariam em vigor no dia em que fossem publicadas. Isso significava que Hitler viria a ser um ditador completo nos quatro anos seguintes, mas, como sua vontade agora era lei, ele poderia estender indefinidamente esse período. Ele não precisava mais do apoio de Papen e Hugenberg; a Constituição de Weimar foi abandonada. Uma mudança constitucional tão importante precisaria da aprovação de uma maioria de dois terços, e os nazistas não tinham sequer uma maioria simples..

Como os nazistas passaram a Lei Plenipotenciária no Reichstag?

O método foi típico dos nazistas. A Casa de Ópera Kroll (onde o Reichstag vinha se reunindo desde o incêndio) foi cercada pelos exércitos privados de Hitler e os parlamentares tinham que passar por sólidas fileiras de soldados da SS para entrar no prédio. Os 81 parlamentares comunistas simplesmente não tiveram permissão para passar (muitos já estavam na cadeia). Dentro do prédio, havia filas de soldados da SA, com camisas marrons, junto às paredes, e era possível ouvir os SS gritando do lado de fora: "Queremos a lei ou incêndio e morte". Foi necessária coragem para votar contra o projeto da Lei Plenipotenciária nesse contexto. Quando o Partido Católico de Centro decidiu votar a favor, o resultado estava previsto. Somente os Social-Democratas foram contrários e ele foi aprovado por 441 votos a 94 (todos Social-Democratas).

(b) Gleichschaltung

Hitler seguiu uma política conhecida como *Gleichschaltung* (coordenação forçada) que transformou a Alemanha em um Estado fascista autoritário. O governo tentava controlar todos os aspectos da vida possíveis, usando uma enorme força policial e uma infame polícia secreta do Estado, a Gestapo (*Geheime Staatspolizei*). Ficou perigoso se opor ou criticar o governo de qualquer maneira que fosse. As principais características do totalitarismo nazista eram:

1. Todos os partidos políticos, com exceção do nacional-socialista, foram proibidos, de forma que a Alemanha se tornou um E*stado de partido único*, como a URSS e a Itália.
2. Os parlamentos estaduais separados (*Lander*) ainda existiam, mas perderam todo o poder. A maioria de suas funções foi assumida por um *Comissário Especial Nazista*, nomeado em cada Estado pelo governo de Berlim, que tinha poder completo sobre todos os funcionários e questões dentro do Estado. Não havia mais eleições estaduais, provinciais ou municipais.
3. *O serviço público sofreu purgas*: todos os judeus e outros suspeitos de serem "inimigos do Estado" foram afastados, para que ele ficasse totalmente confiável.
4. *Os sindicatos, uma provável fonte de resistência, foram* abolidos, seus fundos confiscados e seus líderes, presos. Eles foram substituídos pela Frente Trabalhista Alemã, à qual todos os trabalhadores tinham que pertencer. O governo lidava com todas as reivindicações, e não eram permitidas greves.
5. *O sistema de educação era controlado de perto* para que as crianças pudessem ser doutrinadas com opiniões nazistas. Muitos livros escolares foram reescritos para se ajustarem à teoria nazista, com os exemplos mais óbvios sendo a história e a biologia. A história foi distorcida para se encaixar na visão de Hitler de que as grandes coisas só poderiam ser conseguidas pela força. A biologia humana era dominada pela teoria nazista das raças. Professores de todos os níveis eram vigiados de perto para garantir que

não expressassem opiniões que desviassem da linha partidária, e muitos viviam com medo de serem delatados à Gestapo por filhos de nazistas convictos.

O sistema era suplementado pela Juventude Hitlerista, à qual todos os meninos tinham que aderir aos 14 anos. As meninas entravam para a Liga das Moças Alemãs. O regime estava deliberadamente tentando destruir vínculos tradicionais como a lealdade à família: as crianças eram ensinadas que seu primeiro dever era obedecer a Hitler, que assumiu o título de Führer (líder ou guia). O *slogan* favorito era "O Führer sempre tem razão". As crianças eram inclusive estimuladas a denunciar seus pais à Gestapo, muitas fizeram isso.

6. *Havia uma política especial relacionada à família*. Os nazistas estavam preocupados com a redução na taxa de natalidade, de modo que as famílias "racialmente puras" e saudáveis eram estimuladas a ter mais filhos. Os centros de planejamento familiar foram fechados e os anticoncepcionais, proibidos. As mães que respondiam bem recebiam medalhas – a Cruz de Honra da Mãe Alemã. Uma mãe de oito filhos ganhava uma medalha de ouro, de seis, medalha de prata, e de quatro, uma medalha de bronze. Por outro lado, as pessoas consideradas "indesejáveis" eram dissuadidas de ter filhos, como judeus, ciganos e pessoas consideradas mental ou fisicamente inadequadas. Em 1935, o casamento entre arianos e judeus foi proibido, e mais de 300.000 pessoas designadas como "inadequadas" foram esterilizadas à força para impedir que tivessem filhos.

7. *Todas as comunicações e a mídia eram controladas pelo ministro da propaganda, o Dr. Joseph Goebbels*. Rádio, jornais, revistas, livros, teatros, filmes, música e arte eram todos supervisionados. No final de 1934, cerca de 4.000 livros estavam na lista de proibidos por serem "não alemães". Era impossível encenar peças de Bertholt Brecht (comunista) ou a música de Felix Mendelssohn e Gustav Mahler (eles eram judeus). Escritores, artistas e estudiosos eram assediados até que ficou impossível expressar qualquer opinião que não se ajustasse ao sistema nazista. Através desses métodos, a opinião pública podia ser moldada e ficava garantido o apoio das massas.

8. *A vida econômica do país era organizada de perto*. Embora os nazistas (diferentemente dos comunistas) não tivessem ideias especiais em relação à economia, eles tinham alguns objetivos básicos: *eliminar o desemprego e tornar a Alemanha autossuficiente estimulando as exportações e reduzindo as importações, uma política conhecida como "autarquia"*. A ideia era colocar a economia em pé de guerra para que a produção de materiais necessários para guerrear nunca fosse paralisada por um bloqueio comercial como o que foi imposto pelos Aliados na Primeira Guerra Mundial. A peça central da política foi o Plano Quadrienal introduzido em 1936 sob a direção de Hermann Goering, chefe da *Luftwaffe* (a força aérea alemã). As políticas incluíam:

- dizer aos industriais o que produzir, dependendo do que o país precisava no momento; fechar fábricas se seus produtos não fossem necessários;
- movimentar os trabalhadores pelo país para onde houvesse empregos e fosse necessária mão de obra;
- estimular os agricultores a aumentar a produção;
- controlar os preços dos alimentos e os aluguéis;
- manipular as taxas de câmbio de moedas estrangeiras para evitar inflação;
- introduzir grandes esquemas de obras públicas – remoção de favelas, drenagem de terras e construção de *autobahns* (autoestradas);

- forçar outros países a comprar mercadorias alemãs, seja se recusando a pagar em dinheiro pelas mercadorias compradas desses países, para que eles tivessem que aceitar produtos alemães (muitas vezes armamentos) ou negando permissão a estrangeiros com contas bancárias na Alemanha de retirar seu dinheiro, para que eles tivessem que gastá-lo na Alemanha em produtos alemães;
- fabricar borracha e lã sintéticas, e experimentar produzir petróleo de carvão para reduzir a dependência de outros países;
- aumentar as despesas com armamentos; em 1938-1939, o orçamento militar respondia por 52% dos gastos do governo. Era uma quantidade incrível para "tempos de paz". Como diz Richard Overy: "Isso foi resultado do desejo de Hitler de transformar a Alemanha em uma superpotência econômica e militar antes que o restante do mundo a alcançasse".

9. *A religião foi posta sob controle do Estado*, já que as Igrejas eram uma possível fonte de oposição. Inicialmente, Hitler agiu com cautela com católicos e protestantes.
   - **A Igreja Católica**
   Em 1933, Hitler assinou um acordo (conhecido como Concordata) com o papa, pelo qual prometia não interferir com os católicos alemães em qualquer aspecto, e estes concordavam em dissolver o Partido Católico de Centro e não mais participar da política. Mas as relações logo ficaram tensas quando o governo rompeu a Concordata, dissolvendo a Liga Jovem Católica por rivalizar com a Juventude Hitlerista. Quando os católicos protestaram, suas escolas foram fechadas. Em 1937, os católicos tinham perdido completamente a ilusão nos nazistas e o Papa Pio XI publicou uma Encíclica (uma carta a ser lida em todas as igrejas católicas da Alemanha) na qual contestava o movimento nazista por ser "hostil a Cristo e a sua Igreja". Hitler não se abalou, mas milhares de padres e freiras foram presos e mandados para campos de concentração.
   - **As igrejas protestantes**
   Como a maioria dos alemães pertencia a um dos vários grupos protestantes, Hitler tentou organizá-los em uma "Igreja do Reich", com um nazista como primeiro bispo do Reich. Muitos pastores (sacerdotes) se opuseram, e um grupo deles, liderado por Martin Niemoller, protestou a Hitler contra a interferência do governo e contra o tratamento dado aos judeus. Mais uma vez, os nazistas agiram completamente sem escrúpulos – Niemoller e mais de 800 pastores foram mandados a campos de concentração (o próprio Niemoller conseguiu sobreviver por oito anos até ser libertado em 1945). Centenas de outros foram presos e o restante, forçado a fazer um juramento de obediência ao Führer.

   Com o tempo, essas perseguições parecem ter posto as Igrejas sob controle, mas a resistência continuava e elas eram as únicas organizações a manter uma campanha silenciosa de protesto contra o sistema nazista. Por exemplo, em 1941, alguns bispos católicos protestaram contra a política nazista de matar pessoas com deficiências ou doenças mentais nos manicômios. Mais de 70.000 pessoas foram assassinadas nessa campanha de "eutanásia". Hitler ordenou publicamente que as mortes em massa parassem, mas há evidências que sugerem que elas continuaram.

10. *Acima de tudo, a Alemanha era um Estado policial*. A polícia, ajudada pela SS e pela Gestapo, tentava impedir toda a oposição aberta ao regime. Os tribunais não eram imparciais: os "inimigos do Estado" raramente tinham um julgamento justo, e os campos de concentração,

introduzidos por Hitler em 1933, estavam cheios. Antes de 1939, os principais eram Dachau, próximo a Munique, Buchenwald, perto de Weimar, e Sachsenhausen, próximo a Berlim, contendo prisioneiros "políticos" – comunistas, social-democratas, padres católicos, pastores protestantes. Outros grupos perseguidos eram os homossexuais e, acima de tudo, os judeus. Talvez até 15.000 homens homossexuais tenham sido mandados aos campos, onde eram obrigados a usar triângulos cor-de-rosa na roupa.

Porém, pesquisas recentes na Alemanha mostraram que o Estado policial não era tão eficiente quanto se pensava. A Gestapo tinha deficiência de pessoal, por exemplo, havia somente 43 oficiais para policiar Essen, uma cidade de 650.000 habitantes. Eles tinham que depender muito de informações trazidas por pessoas comuns para denunciar outras. Depois de 1943, quando as pessoas iam ficando mais decepcionadas com a guerra, elas tinham menos disposição de ajudar as autoridades e o trabalho da Gestapo ficou mais difícil.

11. *O pior aspecto do sistema nazista era a política antissemita (antijudaica) de Hitler.* Havia apenas pouco mais de meio milhão de judeus na Alemanha, uma proporção ínfima da população, mas Hitler decidiu usá-los como bodes expiatórios para tudo – a humilhação em Versalhes, a depressão, o desemprego e o comunismo – e afirmava haver um complô judeu mundial. Muitos alemães estavam em situação tão desesperada que estavam dispostos a aceitar a propaganda sobre os judeus e não se importaram de ver milhares deles perderem seus empregos como advogados, médicos, professores e jornalistas. A campanha ganhou *status* legal com as Leis de Nuremberg (1935), que retiraram dos judeus sua cidadania alemã, proibiram que se casassem com não judeus (para preservar a pureza da raça ariana) e estabeleceram que qualquer pessoa com apenas um avô judeu deveria ser classificada como judia.

Até 1938, Hitler agiu com cautela em sua política antijudaica, provavelmente preocupado com reações estrangeiras desfavoráveis. Posteriormente, a campanha ficou mais extrema. Em novembro de 1938, Hitler autorizou o que ficou conhecido como *Kristallnacht* (a "Noite dos Cristais"), um ataque violento às sinagogas e outras propriedades judaicas em todo o país. Quando a Segunda Guerra Mundial começou, a situação dos judeus piorou rapidamente. Eles foram assediados de todas as maneiras possíveis, suas propriedades foram atacadas e queimadas, as lojas, saqueadas, as sinagogas, destruídas e foram amontoados em campos de concentração (Ilustração 14.3). Com o tempo, a natureza terrível do que Hitler chamou de sua "Solução Final" para o problema judaico ficou clara: ele pretendia exterminar toda a raça judaica. Durante a guerra, enquanto os alemães ocupavam países como a Tchecoslováquia, a Polônia e a parte ocidental da Rússia, ele também conseguiu colocar as mãos em judeus não alemães. Acredita-se que, em 1945, de um total de 9 milhões de judeus que viviam na Europa no início da Segunda Guerra Mundial, cerca de 5,7 milhões tinham sido assassinados, a maioria nas câmaras de gás dos campos de extermínio nazistas. O Holocausto, como ficou conhecido, foi o pior e o mais chocante dos muitos crimes contra a humanidade cometidos pelo regime nazista (ver Seção 6.8 para detalhes completos).

(c) As políticas de Hitler eram bem vistas por muitos setores do povo alemão

Seria errado dar a impressão de que Hitler se manteve no poder apenas aterrorizando toda

Ilustração 14.3 Judeus sendo levados a um campo de concentração.

uma nação. É verdade que, se fosse um judeu, comunista ou socialista, ou se insistisse em protestar ou criticar os nazistas, a pessoa teria problemas, mas muita gente que não tinha muito interesse em política geralmente conseguia viver feliz sob o comando dos nazistas, já que Hitler buscava agradar vários grupos importantes na sociedade. Até 1943, quando os rumos da guerra haviam se voltado contra a Alemanha, Hitler mantinha, de alguma forma, sua popularidade entre as pessoas comuns.

1. Sua chegada ao poder, em janeiro de 1933, gerou uma grande onda de entusiasmo e expectativa, depois dos governos fracos e hesitantes da República de Weimar. *Hitler parecia oferecer ação e uma nova Alemanha grandiosa*. Ele tomava cuidado para estimular esse entusiasmo com paradas militares, procissões à luz de tochas e apresentações de fogos de artifício, das quais as mais famosas foram os comícios realizados todos os anos em Nuremberg (Ilustração 14.4), que pareciam ter apelo de massas.

2. *Hitler conseguiu eliminar o desemprego*. Essa talvez tenha sido a razão mais importante para sua popularidade entre as pessoas comuns. Quando ele subiu ao poder, o número de desempregados ainda estava em 6 milhões, mas, já em julho de 1935, tinha caído a menos de 2 milhões e, em 1939, tinha desaparecido completamente. Como isso foi conseguido? Os esquemas de obras públicas proporcionaram milhares de empregos. Uma enorme burocracia partidária foi montada, agora que o partido estava se expandindo com tanta rapidez, o que forneceu milhares de outros cargos de escritório e administrativos. Houve expurgos de judeus e antinazistas do serviço público e de muitos outros cargos ligados ao direito, à educação, ao jornalismo, comunicações, teatro e música, deixando grandes quantidades de vagas.

Ilustração 14.4 Hitler pouco antes de discursar em um comício em Nuremberg.

O serviço militar obrigatório foi reintroduzido em 1935. O rearmamento recomeçou em 1934 e foi sendo acelerado gradualmente. Assim, Hitler ofereceu o que os desempregados exigiam em suas passeatas em 1932: trabalho e pão (*Arbeit und Brot*).

3. *Tomou-se cuidado para manter o apoio dos trabalhadores* depois de conquistá-lo, proporcionando empregos. Isso era importante porque a abolição dos sindicatos ainda descontentava a muitos deles. A Organização Força através da Alegria (*Kraft durch Freude*) oferecia benefícios como férias subsidiadas na Alemanha e no exterior, cruzeiros, férias para esquiar, ingressos baratos para teatro e concertos e casas de saúde. Outros benefícios eram férias remuneradas e controle de alugueis.
4. *Os industriais e empresários ricos estavam felizes com os nazistas* apesar da interferência do governo em suas atividades, em parte porque se sentiam protegidos contra uma revolução comunista e, em parte, satisfeitos por terem se livrado dos sindicatos, que tinham lhes incomodado constantemente com reivindicações por jornadas de trabalho menores e salários maiores. Além disso, conseguiram comprar de volta, por preços baixos, as ações que tinham vendido ao Estado durante a crise de 1929-1932, e havia promessas de grandes lucros com os projetos de obras públicas, rearmamento e os pedidos que o governo lhes tinha feito.
5. *Os fazendeiros, embora tivessem dúvidas sobre Hitler inicialmente, aos poucos foram aceitando os nazistas* ao ficar claro que tinham uma posição especialmente favorecida no Estado, em função da explícita meta de autossuficiência na produção de alimentos. Os preços dos produtos agrícolas foram estabelecidos para que os agricultores tivessem garantia de um lucro razoável. As fazendas foram declaradas propriedades hereditárias e, em caso de morte do proprietário, deveriam ser repassadas ao parente mais próximo. Isso significava que um proprietário não poderia ser obrigado a vender ou hipotecar sua fazenda para pagar suas dívidas, medida que foi bem recebida pelos que tinham dívidas pesadas resultantes da crise financeira.
6. *Hitler recebeu apoio do Reichswehr (exército)*, que era crucial para que ele se sentisse seguro no poder. O *Reichswehr* era a única organização que poderia tê-lo

afastado à força. Mesmo assim, no verão de 1934, Hitler o tinha conquistado:

- a classe dos oficiais tinha simpatia por ele em função de sua meta muito divulgada de ignorar as restrições do Tratado de Versalhes, rearmando e ampliando o exército até sua força integral;
- houve uma infiltração constante de Nacional-Socialistas nas fileiras inferiores e começava a penetrar nas classes de oficiais de menor patente;
- os líderes do exército estavam muito impressionados com a maneira com que Hitler lidou com a problemática SA no célebre expurgo de Rohm (também conhecido como "Noite dos Longos Punhais") de 30 de junho de 1934.

Os antecedentes disso são que a SA, sob a liderança de Ernst Rohm, amigo pessoal de Hitler desde os primórdios do movimento, estava se tornando um constrangimento ao novo chanceler. Rohm queria que seus camisas-pardas fossem fundidos com o *Reichswehr* e ele próprio se tornasse general. Hitler sabia que os aristocráticos generais do *Reichswehr* não aceitariam qualquer das duas coisas, pois consideravam a SA pouco mais do que um bando de gângsteres, enquanto se sabia que o próprio Rohm era homossexual (o que foi rejeitado nos círculos do exército, assim como, oficialmente, entre os nazistas) e tinha criticado os generais em público por seu conservadorismo rígido. Rohm insistiu em suas exigências, forçando Hitler a escolher entre as SA (Ilustração 14.5) e o *Reichswehr*.

A solução de Hitler para o dilema foi típica dos métodos nazistas, ou seja, inescrupulosa e ineficiente. Ele usou um de seus exércitos privados para lidar com

Ilustração 14.5 Hitler e os membros da Sturmabteilung (SA) em um comício em Nuremberg.

o outro. Rohm. e a maioria dos líderes da SA, foi assassinado por soldados da SS e Hitler aproveitou a oportunidade para fazer com que fossem mortos vários outros inimigos e críticos, que nada tinham a ver com as SA. Por exemplo, dois dos assessores de Papen foram baleados e mortos pelas SS porque, nos dias que antecederam, ele fez um discurso em Marburg criticando Hitler. O próprio Papen provavelmente só foi salvo pelo fato de ser amigo íntimo do presidente Hindenburg. Acredita-se que pelo menos 400 pessoas foram assassinadas só naquela noite e nos dias seguintes. Hitler justificou dizendo que todas estavam tramando contra o Estado.

Recentemente, o historiador alemão Lothar Machtan, em seu livro *A Face Oculta de Hitler*, sugeriu que Hitler era um homossexual que teve uma série de relacionamentos com jovens em sua juventude em Viena e Munique, o que era do conhecimento de Rohm e seus amigos. Se Machtan estiver correto, então outra explicação para a necessidade que Hitler tinha do expurgo era salvaguardar sua reputação, à medida que se ampliavam as desavenças entre ele e Rohm. "A principal motivação de Hitler para agir contra Rohm e seus parceiros era o medo da exposição e da chantagem... a eliminação de testemunhas e provas – esse foi o propósito real de seu ato de terrorismo".

Quaisquer que tenham sido os verdadeiros motivos de Hitler, o expurgo teve resultados importantes: o *Reichswehr* ficou aliviado por se livrar dos problemáticos líderes das SA e impressionado com a maneira firme com que Hitler tratou da questão. Quando o presidente Hindenburg morreu, um mês depois, o *Reichswehr* aceitou que Hitler se tornasse presidente, além de chanceler (embora ele preferisse ser conhecido como o *Führer*). O *Reichswehr* fez um juramento de lealdade ao *Führer*.

7. *Por fim, a política externa de Hitler foi um brilhante sucesso.* Com cada novo triunfo, mais e mais alemães começaram a considerá-lo infalível (ver Seção 5.3).

14.5 NAZISMO E FASCISMO

Às vezes se faz confusão entre os significados dos termos "nazismo" e "fascismo". Mussolini fundou o primeiro partido fascista na Itália. Posteriormente, o termo foi usado, não com total precisão, para descrever outros movimentos e governos de direita. Na verdade, cada estilo do chamado "fascismo" tinha suas próprias características especiais: no caso dos nazistas alemães, havia muitas semelhanças com o sistema fascista de Mussolini, mas também algumas diferenças importantes.

(a) Semelhanças

- Ambos eram intensamente anticomunistas e, em função disso, atraíam uma sólida base de apoio de todas as classes.
- Eram antidemocráticos e tentavam organizar o povo em um Estado totalitário, controlando a indústria, a agricultura e a forma de vida das pessoas, de forma que a liberdade pessoal era limitada.
- Tentavam tornar seus países autossuficientes.
- Enfatizavam a unidade rígida de todas as classes, colaborando para chegar a esses objetivos.
- Ambos enfatizavam a supremacia do Estado, eram intensamente nacionalistas, glorificando a guerra e faziam culto ao herói/líder que guiaria o renascimento da nação de seus problemas.

(b) Diferenças

- O fascismo nunca pareceu criar raízes na Itália como fez o nazismo na Alemanha.
- O sistema italiano não era tão eficiente quanto na Alemanha. Os italianos nunca chegaram perto de atingir a

- autossuficiência e nunca eliminaram o desemprego, o qual, na verdade, aumentou.
- O sistema italiano não era tão cruel nem tão violento quando o da Alemanha e não houve atrocidades em massa, embora tenha havido alguns incidentes desagradáveis, como os assassinatos de Matteotti e Amendola.
- O fascismo italiano não foi, particularmente, antijudaico nem racista até 1938, quando Mussolini adotou essa política para imitar Hitler.
- Mussolini teve mais sucesso do que Hitler com sua política religiosa, após seu acordo com o papa em 1929.
- Por fim, suas posições constitucionais eram diferentes: a monarquia permanecia na Itália, e embora Mussolini geralmente ignorasse o rei Victor Emmanuel, este cumpriu um papel fundamental em 1943, quando os críticos de Mussolini recorreram a ele como chefe de Estado. Ele conseguiu anunciar a demissão de Mussolini e ordenar sua prisão. Infelizmente, não havia pessoa alguma na Alemanha que pudesse demitir Hitler.

14.6 QUAL FOI O ÊXITO DE HITLER EM ASSUNTOS INTERNOS?

Há visões conflitantes a esse respeito. Algumas pessoas afirmam que o regime de Hitler trouxe muitos benefícios à maioria do povo alemão, ao passo que outras acreditam que toda sua carreira foi um completo desastre e que seus chamados sucessos foram um mito criado por Joseph Goebbels, o Ministro da Propaganda nazista. Avançando um pouco mais no argumento, alguns historiadores alemães alegam que Hitler foi um governante fraco que jamais iniciou qualquer política própria.

(a) Bem-sucedido?

Uma escola de pensamento afirma que os nazistas tiveram sucesso até 1939 porque proporcionaram muitos benefícios do tipo mencionado na Seção 14.4(c), e desenvolveram uma economia florescente, por isso a alta popularidade de Hitler com as massas, que durou até boa parte da década de 1940, apesar das dificuldades da guerra. Se ele tivesse conseguido manter a Alemanha fora da guerra, diz a teoria, tudo teria saído bem e seu Terceiro Reich poderia ter durado mil anos (como ele se vangloriava de que aconteceria).

(b) Bem-sucedido apenas superficialmente?

A visão oposta é a de que os supostos êxitos de Hitler foram superficiais e não poderiam ter resistido ao teste do tempo. O chamado "milagre econômico" era uma ilusão, com um imenso déficit orçamentário e com o país tecnicamente falido. Mesmo o êxito superficial foi atingido por métodos inaceitáveis em uma sociedade moderna civilizada:

- O pleno emprego foi conseguido à custa de uma brutal campanha antijudaica e um programa maciço de rearmamento.
- A autossuficiência não era possível a menos que a Alemanha conseguisse assumir e explorar amplas áreas do Leste Europeu que pertenciam à Polônia, à Tchecoslováquia e à Rússia.
- Sendo assim, o sucesso permanente dependia do sucesso na guerra, de forma que não havia possibilidade de Hitler ficar de fora da guerra (ver Seção 5.3(a)).

Portanto, a conclusão deve ser, como escreveu Alan Bullock em sua biografia de Hitler, que

> o reconhecimento dos benefícios que o governo de Hitler trouxe à Alemanha deve ser contrabalançado pelo entendimento de que, para o Führer – e para uma parte considerável do povo alemão – eles eram subprodutos de seu verdadeiro propósito, a criação de um instrumento de poder com o qual realizar uma

política de expansão que, em última análise, não admitiria limites.

Mesmo a política de prontidão para a guerra fracassou; os planos de Hitler foram elaborados para estarem completos no início dos anos de 1940, provavelmente em torno de 1942. Em 1939, a economia da Alemanha não estava pronta para uma guerra de grandes proporções, embora o país estivesse forte o suficiente para derrotar a Polônia e a França. Entretanto, como afirma Richard Overy, "os grandes programas de produção para a guerra ainda não estavam completos, alguns mal haviam começado.... A economia alemã foi surpreendida, em 1939, a meio caminho na transformação prevista.... como refletiu Hitler com pesar alguns anos mais tarde, a militarização tinha sido 'mal administrada'".

(c) O mito de Hitler

Como todo o trabalho de Hitler terminou em um fracasso desastroso, isso levanta uma série de questões: por exemplo, por que sua popularidade foi tão alta por tanto tempo? Ela era verdadeiramente alta ou as pessoas simplesmente suportavam ele e os nazistas por medo do que lhes aconteceria se reclamassem demais? Sua imagem popular era somente um mito criado pela máquina de propaganda de Goebbels?

Não restam dúvidas de que era difícil e arriscado criticar o regime. O governo controlava os meios de comunicação, de forma que os canais normais de crítica que existem em uma sociedade democrática moderna não estavam disponíveis aos alemães comuns. Qualquer pessoa que tentasse até mesmo iniciar uma discussão sobre as políticas nazistas corria o risco de ser alvo de informantes, da Gestapo e dos campos de concentração.

Por outro lado, há evidências de que o próprio Hitler tinha uma popularidade genuína, embora algumas facções do partido nazista não a tivessem. Ian Kershaw, em seu trabalho anterior, *The Hitler Myth*, mostrou que Hitler era considerado, de certa forma, acima da desagradável política cotidiana e as pessoas não o associavam aos excessos dos membros mais extremistas do partido. As classes média e abastada estavam gratas a ele por ter restaurado a lei e a ordem, e até aprovavam os campos de concentração, acreditando que os comunistas e outros "encrenqueiros antissociais" mereciam ser mandados para lá. A máquina de propaganda ajudava, mostrando os campos como centros de reeducação onde os indesejáveis eram transformados em cidadãos úteis.

As conquistas de Hitler em questões internacionais tinham uma popularidade extremamente alta, e a cada novo sucesso – anúncio de rearmamento, remilitarização da Renânia, *Anschluss* com a Áustria e a incorporação da Tchecoslováquia ao Reich – parecia que a Alemanha estava resgatando a posição de grande potência que era sua por direito. Era aí que a propaganda de Goebbels provavelmente tinha seu maior impacto na opinião pública, construindo a imagem de Hitler como o messias carismático e infalível que estava destinado a resgatar a grandeza da Pátria. Ainda que houvesse pouco entusiasmo pela guerra, a popularidade de Hitler atingiu novos patamares no verão de 1940, com a rápida derrota da França.

Foi durante o ano de 1941 que sua imagem começou a se macular. À medida que a guerra se arrastava e ele declarou guerra aos Estados Unidos, começaram a surgir dúvidas sobre sua infalibilidade. Aos poucos, foi-se entendendo que a guerra não poderia ser vencida. Em fevereiro de 1943, quando começaram a se espalhar notícias da rendição alemã em Stalingrado, um grupo de estudantes da Universidade de Munique corajosamente lançou um manifesto: "A nação está profundamente abalada pela destruição dos homens de Stalingrado... O cabo da Primeira Guerra Mundial levou 330.000 alemães à morte e à ruína de forma insensata e irresponsável. Führer, a ti somos gratos!" Seis dos líderes foram presos pela Gestapo e executados, e vários outros receberam longas penas de prisão. Depois disso, a maioria das pessoas permaneceu leal a Hitler e não houve revoltas populares contra ele. A única tentativa importante de derrubá-lo foi realizada por um grupo de líderes do exército em julho de 1944. Depois do fracasso desse plano para explodi-lo, o público em geral permaneceu leal até o amargo final, em parte por medo das consequências caso eles fossem considerados contrários aos nazistas e em parte por fatalismo e resignação.

(d) Um ditador fraco?

Foi o historiador alemão Hans Mommsen, em 1966, que sugeriu pela primeira vez que Hitler era um "ditador fraco". Aparentemente, ele queria dizer que, apesar de toda a propaganda sobre o líder carismático e o homem predestinado, Hitler não tinha qualquer programa ou plano especial e simplesmente explorava a circunstâncias que se apresentavam. Martin Broszat, em seu livro de 1969, *The Hitler State*, aprofundou o tema, afirmando que muitas das políticas atribuídas a Hitler foram instigadas ou pressionadas por outros, e depois assumidas por ele.

A visão oposta, de que Hitler era um ditador todo-poderoso, também tem seus defensores empedernidos. Norman Rich, em *Hitler's War Aims* (vol. 1, 1973), acreditava que Hitler era o "senhor do Terceiro Reich". Eberhard Jäckel tem insistido constantemente na mesma interpretação desde seu primeiro livro sobre Hitler, de 1984 (*Hitler in History*), onde usou a palavra "monocracia" para descrever o "poder solitário" de Hitler.

Em sua enorme biografia recente de Hitler em dois volumes, Ian Kershaw sugere uma interpretação "meio a meio". O autor enfatiza a teoria de "trabalhar em direção ao Führer" – uma expressão usada em um discurso de 1934 de um oficial nazista que estava explicando como as políticas do governo tomavam forma:

> É dever de cada pessoa tentar, no espírito do Führer, trabalhar em sua direção. Qualquer um que cometa erros vai se dar conta muito rápido. Mas quem trabalhar corretamente em direção ao Führer, segundo suas linhas e em direção a suas metas, no futuro terá a mais bela recompensa, de um dia, de repente, obter a confirmação legal de seu trabalho.

Kershaw explica como isso funcionava: "eram tomadas iniciativas, criavam-se pressões, instigavam-se leis – tudo por meios sintonizados com o que se considerava os objetivos de Hitler e sem que o ditador tivesse necessariamente que ditar.... Dessa forma, as políticas foram ficando cada vez mais radicalizadas". O exemplo clássico dessa forma de trabalhar foi a introdução gradual da campanha nazista contra os judeus (ver Seção 6.8). Era uma maneira de trabalhar que tinha a vantagem de que, caso qualquer política desse errado, Hitler poderia se desvincular dela e responsabilizar outras pessoas.

Na prática, portanto, esse não era bem um método de um "ditador fraco". Hitler tampouco esperava que as pessoas "trabalhassem em direção a ele". Quando a ocasião exigia, era ele que tomava a iniciativa e conseguia o que queria. Por exemplo, em seus primeiros êxitos de política externa, na supressão das SA em 1934 e nas decisões que ele tomou em 1939-1940 nos primeiros tempos da guerra, quando ele atingiu o pico de sua popularidade, nada havia de fraco em qualquer desses eventos. As pessoas que o conheciam bem admitiam que ele se tornou "despótico" à medida que sua autoconfiança foi crescendo. Otto Dietrich, o assessor de imprensa de Hitler, descreveu em suas memórias como este mudara: "Ele começou a detestar objeções a suas ideias e questionamentos sobre sua infalibilidade.... Ele queria falar, mas não escutar. Ele queria ser o martelo, não a bigorna."

Claramente, Hitler não conseguiria ter implementado as políticas nazistas sem o apoio de muitos grupos influentes na sociedade, como o exército, as grandes empresas, a indústria pesada, os tribunais e os funcionários públicos, mas, mesmo assim, sem ele na cabeça, grande parte do que aconteceu naqueles terríveis 12 anos do Terceiro Reich teria sido impensável. Ian Kershaw dá o seguinte veredicto arrepiante sobre Hitler e seu regime:

> Nunca, na história, uma tal degradação – física e moral – foi associada ao nome de um homem... O nome de Hitler representa, justificadamente, em todos os tempos, o principal instigador do mais profundo colapso da civilização nos tempos modernos.... Hitler foi o principal instigador de uma guerra que deixou 50 milhões de mortos e outros milhões chorando pelos seus que perderam, e tentando reconstruir suas vidas estraçalhadas. Hitler foi a principal inspiração de um genocídio que o mundo nunca tinha visto igual.... O Reich, cuja glória ele tinha buscado, havia soçobrado ao final. O arqui-inimigo, o bolchevismo, estava na própria capital do Reich e comandava metade da Europa.

PERGUNTAS

1. **Como o Estado nazista era comandado.**
Estude as fontes A e B e responda as perguntas a seguir

Fonte A
A visão do historiador alemão Martin Broszat, em texto de 1981.

> O que se apresentou como o novo governo da Alemanha Nacional-Socialista em 1933 e 1934 era, na verdade, uma forma de compartilhamento de poder entre o novo movimento de massas Nacional-Socialista e as velhas forças conservadoras do Estado e da sociedade.... Hitler não exercia qualquer liderança direta ou sistemática, mas, de tempos em tempos, sacudia o governo e o partido para que agissem, apoiava uma ou outra iniciativa de funcionários do partido ou chefes de departamento e frustrava outras, as ignorava ou as deixava avançar sem uma decisão.... na prática, isso não conduzia à sobrevivência do regime.

Fonte: Martin Broszat, *The Hitler State* (Longman, 1983).

Fonte B
A visão do historiador britânico Alan Bullock, em texto de 1991.

> Quando queria que alguma coisa fosse feita, (Hitler) criava agências especiais fora da estrutura do governo do Reich: a organização, por Goering, do Plano Quadrienal, por exemplo, que atravessava a jurisdição de pelo menos quatro ministérios....
> A retirada pessoal de Hitler dos assuntos cotidianos do governo deixou livres os mais poderosos líderes nazistas, não apenas para construir impérios rivais, mas para lutar entre si e com os ministérios estabelecidos. Esse estado de coisas se estendeu à formulação de políticas e às funções legislativas do governo, bem como à administração. Daí em diante, decretos e leis eram emitidos com base na autoridade do chanceler.... a autoridade de Hitler não era questionada e sempre que ele escolhia intervir, era decisiva.

Fonte: Alan Bullock, *Hitler and Stalin: Parallel Lives* (HarperCollins, 1991).

(a) Até que ponto as evidências apresentadas por essas fontes sustentam a visão de que Hitler era um "ditador fraco"?
(b) Em que medida os métodos de governo de Hitler lhe possibilitaram implementar políticas domésticas e externas bem-sucedidas até 1939?

2. Descreva como o governo e a Constituição de Weimar surgiram depois do fim da Primeira Guerra Mundial, e explique por que a república foi tão instável de 1919 a 1923.
3. "A instabilidade política da República de Weimar entre 1919 e 1923 foi, em grande parte, resultado de falhas na Constituição". Explique por que concorda ou discorda dessa interpretação dos eventos.
4. Até onde você concorda que foi a intriga política e não a situação econômica que possibilitou a Hitler assumir o poder na Alemanha em janeiro de 1933?
5. Até que ponto Hitler realizou uma revolução política, econômica e social na Alemanha nazista entre 1933 e 1939?

Japão e Espanha   15

RESUMO DOS EVENTOS

Nos 20 anos seguintes à Marcha sobre Roma de Mussolini (1922), muitos outros países, diante de problemas econômicos graves, seguiram os exemplos da Itália e da Alemanha e se voltaram ao fascismo ou ao nacionalismo de direita.

No **Japão**, o governo democraticamente eleito, cada vez mais constrangido por problemas econômicos, financeiros e políticos, caiu sob influência do exército no início da década de 1930. Os militares logo envolveram o país em uma guerra com a China, e mais tarde o levaram à entrar na Segunda Guerra Mundial com seu ataque a Pearl Harbor (1941). Depois de um começo brilhante, os japoneses sofreram a derrota e a devastação quando foram lançadas duas bombas atômicas, a primeira em Hiroshima e a segunda em Nagasaki. Depois da guerra, o Japão voltou à democracia e teve uma recuperação impressionante, tornando-se em pouco tempo um dos países mais poderosos do mundo em termos econômicos. Na década de 1990, a economia japonesa começou a estagnar e parecia ter chegado a hora de novas políticas econômicas.

Na **Espanha**, um governo parlamentar incompetente foi substituído pelo General Primo de Rivera, que governou de 1923 a 1930, como uma espécie de ditador benevolente. A crise econômica mundial o derrubou e, em uma atmosfera de republicanismo crescente, o Rei Alfonso XIII abdicou, esperando evitar o derramamento de sangue (1931). Vários governos republicanos foram incapazes de resolver muitos problemas que enfrentavam e a situação se deteriorou com a guerra civil (1936-1939), com as forças de direita combatendo a república de esquerda. A guerra foi vencida pelos Nacionalistas, de direita, cujo líder, o General Franco, tornou-se chefe de governo. Ele manteve a Espanha neutra durante a Segunda Guerra Mundial e permaneceu no poder até sua morte, em 1975, quando, então, a monarquia foi restaurada e o país voltou gradualmente à democracia. Em 1986, a Espanha se tornou membro da União Europeia.

Portugal também teve uma ditadura de direita. Antonio Salazar governou de 1932 até ter um derrame em 1968. Seu *Estado Novo* foi sustentado pelo exército e pela polícia secreta. Em 1974, seu sucessor foi derrubado e a democracia voltou ao país. Embora todos os três regimes – Japão, Espanha e Portugal – tivessem muitas características semelhantes aos de Mussolini e Hitler, com um Estado totalitário de partido único, morte e prisão de oponentes, política secreta e repressão brutal, no sentido estrito, eles não eram Estados fascistas, pois careciam do elemento vital da mobilização de massas na busca de um renascimento da nação, que era a característica marcante na Itália e na Alemanha.

Muitos políticos sul-americanos foram influenciados pelo fascismo. Juan Perón, líder da Argentina de 1943 a 1955 e, mais uma vez, em 1973 e 1974, e Getulio Vargas, que liderou o Estado Novo no Brasil de 1937 até 1945, foram dois dos que ficaram impressionados pelo aparente sucesso da Itália fascista e da Alemanha nazista. Eles adotaram algumas das ideias fascistas europeias, principalmente a mobilização das massas, e conquistaram muito apoio da classe trabalhadora nos movimentos sindicais, mas também não eram realmente como Mussolini e Hitler. Seus governos podem ser mais bem sintetizados como uma combinação de nacionalismo e reformas sociais. Nas palavras do historiador Eric Hobsbawm (em *A era dos extremos*): "Os movimentos fascistas europeus destruíram os movimentos trabalhistas, os líderes latino-americanos que eles inspiraram, os criaram".

15.1 O JAPÃO ENTRE GUERRAS

(a) Em 1918, o Japão tinha uma posição forte no Extremo Oriente

O país tinha uma marinha poderosa, uma grande influência sobre a China, e havia se beneficiado economicamente da Primeira Guerra Mundial, enquanto os países da Europa estavam ocupados lutando entre si. O Japão aproveitou a situação fornecendo marinha mercante e outros produtos aos Aliados, e entrando em cena para atender a pedidos, principalmente na Ásia, que os europeus não conseguiam suprir. Durante os anos da guerra, sua exportação de produtos de algodão quase triplicou, enquanto sua frota mercante dobrou em tonelagem. Politicamente, o rumo à democracia parecia estabelecido quando, em 1925, todos os homens adultos adquiriram direito ao voto. As esperanças logo acabaram: no início dos anos de 1930, o exército assumiu o controle do governo.

(b) Por que o Japão se tornou uma ditadura militar?

Na década de 1920, surgiram problemas, a exemplo do que aconteceu na Itália e na Alemanha, que os governos democraticamente eleitos pareciam incapazes de resolver.

1 Grupos influentes de elite começaram a se opor à democracia

A democracia ainda era relativamente nova no Japão. Foi na década de 1880 que o imperador deu lugar a reivindicações cada vez maiores por uma assembleia nacional, acreditando que as Constituições e os governos representativos eram responsáveis por todo o sucesso dos Estados Unidos e dos países da Europa Ocidental. Aos poucos, foi introduzido um sistema mais representativo que consistia em uma casa de pares nomeados, um gabinete de ministros indicado pelo imperador e um Conselho Privado cuja função era interpretar e salvaguardar a nova Constituição, que foi aceita formalmente em 1889. Ela estabelecia uma câmara parlamentar eleita (a Dieta); foram realizadas as primeiras eleições e a Dieta se reuniu em 1890. Contudo, o sistema estava longe de ser democrático e o imperador ainda mantinha um poder enorme, podendo dissolver o parlamento quando achasse melhor, tomando as decisões sobre guerra e paz, sendo comandante em chefe das forças armadas e considerado "sagrado e inviolável". Mas a Dieta tinha uma grande vantagem: ela podia propor leis, de forma que o gabinete achou que ela não era tão susceptível à sua vontade como havia esperado.

Inicialmente, os grupos de elite na sociedade estavam satisfeitos dando liberdade ao governo, mas depois da Primeira Guerra Mundial, eles começaram a ser mais críticos. Especialmente problemáticos eram o exército e os conservadores, firmemente entrincheirados na casa dos Pares e no Conselho Privado. Eles aproveitavam qualquer oportunidade de desacreditar o governo. Por exemplo, criticaram o Barão Shidehara Kijuro (Ministro do Exterior de 1924 a 1927) por sua postura conciliadora em relação à China, que ele considerava a melhor forma de fortalecer o controle econômico do Japão sobre aquele país. O exército queria muito intervir na China, que estava arrasada pela guerra civil, e considerava a política de Shidehara "suave". Acabou tendo força suficiente para derrubar o governo em 1927 e reverter sua política.

2 Políticos corruptos

Muitos políticos eram corruptos e aceitavam regularmente subornos de grandes empresas. Às vezes, começavam brigas na câmara baixa (a Dieta) quando se faziam acusações de corrupção. O sistema não mais inspirava respeito, e o parlamento perdia prestígio.

3 A explosão comercial terminou

Quando os problemas econômicos se somaram aos políticos, a situação ficou séria. A grande explosão comercial dos anos da guerra durou somente até 1921, quando a Europa começou a se levantar e recuperar mercados perdidos. No Japão, o desemprego e a inquietação industrial cresceram e, ao mesmo tempo, os agricultores foram atingidos por uma rápida queda no preço do arroz, causada por uma série de supersafras. Quando tentaram se organizar em um partido político, os agricultores e os operários foram reprimidos com violência pela polícia. Sendo assim, os trabalhadores, bem como o exército e a direita, foram ficando hostis a um parlamento que posava de democrático, mas permitia que a esquerda fosse reprimida e aceitava subornos das grandes empresas.

4 A crise econômica mundial

A crise econômica mundial que teve início em 1929 (ver Seção 22.6) afetou muito o Japão. Suas exportações encolheram desastrosamente e outros países introduziram ou aumentaram as tarifas contra elas para salvaguardar suas próprias indústrias. Um dos negócios mais afetados foi a exportação de seda crua, principalmente para os Estados Unidos. O período após a quebra de Wall Street não era momento para luxos, e os norte-americanos reduziram drasticamente suas importações desse produto, de forma que em 1932 o preço tinha caído a menos de um terço do nível de 1923. Esse foi mais um golpe nos agricultores japoneses, já que cerca de metade deles dependia da produção de seda crua para sobreviver, além de arroz. Houve pobreza desesperadora, principalmente no norte, pela qual os trabalhadores de fábricas e camponeses culpavam o governo e as grandes empresas. A maioria dos recrutas do exército era de camponeses, de modo que os soldados rasos, bem como a classe dos oficiais, estavam descontentes com o que consideravam um governo parlamentar fraco. Já em 1927, muitos oficiais, atraídos pelo fascismo, estavam planejando tomar o poder e introduzir um governo nacionalista forte.

5 A situação na Manchúria

A situação chegou a um clímax em 1931, com o problema na Manchúria, uma grande província da China, com uma população de 30 milhões, na qual o Japão tinha investimentos e negócios de grande valor. Os chineses estavam tentando pressionar o comércio e as empresas japonesas para que se retirassem, o que representaria um duro golpe em uma economia japonesa já atingida pela depressão. Para preservar suas vantagens econômicas, unidades do exército japonês invadiram e ocuparam a Manchúria (setembro de 1931) sem permissão do governo (ver Ilustração 15.1). Quando criticou o extremismo, o primeiro-ministro Inukai foi assassinado por um grupo de oficiais do exército (maio de 1932); não surpreendentemente, seu sucessor achou que deveria apoiar as ações do exército.

Nos 13 anos seguintes, o exército mais ou menos governou o país, introduzindo métodos semelhantes aos adotados na Itália e na Alemanha: repressão cruel dos comunistas, assassinato de adversários, controle rígido da educação, aumento do armamento e uma política externa agressiva que visava capturar território na Ásia para servir de mercado

Ilustração 15.1 Tropas japonesas invadem a Manchúria, 1931.

às exportações japonesas. Isso levou a um ataque à China (1937) e à participação na Segunda Guerra Mundial (ver Seção 6.2(c), Mapas 6.4 e 5.1 para as conquistas japonesas). Alguns historiadores responsabilizam o imperador Hirohito, que, embora criticasse o ataque à Manchúria, recusou-se a se envolver na controvérsia política, com receio de que suas ordens de retirada fossem ignoradas. O historiador Richard Storry afirma que "teria sido melhor para o Japão e para o mundo que tivessem corrido esse risco". Ele acredita que o prestígio de Hirohito era tão grande que a maioria dos oficiais teria lhe obedecido se ele tivesse tentado restringir os ataques à Manchúria e à China.

15.2 O JAPÃO SE RECUPERA

No final da Segunda Guerra Mundial, o Japão foi derrotado, sua economia estava em ruínas e uma grande parcela de suas fábricas e um quarto de suas moradias, destruídos pelos bombardeios (ver Seções 6.5(f) e 6.6(d)). Até 1952, o país foi ocupado por tropas aliadas, em sua maioria norte-americanas, sob o comando do General MacArthur. Nos três primeiros anos, os norte-americanos visaram garantir que o Japão nunca mais começasse uma guerra, o país foi proibido de ter forças armadas e recebeu uma Constituição democrática sob a qual os ministros teriam que ser membros da Dieta (parlamento). O imperador Hirohito teve permissão para continuar no trono, mas com um papel puramente simbólico. As organizações nacionalistas foram desarticuladas e a indústria de armamentos, desmantelada. As pessoas que tinham cumprido funções centrais durante a guerra foram afastadas e foi estabelecido um tribunal internacional para lidar com os acusados de crimes de guerra. O primeiro-ministro dos tempos da guerra, Tojo, e outras seis pessoas, foram executados, e 16 homens receberam sentenças de prisão perpétua.

Nesse momento, os norte-americanos não pareciam preocupados com a recuperação da economia japonesa. Durante o ano de 1948, sua atitude foi mudando: com o desenvolvimento da Guerra Fria na Europa e o colapso do Kuomintang na China, eles sentiram a necessidade de ter um aliado forte no sudeste asiático para começar a estimular a recuperação da economia do Japão. A partir de 1950, a indústria se recuperou rapidamente e em 1953, a produção atingiu os níveis de 1937. As forças de ocupação dos Estados Unidos foram retiradas em 1952 (como tinha sido definido no Tratado de São Francisco, no mês de setembro anterior), embora algumas tropas norte-americanas tenham permanecido com propósitos de defesa.

(a) **Como foi possível a recuperação rápida do Japão?**

1. *A ajuda norte-americana foi vital nos primeiros anos da recuperação japonesa.* Os Estados Unidos decidiram que um Japão economicamente saudável seria um forte baluarte contra o avanço do comunismo no sudeste asiático. Os norte-americanos acreditavam ser importante afastar o Japão do sistema semifeudal e hierárquico, que limitava o progresso. Por exemplo, metade das terras agriculturáveis era de proprietários ricos que moravam nas cidades e alugavam pequenas áreas a arrendatários, a maioria pouco mais do que agricultores de subsistência. Foi implementado um plano de reforma agrária que tirou grande parte da terra dos grandes proprietários e a vendeu aos arrendatários por preços razoáveis, criando uma nova classe de agricultores proprietários. O plano foi um grande sucesso: os agricultores, ajudados por subsídios do governo e legislação que mantinha os preços agrícolas altos, tornaram-se um grupo próspero e influente. Os Estados Unidos também ajudaram em outros aspectos, permitindo que os produtos japoneses entrassem em seus mercados em condições favoráveis e fornecendo ajuda e novos equipamentos.

2. *A Guerra da Coreia (1950-1953) deu um importante impulso à economia do Japão*, que estava em posição ideal para ser a base das forças da ONU que invadiram a Coreia. Os fabricantes japoneses estavam acostumados a fornecer uma ampla gama de materiais e suprimentos. A relação próxima com os Estados Unidos fazia com que a segurança japonesa fosse bem cuidada, o que significava

que o Japão poderia investir na indústria todo o dinheiro que teria sido gasto em armamentos.
3. Grande parte da indústria japonesa tinha sido destruída durante a guerra, o que possibilitou que *as novas fábricas e usinas começassem de novo, com a tecnologia mais moderna.* Em 1959, o governo decidiu se concentrar em produtos de alta tecnologia, para o mercado doméstico e para exportação. O mercado consumidor doméstico foi ajudado por outra iniciativa de governo em 1960, que visava dobrar a renda das pessoas na década seguinte. As demandas do mercado exportador levaram à construção de navios de transporte maiores e mais rápidos. Os produtos japoneses conquistaram uma reputação de alta qualidade e confiabilidade, eram altamente competitivos nos mercados estrangeiros. Ao longo da década de 1960, as exportações japonesas se ampliaram a uma taxa anual de 15%. Em 1972, o Japão superou a Alemanha Ocidental como terceira economia do mundo, especializado na construção de navios, rádios, televisores e equipamentos de alta fidelidade, câmeras fotográficas, aço, motocicletas, automóveis e tecidos.
4. *A recuperação foi ajudada por uma série de governos estáveis.* O partido dominante foi o Partido Liberal-Democrata (PLD), de caráter conservador e pró-empresarial, e com o apoio sólido dos agricultores que haviam se beneficiado da reforma agrária realizada pelos norte-americanos. Eles tinham receio de que suas terras fossem nacionalizadas se os socialistas chegassem ao poder, de forma que o PLD se manteve no poder entre 1952 e 1993. A principal oposição era o Partido Socialista Japonês, que mudou de nome para Partido Social-Democrata do Japão em 1991 e cujo apoio vinha majoritariamente dos trabalhadores, dos sindicatos e de uma ampla fatia da população das cidades. Havia dois partidos socialistas menores e o Partido Comunista do Japão. Essa fragmentação da esquerda foi uma das razões para o êxito continuado do PLD.

(b) A recuperação japonesa não ocorreu sem problemas

1. Havia uma boa quantidade de sentimento antiamericano em alguns setores

   - Muitos japoneses se sentiam inibidos pelas íntimas relações com os Estados Unidos.
   - Eles achavam que os norte-americanos exageravam a ameaça da China comunista e queriam ter boas relações com China e URSS, mas isso era difícil com o Japão posicionado tão firmemente no campo dos Estados Unidos.
   - A renovação do tratado de defesa com os Estados Unidos em 1960 provocou greves e manifestações.
   - Havia ressentimento entre a geração mais velha pela maneira com que a cultura jovem japonesa estava absorvendo tudo o que era norte-americano, o que era considerado como "declínio moral".

2. *Outro problema era a agitação da classe trabalhadora diante das longas jornadas de trabalho e a superlotação nas condições de vida.* Com a expansão da indústria, os trabalhadores iam das zonas rurais para as áreas industriais. A população rural caiu de cerca de 50% do total em 1945 para apenas 20% em 1970, causando grave superpopulação na maioria das cidades, onde os apartamentos eram minúsculos em comparação com os do Ocidente. À medida que aumentavam os preços das propriedades, as chances dos trabalhadores comuns conseguirem comprar suas casas próprias praticamente desapareciam. Com o crescimento das cidades, havia graves problemas

de congestionamento e poluição. Os tempos de deslocamento ficaram maiores, esperava-se que os trabalhadores do sexo masculino se dedicassem à "firma" ou à "cultura do escritório" e o tempo de lazer minguava.
3. *No início dos anos de 1970, a alta taxa de crescimento econômico chegou ao fim.* Uma série de fatores contribuiu para isso. A competitividade japonesa nos mercados mundiais decaiu em alguns setores, principalmente nas indústrias naval e do aço. As preocupações com os crescentes problemas da vida urbana levaram a questionar o pressuposto de que o crescimento permanente era essencial para o sucesso nacional. A economia foi prejudicada pela flutuação dos preços do petróleo; em 1973-1974, a Organização dos Países Exportadores de Petróleo (OPEP) aumentou seus preços, principalmente para preservar os suprimentos. O mesmo aconteceu em 1979-1981, em ambas as ocasiões o Japão sofreu recessão. Uma resposta japonesa a isso foi aumentar o investimento na geração de energia nuclear.
4. *A prosperidade japonesa gerou alguma hostilidade no exterior.* Houve constantes protestos dos Estados Unidos, do Canadá e da Europa Ocidental porque os japoneses estavam inundando os mercados internacionais com suas exportações enquanto se recusavam a comprar uma quantidade comparável de importados de seus clientes. Em resposta, o Japão aboliu ou reduziu os impostos sobre importação em quase 200 mercadorias (1982-1983) e concordou com a limitação das exportações de carros aos Estados Unidos (novembro de 1983); a própria França restringiu a importação de carros, TVs e rádios do Japão. Para compensar esses reveses, os japoneses conseguiram um aumento de 20% nas exportações à Comunidade Europeia entre janeiro e maio de 1986.

Apesar desses problemas, não restam dúvidas de que em meados da década de 1980, a economia japonesa ainda era um sucesso impressionante. O Produto Interno Bruto (PIB) chegava a um décimo da produção mundial. Com seu enorme comércio de exportação e seu consumo doméstico relativamente modesto, o país tinha um imenso superávit comercial, era o maior credor líquido do mundo e dava mais ajuda para desenvolvimento do que qualquer outro país. A inflação também estava sob controle, abaixo de 3%, e o desemprego era relativamente baixo, em menos de 3% da população trabalhadora (1,6 milhões em 1984). A trajetória de sucesso do Japão era simbolizada por um impressionante feito de engenharia – um túnel de 54 quilômetros ligando Honshu (a maior ilha) com Hokkaido, ao norte. Completado em 1985, levou 21 anos para ser construído e era o maior túnel do mundo. Outro aspecto que se manteve durante a década de 1990 foi que os fabricantes japoneses começaram a estabelecer fábricas de carros, eletrônicos e têxteis nos Estados Unidos, na Grã-Bretanha e na Europa Ocidental. O sucesso e o poder econômicos do país pareciam não ter limites.

(c) Mudanças econômicas e políticas: 1990-2004

No início da década de 1990, o estranho paradoxo da economia japonesa ficou mais evidente: o consumo doméstico começou a estagnar. As estatísticas mostravam que os japoneses estavam consumindo menos do que norte-americanos, britânicos e alemães, em função de preços mais elevados, aumentos salariais que ficavam atrás de inflação e o exorbitante custo dos imóveis no Japão. Eram as exportações que continuavam a render aos japoneses seus enormes superávits. A década de 1980 foi uma época de especulação alucinada e excesso de gastos por parte do governo com vistas, dizia-se, a melhorar a infraestrutura do país, mas que levou a uma grave recessão em 1992-1993 e deixou a saúde das finanças públicas em mau estado.

Quando o ritmo do crescimento econômico diminuiu e depois estagnou, a produtividade dos trabalhadores decaiu e a indústria ficou menos competitiva. Embora o desemprego fosse baixo, para padrões ocidentais, as demissões se tornaram mais comuns e as tradicionais políticas japonesas de empregos para toda a vida e paternalismo das empresas começaram a ser abandonadas. Os industriais começaram a produzir mais em outros países para se manterem competitivos. No final do século, havia sinais preocupantes: o Japão entrou em recessão e parecia haver poucas perspectivas de que ela terminasse. As estatísticas eram desanimadoras: o superávit comercial estava encolhendo rapidamente e as exportações caíam, com os primeiros seis meses de 2001 apresentando a maior queda de que se tinha registro. No final do ano, a produção industrial tinha caído ao menor nível em 13 anos. Ainda pior, o desemprego aumentara a 5,4%, um nível sem precedentes desde os anos de 1930.

Nas palavras do historiador norte-americano e especialista no Japão, R. T. Murphy (2002):

> Há uma década, o governo japonês tem comandado uma estagnação da economia, um sistema financeiro arruinado e cidadãos desmoralizados.... O país não consegue repensar as políticas econômicas implantadas desde os anos imediatamente posteriores à guerra. Essas políticas – exportar enlouquecidamente e amealhar ganhos em divisas estrangeiras – eram tão óbvias que não precisavam de discussão política, mas agora que as políticas tinham que ser reordenadas (por haver menor demanda pelos produtos japoneses), o Japão está despertando para a melancólica realidade de que não consegue mudar de rumo.

Ele responsabiliza por isso a burocracia e o setor bancário cheio de dívidas, que, diz ele, são blindados contra qualquer tipo de interferência e controle governamentais, e são culpados de uma "irresponsabilidade desastrosa".

Houve mudanças importantes no cenário político. No início dos anos de 1990, o PLD, que estava no poder desde 1952, sofreu uma série de choques negativos quando alguns dos seus membros se envolveram em escândalos de corrupção. Houve muitas renúncias e, na eleição de julho de 1993, o partido perdeu a maioria para uma coalizão de partidos de oposição. Houve um período de instabilidade política, com não menos do que quatro diferentes primeiros-ministros no ano que se seguiu à eleição. Um deles era socialista, o primeiro de esquerda desde 1948, mas o PLD manteve uma posição forte no governo ao formar uma coalizão surpreendente com o Partido Social-Democrata do Japão (o antigo Partido Socialista do Japão). No final de 1994, os outros partidos de oposição também formaram uma coalizão, chamada de Partido da Nova Fronteira. O PLD permaneceu no governo até as eleições de 2001, na qual teve ainda mais uma vitória, desta vez em coalizão com o Novo Partido Conservador e um partido budista.

15.3 ESPANHA

(A) A Espanha nas décadas de 1920 e 1930

A monarquia constitucional de Alfonso XIII (rei desde 1885) nunca foi muito eficiente e chegou ao fundo do poço em 1921, quando o exército espanhol, enviado para conter uma revolta liderada por Abd-el-Krim no Marrocos espanhol, foi massacrado pelos mouros. Em 1923, o general Primo de Rivera tomou o poder em um golpe sem derramamento de sangue, com a aprovação de Alfonso, e governou pelos sete anos seguintes. O rei o chamava de "meu Mussolini", mas embora fosse um ditador militar, Primo não era fascista. Ele foi responsável por uma série de obras públicas, como ferrovias, estradas e sistemas de irrigação, a produção industrial se desenvolveu em um ritmo três vezes maior do que antes de 1923 e, mais impressionante ainda, conseguiu dar fim à guerra no Marrocos (1925).

Quando a crise econômica mundial atingiu a Espanha em 1930, o desemprego aumentou, Primo e seus assessores destruíram as finanças, causando a desvalorização da peseta. O exército retirou seu apoio e Primo renunciou. Em abril de 1931, foram realizadas eleições municipais nas quais os republicanos conquistaram o controle de todas as grandes cidades. Quando multidões enormes saíram às ruas de Madrid, Alfonso decidiu abdicar para evitar o derramamento de sangue e foi proclamada uma república. A monarquia foi derrubada sem carnificina, mas, infelizmente, a matança tinha simplesmente sido postergada até 1936.

(b) Por que a guerra civil começou na Espanha em 1936?

1 A nova república enfrentava problemas graves

- A Catalunha e as províncias bascas (ver Mapa 15.1) queriam a independência.
- A Igreja Católica era profundamente hostil à República, que, por sua vez, não gostava da Igreja e estava determinada a reduzir seu poder.
- Achava-se que o exército tinha poder demais e poderia tentar outro golpe.
- Havia outros problemas causados pela depressão: os preços agrícolas estavam caindo, as exportações de vinho e azeitonas diminuíam, terras deixaram de ser cultivadas e aumentou o desemprego entre os camponeses. Na indústria, a produção de ferro caiu em um terço e a de aço, quase pela metade. Era época de salários em queda, desemprego e redução no padrão de vida. A menos que conseguisse fazer algum progresso com este último problema, a república provavelmente perderia o apoio dos trabalhadores.

2 Oposição de direita

As soluções da esquerda para esses problemas não foram aceitas pela direita, que foi ficando cada vez mais alarmada com a perspectiva de uma revolução social. O agrupamento dominante nas Cortes (parlamento), os socialistas e os radicais de classe média, começaram de forma muito dinâmica:

- A Catalunha ganhou direito ao autogoverno.
- A Igreja foi atacada – Igreja e Estado foram separados, os padres não seriam mais pagos pelo governo, os jesuítas foram expulsos, outras ordens poderiam ser dissolvidas e a educação religiosa foi interrompida.
- Um grande número de oficiais do exército recebeu aposentadoria compulsória.
- Foi dado início à nacionalização de grandes propriedades rurais.
- Foram feitas tentativas de aumentar os salários de trabalhadores industriais.

Cada uma dessas medidas enfureceu os grupos de direita – Igreja, exército, proprietários de terra e industriais. Em 1932, alguns oficiais do exército tentaram derrubar o primeiro-ministro Manuel Azaña, mas o levante foi reprimido com facilidade, já que a maior parte do exército permanecia leal neste momento. Foi formado um novo partido de direita, o CEDA, para defender a Igreja e os proprietários de terras.

3 Oposição de esquerda

A república foi ainda mais enfraquecida pela oposição de dois poderosos grupos de esquerda, os anarquistas e os sindicalistas (membros de alguns sindicatos com muita força) que apoiavam uma greve geral e a derrubada do sistema capitalista. Eles desprezavam os socialistas por colaborarem com os grupos de classe média. Organizavam greves, revoltas e assassinatos. A situação atingiu o clímax em janeiro de 1933, quando alguns guardas do governo incendiaram moradias na vila de Casas Viejas, perto de Cádiz, para expulsar alguns sindicalistas. No evento, 25 pessoas foram mortas, o que fez com que o governo perdesse muito do apoio da classe trabalhadora e que até mesmo os socialistas retirassem

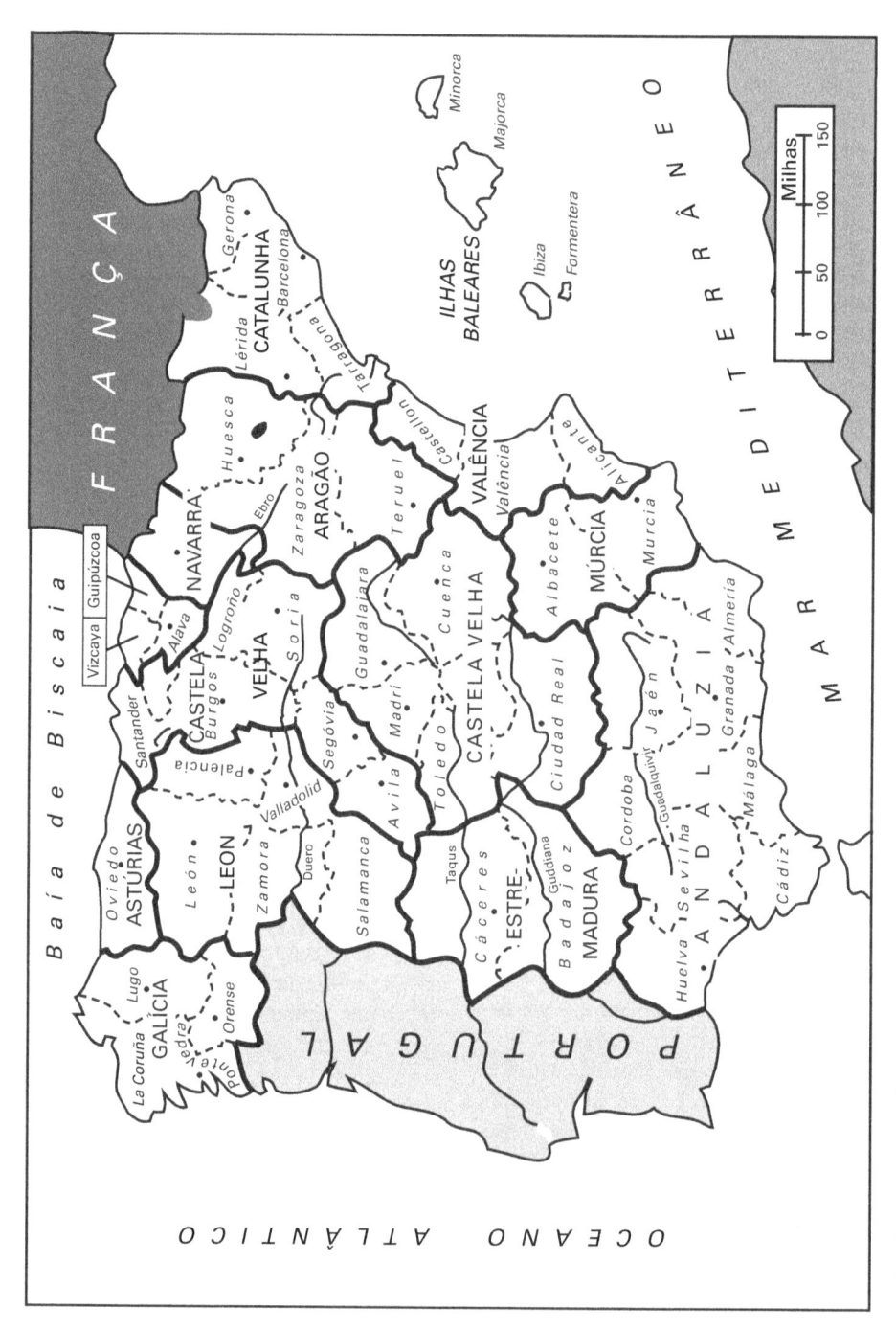

Mapa 15.1 Regiões e províncias da Espanha.

seu apoio a Azaña, que renunciou. Nas eleições seguintes (novembro de 1933), os partidos de direita conquistaram a maioria, com o maior grupo sendo o novo CEDA, católico, sob a liderança de Gil Robles.

4 As ações do novo governo de direita

As ações do novo governo de direita enfureceram a esquerda, como:

- cancelamento da maioria das reformas de Azaña;
- interferência no funcionamento do novo governo catalão;
- recusa a conceder o autogoverno aos bascos, o que foi um erro grave, já que eles apoiaram a direita nas eleições, mas agora mudavam para a esquerda.

À medida que o governo avançava para a direita, os grupos de esquerda (socialistas, anarquistas, sindicalistas e, agora, comunistas) se aproximavam para formar uma Frente Popular. A violência revolucionária crescia: os anarquistas fizeram descarrilar o expresso Barcelona-Sevilha, matando 19 pessoas, houve uma greve geral em 1934, e rebeliões na Catalunha e nas Astúrias. Os mineiros de Astúrias lutaram bravamente, mas foram esmagados cruelmente por tropas sob comando do General Franco. Nas palavras do historiador Hugh Thomas, "depois da maneira com que a revolução foi esmagada, teria sido necessário um esforço sobre-humano para evitar que culminasse no desastre da guerra civil. Mas não houve qualquer esforço desse tipo". Em vez disso, à medida que a situação financeira, bem como a política, deteriorava, a direita se desagregou, e nas eleições de fevereiro de 1936 a Frente Popular saiu vitoriosa.

5 O novo governo acabou sendo ineficaz

Os socialistas decidiram não apoiar o governo, já que eram majoritariamente de classe média. Eles esperavam que ele fracassasse, para que eles pudessem tomar o poder. O governo parecia incapaz de manter a ordem e entrou em crise em julho de 1936, quando Calvo Sotelo, o principal político de direita, foi morto pela polícia. Esse fato apavorou a direita e a convenceu de que a única forma de restaurar a ordem era através de uma ditadura militar. Um grupo de generais, conspirando com a direita, principalmente com o novo partido fascista Falange, de Antonio de Rivera (filho de Primo de Rivera), já tinham planejado uma tomada de poder pelos militares. Usando o assassinato de Calvo Sotelo como pretexto, eles começaram uma revolta no Marrocos, onde o General Franco logo assumiu a liderança. Começava a guerra civil.

(c) A Guerra Civil, 1936-1939

No final de julho de 1936, os direitistas, denominando-se Nacionalistas, controlavam grande parte do norte e a área em torno de Cádiz e Sevilha, no sul. Os Republicanos controlavam o centro e o nordeste, incluindo as grandes cidades de Madri e Barcelona. A guerra foi cruel e ambos os lados cometeram terríveis atrocidades. A Igreja sofreu perdas horríveis nas mãos dos republicanos, com mais de 6.000 padres e freiras assassinados. Os Nacionalistas foram ajudados pela Itália e pela Alemanha, que enviaram armas e homens, junto com alimentos e matérias-primas. Os republicanos receberam alguma ajuda da Rússia, mas a França e a Grã-Bretanha se recusaram a intervir, simplesmente permitindo que voluntários lutassem na Espanha. Os Nacionalistas capturaram Barcelona e toda a Catalunha em janeiro de 1939, e a guerra terminou em março de 1939 com a captura de Madri (Mapa 15.2).

Razões da vitória nacionalista

- Franco foi extremamente hábil para manter unidos os vários grupos de direita (exército, Igreja, monarquistas e falangistas).
- Os republicanos eram muito menos unidos, os anarquistas e os comunistas chegaram a lutar entre si durante um tempo, em Barcelona.

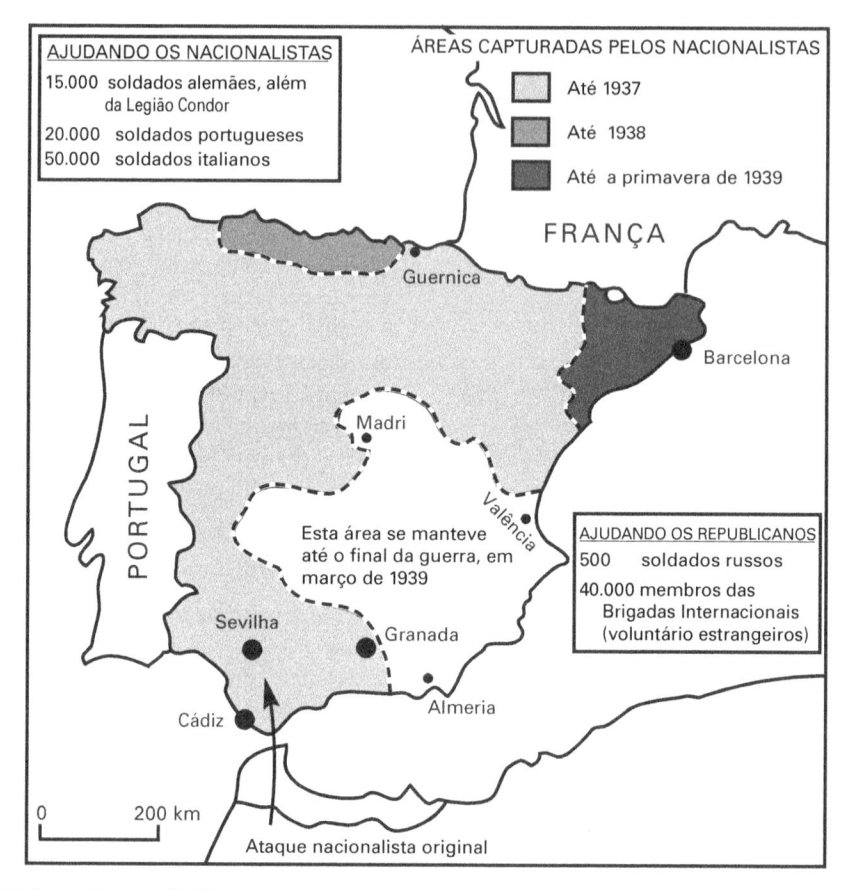

Mapa 15.2 A Guerra Civil Espanhola, 1936-1939.

- A quantidade de ajuda externa recebida pelos nacionalistas provavelmente foi decisiva, incluindo 50.000 soldados italianos e 20.000 portugueses, uma grande força aérea italiana e centenas de aviões e tanques alemães. Uma das ações mais conhecidas foi o bombardeio, pelos alemães, da indefesa cidade basca de Guernica, no qual foram mortas 1.600 pessoas.

(d) Franco no poder

Franco, assumindo o título de Caudilho (líder), construiu um governo semelhante, em muitos aspectos, aos de Mussolini e Hitler, marcado pela repressão, tribunais militares e execuções em massa, mas em outros aspectos, não era fascista. Por exemplo, o regime apoiava a Igreja, que recebeu de volta o controle da educação, o que nunca teria acontecido em um Estado verdadeiramente fascista. Franco também foi perspicaz o suficiente para manter a Espanha fora da Segunda Guerra Mundial, embora Hitler esperasse que o país desse ajuda e tentou persuadi-lo a se envolver. Quando Hitler e Mussolini foram derrotados, Franco sobreviveu e governou a Espanha até morrer, em 1975.

Nos anos de 1960, ele foi relaxando o caráter repressivo do regime: os tribunais militares foram abolidos, os trabalhadores tiveram um direito limitado de greve e foram realizadas eleições para alguns membros do parlamento (embora os partidos políticos continuassem proibidos). Muito foi feito para modernizar a agricultura e a indústria espanholas, e a economia foi ajudada pelo setor turístico crescente no país. Com o tempo, Franco passou a ser considerado acima da política. Ele estava preparando o neto de Alfonso XIII, Juan Carlos, para sucedê-lo, acreditando que uma monarquia conservadora era a melhor forma de manter a Espanha estável. Quando Franco morreu, em 1975, Juan Carlos se tornou rei e em pouco tempo demonstrou que era favorável ao retorno a uma democracia pluripartidária.

As primeiras eleições livres foram realizadas em 1977. Mais tarde, sob a liderança do primeiro-ministro socialista Felipe González, a Espanha entrou para a Comunidade Europeia (janeiro de 1986).

PERGUNTAS

1. A Guerra Civil Espanhola (1936-9)

Estude a fonte A e responda as perguntas a seguir.

Fonte A

Algumas ideias sobre a guerra, do historiador Eric Hobsbawm.

> Mais de 40.000 jovens estrangeiros de mais de cinquenta países foram lutar e muitos, morrer, em um país do qual a maioria não sabia mais do que aparece em um atlas escolar. É significativo que não mais de mil voluntários tenham lutado no lado de Franco... mesmo assim, a República Espanhola, apesar de toda a simpatia e a ajuda (insuficiente) que recebeu, lutou uma ação de retaguarda contra a derrota desde o início. Olhando agora, fica claro que isso se deveu a sua própria fragilidade.... ela não usou bem essa arma poderosa contra forças convencionais superiores – a guerra de guerrilhas – uma estranha omissão em um país que deu nome a essa forma de guerra irregular. Diferentemente dos Nacionalistas, que desfrutavam de uma única direção militar e política, a República permaneceu politicamente dividida e – apesar da contribuição dos comunistas, não adquiriu uma disposição militar e um comando estratégico únicos, pelos menos não antes de ser tarde demais.

Fonte: Eric Hobsbawm, *The Age of Extremes* (Michael Joseph, 1994).

(a) Quais evidências a fonte apresenta para explicar por que a República foi derrotada na guerra?

(b) Usando seu próprio conhecimento, descreva de que formas "a República permaneceu politicamente dividida".

(c) Explique por que a guerra civil estourou na Espanha em 1936.

2. Até onde você concordaria que a crise econômica mundial fez com que o Japão caísse sob uma ditadura militar nos inícios dos anos de 1930?

3. "A recuperação do Japão depois da Segunda Guerra Mundial não se deu sem problemas". Até onde você concorda com essa visão?

4. Explique quais mudanças e problemas foram vivenciadas pelo Japão nos posteriores a 1990.

Parte III

O COMUNISMO: ASCENSÃO E QUEDA

A Rússia e as Revoluções
1900-1924

16

RESUMO DOS EVENTOS

Nos primeiros anos do século XX, a situação da Rússia era problemática. Nicolau II, que foi czar (imperador) de 1894 a 1917, insistia em governar como autocrata (alguém que governa como bem entende), mas não tinha conseguido enfrentar adequadamente os muitos problemas do país. A agitação e as críticas ao governo chegaram ao ápice em 1905, com as derrotas da Rússia na guerra contra o Japão (1904-1905); houve uma greve geral e uma tentativa de revolução, o que forçou Nicolau a fazer concessões (o manifesto de outubro), como aceitar *um parlamento eleito (a Duma)*. Quando ficou claro que a Duma se tornara ineficaz, aumentou a agitação, culminando, depois de derrotas desastrosas do país na Primeira Guerra Mundial, em duas revoluções, ambas em 1917.

- A primeira revolução (fevereiro/março) derrubou o czar e estabeleceu um *governo provisório* moderado. Ao não conseguir resultados melhores do que o czar, esse governo foi derrubado por um segundo levante:
- A *Revolução Bolchevique* (outubro/novembro).

O novo governo bolchevique era frágil no princípio e seus oponentes (conhecidos como Brancos) tentaram destruí-lo, causando uma cruel guerra civil (1918-1920). Graças à liderança de Lênin e Trotsky, os Bolcheviques (vermelhos) venceram a guerra e, agora chamando a si mesmos de comunistas, conseguiram consolidar seu poder. Lênin começou a tarefa de liderar a recuperação da Rússia, mas morreu prematuramente em janeiro de 1924.

16.1 DEPOIS DE 1905: AS REVOLUÇÕES DE 1917 ERAM INEVITÁVEIS?

(a) Nicolau II tenta estabilizar seu regime

Nicolau sobreviveu à revolução de 1905 porque:

- seus adversários não estavam unidos;
- não havia uma liderança central (a coisa toda surgiu espontaneamente);
- ele estava disposto a ceder naquele momento crítico, divulgando o Manifesto de Outubro, que prometia concessões;
- a maioria do exército permaneceu leal.

O czarismo tinha agora um espaço para respirar, no qual Nicolau teria chance de fazer com que a monarquia constitucional funcionasse e se colocar ao lado do povo que exigia reformas moderadas. Entre elas:

- melhoria das condições de trabalho e salário dos operários;
- cancelamento dos pagamentos de amortização – pagamentos anuais feitos pelos camponeses ao governo, em retorno por sua liberdade e alguma terra, após a abolição da servidão em 1861. Embora os camponeses tivessem recebido sua liberdade, esses pagamentos compulsórios

tinham reduzido metade da população rural à pobreza profunda;
- mais liberdade de imprensa;
- democracia verdadeira, onde a *Duma* cumpriria um papel importante na condução do país.

Infelizmente, Nicolau parecia ter muito pouca intenção de cumprir o espírito do Manifesto de Outubro, só tendo concordado com ele por não ter escolha.

1. *A Primeira Duma* (1906) não foi eleita democraticamente, já que, embora todas as classes tivessem direito a voto, o sistema era distorcido de forma que os proprietários de terras e a classe média tinham maioria. Mesmo assim, ela promoveu medidas abrangentes como o confisco de grandes propriedades, um sistema eleitoral verdadeiramente democrático e o direito de a Duma aprovar os ministros do czar, o direito de greve e a abolição da pena de morte. Isso era drástico demais para Nicolau, que fez com que o parlamento fosse dispersado por tropas depois de apenas 10 semanas.
2. *A Segunda Duma* (1907) teve o mesmo destino, depois de Nicolau alterar o sistema de votação, tirando o direito de voto de camponeses a trabalhadores urbanos.
3. *A Terceira Duma (1907-1912) e a Quarta Duma (1912-1917)* eram muito mais conservadoras e, portanto, duraram mais. Embora criticassem o governo ocasionalmente, não tinham poder, porque o czar controlava os ministros e a política secreta.

Alguns observadores estrangeiros ficaram surpresos com a facilidade com que Nicolau ignorava suas promessas e conseguiu descartar as duas primeiras Dumas sem provocar outra greve geral. A questão era que o ímpeto revolucionário tinha arrefecido por um tempo, e muitos líderes estavam na prisão ou no exílio.

Isso, somado à melhoria na economia, que começou depois de 1906, já gerou algumas controvérsias sobre a inevitabilidade ou não das revoluções de 1917. A visão liberal tradicional era que, embora o regime tivesse fragilidades evidentes, havia sinais de que, pouco antes de começar a Primeira Guerra Mundial, o padrão de vida estava melhorando e que, com o tempo, as chances de revolução teriam diminuído. Os pontos fortes estavam começando a superar os fracos, de modo que a monarquia teria provavelmente sobrevivido se a Rússia tivesse ficado de fora da guerra. A visão soviética era a de que, como o czar desconsiderou deliberadamente suas promessas de 1905, a revolução estava fadada a acontecer mais cedo ou mais tarde. A situação estava piorando de novo, antes de a Rússia se envolver na Primeira Guerra Mundial e, assim, a finalização da revolução "incompleta" de 1905-1906 não poderia ser adiada.

(b) Os pontos fortes do regime

1. O governo parecia se recuperar com surpreendente rapidez, com a maioria de seus poderes intacta. Peter Stolypin, primeiro-ministro de 1906 a 1911, introduziu medidas repressivas rígidas, com a execução de cerca de 4.000 pessoas nos três anos seguintes, mas também implementou algumas reformas *e fez esforços decididos para conquistar o apoio dos camponeses*, acreditando que, se houvesse 20 anos de paz, não se pensaria mais em revolução. O pagamento das amortizações foi abolido e os camponeses foram estimulados a comprar suas terras. Cerca de 2 milhões haviam feito isso em 1916 e outros 3,5 milhões emigraram para a Sibéria, onde tinham suas próprias fazendas. Como resultado, surgiu uma classe de camponeses com posição econômica confortável (*kulaks*) na qual o governo poderia confiar para apoiá-lo contra a revolução ou, pelo menos, assim esperava Stolypin.

2. À medida que mais fábricas passaram ao controle de inspetores, havia *sinais de melhoria nas condições de trabalho*. Com o crescimento dos lucros industriais, podiam ser vistos os primeiros sinais de uma força de trabalho mais próspera. Em 1912, foi criado um seguro para cobrir doenças e acidentes dos trabalhadores.
3. Em 1908, foi anunciado um programa para implantar *a educação universal em 10 anos*. Em 1914, mais 50.000 escolas primárias foram inauguradas.
4. Ao mesmo tempo, *os partidos revolucionários pareciam ter perdido a força*, faltava-lhes dinheiro, estavam abalados por divergências e seus líderes ainda estavam no exílio.

(c) Os pontos fracos do regime

1 O fracasso da reforma agrária

Em 1911, estava ficando claro que a reforma agrária de Stolypin não teria o efeito desejado, em parte porque a população camponesa estava crescendo em ritmo acelerado (1,5 milhão por ano) para que os projetos dessem conta, e também porque os métodos agrícolas eram ineficientes para sustentar adequadamente a população crescente. O assassinato de Stolypin em 1911 tirou de cena um dos poucos ministros czaristas realmente hábeis e, talvez, o único homem que poderia ter salvo a monarquia.

2 Agitação nas indústrias

Houve uma onda de greves industriais desencadeada pela morte a tiros de 270 mineiros em greve nas minas de ouro de Lena, na Sibéria (abril de 1912). Ao todo, houve 2.000 greves separadas naquele ano, 2.400 em 1913 e mais de 4.000 nos primeiros sete meses de 1914, antes de iniciar a guerra. Não importando as melhorias que tivessem acontecido, elas obviamente não foram suficientes para acabar com todas as queixas anteriores a 1905.

3 Repressão por parte do governo

Houve pouca distensão na política repressiva do governo e a polícia secreta liquidava revolucionários entre estudantes e professores universitários e deportava grandes quantidades de judeus, garantindo assim que ambos os grupos fossem firmes adversários do czarismo. A situação era particularmente perigosa porque o governo cometeu o erro de afastar de si três dos mais importantes segmentos da sociedade: os camponeses, os operários industriais e a *intelligentsia* (as classes educadas).

4 Ressurgimento dos partidos revolucionários

À medida que o ano de 1912 avançava, a sorte voltou a vários partidos revolucionários, principalmente Bolcheviques e Mencheviques. Os dois grupos surgiram a partir de um movimento anterior, o Partido Operário Social-Democrata, que tinha visão marxista. Karl Marx (1818-1883) era um judeu alemão cujas ideias políticas foram explicitadas no Manifesto Comunista (1848) e em O Capital (*Das Kapital*, 1867). Ele acreditava que os fatores econômicos eram a causa real da mudança histórica e que os trabalhadores (o proletariado) eram explorados em todas as partes pelos capitalistas (a burguesia de classe média). Isso significa que quando uma sociedade se tornasse totalmente industrializada, os trabalhadores inevitavelmente se revoltariam contra seus exploradores e assumiriam o controle, governando o país a partir de seus próprios interesses. Marx chamou isso de "ditadura do proletariado". Quando ultrapasse a esse ponto, não haveria mais necessidade do "Estado", que consequentemente "definharia".

Um dos líderes social-democratas era Vladimir Lênin, que ajudava a editar o jornal revolucionário *Iskra* (A centelha). Foi por causa de uma eleição para o conselho editorial do *Iskra*, em 1903, que o partido se dividiu entre os apoiadores de Lênin, os Bolcheviques (palavra russa para "maioria"), e o restante, os Mencheviques (minoria).

- *Lênin e os Bolcheviques* queriam um partido pequeno e disciplinado de revolucionários profissionais, que trabalhariam em tempo integral em prol da revolução. Como os operários industriais eram minoria, Lênin acreditava que eles também deveriam trabalhar com os camponeses e os envolver na atividade revolucionária.
- *Os Mencheviques*, por outro lado, estavam satisfeitos de ter um partido aberto à participação de qualquer pessoa que quisesse ser membro. Eles acreditavam que uma revolução não poderia acontecer na Rússia antes de o país estar totalmente industrializado e os operários serem uma grande maioria em relação aos camponeses. Eles acreditavam muito pouco na cooperação com os camponeses, que eram um dos grupos mais conservadores da sociedade. Os Mencheviques eram os marxistas estritos, acreditando em uma revolução proletária, ao passo que Lênin era o que estava se afastando do marxismo. Em 1912, surgiu o novo jornal bolchevique *Pravda* (Verdade), que foi muito importante para divulgar as ideias dos Bolcheviques e dar direção política à onda de greves que já se desenvolvia.
- *Os Socialistas Revolucionários* eram mais um partido revolucionário que não aprovava a crescente industrialização e não pensava em termos de uma revolução proletária. Depois da derrubada do regime czarista, eles queriam uma sociedade principalmente agrária baseada em comunidades camponesas trabalhando coletivamente.

5 A família real desacreditada

A família real estava desacreditada por uma série de escândalos. Havia amplas suspeitas de envolvimento do próprio Nicolau no assassinato de Stolypin, que foi baleado por um membro da polícia secreta, na presença do czar, durante uma apresentação de gala da ópera de Kiev. Jamais foi provada coisa alguma, mas Nicolau e seus apoiadores de direita provavelmente não ficaram sentidos de ver Stolypin pelas costas, já que este estava se tornando demasiadamente liberal para eles.

Mais grave foi a associação da família real com Rasputin, um autointitulado "homem santo", que se fez indispensável à imperatriz Alexandra por sua capacidade de ajudar o herdeiro Alexei, enfermo, a retornar ao trono. Essa desafortunada criança herdou hemofilia da família de sua mãe, e Rasputin conseguia, às vezes, aparentemente por meio de hipnose e orações, interromper o sangramento quando Alexei sofria uma hemorragia. Com o tempo, Rasputin se tornou uma força verdadeira por trás do trono, mas atraía críticas públicas por ter o hábito da bebida e por seus numerosos casos amorosos com senhoras da corte. Alexandra preferiu ignorar os escândalos e a solicitação da Duma de que Rasputin fosse afastado da corte (1912).

(d) O veredicto?

O peso das evidências parecia sugerir, portanto, que os eventos estavam avançando para algum tipo de revolta antes que iniciasse a Primeira Guerra Mundial. Houve uma greve geral organizada pelos Bolcheviques em São Petersburgo (a capital) em julho de 1914, com manifestações de rua, tiroteios e barricadas, que terminou em 15 de julho, alguns dias antes de começar a guerra. A essas alturas, o governo ainda controlava o exército e a polícia e poderia ter conseguido se manter no poder, mas autores como George Kennan e Leopold Haimson acreditam que o regime czarista teria caído mais cedo ou mais tarde, mesmo sem a Primeira Guerra Mundial para terminá-lo de vez. Mais recentemente, Sheila Fitzpatrick assume uma visão semelhante: "O regime estava tão vulnerável a qualquer tipo de abalo ou revés que é difícil imaginar que pudesse ter sobrevivido por muito tempo, mesmo sem a guerra".

Por outro lado, alguns historiadores recentes são mais cautelosos. Christopher Read acha que a derrubada da monarquia não era inevitável de forma alguma, e que a situação nos anos anteriores a 1914 poderia ter continuado indefinidamente, desde que não houvesse guerra. Robert Service concorda: ele afirma que a Rússia estava em uma condição de "fragilidade geral", embora fosse uma "planta vulnerável, não estava fadada a sofrer uma revolução pelas raízes, como a de 1917. O que tornou possível aquele tipo de revolução foi o conflito longo e exaustivo da Primeira Guerra Mundial". Historiadores soviéticos, obviamente, continuaram a afirmar, até o fim, que a revolução era inevitável: segundo eles, a "irrupção revolucionária" estava chegando a um clímax em 1914 e a deflagração da guerra, na verdade, postergou a revolução.

(e) Os fracassos na guerra fizeram da revolução uma certeza

Os historiadores concordam em que os fracassos russos na guerra tornaram a revolução uma certeza, fazendo com que os soldados e a polícia se amotinassem e não havendo quem defendesse a autocracia. A guerra revelou a organização incompetente e corrupta e a escassez de equipamentos. A má organização do transporte e da distribuição fez com que as armas e a munição demorassem a chegar à frente. Embora fosse abundante no país, a alimentação não chegava às grandes cidades em quantidade suficiente, porque a maioria dos trens era monopolizada pelos militares. O pão era escasso e muito caro.

Norman Stone mostrou que o exército teve um desempenho razoável, e a ofensiva de Brusilov, em 1916, foi um sucesso impressionante (ver Seção 2.3(c)). Contudo, Nicolau cometeu o erro fatal de nomear a si próprio comandante supremo (agosto de 1915). Seus erros táticos jogaram no lixo as vantagens conquistadas pela ofensiva de Brusilov e ele atraiu a responsabilidade por derrotas posteriores e pela alta quantidade de mortes.

Em janeiro de 1917, a maioria dos grupos na sociedade estava decepcionada com a forma incompetente com que o czar conduzia a guerra. A aristocracia, a Duma, muitos industriais e o exército começavam a se voltar contra Nicolau, achando que melhor seria sacrificá-lo para evitar uma revolução muito pior que poderia varrer toda a estrutura social. O General Krimov disse em uma reunião secreta dos membros da Duma no final de 1916: "A notícia de um golpe de Estado seria bem-vinda. Uma revolução é iminente, e nós, que estamos na frente de batalha, sentimos isso. Se os senhores decidirem por um passo tão extremo, nós os apoiaremos. Está claro que não há outra opção".

16.2 AS DUAS REVOLUÇÕES: FEVEREIRO/MARÇO E OUTUBRO/NOVEMBRO DE 1917

As revoluções ainda são conhecidas na Rússia como Revoluções de Fevereiro e de Outubro, já que os russos ainda usavam o antigo calendário juliano, que estava 13 dias atrás do calendário gregoriano usado no restante da Europa. A Rússia adotou o calendário gregoriano em 1918. Os eventos que os russos conhecem como Revolução de Fevereiro começaram em 23 de fevereiro de 1917 (juliano), que era 8 de março fora da Rússia. Quando os Bolcheviques tomaram o poder em 25 de outubro (juliano), era 7 de novembro em outros lugares. Nesta seção, o calendário juliano é usado para eventos que aconteceram na Rússia e o gregoriano, para eventos internacionais como a Primeira Guerra Mundial, até 1º de fevereiro de 1918.

(a) A Revolução de Fevereiro

A primeira revolução começou em 23 de fevereiro, quando começaram revoltas relacionadas ao pão em Petrogrado (São Petersburgo). Os revoltosos foram logo reforçados pelo apoio de milhares de grevistas de uma fábrica de armamentos próxima. O czar deu ordens para que os soldados usassem a força para dar fim às manifestações e 40 pessoas foram mortas. Em pouco tempo, contudo, alguns dos soldados começaram a se recusar a atirar contra as multidões desarmadas e toda a Petrogrado se amotinou. Multidões tomaram prédios públicos, libertaram prisioneiros das cadeias e assumiram o controle de delegacias de polícia e arsenais. A Duma aconselhou Nicolau a implantar uma monarquia constitucional, mas ele recusou e mandou mais tropas para Petrogrado, para tentar restaurar a ordem. Isso convenceu a Duma e os generais de que Nicolau, que estava no caminho de volta a Petrogrado, teria que sair logo, e alguns de seus generais superiores lhe disseram que a única forma de salvar a monarquia era ele renunciar ao trono. Em 2 de março, no trem imperial parado em um ramal ferroviário próximo de Pskov, o czar abdicou em favor de seu irmão, o Grão-duque Miguel. Infelizmente, ninguém havia se certificado de que Miguel aceitaria o trono, e quando ele recusou, a monarquia russa chegou ao fim.

Foi uma revolução a partir de cima ou de baixo, organizada ou espontânea? Esse tema tem gerado alguma polêmica entre os historiadores. George Katkov acha que a conspiração entre as elites foi um fator decisivo – nobres, membros da Duma e os generais forçaram Nicolau a abdicar para impedir uma verdadeira revolução de massas. W. H. Chamberlin, escrevendo em 1935, chegou à conclusão oposta: "Foi uma das revoluções mais desprovidas de liderança, espontânea e anônima de todos os tempos". A revolução a partir de baixo, por parte das massas, foi decisiva, porque colocou a elite em pânico. Sem as multidões nas ruas, não haveria necessidade de a elite agir. Nenhum dos historiadores liberais tradicionais achou que os partidos revolucionários cumpriram um papel importante na organização dos eventos.

Os historiadores soviéticos concordam com Chamberlin em que foi uma revolução de baixo, mas não aceitam que foi espontânea; pelo contrário, eles sustentam com firmeza que os Bolcheviques cumpriram uma função vital na organização de greves e demonstrações. Muitos historiadores ocidentais recentes sustentam a teoria do levante de massas a partir de baixo, mas não necessariamente organizado pelos Bolcheviques. Havia muitos ativistas entre os trabalhadores que não estavam ligados a qualquer grupo político. Historiadores como Christopher Read, Diane Koenker e Steve Smith mostraram que os trabalhadores estavam motivados por considerações econômicas e não pela política. Eles queriam melhores condições, salários mais altos e controle de suas próprias vidas. Nas palavras de Steve Smith, "foi um surto de desespero para garantir as necessidades materiais básicas e um padrão de vida decente".

(b) **O governo provisório**

A maioria das pessoas esperava que a autocracia do sistema czarista fosse substituída por uma república democrática com um parlamento eleito. A Duma, lutando para manter o controle, estabeleceu um *governo provisório* majoritariamente liberal com o príncipe George Lvov como primeiro-ministro. Em julho, ele foi substituído por Alexander Kerensky, um socialista moderado, mas o novo governo ficou tão perplexo quanto o czar com os enormes problemas que enfrentava. Na noite de 25 de outubro, uma nova revolução derrubou o governo provisório e levou os Bolcheviques ao poder.

(c) **Por que o governo provisório caiu em tão pouco tempo?**

1. Tomou-se a decisão impopular de continuar a guerra, mas *a ofensiva de junho, ideia de Kerensky, foi outro fracasso desastroso*, que causou a destruição do moral e da disciplina do exército e desencadeou um fluxo de centenas de milhares de soldados desertores que voltaram para casa.

2. *O governo tinha que compartilhar o poder com o soviete de Petrogrado*, um comitê eleito de representantes de soldados e trabalhadores que tentava governar a cidade. Ele foi eleito no final de fevereiro, antes da abdicação do czar. Outros *sovietes* surgiram em Moscou e em todas as cidades provinciais. Quando o *soviete* de Petrogrado ordenou que todos os soldados obedecessem somente a ele, isso significou que, como último recurso, o governo provisório não poderia recorrer ao apoio do exército.
3. *O governo perdeu apoio porque adiou as eleições* que tinha prometido, para uma Assembleia Constituinte (parlamento), alegando que elas não eram possíveis no meio da guerra, enquanto milhões de soldados estavam longe, lutando. Outra promessa não cumprida foi a da reforma agrária – a redistribuição de terra de grandes propriedades entre os camponeses. Cansados de esperar, alguns deles começaram a tomar as terras dos proprietários. Os Bolcheviques conseguiram usar a insatisfação para conquistar apoio.
4. Enquanto isso, graças a uma nova anistia política, *Lênin conseguiu voltar do exílio na Suíça*, (abril). Os alemães lhe permitiram passar e viajar a Petrogrado em um trem especial, "lacrado", na esperança de que ele gerasse mais caos na Rússia. Depois de ser recebido com êxtase, ele demandou, (em suas teses de abril) que os Bolcheviques retirassem o apoio ao governo provisório, que todo o poder fosse assumido pelos *sovietes* e que a Rússia saísse da guerra.
5. *Houve mais caos econômico*, com inflação, aumento dos preços do pão, salários defasados e escassez de matérias-primas e combustível. No meio de tudo isso, Lênin e os bolcheviques apresentaram o que parecia ser uma política atraente e realista: uma paz separada com a Alemanha para retirar a Rússia da guerra, toda a terra aos camponeses, mais alimentos e preços mais baixos.
6. *O governo perdeu a popularidade em função dos "Dias de Julho"*. No dia 3 daquele mês, houve uma imensa manifestação de trabalhadores, soldados e marinheiros, que foram em passeata até o Palácio Tauride, onde estavam reunidos o governo provisório e o *soviete* de Petrogrado, e exigiram que o *soviete* tomasse o poder, mas os membros se recusaram a assumir a responsabilidade. O governo trouxe tropas leais da frente de batalha para restabelecer a ordem e acusou os Bolcheviques de tentar lançar um levante. Divulgou-se a falsa informação de que Lênin era espião alemão e a popularidade dos bolcheviques decaiu rapidamente. Lênin fugiu para a Finlândia e outros líderes foram presos, mas cerca de 400 pessoas foram mortas durante a violência (Ilustração 16.1) e o príncipe Lvov, que ficou profundamente chocado com os Dias de Julho, renunciou e foi substituído por Alexander Kerensky. Ainda não está absolutamente claro quem foi responsável pelos eventos dos Dias de Julho. O historiador norte-americano Richard Pipes está convencido de que Lênin planejou tudo desde o princípio, mas Robert Service, por sua vez, afirma que Lênin estava improvisando, "pagando para ver" o quanto o governo provisório estava determinado. A demonstração provavelmente teve origem espontânea e Lênin logo decidiu que era cedo demais para lançar uma revolta total.
7. *O Caso Kornilov constrangeu o governo* e aumentou a popularidade dos Bolcheviques. O general Kornilov, comandante em chefe do exército, considerava os bolcheviques traidores. Ele decidiu que era hora de agir contra o *soviete* e trouxe tropas para Petrogrado (agosto), mas muitos de seus soldados se amotinaram e Kerensky mandou prendê-lo. A disciplina do exército parecia à beira do colapso. A

Ilustração 16.1 Luta nas rua de Petrogrado, julho de 1917.

opinião pública se voltou contra a guerra e a favor dos Bolcheviques, que ainda era o único partido a cogitar abertamente uma paz separada. Em outubro, eles conquistaram maioria em relação aos Mencheviques e Socialistas Revolucionários (SRs) nos *sovietes* de Petrogrado e Moscou, embora tivessem minoria no país como um todo. Leon Trotsky (que acabava de se tornar bolchevique) foi eleito presidente do *soviete* de Petrogrado.

8. Em meados de outubro, *a partir da demanda de Lênin, o soviete de Petrogrado tomou a decisão crucial de tentar tomar o poder*. Trotsky fez a maior parte dos planos, que se desenvolveram sem qualquer problema. Na noite de 25 para 26 de outubro, guardas vermelhos Bolcheviques ocuparam todos os pontos fundamentais e depois prenderam os ministros do governo provisório, com exceção de Kerensky, que conseguiu fugir. Foi um golpe quase sem derramamento de sangue, que possibilitou a Lênin estabelecer um novo governo soviético comandado por ele.

Os bolcheviques sabiam exatamente qual era o objetivo, eram bem disciplinados e organizados, enquanto os outros grupos revolucionários estavam desarticulados. Os Mencheviques, por exemplo, achavam que a próxima revolução não deveria acontecer até que os operários industriais fossem maioria no país.

(d) Golpe ou insurreição de massas?

A interpretação soviética oficial desses eventos foi de que a tomada de poder pelos bolcheviques foi resultado de um movimento de massas: trabalhadores, camponeses e a maioria dos soldados e marinheiros foram atraídos pela política revolucionária dos Bolcheviques, que incluía paz, terra para os camponeses, controle por parte dos trabalhadores, governos dos *sovietes* e autodeterminação para as diferentes nacionalidades no império russo. Lênin era um líder carismático que inspirou seu partido e seu povo. Os historiadores soviéticos afirmaram que somente em 16 dos 97 maiores centros os Bolcheviques tiveram que usar a força para garantir a autoridade. Era importante para os Bolcheviques, ou comunistas, como ficaram conhecidos mais tarde, enfatizar a natureza popular da revolução porque isso dava legitimidade ao regime.

A interpretação liberal tradicional apresentada pelos historiadores ocidentais rejeita a visão soviética. Eles se recusam a aceitar que tenha havido qualquer apoio popular importante aos Bolcheviques, que eram apenas um grupo minoritário de revolucionários profissionais que usaram o caos na Rússia para tomar o poder para si, e tiveram êxito porque eram organizados e cruéis. Segundo Adam Ulam, "os bolcheviques não tomaram o poder nesse ano de revoluções. Eles o agarraram... Qualquer grupo de homens decididos poderia ter feito o que os bolcheviques fizeram em Petrogrado em outubro de 1917: tomar os poucos pontos fundamentais da cidade e se proclamar governo". Richard Pipes é o mais recente historiador a reafirmar a interpretação tradicional. Em sua visão, a Revolução de Outubro de deveu totalmente ao desejo avassalador de Lênin pelo poder.

A interpretação libertária assume uma linha completamente diferente. Os libertários acreditam que a Revolução de Outubro foi resultado de um levante popular, que muito pouco teve a ver com os Bolcheviques. As massas não estavam respondendo à pressão Bolchevique, e sim a suas próprias aspirações e desejos, e não tinham necessidade de que os Bolcheviques lhes dissessem o que fazer. Alexander Berkman afirmou que "os comitês por local de trabalho foram os pioneiros do controle da indústria pelos trabalhadores, com a perspectiva de que eles próprios, num futuro próximo, administrassem as indústrias". Para os libertários, a tragédia foi que os Bolcheviques sequestraram a revolução popular: eles fingiram que suas demandas eram as mesmas das massas, mas não tinham nenhuma intenção verdadeira de dar qualquer poder aos comitês de fábrica e não acreditavam em democracia e liberdade verdadeiras. Quando as massas estavam por tomar o poder elas próprias, ele foi arrancado de suas mãos pelos Bolcheviques.

As *interpretações revisionistas* se concentraram no que estava acontecendo entre as pessoas comuns, com conclusões abrangentes, mas todas concordam que havia elevada consciência política entre as pessoas comuns, muitas das quais participavam dos sindicatos e dos *sovietes*. Em alguns lugares, elas parece que foram influenciadas pelos Bolcheviques; em Kronstadt, na ilha que era base naval em Petrogrado, os Bolcheviques eram o maior grupo no *soviete* local. Em junho de 1917, foi por sua influência que o *soviete* de Kronstadt aprovou uma resolução condenando "essa guerra perniciosa" e a ofensiva de Kerensky.

As interpretações revisionistas são as mais aceitas atualmente, embora Richard Pipes continue se agarrando às visões tradicionais. Há mais evidências disponíveis desde o fim do governo comunista na URSS, quando milhares de documentos foram abertos nos arquivos históricos que anteriormente ficavam fechados. Não parece restar dúvidas de que, em outubro de 1917, as massas estavam amplamente favoráveis a um governo dos *sovietes*, dos quais havia uns 900 naquele momento, em toda a Rússia. Christopher Read acredita que "a revolução estava sendo constantemente empurrada para frente pelo impulso espontâneo que lhe chegava das bases". Robert Service (em *Lenin: A Biography*) destaca o papel de Lênin, afirmando que não pode haver dúvidas de que ele queria o poder e usou de forma brilhante uma situação potencialmente revolucionária. "Todos os seus pronunciamentos eram direcionados a estimular as 'massas' a tomar a iniciativa. Sua vontade era de que os Bolcheviques surgissem como um partido que facilitaria a revolução pelo povo e para o povo". Sendo assim, os bolcheviques tiveram realmente apoio popular, ainda que bastante passivo, para seu golpe de Outubro, porque o movimento popular pensava que ia assumir o governo através dos *sovietes*.

Embora as circunstâncias estivessem dadas e quase não tenha havido resistência aos Bolcheviques, ainda era necessário um pequeno grupo de pessoas com coragem e firmeza para usar a situação. Essa foi a contribuição dada por Lênin e Trotsky, que avaliaram com perfeição o ponto máximo de impopularidade do Governo Provisório e então, realmente "fizeram" com que a revolução acontecesse. Ela não seria possível sem as massas – foi o movimento popular que determinou que houvesse tão pouca resistência – mas, igualmente, não seria possível sem Lênin e Trotsky (ver Ilustração 16.2).

(e) Lênin e os bolcheviques consolidam seu controle

Os bolcheviques estavam no controle de Petrogrado como resultado de seu golpe, mas em alguns lugares não foi tão fácil tomar o poder. A luta durou uma semana em Moscou antes de o *soviete* conquistar o controle, e só no final de novembro outras cidades foram dominadas. As áreas rurais foram mais difíceis e no início os camponeses receberam o novo governo sem muito entusiasmo. Eles preferiam os Socialistas Revolucionários, que também prometiam terra e consideravam os camponeses como a espinha dorsal do país, enquanto os Bolcheviques pareciam favorecer

Ilustração 16.2 Lênin falando a uma multidão, enquanto Trotsky escuta, em pé (à esquerda, em primeiro plano).

os operários industriais. Muito poucas pessoas esperavam que o governo Bolchevique durasse bastante, em função da complexidade dos problemas com que se depararia. Assim que os outros grupos políticos se recuperaram do choque do golpe Bolchevique, estava certo que haveria alguma oposição firme. Ao mesmo tempo, eles tiveram que desenredar a Rússia da guerra de alguma maneira e depois começar a recuperar a economia que se encontrava em pedaços, além de cumprir suas promessas sobre terra e alimentação para camponeses e trabalhadores.

16.3 QUAL FOI O ÊXITO DE LÊNIN E DOS BOLCHEVIQUES PARA LIDAR COM SEUS PROBLEMAS (1917-1924)?

(a) Falta de apoio da maioria

Os bolcheviques estavam longe de ter apoio majoritário no conjunto do país, de modo que o problema agora era se manter no poder e permitir eleições livres. Um dos primeiros decretos de Lênin nacionalizou toda a terra para que ela pudesse ser redistribuída entre os camponeses e com isso ele esperava conquistar seu apoio. Lênin sabia que teria que permitir a realização de eleições, já que havia criticado tanto Kerensky por adiá-las, mas sentia que uma maioria Bolchevique na Assembleia Constituinte era muito improvável. Kerensky tinha organizado eleições para meados de novembro, e elas aconteceram como planejado. Os maiores temores de Lênin se concretizaram: os Bolcheviques conquistaram 175 cadeiras entre cerca de 700, mas os Socialistas Revolucionários (SRs) obtiveram 370, os Mencheviques conquistaram apenas 15, os social-revolucionários de esquerda, 40, vários grupos nacionalistas, 80, e os Cadetes (democratas constitucionais que queiram democracia verdadeira), 17.

Em um sistema genuinamente democrático, os SRs, que conquistaram a maioria, teriam formado um governo, mas Lênin estava determinado a que os Bolcheviques permanecessem no poder e de forma alguma o cederia aos SRs, nem o compartilharia, depois de os Bolcheviques terem feito todo o trabalho de se livrar do Governo Provisório. Depois de alguns discursos contrários aos bolcheviques na primeira reunião da Assembleia Constituinte (janeiro de 1918), ela foi dispersada pelos Guardas Vermelhos Bolcheviques e não teve permissão para se reunir de novo. A justificativa de Lênin para esse ato antidemocrático foi que ele era realmente a mais alta forma de democracia: como os Bolcheviques sabiam o que os trabalhadores queriam não havia necessidade de que um parlamento eleito lhes dissesse. A Assembleia deveria assumir um lugar secundário em relação ao Congresso dos *Sovietes* e ao *Sovnarkom* (o Conselho dos Comissários do Povo), uma espécie de gabinete no qual todos os 15 membros eram Bolcheviques, com Lênin como presidente. A força das armas tinha triunfado por um tempo, mas a oposição levaria à guerra civil mais tarde, naquele mesmo ano.

(b) A guerra com a Alemanha

O seguinte problema premente era como se retirar da guerra. Foi acordado um armistício entre a Rússia e as Potências Centrais em dezembro de 1917, mas seguiram-se longas negociações, nas quais Trotsky tentou, sem sucesso, convencer os alemães a reduzir suas exigências. O Tratado de Brest-Litovsk (março de 1918) foi cruel: a Rússia perdeu a Polônia, a Estônia, a Letônia e a Lituânia, a Ucrânia, a Geórgia e a Finlândia, o que incluía um terço das terras agriculturáveis russas, um terço de sua população, dois terços das minas de carvão e metade de sua indústria (Mapa 16.1). Era um preço alto a pagar, mas Lênin insistia em que valia a pena, pois a Rússia precisava sacrificar espaço e ganhar tempo para se recuperar. Ele provavelmente tinha a expectativa de que a Rússia recuperasse as terras de qualquer forma quando, ele esperava, a revolução se espalhasse para a Alemanha e outros países.

Mapa 16.1 Perdas russas com o Tratado de Brest-Litovsk.

(c) O encaminhamento para a violência

Quase imediatamente após a Revolução de Outubro, os bolcheviques começaram a recorrer à coerção para que as coisas acontecessem e eles permanecessem no poder. Isso levanta a questão, muito debatida pelos historiadores, sobre se Lênin tinha intenções violentas desde o início ou se foi empurrado para essas políticas contra sua vontade, por circunstâncias difíceis.

Os historiadores soviéticos minimizaram a importância da violência e afirmam que os bolcheviques não tinham escolha, dada à atitude inflexível de seus inimigos. Depois da assinatura do Tratado de Brest-Litovsk, foram os SRs que lançaram uma campanha de assassinatos e terror, antes de começar a guerra civil. Segundo Christopher Hill,

> houve uma supressão completa da imprensa de oposição durante os seis meses posteriores à revolução Bolchevique, e não houve violência contra adversários políticos, já que não havia necessidade. A pena de morte inclusive foi abolida no final de outubro, embora Lênin considerasse isso muito pouco realista.

Os membros do governo provisório que haviam sido presos foram quase todos libertados após prometer "não voltar a pegar em armas contra o povo". O próprio Lênin afirmou, em novembro de 1917: "Não usamos o tipo de violência que foi usado pelos revolucionários franceses que guilhotinaram pessoas desarmadas, e espero que não tenhamos que usar. Entretanto, as *circunstâncias foram ficando cada vez mais difíceis.*

- *Em janeiro de 1918, houve grave escassez de alimentos em Petrogrado e Moscou* e em outras cidades. Lênin estava convencido de que os camponeses com melhor situação financeira (*kulaks*) estavam acumulando enormes quantidades de cereais para forçar um aumento de preços, havia evidências de que isso realmente estivesse acontecendo. A nova política secreta de Lênin, a Cheka (implantada em dezembro de 1917), recebeu a tarefa de lidar com quem estivesse acumulando cereais e especulando. "Não haverá fome na Rússia", disse ele em abril de 1918, "se os estoques forem controlados e qualquer desrespeito às regras for seguido das punições mais severas: prisão e fuzilamento de quem aceitar subornos e fraudes".
- Depois de assinar o humilhante Tratado de Brest-Litovsk (março de 1918), *a perda da Ucrânia, uma fonte de trigo de vital importância, piorou a situação alimentar.*
- *Os Socialistas Revolucionários de esquerda fizeram tudo o que podiam para destruir o tratado e começaram uma campanha de terror.* Assassinaram o embaixador alemão e um importante membro bolchevique do *soviete* de Petrogrado, havia algumas evidências de que estariam tentando tomar o poder para si ou desencadear uma revolta popular para forçar os Bolcheviques a mudar suas políticas.
- No dia 30 a agosto de 1918, o chefe da *Cheka* de Petrogrado foi assassinado, e um dia depois, uma mulher atirou duas vezes em Lênin com um revólver, a queima-roupa. Ele foi ferido no pescoço e em um dos pulmões, mas parecia se recuperar rapidamente.

Todos esses eventos podem ser considerados como evidência de que foi uma situação desesperadora, em vez de qualquer motivação ideológica, que levou Lênin e os Bolcheviques a retaliar com violência.

O problema era que, por mais bem-intencionados que fossem os bolcheviques, *o raciocínio de Lênin era falho em dois aspectos vitais.*

1. Karl Marx tinha previsto que o colapso do capitalismo se daria em duas etapas: inicialmente, os capitalistas burgueses de classe média derrubariam a monarquia autocrática e estabeleceriam sistemas de democracia parlamentar. Depois, quando a industrialização estivesse completa, os trabalhadores industriais (proletariado), que agora seriam maioria, derrubariam os capitalistas burgueses e estabeleceriam uma sociedade sem classes – a "ditadura do proletariado". A primeira etapa aconteceu com a revolução de fevereiro. Os Mencheviques acreditavam que a segunda etapa não poderia acontecer até que a Rússia estivesse completamente industrializada e o proletariado fosse maioria. Entretanto, Lênin insistia em que, no caso da Rússia, as duas revoluções – burguesa e proletária – poderiam ser encadeadas com sucesso, e era por isso que ele tinha lançado o golpe de outubro – a oportunidade era boa demais para ser perdida! Isso gerara uma situação em que os Bolcheviques chegaram ao poder antes de seus apoiadores mais confiáveis – os trabalhadores industriais – se tornarem uma classe grande o suficiente para sustentá-los. Os Bolcheviques ficaram como governo de minoria, desconfortavelmente dependentes da maior classe da Rússia, mas mais voltada a seus próprios interesses, os camponeses.
2. Lênin esperava que uma revolução bem-sucedida na Rússia ocorresse como parte de uma revolução europeia ou até mesmo mundial. Ele estava convencido de que viriam revoluções na Europa

central e do leste e o novo governo soviético teria o apoio de governos vizinhos simpáticos a ele. Nada disso aconteceu, e a Rússia ficou isolada, diante de uma Europa capitalista, profundamente desconfiada do novo regime.

Sendo assim, tanto interna quanto externamente, o regime estava sob pressão das forças da contrarrevolução. A lei e a ordem pareciam estar se rompendo e os *sovietes* locais simplesmente ignoravam os decretos do governo. Se os Bolcheviques pretendiam permanecer no poder e reconstruir o país, lamentavelmente é provável que tivessem que recorrer à violência para qualquer conquista significativa.

Historiadores liberais tradicionais rejeitam essa interpretação, e acreditam que Lênin e Trotsky estavam comprometidos com o uso da violência e terror desde o princípio, embora, talvez, nem todos os líderes Bolcheviques o estivessem. Richard Pipes afirma que Lênin considerava o terror como um elemento absolutamente vital do governo revolucionário e estava disposto a usá-lo como medida preventiva, mesmo quando não existisse qualquer oposição ativa ao seu comando. Por qual outra razão ele estabeleceu a Cheka no início de dezembro de 1917, em um momento em que não havia ameaça de oposição e nenhuma intervenção estrangeira? Ele diz que, em um ensaio sobre o fracasso dos revolucionários franceses, Lênin escrevera que a principal fragilidade do proletariado era sua "excessiva generosidade: ele deveria ter exterminado todos seus inimigos em vez de tentar exercer influência moral sobre eles". Quando a pena de morte foi abolida, Lênin ficou altamente indignado, dizendo: "isso não faz sentido, como se pode fazer uma revolução sem execuções?"

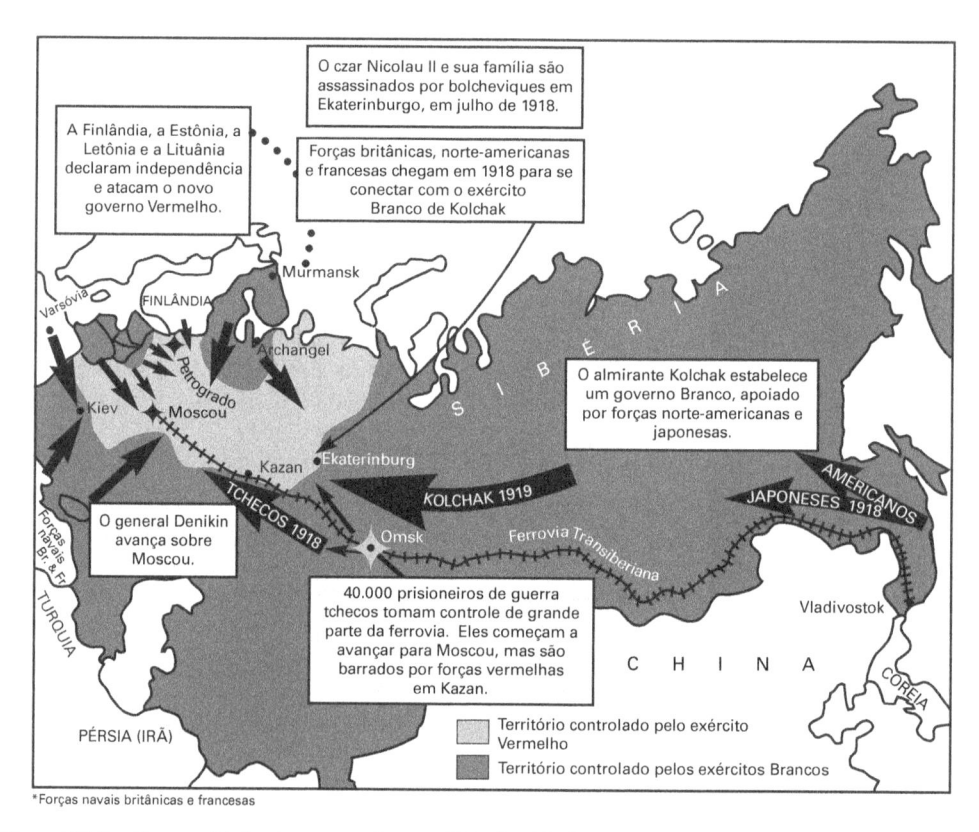

Mapa 16.2 Guerra Civil e intervenções na Rússia, 1918-1922.

Ilustração 16.3 O Exército vermelho na Crimeia durante a Guerra Civil, 1918.

(d) O "Terror vermelho"

Quaisquer que fossem as intenções dos bolcheviques, não resta dúvida de que a violência e o terror se espalharam. O Exército Vermelho (Ilustração 16.3) foi usado para garantir a aquisição de cereais de camponeses que acreditava-se que tinham excedentes. No ano de 1918, a Cheka reprimiu 245 revoltas camponesas e 99 nos primeiros sete meses de 1919. Números oficiais da Cheka mostram que durante o decorrer dessas operações, mais de 3.000 camponeses foram mortos e 6.300, executados. Em 1919, houve outras 3.000 execuções, mas o número real de mortes provavelmente foi muito maior. Os Socialistas Revolucionários e outros adversários políticos foram reunidos e fuzilados. Uma das características mais perturbadoras desse "Terror Vermelho" era que muitos dos que foram presos e executados não eram culpados de qualquer crime, e sim, acusados de serem "burgueses", um termo ofensivo aplicado a proprietários de terras, padres, empresários, patrões, oficiais do exército e profissionais liberais. Todos eram rotulados de "inimigos do povo" como parte da campanha de guerra de classes levada a cabo pelo governo.

Um dos piores incidentes do terror foi o assassinato do ex-czar Nicolau e sua família. No verão de 1918, eles estavam sob custódia em uma casa em Ekaterinburgo, nos Montes Urais. Na época, a guerra civil estava a pleno vapor, os Bolcheviques tinham medo de que as forças Brancas, que estavam avançando em direção a Ekaterinburgo, pudessem resgatar a família real e esta se tornasse um ponto de aglutinação das forças antibolcheviques. O próprio Lênin deu a ordem para que fossem mortos, e em julho de 1918, toda a família, junto com membros da casa, foi morta a tiros por membros da Cheka local. Suas covas só foram descobertas após o colapso do Império Soviético. Em 1992, alguns dos ossos foram submetidos a exames de DNA, que provaram que eles eram realmente os restos mortais dos Romanov.

(e) Guerra Civil

Em abril de 1918, a oposição armada aos bolcheviques surgia em várias áreas (ver Mapa 16.2), levando à guerra civil. A oposição (conhecida como Brancos) era uma mistura, incluindo os Socialistas Revolucionários, Mencheviques, antigos oficiais czaristas e muitos outros grupos que não gostavam do que tinham visto dos Bolcheviques. Havia muita insatisfação nas áreas rurais, onde os camponeses detestavam as políticas de requisição de alimentos do governo. Mesmo os soldados e trabalhadores, que haviam apoiado os Bolcheviques em 1917, estavam insatisfeitos com a forma dura com que eles tratavam os *sovietes* (conselhos eleitos) em toda a Rússia. Um dos *slogans* bolcheviques foi "TODO PODER AOS *SOVIETES*". Naturalmente, as pessoas esperavam que todas as cidades viessem a ter o seu próprio *soviete*, que comandaria as questões da cidade e da indústria local. Em vez disso, chegaram funcionários (conhecidos como comissários) nomeados pelo governo, sustentados pelos guardas vermelhos. Eles expulsaram os membros dos *sovietes* que eram socialistas revolucionários e mencheviques, deixando os membros bolcheviques no controle. Em pouco tempo, transformou-se em uma ditadura do centro em vez de controle local. O *slogan* dos adversários do governo passou a ser "LONGA VIDA AOS *SOVIETES* E ABAIXO OS COMISSÁRIOS". Seu objetivo geral não era restaurar o czar, mas simplesmente estabelecer um governo democrático em linhas ocidentais.

Na Sibéria, o almirante Kolchak, ex-comandante da frota do Mar Negro, estabeleceu um governo Branco, o general Denikin estava no Cáucaso com um grande exército Branco. Mais estranho de tudo, a Legião Tchecoslovaca de cerca de 40.000 homens tinha conquistado longos trechos da Ferrovia Transiberiana na região de Omsk. Esses soldados eram do exército austro-húngaro, feitos prisioneiros pelo exército russo, que haviam mudado de lado depois da revolução de março e lutaram pelo governo de Kerensky, contra o alemães. Depois de Brest-Litovsk, os bolcheviques lhes deram permissão para ir embora da Rússia pela ferrovia Transiberiana rumo a Vladivostock, mas decidiram desarmá-los para o caso de eles cooperarem com os Aliados, que já demonstravam interesse na destruição do novo governo Bolchevique. Os tchecos resistiram com grande espírito e seu controle da ferrovia foi um grave constrangimento ao governo.

A situação se complicou quando os Aliados da Rússia na Primeira Guerra Mundial intervieram para ajudar os Brancos. Eles afirmavam querer um governo que continuasse a guerra contra a Alemanha. Quando a intervenção continuou, mesmo depois da derrota alemã, ficou claro que seu objetivo era destruir o governo Bolchevique, que agora defendia a revolução mundial. Os Estados Unidos, o Japão, a França e a Grã-Bretanha mandaram tropas, que desembarcaram em Murmansk, Archangel e Vladivostok. A situação parecia difícil para os Bolcheviques quando, no início de 1919, Kolchak (que os Aliados pretendiam colocar como chefe do próximo governo) avançou sobre Moscou, a nova capital, mas Trotsky, agora Comissário da Guerra, tinha feito um trabalho magnífico na criação de um disciplinado exército vermelho, baseado no serviço militar obrigatório e incluindo milhares de experientes oficiais dos antigos exércitos czaristas. Kolchak foi forçado a recuar e depois, capturado e executado pelos Vermelhos. A legião Tcheca foi derrotada e Denikin, que avançou pelo sul a até 400 km de Moscou, foi forçada a recuar e mais tarde escapou com ajuda britânica.

No final de 1919, estava claro que os bolcheviques (que agora se chamavam comunistas) haviam sobrevivido. À medida que os exércitos Brancos começaram a sofrer derrotas, os Estados intervencionistas perderam interesse e retiraram suas tropas. Em 1920, houve a invasão da Ucrânia pelas tropas polonesas e francesas, que forçaram os russos a entregar parte desse país e da Rússia Branca (Tratado de Riga, 1921). Do ponto de vista dos comunistas, contudo, o importante era que eles haviam vencido a guerra civil. Lênin conseguiu apresentar isso como uma grande vitória, o que ajudou muito a restaurar o prestígio do governo após a humilhação de Brest-Litovsk. Houve uma série de razões para a vitória comunista.

1. *Os Brancos não tinham uma organização centralizada.* Kolchak e Denikin não conseguiram conectar, e quanto mais se aproximavam de Moscou, mais alongavam suas linhas de comunicação.

Muitos camponeses deixaram de apoiá-los em função de seu comportamento brutal e porque temiam que uma vitória dos brancos significasse a perda de suas terras recém-conquistadas.
2. *O Exército Vermelho tinha mais soldados*. Depois da introdução do serviço militar obrigatório, eles tinham quase 3 milhões de homens em armas, superando os Brancos em cerca de 10 para 1. Eles controlavam a maior parte da indústria moderna e, portanto, estavam melhor equipados com armamentos e contavam com a inspirada liderança de Trotsky.
3. Lênin tomou medidas decisivas, conhecidas como *comunismo de guerra*, para controlar os recursos econômicos do Estado. Todas as fábricas de qualquer porte foram nacionalizadas, foi extinta toda a terra privada e alimentos e cereais foram confiscados dos camponeses para alimentar trabalhadores e soldados. A política teve sucesso inicialmente, pois possibilitou ao governo sobreviver à guerra civil, mas teve resultados desastrosos mais tarde.
4. Lênin conseguiu apresentar os bolcheviques *como um governo nacionalista que lutava contra estrangeiros*, e mesmo que o comunismo de guerra não tivesse popularidade entre os camponeses, os Brancos se tornaram ainda mais impopulares em função de suas conexões estrangeiras.

(f) Efeitos da guerra civil

A guerra foi uma tragédia terrível para o povo russo, com *um custo enorme de vidas e sofrimento humano*. Levando-se em conta os mortos no Terror Vermelho, na ação militar e nos *pogroms* antijudaicos dos Brancos, os que morreram de fome (Ilustração 16.4) e os que pereceram de disenteria e nas epidemias de tifo e febre tifóide, o número total de mortos foi de, pelo menos, 8 milhões, ou seja, mais de quatro vezes o número de russos mortos na Primeira Guerra Mundial (1,7 milhão). A economia estava em ruínas e o rublo valia apenas 1% de seu valor em outubro de 1917.

Quando a guerra terminou, *houve mudanças importantes no regime comunista*. Economicamente, ficou mais centralizado, com o controle do Estado estendido a todas as áreas da economia. Politicamente, o regime se tornou militarizado e até brutalizado. *A questão que tem ocupado os historiadores é se foi a crise da guerra civil que forçou essas mudanças do governo ou se elas teriam acontecido de qualquer forma, em função da natureza do comunismo*. Elas eram o impulso inevitável rumo ao socialismo?

Robert C. Tucker afirma que a guerra civil foi responsável pelas evoluções políticas. O autor acredita que ela brutalizou o partido e deu a seus membros uma mentalidade de cerco, da qual eles tiveram dificuldade de se desligar. Ela fez com que a centralização, a disciplina rígida e a mobilização da população para atingir as metas do regime se tornasse parte do sistema. Tucker também afirma que, já no pico da guerra civil, havia sinais do pensamento mais "liberal" de Lênin, que ele pôde aplicar no período da Nova Política Econômica (NEP). Por exemplo, em maio de 1919, Lênin escreveu uma brochura na qual explicava que o principal obstáculo à conquista do socialismo na Rússia era a cultura de atraso deixada por séculos de poder czarista. Segundo ele, a melhor maneira de mudar isso não era através de meios forçados, e sim com a educação, o que, infelizmente, levaria muito tempo.

Outros historiadores afirmam que a guerra civil foi uma das influências que brutalizou o regime comunista, mas não a única. Christopher Read argumenta que os bolcheviques eram produto do ambiente czarista que era, em si, autoritário. Os governos czaristas nunca hesitaram em usar métodos extremos contra seus inimigos. Fazia poucos anos que Stolypin executara cerca de 4.000 opositores. "Nas circunstâncias predominantes", afirma Read, "fica difícil entender por que a oposição deveria ser tolerada quando a tradição russa era de erradicá-la como uma heresia". Entre a geração mais velha de historiadores liberais, Adam Ulam afirma que a violência e o terror faziam parte do comunismo, e que Lênin na verdade

Ilustração 16.4 Vítimas famintas da guerra civil.

recebeu bem a guerra civil porque lhe deu uma desculpa para usar mais violência.

O mesmo debate se dá em relação às características econômicas do comunismo de guerra: a nacionalização e o controle estatal da economia eram centrais às metas e ideias comunistas ou elas foram impostas ao governo pela necessidade de preparar a economia para o esforço de guerra? Até mesmo os historiadores soviéticos diferem em suas interpretações. Alguns acreditam que o partido tinha um plano básico para nacionalizar as principais indústrias assim que fosse possível, por isso a nacionalização de bancos, estradas de ferro, da navegação e de centenas de grandes fábricas em junho de 1918. Outros acreditam que o que Lênin realmente esperava era uma economia mista, onde seria permitida alguma atividade capitalista. Alec Nove chegou à conclusão muito sensível de que "Lênin e seus colegas estavam tocando de ouvido.... Devemos trabalhar com a ideia da interação das idéias Bolcheviques com a situação de desespero em que elas se encontravam".

(g) Lênin e os problemas econômicos

Desde o início de 1921, Lênin enfrentou a gigantesca tarefa de reconstruir uma economia estraçalhada pela Primeira Guerra Mundial e, depois, pela guerra civil. O comunismo de guerra era impopular entre os camponeses, que, não vendo por que trabalhar muito para produzir alimentos que lhes seriam tirados sem indenização, simplesmente produziam o suficiente para suas próprias necessidades. Isso gerou grave escassez de alimentos, agravadas por secas em 1920-1921. Além disso, a indústria estava quase estagnada. Em março de 1921, aconteceu um motim grave em Kronstadt, a ilha que servia de base naval na costa de Petrogrado, reprimido pela pronta ação de Trotsky, que mandou soldados cruzando o mar congelado.

O motim parece ter convencido Lênin de que era necessária uma nova postura para reconquistar o apoio titubeante dos camponeses, o que era de importância vital, já que eles formavam uma ampla maioria da população. Ele colocou em operação o que ficou conhecido como Nova Política Econômica (NEP). Agora, os camponeses poderiam manter o excedente de produção depois de pagar um imposto correspondente a uma determinada parcela desse excedente. Isso, somado à introdução do comércio privado, reavivou o incentivo, e a produção de alimentos aumentou. As pequenas indústrias e o comércio de seus produtos também foram devolvidos à propriedade privada, embora a indústria pesada como o carvão, o ferro e o aço, junto com a energia, o transporte e o setor bancário, tenha permanecido sob controle estatal. Lênin também achou que os antigos administradores tinham que ser trazidos de volta, bem como alguns incentivos capitalistas, como bônus e pagamento por produção. O investimento estrangeiro foi estimulado, para ajudar a modernizar a indústria russa.

Há um debate comum entre historiadores sobre as motivações e as intenções de Lênin. Alguns bolcheviques afirmavam que o motim do Kronstadt e a agitação dos camponeses não tiveram qualquer influência sobre a decisão de mudar para a NEP, que, na verdade, eles estavam por introduzir uma versão anterior dessa política quando o início da guerra civil os impediu. Para confundir ainda mais as coisas, alguns dos antigos líderes comunistas, principalmente Kamenev e Zinoviev, desaprovavam a NEP por considerar que estimulava o desenvolvimento dos *kulaks* (camponeses ricos), que se transformariam em inimigos do comunismo. Eles viam isso como um recuo do verdadeiro socialismo.

É difícil saber se Lênin pretendia que a NEP fosse uma concessão temporária – um retorno a um certo nível de empreendimento privado até que fosse garantida a recuperação – ou a considerava uma volta a algo como a via correta ao socialismo, da qual eles fora mdesviados pela guerra civil. O que fica claro é que ele defendeu a NEP com firmeza, argumentando que eles precisavam da experiência dos capitalistas para fazer com que a economia florescesse novamente. Em maio de 1921, ele disse ao partido que a NEP deveria ser implementada "com seriedade e por muito tempo – não menos de uma década e provavelmente mais". Eles tinham que levar em conta o fato de que, em vez de introduzir o socialismo em um país de trabalhadores industriais – os verdadeiros aliados dos Bolcheviques – eles estavam trabalhando em uma sociedade atrasada e baseada em camponeses. Sendo assim, a NEP não era um recuo, e sim uma tentativa de encontrar uma rota alternativa ao socialismo em circunstâncias menos do que ideais. Seria necessária uma longa campanha de educação dos camponeses sobre os benefícios das cooperativas agrícolas para que não fosse necessária a força, e isso levaria ao triunfo do socialismo. Roy Medvedev, um historiador soviético dissidente, estava convencido de que essas eram as verdadeiras intenções de Lênin e que, se ele tivesse vivido mais 20 anos (até a mesma idade de Stalin), o futuro da URSS teria sido muito diferente. A NEP teve um sucesso moderado: a economia começou a se recuperar e os níveis de produção estavam aumentando. Na maioria dos produtos, eles não estavam muito longe dos níveis de 1913. Dadas as perdas territoriais no final da Primeira Guerra Mundial e a guerra com a Polônia, essa era uma realização considerável. Fez-se muito progresso com a eletrificação da indústria, um dos projetos favoritos de Lênin. Próximo ao final de 1927, quando a NEP começou a ser abandonada, o russo comum provavelmente estava em melhor situação do que em qualquer momento posterior a 1914. Os trabalhadores industriais que tinham emprego estavam recebendo salários reais e tinham benefícios com a legislação social da NEP: jornada de trabalho de 8 horas, duas semanas de férias remuneradas, pagamento de licenças por saúde e desemprego e serviço de saúde. Os camponeses tinham um padrão de vida mais alto do que em 1913. O lado negativo da NEP era que o desemprego estava mais alto do que antes, e ainda havia escassez de comida com frequência.

(h) Os problemas políticos foram resolvidos com firmeza

A Rússia era agora o primeiro Estado comunista do mundo, a União das Repúblicas Socialistas Soviéticas (URSS), o poder era exercido pelo Partido Comunista e os outros não eram permitidos. O principal problema político para Lênin agora era as divergências e as críticas dentro do Partido Comunista. Em março de 1921, ele proibiu o "faccionalismo" dentro do partido, ou seja, a discussão seria permitida, mas, uma vez que se tomasse uma decisão, todas as seções do partido deveriam cumpri-la. Qualquer pessoa que insistisse em manter uma visão diferente da linha do partido seria expulsa dele. No restante de 1921, cerca de um terço dos membros foi "expurgado" (expulso) com a ajuda da cruel polícia secreta (Cheka), muitos outros renunciaram, principalmente por serem contrários à NEP. Lênin também rejeitou a reivindicação dos sindicatos de que eles deveriam comandar a indústria. Eles deveriam fazer o que o governo lhes mandasse e sua principal função era aumentar a produção.

O orgão governante do partido era conhecido como "Politburo". Durante a guerra civil, quando eram necessárias decisões rápidas, o Politburo desenvolveu o hábito de agir como governo e assim continuou a fazer quando a guerra terminou. Agora, o controle por parte de Lênin e do Partido Comunista estava completo (para seus êxitos em questões internacionais, ver Seção 4.3(a) e (b)), mas a "ditadura do proletariado" não estava à vista, nem qualquer perspectiva de o Estado "definhar." Lênin defendia essa situação com base em que a classe trabalhadora estava exausta e frágil, o que significava que os trabalhadores mais avançados e seus líderes – o Partido Comunista – deveriam governar o país por ela.

Em maio de 1922, Lênin sofreu um derrame, depois do qual foi ficando cada vez mais frágil e conseguia participar menos do trabalho de governo. Ele acabou sofrendo mais dois derrames e morreu em janeiro de 1924, aos 53 anos. Seu trabalho de completar a revolução introduzindo um Estado totalmente comunista não estava terminado e as revoluções comunistas bem sucedidas que ele tinha previsto em outros países não tinham acontecido, o que deixava a URSS isolada e diante de um futuro incerto. Embora sua saúde já estivesse frágil por algum tempo, Lênin não tinha feito planos claros sobre como deveria ser organizado o governo após a sua morte e isso fez com que a luta pelo poder fosse inevitável.

16.4 LÊNIN: GÊNIO DO MAL?

(a) Lênin continua sendo uma figura polêmica

Depois de sua morte, o Politburo decidiu que o corpo de Lênin deveria ser embalsamado e exposto em uma caixa de vidro em um mausoléu especial, a ser construído na Praça Vermelha de Moscou. Os membros do Politburo, principalmente Josef Stalin, estimularam o culto a Lênin com todas as suas forças, esperando compartilhar sua popularidade ao se apresentar como os herdeiros que continuariam suas políticas. Nenhuma crítica a ele era permitida, e Petrogrado foi rebatizado como Leningrado. Ele passou a ser reverenciado quase como um santo e as pessoas afluíam à

Praça Vermelha para ver seus restos mortais, como se fossem relíquias religiosas.

Alguns historiadores o admiram. A. J. P. Taylor afirma que "Lênin fez mais do que qualquer outra figura política para mudar a face do século XX. A criação da Rússia soviética e sua sobrevivência se devem a ele. Ele foi um grande homem e, apesar de seus defeitos, um homem muito bom". Alguns historiadores revisionistas também assumiram uma visão simpática. Moshe Lewin, escrevendo em 1968, mostrou um Lênin forçado contra a sua vontade a implementar políticas de violência e terror, e em seus últimos anos, diante da saúde frágil e das ambições malignas de Stalin, lutando sem sucesso para dirigir o comunismo para uma fase mais pacífica e civilizada.

Contudo, essas interpretações estão em um polo oposto ao que pensavam alguns de seus contemporâneos e também à visão tradicional que considera Lênin como um ditador cruel que abriu o caminho para a ditadura ainda mais cruel e brutal de Stalin. Alexander Potresov, um menchevique que conhecia bem a Lênin, descreveu-o como um "gênio do mal" que tinha um efeito hipnótico sobre as pessoas e conseguia dominá-las. Richard Pipes mal consegue encontrar uma boa palavra para dizer sobre Lênin. Pipes enfatiza sua crueldade e sua aparente falta de remorso pela grande perda de vidas que tinha causado. O sucesso da tomada de poder pelos Bolcheviques em outubro de 1917 nada teve que ver com forças sociais, devendo-se simplesmente a que Lênin tinha um grande desejo de poder.

Robert Service provavelmente apresenta a visão mais equilibrada de Lênin, concluindo que ele era certamente cruel, intolerante e repressivo, e até parecia gostar de desencadear o terror, mas, embora buscasse o poder, e acreditasse que a ditadura era desejável, o poder não era um fim em si. Apesar de todos os seus defeitos, ele era um visionário: "Lênin achava realmente que um mundo melhor deveria e seria construído, um mundo sem repressão e exploração, um mundo até sem Estado.... Sua avaliação, ainda que lamentável, era de que a ditadura do proletariado funcionaria como parteira para o nascimento desse mundo". Talvez tenha sido uma das grandes tragédias do século XX a morte prematura de Lênin antes que sua visão pudesse ser concretizada. Mesmo assim, suas realizações o tornaram uma das grandes figuras políticas do último século. Nas palavras de Service: "Ele liderou a Revolução de Outubro, fundou a URSS e estabeleceu os fundamentos do leninismo marxista, ajudando a virar o mundo de ponta-cabeça".

(b) Leninismo e stalinismo

Uma das acusações mais graves feitas contra Lênin por seus críticos é que ele tem responsabilidade pelos excessos e atrocidades ainda maiores da era Stalin. O stalinismo foi meramente uma continuação do leninismo ou Stalin traiu a visão de Lênin de uma sociedade livre da injustiça e da exploração? Nos primeiros anos da Guerra Fria, os historiadores ocidentais sustentavam a teoria da "linha reta", segundo a qual Stalin simplesmente continuou o trabalho de Lênin. Foi Lênin que destruiu o sistema multipartidário quando suprimiu a Assembleia Constituinte. Ele criou as estruturas altamente autoritárias do Partido Bolchevique, que se tornaram as estruturas de governo e que Stalin pôde usar integralmente em suas políticas de coletivização e seus expurgos (ver Seções 17.2-3). Foi Lênin que fundou a Cheka, que se tornou a temida KGB sob o comando de Stalin, e foi Lênin que destruiu a maioria dos poderes dos sindicatos.

Os historiadores revisionistas assumem uma postura muito diferente. Moshe Lewin, Robert C. Tucker e Stephen F. Cohen afirmam que houve uma descontinuidade fundamental entre Lênin e Stalin, com as coisas mudando radicalmente sob o comando deste. Stephen Cohen argumenta que o tratamento que Stalin deu aos camponeses foi muito diferente das políticas meramente coercitivas de Lênin: Stalin travou praticamente uma guerra civil contra o campesinato, "um holocausto por meio do terror, que vitimou dezenas de milhares de pessoas durante 25 anos". Lênin era contrário ao culto do líder individual, ao passo que Stalin começou o culto a sua própria personalidade. Lênin queria manter a burocracia do partido o menor e mais administrável possível, mas Stalin a aumentou. Lênin estimulava o debate e conseguia o que queria persuadindo o Politburo; Stalin não permitia qualquer discussão e conseguiu o que queria assassinando seus adversários. Na verdade, durante o "Grande Terror" de 1935-1939, Stalin realmente destruiu o Partido Comunista de Lênin. Segundo Robert Conquest, "foi a sangue frio, de forma bastante deliberada e sem provocação, que Stalin deu início a um novo ciclo de sofrimento".

Robert Suny apresenta essa síntese clara do leninismo e sua relação com o stalinismo:

> Dedicados à visão de socialismo de Karl Marx, na qual a classe trabalhadora controlaria as máquinas, fábricas e outros tipos de produção de riqueza, os comunistas liderados por Lênin acreditavam que a ordem social futura seria baseada na abolição de privilégios sociais não merecidos, no fim do racismo e da opressão colonial, na secularização da sociedade e no fortalecimento dos trabalhadores. Mesmo assim, em uma geração, Stalin e seus camaradas mais próximos criaram um dos Estados mais malévolos e opressivos na história moderna.

PERGUNTAS

1. **Avaliações divergentes sobre Lênin**
Leia as fontes A e B e responda as perguntas a seguir.

Fonte A
A visão do historiador russo Dmitri Volkogonov, de 1998.

> A política, é certo, tende a ser imoral, mas em Lênin a imoralidade foi exacerbada pelo cinismo. Quase todas suas decisões sugerem que, para ele, a moralidade era totalmente subordinada às realidades políticas.... e seu principal objetivo: tomar o poder.

Fonte: Dmitri Volkogonov, *The Rise and Fall of the Soviet Empire* (Harper Collins, 1998)

Fonte B
A visão de Moshe Lewin, historiador da Universidade de Birmingham, Reino Unidos de 1985.

> Em 1922, um Lênin mais velho e mais sábio propunha uma série de inovações conhecidas como seu "testamento"... Não se menciona o terror revolucionário de qualquer tipo. Sua mensagem era muito diferente: nenhuma medida violenta como forma de transformar as estruturas sociais do país! Inicialmente, a revolução cultural, um entendimento com os camponeses, e a lentidão como virtude suprema. Além disso, uma nova visão da parte de Lênin sobre o socialismo como regime de "colaboradores civilizados". É sabido que esse conjunto de ideias foi rotulado de "liberalismo" pelo próprio Stalin.

Fonte: Moshe Lewin, *The Making of the Soviet System* (Methuen, 1985).

(a) Em que aspectos você acha que as fontes apresentam visões diferentes de Lênin?
(b) A partir de seu próprio conhecimento, que evidências você consegue encontrar dos eventos durante o período de poder de Lênin para sustentar ou contradizer as afirmações feitas nas fontes?

2. Explique por que o regime czarista conseguiu sobreviver à revolução de 1905, mas foi derrubado em fevereiro/março de 1917.
3. Até onde você concorda que a revolução de fevereiro/março, que derrubou a monarquia russa, foi um "levante espontâneo"?
4. "Os bolcheviques não tomaram o poder, eles o agarraram... Qualquer grupo de homens decididos poderia ter feito o que os bolcheviques fizeram em Petrogrado em outubro de 1917" (Adam Ulam). Explique até onde você concorda ou discorda dessa visão.
5. Em que aspectos, e com que êxito, as políticas de Lênin tentaram resolver os problemas enfrentados pela Rússia no início de 1918?

A URSS e Stalin
1924-1953

17

RESUMO DOS EVENTOS

Quando Lênin morreu, em janeiro de 1924, havia uma ampla expectativa de que Trotsky assumiria como líder, mas uma complexa luta pelo poder se desenvolveu, da qual Stalin surgiu triunfante no final de 1929. Ele permaneceu como a figura dominante na URSS, na verdade, um ditador, durante a Segunda Guerra Mundial e até sua morte, em 1953, aos 73 anos. A Rússia comunista enfrentou problemas imensos, e tinha poucos anos de idade quando Lênin morreu, em janeiro de 1924. A indústria e a agricultura eram subdesenvolvidas e ineficientes, havia escassez constante de alimentos, problemas sociais e políticos prementes e – muitos russos pensavam – os riscos de outra tentativa dos capitalistas estrangeiros de destruir o novo Estado comunista. Stalin fez determinados esforços para superar todos esses problemas: ele foi responsável pelo seguinte:

- Planos quinquenais para revolucionar a indústria, implementados entre 1928 e 1941.
- Coletivização da agricultura, finalizada em 1936.
- Introdução de um *regime totalitário* ainda mais cruel do que o sistema de Hitler na Alemanha.

Todas as suas políticas geraram críticas entre alguns dos "velhos Bolcheviques", principalmente a velocidade da industrialização e o tratamento duro de camponeses e trabalhadores industriais. Entretanto, Stalin estava determinado a eliminar toda a oposição. Em 1934, ele deu início ao que ficou conhecido como "expurgos", nos quais, nos três anos seguintes, cerca de 2 milhões de pessoas foram presas e sentenciadas à execução ou à prisão em campos de trabalhos forçados por "tramar contra o Estado soviético". Havia uma ampla rede desses campos, conhecida como *Gulag*. Estima-se que talvez até 10 milhões de pessoas tenham "desaparecido" na década de 1930, assim como toda a crítica, a oposição e possíveis líderes alternativos foram eliminados e a população comum, aterrorizada para que obedecesse.

Mesmo que fossem brutais, os métodos de Stalin parece que funcionaram, pelo menos no sentido de que, quando veio o temido ataque do Ocidente, na forma de uma potente invasão alemã em junho de 1941, os russos conseguiram contê-lo e acabaram no lado vencedor, embora com um custo terrível (ver Seções 6.2, 6.3 e 6.9). A parte ocidental do país, que tinha sido ocupada pelos alemães, estava em ruínas e muitas pessoas teriam ficado satisfeitas em ver o fim de Stalin, mas ele estava determinado a dar continuidade à sua ditadura de partido único. Houve um retorno às políticas rígidas que haviam sido relaxadas em algum grau durante a guerra.

17.1 COMO STALIN CHEGOU AO PODER SUPREMO?

Josef Djugashvili (ele assumiu o nome de "Stalin" – homem de aço – pouco depois de se juntar aos Bolcheviques, em 1904) nasceu em 1879, na pequena cidade de Gori, na província da Geórgia. Ele era filho de camponeses pobres. O pai, sapateiro, nasceu servo. A mãe de Josef queria que ele fosse padre, e ele foi educado por quatro anos no Seminário Teológico de Tiflis, mas detestava sua atmosfera repressiva e foi expulso em 1899 por difundir ideias socialistas. Depois de 1917, graças a sua grande capacidade como administrador, ele conseguiu construir discretamente sua própria posição sob Lênin, e quando este morreu, em 1924, Stalin era secretário-geral do Partido Comunista e um dos sete membros do Politburo, o comitê que decidia as políticas do governo (ver Ilustração 17.1).

Inicialmente, parecia improvável que ele se tornasse a figura dominante. Trotsky o chamava de "a mais eminente mediocridade do partido.... um homem destinado a cumprir um papel de segundo ou terceiro nível". O menchevique Nikolai Sukhanov o descreveu como "nada mais do que um borrão vago e cinzento". Lênin o considerava teimoso e rude, então sugeriu em seu testamento que Stalin fosse afastado de seu cargo. "O camarada Stalin concentrou um poder enorme em suas mãos", escreveu, "e não tenho certeza de que ele sempre saberá usar esse poder com cautela suficiente.... Ele é demasiado rude, um defeito inaceitável no cargo de secretário-geral. Sendo assim, proponho aos camaradas que pensem em uma foram de removê-lo do posto".

Ilustração 17.1 Joseph Stalin.

O sucessor mais óbvio de Lênin era Leon Trotsky, orador inspirado, intelectual e homem de ação, organizador do Exército Vermelho. Os outros candidatos eram os "velhos bolcheviques" que estavam no partido desde os primeiros tempos: Lev Kamenev (chefe de organização do partido em Moscou), Grigori Zinoviev (chefe de organização em Leningrado e do Comintern) e Nikolai Bukharin, a estrela intelectual em ascensão no partido. Entretanto, surgiram circunstâncias que Stalin conseguiu usar para eliminar seus rivais.

(a) O brilhantismo de Trotsky funcionou contra ele

Este brilhantismo gerava inveja e ressentimento entre outros membros do Politburo. Ele era arrogante e condescendente, e muitos não gostavam do fato de que ele tinha se juntado aos Bolcheviques pouco antes da Revolução de Outubro. Durante a doença de Lênin, ele foi muito crítico de Kamenev, Zinoviev e Bukharin, que atuavam como um triunvirato, acusando-os de não ter planos para o futuro nem visão. Os outros, portanto, decidiram governar o país conjuntamente: a ação coletiva era melhor do que o espetáculo de um homem só. Eles trabalharam juntos, fazendo tudo o que conseguiam para impedir que Trotsky se tornasse líder. No final de 1924, quase todo o apoio que ele tinha desaparecera e ele foi até forçado a renunciar como Comissário para Assuntos Militares e Navais, embora continuasse membro do Politburo.

(b) Os outros membros do Politburo subestimaram Stalin

Eles o consideravam como nada mais do que um administrador competente e ignoraram o conselho de Lênin de removê-lo. Estavam tão ocupados atacando Trotsky que não reconheceram o perigo muito real que vinha de Stalin, perdendo várias chances para se livrar dele. Na verdade, Stalin tinha muita habilidade e intuição políticas. Ele conseguia se desviar das complexidades de um problema e se concentrar nos aspectos essenciais e era um excelente avaliador de caráter, sentindo as fragilidades das pessoas e as explorando. Ele sabia que Kamenev e Zinoviev eram bons membros de equipe, mas careciam de qualidades de liderança e capacidade sólida de avaliação política. Ele só tinha que esperar que surgissem divergências entre seus colegas de Politburo e se colocar ao lado de uma facção contra a outra, eliminando seus rivais um a um, até restar supremo.

(c) Stalin usou sua posição de forma inteligente

Como secretário-geral do partido, cargo que detinha desde abril de 1922, Stalin tinha plenos poderes de nomear e promover pessoas para cargos importantes, como secretários das organizações locais do Partido Comunista. Ele preencheu discretamente essas posições com seus próprios apoiadores, ao mesmo tempo em que afastava os apoiadores de outros para locais distantes no país. As organizações locais escolhiam delegados para as Conferências Nacionais do Partido, de forma que elas estavam cheias dos apoiadores de Stalin. Os Congressos do Partido elegiam o Comitê Central do Partido Comunista e o Politburo. Sendo assim, em 1928, todos os orgãos superiores e congressos estavam cheios de stalinistas, e ele era inexpugnável.

(d) Stalin usou as divergências em vantagem própria

As divergências sobre políticas surgiram no Politburo em parte porque Marx nunca tinha descrito em detalhes como a nova sociedade comunista deveria ser organizada. Mesmo Lênin foi vago a esse respeito, exceto pelo estabelecimento da "ditadura do proletariado", ou seja, os trabalhadores comandariam o Estado e a economia segundo seus próprios interesses. Quando toda a oposição fosse esmagada, o objetivo maior de uma sociedade sem classes seria atingido, na qual, segundo Marx, o princípio governante seria: "De cada um segundo sua capacidade, a cada um segundo suas necessidades". Com a Nova Política Econômica (NEP; ver Seção 16.3(g)), Lênin se afastou dos princípios socialistas, embora ainda se debata se ele pretendia que isso fosse uma medida temporária até passar a crise. Agora, a ala direita do partido, liderada por Bukharin, e a esquerda, cujas visões eram promovidas principalmente por Trotsky, Kamenev e Zinoviev, discordavam sobre o que fazer dali em diante:

1. Bukharin considerava importante consolidar o poder soviético na Rússia, com base em um campesinato próspero e com uma industrialização gradual. Essa política ficou conhecida como "socialismo em um só país". Trotsky achava que eles deviam trabalhar pela revolução fora da Rússia, a *revolução permanente*. Quando isso fosse conquistado, os Estados industrializados da Europa Ocidental ajudariam a Rússia com sua industrialização. Kamenev e Zinoviev apoiavam Bukharin nesse aspecto, porque era um bom pretexto para atacar Trotsky.
2. *Bukharin queria dar continuidade à NEP*, mesmo que estivesse causando um aumento no número de *kulaks* (camponeses ricos), que eram considerados inimigos do comunismo. Seus adversários, que agora incluíam Kamenev e Zinoviev, queriam abandonar a NEP e se concentrar na industrialização rápida, em detrimento dos camponeses.

Stalin, discretamente ambicioso, inicialmente parecia não ter opiniões fortes em qualquer dos sentidos, mas na questão do "socialismo em um só país", saiu em apoio a Bukharin, de forma que Trotsky ficou completamente isolado. Mais tarde, quando ocorreu a divisão entre Bukharin, de um lado, e Kamenev e Zinoviev, que estavam insatisfeitos com a NEP, de outro, Stalin apoiou Bukharin. Um a um, Trotsky, Kamenev e Zinoviev foram excluídos do Politburo em votações, substituídos pelas vacas de presépio de Stalin e expulsos do partido (1927). Mais tarde, Trotsky foi exilado da URSS e foi morar em Istambul, na Turquia.

Stalin e Bukharin eram agora os líderes juntos, mas o segundo não sobreviveu por muito tempo. No ano seguinte, Stalin, que tinha apoiado a NEP e seu grande defensor, Bukharin, desde que foi introduzida, decidira que ela deveria terminar, alegando que os *kulaks* estavam impedindo o progresso agrícola. Quando Bukharin protestou, também ele foi excluído por votação do Politburo (1929), deixando Stalin como líder supremo. Os críticos de Stalin afirmaram que foi uma mudança de política cínica de sua parte, voltada simplesmente a eliminar Bukharin. Para ser justo com Stalin, parece ter sido uma verdadeira decisão em termos políticos. A NEP estava começando a falhar e não produzia as quantidades necessárias de alimentos. Robert Service afirma que as políticas de Stalin eram bem recebidas pela ampla maioria dos membros do partido, que acreditavam realmente que os *kulaks* estavam bloqueando o progresso e enriquecendo, enquanto os trabalhadores industriais sofriam a falta de alimentos.

17.2 QUAL FOI O SUCESSO DE STALIN NA SOLUÇÃO DOS PROBLEMAS ECONÔMICOS DA RÚSSIA?

(a) Quais eram os problemas econômicos da Rússia?

1. Embora a indústria russa estivesse se recuperando dos efeitos da Primeira Guerra Mundial, *a produção da indústria pesada ainda era surpreendentemente baixa*. Em 1929, por exemplo, a França, que não era uma potência industrial importante, produziu mais carvão e aço do que a Rússia, enquanto a Alemanha, a Grã-Bretanha e, principalmente, os Estados Unidos, estavam

muito à frente. Stalin acreditava que uma expansão rápida da indústria pesada era essencial para possibilitar à Rússia lidar com o ataque que – ele estava convencido – viria mais cedo ou mais tarde das potências capitalistas ocidentais, que odiavam o comunismo. A industrialização teria a vantagem agregada de aumentar o apoio ao governo, porque *os trabalhadores industriais eram os grandes Aliados do comunismo*. Quanto mais houvesse trabalhadores industriais em relação aos camponeses (a quem Stalin considerava inimigos do socialismo), mais seguro estaria o Estado comunista. Um grave obstáculo a ser superado, contudo, era a falta de capital para financiar a expansão, já que os estrangeiros não estavam dispostos a investir em um país comunista.

2. *Teria que se produzir mais comida*, tanto para alimentar a crescente população industrial quanto para fornecer excedente para exportação (a única forma de a URSS obter capital estrangeiro e lucros para investir na indústria). Mesmo assim, o sistema agrícola primitivo, que foi permitido que continuasse sob a NEP, era incapaz de proporcionar esses recursos.

(b) **Os planos quinquenais para a indústria**

Embora não tivesse qualquer experiência econômica, Stalin parece não ter hesitado em mergulhar o país em uma série de mudanças dramáticas para superar os problemas no tempo mais curto possível. Em um discurso em fevereiro de 1931, ele explicou porque: "Estamos 50 ou 100 anos atrás dos países avançados. Devemos percorrer essa distância em 10 anos. Ou fazemos isso, ou seremos esmagados". A NEP era aceitável como medida temporária, mas agora devia ser abandonada: a indústria e a agricultura devem ser tomadas firmemente sob controle do governo.

A expansão industrial foi realizada através de uma série de *Planos Quinquenais*. Os dois primeiros (1928-1932 e 1933-1937) foram completados um ano antes do previsto, embora, na verdade, nenhum deles tenha atingido todas as metas. O terceiro Plano (1938-1942) foi abreviado pelo envolvimento da URSS na Segunda Guerra Mundial. O primeiro se concentrou nas indústrias pesadas, de carvão, ferro, aço, petróleo e maquinário (incluindo tratores), que foram programadas para triplicar a produção. Os dois Planos posteriores previam uma série de aumentos nos bens de consumo, bem como na indústria pesada. Deve-se dizer que, apesar de todos os tipos de erros e algum exagero nas cifras oficiais soviéticas, os Planos foram um grande sucesso: em 1940, a URSS tinha ultrapassado a Grã-Bretanha em produção de ferro e aço, embora ainda não em carvão, e estava perto de alcançar a Alemanha (ver Tabelas 17.1 e 17.2).

Foram construídas centenas de fábricas, muitas delas em novas cidades a leste dos Montes Urais, onde estariam mais seguras contra invasões. Exemplos conhecidos são o ferro e o aço em Magnitogorsk, tratores em Kharkov e Gorki, uma usina hidroelétrica em Dnepropetrovsk e as refinarias de petróleo no Cáucaso.

Tabela 17.1 Expansão industrial na URSS: produção em milhões de toneladas

	1900	1913	1929	1938	1940
Carvão	16,0	36,0	40,1	132,9	164,9
Ferro-gusa	2,7	4,8	8,0	26,3	14,9
Aço	2,5	5,2	4,9	18,0	18,4

Tabela 17.2 Produção industrial na URSS, comparada com outras grandes potências em 1940, em milhões de toneladas

	Ferro-gusa	Aço	Carvão	Eletricidade (em bilhões de quilowatts)
URSS	14,9	18,4	164,6	39,6
EUA	31,9	47,2	395,0	115,9
Grã-Bretanha	6,7	10,3	227,0	30,7
Alemanha	18,3	22,7	186,0	55,2
França	6,0	16,1	45,5	19,3

Como tudo isso foi conseguido?

O dinheiro foi fornecido quase que totalmente pelos próprios russos, sem investimento estrangeiro. Uma parte veio de exportações de cereais, outra parte, de altas cobranças feitas aos camponeses pelo uso de equipamentos do governo e um reinvestimento implacável de todos os lucros e excedentes. Centenas de técnicos estrangeiros foram trazidos ao país e foi dada muita ênfase à ampliação da educação em faculdades e universidades, e mesmo em escolas e fábricas, para proporcionar uma nova geração de trabalhadores especializados. Nas fábricas, foram usados os velhos métodos capitalistas de pagamento por produção e remunerações diferenciadas entre trabalhadores especializados e não especializados para estimular a produção. Os trabalhadores que atingiam recordes de produção recebiam medalhas e ficavam conhecidos como *Stakhanovitas*, em uma referência a Alexei Stakhanov, um mineiro campeão que, em agosto de 1935, com a ajuda de uma equipe bem organizada, conseguiu extrair 102 toneladas de carvão em um único turno (com métodos comuns, mesmo os eficientes mineiros de Ruhr, na Alemanha, conseguiam extrair apenas 10 toneladas por turno).

Infelizmente, os Planos tinham seus problemas. Os trabalhadores comuns eram submetidos a uma disciplina desumana, com punições severas pelo mau trabalho, pessoas acusadas de serem "sabotadoras" ou "destruidoras" quando as metas não eram cumpridas, que eram punidas com períodos em campos de trabalho forçado. As condições de moradia primitivas e a grave escassez de bens de consumo (em função da concentração da indústria pesada), além de toda a regulamentação, devem ter tornado a vida dos trabalhadores sombria. Como afirma o historiador Richard Freeborn (em *A Short History of Modern Russia*): "Não deve ser exagero afirmar que o primeiro Plano Quinquenal foi uma declaração de guerra da máquina do Estado contra os trabalhadores e camponeses da URSS, que foram submetidos a uma exploração maior do que tinham conhecido no capitalismo". Contudo, em meados da década de 1930, as coisas tinham melhorado, com a disponibilidade de benefícios como atendimento médico, educação e férias remuneradas. Outro grande problema dos Planos era que muitos dos produtos eram de má qualidade. As altas metas forçavam os trabalhadores a acelerar, o que resultava em acabamento de baixa qualidade e danos ao maquinário.

Apesar desses pontos fracos dos Planos, Martin McCauley (em *Stalin and Stalinism*) acredita que "o primeiro plano quinquenal foi uma época de verdadeiro entusiasmo, e foram registradas conquistas prodigiosas em termos de produção. As metas impossíveis galvanizavam as pessoas à ação, e se realizou mais do que se fossem seguidos os conselhos ortodoxos". Alec Nove tende a uma visão semelhante, afirmando que, dado o atraso industrial herdado do período czarista, era necessário algo drástico. "Sob a liderança de Stalin, foi lançada uma investida ... que teve algum sucesso, mas fracassou em determinados setores.... Foi construída uma grande indústria... e onde teria estado o exército russo em 1942 sem uma base metalúrgica Urais-Sibéria?" Nove reconhece, contudo, que Stalin cometeu erros enormes, tentando fazer demais em muito pouco tempo, usando métodos brutais desnecessários e tratando todas as críticas, mesmo quando eram justificadas, como evidências de subversão e traição.

(c) A coletivização da agricultura

Os problemas da agricultura foram tratados através do processo conhecido como "coletivização". A ideia era que pequenas fazendas e propriedades rurais, pertencentes aos camponeses, deveriam ser fundidas para formar grandes fazendas coletivas (*kolkhoz*) de propriedade conjunta de camponeses. Havia duas razões principais para a decisão de Stalin de coletivizar:

- O sistema existente de pequenas fazendas era ineficiente, enquanto as grandes fazendas, sob direção do Estado, e usando tratores (Ilustração 17.2) e colheitadeiras, aumentariam em muito a produção de grãos.

- Ele queria eliminar a classe de camponeses prósperos (*kulaks*), que a NEP tinha estimulado, porque, segundo ele, eles estavam atrapalhando o caminho do progresso. A verdadeira razão provavelmente era política: Stalin os considerava inimigos do comunismo. "Devemos esmagar os *kulaks* com tanta força que eles nunca voltem a se levantar".

A política foi lançada para valer em 1929, e teve que ser implementada com muito uso de força, tão intensa que foi a resistência nas zonas rurais. Ela mostrou ser um desastre do qual, talvez não seja exagero afirmar, a Rússia até hoje não se recuperou. Não havia problema em coletivizar os trabalhadores sem terra, mas todos os agricultores que tinham qualquer propriedade, fossem *kulaks* ou não, eram hostis ao plano e tiveram que ser obrigados a participar por exércitos ou membros do partido, que conclamavam os camponeses pobres a confiscar o gado e as máquinas dos *kulaks* para ser entregues aos coletivos. Os *kulaks* muitas vezes reagiam matando o gado e queimando as colheitas em vez de deixar que o Estado as levasse. Os camponeses que se recusavam a participar de fazendas coletivas

Ilustração 17.2 Camponeses russos admiram o primeiro trator em seu povoado, 1926.

eram presos e levados a campos de trabalho forçado, ou fuzilados. Quando camponeses recém-coletivizados tentavam sabotar o sistema produzindo apenas para suas próprias necessidades, os funcionários locais insistiam em confiscar as cotas exigidas. Dessa forma, bem mais de 90% de toda a terra agricultável já tinham sido coletivizados em 1937.

Em um certo sentido, Stalin poderia afirmar que a coletivização foi um sucesso, pois possibilitou maior mecanização, o que realmente gerou um grande aumento de produção em 1937. A quantidade de grãos levados pelo Estado aumentou muito, assim como as exportações de grãos: 1930 e 1931 foram excelentes anos para exportações e, embora as quantidades tenham caído subitamente depois disso, ainda eram muito mais altas do que antes da coletivização. Por outro lado, tantos animais foram mortos que só em 1953 a produção de gado recuperou à cifra de 1928, e o custo em vidas e sofrimento humanos foi enorme.

O fato é que a produção total de grãos não aumentou nem um pouco (com exceção de 1930); na verdade, foi menor em 1934 do que em 1928. As razões para o fracasso foram:

- Os melhores produtores – os *kulaks* – foram excluídos das fazendas coletivas. A maioria dos ativistas partidários que vieram das cidades organizar a coletivização não entendia muito de agricultura.
- Muitos camponeses ficaram desmoralizados depois do confisco de sua terra e sua propriedade. Alguns saíram dos *kolkhoz* para procurar emprego nas cidades. Junto com as prisões e deportações, isso fez com que houvesse menos camponeses para trabalhar na terra.
- Inicialmente, o governo não forneceu tratores suficientes. Como muitos camponeses tinham matado seus cavalos para não entregá-los aos *kolkhoz*, houve problemas graves para conseguir arar a terra a tempo.
- Os camponeses ainda puderam manter uma pequena terra privada. Eles tendiam a trabalhar com mais dedicação em suas próprias terras e fazer o mínimo que podiam nos *kolkhoz*.

Uma combinação de todos esses fatores causou fome, principalmente nas áreas rurais, durante 1932 e 1933, especialmente na Ucrânia. Mesmo assim, foram exportadas 750 mil toneladas de grãos durante o mesmo período, enquanto 5 milhões de camponeses morriam de fome. Alguns historiadores chegam a afirmar que Stalin gostou da fome, porque, junto com 10 milhões de *kulaks* que foram transferidos ou executados, ela ajudou a romper a resistência camponesa. Com certeza, ela fez com que, pela primeira vez, o Estado desse passos importantes no sentido de controlar as áreas rurais. O governo poderia colocar suas mãos nos cereais sem ter que estar constantemente barganhando com os camponeses. Os *kulaks* não mais fariam o Estado socialista de refém causando escassez de comida nas cidades. Agora era o campo que ia sofrer se houvesse uma má colheita. As estatísticas na Tabela 17.3 dão uma ideia da escala dos problemas criados.

17.3 A POLÍTICA E OS EXPURGOS

(a) Problemas políticos

Na década de 1930, Stalin e seus aliados mais próximos foram, aos poucos, apertando seu domínio sobre o partido, o governo e as organizações partidárias locais, até que, em 1928, todas as críticas e divergências foram empurradas para a clandestinidade. Embora sua ditadura pessoal fosse completa, Stalin não se sentia seguro, ficando cada vez mais receoso, não confiava em pessoa alguma e parecia ver tramas em toda parte. As principais questões políticas nesses anos foram:

1. No verão de 1930, a popularidade do governo com o público em geral tinha decaído muito em função da coletivização e das dificuldades do Primeiro Plano Quinquenal. Havia uma oposição crescente a Stalin no partido. Estava circulando um documento conhecido como "Platafor-

Tabela 17.3 Estatísticas sobre grãos e gado na URSS

Colheita real de grãos (em milhões de toneladas)									
1913	1928	1929	1930	1931	1932	1933	1934	1936	1937
80,1	73,3	71,7	83,5	69,5	69,6	68,4	67,6	56,1	97,4
Grãos tomados pelo Estado (em milhões de toneladas)									
1928		1929	1930		1931		1932		1933
10,8		16,1	22,1		22,8		18,5		22,6
Grãos exportados (em milhões de toneladas)									
1927-1928		1929	1930		1931		1932		1933
0,029		0,18	4,76		5,06		1,73		1,69
Gado na URSS (em milhões)									
		1928	1929	1930	1931	1932	1933	1934	1935
Bovinos		70,5	67,1	52,5	47,9	40,7	38,4	42,2	49,3
Suínos		26,0	20,4	13,6	14,4	11,6	12,1	17,4	22,6
Ovinos e caprinos		146,7	147,0	108,8	77,7	52,1	50,2	51,9	61,1

ma Ryutin" (batizado com o nome de um dos líderes do partido), defendendo uma redução no ritmo da industrialização, um tratamento mais suave aos camponeses e o afastamento de Stalin (descrito como o "gênio do mal da revolução") da liderança, pela força, se necessário. Entretanto, Stalin também estava determinado a eliminar adversários políticos e críticos de uma vez por todas.

2. Era necessária uma nova Constituição para consolidar o controle de Stalin e do Partido Comunista sobre todo o país.
3. Algumas das partes não russas do país queriam se tornar independentes, mas Stalin, embora ele próprio não fosse russo (nasceu na Geórgia), não simpatizava com ambições nacionalistas e estava determinado a manter a união.

(b) Os expurgos e o grande terror, 1934-1938

A primeira prioridade de Stalin era lidar com a oposição. No início de 1933, mais membros do partido começaram a exigir o desmantelamento das fazendas coletivas, o retorno dos poderes dos sindicatos e o afastamento de Stalin, mas ele e seus Aliados no Politburo não aceitavam quaisquer dessas condições e aprovaram um expurgo de membros dissidentes. No final do mesmo ano, mais de 800.000 membros tinham sido expulsos e outros 340.000 o foram em 1934. Havia mais de 2 milhões de pessoas nas prisões e nos campos de trabalhos forçados, mas ninguém ainda havia sido executado por se opor a Stalin. Sergei Kirov (o chefe do partido em Leningrado e aliado de Stalin) e Sergo Ordzhonikidze (conterrâneo georgiano de Stalin e forte aliado) votaram contra a pena de morte.

Em dezembro de 1934, Kirov foi morto a tiros por Leonid Nikolaev, um jovem membro do Partido Comunista. Stalin anunciou que havia sido descoberto um amplo plano para assassiná-lo e também Molotov (o primeiro-ministro). O assassinato foi usado como pretexto para lançar mais expurgos contra qualquer pessoa em que Stalin não confiasse. Parece provável que Stalin tenha organizado o assassinato de Kirov, talvez por suspeitar que ele estivesse tramando para assumir o poder. O historiador Robert Conquest (em *The Great*

Terror: A Reassessment) chama o assassinato de "o crime do século, a pedra fundamental de todo o edifício de terror e sofrimento pelo qual Stalin garantiu seu controle sobre os povos soviéticos". De 1936 a 1938, essa campanha se intensificou a tal ponto que ficou conhecida como "o grande terror". O número de vítimas ainda é discutido, mas até as estimativas mais modestas colocam o total de pessoas executadas e mandadas aos campos de trabalho bem acima dos três milhões somente nos anos de 1937 e 1938.

Centenas de pessoas que ocupavam cargos importantes foram presas, torturadas, obrigadas a confessar todos os tipos de crimes, dos quais eram, na maior parte, inocentes (como tramar com o exilado Trotsky ou com países capitalistas para derrubar o Estado soviético), e eram forçadas a aparecer em "julgamentos-espetáculo" em que eram invariavelmente consideradas culpadas e sentenciadas à morte ou aos campos de trabalho. Entre os executados, estavam M. N. Ryutin (autor da Plataforma Ryutin), todos os "velhos Bolcheviques" – Zinoviev, Kamenev e Bukharin – que ajudaram a fazer a revolução de 1917, o comandante em chefe do Exército Vermelho, Tukhachevsky, 13 outros generais e cerca de dois terços dos oficiais superiores. Milhões de pessoas inocentes acabaram nos campos de trabalho (as estimativas vão de 5 a 8 milhões). Até Trotsky foi caçado e assassinado na Cidade do México (1940).

Quais eram os motivos de Stalin para uma política tão extraordinária? A visão tradicional é que ele foi movido por um imenso desejo de poder. Quando assumiu o poder supremo, nada pararia suas tentativas de se manter nele. Robert Conquest sugere que o Terror de Stalin deve ser visto como um fenômeno de massas e não em termos de indivíduos. Nem mesmo ele poderia ter rancores pessoais contra milhões de pessoas, nem todas elas poderiam estar tramando contra ele. A motivação de Stalin era assustar a grande massa para que obedecessem sem reclamar, prendendo e matando deliberadamente uma determinada parte da sociedade, quer essas pessoas fossem culpadas de crimes, ou não.

Os historiadores revisionistas tem tentado tirar um pouco da responsabilidade de Stalin. J. Arch Getty afirma que os Expurgos foram uma forma de luta política interna nas altas esferas. Ele minimiza o papel de Stalin e afirma que foram os medos obsessivos de todos os líderes que geraram o terror. Sheila Fitzpatrick sugere que os Expurgos devem ser vistos no contexto da continuidade da revolução. As circunstâncias eram anormais – todas as revoluções enfrentam conspirações constantes voltadas a destruí-las e podem se esperar respostas anormais. Algumas das evidências mais recentes que surgiram dos arquivos soviéticos parecem sustentar a visão tradicional. Dmitri Volkogonov chegou à conclusão de que Stalin simplesmente tinha uma mente maligna e carecia de sentido moral. Foi Stalin que deu as ordens para Nikolai Yezhov, chefe da NKVD (como era conhecida, então, a polícia secreta) sobre a escala das repressões, e foi Stalin que aprovou pessoalmente longas listas de pessoas a serem executadas. Depois de ele anunciar o fim do Terror, Stalin fez de Yezhov o bode expiatório, acusando-o, e também seus subordinados, de irem longe demais. Yezhov foi o "vilão" que era culpado pelos grandes excessos ele foi preso e morto com a maioria de sua equipe. Dessa forma, Stalin desviou de si próprio a responsabilidade pelo Terror e conseguiu manter um pouco de sua popularidade.

Os expurgos conseguiram eliminar possíveis líderes alternativos e aterrorizar as massas para que obedecessem. Os governos central e locais, os das repúblicas, o exército e a marinha, as estruturas econômicas e o país tinham sido subjugados violentamente. Stalin governou sem ser questionado até sua morte em 1953, com a ajuda de sua claque de apoio: Molotov, Kaganovich, Mikoyan, Zhdanov, Voroshilov, Bulganin, Beria, Malenkov e Kruschov.

Mas as consequências dos expurgos e do terror foram graves.

- Os historiadores ainda discutem quantas pessoas caíram vítimas dos expurgos.

Mas, sejam quais forem as estatísticas que se aceitem, o custo em vidas humanas e sofrimento é quase inacreditável. Robert Conquest apresentou números relativamente altos: somente para os anos de 1937 e 1938, ele estimou cerca de 7 milhões de prisões, em torno de um milhão de execuções e uns 2 milhões de mortes nos campos de trabalho. Ele também estimou que, entre os que foram aos campos, não mais de 10% sobreviveram. Números oficiais da KGB liberados no início dos anos de 1990 mostram que, no mesmo período, houve 700.000 execuções e que no final dos anos de 1930, havia 3,6 milhões de pessoas em campos de trabalho e em prisões. Ronald Suny diz que, "somando-se os 4 ou 5 milhões de pessoas que morreram na crise de falta de alimentos de 1932 e 1933 ao número de executados ou exilados nos anos de 1930, o total de vidas destruídas vai de 10 a 11 milhões".

- O velho Partido Bolchevique de Lênin foi a maior vítima. O poder da elite Bolchevique foi rompido ou eliminado.
- Muitos dos melhores cérebros no governo e na indústria tinham desaparecido. Em um país ainda com relativamente poucas pessoas com altos níveis de instrução, isso estava fadado a atrasar o progresso.
- O expurgo do exército desarticulou as políticas de defesa da URSS em um momento de alta tensão internacional e contribuiu para os desastres de 1941-1942 durante a Segunda Guerra Mundial.

(c) A nova Constituição de 1936

Em 1936, depois de muita discussão, foi introduzida uma nova Constituição, aparentemente mais democrática, na qual todas as pessoas, incluindo "os antigos" (ex-nobres, *kulaks*, padres e oficiais do Exército Branco), poderiam participar de eleições secretas para escolher os membros de uma assembleia nacional conhecida como *Soviete Supremo*. Entretanto, ela se reunia por somente duas semanas por ano, quando elegia um órgão menor, o *Presidium*, para atuar em seu nome. O Soviete Supremo também escolhia o *Conselho dos Comissários do Povo*, um pequeno grupo de ministros do qual Stalin era secretário. Na verdade, a democracia era uma ilusão: as eleições, a serem realizadas a cada quatro anos, não eram competitivas, pois havia apenas um candidato em quem votar em cada distrito eleitoral, o candidato do Partido Comunista. Afirmava-se que o Partido Comunista representava os interesses de todos. O objetivo dos candidatos era ter o mais próximo possível de 100% dos votos, mostrando assim que as políticas do governo tinham popularidade.

A Constituição simplesmente reforçava o fato de que Stalin e o Partido Comunista mandavam. Embora não estivesse declarado especificamente na Constituição, o poder real permanecia com o Politburo, o órgão principal do Partido Comunista, e com seu secretário-geral, Josef Stalin, que funcionava como ditador. Havia menção de "direitos humanos universais", incluindo liberdade de expressão, pensamento, imprensa e reunião pública, mas, na realidade, qualquer pessoa que se aventurasse a criticar Stalin era rapidamente "expurgada". Como era de se esperar, muito poucas pessoas na URSS levaram a sério a constituição de 1936.

(d) Mantendo a União

Em 1914, antes da Primeira Guerra Mundial, o regime czarista incluía muitas regiões não russas, a Polônia, a Finlândia, a Ucrânia, a Bielorrúsia (Rússia Branca), a Geórgia, a Armênia, o Azerbaijão, o Cazaquistão, Quirguistão, Uzbequistão, Turcomenistão, Tadjiquistão e os três Estados bálticos: Estônia, Letônia e Lituânia. A Polônia e as três repúblicas bálticas receberam independência pelo Tratado de Brest-Litovsk (março de 1918). Muitas das outras também queriam a independência e, em princípio, o novo governo Bolchevique era simpático a essas diferentes nacionalidades. Lênin deu independência à Finlândia em novembro de 1917, mas algumas das outras não estavam dispostas a esperar: em março de 1918, a Ucrânia, a Geórgia, a Armênia e o Azerbaijão se declararam independentes e em pouco tempo se mostraram antibolcheviques. Stalin, que foi nomeado Comissário (ministro) das Nacionalidades por Lênin, decidiu que esses Estados hostis que cercavam a Rússia representavam uma ameaça muito grande. Durante a guerra civil, todos foram forçados a se tornar parte da Rússia novamente. Em 1925, havia seis repúblicas soviéticas: a própria Rússia, a Transcaucásia (consistindo na Geórgia, Armênia e Azerbaijão), a Ucrânia, a Bielorrússia, o Uzbequistão e o Turcomenistão.

O problema para o governo comunista era que 47% da população da URSS não eram russos e seria difícil mantê-los unidos se houvesse um profundo descontentamento em relação a Moscou. Stalin adotou uma postura dúbia, que funcionou bem até que Gorbachov chegou ao poder em 1985:

- Por um lado, as culturas e as línguas nacionais eram estimuladas e as repúblicas tinham algum grau de independência; isso era muito mais liberal do que sob o regime czarista, que havia tentado "russificar" o império;
- Por outro lado, deveria ficar claro que Moscou tinha a palavra final em todas as decisões importantes. Se fosse necessário, seria usada a força para preservar esse controle.

Quando o Partido Comunista da Ucrânia saiu da linha em 1932, ao admitir que a coletivização tinha sido um fracasso, Moscou realizou um expurgo sem escrúpulos do que Stalin chamou de "desviacionistas nacionalistas burgueses". Campanhas semelhantes se seguiram na Bielorrússia, Transcaucásia e na Ásia Central. Mais tarde, em 1951, os líderes comunistas da Geórgia tentaram tirar o país da URSS, Stalin fez com que fossem afastados e fuzilados.

(e) O regime de Stalin era totalitário?

A visão ocidental-democrática tradicional de historiadores como Adam Ulam e Robert Conquest é de que o regime de Stalin era totalitário, em muitos aspectos como o regime nazista de Hitler, na Alemanha. Um regime totalitário "perfeito" é o que tem um governo ditatorial em um Estado de partido único, que controla totalmente todas as atividades – econômicas, políticas, intelectuais e culturais – e as direciona para os objetivos do Estado. O Estado tenta doutrinar a todos com sua ideologia e mobilizar a sociedade em seu apoio. São usados terror mental e físico e a violência para esmagar a oposição e manter o regime no poder. Como vimos, havia amplas evidências de todas essas características em funcionamento no sistema de Stalin.

Entretanto, na década de 1970, historiadores "revisionistas", dos quais Sheila Fitzpatrick foi um dos líderes, começaram a observar o período de Stalin do ponto de vista social. Eles criticavam os historiadores "totalitários" por ignorarem a história social e apresentar a sociedade como vítima passiva de políticas de governo, enquanto, na verdade, havia um enorme apoio sólido ao sistema por parte de muitas pessoas que se beneficiavam dele, como os membros da burocracia estatal-partidária e dos sindicatos, as novas classes gerenciais e trabalhadores industriais importantes – a nova elite. Os historiadores sociais sugerem que, em alguma medida, essas pessoas conseguiam mostrar "iniciativas a partir de baixo", e até negociar e barganhar com o regime, de forma que conseguiam influenciar as políticas. Outra guinada ocorreu quando um grupo de historiadores, principalmente J. Arch Getty, afirmou que os historiadores "totalitários" tinham exagerado o papel pessoal de Stalin, e sugeriam que seu sistema era ineficiente e caótico.

Os autores "totalitários" criticaram Arch Getty e seus colegas por tentarem encobrir os defeitos de Stalin e maquiar os aspectos criminosos de suas políticas. Estes, por sua vez, acusaram os totalitaristas de preconceitos movido pela Guerra Fria – recusando-se a reconhecer qualquer coisa boa que pudesse vir de um sistema comunista.

A partir das novas evidências que surgiram dos arquivos, agora se pode chegar a uma conclusão mais equilibrada: há elementos de verdade em ambas as interpretações. É impossível ignorar o papel central do próprio Stalin, pois todas as evidências sugerem que, depois de 1928, as políticas implementadas eram suas preferências pessoais. Por outro lado, o regime não ignorava completamente a opinião pública, e mesmo Stalin queria sentir que tinha popularidade e apoio dos novos grupos de elite. Há amplas evidências disso, embora o regime tivesse objetivos totalitários, na prática, estava longe de ter êxito. As ordens fluíam de cima e teriam sido obedecidas sem questionamento em um Estado verdadeiramente totalitário, mas na URSS, camponeses e trabalhadores encontravam muitas formas de burlar as ordens do governo. Quanto mais este tentasse apertar os controles, mais contraproducentes se tornavam seus esforços e maiores as tensões entre as lideranças centrais e regionais.

Está claro que o sistema stalinista era supercentralizado, desorganizado, ineficiente, corrupto, lento e incapaz de responder às demandas, mas, ao mesmo tempo, era extremamente eficiente para realizar o terror e os expurgos, e ninguém estava seguro. Fora isso, nada mais na vida cotidiana sob Stalin foi "normal".

17.4 VIDA COTIDIANA E CULTURA SOB STALIN

Por mais que tentassem, as pessoas comuns na URSS não conseguiam evitar o contato com o Estado. Receber educação, encontrar trabalho, ser promovido, casar-se e criar filhos, encontrar um lugar para morar, fazer compras, viajar, ler literatura, ir ao teatro e a concertos, desfrutar das artes visuais, praticar sua religião, ler notícias, ouvir rádio – em todas essas atividades, as pessoas se deparavam com ele. Isso porque os comunistas tinham uma missão: erradicar o "atraso". O Estado soviético tinha que se tornar modernizado e socialista, e o novo cidadão soviético deve ser educado e "culto". Era função dos artistas, músicos e escritores cumprir seu papel nessa transformação: deveriam atacar os valores "burgueses" produzindo trabalhos do "realismo socialista", que glorificassem o sistema soviético. Nas palavras de Stalin, eles deveriam ser "engenheiros da alma humana", ajudando a doutrinar a população com valores socialistas.

(a) Uma vida difícil

Embora os ideais causassem impacto, todas as evidências sugerem que a questão mais visível da vida cotidiana no início dos anos de 1930 era que tudo parecia faltar, incluindo a comida. Isso se devia em parte à concentração da indústria pesada à custa dos bens de consumo e em parte à escassez de alimentos e às más colheitas. Em 1933, o trabalhador casado médio em Moscou consumia menos de metade da quantidade de pão e farinha consumida por um trabalhador com o mesmo perfil em torno de 1900. Em 1937, os salários médios reais eram apenas cerca de três quintos do que tinham sido em 1928.

O crescimento rápido da população urbana, que aumentou em 31 milhões entre 1926 e 1939, gerou uma grave falta de moradias. Os *sovietes* locais controlavam toda a moradia em uma cidade e tinham poder para despejar moradores e colocar outros nas casas já ocupadas. Era comum que famílias de classe média que moravam em casas grandes fossem informadas que estavam ocupando espaço demais e saber que suas casas seriam transformadas em um "apartamento comunal" e, talvez, duas ou três famílias se mudassem para a casa. Cozinhas e banheiros eram compartilhados entre famílias e a maioria das casas grandes tinha pessoas morando em corredores e debaixo de escadas. Ainda menos sorte tinham os trabalhadores que moravam em barracões. Na nova cidade industrial de Magnitogorsk, em 1938, metade das moradias era desse tipo, que serviam de acomodação usual para trabalhadores solteiros e estudantes. As condições urbanas geralmente eram ruins, a maioria das cidades carecia de sistemas de esgoto eficientes, água corrente, eletricidade e iluminação de rua. Moscou era a exceção, onde o governo fazia um esforço real para que a capital fosse motivo de orgulho.

Um dos aspectos mais irritantes da vida para as pessoas comuns era a existência de grupos especiais de elite, como membros do partido, funcionários do governo que trabalhavam na burocracia (conhecidos como *nomenklatura*), membros bem-sucedidos da *intelligentsia*, engenheiros, especialistas e stakhanovitas, que escapavam do pior das dificuldades e tinham muitos privilégios. O pão era entregue em suas casas em vez de terem que fazer horas de filas para comprá-lo e pagavam preços mais baixos, tinham melhores condições de moradia e podiam usar as *dachas* (casas de campo). Isso gerou uma atitude do tipo "nós e eles", e as pessoas comuns se sentiam prejudicadas, vendo de que ainda eram os pobres.

(b) Sinais de melhoria

Em um discurso em novembro de 1935, Stalin disse a seu público de stakhanovitas: "A vida melhorou, a vida ficou mais alegre". Isso não era simplesmente um desejo dele: o abastecimento de alimentos melhorou e todo o racionamento foi abolido em 1936. O fornecimento de refeições baratas nos refeitórios das fábricas e uniformes de trabalho gratuitos era uma grande ajuda. A educação e o atendimento de saúde eram gratuitos e o número de escolas e centros médicos aumentava. O governo se esforçava no conceito de paternalismo de Estado, a ideia de que a população era como crianças que devem ser cuidadas, protegidas e guiadas pelo Estado, que agia como uma espécie de guardião. O Estado dava mais instalações de lazer: no final dos anos de 1930, havia cerca de 30.000 cinemas, instalações esportivas para praticantes e espectadores, além de parques e centros culturais. O maior e mais famoso era o Parque Gorki, em Moscou, batizado em homenagem a Máximo Gorki, um dos escritores favoritos de Stalin. A maioria das cidades, de qualquer porte, tinha um teatro e uma biblioteca.

Outro aspecto importante do papel do Estado era estimular o que os russos chamavam de *kul'turnost' (civilidade)*, ou seja, cuidar a própria aparência e higiene pessoal. Algumas indústrias ordenavam que todos os engenheiros e administradores estivessem completamente barbeados e ter o cabelo bem cortado. As condições nos barracões foram melhoradas pelo uso de divisórias, para que cada pessoa tivesse seu próprio espaço. Outros sinais de cultura era que dormia-se com lençóis, comia-se com garfo e faca, evitavam-se as bebedeiras e a linguagem de baixo calão e não se batia na mulher e nos filhos. Segundo Stephen Kotkin, uma pessoa civilizada era aquela que aprendia a "falar bolchevique": sabia como se comportar no local de trabalho, parava de cuspir no chão, conseguia fazer um discurso e propor uma moção e entender as ideias básicas do marxismo.

A "civilidade" foi estendida às compras: no final de 1934, mais de 13.000 padarias abriram em todo o país, onde os atendentes usavam aventais e bonés brancos e recebiam aulas de como serem educados com os clientes. Foram implementados novos regulamentos sanitários rígidos e os pães tinham que ser embalados. Essa campanha pelo "comércio civilizado" se espalhou para cada loja do país, da maior loja de departamentos em Moscou à menor padaria.

(c) O Estado, as mulheres e a família

A década de 1930 foi uma época difícil para muitas famílias em função do "desaparecimento" de tantos homens durante a coletivização, a escassez de alimentos e os Expurgos. Um grande número de homens deixava suas famílias ou se divorciava, e milhões de mulheres ficaram sós para sustentar a família. Durante a industrialização rápida dos anos de 1930, mais de 10 milhões de mulheres passaram a ser assalariadas pela primeira vez. A porcentagem delas no trabalho aumentou de 24 para 39% da força de trabalho total remunerada. Em 1940, cerca de dois terços da força de trabalho na indústria leve era de mulheres e elas faziam até mesmo trabalhos mais pesados, como na construção, serrarias e montagem de máquinas, considerados tradicionalmente trabalhos de homens.

O governo enfrentava o dilema de que precisava de mulheres para proporcionar grande parte da força de trabalho para o impulso da industrialização, ao mesmo tempo em que queria estimular e fortalecer a unidade familiar. Uma forma de dar conta disso foi construir mais creches e berçários para as crianças. Esse número dobrou nos anos de 1929 e 1930. Em meados da década de 1930, foram aprovadas novas leis estimulando as mulheres a ter o maior numero possível de filhos. O aborto foi proibido, com exceção de casos em que a vida da mãe estivesse em perigo, foi instituída a licença-maternidade de até 16 semanas e havia vários subsídios e outros benefícios para mulheres grávidas. Mesmo assim, isso jogou um fardo pesado nas costas das mulheres de classe trabalhadora e camponesas, de quem se esperava que tivessem filhos, assumissem trabalhos, aumentassem a produção e cuidassem da casa e da família.

A situação era diferente para as esposas da elite e para as mulheres com formação, fossem casadas ou solteiras, que tivessem profissões liberais. Elas eram enviadas pelo Estado como parte de uma campanha para "civilizar" as massas. O Movimento das Esposas, como ficou conhecido, começou em 1936, com o objetivo de elevar a civilidade das pessoas com quem as esposas entrassem em contato, principalmente nos locais de trabalho de seus maridos. Sua principal obrigação era construir uma vida doméstica confortável para seus maridos e suas famílias. Próximo ao final da década de 1930, quando aumentou a probabilidade de guerra, o Movimento da Esposas estimulou as mulheres a aprender a dirigir caminhões, atirar e até pilotar aviões, para que estivessem prontas para tomar o lugar dos homens se eles tivessem que ir para a guerra.

(d) Educação

Uma das grandes conquistas do regime stalinista foi a expansão da educação gratuita de massas. Em 1917, menos de metade da população poderia ser descrita como alfabetizada. Em janeiro de 1930, o governo anunciou que, até o final do verão russo, todas as crianças entre 8 e 11 anos deveriam estar matriculadas nas escolas. Entre 1929 e 1931, o número de alunos aumentou de 14 milhões para cerca de 20 milhões. Foi nas áreas rurais, onde a educação tinha sido irregular, que ocorreu a maior parte desse aumento. Em 1940, havia 199.000 escolas, e mesmo nas áreas mais remotas da URSS elas eram proporcionadas. Muitas novas faculdades foram estabelecidas para formar a nova geração de professores. Segundo o censo de 1939, entre as pessoas de 9 a 49 anos, 94% nas cidades e 86% nas áreas rurais, estavam alfabetizadas. Em 1959, esses percentuais subiram para 99 e 98%, respectivamente.

É claro que o regime tinha um motivo ulterior – a educação era a forma de transformar a geração mais jovem em bons e ortodoxos cidadãos soviéticos. A religião e outras práticas "burguesas" eram apresentadas como supersticiosas a atrasadas. Ironicamente, os especialistas em educação decidiram que um retorno aos métodos tradicionais de educação seria melhor dos que as técnicas experimentais, mais relaxadas, que foram tentadas nos anos de 1920, como a abolição de provas e punições e uma ênfase em trabalhos. Isso seria revertido: os professores receberam mais autoridade e deveriam impor disciplina rígida, as provas voltaram e deveria se passar mais tempo de aula em matemática e ciências.

(e) Religião

Lênin, Stalin e os outros líderes Bolcheviques eram ateus, que aceitavam a afirmação de Marx de que a religião era simplesmente uma invenção das classes dominantes para manter o povo dócil e sob controle – o "ópio do povo". Lênin tinha lançado um ataque selvagem à Igreja Ortodoxa, confiscando todas as suas terras, prédios de escolas e igrejas, e prendendo centenas de padres. Depois de sua morte, o regime se tornou mais tolerante em relação aos grupos religiosos. Muitos padres eram simpáticos aos ideais comunistas, os quais, afinal de contas, tem algumas semelhanças com os ensinamentos cristãos sobre pobres e oprimidos. Parecia haver uma boa chance de uma reconciliação completa entre Igreja e Estado, e, manejando com cuidado, a Igreja poderia ajudar a controlar os camponeses. Contudo, muitos jovens comunistas militantes continuavam a acreditar que a religião era uma "superstição danosa" que deveria ser eliminada.

As relações se deterioraram de forma desastrosa durante o regime de Stalin. Muitos padres se opuseram corajosamente à coletivização, então Stalin instruiu secretamente as organizações partidárias locais para atacá-los e também as igrejas. Centenas de igrejas e cemitérios foram vandalizados e literalmente milhares de padres foram mortos. O número de padres em atividade caiu de cerca de 60.000 em 1925 para menos de 6.000 em 1941. O massacre não se limitou a cristãos: centenas de líderes muçulmanos e judaicos também foram vítimas. A campanha foi implacável: em 1941, somente um em cada 40 prédios religiosos ainda funcionava como local de culto. Para os Bolcheviques, o comunismo era a única religião e eles estavam determinados a fazer com que as pessoas cultuassem o Estado comunista em vez de Deus.

A campanha antirreligiosa causou indignação, principalmente nas áreas rurais, onde padres, mulás e rabinos tinham alta popularidade e eram membros respeitados das comunidades locais. Durante a Segunda Guerra Mundial, o Estado e a Igreja se reconciliaram em alguma medida. Em 1942, com a guerra evoluindo de forma desfavorável aos russos e com Leningrado e Moscou sob ataque dos alemães, Stalin decidiu que a religião tinha um papel a cumprir, como uma força pelo patriotismo. Chegou-se a um entendimento com cristãos, judeus e muçulmanos de que as diferenças do passado deveriam ser esquecidas e sua luta conjunta contra o invasor. Igrejas, mesquitas e sinagogas tiveram permissão para reabrir e, segundo a maioria das narrativas, os grupos religiosos tiveram um papel vital para manter a moral elevada entre o púbico em geral.

(f) Literatura e teatro

Os anos de 1928 a 1931 ficaram conhecidos como os da "Revolução Cultural", quando o regime começou a mobilizar escritores, artistas e músicos para travar uma guerra cultural contra os "intelectuais burgueses". Inicialmente, havia dois grupos rivais de escritores: os comunistas dedicados eram membros da Associação Russa de Escritores Proletários (AREP) e estavam comprometidos com o "realismo socialista". O outro grupo eram os não comunistas, que queriam deixar a política fora da literatura. Eles foram rotulados de forma pejorativa pelos comunistas como "companheiros de viagem", e eram membros da União Russa de Escritores (URE), incluíam a maioria dos principais escritores que haviam construído seu nome antes da revolução. A AREP não aprovava a atitude da URE e acusava alguns de seus membros de publicar obras antissoviéticas no exterior. Eles foram considerados culpados e o governo dissolveu a URE, substituindo-a por uma nova organização – a União Russa de Escritores Soviéticos (URES). Cerca de metade dos ex-membros da URE teve sua participação recusada na nova união, o que foi um sério golpe, já que só os membros tinham permissão para publicar.

Isso deixou a AREP como organização literária dominante, mas ela logo entrou em conflito com Stalin. Seus membros acreditavam em retratar a sociedade como ela realmente era, com todas as suas falhas, enquanto Stalin queria que ela fosse mostrada como ele queria que ela fosse. Em 1930, Stalin anunciou que nada poderia ser publicado que fosse contra a linha do partido ou mostrasse uma má imagem dele. Quando alguns membros da AREP não responderam a esse alerta claro, Stalin desmontou a AREP e a nova URES, substituindo-as por uma nova organização, a União de Escritores Soviéticos, presidida por Máximo Gorki, cujas obras ele admirava. Andrei Zhdanov surgiu como o político mais envolvido nas artes. Ao abrir o primeiro Congresso de Escritores Soviéticos em 1934, ele anunciou que o princípio orientador deles deveria ser "o remodelamento ideológico e a reeducação das pessoas que trabalham, no espírito do socialismo".

Entre as obras com mais popularidade estavam o romance de Nikolai Ostrovsky, *Assim foi temperado o aço* (1934) e o de Mikhail Sholokov, *Terras Virgens*, que tratavam da coletivização. Havia outras obras de menor qualidade, às vezes conhecidas de "romances de plano quinquenal", nas quais os heróis eram pessoas comuns que atingiam seus objetivos apesar de todos os tipos de obstáculos, como um maquinista de trem que superava todos os esforços de destruidores e sabotadores e fazia com que seu trem chegasse repetidamente no horário. Não representavam grande literatura, mas pode-se dizer que cumpriam um propósito: eram de fácil compreensão, elevavam o moral e inspiravam o povo a fazer maiores esforços.

Os escritores que não produzissem o tipo correto de realismo socialista corriam o risco de serem presos. O próprio Stalin lia os manuscritos de alguns romances e fazia comentários, sugeria mudanças que ele esperava que os autores levassem em conta. No final dos anos de 1930, muitos escritores foram presos e mantidos em campos de trabalho por longos períodos, ou mesmo executados. Entre as vítimas mais conhecidas está o poeta Osip Mandelstam, que tinha escrito um poema criticando Stalin e foi mandado para um campo de trabalho no qual morreu. Evgenia Ginsburg passou 18 anos na prisão e em campos de trabalho depois de ser acusada de organizar um grupo terrorista de escritores. Alguns autores, como a poeta Anna Akhmatova e o romancista Boris Pasternak, pararam de trabalhar completamente ou deixaram suas obras guardadas. O grande romance de Pasternak, *Doutor Jivago*, só foi publicado no exterior depois da morte de Stalin. O maravilhoso romance de Mikhail Bulgakov, *O Mestre e a margarida*, ficou sem ser publicado até depois disso. Pouco depois que Kruschov subiu ao poder em 1956, as autoridades anunciaram que pelo menos 600 escritores tinham perecido nas prisões ou nos campos de trabalho durante o governo de Stalin.

As pessoas ligadas ao teatro também foram atacadas. Vários atores, atrizes e bailarinos foram enviados aos campos de trabalho. A vítima mais famosa foi o grande diretor experimental Vsevolod Meyerhold. Em 1938, seu teatro em Moscou foi fechado porque era "estranho à arte soviética". O próprio Meyerhold foi preso, torturado e mais tarde, morto a tiros, e sua mulher, uma conhecida atriz, foi encontrada esfaqueada em seu apartamento.

Ironicamente, depois de toda a obsessão com o "realismo socialista", depois do primeiro surto da Revolução Cultural no início dos anos de 1930, o regime decidiu resgatar a literatura russa clássica do século XIX. Pushkin, Tolstoi, Gogol, Turgenev e Tchekhov voltaram à moda. O governo tinha decidido que, afinal de contas, eles eram "democratas revolucionários".

(g) Arte, arquitetura e música

Artistas, escritores e músicos deveriam cumprir seu papel no "realismo socialista". A arte abstrata era rejeitada e as pinturas deveriam retratar trabalhadores estirando todos os músculos para cumprir suas metas, cenas da revolução ou da guerra civil ou líderes revolucionários. Elas deveriam ter estilo fotográfico e detalhadamente fino. Houve um fluxo constante de pinturas de Lênin e Stalin, e de cenas de trabalhadores como *O metalúrgico* e *As ordenhadeiras*. Os escultores estavam limitados a produzir bustos de Lênin ou Stalin e a arquitetura se deteriorou para algo sem inspiração nem graça, com fachadas neoclássicas grandiosas e blocos de edifícios sem detalhes.

A música seguiu um padrão semelhante ao da literatura. Os membros comunistas comprometidos da Associação Russa de Músicos Proletários (ARMP) condenavam o que descreviam como o "modernismo" da música ocidental, incluindo não apenas a música atonal dodecafônica dos austríacos Schoenberg, Webern e Berg, mas também o jazz, a música "leve" de salão e mesmo o foxtrote. Contudo, em meados dos anos de 1930, o regime relaxou sua atitude diante da música não clássica e foram permitidos o jazz, a dança e a música "leve".

A URSS teve dois compositores clássicos destacados que tinham adquirido reputações internacionais na década de 1930: Sergei Prokofiev e Dmitri Shostakovich. Prokofiev saiu da Rússia pouco depois da Revolução, mas decidiu retornar em 1933. Ele teve especial sucesso na produção de música de alta qualidade que poderia ser apreciada prontamente por pessoas ordinárias: seu balé Romeu e Julieta e sua história musical para crianças, Pedro e o Lobo, eram muitos bem vistos pelas autoridades e pelo público. Shostakovich não teve o mesmo sucesso: sua primeira ópera, *O nariz*, baseada em um conto de Gogol, foi condenada e proibida pela ARMP (1930). Sua segunda ópera, *Lady Macbeth de Mtsensk*, foi bem recebida pelo público e pela crítica em 1934 e foi apresentada mais de 80 vezes em Leningrado e mais de 90 em Moscou. Infelizmente, em janeiro de 1936, o próprio Stalin foi assistir a uma apresentação em Moscou e saiu antes do final. Dois dias depois, apareceu no Pravda um artigo devastador, que acredita-se ter sido escrito pelo próprio Stalin, e a ópera foi descartada como uma "cacofonia bruta e vulgar" e a obra de Shostakovich, proibida. Muito abalado, ele esperava ser preso, mas, por alguma razão, foi poupado, embora tenha permanecido em desgraça oficial por algum tempo.

Depois do incidente com *Lady Macbeth*, o embaixador dos Estados Unidos em Moscou observou que "metade dos artistas e músicos em Moscou estavam com problemas nervosos e os outros estavam tentando imaginar como escrever e compor de maneira a agradar Stalin". Aparentemente, Stalin, que era um grande amante do balé, gostava de música que fosse acessível, harmônica e inspiradora, como a dos grandes compositores russos do século XIX, Tchaikovsky e Rimsky-Korsakov. Shostakovich se redimiu com sua Quinta Sinfonia (1937), uma excelente peça musical que também atendia aos requisitos do regime.

(h) O cinema

Stalin, como Lênin, considerava que o cinema era provavelmente a melhor forma de comunicação. Ele adorava filmes e tinha um cinema privado no Kremlin e outro na sua Dacha, e exigia que os filmes soviéticos fossem "inteligíveis a milhões", contando uma história simples, mas poderosa. Em 1930, Boris Shumyatsky recebeu a tarefa de modernizar a indústria cinematográfica, visando fazer filmes que servissem verdadeiramente como entretenimento ao mesmo tempo em que estivessem cheios de "realismo socialista". Infelizmente, ele foi prejudicado pela chegada dos filmes falados, que eram mais caros para produzir e criavam um problema em um país em que se falavam tantas línguas diferentes. Outra dificuldade eram as demandas quase impossíveis do regime, que queria que os cineastas incorporassem a seu trabalho tantos temas, e tão contraditórios, como valores proletários, nacionalismo soviético sem classes, os problemas das pessoas comuns, as explorações heroicas dos revolucionários e o glorioso futuro comunista.

Em 1935, Shumyatsky foi a Hollywood em busca de novas ideias. Ele decidiu que a URSS precisava de um equivalente soviético a Hollywood e escolheu a Crimeia como o melhor lugar, mas o governo se recusou a fornecer as verbas necessárias e o projeto nunca decolou. Stalin não estava satisfeito com os progressos de Shumyatsky e, em 1938, ele foi preso e fuzilado. Apesar de todos esses problemas, foram feitos mais de 300 filmes soviéticos entre 1933 e 1940, alguns dos quais de alta qualidade. Houve um grande aumento no número de cinemas durante o mesmo período, de cerca de 7.000 para cerca de 30.000.

Nem todos esses filmes caíram nas graças de Stalin, que ficou tão obcecado que ele próprio examinava muitos roteiros. Ele tinha que estar certo de que eles conseguiam transmitir a mensagem de que a vida na URSS era melhor e mais feliz do que em qualquer outro lugar no mundo. Sergei Eisenstein não repetiu suas grandes obras-primas da década de 1920

– A *Greve*, O *Encouraçado Potemkin* e *Outubro* – até que, em 1938, salvou sua reputação com seu grande filme patriótico *Alexander Nevsky*, que contava a história da invasão da Rússia por cavaleiros teutônicos em tempos medievais, e a derrota destes. Dada a situação internacional da época, essa era exatamente a coisa certa a fazer com os censores, e deu um alerta claro sobre o que os alemães poderiam esperar se invadissem a Rússia novamente.

17.5 OS ÚLTIMOS ANOS DE STALIN, 1945-1953

(a) Depois da guerra

A vitória soviética na Segunda Guerra Mundial só foi conseguida com enormes sacrifícios de vidas humanas, muito além das perdas de todos os outros participantes juntos: 6,2 milhões de militares foram mortos, 15 milhões, feridos e 4,4 milhões foram capturados ou desapareceram. Além disso, houve cerca de 17 milhões de mortos civis, resultando em um total de mortos soviéticos de quase 25 milhões. As áreas ocupadas pelos alemães foram deixadas em ruínas e 25 milhões de pessoas ficaram sem casa. Com efeito, todo o programa de modernização do regime, dos Planos Quinquenais, teve que ser recomeçado no leste do país. Stalin considerou a vitória como a justificação máxima de todo o seu sistema de governo, que tinha passado pelo mais árduo teste imaginável: a guerra total. Em sua opinião, o povo russo agora enfrentava outro desafio: a batalha para reconstruir a URSS.

(b) As últimas batalhas de Stalin

Qualquer cidadão soviético que tivesse expectativa de mais liberdade e uma vida mais relaxada como recompensa por seus esforços sobre-humanos durante a guerra perdeu as ilusões rapidamente. *Stalin estava ciente da crescente inquietação e do desejo de mudanças radicais.* Os camponeses estavam descontentes com os míseros salários pagos nos coletivos e começavam a retomar a terra por sua conta. Os operários industriais protestavam contra os baixos salários e os preços dos alimentos, cada vez mais altos. As pessoas das regiões recém-adquiridas – os Estado bálticos e a Ucrânia ocidental (ver Mapa 17.1) – estavam profundamente descontentes com o governo soviético e recorreram à resistência armada. Stalin foi totalmente cruel: os levantes nacionalistas foram esmagados e cerca de 300.000 pessoas, deportadas da Ucrânia ocidental. A população dos campos de trabalho mais do que dobrou, chegando a cerca de 2,5 milhões. Os camponeses e os operários industriais passaram mais uma vez à disciplina de estilo militar.

Stalin via inimigos em todas as partes. Soldados soviéticos que tinham sido capturados pelos alemães eram considerados maculados, traidores potenciais. Parece inacreditável que 2,8 milhões de soldados do Exército Vermelho, que tinha sobrevivido a um tratamento terrível nos campos de prisioneiros de Hitler, voltaram à sua terra para serem presos pela NKVD. Alguns foram fuzilados, outros mandados aos Gulags e somente cerca de um terço teve permissão para voltar para casa. Uma das motivações de Stalin para mandar tantas pessoas aos campos de trabalho era garantir um fornecimento constante de mão de obra barata para as minas de carvão e outros projetos. Outra categoria de pessoas "maculadas" era a das que tinham caído nas mãos dos Aliados nos meses finais da guerra. Elas agora eram suspeitas porque tinham visto que a vida no Ocidente era melhor em termos materiais, do que na URSS. Cerca de 3 milhões delas foram mandados para campos de trabalho.

A tarefa de reconstruir o país foi enfrentada pelo Quarto Plano Quinquenal (1946-1950), o qual, a se acreditar nas estatísticas oficiais, conseguiu restaurar a produção industrial a níveis de 1940. A realização considerada mais destacada era a explosão, no Cazaquistão, em 1949, da primeira bomba atômica soviética, mas o grande fracasso do Plano estava no campo da agricultura: a safra de 1946 foi menor do que a de 1945, resultando em falta de

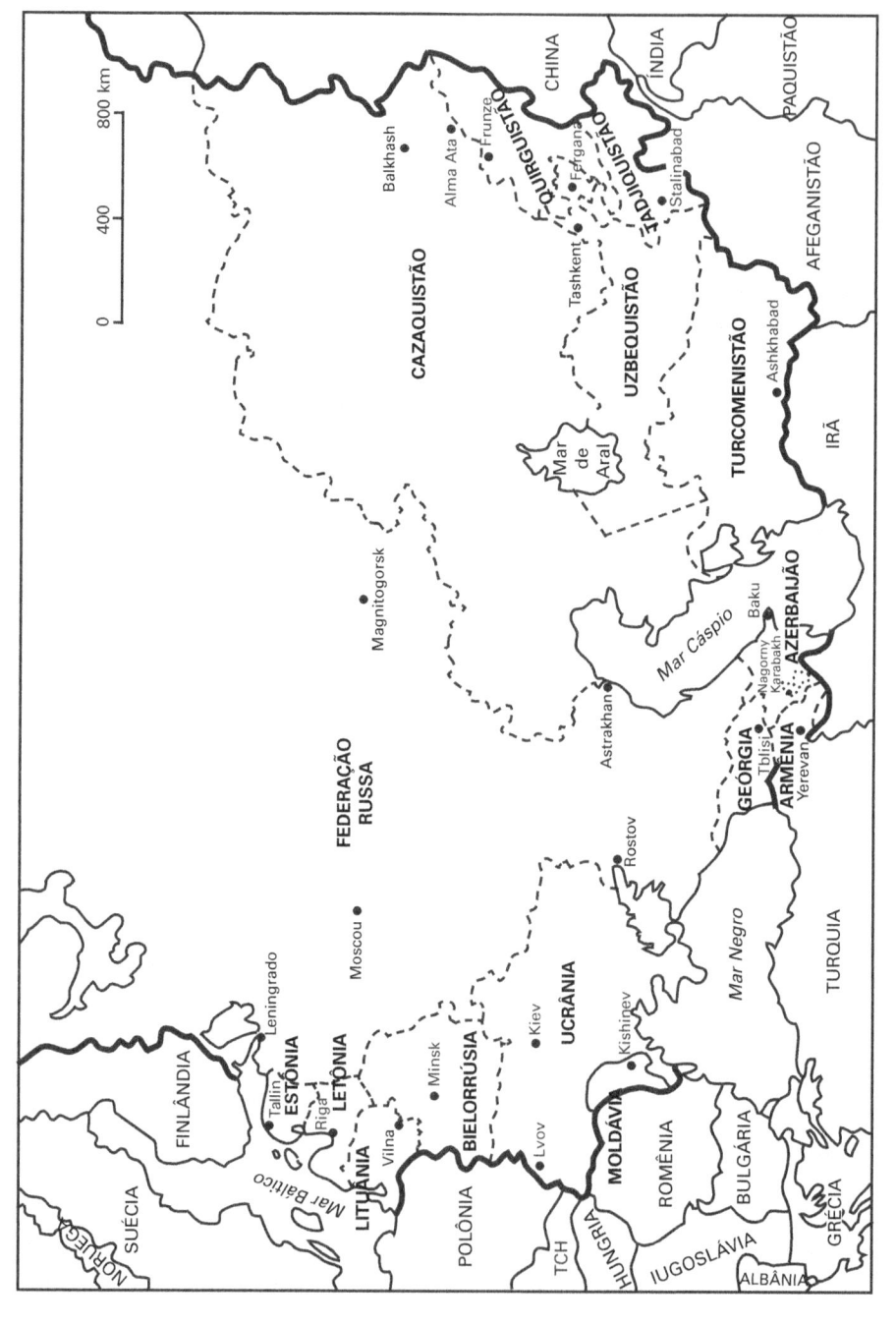

Mapa 17.1 A União das Repúblicas Socialistas Soviéticas depois de 1945, mostrando as 15 repúblicas.

alimentos, fome e relatos de canibalismo. Os camponeses estavam saindo das fazendas coletivas aos bandos, para tentar encontrar trabalho na indústria. A produção de todos os produtos agrícolas estava em queda. Mesmo em 1952, a safra de grãos chegou a apenas três quartos da de 1940. Como comentou Alec Nove: "Como podia ser tolerado que um país capaz de fazer uma bomba atômica não conseguisse fornecer ovos aos seus cidadãos?"

Stalin também relançou *a batalha para restabelecer o controle sobre a intelligentsia*, que, ele achava, tinha se tornado muito independente nos anos da guerra. Começando em agosto de 1946, Zhdanov, o chefe do partido em Leningrado, tomou a frente do ataque. Centenas de escritores foram expulsos da união, todos os principais compositores caíram em desgraça e sua música foi proibida. A campanha continuou até o início dos anos de 1950, embora o próprio Zhdanov tenha morrido de um ataque cardíaco em agosto de 1948. Depois da morte dele, Stalin realizou um expurgo da organização partidária em Leningrado, todos foram presos, condenados por tramar a tomada do poder, e executados.

O ato final desse drama foi a chamada Conspiração dos Médicos. Em novembro de 1952, 13 médicos de Moscou, que tinham tratado Stalin e outros líderes em diferentes momentos, foram presos e acusados de conspirar para matar seus pacientes eminentes. Seis deles eram judeus e isso foi o sinal para um surto de antissemitismo. A estas alturas, ninguém estava seguro. Há evidências de que Stalin estava trabalhando em outro grande expurgo de figuras importantes no partido, com Molotov, Mikoyan e Beria na lista. Felizmente, para eles, Stalin morreu de uma hemorragia cerebral em 5 de março de 1953.

(c) Avaliações sobre Stalin

Quando a morte de Stalin foi anunciada, houve um amplo e, aparentemente, verdadeiro pesar. Antes de seu enterro, milhares de pessoas afluíam para ver seu corpo, que mais tarde foi embalsamado e colocado em uma caixa de vidro próximo ao de Lênin. Por 25 anos, o povo recebeu lavagem cerebral para considerá-lo uma espécie de deus, cuja opinião sobre todos os assuntos estava correta. Entretanto, *sua reputação na URSS logo entrou em declínio* quando Kruschov fez seu sensacional discurso no 20º Congresso do Partido Comunista da União Soviética, denunciando os excessos de Stalin. Em 1961, seu corpo foi retirado do mausoléu e enterrado sob o muro do Kremlin.

Como se começa a avaliar um fenômeno como Stalin, responsável por mudanças tão profundas, mas cujos métodos foram tão heterodoxos e brutais? *Alguns historiadores encontraram coisas positivas para dizer*. Sheila Fitzpatrick diz que, sob o comando de Stalin, a URSS "esteve em seu momento mais dinâmico, realizando experimentos sociais e econômicos que alguns saudavam como o futuro se manifestando e outros consideravam como uma ameaça à civilização". A coletivização, a industrialização rápida, a nova Constituição, a ascensão da nova burocracia, a difusão da educação de massas e dos serviços sociais podem ser, todos, atribuídos direta ou indiretamente a Stalin. Martin McCauley e Alec Nove acreditam que a situação era de tamanho desespero quando ele subiu ao poder que somente métodos extraordinários poderiam ter êxito. A máxima justificativa para Stalin e seus métodos é que ele tornou a URSS suficientemente poderosa para derrotar os alemães. O regime certamente tinha muita popularidade com as camadas superior e intermediária da burocracia, nos vários ministérios, no exército e na marinha e nas forças de segurança. Essas pessoas subiram das classes trabalhadoras, deviam suas posições privilegiadas a Stalin, e fariam o máximo possível para defender o Estado soviético. Stalin também tinha alta popularidade entre a maioria das pessoas comuns.

Como um líder tão brutal veio a ter tanta popularidade? A resposta é que ele era hábil na manipulação da opinião pública, raramente admitia ter cometido um erro e sempre redirecionava a culpa a outras pessoas. Ele conseguia dar a impressão de que as injustiças seriam consertadas somente por ele ter conhecimento delas. Mesmo alguns críticos admitem que, durante a guerra, ele fez muito para manter o moral elevado e merece algum crédito pela vitória soviética. O povo acreditava no que lhe era dito, foi tomado pelo "culto à personalidade" e ficou profundamente chocado com o discurso de "desestalinização" de Kruschov, em 1956.

Não há como esconder o fato de que as políticas tiveram um sucesso variado. A coletivização foi um desastre, a modernização industrial foi um sucesso na indústria pesada e nos armamentos, e possibilitou que a URSS vencesse a guerra. Por outro lado, a indústria soviética não conseguiu produzir bens domésticos suficientes e muito do que se fazia era da baixa qualidade. O padrão de vida e os salários reais em 1953 eram mais baixos para a maioria das pessoas do que quando Stalin assumiu o controle. Muitos historiadores acreditam que poderiam ter feito mais progressos industriais com métodos convencionais, talvez simplesmente continuando com a NEP. Mesmo a afirmação de que a Rússia venceu a guerra graças a Stalin é questionada. Na verdade, seus erros quase fizeram com que ela fosse perdida. Ele ignorou alertas sobre a iminente invasão alemã, que causou a perda da parte oeste da Rússia, ignorou o conselho de seus comandantes, resultando na prisão de milhões de soldados. Pode-se dizer, portanto, que a URSS venceu a guerra *apesar de* Stalin.

O pior aspecto do stalinismo foi ser responsável por cerca de 20 milhões de mortos, muito acima das mortes pela guerra. Isso aconteceu durante a coletivização, a fome de 1932 e 1933, os Expurgos e o Grande Terror. Durante a guerra, Stalin expulsou e deportou milhares de alemães do Volga, tártaros da Crimeia, chechenos e outras nacionalidades, para o caso de que tentassem cooperar com os invasores alemães. Milhares morreram no caminho e outros milhares, ao serem abandonados em seus destinos sem qualquer acomodação. Stalin sempre se certificou de que outros membros do Politburo assinassem ordens de execução além dele. Havia grandes quantidades de pessoas, desde as que estavam em posições superiores até interrogadores, torturadores, guardas e executores, que estavam dispostas a aplicar as ordens. Chefes locais do partido – stalinzinhos – muitas vezes davam início a seus próprios terrores de baixo. Alexander Yakovlev, ex-embaixador soviético no Canadá e mais tarde colega próximo de Gorbachov e membro do Politburo, publicou recentemente uma descrição do terror e da violência que aconteceu durante o regime comunista. Ele fora um marxista comprometido, mas quanto mais ficava sabendo sobre o passado e quanto mais experimentava a vida nas altas esferas, mais desgostoso ficava com a corrupção, as mentiras e o engano no coração do sistema. Convencido de que o comunismo não poderia ser reformado, cumpriu um papel importante, junto com Gorbachov, na destruição do sistema a partir de dentro. Ele estima o número de vítimas do comunismo após 1917 em algo entre 60 e 70 milhões.

Alguns historiadores afirmam que Stalin era paranóico, psicologicamente desequilibrado. Kruschov parecia achar que sim, pois afirmou que Stalin era um homem "muito receoso, doentiamente desconfiado". Por outro lado, Roy Medvedev acredita que Stalin era perfeitamente são, mas friamente inescrupuloso, um dos maiores criminosos na história do mundo, cujos principais motivos eram uma vaidade e um desejo de poder descomunais. Cinquenta anos depois de sua morte, há mais informações disponíveis de arquivos soviéticos recém-abertos, embora esteja claro que muitos registros foram destruídos, provavelmente de forma deliberada.

Historiadores revisionistas, como Arch Getty, ainda sustentam que Stalin não tinha um plano geral para o terror. Ele crê que o Terror surgiu a partir das ansiedades de toda a elite governante: "Seus medos de perder o controle, até mesmo de perder o poder, levaram a uma série de passos para proteger suas posições, construindo um culto unificador em torno de Stalin". Sendo assim, para ele, Stalin não foi o mestre criminoso, e sim apenas um entre o restante da elite que tomava as medidas necessárias para permanecer no poder.

Sobre a questão de se o stalinismo era uma continuação do leninismo, a tendência atual entre historiadores russos é demonizar a ambos. Alexander Yakovlev condena os dois e apresenta amplas evidências de seus crimes: Stalin simplesmente continuou Lênin. Entretanto, Irina Pavlova sustenta que somente sob o comando de Stalin o aparato do partido se tornou todo-poderoso e sinônimo de Estado. Nada haveria de inevitável no stalinismo: um líder diferente, como Bukharin, por exemplo, poderia ter feito com que o sistema deixado por Lênin evoluísse em uma direção completamente diferente. Em qualquer caso, o governo de um homem só era antileninista, indo diretamente contra a ideia de governo do partido em nome da classe trabalhadora. Na verdade, houve um rompimento claro entre Lênin e Stalin. Muitos historiadores ocidentais acreditam que Stalin sequestrou a Revolução e traiu o idealismo de Marx e Lênin. Em vez de uma nova sociedade sem classes, na qual todos fossem livres e iguais, os trabalhadores e os camponeses comuns foram simplesmente explorados como tinham sido sob o comando dos czares. O Partido Comunista tinha assumido o lugar dos capitalistas e tinha todos os privilégios – as melhores residências, casas de campo e carros. Em vez de marxismo, socialismo e "ditadura do proletariado", houve somente stalinismo e a ditadura de Stalin. Talvez a conclusão mais justa sobre Stalin e o stalinismo seja a de Martin McCauley: "Quer se aprove, quer não, foi um fenômeno verdadeiramente impressionante, que marcou profundamente o século XX. Pode-se aprová-lo suspendendo o julgamento moral".

PERGUNTAS

1. Stalin, os *kulaks* e a coletivização
Estude a fonte A e responda as perguntas a seguir.

Fonte A
Trecho de um discurso de Stalin a trabalhadores soviéticos e ao partido local na Sibéria, em janeiro de 1928, que se costuma tomar como o começo da coletivização.

> Vocês estão trabalhando mal! Estão ociosos e toleram os *kulaks*. Cuidado para não haver agentes *kulaks* entre vocês. Não vamos tolerar esse tipo de ofensa por muito tempo.... Deem uma olhada nas fazendas dos *kulaks* e verão que seus silos e celeiros estão cheios de grãos, que eles tem que cobrir os grãos com lonas porque não tem espaço dentro. Cada fazenda *kulak* tem algo como milhares de toneladas de excedente de grãos. Eu proponho que:
>
> (a) Exijam que os *kulaks* entreguem seus excedentes de uma vez por preços pagos pelo Estado;
> (b) Se eles se recusarem a se submeter, vocês devem acusá-los pelo Artigo 107 do Código Penal e confiscar seus grãos para o Estado, dos quais 25% serão distribuídos aos camponeses pobres e menos favorecidos

Fonte: citado em Dmitri Volkogonov, *Stalin: Triumph and Tragedy* (Phoenix, 2000 edition).

    (a) O que a fonte revela sobre a atitude de Stalin em relação aos *kulaks* e seus métodos de lidar com os representantes locais?
    (b) Explique as motivações de Stalin para introduzir a coletivização e mostre como a política implementada na URSS.
    (c) Até onde a coletivização cumpriu as metas de Stalin no período de 1928 a 1941?

2. Qual foi a importância das divisões entre seus adversários para explicar a ascensão de Stalin ao poder supremo na década de 1920?
3. Com que precisão se pode falar em "Revolução de Stalin" em questões políticas e econômicas na URSS no período de 1928 a 1941?
4. Até onde a vida das pessoas comuns na URSS melhorou, ou piorou, como resultado das políticas de Stalin de 1928 a 1941?

18 A Continuidade do Comunismo, seu Colapso e as Consequências
1953-2005

RESUMO DOS EVENTOS

Esse longo período se divide em quatro fases:

1953-1964

Depois da morte de Stalin, *Nikita Kruchov* surgiu aos poucos como o líder dominante. Ele deu início a uma política de desestalinização e introduziu novas medidas para fortalecer a economia soviética e reformar a burocracia. Em 1962, a URSS esteve à beira da guerra com os Estados Unidos em função da crise dos mísseis de Cuba. Os colegas de Kruchov se voltaram contra ele, que foi forçado a passar à vida privada em outubro de 1964.

1964-1985

Esse foi um período de estagnação e declínio, no qual *Leonid Brejnev* era a figura principal.

1985-1991

Mikhail Gorbachov tentou reformar e modernizar o comunismo russo e estimular progressos semelhantes nos Estados satélites do Leste Europeu, mas se mostrou incapaz de controlar a maré de críticas direcionadas ao comunismo e em 1989-1990, foram estabelecidos governos não comunistas na maioria dos Estados do leste Europeu (ver Seção 8.7). Quando Gorbachov não conseguiu cumprir suas promessas de reformas econômicas e padrão de vida mais alto, o povo da URSS se voltou contra o comunismo e ele perdeu poder para Boris Yeltsin. O Partido Comunista foi declarado ilegal, a URSS se desmembrou em 15 Estados separados e Gorbachov renunciou à presidência da URSS (dezembro de 1991).

1991-2005

Boris Yeltsin foi presidente da Rússia, agora um Estado separado, de 1991 até sua renúncia no final de dezembro de 1999. Após o colapso do comunismo, a Rússia mergulhou no caos à medida que sucessivos governos tentavam desesperadamente introduzir novos sistemas econômicos e políticos. Os problemas eram enormes: inflação, desemprego, pobreza, confusão na Chechênia e choques entre Yeltsin e o parlamento. Em 2000, *Vladimir Putin* se tornou presidente e foi reeleito para um segundo mandato em março de 2004.

18.1 A ERA KRUCHOV, 1953-1964

(a) A ascensão de Kruchov, 1953-1957

Com o desaparecimento de Stalin, a situação ficou semelhante àquela posterior à morte de Lênin em 1924: não havia candidato óbvio para assumir. Stalin não permitira que pessoa alguma tomasse iniciativas para que não se tornasse um rival perigoso. Os principais membros do Politburo, ou Presidium, como se chamava agora, decidiram compartilhar o poder e governar como um coletivo. Malenkov se tornou presidente do conselho de ministros, Kruchov, secretário-geral, e Voroshilov, presidente do Presidium. Também estavam envolvidos Beria, chefe da política secreta, Bulganin e Molotov. Aos poucos, Nikita Kruchov começou a surgir como personalidade dominante. Filho de um pequeno agricultor, ele trabalhou como empregado na agricultura e depois como mecânico em uma mina de carvão, antes de frequentar a faculdade técnica e entrar para o Partido Comunista. Beria, que tinha um histórico atroz de crueldade como Chefe de Polícia, foi executado, provavelmente porque os outros estavam nervosos com a possibilidade de ele se voltar contra eles. Malenkov renunciou em 1955 depois de discordar de Kruchov em relação a políticas industriais, mas foi significativo que, na nova atmosfera, ele não tenha sido executado nem preso.

A posição de Kruchov foi ainda mais fortalecida *com um discurso impressionante que ele fez no 20º congresso do Partido Comunista (fevereiro de 1956) criticando fortemente vários aspectos das políticas de Stalin*. Ele:

- condenou Stalin por estimular o culto à sua própria personalidade em vez de permitir o governo do Partido Comunista;
- revelou detalhes sobre os expurgos de Stalin e as execuções equivocadas dos anos de 1930, e criticou sua conduta na guerra;
- afirmou que o socialismo poderia ser conquistado de outras formas que não aquelas em que Stalin insistira;
- sugeriu que a coexistência pacífica com o Ocidente não era apenas possível, mas essencial para evitar a guerra nuclear.

Por que Kruchov fez esse ataque a Stalin? Foi um passo arriscado, levando-se em conta que ele e a maioria de seus colegas deviam suas posições a Stalin e ele tinha convivido com seus piores excessos sem protestar. Kruchov realmente acreditava que a verdade sobre os crimes de Stalin teria que vir à tona mais cedo ou mais tarde, e que seria melhor que o próprio Partido Comunista tomasse a iniciativa e enfrentasse a questão antes de ser forçado a isso por pressão do povo. Esse argumento lhe permitiu garantir a aprovação de seus colegas para fazer o discurso e ele usou a oportunidade de forma inteligente para seus próprios propósitos políticos. Salientando que só tinha entrado para o Politburo em 1939, ele deu uma clara impressão de que os mais antigos – Malenkov, Molotov, Kaganovitch e Voroshilov – eram todos infinitamente mais responsáveis pelo banho de sangue do que ele. Essa condenação pública que ele fez do comportamento de Stalin tornou mais difícil que qualquer líder futuro tentasse imitá-lo. Kruchov também acreditava verdadeiramente que o sistema de Stalin tinha impedido o progresso e sufocado a iniciativa. Ele queria que as coisas voltassem ao caminho que Lênin teria seguido, e governou como um ditador esclarecido.

Kruchov ainda não tinha poder supremo Molotov e Malenkov achavam que seu discurso foi muito drástico e estimularia a agitação (eles o culparam pela revolução húngara de outubro de 1956) e tentaram retirá-lo do cargo. Porém, na condição de secretário do partido, Kruchov, como Stalin antes dele, foi discretamente preenchendo posições com seus próprios apoiadores, e como podia confiar no exército, foram Molotov e Malenkov que se viram aposentados compulsoriamente (junho de 1957). Depois disso, Kruchov foi integralmente responsável por todas as políticas russas até 1964, mas nunca teve tanto poder quanto Stalin; quem estava no poder máximo era o Comitê Central do Partido, e foi o comitê que votou pela sua saída em 1964.

(b) Os problemas e as políticas de Kruchov

Apesar da recuperação da Rússia durante os últimos anos de Stalin, havia uma série de problemas graves: o baixo padrão de vida entre trabalhadores industriais e agrícolas e a ineficiência da agricultura, que ainda estava longe de atender todas as necessidades da Rússia. Kruchov estava muito consciente dos problemas domésticos e internacionais, e ávido para introduzir importantes mudanças como parte de uma política geral de desestalinização.

1 A política industrial

A indústria continuava a ser organizada segundo Planos Quinquenais, com o Número Seis tendo começado em 1955. Pela primeira vez, a concentração estava nas indústrias leves que produziam bens de consumo (rádios, televisores, lavadoras e máquinas de costura) em uma tentativa de elevar o padrão de vida. Para produzir a supercentralização e estimular a eficiência, mais de cem conselhos econômicos regionais foram implantados para tomar decisões sobre suas indústrias locais e organizá-las. Seus administradores eram estimulados a gerar lucros em vez de simplesmente cumprir cotas, e os salários dependiam da produção.

Tudo isso certamente levou a uma melhoria do padrão de vida: um vasto programa de moradia foi iniciado em 1958, houve aumentos de salários, um salário mínimo, reduções nos impostos sobre as baixas rendas e uma semana de trabalho mais curta, aumentos nas aposentadorias e indenizações por deficiências e a abolição de todas as taxas de matrícula nos ensinos secundário e superior. Entre 1955 e 1966, o número de aparelhos de rádio por mil habitantes aumentou de 66 a 171, os televisores, de 4 a 82, os refrigeradores, de 4 a 40, e as lavadoras, de 1 para 77. Entretanto, isso ainda estava longe dos Estados Unidos, que em 1966 podiam se gabar de ter não menos do que 1.300 rádios, 376 televisores, 293 refrigeradores e 259 lavadoras por mil habitantes. É claro que muito depende de como se mede o progresso, mas foi o próprio Kruchov que se vangloriou com entusiasmo de que a lacuna entre a Rússia e os Estados Unidos seria fechada em poucos anos.

Depois de uma melhoria inicial, o crescimento começou a diminuir de ritmo, em parte porque os Conselhos Regionais eram ineficientes e em parte porque havia investimentos insuficientes em função dos enormes custos do programa armamentista e dos avançados programas tecnológicos e espaciais. A realização que ganhou mais publicidade no país e no exterior foi a primeira viagem tripulada em órbita da terra, por Yuri Gagarin (1961).

2 A política agrícola

Um dos problemas mais graves deixados por Stalin foi o estado ineficiente da agricultura. A coletivização não atingiu as metas ambiciosas que ele estabelecera e a principal prioridade era aumentar de alguma forma a produção de alimentos. Em função de sua origem camponesa, Kruchov se considerava um especialista em questões agrícolas. Ele viajou pelo interior, reunindo-se com camponeses e falando sobre seus problemas, o que nenhum líder russo anterior tinha feito. Sua criação predileta era o *Projeto das Terras Virgens* (iniciado em 1954), que tratava de cultivar pela primeira vez imensas áreas na Sibéria e no Cazaquistão. O plano foi implementado por dezenas de jovens voluntários, com o governo fornecendo mais de 100.000 novos tratores. Kruchov também pretendia aumentar o rendimento das fazendas coletivas: os camponeses podiam manter ou vender produtos cultivados em seus próprios terrenos privados. Seus impostos foram rebaixados e o governo aumentou o que pagava pelas colheitas das fazendas coletivas, incentivando-as a produzir mais.

Em 1958, houve um grande crescimento na produção agrícola total, que aumentou em 56%. Entre 1953 e 1962, a produção de grãos subiu de 82 milhões de toneladas para 147 milhões, o que ajudou a melhorar o padrão de vida, mas depois disso as coisas começaram a dar errado. A produção de grãos de 1963 caiu a 100 milhões de toneladas, principalmente em função do fracasso do projeto das Terras Virgens. Críticos no partido reclamaram que gastava-se muito em agricultura, em detrimento da indústria; Kruchov teve que ceder e o fornecimento de equipamentos agrícolas foi reduzido. Mas o principal problema foi que grande parte da terra era de má qualidade, não eram usados fertilizantes suficientes, porque eram caros, e o solo, esgotado, começou a ser varrido por tempestades de areia. Em geral, ainda havia muita interferência de dirigentes locais do Partido Comunista na agricultura, que permanecia sendo o setor menos eficiente da economia. Os russos tinham que depender da importação de grãos, muitas vezes dos Estados Unidos e da Austrália, uma humilhação que contribuiu para a queda de Kruchov em outubro de 1964.

3 Mudanças políticas, sociais e culturais

Houve mudanças importantes em todas essas áreas. Kruchov era favorável a uma abordagem mais relaxada em geral, e o período ficou conhecido como "degelo". Na política, isso incluía uma volta ao controle pelo partido em vez de o culto à personalidade de Stalin. Kruchov foi cuidadoso para não agir como ditador, por medo de se expor a acusações semelhantes. Houve uma redução nas atividades da polícia secreta; depois da execução do sinistro Beria, políticos e dirigentes demitidos tiveram permissão para se aposentar em obscuridade em vez de serem torturados e mortos. Os campos de trabalho começaram a ser esvaziados e muitas pessoas foram reabilitadas. Infelizmente, era tarde demais para algumas pessoas: Nadezhda Mandelstam recebeu uma carta para seu marido Osip, informando-lhe que ele estava reabilitado; pena que ele morrera em um campo de trabalho em 1938.

Havia mais liberdade para as pessoas comuns e um padrão de vida mais alto. Estima-se que, em 1958, pelo menos 100 milhões de pessoas viviam abaixo da linha da pobreza, mas em 1967, essa cifra tinha sido reduzida a cerca de 30 milhões. A melhoria se deveu principalmente à introdução de um salário mínimo.

Havia mais liberdade para os escritores, pelos quais Kruchov tinha grande respeito. Ilya Ehrenburg causou agitação com a publicação de *O degelo*, um romance cheio de críticas à era Stalin (1954). Anna Akhmatova, Bulgakov e Meyerhold foram reabilitados. O romance *Um dia na vida de Ivan Denisovich*, de Alexander Solzhenitsyn, sobre um homem inocente sentenciado a um campo de trabalho, baseava-se nas experiências do próprio autor em oito anos de campo. O teste simples sobre a reação de Kruchov a um novo trabalho era: se atacasse Stalin e seu sistema, seria aprovado; se atacasse o partido ou aspectos da vida soviética de então, seria denunciado e proibido. Alguns escritores passaram da linha e caíram em desgraça, sendo expulsos da união de escritores, mas pelo menos não acabaram em campos de trabalho.

O "degelo" também tinha seus limites em outras áreas, por exemplo, Khrushchev decidiu que a Igreja Ortodoxa estava ganhando muita influência na vida soviética. Milhares de igrejas foram fechadas e passou a ser ilegal fazer reuniões em casas privadas sem permissão. Como essas permissões nunca eram concedidas para reuniões religiosas, ficou extremamente difícil para os cristãos fazerem seu culto. Em 1962, quando alguns operários de Novocherkassk entraram em greve e organizaram uma manifestação em protesto contra aumentos nos preços da carne e dos laticínios, foram enviados tanques e soldados. Os soldados atiraram na multidão, matando 23 pessoas e ferindo dezenas de outras; 49 pessoas foram presas e cinco dos líderes foram executados.

4 Assuntos externos

Depois de seu discurso no 20º Congresso de Partido Comunista, Kruchov visava a coexistência pacífica e um degelo na Guerra Fria (ver Seção 7.3), e parecia disposto a permitir diferentes "vias em direção ao socialismo" entre os Estados-satélite do leste europeu.

Contudo, esses desvios das ideias marxista-leninistas (incluindo seu estímulo ao lucro e incentivos salariais) o tornaram alvo de acusações de revisionismo por parte dos chineses (ver Seção 8.6(d)). Além disso, encorajadas por seu discurso, a Polônia e a Hungria tentaram se libertar do controle de Moscou. A reação de Kruchov aos acontecimentos na Hungria, onde o "levante" foi esmagado com brutalidade, mostrou os limites de sua tolerância (ver Seções 9.3(e) e 10.6(d)). A maior das crises veio em 1962, quando a URSS entrou em choque com os Estados Unidos pela questão dos mísseis em Cuba (ver Seção 7.4).

(c) A queda de Kruchov

Em outubro de 1964, o Comitê Central do Partido votou pela aposentadoria de Kruchov com base em sua saúde frágil. Na verdade, embora tivesse 70 anos, sua saúde estava perfeita. As verdadeiras razões provavelmente foram o fracasso de sua política agrícola (embora ele não tivesse tido menos êxito do que os governos anteriores nisso), sua perda de prestígio em função da crise dos mísseis de Cuba (ver Seção 7.4(b)) e o aumento do conflito com a China, que ele não fez qualquer tentativa para solucionar. Ele ofendera muitos grupos importantes na sociedade: suas tentativas de tornar o Partido Comunista e o governo mais eficientes e descentralizados o fizeram entrar em conflito com a burocracia, cujos privilégios estavam sendo ameaçados. Os militares não aprovavam seus cortes nos gastos com defesa nem suas tentativas de limitar armas nucleares. Talvez seus colegas estivessem cansados de sua personalidade extrovertida (uma vez, na ONU, ele tirou o sapato e bateu na mesa com ele) e achavam que ele estava assumindo muita coisa. Sem consultá-los, ele simplesmente tentou conquistar a amizade do presidente Nasser, do Egito, concedendo-lhe a Ordem de Lênin em um momento em que Nasser estava ocupado prendendo comunistas egípcios. Kruchov vinha se tornando cada vez mais agressivo e arrogante, e em alguns momentos parecia ter desenvolvido quase tanto "culto à personalidade" quanto Stalin.

Apesar de seus fracassos, muitos historiadores acreditam que Kruchov merece um crédito considerável; seu período no poder já foi descrito como "a revolução de Kruchov". Ele era um homem de muita personalidade: um político duro e, ao mesmo tempo, impulsivo e cheio de cordialidade e humor. Depois do distanciamento sombrio de Stalin, seu estilo mais humano e acessível era mais do que bem-vindo. Ele merece ser lembrado pelo retorno de uma política comparativamente civilizada (pelo menos dentro da Rússia). Alec Nove acredita que a melhoria no padrão de vida e suas políticas sociais provavelmente foram suas maiores realizações. Outros consideram sua política de "coexistência pacífica" e sua disposição para reduzir armas nucleares como uma mudança importante de atitude.

Martin McCauley considera Kruchov como uma espécie de fracasso heroico, cujo sucesso não passou de modesto porque ele foi prejudicado pela ganância daqueles que tinham autoridade e a preocupação com seus próprios cargos. Interesses poderosos no Partido Comunista e na administração do Estado fizeram tudo o que podiam para retardar suas tentativas de descentralizar e "devolver o poder ao povo". Dmitri Volkogonov, que não era um grande admirador de qualquer dos líderes soviéticos, escreveu que Kruchov conseguiu o que era praticamente impossível: sendo produto do sistema stalinista, "ele passou por uma mudança visível em si mesmo e, de uma forma fundamental, também mudou a sociedade. Por mais que seu sucessor, Brejnev, possa ter simpatizado com o stalinismo, ele não conseguiu restaurá-lo, pois os obstáculos colocados no caminho por Kruchov se revelaram insuperáveis.

18.2 A URSS ESTAGNA, 1964-1985

(a) A era Brejnev

Depois da saída de Kruchov, três homens, Kosygin, Brejnev e Podgorny, pareciam estar compartilhando o poder. Inicialmente, Kosygin era a figura de destaque e o principal porta-voz em questões externas, enquanto Brejnev e Podgorny tratavam de assuntos domésticos. No início da década de 1970, Kosygin foi eclipsado por Brejnev em função de uma divergência sobre políticas econômicas. Kosygin pressionava por mais descentralização econômica, mas os outros líderes não eram favoráveis a ela, afirmando que estimulava muita independência de pensamento nos Estados-satélites, principalmente a Tchecoslováquia. Brejnev tinha estabelecido um controle pessoal firme em 1977 e permaneceu líder até sua morte, em novembro de 1982. As reformas desapareceram da agenda, a maior parte das políticas de Kruchov foi abandonada e os graves problemas econômicos, ignorados. Brejnev e seus colegas eram menos tolerantes às críticas do que Kruchov; qualquer coisa que ameaçasse a estabilidade do sistema ou estimulasse o pensamento independente era sufocada, e isso também se aplicava aos Estados do leste Europeu. A principal preocupação de Brejnev parece ter sido manter feliz a *nomenclatura* (a *elite governante e burocracia*).

1 Políticas econômicas

As políticas econômicas mantiveram os diferenciais de salário e os incentivos ao lucro, houve algum crescimento, mas em um ritmo lento. O sistema permaneceu muito centralizado e Brezhnev relutava em tomar qualquer iniciativa maior. Sendo assim, em 1982, grande parte da indústria russa era antiquada e precisava de novas tecnologias de produção e processamento. Havia preocupações com o fracasso em aumentar a produção das indústrias de carvão e petróleo, a lentidão e a baixa qualidade do setor de construção eram notórias. O baixo rendimento agrícola ainda era um grande problema. Nenhuma vez, no período de 1980-1984, a produção de grãos chegou perto das metas estabelecidas. A safra de 1981 foi desastrosa e a de 1982 foi apenas um pouco melhor, jogando a Rússia em uma dependência desconfortável do trigo norte-americano. Calculava-se que, nos Estados Unidos em 1980, um trabalhador agrícola produzia o suficiente para alimentar 75 pessoas, ao passo que seu equivalente russo só conseguia o suficiente para alimentar 10.

O setor bem-sucedido da economia era a produção de equipamentos militares. No início dos anos de 1970, a URSS tinha alcançado os Estados Unidos em número de mísseis intercontinentais e desenvolveu uma nova arma, o míssil antibalístico (ABM). Infelizmente, a corrida armamentista não parou aí – os norte-americanos continuaram a produzir mísseis ainda mais mortíferos e, a cada passo, a URSS se esforçava para acompanhar. *Esse foi o problema básico da economia soviética: os gastos com defesa eram tão grandes que as áreas civis da economia foram privadas do investimento necessário para mantê-las atualizadas.*

2 O bloco do Leste

Os Estados do bloco do Leste tinham que obedecer aos desejos de Moscou e manter sua estrutura. Quando se desenvolveram tendências liberais na Tchecoslováquia (principalmente a abolição da censura à imprensa), houve uma invasão maciça de tropas russas e do Pacto de Varsóvia. O governo reformador de Dubcek foi substituído por um regime fortemente centralizado e pró-Moscou (1968) (ver Seção 10.5(e)). Pouco depois, Brejnev declarou a chamada Doutrina Brejnev: segundo ela, a intervenção nas questões internas de qualquer país comunista se justificava se o socialismo fosse considerado ameaçado. Isso gerou atritos com a Romênia, que sempre tentou manter alguma independência, recusando-se a mandar tropas à Tchecoslováquia e mantendo boas relações com a China. A invasão russa do Afeganistão (1979) foi a aplicação mais visível da doutrina, enquanto foram aplicadas pressões mais sutis sobre a Polônia (1981) para controlar o movimento sindical independente Solidariedade (ver Seção 10.5(f)).

3 Políticas sociais e direitos humanos

Brejnev queria verdadeiramente que os trabalhadores tivessem melhores condições de vida e mais confortáveis, e não há dúvidas de que a vida melhorou para a maioria das pessoas durante esses anos. O desemprego quase foi eliminado e havia um programa completo de previdência social.

A quantidade crescente de moradias possibilitou que milhões de pessoas se mudassem de apartamentos comunais a outros, para uma família. Entretanto, a liberdade pessoal foi mais limitada. Por exemplo, em 1970 era impossível conseguir publicar qualquer coisa que fosse crítica a Stalin. Historiadores como Roy Medvedev e Viktor Danilov tiveram seus últimos livros proibidos, e Alexander Solzhenitsyn, depois do sucesso de *Um dia na vida de Ivan Denisovich*, teve seus dois próximos romances, *O primeiro círculo* e *O pavilhão dos cancerosos*, rejeitados. Ele foi expulso da união de escritores, o que fazia com que fosse impossível publicar na URSS.

A KGB (polícia secreta) estava agora usando uma nova técnica para lidar com "encrenqueiros": eles eram confinados em hospitais psiquiátricos e manicômios, onde alguns ficavam por anos. Em maio de 1970, o biólogo e escritor Zhores Medvedev, irmão gêmeo de Roy, foi trancafiado em um hospital mental e diagnosticado com "esquizofrenia crescente", mas a verdadeira razão era que suas obras foram consideradas antissoviéticas. Esse tipo de tratamento aumentou a determinação de perseverar dos intelectuais com ideias reformistas. Os médicos Andrei Sakharov e Valeri Chalidze formaram um Comitê de Direitos Humanos para protestar contra as condições nos campos de trabalho e nas prisões, exigir liberdade de expressão e todos os outros direitos prometidos na Constituição. Os escritores começaram a circular obras datilografadas em seus pequenos grupos, uma prática conhecida como *samizdat* ou autopublicação.

O Comitê de Direitos Humanos ganhou uma nova arma quando, em 1975, quando a URSS, junto com os Estados Unidos e outros países, assinou *o Tratado Final de Helsinque*, que dispunha, entre outras coisas, sobre a cooperação econômica e científica entre Ocidente e Oriente, bem como sobre direitos humanos integrais. Brejnev disse ser favorável ao tratado e parecia fazer importantes concessões sobre direitos humanos na URSS, mas houve pouco progresso real. Foram estabelecidos grupos para verificar se os termos do acordo estavam sendo cumpridos, mas as autoridades lhes pressionaram muito, e seus membros foram detidos, mandados à prisão, exilados ou deportados e eles acabaram sendo dissolvidos totalmente. Apenas Sakharov foi poupado, porque era tão conhecido internacionalmente que haveria protestos em todo o mundo se ele fosse preso. Ele foi mandado para o exílio em Gorki e, depois, na Sibéria.

4 Política externa

A "coexistência pacífica" foi a única iniciativa de Kruchov que se manteve durante o período Brejnev. Os russos estavam ansiosos por *détente*, principalmente à medida que as relações com a China se deterioravam quase ao ponto de guerra de 1969, mas, após as eleições de 1979, as relações com o Ocidente pioraram subitamente como resultado da invasão russa do Afeganistão. Brejnev continuava a defender o desarmamento, mas presidiu um rápido aumento nas forças armadas soviéticas, principalmente a marinha e os novos mísseis SS-20 (ver Seção 7.4(c)). Ele aumentou a ajuda soviética a Cuba e ofereceu auxílio a Angola, Moçambique e Etiópia.

(b) Andropov e Chernenko

Depois da morte de Brejnev, em 1982, por um curto período, a Rússia foi governada por dois políticos idosos e enfermos, Yuri Andropov (novembro de 1982 a fevereiro de 1984) e depois, Konstantin Chernenko (fevereiro de 1984 a março de 1985). Chefe da KGB até maio de 1982, Andropov imediatamente lançou uma forte campanha para modernizar e agilizar o sistema soviético. Ele deu início a uma ação anticorrupção e introduziu um programa de reformas econômicas, esperando aumentar a produção ao estimular a descentralização. Alguns dos dirigentes mais velhos do partido foram substituídos por homens mais jovens e mais progressistas. Infelizmente, Andropov tinha a saúde frágil e morreu pouco mais de um ano depois de assumir o cargo.

Chernenko, de 72 anos, era o tipo de político soviético mais convencional. Ele devia sua ascensão ao fato de ter sido assistente pessoal de Brejnev por muitos anos, e já estava com uma doença terminal quando foi escolhido como o próximo líder pelo Politburo. Claramente, a maioria queria alguém que abandonasse a campanha anticorrupção e a deixasse em paz. Não houve relaxamento no tratamento de ativistas dos direitos humanos. Sakharov continuou no exílio na Sibéria (onde estava desde 1980), apesar dos apelos de líderes ocidentais pela sua libertação. Membros de um sindicato não oficial, apoiadores de um grupo "pelo estabelecimento de confiança entre URSS e Estado Unidos," e membros de grupos religiosos extraoficiais foram todos presos. Foi assim que Dmitri Volkogonov (em *The Rise and Fall of the Soviet Empire*) resumiu os 13 meses de Chernenko no poder: "Chernenko não era capaz de liderar o país nem o partido rumo ao futuro. Sua ascensão simbolizou o aprofundamento da crise na sociedade, a total falta de ideias positivas no partido e a inevitabilidade das convulsões que viriam".

18.3 GORBACHOV E O FIM DO REGIME COMUNISTA

Mikhail Gorbachov, que subiu ao poder em março de 1985, era, aos 54 anos, o mais brilhante e dinâmico líder que a Rússia tinha em muitos anos. Ele estava determinado a transformar e revitalizar o país depois dos anos estéreis que se seguiram à queda de Kruchov. Ele pretendia fazer isso modernizando e agilizando o Partido Comunista com novas políticas de *glasnost* (transparência) e *perestroika* (reestru-

turação, do partido, da economia e do governo). O novo pensamento logo influenciou as questões externas, com iniciativas de *détente*, relações com a China, uma retirada do Afeganistão e, por fim, o encerramento da Guerra Fria no final da década de 1980 (ver Seção 8.6).

Gorbachov definiu o que estava errado no país em um discurso à conferência do partido em 1988: o sistema era centralizado demais, não deixando espaço para a iniciativa individual. Era a economia de "comando", baseada quase que exclusivamente na propriedade e controle estatais, e se inclinava muito para a defesa e a indústria pesada, deixando os bens de consumo para as pessoas comuns sem abastecimento (ver Seção 18.1). *Gorbachov não queria acabar com o comunismo, e sim substituir o sistema existente, que ainda era basicamente stalinista, por um sistema socialista que fosse humano e democrático.* Ele acreditava sinceramente que isso poderia ser realizado dentro do quadro do Estado marxista-leninista de partido único. Ele não teve o mesmo sucesso em casa que teve no exterior, pois suas políticas não conseguiram dar resultados com a rapidez suficiente e levaram ao colapso do comunismo, ao desmembramento da URSS e ao fim de sua carreira política.

(a) As novas políticas de Gorbachov

1 A Glasnost

A Glasnost logo começou a ser vista em áreas de direitos humanos e questões culturais. Vários dissidentes conhecidos foram libertados, e os Sakharov puderam retornar a Moscou depois de seu exílio interno em Gorki (dezembro de 1986). Líderes como Bukharin, que havia caído em desgraça e sido executado durante os expurgos de Stalin na década de 1930, foram declarados inocentes de todos os crimes. O Pravda teve permissão de publicar uma matéria criticando Brejnev por sua reação exagerada contra os dissidentes e foi introduzida uma nova lei para impedir que eles fossem enviados a instituições mentais (janeiro de 1988). Acontecimento políticos impor-

Ilustração 18.1 Mikhail Gorbachov tenta persuadir trabalhadores russos sobre os benefícios da glasnost e da perestroika.

tantes, como a 19ª Conferência do Partido, em 1988, e a primeira sessão do Novo Congresso dos Deputados do Povo (maio de 1989) foram transmitidos pela televisão.

Em questões culturais e nos meios de comunicação como um todo, houve eventos impressionantes. Em maio de 1986, tanto a União de Cineastas Soviéticos quanto a União de Escritores puderam demitir seus chefes reacionários e eleger líderes com pensamento mais independente. Filmes e romances contrários a Stalin, há muito proibidos, foram apresentados e publicados, e houve preparações para a publicação das obras do grande poeta Osip Mandelstam, que morreu em um campo de trabalho em 1938.

Havia uma nova liberdade na cobertura jornalística: em abril de 1986, por exemplo, quando explodiu um reator nuclear em Chernobyl, na Ucrânia, matando centenas de pessoas e liberando uma imensa nuvem radioativa que se arrastou pela maior parte da Europa, o desastre foi discutido com franqueza inédita. Os objetivos da nova postura eram:

- usar os meios de comunicação para divulgar a ineficiência e a corrupção que o governo estava tão ansioso para extinguir;
- educar a opinião pública;
- mobilizar o apoio às novas políticas.

A *glasnost* era estimulada, desde que ninguém criticasse o partido em si.

2 Questões econômicas

Em pouco tempo, houve mudanças importantes em andamento. Em novembro de 1986, Gorbachov anunciou que "1987 [seria] o ano para a ampla aplicação dos novos métodos de gestão econômica". Seriam permitidos empreendimentos privados de pequeno porte, como restaurantes familiares, empresas familiares que confeccionassem roupas ou artesanato, que prestassem serviços como consertos de carros, televisores, pintura e decoração, aulas particulares, assim como cooperativas de trabalhadores de até 50 membros. Uma razão por trás dessa reforma era o desejo de proporcionar concorrência aos serviços lentos e ineficientes oferecidos pelo Estado, na esperança de estimular um aprimoramento rápido. Outra era a necessidade de oferecer trabalhos alternativos à medida que mudariam os padrões de emprego na década seguinte, pois estava claro que, com a introdução de mais automação e informatização nas fábricas e escritórios, a necessidade de trabalhadores formais diminuiria.

Outra mudança importante foi que a responsabilidade pelo controle de qualidade em toda a indústria seria assumida por orgãos estatais independentes, em vez da gestão por fábrica. A parte mais importante das reformas era a *Lei das Empresas Estatais (junho de 1987)*, que suspendia o controle total que os planejadores centrais exerciam sobre matérias-primas, quotas de produção e comércio, e fazia com que as fábricas trabalhassem a partir de pedidos de clientes.

3 Mudanças políticas

Começaram em janeiro de 1987, quando Gorbachov anunciou ações rumo à democracia dentro do Partido Comunista. Em vez de serem nomeados pelo Partido Comunista local, os membros dos *sovietes* locais seriam eleitos pelo povo, haveria opções de candidatos (embora não de partidos). Haveria eleições secretas para cargos partidários importantes e eleições nas fábricas para a escolha de administradores.

No ano de 1988, foram realizadas mudanças dramáticas no governo central. O antigo parlamento (Soviete Supremo) de cerca de 1.450 deputados só se reunia umas duas semanas por ano. Sua função era eleger órgãos menores – o Presidium (33 membros) e o Conselho de Ministros (71 membros). Eram esses dois comitês que tomavam todas as decisões importantes a garantiam que as políticas fossem implementadas. Agora, o Soviete Supremo seria substituído por um Congresso dos Deputados do Povo (2.250 membros) cuja função principal era eleger um Soviete Supremo novo e muito menor (450 representantes) que fosse um parlamento com funcionamento adequado, reunindo-se durante cerca de oito meses por ano. O presidente do Soviete Supremo seria o Chefe de Estado.

As eleições aconteceram e o primeiro Congresso dos Deputados do Povo se reuniu em maio de 1989. Foram eleitas figuras conhecidas, como Roy Medvedev, Andrei Sakharov e Boris Yeltsin. Era um retorno dramático para Yeltsin, que foi demitido do cargo de primeiro secretário em Moscou e forçado a renunciar ao Politburo pelos conservadores (tradicionalistas) do Partido Comunista em novembro de 1987. Durante a segunda sessão (dezembro de 1989), decidiu-se que as cadeiras reservadas para o partido comunista deveriam ser abolidas. Gorbachov foi eleito presidente da URSS (março de 1990), com dois conselhos para assessorá-lo e ajudá-lo: um continha seus assessores pessoais, o outro, representantes das 15 repúblicas. Esses novos órgãos colocaram o antigo sistema completamente de lado, significando que o Partido Comunista estava à beira de perder sua posição privilegiada. Na eleição seguinte, marcada para 1994, mesmo Gorbachov teria que se submeter ao voto popular.

(b) O que deu errado com as políticas de Gorbachov?

1 A oposição dos radicais e dos conservadores

À medida que as reformas avançavam, Gorbachov se deparou com problemas. Alguns membros do partido, como Boris Yeltsin, eram mais radicais do que Gorbachov, e achavam que as reformas não eram drásticas o suficiente. Eles queriam uma mudança para uma economia de mercado em estilo ocidental o mais rápido possível, embora soubessem que isso geraria grandes dificuldades para o povo russo no curto prazo. Por outro lado, conservadores como Yegor Ligachov achavam que as reformas eram drásticas demais e que o partido corria o risco de perder o controle. Isso causou uma divisão perigosa no Partido Comunista e dificultou a Gorbachov satisfazer a ambos os grupos. Embora ele tivesse alguma simpatia pelas visões de Yeltsin, não podia se dar ao luxo de ficar do lado dele contra Ligachov, já que este controlava o aparato partidário.

Os conservadores eram ampla maioria, e quando o novo Soviete Supremo foi eleito pelo Congresso dos Deputados do Povo, (maio de 1989) estava cheio deles. Yeltsin e muitos outros radicais não foram eleitos, o que levou a manifestações de massas em Moscou, onde sua popularidade era alta por ter limpado a organização corrupta do Partido Comunista. Essas manifestações não teriam sido permitidas antes da época de Gorbachov, mas a *glasnost*, estimulando as pessoas a expressar suas críticas, estava em pleno funcionamento agora, e começava a se voltar contra o Partido Comunista.

2 As reformas econômicas não produziram resultados com a rapidez suficiente

A taxa de crescimento econômico de 1988 e 1989 permaneceu exatamente a mesma dos anos anteriores. Em 1990, a renda nacional até caiu, e continuou a cair, em cerca de 15%, em 1991. Alguns economistas achavam que a URSS estava passando por uma crise econômica tão séria quanto a dos Estados Unidos no início dos anos de 1930.

Uma causa importante para a crise foram os resultados desastrosos da Lei das Empresas Estatais. O problema era que os salários agora dependiam de produção, mas como o valor da produção era medido em rublos, as fábricas eram tentadas a não aumentar a produção geral, e sim a se concentrar em bens mais caros e reduzir a produção de bens mais baratos. Isso levou a salários mais altos, forçando o governo e imprimir mais dinheiro para pagá-los. A inflação explodiu, junto com o déficit orçamentário do governo. Bens básicos como sabão, sabão em pó, lâminas de barbear, xícaras e pratos, televisores e alimentos tinham uma oferta muito baixa, e as filas nas cidades foram ficando maiores.

Em pouco tempo, havia decepção com Gorbachov e suas reformas, e com as expectativas elevadas pelas promessas do dirigente, as pessoas ficaram indignadas com a escassez. Em julho de 1989, alguns mineiros de carvão na Sibéria souberam que não havia sabão para lavarem-se ao final da jornada de trabalho. "Que tipo de regime é esse", perguntavam, "se não podemos nem nos lavar?" Depois de um protesto passivo, eles decidiram entrar em greve e em seguida tiveram a adesão de outros mineiros na Sibéria, no Cazaquistão e na bacia do rio Donets (Ucrânia), a maior região de mineração da URSS, até que meio milhão de mineiros entraram em greve. Foi a primeira grande greve desde 1917. Os mineiros estavam bem disciplinados e organizados, fazendo reuniões de massa fora das sedes do partido nas principais cidades. Eles apresentaram reivindicações detalhadas, 42 ao todo, incluindo melhores condições de vida e de trabalho, melhor fornecimento de alimentos, participação nos lucros e mais controle local sobre as minas. Mais tarde, influenciados pelo que estava acontecendo na Polônia (onde um presidente não comunista acabara de ser eleito – ver Seção 10.6(c)), eles reivindicaram sindicatos independentes como o Solidariedade polonês, e em algumas áreas, o fim do privilégio do Partido Comunista. O governo logo cedeu e atendeu a maioria de suas demandas, prometendo uma completa reorganização da indústria e total controle local.

No final de julho, a greve tinha acabado, mas a situação econômica geral não melhorara. No início dos anos de 1990, calculava-se que cerca de um quarto da população estava vivendo abaixo da linha da pobreza. Os mais afetados eram as famílias grandes, os desempregados, os aposentados. Gorbachov perdia rapidamente o controle do movimento reformista que tinha iniciado e o sucesso dos mineiros estava fadado e estimular os radicais a pressionar em por mudanças ainda mais abrangentes.

3 Pressões nacionalistas

Essas pressões também contribuíram para o fracasso de Gorbachov e levaram ao desmembramento da URSS, até então um Estado federal que consistia em 15 repúblicas separadas, cada uma com seu próprio parlamento. A República Russa era apenas uma das 15, com seu parlamento em Moscou (a cidade também era o local de reunião do Soviete Supremo e do Congresso dos Deputados do Povo). As repúblicas foram mantidas sob rígido controle desde a época de Stalin, mas a *glasnost* e a *perestroika* incentivaram suas esperanças de mais poderes para seus parlamentos e mais independência em relação a Moscou. O próprio Gorbachov parecia ter simpatias, desde que o Partido Comunista da União Soviética (PCUS) permanecesse no controle geral. Contudo, depois de iniciadas, as reivindicações saíram do controle.

- *Os problemas começaram em Nagorno-Karabakh*, uma pequena república cristã autônoma dentro da República Soviética do Azerbaijão, que era muçulmana. O parlamento de Nagorno-Karabakh pediu para se tornar parte da vizinha Armênia cristã (fevereiro de 1988), mas Gorbachov negou. Ele tinha receio de que, caso concordasse, desagradaria aos conservadores (que se opunham a mudanças de fronteiras internas) e os faria voltarem-se contra todo seu programa de reformas. Teve início uma luta entre o Azerbaijão e a Armênia, e Moscou claramente perdeu o controle.
- *O pior estava por vir nas três repúblicas bálticas da Lituânia, Letônia e Estônia*, que foram tomadas pelos russos em 1940. Os movimentos pela independência, denunciados por Gorbachov como "excessos nacionais", vinham ganhando força. Em março de 1990, incentivada pelo que estava acontecendo nos Estados-Satélites do Leste Europeu, a Lituânia tomou a frente e se declarou independente. As outras duas logo a seguiram, embora tenham aprovado em votações proceder de forma mais gradual. Moscou se recusava a reconhecer essas independências.
- Boris Yeltsin, que tinha sido excluído do novo Soviete Supremo pelos conservadores, teve um retorno dramático quando foi eleito presidente do parlamento da República Russa (Federação Russa) em maio de 1990.

4 Rivalidade entre Gorbachov e Yeltsin

Gorbachov e Yeltsin eram agora rivais implacáveis, divergindo em muitas questões fundamentais.

- *Yeltsin acreditava que a união deveria ser voluntária*: cada república deveria ser independente, mas também deveria haver responsabilidades conjuntas com a URSS. Se qualquer uma delas quisesse optar por sair, como fez a Lituânia, deveria ter permissão para fazê-lo. Entretanto, Gorbachov achava que uma união puramente voluntária levaria à desintegração.
- Yeltsin estava agora completamente decepcionado com o Partido Comunista e com a forma como os tradicionalistas o haviam tratado. Ele achava que o partido não merecia mais sua posição privilegiada no Estado. Gorbachov ainda tinha esperanças de que o partido pudesse ser transformado em uma organização democrática e humana.
- Sobre a economia, Yeltsin achava que a resposta deveria ser uma mudança rápida para uma economia de mercado, embora soubesse que isso seria duro para o povo russo. Gorbachov era muito mais cauteloso, entendendo que os planos de Yeltsin poderiam gerar desemprego em massa e preços ainda mais elevados. Ele estava totalmente ciente de sua baixa popularidade, e se as coisas piorassem ainda mais, poderia até ser derrubado.

(c) O golpe de agosto de 1991

À medida que a crise se aprofundava, Gorbachov e Yeltsin tentavam trabalhar juntos, o primeiro se via pressionado rumo a eleições livres e pluripartidárias. Isso gerou duros ataques de Ligachov e dos conservadores, que já estavam indignados com a forma com que Gorbachov tinha "perdido" o Leste Europeu sem lutar e, pior de tudo, permitido que a Alemanha fosse reunificada. Em junho de 1990, Yeltsin renunciou ao Partido Comunista. Gorbachov estava perdendo controle: muitas das repúblicas estavam exigindo independência e quando as tropas soviéticas foram usadas contra os nacionalistas na Lituânia e na Letônia, o povo organizou manifestações de massa. Em abril de 1991, a Geórgia declarou independência: parecia que a URSS estava se desmanchando. Porém, no mês seguinte, Gorbachov fez uma conferência com líderes das 15 repúblicas e os convenceu a formar uma nova união voluntária, na qual elas teriam um alto grau de independência em relação a Moscou.* O acordo seria assinado formalmente em 20 de agosto de 1991.

Nesse momento, um grupo de comunistas de linha-dura, entre eles o vice-presidente de Gorbachov, Gennady Yanayev, decidiu que bastava e lançou um golpe para depor Gorbachov e reverter suas reformas. Em 18 de agosto, Gorbachov, que estava em férias na Criméia, foi preso e exigiram que cedesse o poder a Yanayev. Quando ele se recusou, foi colocado em prisão domiciliar enquanto o golpe avançava em Moscou. O povo foi informado que Gorbachov estava doente e que um comitê de oito membros estava no comando. Eles declararam estado de emergência, proibiram as manifestações e levaram tanques e soldados para cercar os prédios públicos em Moscou, incluindo a Casa Branca (o parlamento da federação russa), que pretendiam tomar. O novo tratado da união proposto por Gorbachov, que seria assinado no dia seguinte, foi cancelado.

No entanto, o golpe foi mal organizado e os líderes não prenderam Yeltsin, que foi rapidamente à Casa Branca e, dentro de um tanque na frente do prédio, condenou o golpe e chamou o povo de Moscou a sair em seu apoio. Os soldados estavam confusos, não sabendo qual lado apoiar, mas nenhum deles tomou qualquer atitude contra Yeltsin, que gozava de alta popularidade. Logo ficou claro que alguns setores do exército tinham simpatia pelos reformadores. Na noite de 20 de agosto, milhares de pessoas estavam nas ruas, foram levantadas barricadas contra os tanques e o exército hesitava em causar muitas baixas atacando a Casa Branca. No dia 21 de agosto, os líderes do golpe reconheceram a derrota e acabaram presos. Yeltsin tinha triunfado e Gorbachov conseguiu voltar a Moscou, mas as coisas nunca mais seriam as mesmas, e o golpe fracassado teve importantes consequências.

- O Partido Comunista caiu em desgraça e descrédito pelas ações dos políticos de linha-dura. Até Gorbachov estava agora convencido de que o partido não era passível de reforma e logo renunciou ao cargo de secretário-geral. O partido foi proibido na Federação Russa.
- Yeltsin foi considerado herói e Gorbachov era cada vez mais deixado de lado. Yeltsin governou a Federação Russa como uma república separada, introduzindo um drástico programa para avançar a uma economia de mercado. Quando a Ucrânia, a segunda maior república soviética, aprovou em votação sua independência (1° de dezembro de 1991), estava claro que antiga URSS tinha terminado.
- Yeltsin já estava negociando uma nova união de repúblicas. Inicialmente, ela incluía a Federação Russa, a Ucrânia e a Bielorrússia (8 de dezembro de 1991), e outras oito repúblicas entraram mais tarde. A nova união ficou conhecida como Comunidade de Estados Independentes (CEI). Mesmo que fossem completamente independentes, os Estados-Membros

---

* N. de R.: Foi realizado um plebiscito em que mais de dois terços da população votou pela manutenção de uma União renovada.

concordavam em trabalhar juntos em questões econômicas e de defesa.
- Esses eventos fizeram com que o papel de Gorbachov como presidente da URSS deixasse de existir e ele renunciou no dia de Natal de 1991.

(d) Avaliação sobre Gorbachov

Na época de sua queda, e por alguns anos depois, a maioria das pessoas o considerava um fracasso, embora por diferentes razões. Os conservadores, que achavam que a URSS e o partido ainda tinham muito para oferecer, consideravam-no um traidor. Reformadores radicais achavam que ele tinha permanecido com o comunismo por tempo demasiado, tentando reformar o irreformável. As pessoas comuns achavam que ele tinha sido incompetente e fraco e permitira que o padrão de vida delas decaísse.

Todavia, não restam dúvidas de que Gorbachov foi um dos mais destacados líderes do século XX, embora sua carreira tenha sido uma mistura de brilhantes sucessos com fracassos decepcionantes. Alguns historiadores o consideram o verdadeiro sucessor de Lênin e acreditam que ele estava tentando fazer com que o comunismo voltasse ao caminho pretendido por Lênin antes de ser sequestrado por Stalin, que o distorceu e perverteu. As duas principais decepções foram sua incapacidade de agilizar a economia e sua completa incompreensão do problema das nacionalidades, que levou ao desmembramento da URSS.

Por outro lado, suas conquistas foram enormes. Archie Brown as resume:

> Ele cumpriu um papel decisivo ao permitir que os países do Leste Europeu se tornassem livres e independentes. Ele fez mais do que qualquer outra pessoa para dar fim à Guerra Fria entre o Oriente e o Ocidente. Desencadeou uma revisão fundamental do pensamento sobre os sistemas políticos e econômicos que herdou e sobre alternativas melhores. Presidiu a introdução de liberdade de expressão, de imprensa, de associação, religiosa, de ir e vir e deixou a Rússia *mais livre* do que jamais tinha sido em sua história.

Ele começou acreditando que o Partido Comunista poderia ser reformado e modernizado, e que, uma vez que isso fosse feito, não poderia haver sistema melhor, mas descobriu que a maioria do partido – a elite e a burocracia – resistiam às mudanças por suas próprias razões egoístas. Todo o sistema estava tomado por escroques e operadores do mercado negro e de todos os tipos de corrupção. Essa descoberta levou Gorbachov a mudar seus objetivos: se o partido se recusasse a ser reformado, teria que perder seu papel dominante. Ele atingiu esse objetivo pacificamente, sem derramamento de sangue, o que era impressionante nas circunstâncias de então. Suas realizações foram imensas, principalmente em questões externas. Suas políticas de *glasnost* e *perestroika* restauraram a liberdade do povo da URSS. Suas políticas de redução de despesas militares, *détente* e retirada do Afeganistão e do Leste Europeu deram uma contribuição vital para o final da Guerra Fria.

(e) Era possível reformar o sistema comunista?

O comunismo russo poderia ter sobrevivido se Gorbachov tivesse seguido políticas diferentes? Muitos russos estão convencidos de que sim, e que se tivesse seguido o mesmo caminho da China, a URSS ainda seria comunista hoje em dia. O argumento é que ambos os países precisavam de reformas em duas áreas: no Partido Comunista e no governo, e na economia. Gorbachov acreditava que elas só poderiam ser realizadas uma de cada vez, e escolheu introduzir as reformas políticas antes, sem qualquer inovação econômica real. Os chineses fizeram o contrário, introduzindo reformas econômicas antes (ver Seção 20.3) e deixando o poder do Partido Comunista como estava. Isso significou que, embora as pessoas tivessem dificuldades econômicas, o governo mantinha um controle rígido sobre elas, e, como último recurso, estava disposto a usar a força contra elas, diferentemente de Gorbachov.

Vladimir Bukovsky, reformador e social-democrata, explicou onde Gorbachov deu errado: "Seu único instrumento de poder era o Partido Comunista, mas suas reformas enfraqueciam precisamente esse instrumento. Ele era como o homem do provérbio, serrando o galho em que estava sentado. O resultado não poderia ter sido outro". Se Gorbachov tivesse colocado em operação um programa de reforma econômica cuidadosamente elaborado, projetado para durar 10 anos, talvez a situação pudesse ter sido salva.

Outros observadores afirmam que não era possível reformar o Partido Comunista e dizem que qualquer sistema político que tenha um período longo e ininterrupto no poder se torna arrogante, complacente e corrupto. Kruchov e Gorbachov tentaram reformar a *nomenklatura* e os dois fracassaram, porque a elite, a burocracia do governo e o sistema econômico só estavam preocupados em melhorar suas carreiras e se recusavam a responder às mudanças nas circunstâncias. Teoricamente, as reformas poderiam ter sido possíveis, mas talvez fosse necessário usar a força, como fez o governo chinês na Praça da Paz Celestial. Dada a extrema relutância de Gorbachov a recorrer à força, as perspectivas de êxito não teriam sido promissoras.

(f) O legado do comunismo

Qualquer regime que permaneça no poder por mais de 70 anos deixará marcas, boas e más, sobre o país. A maioria dos historiadores parece achar que as conquistas do comunismo são superadas pelos seus efeitos negativos. Ainda assim, nenhum sistema poderia ter sobrevivido por tanto tempo só pela força. Uma importante conquista é que o sistema trouxe benefícios na forma de promoções e empregos razoavelmente bem pagos e com enormes privilégios para grandes quantidades de pessoas de origem de classe "inferior", que foram excluídas dessas coisas no regime czarista. A educação e a alfabetização foram mais difundidas, a "cultura" soviética foi incentivada, bem como os esportes. As artes dramáticas e a música, principalmente esta, eram subsidiadas pelo Estado e a ciência obteve papel e financiamentos destacados. Talvez a maior conquista do comunismo seja que ele cumpriu um papel vital na derrota do maligno regime de Hitler e dos nazistas. Depois da morte de Stalin, embora o país tenha estagnado de certa forma, o sistema trouxe alguma estabilidade e um padrão melhor de vida para a maioria de seu povo.

Por outro lado, o sistema soviético legou uma ampla gama de problemas que o regime seguinte teria dificuldades extremas de enfrentar. Todo o sistema era rígido e supercentralizado, a iniciativa foi sufocada por gerações e os burocratas se opunham a qualquer mudança radical. O país foi sobrecarregado com enormes gastos militares. Boris Yeltsin teve um papel importante na destruição do sistema soviético. Ele seria capaz de fazer alguma coisa melhor?

18.4 A RÚSSIA DEPOIS DO COMUNISMO: YELTSIN E PUTIN

Os oito anos de Yeltsin como presidente da Rússia foram cheios de incidentes, à medida que ele e seus sucessivos primeiros-ministros tentavam transformar o país em uma democracia política com uma economia de mercado, no tempo mais curto possível.

(a) Yeltsin, Gaidar e a "terapia de choque"

O problema de Boris Yeltsin era assustador: como melhor desmantelar a economia de comando e transformar a Rússia em uma economia de mercado privatizando as indústrias e a agricultura estatais ineficientes e subsidiadas. Yeltsin tinha uma popularidade altíssima, mas que só duraria se ele pudesse melhorar o padrão de vida do povo. Ele escolheu como vice-presidente Yegor Gaidar, um jovem economista influenciado pelas teorias dos monetaristas ocidentais (ver Seção 23.5(b)), que convenceu Yeltsin de que as mudanças necessárias seriam atingidas em um ano, começando com a "liberalização de preços" e passando à privatização de quase toda a economia. Seria difícil por uns seis meses, mas ele garantiu a Yeltsin que as coisas se estabilizariam e a vida das pessoas melhoraria aos poucos.

Essa "terapia de choque", como foi chamada, começou em janeiro de 1992 com a suspensão dos controles de preços de cerca de 90% das mercadorias e o final dos subsídios do governo à indústria. Os preços subiram muito e continuaram subindo depois dos primeiros seis meses. No final do ano, os preços estavam, em média, 30 vezes mais altos do que no começo, havia abundância de mercadorias nas lojas, mas a maioria das pessoas não podia comprá-las. A situação era desastrosa, já que os salários não acompanhavam os preços. À medida que as vendas caíam, os operários iam sendo demitidos das fábricas e mais de um milhão de pessoas perderam seus empregos. Milhares de pessoas foram forçadas a morar em barracos na periferia das cidades.

Quando o programa de privatização começou, parecia que a intenção era que todas as grandes indústrias estatais e fazendas coletivas fossem transferidas à propriedade conjunta de todo o povo. Todos os cidadãos receberam vales de dez mil rublos como sua fatia e havia planos para que os trabalhadores pudessem comprar ações em sua empresa. Entretanto, nada disso aconteceu: dez mil rublos era o equivalente a cerca de 35 libras esterlinas, uma quantia minúscula em um tempo de inflação acelerada. Tampouco os trabalhadores tinham condições de comprar ações. O que aconteceu foi que os administradores conseguiram comprar e acumular vales suficientes para assumir o controle de toda a fábrica. Essa situação continuou até que, no final de 1995, a maior parte da antiga indústria estatal tinha caído nas mãos de um grupo relativamente pequeno de financistas, que ficaram conhecidos como os "oligarcas". Eles tiveram lucros enormes, mas a partir dos subsídios do governo, que foram reintroduzidos, e não do mercado. Em vez de reinvestir seu dinheiro na indústria, como pretendia o governo, eles os transferiram para contas em bancos suíços e investimentos estrangeiros. O investimento total na Rússia caiu em dois terços.

Muito tempo antes de chegar a essa etapa, a popularidade de Yeltsin tinha murchado. Dois de seus antigos apoiadores, Alexander Rutskoi e Ruslan Khasbulatov, lideravam a oposição no Soviete Supremo e o forçaram a demitir Gaidar, substituindo-o por Viktor Chernomyrdin. Em janeiro de 1993, ele introduziu alguns controles de preços e lucros, mas, no final do ano, dois anos após a "terapia de choque", segundo um relatório, "o país foi jogado dois séculos no passado, à 'era selvagem' do capitalismo".

Infelizmente, a corrupção, a fraude, o suborno e a atividade criminosa se tornaram parte da vida cotidiana da Rússia. Outro relatório, preparado por Yeltsin no início de 1994, estimava que as máfias criminosas tinham tomado o controle de 70 a 80% de todas as empresas e bancos. Um autor russo, Alexander Chubarov, descreveu recentemente as políticas do governo como "capitalismo deformado". Foi uma tentativa de criar, em seis meses, o tipo de capitalismo de mercado que tinha levado gerações para se desenvolver no Ocidente.

(b) A oposição e a "guerra civil" em Moscou

Os políticos importantes não tinham experiência com a democracia, nem com a organização de uma economia de mercado. Inicialmente, não havia partidos políticos organizados adequadamente no modelo Ocidental e a Constituição, um resquício da era soviética, não era clara sobre a divisão de poderes entre presidente e parlamento. Mas em novembro de 1992, o Partido Comunista foi legalizado novamente e começaram a se formar outros grupos, embora o próprio Yeltsin não tivesse um partido para lhe apoiar. *A maioria do parlamento se opunha fortemente às suas políticas e tentava se livrar dele*, mas em um referendo em abril de 1993, 53% dos votantes expressaram sua aprovação de suas políticas sociais e econômicas. O sucesso de Yeltsin surpreendeu a muitas pessoas e sugeriu que, embora ele fosse impopular, as pessoas tinham ainda menos confiança nas alternativas.

Yeltsin tentava agora neutralizar o parlamento produzindo uma nova Constituição, tornando-o subordinado ao presidente. Khasbulatov e Rutskoi estavam determinados a não sucumbir, correram à Casa Branca, onde o Soviete Supremo se reunia, e se trancaram dentro com barricadas, junto com centenas de deputados, jornalistas e apoiadores. Depois de alguns dias, o prédio foi cercado por tropas leais a Yeltsin; alguns apoiadores do parlamento atacaram a prefeitura e uma estação de TV, e então Yeltsin ordenou que suas tropas invadissem a Casa Branca (3 de outubro de 1993). Depois de algum tempo, os deputados se renderam, embora não antes de uns 200 serem mortos, uns 800, feridos, e o prédio ter sofrido danos graves. A nova Constituição de Yeltsin foi aprovada por margem estreita em um referendo (dezembro de 1993). Em eleições para a nova câmara baixa do parlamento (a *Duma*), os apoiadores de Yeltsin tiveram somente 70 cadeiras em 450, enquanto o bloco comunista conquistou 103. Esse foi um claro revés para Yeltsin, mas seu poder não foi afetado, já que a nova Constituição lhe permitia demitir o parlamento e governar por decreto se assim quisesse.

Embora tivesse muito poder, Yeltsin sabia que não poderia se dar ao luxo de ignorar completamente a opinião pública, principalmente porque havia eleições presidenciais marcadas para 1996. Ele tentou evitar o confronto com a Duma e as relações melhoraram. Enquanto isso, o avanço rumo à privatização continuava e se completava a formação de uma nova classe proprietária rica. Mesmo assim, o Tesouro do Estado parecia se beneficiar muito pouco dessas vendas, o que acontecia era que, na verdade, as empresas estatais foram vendidas a antigos administradores, empreendedores, banqueiros e políticos por preços baixíssimos. Estranhamente, Yeltsin, que tinha sido o flagelo dos funcionários corruptos de Moscou, pouco fez para conter seus subalternos. Para a maioria das pessoas, não havia sinais visíveis de melhoria: os preços continuaram a aumentar durante 1995, o número de pessoas vivendo na pobreza aumentou, cresceram o desemprego e a taxa de mortalidade, com a taxa de natalidade caindo. A situação não foi favorecida pelo início da guerra com a república da Chechênia em dezembro de 1994.

(c) O conflito na Chechênia, 1994-1996

Os chechenos são um povo islâmico de cerca de um milhão de pessoas, que vive em uma região ao norte da Geórgia, dentro das fronteiras da república Russa. Eles nunca estiveram satisfeitos sob controle russo, resistiram ao governo comunista nos primeiros anos e na guerra civil, e à coletivização. Durante a Segunda Guerra Mundial, Stalin os acusou de colaborar com os alemães. Toda a nação foi brutalmente deportada à Ásia central, e milhares de pessoas morreram no caminho. Em 1956, Kruchov permitiu que os chechenos voltassem à sua terra natal e a república autônoma foi restaurada.

Quando a URSS se desmembrou, a Chechênia se declarou uma república independente sob a liderança de Jokhar Dudaev. Depois de tentativas fracassadas de convencê-los a voltar à Federação Russa, Yeltsin decidiu usar a força contra eles. As razões apresentadas eram que sua declaração de independência era ilegal e que a Chechênia estava sendo usada como base de onde gangues criminosas operavam em toda a Rússia. Em dezembro de 1994, 40.000 soldados russos invadiram o país. Para sua surpresa, houve uma ferrenha resistência antes de a capital Grozny, ser capturada em fevereiro de 1995. Em todo o mundo, os telespectadores assistiam a imagens chocantes de tanques russos passando por cima da cidade arruinada, mas os chechenos não se rendiam e continuavam a assediar os russos com ataques de guerrilha. No verão de 1996, quando os chechenos conseguiram recapturar Grozny, os russos tinham perdido 20.000 homens. A Duma havia votado contra a intervenção militar por maioria esmagadora e o povo em geral não apoiava a guerra. Com a aproximação das eleições, Yeltsin decidiu fazer um acordo e foi assinado um cessar-fogo (março de 1996). Os russos concordaram em retirar suas tropas, os chechenos prometeram estabelecer um governo aceitável para Moscou e houve um período de relaxamento de cinco anos, mas os chechenos não abandonaram suas demandas por independência, a luta começou de novo muito antes de passarem os cinco anos.

(d) Eleições: dezembro de 1995 e junho/julho de 1996

Nos termos da nova Constituição, as eleições para a Duma seriam realizadas em dezembro de 1995 e a eleição presidencial, em junho de 1996. Os resultados da primeira foram decepcionantes para o governo, que ainda era impopular. Yeltsin e seus apoiadores conquistaram apenas 65 cadeiras de 450, e o partido comunista, liderado por Gennady Zyuganov, conseguiu 157. Junto com seus aliados, eles poderiam ter 186 cadeiras, de longe, o maior agrupamento. Havia claramente muito apoio residual e nostalgia pelos velhos tempos da URSS e do governo forte. Em um sistema verdadeiramente democrático, os comunistas teriam assumido um papel central no governo seguinte, mas isso não aconteceu. Yeltsin permaneceu como presidente, pelos menos pelo futuro próximo. A grande pergunta era: o candidato comunista ganharia a eleição presidencial no próximo mês de junho?

Quase que imediatamente, os políticos começaram a se preparar para a eleição de junho. O índice de popularidade de Yeltsin estava tão baixo que alguns de seus assessores queriam que ele cancelasse as eleições e recorresse à força, se fosse necessário. Contudo, é preciso reconhecer, ele permitiu que ela acontecesse, com mais de 20 candidatos registrados para o primeiro turno, incluindo o líder comunista Zyuganov e Mikhail Gorbachov. As primeiras pesquisas de intenção de voto davam Zyuganov como provável vencedor, gerando preocupação no Ocidente, com a perspectiva de um retorno do comunismo. Entretanto, Yeltsin e seus apoiadores se saíram bem. Ele tinha sofrido um ataque do coração no verão de 1995, mas agora parecia encontrar nova energia e percorreu o país prometendo tudo a todos. Seu grande impulso veio quando foi assinado o cessar-fogo na Chechênia, pouco antes da eleição.

Zyuganov também apresentou um programa atraente, mas não tinha o carisma pessoal de Yeltsin nem conseguiu se distanciar o suficiente de Stalin. No primeiro turno, Yeltsin teve uma vitória apertada, com 35% dos votos contra 32% de Zyuganov, Gorbachov mal recebeu 1%. Apesar de sua saúde frágil, a equipe de Yeltsin continuava a fazer campanha vigorosamente e no segundo turno ele teve uma vitória decisiva sobre Zyuganov, recebendo 54% dos votos. Era uma vitória impressionante,* considerando-se sua baixa popularidade no início da campanha e o fato de que a situação econômica estava apenas começando a melhorar. A razão para a vitória de Yeltsin não era que as pessoas gostassem tanto dele, mas elas gostavam ainda menos da alternativa. Se os comunistas tivessem proposto políticas social-democratas verdadeiras, Zyuganov poderiam muito bem ter vencido, mas ele não ela um social-democrata, não fazia segredo quanto à sua admiração por Stalin e isso foi um erro fatal. Quando chegou a hora, a maioria dos russos não conseguiu votar pelo retorno de um comunismo de tipo stalinista ao poder. Eles apertaram os dentes e votaram pelo menor dos dois males.

---

* N. de R.: Na verdade, Yeltsin fez uma aliança com o ultranacionalista Jirinovski, descartando-o logo após a eleição.

(e) O segundo mandato de Yeltsin, 1996-1999

Quando Yeltsin começava seu segundo mandato como presidente, parecia que, finalmente, as coisas tinham chegado a um momento de mudança: a inflação diminiu para apenas 1% ao mês e, pela primeira vez desde 1990, a produção deixara de cair. Mas a promessa não se cumpriu. A grande fraqueza da economia era a falta de investimentos, sem os quais nenhuma expansão importante poderia acontecer. No outono de 1997, eventos externos tiveram um efeito negativo sobre a Rússia. Houve uma série de crises financeiras e desastres nas economias dos "tigres" asiáticos – Tailândia, Cingapura e Coreia do Sul – que afetaram as bolsas de valores no mundo todo. Houve uma queda no preço mundial do petróleo em função de excesso de produção, o que era um desastre para os russos porque o petróleo era sua maior fonte de exportações. Os lucros projetados para 1998 foram varridos, os investidores estrangeiros retiraram seus fundos e o Banco Central foi forçado a desvalorizar o rublo (agosto de 1998). Era mais uma catástrofe financeira em que milhões de pessoas viram suas poupanças e seus capitais perderem todo o valor.

Com o governo em dificuldades, a Duma sugeriu um novo primeiro-ministro, um destacado cientista econômico e veterano comunista que acreditava que o Estado deveria continuar a cumprir um importante papel na organização da economia. Para a surpresa da maioria das pessoas, Yeltsin concordou em nomear Primakov, que planejava reduzir as importações, impedir que o capital saísse do país, atrair investimentos estrangeiros e acabar com a corrupção. Um pouco antes que suas políticas tivessem início, a situação econômica melhorou rapidamente. O preço mundial do petróleo se recuperou, a desvalorização tornou a importação de produtos estrangeiros cara demais e isso deu um impulso à indústria russa. O governo pôde pagar as dívidas atrasadas com salários e aposentadorias, e a crise passou. As pesquisas de opinião mostravam que 70% dos votantes aprovavam as políticas de Primakov. Depois de apenas oito meses, contudo, Yeltsin demitiu Primakov (maio de 1999), afirmando que era necessário um homem mais jovem e mais enérgico (Primakov tinha quase 70 anos). Havia rumores de que a razão verdadeira era a determinação de Primakov de erradicar a corrupção. Muitas pessoas influentes que tinham conseguido riqueza e poder por meios corruptos pressionaram Yeltsin para demiti-lo, mas sua demissão gerou preocupação entre os russos comuns e o índice de popularidade de Yeltsin caiu para apenas 2%.

(f) Entra Putin

Em preparação para a eleição à Duma, marcada para dezembro de 1999, e para a próxima eleição presidencial (junho de 2000), Yeltsin indicou como primeiro ministro o diretor da polícia de segurança, Vladimir Putin. A Constituição impedia Yeltsin de concorrer a um terceiro mandato, de forma que ele queria garantir que o candidato de sua preferência se tornasse presidente. Se um presidente tivesse que se retirar antes do fim de seu mandato, a Constituição estipulava que o primeiro-ministro automaticamente assumiria como presidente por três meses, quando, então, seriam realizadas eleições presidenciais. As pesquisas de opinião sugeriam que Primakov poderia muito bem ser eleito o próximo presidente, mas eventos em setembro de 1999 mudaram a situação dramaticamente. Houve uma série de explosões a bomba em Moscou, dois grandes blocos de apartamentos foram explodidos e mais de 200 pessoas, mortas. Putin afirmou que os rebeldes chechenos eram responsáveis e ordenou um ataque total aos separatistas no país. Desta vez, a opinião pública, indignada com as explosões, posicionou-se a favor da guerra. Putin impressionou as pessoas com seu trato firme da situação e sua determinação de varrer os chefes militares locais.

A nova guerra na Chechênia favoreceu Putin e seu partido, o bloco Unidade. Nas eleições para a Duma, os apoiadores de Primakov conquistaram apenas 12% das cadeiras, o Unidade, de Putin, 24%, e os comunistas, 25%. Em dezembro de 1999, Yeltsin renunciou à presidência, confiante em que seu candidato, Putin, seria o próximo presidente. Como presidente em exercício, Putin imediatamente deu um golpe de mestre: seu bloco Unidade formou uma aliança na Duma com os comunistas e alguns outros grupos menores, dando maioria ao bloco pró-Putin, algo que Yeltsin nunca tinha conseguido. Na eleição presidencial de março de 2000, Putin venceu no primeiro turno, recebendo 53% dos votos, e mais uma vez Zyuganov ficou em segundo.

(g) O primeiro mandato de Putin, 2000-2004

Putin tinha uma reputação de ter perspicácia política e de ser um realizador. Ele estava determinado a acabar com a corrupção – destruir os oligarcas como classe, em suas palavras – desenvolver uma economia de mercado estritamente controlada, restaurar a lei e a ordem e dar um fim à guerra na Chechênia. Ele conseguiu fazer com que essas novas medidas fossem aprovadas na Duma, graças às contínuas alianças formadas depois das eleições de dezembro de 1999, e teve um sucesso considerável.

- Dois dos mais influentes "oligarcas", Vladimir Gusinsky e Boris Berezovsky, que juntos controlavam a maior parte das empresas de TV da Rússia e tinham criticado Putin, foram afastados de suas posições e ameaçados de prisão com acusações de corrupção. Ambos decidiram sair do país, e foi restabelecido o controle estatal sobre a rede de TV. Em 2003, um magnata empresarial, Mikhail Khodorkovsky, foi para a cadeia.
- Novas leis sobre partidos políticos fizeram com que nenhum partido com menos de 10.000 filiados pudesse participar das eleições nacionais, o que reduziu o número de partidos de 180 a cerca de 100, e a grande vantagem para o governo era que isso impediria os oligarcas ricos de financiar seus próprios grupos de apoiadores. Em outubro de 2001, Putin teve outro êxito quando seu partido Unidade se fundiu com um de seus rivais, o movimento Pátria. Juntos, eles se tornariam o grupo majoritário na Duma.
- A economia continuava a se recuperar, a produção aumentava e a Rússia seguia se beneficiando do alto preço mundial do petróleo, embora ele tivesse começado a cair no final de 2001. O orçamento federal entrou em superávit e o governo conseguiu pagar o serviço de suas dívidas sem tomar mais empréstimos. Putin achava que a recuperação ainda era precária e continuou com mais políticas de liberalização econômica.

Putin também teve experiências não tão bem-sucedidas. Quando o submarino nuclear Kursk afundou misteriosamente no Mar de Barentz, com a morte dos 118 membros da tripulação (agosto de 2000), o governo foi alvo de críticas por não lidar com firmeza com a tragédia. Putin não conseguiu dar um fim decisivo ao conflito na Chechênia, e os atentados terroristas a bomba continuavam. Uma estimativa feita no verão de 2003 sugeria que um terço da população ainda estava vivendo abaixo da linha da pobreza, mas a popularidade pessoal de Putin permanecia alta entre o público em geral, possibilitando que ele enfrentasse as eleições de 2003-2004 com segurança. Ele tinha realizado muita coisa pelo povo russo, principalmente suas reformas fiscal e previdenciária. A maioria das pessoas estava feliz com seus ataques aos "oligarcas", a economia crescia e os investidores estrangeiros voltavam a demonstrar interesse na Rússia.

Não foi surpresa quando, nas eleições para a Duma em dezembro de 2003, o partido de Putin, Rússia Unida, conquistou a enorme quantidade de 222 cadeiras em 450. A verdadeira surpresa foi o mau desempenho do Partido Comunista de Zyuganov, que perdeu quase metade de seus parlamentares e ficou com apenas 53 cadeiras. Alguns observadores acreditavam que isso marcaria o fim do caminho para os comunistas, que tinham sido a única oposição real ao governo. Uma razão para o mau desempenho dos comunistas foi a criação de um novo partido, o *Rodina* (Mãe Pátria), um partido nacionalista dedicado a aumentar os impostos às empresas e devolver às pessoas comuns as fortunas feitas pelos oligarcas em seus obscuros negócios de privatização. O *Rodina* recebeu a maioria de seus votos dos que eram dos comunistas, e acabou com 37 representantes, que votariam por Putin.

Os analistas apontaram que Putin estava desenvolvendo tendências autoritárias diferenciadas: o Rodina foi fundado deliberadamente pelo Kremlin, na esperança de tirar apoio dos comunistas, como parte da estratégia de "democracia controlada" de Putin. Em outras palavras, ele estava tentando criar um parlamento "à sua própria imagem". Se conseguisse garantir uma maioria de dois terços na Duma, poderia mudar a Constituição e concorrer um terceiro mandato como presidente. Visivelmente, a democracia na Rússia estava em questão.

Na eleição presidencial de março de 2004, o presidente Putin teve uma vitória esmagadora, com 71% dos votos. Seu rival mais próximo foi o candidato comunista, Nikolai Kharitonov, mas este teve apenas 13,7% dos votos. Observadores do Conselho da Europa informaram que a eleição não havia cumprido padrões democráticos saudáveis. Principalmente, foi dito que os candidatos rivais não tiveram acesso justo aos meios de comunicação controlados pelo Estado, e que não tinha havido um verdadeiro debate pré-eleitoral. Entretanto, o presidente Putin desconsiderou essas críticas e prometeu levar adiante as reformas econômicas e salvaguardar a democracia.

PERGUNTAS

1. As promessas de futuro de Kruchov

Estude a fonte A e responda as perguntas a seguir.

Fonte A

Trechos do discurso de Krushov no 20º Congresso do Partido Comunista, 31 de outubro de 1961.

> Ainda nesta década (1961-1970) A URSS ultrapassará o mais forte e mais rico país capitalista, os Estados Unidos, em produção *per capita*. O padrão de vida do povo e seus níveis cultural e técnico aumentarão substancialmente. Todos viverão em condições de conforto e as fazendas e propriedades coletivas se tornarão empreendimentos altamente produtivos e lucrativos. A demanda do povo soviético por moradia de boa qualidade será satisfeita em sua maior parte. O trabalho físico extenuante desaparecerá e a URSS terá a menor jornada de trabalho. [Haverá] uma participação ativa de todos os cidadãos na administração do Estado... e maior controle das atividades deste por parte do povo. Sendo assim, uma sociedade comunista será construída na URSS.

Fonte: citado em John Laver, *The USSR, 1945-1990* (Hodder e Stoughton, 1991).

    (a) O que essa fonte revela sobre os problemas herdados por Krushov do regime stalinista?
    (b) Por que Krushov caiu em 1964?
    (c) Até onde as promessas de Krushov foram cumpridas em 1970?

2. Krushov acreditava que o comunismo na URSS poderia ser reformado, modernizado e tornado mais eficiente. Até que ponto isso foi atingido em 1970?
3. Examine a visão de que, se Gorbachov tivesse seguido políticas diferentes, a URSS poderia ter sobrevivido, da mesma maneira que o comunismo sobreviveu na China.
4. Explique por que o colapso da URSS foi seguido de problemas econômicos e políticos graves.

China
1900-1949

RESUMO DOS EVENTOS

A China tinha uma longa história de unidade nacional e desde metade do século XVII foi governada pela dinastia Manchu ou Ch'ing. Contudo, na década de 1840, o país entrou em um período conturbado de interferências estrangeiras, guerra civil e desintegração, que durou até a vitória comunista em 1949.

O último imperador foi derrubado em 1911 e foi proclamada a república. O período entre 1916 e 1928, conhecido como *Era dos senhores da guerra (chefes militares locais)*, foi de muito caos, à medida que vários generais tomaram o controle de diferentes províncias. Um partido conhecido como *Kuomintang* (KMT), ou Nacionalistas, tentava governar o país e controlar os generais, que estavam ocupados lutando entre si. Os líderes do KMT eram o Dr. Sun Yat-sen e, depois de sua morte, em 1925, o general Chiang Kai-shek. O Partido Comunista Chinês (PCC) foi fundado em 1921 e inicialmente cooperava com o KMT em sua luta contra os chefes militares. Quando foi estabelecendo controle sobre uma parte cada vez maior do país, o KMT sentiu-se forte o suficiente para prescindir da ajuda dos comunistas e tentou destruí-los. Estes, sob a liderança de Mao Tse-tung,* reagiam com vigor e, depois de escapar de forças do KMT que os cercavam, deram início à Longa Marcha de quase 10 mil quilômetros (1934-1935) para formar uma nova base de poder no norte da China.

A guerra civil se arrastava, complicada pela interferência dos japoneses, que culminou em uma invasão total em 1937. Quando terminou a Segunda Guerra Mundial, com a derrota dos japoneses e sua retirada da China, o KMT e o PCC continuaram a lutar entre si pelo controle do país. Chiang Kai-shek recebia ajuda dos Estados Unidos, mas, em 1949, foram Mao e os comunistas que finalmente saíram vencedores. Chiang e seus apoiadores fugiram para a ilha de Taiwan (Formosa). Mao Tse-tung rapidamente estabeleceu controle sobre toda a China e permaneceu como seu líder até morrer em 1976.

19.1 A REVOLUÇÃO E A ERA DOS SENHORES DA GUERRA

(a) Antecedentes da revolução de 1911

No início do século XIX, a China se manteve muito separada do restante do mundo, e a vida continuava tranquilamente e em paz, sem grandes mudanças, como acontecia desde que os Manchus assumiram o poder na década de 1640. Entretanto, em meados do século, o país se viu diante de uma série de crises. Para começar, os europeus começaram a forçar entrada para aproveitar as possibilidades comerciais. Os britânicos foram os primeiros a chegar, lutando e derrotando os chineses nas

---
* N. de R.: Na grafia atual Mao Zedong.

Guerras do Ópio (1839-1842). Eles forçaram a China a entregar Hong-Kong e a permitir que eles fizessem comércio em determinados portos, inclusive de ópio. Outros países ocidentais seguiram o mesmo caminho e, com o tempo, os "bárbaros", como os chineses os consideravam, tinham direitos e concessões em cerca de 80 portos e outras cidades.

A seguir, veio a Rebelião de Taiping (1850-1864), que se espalhou por todo o sul da China – em parte, era um movimento religioso e em parte, um movimento de reforma política, que visava a estabelecer um "Reino celestial de Grande Paz" (*Taiping tianguo*). O movimento acabou sendo derrotado, não pelo governo, mas por exércitos regionais, o que deu início ao processo pelos quais as províncias começaram a garantir suas independências do governo central em Beijing (Pequim), culminando na Era dos Senhores da Guerra (1916-1928).

A China foi derrotada na guerra com o Japão (1894-1895) e forçada e entregar território. Em 1898-1900, aconteceu uma revolta chinesa – *o Levante dos Boxers* – contra a influência estrangeira, mas ela foi derrotada por um exército internacional, e a imperadora Tz'u-hsi foi forçada a pagar enormes indenizações por prejuízos causados a propriedades estrangeiras no país. Mais território foi perdido como resultado da vitória do Japão na guerra russo-japonesa (1904-1905), e a China estava visivelmente em um estado lamentável.

Nos primeiros anos do século XX, milhares de jovens chineses viajaram para o exterior e lá foram educados. Eles voltaram com ideias radicais e revolucionárias de derrubar a dinastia Manchu e ocidentalizar a China. Alguns revolucionários, como o Dr. Sun Yatsen, queriam um Estado democrático no modelo dos Estados Unidos.

(b) A revolução de 1911

O governo tentou responder às novas ideias radicais introduzindo reformas, prometendo democracia e estabelecendo assembleias provinciais eleitas, mas isso só incentivou as províncias a se afastarem ainda mais do governo central, que agora era extremamente impopular. *A revolução começou entre os soldados em Wuchang, em outubro de 1911, e a maioria das províncias logo se declarou independente de Beijing.*

O governo, atuando em nome do imperador Pu Yi (de apenas 5 anos de idade), no desespero, buscou ajuda de um general aposentado, Yuan Shih-kai, que tinha sido comandante do exército chinês do norte e ainda exercia muita influência sobre os generais. Mas o tiro saiu pela culatra: Yuan, que tinha cinquenta e poucos anos, revelou ter suas próprias ambições e fez um acordo com os revolucionários, em que ele se tornaria o primeiro presidente da república chinesa em troca da abdicação de Pu Yi e o fim da dinastia Manchu. Com apoio do exército, Yuan governou como ditador militar de 1912 a 1915, mas cometeu o erro de se proclamar imperador (1915), perdendo o apoio do exército, que o forçou a abdicar. Ele morreu em 1916.

(c) A Era dos Senhores da Guerra (1916-1928)

A abdicação e a morte de Yuan Shi-kai foi o fim da última pessoa que parecia capaz de manter algum tipo de unidade na China. O país se desintegrava em literalmente centenas de estados de tamanhos variados, cada um deles controlado por um chefe militar local e seu exército privado. Enquanto eles lutavam entre si, quem sofria as indescritíveis dificuldades eram os camponeses chineses (Ilustração 19.1), mas dois eventos positivos aconteceram nesse período.

O Movimento 4 de maio começou em 1919, com uma enorme manifestação em Beijing, protestando contra os chefes militares e contra a cultura tradicional chinesa. O movimento também era antijaponês, principalmente quando o acordo de Versalhes de 1919 deu ao Japão o direito de assumir as concessões alemãs na província de Shantung.

Ilustração 19.1 Uma execução de rua na China, em 1927, perto do fim da Era dos Senhores da Guerra.

O Kuomintang, ou Partido Nacionalista, se fortalecia e conseguiu controlar os senhores da guerra em 1928.

19.2 O KUOMINTANG, O DR. SUN YAT-SEN E CHIANG KAI-SHEK

(a) O Kuomintang

A principal esperança de sobrevivência de uma China unida residia no Kuomintang ou Partido Nacionalista Popular, formado em 1912 pelo Dr. Sun Yat-sen. Ele se formou em medicina no Havaí e em Hong Kong, e morou no exterior até a revolução de 1911. Consternado com a desintegração do país, queria criar um Estado moderno, unido e democrático. Ao voltar à China depois da revolução, conseguiu estabelecer um governo em Cantão, no sul da China (1917). Suas ideias eram influentes, mas ele tinha muito pouco poder fora da região de Cantão. O KMT não era um partido comunista, embora estivesse disposto a colaborar com os comunistas e tenha desenvolvido sua organização partidária segundo as linhas deles, além de também construir seu exército. O próprio Sun resumia seus objetivos em *três princípios*:

nacionalismo: livrar a China da influência estrangeira e fazer do país uma potência forte e unida, respeitada no exterior.

democracia: a China não deveria ser governada por chefes militares locais, mas por seu próprio povo, depois de ter sido educado e dotado de autogoverno democrático.

reforma agrária: às vezes conhecida como "o sustento do povo". Esse princípio era vago. Embora anunciasse uma política de longo prazo para desenvolvimento econômico e redistribuição de terras aos camponeses e fosse favorável a limitações aos arrendamentos, Sun se opunha ao confisco aos proprietários de terras.

Sun conquistou enorme respeito como estadista intelectual e líder revolucionário, mas quando morreu, em 1925, poucos progressos tinham sido feitos na conquista dos três princípios, principalmente porque ele mesmo não era general. Até que os exércitos do KMT fossem construídos, ele dependeu de alianças com chefes militares favoráveis, e teve dificuldades de exercer autoridade fora do sul.

(b) Chiang Kai-shek

O general Chiang Kai-shek (ver Ilustração 19.2) se tornou líder do KMT depois da morte de Sun. Ele recebeu sua formação militar no Japão antes da Primeira Guerra Mundial, e sendo um forte nacionalista, entrou para o KMT. Nessa época, o novo governo soviético da Rússia estava dando ajuda e orientação ao KMT, na esperança de que a China nacionalista fosse simpática para com seu país. Em 1923, Chiang passou algum tempo em Moscou estudando a organização do Partido Comunista e do Exército Vermelho. No ano seguinte, ele se tornou chefe da Academia Militar de Whampoa (perto de Cantão), que foi implantada com ajuda financeira, armas e assessores da Rússia, com o objetivo de treinar oficiais para o exército do KMT. Entretanto,

Ilustração 19.2 O general Chiang Kai-shek.

apesar de seus contatos russos, ele não era comunista. Na verdade, era mais direitista do que Sun Yat-sen e foi se tornando cada vez mais anticomunista, com simpatias pelos empresários e proprietários de terras. Pouco depois de se tornar líder partidário, ele afastou todos os esquerdistas de posições importantes no partido, embora, por um tempo, continuasse a aliança do KMT com os comunistas.

Em 1926, ele deu início à *Marcha do Norte* para destruir os chefes militares (senhores da guerra) das regiões centrais e do norte da China. Começando em Cantão, o KMT e os comunistas capturam Hankow, Xangai e Nanquim em 1927. A capital, Beijing, foi tomada em 1928. Grande parte dos êxitos de Chiang era decorrência de um enorme apoio local entre os camponeses, que eram atraídos por promessas comunistas de terra. A conquista de Xangai foi ajudada por um levante de operários organizado por Zhou En-lai,* membro do KMT e também comunista.

Durante o ano de 1927, Chiang decidiu que os comunistas estavam se tornando poderosos demais. Em regiões em que eles eram fortes, os proprietários de terras foram atacados e a terra, confiscada. Era hora de destruir um aliado constrangedor. Todos os comunistas foram expulsos do KMT, sendo lançado um terrível "movimento de purificação", no qual milhares deles, de sindicalistas e de líderes camponeses foram massacrados. Algumas estimativas sugerem o total de mortos em até 250.000 pessoas. Os comunistas foram contidos, os chefes militares estavam sob controle e Chiang era o líder militar e político da China.

O governo do Kuomintang se revelou uma grande decepção para a maioria do povo chinês. Chiang podia dizer que atingiu o primeiro princípio de Sun, o nacionalismo, mas, por depender do apoio dos ricos proprietários de terras, não tomou nenhuma atitude rumo à democracia e à reforma agrária, embora tenha havido algum progresso limitado na construção de mais escolas e estradas.

---

* N. de R.: Anteriormente Chun En-lai.

19.3 MAO TSE-TUNG E O PARTIDO COMUNISTA CHINÊS

(a) Os primeiros anos

O partido foi fundado oficialmente em 1921. No início, consistia majoritariamente em intelectuais e tinha muito pouca força militar, o que explica por que estava disposto a trabalhar junto com o KMT. Mao Tse-Tung, que estava presente na reunião de fundação, nasceu na província de Hunan (1893) no sudeste da China, filho de um pequeno agricultor próspero. Depois de algum tempo trabalhando na terra, Mao recebeu formação como professor e se mudou para o norte, em Beijing, onde trabalhou como assistente de biblioteca na universidade um centro de estudos marxistas. Mais tarde, voltou para Hunan e construiu uma reputação como habilidoso organizador de sindicatos e associações camponesas. Depois do rompimento dos comunistas com o KMT, Mao foi responsável pela modificação da estratégia do partido, que agora se concentraria em conquistar apoio entre os camponeses em vez de tentar tomar cidades industriais, onde várias insurreições comunistas já tinham fracassado em função da força do KMT. Em 1931, Mao foi eleito presidente do Comitê Executivo Central do Partido e, dali em diante, foi consolidando sua posição como líder real do comunismo chinês.

Mao e seus apoiadores se concentraram em sobreviver à medida que Chiang levava a cabo cinco "campanhas de extermínio" contra eles entre 1930 e 1934. Eles conquistaram as montanhas entre as províncias de Hunan e Kiangsi, e se concentraram na construção do Exército Vermelho. Porém, no início de 1934, a região, que era a base de Mao, foi cercada pelos exércitos do KMT para a destruição final do comunismo chinês. Mao decidiu que a única chance de sobrevivência era romper as linhas de Chiang e estabelecer outra base de poder em algum lugar. Em outubro de 1934, a ruptura foi conseguida e quase 100.000 comunistas iniciaram a impressionante Longa Marcha, que se tornaria lendária na China. Eles percorreram mais de 9.000 km em 368 dias (ver Mapa 19.1) e, nas palavras do jornalista norte-americano Edgar Snow,

> atravessaram 18 cadeias de montanhas, 5 das quais cobertas de neve, e 24 rios. Passaram por 12 províncias diferentes, ocuparam 62 cidades e romperam cercos de exércitos de 10 chefes militares provinciais diferentes, além de derrotar, evadir, ou superar as várias forças de tropas governamentais enviadas contra eles.

Os 20.000 sobreviventes acabaram encontrando refúgio em Yenan, na província de Shensi, onde foi organizada uma nova base. Mao conseguiu controlar as províncias de Shensi e Kansu. Nos 10 anos seguintes, os comunistas continuaram ganhando apoio, enquanto Chiang e o KMT perdiam popularidade constantemente.

(b) Por que Mao e os comunistas ganharam apoio?

1 A ineficiência e a corrupção do KMT no governo

O KMT pouco tinha para oferecer em termos de reformas, passava muito tempo cuidando dos interesses dos industriais, banqueiros e proprietários de terras e não faziam tentativas eficazes de organizar apoio de massas. Isso deu a principal oportunidade para Mao e os comunistas conquistarem apoio.

2 Houve pouca melhoria das condições nas fábricas

As más condições de trabalho na indústria continuaram, apesar das leis votadas para combater os piores abusos, como o trabalho infantil nas fábricas têxteis. Muitas vezes, essas leis não eram aplicadas: havia muito suborno de inspetores e nem o próprio Chiang estava disposto a ofender os industriais que o apoiavam.

3 Não houve melhoria na pobreza dos camponeses

No início dos anos de 1930, houve uma série de secas e más safras, que causaram muita escassez de alimentos nas áreas rurais. Ao mesmo tempo, havia arroz e trigo abundantes sendo armazenados nas cidades por comerciantes em busca de lucro. Além disso, os impostos eram altos e havia trabalho forçado. Em contraste, a política agrária implementada em áreas controladas pelos comunistas era muito mais atrativa: inicialmente no sul, eles tomaram as terras dos proprietários ricos e as redistribuíam entre os camponeses. Depois de uma trégua temporária com o KMT durante a guerra com o Japão, os comunistas aceitaram um acordo e se contentaram com uma política de limitação de arrendamentos e garantia de que mesmo os trabalhadores mais pobres tivessem um pequeno pedaço de terra. Essa política menos dramática tinha a vantagem de conquistar o apoio dos proprietários menores, além dos camponeses.

4 O KMT não ofereceu resistência eficaz aos japoneses

Esse foi um fator crucial no sucesso dos comunistas. Os japoneses ocuparam a Manchúria em 1931 e estavam visivelmente dispostos a colocar as províncias vizinhas do norte da China sob seu controle. Chiang parecia achar que era mais importante destruir os comunistas do que resistir aos japoneses e se deslocou para o sul de Shensi para atacar Mao (1936). Nesse momento, um incidente impressionante aconteceu: Chiang foi feito prisioneiro por alguns de seus próprios soldados, na maioria manchus, enfurecidos com a invasão japonesa. Eles exigiram que Chiang se voltasse contra os japoneses, mas ele inicialmente não estava disposto. Somente depois de que o destacado comunista Zhou En-lai veio falar com ele em Shian, ele concordou com uma nova aliança com o PCC e uma frente nacional contra os japoneses.

A nova aliança trouxe grandes vantagens para os comunistas: as campanhas de extermínio do KMT foram interrompidas por um tempo e, portanto, o PCC estava seguro em sua base de Shensi. Quando a guerra total começou com o Japão em 1937, as forças do KMT

História do Mundo Contemporâneo 429

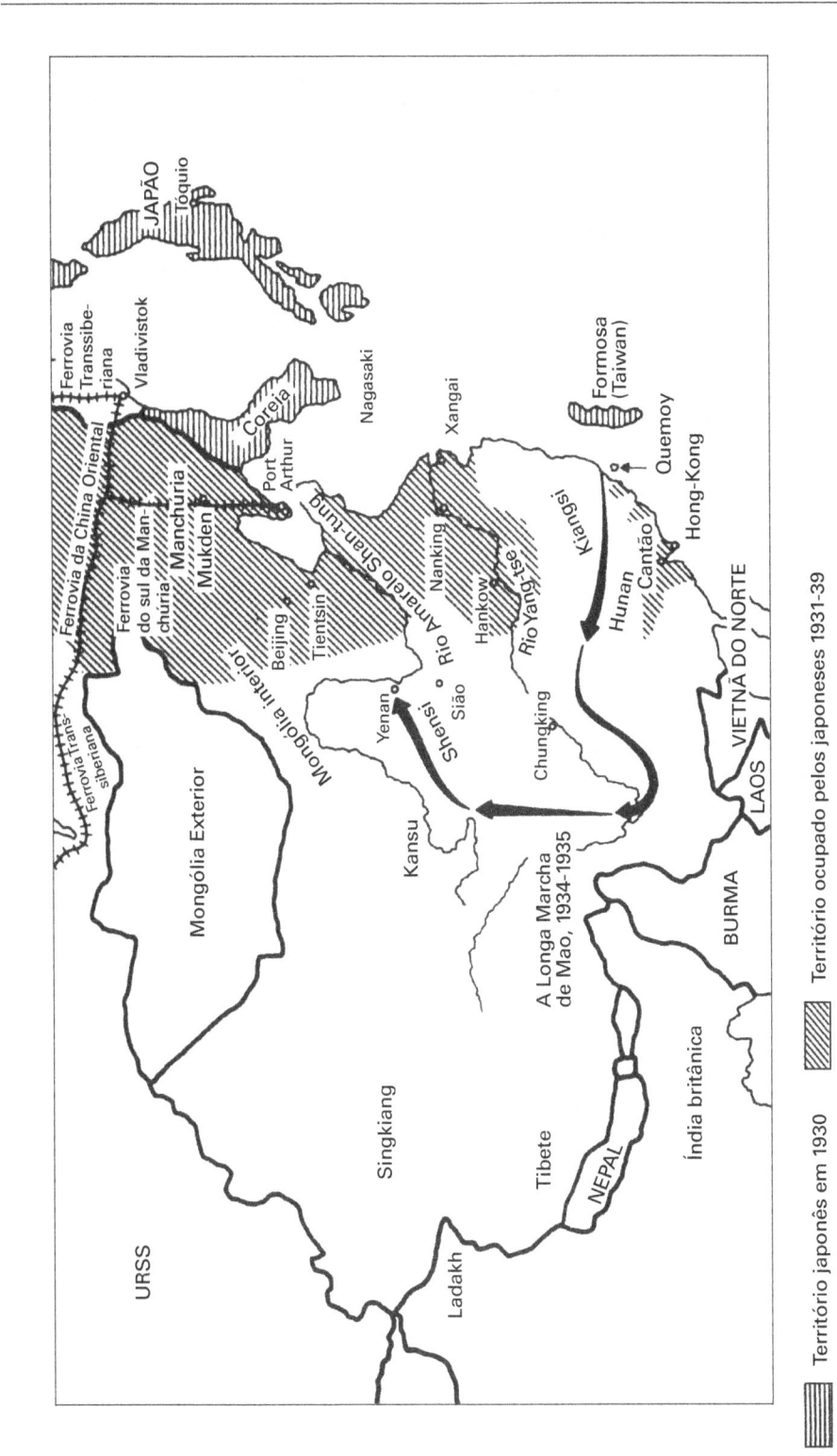

Território japonês em 1930   Território ocupado pelos japoneses 1931-39

Mapa 19.1 A China depois da Primeira Guerra Mundial.

foram rapidamente derrotadas e a maior parte do leste da China foi ocupada pelos japoneses enquanto Chiang recuava para o oeste. Isso possibilitou que os comunistas, invictos em Shensi, conseguissem se apresentar como nacionalistas patrióticos, liderando uma eficaz campanha de guerrilha contra os japoneses no norte, o que lhes rendeu apoio maciço entre os camponeses e as classes médias, apavoradas diante da arrogância e da brutalidade dos japoneses. Se em 1937 o PCC tinha cinco áreas como suas bases, controlando 12 milhões de pessoas, em 1945 elas tinham aumentado para 19, com 100 milhões de pessoas.

19.4 A VITÓRIA COMUNISTA, 1949

(a) A vitória dos comunistas ainda não era inevitável

Quando os japoneses foram derrotados em 1945, o KMT e o PCC se viram diante da luta final pelo poder. Muitos observadores, principalmente nos Estados Unidos, tinham esperanças de que Chiang saísse vitorioso e achavam que isso aconteceria. Os norte-americanos ajudaram o KMT a assumir o controle de todas as áreas anteriormente ocupadas pelos japoneses, com exceção da Manchúria, que foi capturada pelos russos antes que a guerra terminasse. Ali, os russos obstruíram o KMT e permitiram a entrada dos guerrilheiros do PCC. Na verdade, a força aparente do KMT era enganadora: em 1948, os exércitos comunistas, que cresciam cada vez mais, eram suficientemente grandes para abandonar a campanha de guerrilha e desafiar diretamente os exércitos de Chiang. Assim que passaram a sofrer pressões diretas, os exércitos do KMT começaram a se desintegrar. Em janeiro de 1949, os comunistas tomaram Beijing e mais tarde, no mesmo ano, Chiang e o restante de suas forças fugiram para a ilha de Taiwan, deixando Mao Tse-Tung no comando da China continental. Em outubro de 1949, Mao proclamou a nova República Popular da China, com ele próprio de presidente do PCC e da república (Ilustração 19.3).

(b) Razões para o triunfo do PCC

Os comunistas continuavam conquistando apoio em função de sua política agrária controlada, que variava segundo as necessidades de cada região: uma parte ou toda a terra de um proprietário poderia ser confiscada e redistribuída entre os camponeses ou poderia só haver restrição do valor do arrendamento. Os exércitos comunistas eram bem disciplinados e a administração comunista era honesta e justa.

A administração do KMT, por sua vez, era ineficiente e corrupta, com grande parte da ajuda que recebia dos Estados Unidos acabando nos bolsos de dirigentes. Sua política de pagar pelas guerras imprimindo mais dinheiro resultou em uma inflação galopante, que casou dificuldades para as massas e arruinou muitas pessoas da classe média. Seus exércitos eram mal pagos e tinham permissão para saquear as áreas rurais. Submetidas à propaganda comunista, os soldados foram aos poucos se desiludindo com Chiang e começaram a desertar para o lado comunista. O KMT tentava aterrorizar as populações locais para que se submetessem, mas isso só afastava mais regiões deles. Chiang também cometeu erros táticos: como Hitler, ele não suportava ordenar recuos e, portanto, seus exércitos espalhados eram cercados e muitas vezes, como aconteceu em Beijing e Xangai, rendiam-se sem resistência, totalmente desiludidos.

Por fim, os líderes do PCC, Mao Tse-Tung e Zhou En-lai, eram perspicazes o suficiente para aproveitar as fraquezas do KMT e eram totalmente dedicados. Os generais comunistas, Lin Biao, Chu Teh e Ch-en Yi, tinham preparado cuidadosamente seus exércitos e eram taticamente mais competentes do que seus equivalentes do KMT.

PERGUNTAS

1. **A vitória comunista na China**
Estude a fonte A e responda as perguntas a seguir.

Ilustração 19.3 Mao Tse-Tung proclama a nova República da China em 1949.

Fonte A
Trechos das obras de Edgar Snow, jornalista norte-americano que morou na China por muitos anos depois de 1928. Seu livro *Red Star Over China* foi publicado em 1937.

Eu tinha que admitir que muitos dos camponeses com quem falei pareciam apoiar os comunistas e o Exército Vermelho. Muitos deles estavam bem à vontade para fazer críticas e reclamações, mas quando se perguntava se preferiam isso aos velhos tempos, a resposta era quase um enfático "sim". Também observei como a maioria deles falava sobre os *sovietes* como sendo o "nosso governo". Para entender o apoio camponês ao movimento comunista, é necessário não perder de vista o fardo que recaía nas costas do campesinato no antigo regime [o Kuomintang]. Agora, qualquer que fosse a direção tomada pelos Vermelhos, não havia dúvidas de que eles tinham mudado radicalmente a situação do agricultor arrendatário, do agricultor pobre e de todos os elementos sem posses. Todas as formas de impostos foram abolidas nos novos distritos no primeiro ano, para dar um pouco de fôlego aos agricultores. Segundo, os Vermelhos deram terras aos camponeses que estavam ávidos por ela. Terceiro, tiraram terra e gado das classes ricas e os redistribuíram entre os pobres, mas tanto proprietários de terras quanto camponeses tiveram permissão para ter toda a terra que pudessem cultivar com seu próprio trabalho.

Fonte: Edgar Snow, *Red Star Over China* (Penguin, 1972 edition).

(a) Qual é a utilidade dessa fonte para ajudar a explicar a expansão do comunismo na China nos anos de 1930?
(b) Quais efeitos a guerra com o Japão e a Segunda Guerra Mundial tiveram sobre os destinos do Partido Comunista Chinês?
(c) Explique por que Mao Tse-Tung e os comunistas acabaram vencendo a guerra civil contra o Kuomintang.

2. "Chiang Kai-shek tinha popularidade alta na segunda metade dos anos de 1920, mas depois de subir ao poder, seu governo do Kuomintang se revelou uma decepção à maioria do povo chinês." Até onde você concorda que essa seja uma avaliação justa da carreira de Chiang Kai-shek?

A China desde 1949
os Comunistas no Controle

RESUMO DOS EVENTOS

Depois da vitória comunista sobre o Kuomintang em 1949, Mao Tse-Tung deu início à reconstrução de uma China estraçalhada. Inicialmente, havia assessoria e a ajuda econômica russas, mas, no final dos anos de 1950, as relações esfriaram e a ajuda foi reduzida. Em 1958, Mao introduziu o Grande Salto Adiante, no qual o comunismo foi adaptado, sem sucesso total, para responder à situação chinesa, com ênfase em descentralização, agricultura, comunas e contato com as massas. Mao adotou uma postura muito crítica em relação aos russos, que, em sua visão, estavam se desviando dos princípios marxista-leninistas estritos e seguindo a "via capitalista" em questões domésticas e externas. Nos anos de 1960, essas divergências geraram uma grave divisão no comunismo mundial, só curada depois que Gorbachov se tornou líder russo, em 1985. Com a Revolução Cultural (1966-1969), Mao tentou e conseguiu esmagar a oposição dentro do Partido Comunista e manter a China em linhas marxista-leninistas. Depois de sua morte, em 1976, houve uma luta pelo poder, da qual Deng Xiaoping surgiu como líder inquestionável (1981). Muito menos conservador do que Mao, Deng foi responsável por algumas importantes mudanças em termos de políticas, moderando o comunismo linha-dura de Mao e buscando ajuda no Japão e no Ocidente capitalista. Isso gerou ressentimento entre apoiadores do maoísmo, que acusavam Deng de tomar a "via capitalista". Em 1987, eles o forçaram a diminuir o ritmo de suas reformas. Encorajados pela política da *glasnost* de Gorbachov na URSS, os estudantes protestaram na Praça da Paz Celestial, em Beijing, em abril 1989, e ali continuaram até junho, exigindo democracia e o fim da corrupção no Partido Comunista. Nos dias 3 e 4 de junho, o exército os atacou, matando centenas e restaurando a ordem. Os comunistas permaneceram firmes no controle. As reformas econômicas continuaram com algum sucesso, mas não houve reformas políticas. Deng Xiaoping continuou como líder supremo até sua morte (aos 92 anos) em 1997.

20.1 QUAL FOI O SUCESSO DE MAO TSE-TUNG DIANTE DOS PROBLEMAS DA CHINA?

(a) Os problemas enfrentados por Mao

Os problemas enfrentados pela República Popular em 1949 eram complexos, no mínimo. O país estava devastado, depois de uma longa guerra civil e da guerra contra o Japão: ferrovias, estradas, canais e represas foram destruídos e havia escassez crônica de comida. A indústria era atrasada, a agricultura, ineficiente e incapaz de alimentar as massas que viviam na pobreza, e a inflação parecia fora de controle. Mao tinha o apoio dos camponeses (Ilustração 20.1) e de grande parte da classe média que estava descontente com o péssimo desempenho do KMT, mas era essencial que ele melhorasse a condições se quisesse manter o apoio.

Controlar e organizar um país tão imenso, com uma população de pelos menos 600 milhões, deve ter sido uma tarefa sobre-humana. Mesmo assim, Mao teve êxito, e a China de hoje, com todos os seus defeitos, é em grande medida uma criação dele. Ele começou examinando de perto os métodos de Stalin e fez experiências, por um processo de tentativa e erro, para encontrar quais funcionariam na China e onde era necessária uma abordagem especial chinesa.

(b) A Constituição de 1950 (adotada oficialmente em 1954)

Este documento instituiu o Congresso Nacional do Povo (a maior autoridade legislativa), cujos membros eram eleitos por quatro anos, pelas pessoas de mais de 18, bem como o Conselho de Estado e o Presidente da República (ambos eleitos pelo Congresso), cuja função era garantir que as leis fossem implementadas e a administração do país fosse adiante. O Conselho de Estado escolhia o Bureau Político (Politburo), que tomava todas as principais decisões. O sistema como um todo era, obviamente, dominado pelo Partido Comunista, e apenas parte dos membros se submetia à eleição. A Constituição era importante porque deu à China um governo central forte pela primeira vez em muitos anos, e permaneceu praticamente sem mudanças (ver Figura 20.1).

(c) Mudanças na agricultura

Elas fizeram com que a China deixasse de ser um país de propriedades agrícolas pequenas e ineficientes e passasse a ter grandes fazendas cooperativas, como as da Rússia (1950-1956). Na primeira etapa, a terra foi tomada dos grandes proprietários e redistribuída entre os camponeses, certamente com violência em determinados lugares. Algumas fontes mencionam até dois milhões de pessoas mortas, embora o historiador Jack Gray acredite que "a redistribuição da terra na China foi feita com um alto grau de cumprimento das leis e com o mínimo de violência contra os pro-

Ilustração 20.1 China – construindo um canal com trabalho das massas.

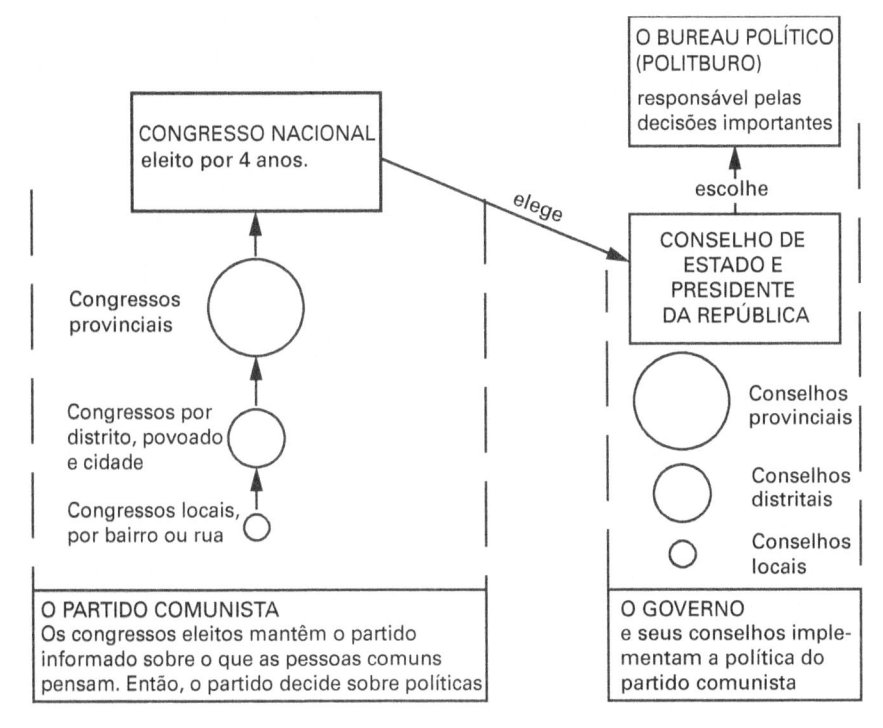

```
                CONGRESSO NACIONAL              O BUREAU POLÍTICO
                eleito por 4 anos.              (POLITBURO)
                                                responsável pelas
                                                decisões importantes
                                         elege      escolhe
                                                CONSELHO DE
                                                ESTADO E
      Congressos                                PRESIDENTE
      provinciais                               DA REPÚBLICA

                                                        Conselhos
                                                        provinciais
      Congressos por
      distrito, povoado
      e cidade                                          Conselhos
                                                        distritais
      Congressos locais,
      por bairro ou rua                                 Conselhos
                                                        locais

      O PARTIDO COMUNISTA                       O GOVERNO
      Os congressos eleitos mantêm o partido    e seus conselhos imple-
      informado sobre o que as pessoas comuns   mentam a política do
      pensam. Então, o partido decide sobre políticas   partido comunista
```

Figura 20.1 Como funciona o governo da China.

prietários". O passo seguinte foi dado sem violência: os camponeses foram convencidos (e não forçados, como foram na Rússia) a se juntar em fazendas cooperativas (coletivas) para aumentar a produção de alimentos. Em 1956, cerca de 95% de todos os camponeses estavam em cooperativas (formadas por algo entre 100 e 300 famílias) com propriedade conjunta da fazenda e de seus equipamentos.

(d) Mudanças industriais

Começaram com o governo nacionalizando a maioria das empresas. Em 1953, ele deu início ao Primeiro Plano Quinquenal, concentrando-se no desenvolvimento da indústria pesada (ferro, aço, produtos químicos e carvão). Os russos ajudaram com dinheiro, equipamentos e assessores, o plano teve algum sucesso, mas antes que fosse completado, Mao começou a ter muitas dúvidas sobre se para a China era adequado esse tipo de industrialização. Por outro lado, ele poderia afirmar que sob sua liderança, o país tinha se recuperado da destruição das guerras: todas as comunicações foram restauradas, a inflação estava sob controle e a economia parecia muito mais saudável.

(e) A campanha das Cem Flores (1957)

De uma certa maneira, essa campanha parece ter se desenvolvido a partir da industrialização, que gerou uma grande nova classe de técnicos e engenheiros. Os núcleos do partido (grupos que organizavam política e economicamente as massas – a coletivização das fazendas, por exemplo, foi realizada pelos núcleos) achavam que essa nova classe de especialistas ameaçaria sua autoridade. O governo, sentindo-se satisfeito com os avanços até então, decidiu que a discussão aberta dos problemas poderia melhorar as relações entre núcleos do partido e especialistas ou intelectuais. Conclamando à crítica construtiva Mao disse: "Que cem flores desabrochem, que cem escolas de pensamento rivalizem!" Infelizmente, ele recebeu mais do que tinha previsto quando os críticos atacaram:

- os membros dos núcleos, por incompetência e excesso de entusiasmo;
- o governo, por excesso de centralização;
- o Partido Comunista, por não ser democrático; alguns sugeriram que deveriam ser permitidos partidos de oposição.

Mao rapidamente suspendeu a campanha e reprimiu seus críticos, insistindo em que suas políticas estavam corretas. A campanha mostrou quanta oposição ainda existia ao comunismo e aos membros do partido sem instrução, e convenceu Mao de que era necessário um impulso para consolidar os avanços do socialismo, de forma que em 1958, ele conclamou ao *"Grande salto adiante"*.

(f) O grande salto adiante

Mao achava que era necessário algo novo e diferente para tratar dos problemas especiais da China, algo não baseado na experiência russa. O Grande Salto Adiante envolveu importantes acontecimentos na indústria e na agricultura, para aumentar a produção (a agricultura, em especial, não estava proporcionando os alimentos necessários) e para se ajustar às condições do país. Suas características mais importantes eram:

1. *A introdução das comunas*. Eram unidades maiores do que as fazendas coletivas, contendo até 75.000 pessoas, divididas em brigadas e equipes de trabalho com um conselho eleito. Elas dirigiam suas próprias fazendas e fábricas coletivas, realizavam a maioria das funções de governo local dentro da comuna e implementavam projetos especiais de âmbito local. Uma comuna típica em 1965, por exemplo, tinha 30.000 pessoas, das quais um terço era de crianças em escolas ou creches, um terço era de donas de casa ou idosos e o restante era a força de trabalho, que incluía uma equipe de 32 profissionais de nível superior e 43 técnicos. Cada família recebia uma fatia dos lucros e também um pequeno pedaço de terra privado.
2. *Uma mudança completa de ênfase na indústria*. Em vez de visar a obras de grande escala do tipo visto na URSS e no Ocidente, foram implementadas fábricas muito menores no interior para fornecer o maquinário à agricultura. Mao falava do surgimento de 600.000 "fornalhas de fundo de quintal para produzir aço", organizadas e administradas pelas comunas, que também passaram a construir estradas, canais, diques, represas e canais de irrigação.

Inicialmente, parecia que o Grande Salto poderia ser um fracasso: houve alguma oposição nas comunas, uma série de safras ruins (1959-1961) e a retirada de toda a ajuda russa depois do rompimento entre os dois países. Tudo isso, junto com a falta de experiência entre os quadros do partido, causou dificuldades entre 1959–1963. As estatísticas posteriores sugeriam que cerca de 20 milhões de pessoas podem ter morrido prematuramente como consequência das dificuldades, principalmente da desastrosa escassez de alimentos de 1959 a 1960, causadas pelo Grande Salto. Até o prestígio de Mao sofreu e ele foi forçado a renunciar como presidente do Congresso do Povo (no que foi sucedido por Liu Shao-qui), embora permanecesse na presidência do Partido Comunista.

Todavia, no longo prazo, a importância do Grande Salto ficou clara: com o tempo, a produção agrícola e industrial aumentou substancialmente e em meados dos anos de 1960 a China estava ao menos conseguindo alimentar sua imensa população sem que faltassem alimentos (o que raramente tinha acontecido sob o governo do KMT). As comunas se mostraram uma inovação bem-sucedida. Muito mais do que fazendas coletivas, eram uma eficiente unidade de governo local e possibilitavam que o governo central em Beijing estivesse em contato com a opinião local. Parecia ser a solução ideal para o problema de governar um enorme país ao mesmo tempo em que se evitava a supercentralização que sufoca a iniciativa. Foi tomada a decisão crucial de que a China permaneceria sendo predominantemente um país agrícola com uma indústria de pequena escala espalhada pelo interior. A economia seria baseada em mão de obra intensiva (dependendo de imensas quantidades de trabalhadores, em vez de usar máquinas que diminuíssem a necessidade de força de trabalho). Dada a enorme população do país, essa seria a melhor maneira de garantir que todo mundo tivesse trabalho, e possibilitava à China evitar os problemas de desemprego crescente das nações altamente industrializadas. Outros benefícios eram a difusão da educação e de serviços de bem-estar e uma melhoria na posição das mulheres na sociedade.

(g) A revolução cultural (1966-1969)

Esta foi uma tentativa de Mao de manter a revolução e o Grande Salto em um rumo puramente marxista-leninista. No início dos anos de 1960, quando não havia nenhuma certeza do sucesso do Grande Salto, aumentou a oposição a Mao. Os membros de direita do Partido Comunista acreditavam que os incentivos (pagamento por produção, maiores diferenças salariais e mais terras privadas, que foram introduzidas aos poucos em algumas regiões) eram necessários para que as comunas funcionassem bem. Eles também achavam que deveria haver uma classe de especialistas em gestão para levar adiante a industrialização segundo o modelo russo, em vez de contar com os quadros do partido. Mas, para os maoístas, isso era totalmente inaceitável, exatamente o que Mao estava condenando entre os russos, que ele considerava "revisionistas" que estavam tomando a "via capitalista". O Partido Comunista deve evitar o surgimento de uma classe privilegiada que exploraria os trabalhadores, e era vital manter-se em contato com as massas.

Entre 1963 e 1966, houve um grande debate público entre a ala mais à direita (que incluía Liu Shao-qui e Deng Xiaoping) e os maoístas sobre o rumo a tomar. Mao, usando sua posição de presidente do partido para mobilizar os jovens, lançou uma campanha desesperada para "salvar" a revolução. Nessa Grande Revolução Cultural Proletária, como ele a chamava, Mao apelava às massas. Seus apoiadores, os Guardas Vermelhos (na maioria estudantes), viajavam o país defendendo seus argumentos, enquanto eram fechadas escolas e, mais tarde, fábricas. Foi um incrível exercício de propaganda no qual Mao tentava renovar o fervor revolucionário (Ilustração 20.2).

Infelizmente, ela trouxe o caos e algo próximo a uma guerra civil. Uma vez mobilizadas, as massas estudantis denunciaram e atacaram fisicamente qualquer pessoa com autoridade, e não apenas os críticos de Mao. Professores, profissionais, dirigentes partidários locais, todos eram alvo. Milhões de pessoas caíram em desgraça e foram destruídas. Em 1967, os extremistas entre os Guardas Vermelhos estavam quase fora de controle, e Mao teve que chamar o exército, comandado por Lin Biao, para restaurar a ordem. Admitindo em particular que havia cometido erros, publicamente ele culpava seus assessores e os líderes dos Guardas Vermelhos. Muitos foram presos e executados por "cometer excessos". Na conferência do partido, em abril de 1969, a Revolução Cultural foi formalmente encerrada e Mao foi declarado livre de culpa pelo que tinha acontecido. Mais tarde, ele culpou o ministro da defesa Lin Biao (seu sucessor escolhido), que sempre fora um de seus apoiadores mais confiáveis, pelo excesso de entusiasmo dos Guardas Vermelhos. Algumas fontes afirmam que Mao decidiu tornar Lin Biao o bode expiatório porque ele estaria tentando manipular para que Mao se aposentasse. Ele foi acusado de tramar para assassinar Mao (o que era muito improvável) e morreu em um acidente de avião em 1971 enquanto tentava escapar para a URSS, segundo o que afirmaram os relatos oficiais.

Ilustração 20.2 O antigo palácio da cidade proibida de Pequim (Beijing) foi transformado no Palácio Cultural dos Guardas Vermelhos, aqui vistos louvando Mao.

A Revolução Cultural gerou grande desagregação, destruiu milhões de vidas e provavelmente atrasou o desenvolvimento econômico da China em 10 anos. Mesmo assim, houve alguma recuperação econômica em meados dos anos de 1970 e a China tinha feito grandes avanços desde 1949. John Gittings, jornalista e especialista em assuntos chineses, escrevendo na *Modern History Review* em novembro de 1989, tinha a dizer o seguinte sobre a China na época da morte de Mao, em 1976:

> Uma população mais saudável, mais bem educada, mais organizada, ainda vivia nas áreas rurais, em terras que foram muito melhoradas. A produção de grãos tinha, pelo menos, acompanhado o rápido aumento da população. O desenvolvimento industrial triplicou a produção de aço, estabeleceu os alicerces para uma indústria petrolífera importante, criou uma indústria de maquinário a partir do nada e proporcionou as bases para que a China se tornasse uma potência nuclear. A indústria leve fornecia um fluxo razoável de bens de consumo, comparado com a URSS.

O evento mais surpreendente nas políticas de Mao em seus últimos anos foi nas questões externas, quando ele e Zhou En-lai decidiram que era hora de melhorar as relações com os Estados Unidos (ver Seção (a) e (c)).

20.2 A VIDA DEPOIS DE MAO

(a) Uma luta pelo poder seguiu-se à morte de Mao, em 1976

Havia três principais competidores para suceder a Mao: Hua Guofeng, apontado pelo próprio Mao para ser seu sucessor; Deng Xiaoping, que foi demitido de seu cargo de secretário-geral do Partido Comunista durante a Revolução Cultural por ser supostamente liberal demais, e um grupo conhecido como a Gangue dos Quatro, liderado por Jiang Quing, viúva de Mao, que eram apoiadores de Mao extremamente militantes, mais maoístas do que ele próprio. Inicialmente, Hua parecia ser a figura dominante, fazendo com que a Qangue dos Quatro fosse presa e mantendo Deng em segundo plano, mas Deng logo reafirmou sua posição e, por um tempo, parecia estar compartilhando o poder com Hua. Desde meados de 1978, Deng foi ganhando ascendência e Hua foi forçado a renunciar ao cargo de presidente do partido, deixando Deng como líder indiscutível (junho de 1981). Como gesto de crítica aberta a Mao e suas políticas, a Gangue dos Quatro foi posta em julgamento por "crimes malignos, monstruosos e imperdoáveis" cometidos durante a Revolução Cultural. O Comitê Central do Partido emitiu uma "Resolução" condenando a Revolução Cultural como um grave erro de "esquerda" pelo qual o próprio Mao foi o principal responsável. Entretanto, ele foi elogiado por seus esforços bem-sucedidos para "esmagar a camarilha contrarrevolucionária de Lin Biao". Como explica o historiador Steve Smith: "Ao dirigir a culpa a um homem dessa forma, a Resolução buscava eximir de culpa a 'imensa maioria' dos líderes do PCC que estariam no lado direito da luta. Portanto, a Resolução subscreveu uma mudança de autoridade dentro do PCC, passando-se de um único líder a uma liderança coletiva".

(b) Houve um período de mudanças dramáticas na política

Esta nova fase começou em junho de 1978, quando Deng Xiaoping ganhou ascendência.

1. *Muitas mudanças introduzidas durante a Revolução Cultural foram revertidas*: os comitês revolucionários estabelecidos para dirigir o governo local foram abolidos e substituídos por grupos eleitos democraticamente. A propriedade confiscada dos antigos capitalistas foi devolvida aos sobreviventes e havia liberdade religiosa, e mais liberdade para que os intelectuais se expressassem na literatura e nas artes.

2. Nas questões econômicas, Deng e seu protegido Hu Yaobang queriam ajuda técnica e financeira do Ocidente para modernizar a indústria, a agricultura, a ciência e a tecnologia. Foram aceitos empréstimos de governos e bancos estrangeiros e assinados contratos com empresas de outros países para fornecimento de equipamentos modernos. Em 1980, a China passou a ser membro do Fundo Monetário Internacional (FMI) e do Banco Mundial. No plano interno, as fazendas estatais passaram a ter mais controle sobre planejamento, financiamento e lucros, foram incentivados os sistemas de bônus, pagamento por produção e participação nos lucros, o Estado pagava preços mais altos às comunas por seus produtos e reduziu impostos para estimular a eficiência e a produção. Essas medidas tiveram algum sucesso, com uma produção recorde de grãos em 1979, e muitos camponeses se tornaram prósperos.

Como acontece com muita frequência, esse programa de reformas gerou reivindicações por reformas mais radicais.

(c) As reivindicações por reformas mais radicais: o muro da democracia

Em novembro de 1978, houve uma campanha de cartazes em Beijing e outras cidades, com frequência em apoio a Deng Xiaoping. Em pouco tempo, havia manifestações de massa exigindo mudanças mais profundas e, no início de 1978, o governo se sentiu obrigado a proibir as passeatas e os cartazes. Mas ainda se mantinha o que se chamou de "Muro da democracia" em Beijing, onde o público podia se expressar por meio de enormes cartazes de parede (*Dazibao*; ver Ilustração 20.3). Durante o ano de 1979, os cartazes exibidos

Ilustração 20.3 Dazibao em Beijing.

ali se tornaram mais desafiadores, atacando o presidente Mao e exigindo uma ampla gama de direitos humanos:

- o direito de criticar o governo abertamente;
- representação para partidos não comunistas no Congresso Nacional do Povo.
- liberdade para mudar de emprego e viajar para o exterior;
- abolição das comunas.

Isso enfureceu Deng, que só aprovou o muro da democracia porque a maioria dos cartazes criticava a Gangue dos Quatro. Agora ele lançava um duro ataque aos dissidentes, acusando-os de tentar destruir o sistema socialista. Vários foram presos e condenados a até 15 anos de prisão. Em novembro de 1979, o muro da democracia foi totalmente abolido. A lei, a ordem e a disciplina partidária foram restauradas. "Sem o partido", afirmou Deng, "a China regredirá para divisões e confusões".

(d) A modernização e seus problemas

Depois da primeira onda de fervor reformista e do constrangimento do muro da democracia, o ritmo diminuiu consideravelmente, mas Deng, junto com seus protegidos, Hu Yaobang (secretário-geral do partido) e Zhao Ziyang (Primeiro Ministro), estava determinado a pressionar pela modernização o mais rápido possível.

Zhao Ziyang tinha conquistado uma reputação de administrador brilhante na província de Sichuan onde foi responsável por um aumento de 80% na produção industrial em 1979. Ele também deu início a experimentos, mais tarde estendidos a todo o país, para desmembrar as comunas e dar aos camponeses o controle de lotes de terra individuais. A terra, embora ainda fosse oficialmente de propriedade do Estado, foi dividida e alocada a domicílios camponeses individuais, que teriam permissão para ficar com a maior parte de seus lucros. Com isso, conseguiu-se elevar a produção industrial e melhorou o padrão de vida de muitas pessoas. Em dezembro de 1984, Zhao anunciou que a compra compulsória das safras pelo Estado seria abandonada. O Estado continuava a comprar produtos básicos, mas em quantidades muito menores do que antes. Seria permitido que os preços do excedente de grãos, carne de porco, algodão e legumes flutuassem no mercado aberto.

Nessa época, contudo, a modernização, e o que Deng chamou de avanço rumo ao "socialismo de mercado", estavam deixando alguns efeitos negativos. Embora as exportações tivessem aumentado em 10% em 1984, as importações aumentaram em 38%, deixando um déficit comercial recorde de 1,1 bilhão de dólares e causando uma súbita queda nas reservas de moeda estrangeira da China. O governo tentou, com algum sucesso, controlar as importações, impondo pesadas tarifas sobre todos os produtos importados, com exceção de matérias-primas vitais e microchips (80% sobre os carros e 70% sobre os televisores em cores e os videocassetes). Outro evento indesejado foi que a taxa anual de inflação começou a subir, chegando a 22% em 1986.

(e) As ideias de Deng Xiaoping

Preocupado com essas tendências, aparentemente com justificativas, Deng, de 82 anos (Ilustração 20.4) explicou suas ideias para o futuro em uma matéria de revista de novembro de 1986. Sua principal meta era possibilitar que o povo ficasse mais rico. No ano 2000, se tudo corresse bem, a renda per capita anual passaria do equivalente a 280 libras esterlinas a algo próximo a 700 libras e a produção da China teria dobrado. "Ficar rico não é crime", acrescentou. Ele estava satisfeito com o andamento das reformas agrícolas, mas enfatizava que, na indústria, ainda era necessária uma descentralização geral. O partido deve se retirar das tarefas administrativas, dar menos instruções e permitir mais iniciativa em níveis inferiores. Somente o investimento capitalista

Ilustração 20.4 Deng Xiaoping.

poderia criar as condições nas quais a China se tornaria um Estado próspero e modernizado. Seu outro plano principal era o papel internacional da China: liderar uma aliança pela paz do restante do mundo contra as perigosas ambições dos Estados Unidos e da URSS. Nada, ele dizia, poderia alterar o rumo que ele havia definido para a economia.

20.3 A PRAÇA DA PAZ CELESTIAL, 1989, E A CRISE DO COMUNISMO

(a) A crise de 1987

Apesar de suas palavras radicais, Deng sempre teve que ficar de olho nos membros tradicionais, conservadores ou maoístas do Politburo, que ainda eram poderosos e poderiam ser capazes de se livrar dele e de suas reformas econômicas se o controle partidário parecesse estar escapando de suas mãos. Deng estava tomando atitudes inteligentes de equilíbrio entre os reformadores como Zhao Ziyang e Hu Yaobang, por um lado, e os linha-dura, como Li Peng, de outro. As táticas de Deng eram estimular a crítica dos estudantes e intelectuais, mas somente até certo ponto: o suficiente para lhe possibilitar dispensar alguns dos mais velhos e mais ineficientes burocratas do partido. Se as críticas parecessem estar saindo de controle, teriam que parar (como aconteceu em 1979) por medo de antagonizar os adeptos da linha-dura.

Em dezembro de 1986, houve uma série de manifestações estudantis apoiando Deng Xiaoping e as "quatro modernizações" (agricultura, indústria, ciências e defesa), mas demandando um ritmo muito mais rápido e, ameaçadoramente, mais democracia. Depois de os estudantes ignorarem uma nova proibição aos cartazes e uma nova regra que exigia um aviso de cinco dias para manifestações, Deng decidiu que esse questionamento ao controle e à disciplina partidários tinha ido longe demais, e os manifestantes foram dispersados. Contudo, foi o suficiente para alarmar o setor linha-dura, que forçou a renúncia do reformador Hu Yaobang do cargo de secretário-geral do partido. Ele foi acusado de ser liberal demais em sua perspectiva política, incentivando intelectuais a demandar mais democracia e até algum tipo de partido de oposição. Embora esse fosse um sério golpe para Deng, não foi um desastre completo, já que seu lugar foi ocupado por Zhao Ziyang, que também era reformador econômico, mas até então tinha se mantido fora das ideias polêmicas na política. Todavia, Li Peng, um linha-dura, assumiu o lugar de Zhao como primeiro-ministro.

Zhao logo anunciou que o governo não tinha intenção de abandonar seu programa de reformas econômicas e prometeu novas medidas para acelerar as reformas políticas e, ao mesmo tempo, um ataque aos "intelectuais burgueses" que ameaçavam o controle do partido. Isso evidenciou o dilema enfrentado por Deng e Zhao: seria possível oferecer às pessoas uma opção para comprar e vender e ainda lhes negar qualquer opção em outras áreas, como políticas e partidos políticos? Muitos observadores ocidentais achavam impossível ter uma coisa sem a outra (como pensava Gorbachov na URSS) e, no final de janeiro de 1987, havia sinais de que eles poderiam ter razão. Por outro lado, se as reformas econômicas tivessem êxito, Deng e Zhao poderiam provar que tinham razão.

(b) Praça da Paz Celestial, 1989

Infelizmente para Deng e Zhao, as reformas econômicas tiveram problemas nos anos de 1988 e 1989. A inflação subiu a 30% e os salários, principalmente dos empregados do Estado (como funcionários públicos, dirigentes do partido, policiais e soldados) ficaram atrás dos preços. Provavelmente incentivados pelas reformas políticas de Gorbachov e sabendo que ele faria uma visita a Beijing em meados de maio de 1989, começaram manifestações estudantis na Praça da Paz Celestial (*Tiananmen*) em 17 de abril, exigindo reformas políticas, democracia e o fim da corrupção no Partido Comunista. No dia 4 de maio, Zhao Ziyang disse que as "reivindicações justas dos estudantes seriam atendidas", e permitiu que a imprensa as divulgasse, mas isso indignou Deng. As demonstrações continuaram durante a visita de Gorbachov (15 a 18 de maio, para marcar a reconciliação entre China e URSS) e até junho, com, às vezes, até 250.000 pessoas ocupando a praça e as ruas em torno dela. A cena foi descrita de forma vívida por John Simpson (em *Despatches from the Barricades*, Hutchinson, 1990), editor para assuntos estrangeiros da BBC, que esteve lá durante grande parte do tempo:

> Havia um novo espírito de coragem e audácia.... Havia uma sensação de libertação, de que só estar na Praça já significava marcar uma posição. As pessoas sorriam e apertavam a minha mão... todos, parecia, ouviam o serviço da BBC em chinês. A suavidade, os sorrisos e as faixas na cabeça lembravam irresistivelmente os grandes concertos de rock e das manifestações antiVietnã dos anos de 1960. Havia a mesma certeza de que, como os manifestantes eram jovens e pacíficos, o governo deveria capitular.... havia entregas regulares de comida. As pessoas comuns respondiam com generosidade aos pedidos de garrafas de água.... Centenas de milhares de pessoas decidiram se aliar ao lado que parecia ter vitória garantida. As principais avenidas de Beijing foram bloqueadas com bicicletas, carros, caminhões, ônibus e caminhões de plataforma, todos se dirigindo à praça, cheios de pessoas alegres, cantando, tocando instrumentos musicais, levando bandeiras tremulantes, divertindo-se. O ruído daquilo tudo podia ser ouvido a várias quadras de distância.... A vitória parecia garantida de antemão, pois como algum governo conseguiria resistir a um levante popular dessa magnitude?

Certamente, começava a parecer que o governo perdera o controle e em pouco tempo poderia ceder às reivindicações. Nos bastidores, contudo, acontecia uma luta de poder no Politburo, entre Zhao Ziyang e o linha-dura Li Peng, o primeiro-ministro, que, com o apoio de Deng Xiaoping, acabou vencendo. Chegaram milhares de soldados e, em 3 e 4 de junho, o exército, usando paraquedistas, tanques e infantaria, atacou os estudantes, matando entre 1.500 e 3.000 deles (ver Ilustração 20.5). A Praça da Paz Celestial voltou ao controle do governo e as manifestações em outras grandes cidades também foram dispersadas, embora com menos derramamento de sangue. Os linha-dura estavam triunfantes: Zhao Ziyang perdeu seu cargo como chefe do partido e foi substituído por Jiang Zemin, um político mais "intermediário". O primeiro-ministro Li Peng passou a ser a figura central. Muitos líderes estudantis foram presos, julgados e executados.

Os massacres foram condenados em todo o mundo, mas Deng e o setor linha-dura estavam convencidos de que tinham tomado a decisão certa. Eles achavam que aceitar as reivindicações dos estudantes por democracia teria causado muita ruptura e confusão. O controle do partido único era necessário para supervisionar a transição para uma "economia socialista de mercado". Mais tarde, os eventos na URSS pareceram mostrar que eles tinham razão: quando Gorbachov tentou introduzir reformas políticas e econômicas ao mesmo tempo, ele fracassou. O Partido Comunista perdeu o controle, as reformas econômicas foram um desastre e a URSS se desmembrou em 15 Estados separados (ver Seção 18.3). O que quer que o restante do mundo pensasse sobre os massacres da Praça da Paz Celestial, os líderes chineses podiam congratular-se por ter evitado os erros de Gorbachov e preservado o comunismo na China, em um momento em que ele estava sendo varrido no Leste Europeu.

(c) A China depois da Praça da Paz Celestial

Os líderes chineses ficaram profundamente perturbados com o colapso do comunismo no Leste Europeu. Embora tivessem reprimido qualquer mudança política, Deng Xiaoping, Li Peng e Jiang Zemin ainda estavam compro-

Ilustração 20.5 Tanques avançam na Praça da Paz Celestial, Pequim (Beijing), junho de 1989. O homem foi tirado dali por pessoas que estavam próximas.

metidos com políticas econômicas progressistas, de "portas abertas". Deng alertou muitas vezes que o desastre esperava os países onde as reformas andavam muito lentas. Ele esperava que uma economia bem-sucedida, que possibilitasse que mais e mais pessoas se tornassem prósperas, fizesse com que elas esquecessem o desejo de "democracia". Na década de 1990, a economia crescia muito; de 1991 a 1996, a China liderou o mundo, com aumentos médios no PIB de 11,4%, e o padrão de vida se elevava rapidamente. O leste e o sul do país eram particularmente prósperos, onde as cidades cresciam rapidamente, havia um investimento estrangeiro importante e abundância de bens de consumo para venda. Por outro lado, algumas das remotas províncias não estavam participando da prosperidade.

Um novo Plano Quinquenal, divulgado em março de 1996, visava manter o *boom* econômico nos trilhos aumentando a produção de grãos, mantendo o crescimento médio do PIB em 8% e distribuindo a riqueza de forma mais equânime entre as regiões. Embora Deng Xiaoping tenha morrido em 1997, podia-se confiar que Jiang Zemin, que se tornou o próximo presidente, continuaria suas políticas apesar das críticas dos linha-dura do partido. A agitação popular desapareceu completamente, em parte como resultado do sucesso econômico da China, e em parte por causa do tratamento inescrupuloso que o governo dava aos dissidentes. Jiang estava determinado a lançar um ataque à corrupção dentro do partido, principalmente para agradar os linha-dura, que responsabilizavam suas reformas capitalistas pela ampla corrupção. Também ajudaria a silenciar os dissidentes, que tinham feito da corrupção um de seus alvos preferidos. Em 2000, houve uma série de julgamentos de altos dirigentes, vários dos quais foram considerados culpados de fraude e de aceitar suborno. Alguns foram executados e outros receberam longas penas de prisão. O governo até organizou uma exposição em Beijing para mostrar como estava lidando bem com a corrupção.

A próxima ação de Jiang (maio de 2000) foi anunciar o que chamou de as Três Representações, uma tentativa oficial de definir o que significava o PCC, e também de enfatizar que, não importava quanto o sistema econômico mudasse, não haveria mudanças políticas profundas nem, com certeza, avanços em direção à democracia, enquanto ele estivesse no controle. Ele dizia que o PCC representava três principais preocupações a serem trabalhadas?

- os interesses da ampla maioria do povo chinês.
- o desenvolvimento e a modernização da China,
- a cultura e o patrimônio do país.

Para ajudar a sustentar a afirmação de que o partido representava verdadeiramente todo o povo, Jiang anunciou (julho de 2001) que ele agora era aberto a capitalistas. Os linha-dura, que ainda se aferravam à ideia de que os Partido Comunista estava lá para o bem da classe trabalhadora, criticaram essa ação, mas ele achava que era razoável, já que os capitalistas foram responsáveis pela maior parte do recente sucesso econômico da China, e foi em frente assim mesmo. Muitos dos capitalistas ficaram satisfeitos de entrar no partido, já que ser membro lhes dava influência política. Foram relaxadas as restrições aos sindicatos e agora os trabalhadores poderiam protestar junto aos empregadores por problemas de segurança, más condições de trabalho e longas jornadas. Outras notícias boas vieram com o anúncio de que Beijing seria a sede das Olimpíadas de 2008.

De mãos dadas com essas reformas importantes, o governo continuava suas políticas repressivas sem relaxar, apesar de a China ter assinado um acordo aceitando assessoria da ONU sobre como aprimorar seus sistemas judicial e policial, e prometendo melhorar a situação dos direitos humanos (novembro de 2000). Em fevereiro de 2001, a Anistia Internacional reclamava que o país estava, na verdade, aumentando o uso da tortura em interrogatórios de dissidentes políticos, nacionalistas tibetanos e membros do grupo Falun Gong (uma organização semirreligiosa que praticava a meditação e que tinha sido proibida em 1999 por ser uma ameaça à ordem pública). Os dissidentes estavam fazendo mais uso da internet, construindo mais páginas e se comunicando por correio eletrônico, e o governo deu início a uma firme repressão contra a "subversão na internet".

(d) Mudanças na liderança

Jiang Zemin, secretário-geral do partido e presidente do país, junto com vários outros líderes mais antigos, deveriam deixar os cargos no 16º congresso do PCC, a ser realizado em novembro de 2002, o primeiro desde 1997. Em seu discurso final como secretário-geral, Jiang, de 76 anos, expressou sua determinação de que o PCC deveria permanecer no poder absoluto e que isso demandaria ampliar a base de poder do partido para que todas as classes pudessem estar representadas. "A liderança do partido", ele disse, "é a garantia fundamental de que o povo será o senhor do país e será governado pela lei". Com isso, Jiang se aposentou como secretário-geral, embora permanecesse presidente até a reunião do Congresso Nacional do Povo em março de 2003. Hu Jintao foi eleito secretário-geral do PCC no lugar de Jiang.

O Congresso Nacional do Povo passava pela finalização da mudança total em sua liderança. Hu Jintao foi escolhido como novo presidente e indicou Wem Jiabao como primeiro-ministro, ou premier. Wem tinha reputação de progressista e teve uma sorte considerável de sobreviver aos expurgos depois dos massacres da Praça da Paz Celestial em 1989. Não demorou muito para a nova liderança anunciar algumas mudanças importantes, tanto econômicas quanto políticas.

- Partes de algumas das maiores empresas estatais chinesas seriam vendidas a empresas estrangeiras ou privadas; algumas empresas menores poderiam se tornar privadas, mas o governo enfatizava que

estava comprometido com a manutenção do controle de muitas indústrias grandes (novembro de 2003).
- Em dezembro de 2003, seis candidatos independentes puderam concorrer nas eleições legislativas distritais em Beijing. Eles concorreram contra mais de 4.000 candidatos oficiais do PCC, de forma que, mesmo todos os seis tendo sido eleitos, seu impacto seria mínimo. Mas isso foi uma diferença interessante em relação à prática normal.

Nesse meio tempo, o sucesso econômico da China continuava, apesar de um surto mortífero de vírus de SARS (síndrome respiratória aguda grave) no início do verão de 2003, que infectou mais de 5.000 pessoas e matou cerca de 350. As estatísticas mostraram que, durante o ano de 2003, a economia se expandiu em 8%, sua taxa mais alta em seis anos. Considerava-se que isso era, em grande parte, resultado de uma inclinação para os gastos dos consumidores. O governo afirmava que tinha criado 6 milhões de empregos durante o ano. Os analistas calculavam que a China tinha a sexta maior economia do mundo e que, se o crescimento se mantivesse nesse ritmo, o país ultrapassaria o Reino Unido e a França e seria a quarta economia em 2005. Muitas das novas fábricas eram de propriedade estrangeira e as empresas multinacionais mal podiam esperar para estabelecer seus negócios no país para explorar a mão de obra barata.

Mesmo assim, havia áreas de preocupação.

- A prosperidade não estava distribuída de forma homogênea: o padrão de vida estava melhorando constantemente para dois terços da população de 1,3 bilhão de pessoas que moravam em pequenas e grandes cidades, mas milhões de chineses rurais, principalmente no oeste do país, ainda estavam em dificuldades ou abaixo da linha da pobreza.
- A economia estava se expandindo com tanta rapidez que corria o risco de passar à superprodução, que poderia levar à redução em vendas e a uma queda brusca.
- O sucesso da China gerou relações tensas com os Estados Unidos, onde os fabricantes estavam sentindo a concorrência de produtos chineses mais baratos. Washington culpava os chineses pela perda de milhões de empregos no país.
- Os bancos chineses estavam sofrendo problemas de excesso de crédito e inadimplência. Eles foram responsáveis por gastar muito em uma ampla gama de projetos de construção nas principais cidades, novas estradas e ferrovias, e o que foi considerado o maior projeto de engenharia do mundo, a *Barragem* das *Três Gargantas*. Muitas das empresas estatais que recebiam empréstimos tinham deixado de pagá-los. Em 2004, o governo chinês foi forçado a resgatar dois dos maiores bancos estatais – o Banco da China e o Banco de Construção da China – com 24,6 bilhões de libras esterlinas.

Por último, no final de 2005, como uma das condições para entrar para a Organização Mundial do Comércio, o mercado doméstico chinês seria aberto a rivais estrangeiros, sem restrições. Esse seria o teste real para a economia chinesa, e uma das razões pelas quais o governo queria dar uma base sólida a seu sistema financeiro.

PERGUNTAS

1. Mao Tse-Tung e a Revolução Cultural

Estude a fonte A e responda as perguntas a seguir.

Fonte A

Declaração emitida em 1966 pelo comitê central do Partido Comunista Chinês sobre a Revolução Cultural.

> Embora a burguesia tenha sido derrubada, ela ainda está tentando usar ideias, costumes, cultura e antigos hábitos de exploração de

classe para corromper as massas, dominar suas mentes e tentar um retorno. O proletariado deve ser exatamente o contrário: deve encarar todos os desafios da burguesia e usar ideias, costumes, cultura e hábitos novos do proletariado para mudar a perspectiva mental de toda a sociedade. Por ser uma revolução, a Revolução Cultural inevitavelmente enfrenta resistências, principalmente dos que estão em posição de autoridade, que foram se infiltrando no Partido e estão tomando a via capitalista. Também vem da força dos hábitos da velha sociedade. O que o Comitê Central demanda do Comitê do partido em todos os níveis é mobilizar energicamente as massas, encorajar os camaradas que cometeram erros, mas estão dispostos a corrigi-los, aliviar seus fardos e se juntar à luta. Uma tarefa das mais importantes é transformar o antigo sistema educacional.

Fonte: citado em *Peking Review*, agosto de 1966.

(a) O que a fonte revela sobre os motivos e os objetivos de Mao ao introduzir a Revolução Cultural?
(b) Explique o que a fonte quis dizer com a expressão "tomando a via capitalista".
(c) De que forma o governo tentou realizar a Revolução Cultural e quais foram os resultados?

2. "Um desastre total e absoluto". Até que ponto você concordaria com esse comentário sobre as políticas de Mao Tse-Tung e do Partido Comunista Chinês no período de 1949-1960?
3. "A Revolução Cultural de 1966-1969 foi uma tentativa de Mao Tse-Tung de proteger seu próprio poder e sua posição e não uma verdadeira batalha de ideias". Quanto você acha que esse veredicto é justo com a Revolução Cultural de Mao Tse-Tung?
4. "Nem em sua visão econômica, nem na política, Deng Xiaoping poderia ser considerado um liberal". Até onde você concorda com essa visão?

21 O Comunismo na Coreia e no Sudeste da Ásia

RESUMO DOS EVENTOS

Na Coreia e em alguns dos países do Sudeste Asiático, a ocupação estrangeira, entre outros fatores, levou ao desenvolvimento de partidos comunistas, que geralmente estavam na linha de frente da resistência e cumpriram um papel vital na campanha pela independência.

- A **Coreia** esteve sob domínio japonês durante a maior parte da primeira metade do século XX e recuperou sua independência quando o Japão foi derrotado na Segunda Guerra Mundial, mas o país foi dividido em dois Estados separados, o norte era comunista e o sul não. Após a guerra de 1950-1953, os dois Estados permaneceram rigidamente separados. A Coreia do Norte, um dos Estados mais sigilosos e desconhecidos do mundo, permanece comunista até hoje.
- A região conhecida como **Indochina** estava sob controle francês e consistia em três países: **Vietnã**, **Camboja** e **Laos**. No final da Segunda Guerra Mundial, em lugar de obter sua independência, como tinham esperado em função da derrota da França, eles descobriram que os franceses pretendiam agir como se nada tivesse acontecido e restabelecer seu domínio colonial. O Vietnã e o Laos, ao contrário do Camboja, não ficaram satisfeitos de sentar e esperar que os franceses se retirassem e travaram uma longa campanha na qual os partidos comunistas de ambos os países cumpriram um papel de destaque. Em 1954, os franceses admitiram a derrota e os três países se tornaram completamente independentes.

Tragicamente, isso não trouxe tempos mais pacíficos.

- O **Vietnã do Norte, comunista,** se envolveu em um longo conflito com o **Vietnã do Sul** (1961-1975), que passou a ser parte da Guerra Fria. Houve um amplo envolvimento norte-americano em apoio ao Vietnã do Sul. Graças à ajuda chinesa, o Vietnã do Norte saiu vitorioso, mas os dois países foram devastados pela guerra. Em 1975, os dois foram reunificados sob comando comunista, uma situação que perdura até hoje.
- O **Camboja** conseguiu permanecer relativamente em paz até 1970, sob o governo semiautocrático do príncipe Sihanouk. O país acabou sendo arrastado para a guerra do Vietnã, sofrendo cinco anos de catastróficos bombardeios pesados por parte dos Estados Unidos, seguidos de quatro anos de governo do sanguinário comunista Pol Pot e seu regime do Khmer Vermelho. Quando foi derrubado em 1979, graças à intervenção das forças comunistas vietnamitas, o Camboja provavelmente tinha sofrido tanta devastação quanto o Vietnã. Pelos 10 anos seguintes houve um governo comunista mais mo-

derado, com apoio vietnamita, depois do qual o país retornou a algo semelhante a um governo democrático, com o príncipe Sihanouk voltando a cumprir um papel de destaque.

- O **Laos** também teve uma história tumultuada. Pouco depois da independência, começou a guerra civil entre esquerda e direita, até o país ter o mesmo destino do Camboja, sendo arrastado para a guerra do Vietnã apesar de seu desejo de permanecer neutro, e teve que suportar bombardeios norte-americanos indiscriminados. No final de 1975, a organização comunista Pathet Lao assumiu o poder e se mantém no controle do país até hoje.

21.1 COREIA DO NORTE

(a) O regime comunista estabelecido

A Coreia estava sob ocupação japonesa desde 1905, depois da vitória do Japão na guerra russo-japonesa de 1904-1905. Havia um forte movimento nacionalista coreano, e em uma conferência realizada no Cairo, em 1943, Estados Unidos, Reino Unido e China prometeram que, quando a guerra terminasse, seria criada uma Coreia unida e independente. Com o Japão à beira da derrota, no início de 1945, parecia finalmente haver uma possibilidade visível de uma Coreia livre. Infelizmente para os coreanos, as coisas não funcionaram como eles esperavam: três semanas antes da rendição japonesa, a URSS declarou guerra contra o Japão (8 de agosto de 1945), trazendo um novo elemento para a equação. Por muitos anos, os russos desejaram influenciar a Coreia, e sua entrada na guerra implicava que eles também tivessem voz sobre o futuro do país. As tropas russas na Manchúria eram as mais próximas à Coreia e conseguiram entrar no norte do país, mesmo antes de os japoneses se renderem oficialmente, em 2 de setembro. As forças soviéticas trabalharam junto com os comunistas e os nacionalistas coreanos, e os exércitos de ocupação japoneses foram rapidamente desarmados. A República Popular da Coreia foi proclamada, e *o líder comunista, Kim Il Sung, rapidamente surgiu como figura política dominante*. Apoiado por tropas soviéticas, Kim, que havia recebido formação na URSS, começou a introduzir sua própria versão do marxismo-leninismo no novo país.

Enquanto isso, os norte-americanos, preocupados com a possibilidade de toda a península coreana cair sob controle dos russos, rapidamente mandaram tropas para ocupar o sul. Foram os norte-americanos que propuseram que a divisão entre norte e sul estivesse no paralelo 38. No sul, o *Dr. Syngman Rhee tornou-se o principal político*. Ele era fortemente nacionalista e anticomunista, e estava decidido a construir uma Coreia livre do comunismo. Em resposta, Stalin jogou uma enorme quantidade de ajuda russa no norte, transformando-o em um poderoso Estado militar, com muita capacidade de se defender contra qualquer ataque do sul. Em 1948, Stalin retirou as tropas soviéticas, e foi proclamada a República Popular Democrática da Coreia, com Kim Il Sung como premier. Sendo assim, a Coreia do Norte teve um governo comunista independente antes da vitória comunista na China. No ano seguinte, depois que Mao Tse-Tung se tornou líder chinês, a Coreia do Norte independente recebeu reconhecimento oficial do país, da URSS e dos Estados comunistas do Leste Europeu.

(b) Um estado ou dois?

A pergunta dominante no período imediatamente posterior à guerra era: o que acontecera com a promessa dos Aliados de uma Coreia unida? De preferência, os norte-americanos queriam uma Coreia unificada, anticomunista e pró-ocidental, enquanto os russos, e depois de 1949, os chineses, queriam uma Coreia única, mas que fosse comunista, mas nem Estados Unidos nem URSS queriam se envolver diretamente. Dadas as posições inflexíveis de Kim Il Sung e Syngman Rhee, o dilema parecia insolúvel e chegaram ao acordo de que o problema seria entregue à ONU, que assumiu a tarefa de organizar eleições para todo o país como primeiro passo em direção à unificação de península.

Kim Il Sung se recusou a realizar eleições na Coreia do Norte, porque a população do norte era muito menor do que a do sul e os comunistas seriam minoria no país como um todo, mas as eleições no sul foram realizadas. A nova Assembleia Nacional escolheu Syngman Rhee como primeiro presidente da República da Coreia. A Coreia do Norte respondeu fazendo suas próprias eleições, que resultaram na vitória de Kim. Ambos os líderes afirmavam falar em nome de todo o país. Em junho de 1949, os norte-americanos retiraram de bom grado suas tropas da Coreia do Sul, onde Syngman Rhee estava se tornando um constrangimento em função de seu governo corrupto e autoritário, quase tão extremo quanto o de Kim no norte, mas *a retirada de todas as tropas estrangeiras deixou uma situação potencialmente instável e perigosa.*

Apenas um ano depois, em 25 de junho de 1950, após alguns conflitos de fronteira, forças norte-coreanas invadiram a Coreia do Sul. Os exércitos de Syngman Rhee começaram a se desintegrar rapidamente e os comunistas pareciam estar em vias de unificar o país sob seu governo em Pyongyang. As razões imediatas pelas quais Kim lançou o ataque ainda são debatidas pelos historiadores (ver Seção 8.1). O que é certo é que quando foi assinado um acordo de paz em 1953, pelo menos 4 milhões de coreanos haviam perdido a vida e a península estava destinada a permanecer dividida pelo futuro próximo em dois Estados altamente armados e mutuamente desconfiados.

(c) A Coreia do Norte depois da guerra

Graças à ajuda chinesa, Kim Il Sung e seu regime sobreviveram. Terminada a guerra, ele se concentrou em eliminar toda a oposição interna que restara, inicialmente os grupos não comunistas, e depois todos os adversários na liderança dentro do partido comunista coreano. Tendo se transformado em líder absoluto, ele permaneceu no poder, aparentemente inexpugnável, pelos 40 anos seguintes, até morrer em 1994. Embora fosse comunista, ele tinha suas próprias ideias sobre o que isso significava exatamente e não se limitou a imitar a URSS e a China.

- Kim deu início a um programa de industrialização e à coletivização da agricultura, visando à autossuficiência em todos os setores da economia, para que a Coreia do Norte não dependesse de ajuda de qualquer de seus grandes aliados comunistas. Ironicamente, contudo, aceitava considerável ajuda de ambos, o que possibilitou que a economia se expandisse rapidamente nos primeiros 10 anos depois da guerra. O padrão de vida melhorou e o futuro sob o regime de Kim parecia promissor.

- Foi dada muita ênfase à construção da força militar do país depois do decepcionante desempenho na segunda metade da guerra. O exército e a força aérea foram ampliados e construíram novos aeroportos militares. Kim nunca abandonou o sonho de assumir o controle sobre o sul.

- A sociedade como um todo era rigidamente controlada na busca de autossuficiência. O Estado tinha controle sobre tudo, os planos econômicos, a força de trabalho, os recursos, os militares e os meios de comunicação. O sistema de propaganda de Kim foi montado no sentido de construir seu culto à personalidade como o grande líder infalível de seu povo. O controle total do governo sobre os meios

de comunicação e as comunicações com o mundo exterior faziam com que a Coreia do Norte fosse provavelmente o país mais isolado, sigiloso e fechado do mundo.
- Em meados dos anos de 1960, o princípio da autossuficiência (*Zuche*) foi definido oficialmente em termos de quatro temas: "autonomia na ideologia, independência na política, autossuficiência na economia e independência na defesa".
- Kim continuava sua campanha contra o sul, tentando desestabilizar seu governo de várias formas, sendo que a mais indignante de todas foi uma tentativa fracassada de comandos norte-coreanos assassinarem o presidente da Coreia do Sul (1968). Com o desenvolvimento da *détente* no início dos anos de 1970 e a melhoria das relações entre Ocidente e o mundo comunista, o norte suspendeu sua campanha e deu início a conversações com o sul. Em julho de 1972, anunciou-se que ambos os lados tinham concordado em trabalhar pacificamente pela unificação, mas a política do norte era errática: às vezes, Kim suspendia todas as discussões. Em 1980, ele propôs um Estado federal no qual Norte e Sul teriam representação igual. Em 1983, vários sul-coreanos importantes foram mortos em um atentado a bomba; em 1987, um avião de uma companhia aérea sul-coreana foi destruído por uma bomba-relógio. Então, em 1991, houve conversações de alto nível que levaram ao anúncio de uma renúncia conjunta à violência e às armas nucleares, mas ainda parecia que nenhum avanço verdadeiro poderia ser feito enquanto Kim Il Sung estivesse no comando.
- Durante a segunda metade dos anos de 1960, a economia da Coreia do Norte entrou em dificuldades por diversas razões. A distância entre URSS e China, que aumentou cada vez mais a partir de 1956, deixava Kim em uma posição difí-

cil. Qual lado ele apoiaria? Inicialmente, ele se manteve pró-soviético, depois redirecionou sua lealdade à China, e finalmente, tentou ser independente de ambas. Quando ele se afastou de Moscou, no final dos anos de 1950, a URSS reduziu muito sua ajuda. Em 1966, no início da Revolução Cultural de Mao, os chineses cortaram a deles. Depois disso, nenhum dos planos de desenvolvimento de Kim atingiu suas metas. Outra fraqueza grave foi o excesso de despesas na indústria pesada e nos armamentos. Os bens de consumo e confortos supérfluos passaram a ser considerados como de importância secundária. Houve um rápido aumento populacional, que gerou uma carga extra para a economia e a indústria de alimentos como um todo. O padrão de vida decaiu, a vida para a maioria das pessoas ficou dura e as condições se limitavam ao básico. Na década de 1980, a economia se recuperou, mas no início dos anos de 1990, com o desaparecimento das ajudas da Rússia, houve mais dificuldades.

(d) A vida sob o governo de Kim Jong II

Em 1980, Kim Il Sung (o "Grande líder") deixou claro que pretendia que seu filho, Kim Jong Il (que em seguida seria conhecido como "Estimado líder"), que foi secretário interino do partido, fosse seu sucessor. O jovem Kim foi assumindo mais do trabalho cotidiano do governo, até que seu pai morreu de um ataque cardíaco em 1994, aos 82 anos. A essas alturas, a Coreia do Norte estava diante de uma crise. A economia havia se deteriorado ainda mais durante os 10 anos anteriores, a população triplicara desde 1954 e o país começava a sofrer escassez de alimentos. Mesmo assim, foram gastas grandes quantidades de dinheiro no desenvolvimento de armas nucleares e mísseis de longo alcance. Com o colapso da URSS, a Coreia do Norte perdeu um dos poucos países dos quais poderia esperar alguma solidariedade para com seu sofrimento.

Kim Jong Il, que tinha um pensamento mais aberto e progressista do que seu pai, foi forçado a uma ação drástica: *aceitou que o país precisava se afastar do isolacionismo* e trabalhou para melhorar as relações com a Coreia do Sul e os Estados Unidos. Em 1994, concordou em desativar os reatores nucleares para produção de plutônio em troca do fornecimento de fontes alternativas de energia – dois reatores nucleares de água leve para geração de energia – de um consórcio internacional conhecido como KEDO (*Korean Peninsula Energy Development Organization*), do qual participavam os Estados Unidos, a Coreia do Sul e o Japão. O governo Clinton era simpático à ideia, concordando em relaxar as sanções econômicas contra a Coreia do Norte. Em retorno, Kim suspendeu seus testes de mísseis de longo alcance (1999). Em junho de 2000, o presidente sul-coreano Kim Dae Jung visitou Pyongyang e, pouco depois, vários prisioneiros políticos norte-coreanos, que estavam presos no sul por muitos anos, foram libertados. Ainda mais surpreendente, em outubro, a secretária de Estado norte-americana Madeleine Albright fez uma visita a Pyongyang e teve conversas positivas com Kim. A Coreia do Norte restabeleceu relações diplomáticas com a Itália e a Austrália. Em 2001, Kim, que havia adquirido uma reputação de recluso, fez visitas à China e à Rússia, onde se reuniu com o presidente Putin, e prometeu que os testes de mísseis permaneceriam suspensos pelo menos até 2003.

Enquanto isso, a situação dentro da Coreia do Norte continuava a se deteriorar. Em abril de 2001, divulgou-se que, depois do inverno rigoroso, havia grave escassez de alimentos, com a maioria das pessoas sobrevivendo com 200 gramas de arroz por dia. Em resposta, a Alemanha imediatamente prometeu mandar 30.000 toneladas de carne. Em maio, o vice-primeiro-ministro apresentou um relatório apavorante em uma conferência do Unicef sobre as condições em seu país.

Entre 1993 e 2000, as taxas de mortalidade de crianças abaixo de cinco anos aumentaram de 27 a 48 por mil, o PIB *per capita* caiu de 991 dólares por ano para 457; a porcentagem de crianças que recebiam vacinas para doenças como pólio e sarampo foi reduzida de 90 para 50%, e a porcentagem da população com acesso a água potável desceu de 86 para 5%. Além de tudo isso, as relações com os Estados Unidos tiveram uma súbita mudança quando George W. Bush subiu ao poder, em janeiro de 2001. O novo presidente parecia relutante em dar continuidade ao relacionamento, e depois das atrocidades de 11 de setembro, fez ameaças ao que chamou de "eixo do mal", no qual incluía o Iraque, o Irã e a Coreia do Norte.

(e) A Coreia do Norte, os Estados Unidos e o confronto nuclear

O confronto com os Estados Unidos se desenvolveu em cima da possibilidade da Coreia do Norte possuir ou não armas nucleares. Os norte-americanos suspeitavam que ela tinha, mas os norte-coreanos afirmavam que seus reatores nucleares serviam para produzir eletricidade. O comportamento de ambos os lados, principalmente da Coreia do Norte, era inconstante, e a disputa se arrastou para 2004. O problema surgiu com a falta de avanço no projeto KEDO, acordado em 1994. As obras dos reatores de água leve prometidos nem tinham começado, os norte-americanos acusavam Kim de não completar a prometida desativação de suas usinas nucleares, enquanto os norte-coreanos protestavam que as obras dos novos reatores deveriam iniciar antes que eles fechassem os seus. Em agosto de 2002, começaram as obras no primeiro dos reatores e os norte-americanos exigiram que a Coreia permitisse aos inspetores da Agência Internacional de Energia Atômica (IAEA) supervisionar suas instalações nucleares, mas os norte-coreanos negaram e culparam os Estados Unidos pelo atraso na construção dos reatores. Os norte-americanos impuseram sanções tecnológicas aos norte-coreanos e os acusaram de fornecer mísseis balísticos ao Iêmen.

Depois de uma reunião com o primeiro-ministro japonês Junichiro Koizumi, Kim aceitou permitir a entrada dos inspetores, mas quando isso não gerou resposta positiva por parte dos Estados Unidos, ele anunciou que a Coreia do Norte iria reiniciar a operação de sua usina nuclear em Yongbyon, que estava desativada desde 1994. Então, os Estados Unidos declararam o projeto KEDO nulo e sem valor, embora o Japão e a Coreia do Sul estivessem dispostos a seguir em frente com ele. Os norte-americanos, que também estavam ameaçando guerra contra o Iraque, continuaram com sua postura intransigente, afirmando que os Estados Unidos tinham condições de vencer duas guerras de grande porte em diferentes regiões ao mesmo tempo (dezembro de 2002). Os norte-coreanos responderam anunciando sua retirada do Tratado de Não Proliferação de Armas Nucleares (TNP) assinado em 1970, embora reafirmassem não ter planos para fabricar armas nucleares. O que eles realmente queriam, segundo disse seu embaixador à ONU, era um pacto de não agressão com os norte-americanos, o que estes recusavam, afirmando que os coreanos já tinham, pelo menos, duas bombas nucleares. Mais ou menos nessa época, o Programa Mundial de Alimentos da ONU informou que havia escassez grave de comida e remédios na Coreia do Norte e fez um apelo por contribuições em cereais.

Janeiro de 2003 trouxe uma mudança súbita nas políticas dos Estados Unidos: o presidente Bush, provavelmente sob pressão do Japão e da Coreia do Sul, que estavam ansiosos para ver a crise resolvida, ofereceu voltar a enviar comida e combustíveis à Coreia do Norte se ela desmontasse seu programa de armas nucleares. Os coreanos insistiram em que não tinham armas nucleares, nem intenções de construí-las, e disseram que estavam prontos para permitir que os Estados Unidos enviassem seus próprios inspetores para comprovar as afirmações. No entanto, em abril de 2003, um porta-voz do ministério do exterior da Coreia do Norte afirmou que eles já tinham armas nucleares e em pouco tempo teriam plutônio suficiente para mais oito ogivas, dando motivos para a ampla especulação e discussão internacionais sobre se eles realmente tinham as armas. A visão majoritária parecia ser que não, e que sua tática estava voltada a forçar os Estados Unidos a fazer concessões, como ajuda econômica e um tratado de não agressão. Outra teoria era de que, dado o recente ataque norte-americano e britânico ao Iraque, Kim queria fazer com que Bush pensasse duas vezes antes de também atacar a Coreia do Norte.

Embora alguns membros da administração Bush tenham feito comentários hostis sobre Kim Jong Il, o presidente estava ansioso para acalmar as coisas, principalmente à medida que as forças norte-americanas estavam ficando enredadas em uma situação cada vez mais difícil no Iraque. Em agosto de 2003, os Estados Unidos suavizaram sua postura em conversações com os norte-coreanos: em vez de exigir que o programa nuclear fosse eliminado completamente antes do retorno da ajuda norte-americana, eles diziam agora que seria aceitável uma abordagem passo a passo ao desmantelamento das instalações nucleares, que seria atendida com "passos correspondentes" de seu lado. Posteriormente, Bush anunciou que os Estados Unidos continuariam a financiar o projeto KEDO e estavam dispostos a oferecer garantias de segurança à Coreia do Norte em troca de uma eliminação comprovável de seu programa de armas nucleares. A Coreia do Norte respondeu que estava pronta para examinar as propostas de Bush (outubro de 2003).

No final de 2003, relatos indicavam que as condições de vida na Coreia do Norte estavam dando sinais de melhora, mas, ao mesmo tempo, havia informações perturbadoras sobre a existência de grandes quantidades de campos de trabalho no norte do país, contendo milhares de prisioneiros políticos, uma situação que lembrava o *gulag* de Stalin na URSS.

21.2 VIETNÃ

(a) A luta pela independência

O Vietnã, junto com o Laos e o Camboja, era a parte do Império Francês no sudeste da Ásia, conhecida como a União Indochinesa, estabelecida em 1887. Em muitos aspectos, os franceses eram bons administradores coloniais, construindo estradas e ferrovias, escolas e hospitais e mesmo uma universidade em Hanoi, no norte do Vietnã. Mas havia pouca industrialização, a maioria das pessoas era de camponeses pobres para quem a vida era difícil. Na década de 1930, começaram a surgir movimentos de protesto, mas eles eram reprimidos sem cerimônia pelas autoridades francesas. *A atitude francesa estimulou os sentimentos nacionalistas e revolucionários e trouxe uma onda de apoio para o novo Partido Comunista do Vietnã, formado por Ho Chi Minh em 1929.* Ho Chi Minh morou na França, na China e na URSS, e sempre foi um nacionalista comprometido, mas depois de suas viagens ao exterior, tornou-se também comunista. Seu sonho era um Vietnã unido sob comando comunista. Nos anos de 1930, contudo, parecia haver poucas esperanças de se livrar do domínio francês.

A derrota francesa na Europa, em junho de 1940, aumentou as esperanças de independência para o Vietnã, mas elas foram logo desfeitas quando as forças japonesas invadiram a Indochina. Quando os nacionalistas e os comunistas lançaram um levante total no sul do Vietnã, os franceses (agora sob as ordens do governo de Vichy e, portanto, tecnicamente, no mesmo lado da Alemanha e do Japão) e os japoneses trabalharam juntos, a revolta foi brutalmente esmagada. Com o movimento comunista quase varrido no sul, Ho Chi Minh foi para o norte e organizou o movimento de resistência nacionalista e comunista, a Liga para a Independência do Vietnã, conhecida como "Vietminh".

O Vietminh foi forçado a esperar até que a maré virasse contra os japoneses.

No verão de 1945, com a iminente derrota do Japão (que se rendeu em 14 de agosto), Ho Chi Minh se preparou para tomar a iniciativa antes que os franceses voltassem. As forças do Vietminh e seus apoiadores tomaram Hanoi, Saigon e a maioria das grandes cidades em setembro de 1945, foi proclamada a República Democrática do Vietnã, com Ho Chi Minh de presidente. Infelizmente, a declaração se mostrou prematura. Os Aliados tinham acertado que, quando a guerra terminasse, a metade sul do país ficaria sob administração britânica e francesa. Quando as forças britânicas entraram, decidiu-se que o controle francês deveria ser restabelecido o mais rápido possível.

Inacreditavelmente, para reprimir o Vietminh no sul, os britânicos usaram tropas japonesas que permaneceram no país depois que seu governo se rendeu e que ainda não tinham sido desarmadas. Os britânicos estavam ansiosos para não privar seu aliado de suas colônias, porque isso poderia estimular uma tendência geral à descolonização, na qual a Grã-Bretanha também poderia perder seu império. No final da guerra, a ordem foi restabelecida e cerca de 50.000 soldados franceses chegaram para assumir o controle. Nesta época, antes de começar a Guerra Fria, os norte-americanos estavam estupefatos com o que acontecera, já que tinham prometido libertar os povos da Indochina. Como aponta J. A. S. Grenville (em *The Collins History of the World in the Twentieth Century*),

> esse foi um dos episódios mais extraordinários do pós-guerra. Se o sul tivesse podido seguir o norte e a independência de toda a Indochina tivesse sido aceita pelos britânicos, o trauma da mais longa guerra na Ásia, que levou a 2,5 milhões de mortos e causou um sofrimento indescritível, poderia ter sido evitado.

Inicialmente, os franceses pareciam dispostos a fazer um acordo. Eles controlavam o sul e reconheciam a independência da República Vietnamita no norte, desde que ela permanecesse dentro da União Francesa, mas, no verão de 1946, ficou claro que os franceses não tinham qualquer intenção de permitir que o norte tivesse independência verdadeira, e Ho Chi Minh exigiu a completa independência de todo o Vietnã. Os franceses rejeitaram isso, e as hostilidades começaram quando eles bombardearam o porto de Haiphong, ao norte, matando milhares de civis vietnamitas. Depois de oito anos de luta acirrada, os franceses foram finalmente derrotados em Dien Bien Phu (1954). Os Acordos de Genebra reconheciam a independência do Vietnã do Norte de Ho Chi Minh, mas dali em diante a região ao sul do Paralelo 17 seria controlada por uma comissão internacional de canadenses, poloneses e indianos. A comissão organizaria eleições para todo o país em julho de 1956, depois das quais o Vietnã seria unificado.

(b) Os dois Vietnãs

Todas as indicações eram de que o Vietminh venceria as eleições, mas, mais uma vez, suas esperanças foram desfeitas. As eleições nunca aconteceram: com a Guerra Fria a pleno vapor, os norte-americanos estavam determinados a impedir que o Vietnã se unificasse sob um governo com fortes conexões comunistas. Eles apoiaram o nacionalista e anticomunista Ngo Dinh Diem como líder do sul. Em 1955, ele proclamou a República do Vietnã do Sul, com ele próprio de presidente e um regime fortemente anticomunista. As eleições tinham desaparecido da agenda.

Nessa época, ambos os Vietnãs estavam em estado lamentável, devastados por quase uma década de lutas. O governo de Ho Chi Minh, em Hanoi, recebia ajuda da URSS e a China começou a introduzir políticas socialistas de industrialização e coletivização da agricultura. O presidente Ngo Dinh Diem, em Saigon, foi ficando cada vez mais impopular, fazendo com que mais pessoas se unissem aos comunistas ou aos Vietcongs, que eram entusiasticamente apoiados pelo norte. (Para os eventos subsequentes e a guerra do Vietnã de 1961-1975, ver Seção 8.3).

(c) A República Socialista do Vietnã, isolada

O governo da nova República Socialista do Vietnã, proclamada oficialmente em julho de 1976, com sua capital em Hanoi, enfrentava problemas enormes. O país pouco tinha conhecido a paz em 30 anos. Grandes extensões do norte foram devastadas por bombardeios norte-americanos, e em todo o país, milhões de pessoas estavam desabrigadas. Seu líder inspirador, Ho Chi Minh, morrera em 1969. Estava claro que a recuperação seria uma tarefa difícil.

- O governo começou a ampliar suas políticas centralizadas de economia de comando para o sul, abolindo o capitalismo e coletivizando a terra agricultável. Mas isso gerou forte oposição, principalmente no grande centro empresarial e comercial de Saigon (que foi rebatizada de Cidade de Ho Chi Minh). Muitas pessoas se recusavam a cooperar e faziam tudo o que podiam para sabotar as novas medidas socialistas. Os quadros do partido, cuja tarefa era ir ao interior organizar a coletivização, muitas vezes tinham pouca disposição e competência. Isso, junto com a alta corrupção entre dirigentes do partido, transformou o processo como um todo em um desastre.

- Havia fortes divisões entre os principais líderes partidários sobre o quanto se poderia continuar com longas políticas marxista-leninistas puras. Alguns queriam seguir o exemplo da China e fazer experiências com elementos do capitalismo, mas os adeptos da linha-dura condenavam essas ideias como sendo sacrílegas.

- No final da década de 1970, o país sofreu grandes inundações e secas, que, junto com os problemas da coletivização e um rápido aumento da população, geraram grave escassez de alimentos. Centenas de milhares de pessoas fugiram do país, algumas a pé para a Tailândia e outras para a Malásia por mar (os "balseiros").

- A política externa vietnamita era expansionista e fez o país entrar em conflito com seus vizinhos. O regime pretendia estabelecer alianças com os novos governos de esquerda no Laos e no Camboja (Kampuchea). Quando o regime do Khmer Vermelho no Camboja se recusou a aceitar um relacionamento próximo e persistiu com ataques de fronteira provocadores, o Vietnã invadiu e ocupou a maior parte do país (dezembro de 1978). O Khmer Vermelho foi expulso e substituído por um governo pró-Vietnã, mas não estava acabado e começou uma guerrilha contra o novo regime, com os vietnamitas sendo obrigados a mandar 200.000 soldados para manter seu aliado no poder. Para piorar as coisas, Pol Pot era protegido dos chineses, que ficaram furiosos com a intervenção do Vietnã. Em fevereiro de 1979, eles lançaram uma invasão do Vietnã do Norte, causando danos consideráveis à zona de fronteira, embora não tenham escapado ilesos, já que os vietnamitas montaram uma defesa firme. Os chineses se retiraram após três semanas, afirmando ter dado uma dura lição aos vietnamitas. Depois disso os chineses apoiaram os guerrilheiros do Khmer Vermelho, e os Estados Unidos, o Japão e a maioria dos países da Europa Ocidental impuseram um embargo comercial ao Vietnã. Era uma situação estranha, em que os Estados Unidos e seus aliados continuavam a apoiar Pol Pot, um dos mais grotescos e brutais ditadores que o mundo já conheceu.

Em meados da década de 1980, o Vietnã estava quase que completamente isolado. Seus vizinhos na *Associação das Nações do Sudeste Asiático (Association of South-East Asian Nations, ASEAN)* eram todos hostis e apoiavam o movimento de resistência no Camboja, e mesmo a URSS, que tinha apoiado constantemente o Vietnã contra a China, estava reduzindo em muito sua ajuda.

(d) O Vietnã muda de rumo

Em 1986, o Vietnã estava em uma grave crise. Isolado internacionalmente, o regime tinha um enorme exército permanente, de cerca de um milhão de soldados, cujo alto custo de manutenção era destrutivo. Ainda não se tinha conseguido introduzir uma economia socialista viável no Sul. Com as mortes dos líderes partidários mais antigos, os membros mais jovens conseguiram convencer o partido da necessidade de mudanças políticas profundas e, especialmente, da necessidade de se retirar do Camboja. No 3º Congresso Nacional do Partido Comunista (dezembro de 1986), um importante reformador econômico, Nguyen Van Linh, foi indicado como secretário-geral e introduziu uma nova doutrina conhecida como Doi Moi, que significava *renovar a economia, como já tinham começado a fazer os chineses, avançando em direção ao livre mercado*, numa alternativa de elevar o padrão de vida ao nível dos vizinhos do Vietnã.

Finalmente chegaram a um acordo com relação ao Camboja: as tropas vietnamitas foram retiradas em setembro de 1989 e a tarefa de encontrar um acordo permanente foi repassada à ONU (ver a seção seguinte), o que representou um grande alívio para o regime, já que liberou enormes quantidades de receita que poderiam ser agora investidas na economia. Mesmo assim, o progresso econômico era lento, e vários anos se passaram antes da população sentir muitos benefícios. Um dos problemas era o rápido crescimento da população, que chegou a quase 80 milhões no final do século (em 1950, era de cerca de 17 milhões).

Os sinais de progresso ficaram mais visíveis durante os primeiros anos do novo século. Em julho de 2000, foi inaugurada a primeira bolsa de valores do país na Cidade de Ho Chi Min e foram dados passos importantes rumo à reconciliação com os Estados Unidos (restabeleceram relações em 1995). Foi assinado um acordo comercial que permitia que fossem importados produtos norte-americanos ao Vietnã em troca de impostos mais baixos sobre os produtos vietnamitas que entrassem nos Estados Unidos. Em novembro, o presidente Clinton fez uma visita ao Vietnã como parte de um esforço de divulgação, para incentivar os laços empresariais e culturais.

Em abril de 2001, o governo anunciou uma nova meta de crescimento anual, de 7,5% para os próximos cinco anos. Seria dada igualdade ao setor privado da economia, segundo uma diretriz do governo: "Todos os setores da economia são componentes importantes da economia de mercado de orientação socialista". Em uma tentativa de reduzir a corrupção, todos os dirigentes do partido e do governo deveriam declarar publicamente seus bens e seus interesses. Começou-se a trabalhar em um novo projeto hidroelétrico no norte, que poderia fornecer energia e ajuda para controlar inundações. Outro evento animador foi a expansão do turismo, revelando-se que mais de 2 milhões de pessoas tinham visitado o país em 2000. Em dezembro de 2002, foi anunciado que a economia tinha quase alcançado sua meta, crescendo 7% durante o ano. A produção industrial tinha subido 14%, principalmente devido a um grande aumento na fabricação de motocicletas e automóveis. Em outubro de 2003, o Programa de Alimentos da ONU recebeu a primeira contribuição do Vietnã, uma remessa de arroz para o Iraque. O Vietnã era agora um doador internacional de ajuda, em vez de ter que recebê-la.

Ao mesmo tempo, o país estava se tornando menos isolado. Além de relações mais próximas com os Estados Unidos, haviam sido estabelecidos laços com a Rússia, a China e os países da ASEAN. O presidente russo Putin fez uma visita e foi feito um acordo sobre cooperação econômica e sobre a venda de armas russas. Houve visitas dos líderes chineses Hu Jintao e Li Peng, e o país foi sede de várias reuniões da Associação das Nações do Sudeste Asiático.

Embora o Vietnã parecesse ter conseguido reformar sua economia de comando, seguindo o modelo chinês, muito pouco mudou no sistema político. O país permaneceu com um sistema de partido único, com o Partido Comunista dominando e controlando tudo. Por exemplo, nas eleições realizadas em maio de 2002, foram eleitos 498 parlamentares entre 759 candidatos; 51 dos eleitos não eram membros do Partido Comunista e dois foram descritos como "independentes". Entretanto, todos os candidatos tiveram que ser examinados antes e aprovados pelo partido. Nenhum outro partido foi permitido e, embora a assembleia nacional recém-eleita pudesse ser mais crítica com os ministros do que antes, não havia possibilidade de os líderes comunistas serem derrotados.

Em 2002 e 2003, houve relatos de abusos dos direitos humanos, principalmente da perseguição de grupos religiosos, como budistas e cristãos. Um grupo cristão protestante evangélico conhecido como Montagnards foi o principal alvo. Seus membros reclamavam de espancamentos, tortura e detenção sob acusações de "comportamento reacionário". As igrejas foram queimadas e pelo menos um cristão foi espancado até a morte. Várias centenas fugiram para o Camboja, onde moram em campos de refugiados. No final de 2003, as relações internacionais do Vietnã começavam a sofrer: os Estados Unidos e a União Europeia fizeram protestos oficiais sobre a perseguição e os norte-americanos ofereceram asilo aos Montagnards, mas o governo vietnamita rejeitou os protestos e afirmou que os relatos eram "totalmente falsos e caluniosos".

21.3 CAMBOJA/KAMPUCHEA

(a) O príncipe Sihanouk

Antes da Segunda Guerra Mundial, o Camboja era um protetorado francês com seu próprio rei, Monivong (que reinou de 1927 a 1941), embora os franceses lhe concedessem muito pouco poder. Monivong foi sucedido por seu neto de 18 anos, Norodom Sihanouk, mas, de 1941 a 1945, esteve sob ocupação japonesa. Em março de 1945, quando a derrota do Japão se tornou inevitável, Sihanouk proclamou no Camboja um Estado independente, mas as tropas francesas logo voltaram e ele teve que aceitar uma reversão à posição que existia antes da guerra. Sihanouk era um político perspicaz, acreditava que o domínio francês não sobreviveria muito tempo, e estava disposto a esperar em vez de usar a força. Enquanto a luta pela independência assolava o vizinho Vietnã, o Camboja vivia relativamente em paz. Sihanouk se colocou à frente do movimento nacionalista, evitou envolvimento em qualquer partido político e logo conquistou respeito e popularidade com uma ampla e variada parcela da sociedade cambojana.

Em 1954, depois da derrota francesa no Vietnã, a conferência de Genebra reconheceu a independência do Camboja, e o governo de Sihanouk como sendo a autoridade de direito. Embora ele tivesse uma popularidade imensa entre as pessoas comuns, como arquiteto da paz e da independência, muitos na *intelligentsia* estavam descontentes com seu crescente autoritarismo. *A oposição incluía grupos pró-democracia e o Partido Comunista, formado em 1951, que acabou ficando conhecido como o Partido Comunista do Kampuchea.* Sihanouk fundou seu próprio partido político, uma "Comunidade Socialista Popular", e em março de 1955, deu o importante passo de abdicar em favor de seu pai, Norodom Suramarit, para que ele próprio pudesse se dedicar integralmente à política, como Sr. Sihanouk (embora continuasse sendo conhecido pelo povo como príncipe Sihanouk).

Seu novo partido político teve uma vitória esmagadora nas eleições seguintes, conquistando todas as cadeiras na Assembleia Nacional. O príncipe Sihanouk assumiu o título de primeiro-ministro, e quando seu pai morreu, em 1960, tornou-se chefe de Estado, mas não assumiu o título de rei. Dada sua permanente popularidade, os partidos de oposição, principalmente os comunistas (que agora se chamavam Khmer Vermelho) avançavam muito pouco, e Sihanouk permaneceu no poder pelos 10 anos seguintes. Seu governo conseguia ser autoritário e benigno ao mesmo tempo, e o país

desfrutou de um período de paz e razoável prosperidade enquanto, durante muito tempo, o Vietnã foi arrasado pela guerra civil.

Infelizmente, a política externa de Sihanouk era contrária aos Estados Unidos. Ele não confiava nas motivações norte-americanas e suspeitava que a Tailândia e o Vietnã do Sul – ambos Aliados dos Estados Unidos – tinham planos para o Camboja. Ele tentou permanecer neutro em questões internacionais, evitou aceitar ajuda norte-americana e foi incentivado nessa atitude pelo presidente francês de Gaulle, a quem admirava. À medida que a guerra no Vietnã assumia grandes proporções, Sihanouk entendeu que os comunistas vietnamitas provavelmente acabariam vencendo, e concordou em permitir que usassem bases no Camboja, bem como a trilha Ho Chi Minh através do território cambojano, que o Vietminh usou para movimentar tropas e suprimentos do norte comunista ao sul. Como ele não tinha força para impedir isso de qualquer forma, parecia a política mais sensata. Contudo, os norte-americanos começaram a bombardear vilas cambojanas próximas à fronteira com o Vietnã e, consequentemente, em maio de 1965, Sihanouk rompeu relações com os Estados Unidos. Ao mesmo tempo, começou a avançar para uma relação mais próxima com a China.

(b) O príncipe Sihanouk derrubado: o Camboja em guerra (1970-1975)

No final dos anos de 1960, a popularidade de Sihanouk declinou. Os direitistas não gostavam de sua postura antiamericana nem de sua colaboração com os comunistas do Vietnã, enquanto a esquerda e os comunistas se opunham a seus métodos autoritários. Os comunistas, sob a liderança de *Saloth Sar (que mais tarde passou a se chamar Pol Pot)*, que era professor na capital Phnom Penh antes de sair para organizar o partido, estavam ficando cada vez mais fortes. Em 1967, provocaram um levante entre camponeses do norte do país, o que assustou Sihanouk e lhe fez pensar que uma revolução comunista era iminente. Ele reagiu exageradamente, usando tropas para reprimir o levante, vilas foram queimadas e os suspeitos de estarem criando a confusão foram assassinados ou presos sem julgamento. Sihanouk acabou perdendo ainda mais credibilidade com a esquerda ao restabelecer relações diplomáticas com os Estados Unidos. Os conflitos entre os guerrilheiros comunistas cambojanos (o Khmer Vermelho) e o exército de Sihanouk aumentaram, tornando-se eventos quase diários.

Ainda pior, o novo presidente norte-americano, Richard Nixon, e seu assessor de segurança, Henry Kissinger, começaram a bombardear intensamente as bases vietnamitas no Camboja. À medida que os comunistas avançavam mais para dentro do país, os bombardeiros os seguiam e aumentavam as mortes de civis cambojanos. Em 1970, os principais anticomunistas decidiram que era necessária uma ação drástica. Em março de 1970, enquanto Sihanouk estava em visita a Moscou, o general Lon Nol e seus apoiadores, sustentados pelos norte-americanos, deram um golpe. Sihanouk foi derrubado, buscou refúgio em Beijing, e Lon Nol se tornou chefe de governo.

O período de Lon Nol no poder (1970-1975) foi um desastre para o Camboja. Ele tinha prometido expulsar rapidamente as forças do Vietcong do país, mas isso fez com que o Camboja entrasse no centro da guerra do Vietnã. Quase que imediatamente, tropas dos Estados Unidos e do Vietnã do Sul invadiram o leste do Camboja, enquanto, nos três anos seguintes, bombardeiros norte-americanos atacavam pesadamente o interior, destruindo centenas de vilas. Porém, os norte-americanos não conseguiram destruir o Vietcong nem o Khmer Vermelho de Pol Pot, e ambos continuavam a atacar as forças norte-americanas. Até mesmo os apoiadores de Sihanouk entraram para a luta contra os invasores.

Em janeiro de 1973, a paz chegou ao Vietnã, mas os Estados Unidos continuaram o pesado bombardeio aéreo do Camboja, em uma última tentativa de impedir que o Khmer Vermelho chegasse ao poder. Em março, abril e maio de 1973, foi jogado mais do que o dobro em toneladas de bombas sobre o Camboja do que em todo o ano seguinte. Mesmo assim, os Estados Unidos e o Camboja não estavam em guerra e os cambojanos não ameaçavam tropas norte-americanas. O que havia de infraestrutura no país e sua economia tradicional estavam totalmente destruídos. Depois que os Estados Unidos interromperam os bombardeios, a guerra civil continuou por mais dois anos, à medida que o Khmer Vermelho se ia cercando o governo de Lon Nol em Phnom Penh. Em abril de 1975, o regime de Lon Nol desabou, o Khmer Vermelho entrou na capital e *Pol Pot se tornou o governante do Camboja.*

(c) O Camboja sob comando do Khmer vermelho

O novo governo chamava o país de "Kampuchea Democrático", um termo completamente inadequado em vista do que aconteceu nos quatro anos seguintes. O príncipe Sihanouk, que tinha trabalhado com o Khmer Vermelho nos cinco anos anteriores, voltou de Beijing na expectativa de ser bem recebido por Pol Pot. Em lugar disso, foi colocado em prisão domiciliar e forçado a assistir, impotente, a Pol Pot exercer poder total. O Khmer Vermelho gerou ainda mais miséria para o desventuroso povo do Camboja tentando introduzir princípios marxista-leninistas quase que do dia para a noite, sem preparação adequada. Nas palavras de Michael Leifer:

> Sob a liderança do terrível Pol Pot, inaugurou-se um experimento social repulsivo. O Camboja foi transformado em um campo de trabalho agrícola primitivo, combinando os piores excessos de Stalin e Mao, nos quais cerca de um milhão de pessoas morreu em função de execuções, fome e doenças.

Os comunistas ordenaram que a população de Phnom Penh e outras cidades saísse, fosse morar nas áreas rurais e usasse roupas de trabalho camponesas. Dentro de pouco tempo, os centros urbanos estavam praticamente vazios e milhares de pessoas estavam morrendo nas marchas forçadas. A meta era coletivizar todo o país imediatamente para dobrar a safra de arroz, mas os quadros do partido, cujo trabalho era organizar a transformação, eram inexperientes e incompetentes, e a maioria dos moradores das cidades estava desamparada no meio rural. A operação como um todo foi um desastre e as condições se tornaram insuportáveis. Ao mesmo tempo, o dinheiro, a propriedade privada e os mercados foram abolidos e as escolas, hospitais e monastérios, fechados. A próxima ação de Pol Pot seria lançar uma campanha de genocídio contra todos os cambojanos educados e contra qualquer pessoa que ele considerasse capaz de liderar a oposição.

Enquanto sua paranóia aumentava, centenas de seus apoiadores mais moderados começaram a se voltar contra ele. Muitos foram executados e muitos outros fugiram para a Tailândia e o Vietnã. Entre eles, estava *Heng Samrim*, ex-comandante militar do Khmer Vermelho, que organizou um exército para combater Pol Pot com exilados cambojanos no Vietnã. Algumas estimativas apontam que até 2 milhões de pessoas morreram nos infames "campos da morte". Pouco mais de um terço da população de 7,5 milhões desapareceu. A tragédia foi que, como diz J. A. S. Grenville, "se os norte-americanos não tivessem se voltado contra Sihanouk, um dos mais inteligentes e mais astutos líderes do sudeste da Ásia, o Camboja poderia ter sido poupado dos horrores quase inacreditáveis que se seguiram".

Pol Pot acabou contribuindo para sua própria queda. Ele tentou acobertar os fracassos de suas políticas econômicas adotando uma política externa fortemente nacionalista, causando tensões desnecessárias com o

Ilustração 21.1 Restos humanos a céu aberto no centro de interrogatório e tortura do Khmer Vermelho, Phnom Pen.

Vietnã, cujo governo estava ansioso por uma relação próxima com seu vizinho comunista. Depois de uma série de incidentes de fronteira e provocações por parte do Khmer Vermelho, o exército vietnamita invadiu o Camboja e expulsou o regime de Pol Pot (janeiro de 1979). Ele instalou um governo-fantoche em Phnom Penh, no qual Heng Samrim era a figura principal. A maior parte do país foi ocupada por tropas vietnamitas até 1989. Enquanto isso, Pol Pot e um grande exército de guerrilheiros do Khmer Vermelho recuaram às montanhas no sudoeste e continuaram a causar problemas. *O novo regime era um grande avanço em relação ao governo assassino de Pol Pot, mas não era reconhecido pelos Estados Unidos nem pela maioria dos outros países.* Segundo Anthony Parsons (ver Leituras Complementares para o Capítulo 9), representante permanente do Reino Unido na ONU,

> Em lugar de receber um voto público de agradecimento na ONU por livrar o Camboja de uma combinação moderna de Hitler e Stalin e salvar as vidas de incontáveis cambojanos, os vietnamitas passaram a ser alvo de resoluções em janeiro e março de 1979, clamando por um cessar-fogo e uma retirada das "forças estrangeiras".

Entretanto, a URSS sustentava o Vietnã e vetava as resoluções, de forma que não foi tomada mais qualquer ação. A razão para a postura da ONU contrária ao Vietnã era que os Estados Unidos e os países não comunistas da do sudeste da Ásia tinham mais medo de um Vietnã poderoso do que do Khmer Vermelho. Por seus próprios interesses, eles preferiram que o regime de Pol Pot continuasse no poder.

(d) Depois de Pol Pot: a volta do príncipe Sihanouk

O novo governo de Phnom Penh consistia principalmente em comunistas moderados que tinham abandonado Pol Pot. A incerteza sobre o que poderia acontecer sob o novo regime fez com que talvez meio milhão de cambojanos, incluindo ex-comunistas e membros da *intelligentsia*, saíssem do país e se refugiassem na Tailândia. Todavia, embora fosse mantido no poder por forças vietnamitas, o governo podia afirmar que teve sucesso considerável nos 10 anos que se seguiram. As políticas extremas do Khmer Vermelho foram abandonadas, as pessoas puderam voltar para as cidades, as escolas e os hospitais reabriram e os budistas tinham permissão para praticar sua religião. Mais tarde, o dinheiro e a propriedade privada foram restabelecidos, a economia se acomodou e reiniciou o comércio.

O principal problema do governo era a oposição dos grupos de resistência operando a partir do outro lado da fronteira com a Tailândia. Havia três grupos principais: o Khmer Vermelho, que ainda era uma força importante, com cerca de 35.000 homens, o príncipe Sihanouk e seus apoiadores armados, chegando a 18.000, e a Frente de Libertação Nacional, não comunista, liderada por Son Sann, que poderia reunir cerca de 8.000 soldados. Em 1982, os três grupos formaram um governo conjunto no exílio, com Sihanouk como presidente e Son Sann como primeiro-ministro. A ONU os reconheceu oficialmente como o governo de direito, mas eles tiveram pouco apoio dos cambojanos comuns, que pareciam satisfeitos com o governo que existia em Phnom Penh. Hun Sen se tornou primeiro-ministro em 1985 e a oposição não avançou.

A situação mudou perto do final da década de 1980, quando ficou claro que o Vietnã não mais poderia manter uma grande força militar no Camboja. Por um tempo, havia a assustadora possibilidade de que o Khmer Vermelho pudesse tomar o poder quando os vietnamitas se retirassem, mas os outros dois grupos de oposição, bem como Hun Sen, estavam determinados a não deixar que isso acontecesse. Todos concordaram em tomar parte em conversações organizadas pela ONU. O final da Guerra Fria facilitou *um acordo, que aconteceu no final de outubro de 1991.*

- Haveria um governo de transição, conhecido como Conselho Supremo Nacional, consistindo em representantes de todas as quatro facções, incluindo o Khmer Vermelho.
- Forças e administradores da ONU ajudariam a preparar o país para eleições democráticas em 1993.

O Conselho Supremo Nacional elegeu o príncipe Sihanouk como presidente, e uma grande equipe de 16.000 soldados e 6.000 civis chegou para desmobilizar exércitos rivais e tomar as providências necessárias para as eleições. Os avanços estavam longe de serem fáceis, principalmente por causa do Khmer Vermelho, que via escapar as chances de recuperar o poder e se recusava a cooperar ou participar nas eleições.

Não obstante, as eleições aconteceram em junho de 1993; o partido monarquista liderado pelo príncipe Ranariddh, filho de Sihanouk, surgiu como o maior grupo, com o Partido do Povo do Camboja (PPC) de Hun Sen em segundo. Hun Sen, que tinha dificuldades de superar seu passado antidemocrático, recusou-se a abrir mão do poder. A ONU encontrou uma solução inteligente estabelecendo um governo de coalizão com Ranariddh como primeiro-ministro principal e Hun Sen como segundo primeiro-ministro. *Um dos atos iniciais da nova Assembleia Nacional foi aprovar a restauração da monarquia, e o príncipe Sihanouk passou a ser, mais uma vez, rei e chefe de Estado.*

A partir desse momento, a história política do Camboja consistiu, em grande parte, em uma luta grotesca entre os monarquistas e os apoiadores de Hun Sen. Em julho de 1997, este, tendo em mente as eleições de julho de 1998, derrubou Ranariddh em um golpe violento. O príncipe foi julgado e condenado, à revelia, por tentar derrubar o governo. Ele vinha aparentemente tentando cooptar a colaboração do que restara do Khmer Vermelho, mas foi perdoado por seu pai, o rei, e pode participar nas eleições de 1998. Desta vez, o PPC de Hun Sen ficou sendo o maior partido, mas carecendo de maioria, mais uma vez estabeleceu uma coalizão complicada com os monarquistas.

Com relação ao Khmer Vermelho, seu apoio foi aos poucos diminuindo; em 1995, muitos de seus membros tinham aceitado a oferta de anistia feita pelo governo. *Em 1997, Pol Pot foi preso por outros líderes do grupo e condenado à prisão perpétua,* vindo a morrer no ano seguinte. A questão de como lidar com os membros sobreviventes do regime de Pol Pot gerou polêmica. Havia uma sensação geral de que eles deveriam ser processados por crimes contra a humanidade, mas não um consenso sobre como se deveria fazer isso. A ONU, apoiada pelo rei Sihanouk, queria que eles fossem julgados por um tribunal internacional. Hun Sen queria que eles fossem tratados no sistema judicial cambojano, mas a ONU achava que o sistema não tinha o conhecimento necessário para realizar acusações eficazes. Não foi feito qualquer progresso.

Enquanto isso, o país permanecia calmo. Em 2000, a economia parecia bem equilibrada, a inflação estava sob controle e o turismo ia se tornando cada vez mais importante, com quase meio milhão de visitantes estrangeiros naquele ano. Em 2001, o Banco Mundial deu ajuda financeira ao governo, mas, significativamente, exigiu que Hun Sen fizesse esforços mais decididos para eliminar a corrupção. No outono e no inverno de 2002-2003, houve grave escassez de alimentos em função do fracasso da safra de arroz causado por secas e inundações extremas.

Ao mesmo tempo, os principais políticos estavam se preparando para as eleições marcadas para julho de 2003, que seriam disputadas por três partidos principais: o Partido do Povo do Camboja, de Hun Sen, o partido monarquista, de Ranariddh, e um grupo radical de oposição, liderado por Sam Rangsi. Os meses que antecederam a eleição foram marcados por uma onda de assassinatos de membros importantes de todos os três partidos, na qual 31 pessoas morreram, e continuaram as tensões entre o primeiro-ministro Hun Sen e a família real. *O resultado da eleição de julho levou a uma crise constitucional*: o PPC conquistou 73 das 123 cadeiras na assembleia nacional, a câmara baixa do parlamento cambojano, os monarquistas, 26, e o partido de Sam Rangsi, 24, o que deixava o PPC a nove cadeiras da maioria de dois terços necessária para formar um governo. Observadores estrangeiros informaram que o partido tinha sido responsável por intimidações violentas e também tinha usado uma "estratégia mais sutil de coerção e intimidação". Os dois partidos menores se recusaram a formar uma coalizão com o PPC a menos que Hun Sen renunciasse, mas ele continuava se recusando.

Nos meses que se seguiram à eleição, a violência e os assassinatos continuaram, fazendo vítimas entre membros e apoiadores conhecidos dos partidos de oposição, e o impasse sobre a formação de um novo governo continuou em 2004. Todos os aliados exigiram que fosse modificada a Constituição de modo que o maior partido conseguisse formar um governo. Estava claro que ainda faltava muito para atingir a reconciliação nacional e uma verdadeira democracia no Camboja.

21.4 LAOS

(a) Independência e guerra civil

O Laos, o terceiro país na antiga Indochina francesa, foi organizado como um protetorado francês com a capital em Vientiane. Depois da ocupação japonesa durante a Segunda Guerra Mundial, os franceses deram ao Laos um nível de autogoverno sob comando do rei Sisavang Vong, mas todas as decisões importantes ainda eram tomadas em Paris. Muitos dos líderes do Laos estavam satisfeitos com a independência limitada, mas em 1950, os nacionalistas convictos formaram um novo movimento conhecido como *Pathet Lao* (Terra do Povo Lao) para lutar pela independência completa. O Pathet Lao trabalhava junto com o Vietminh no Vietnã, que também estava lutando contra os franceses e era forte no norte do país, nas províncias adjacentes ao Vietnã do Norte.

Os Acordos de Genebra de 1954, que puseram fim à dominação francesa na Indochina, *decidiram que o Laos deveria continuar sendo comandado pelo governo monárquico*, mas também permitiram o que se chamou de zonas de reagrupamento no norte do país, onde as forças do Pathet Lao poderiam se reunir. Supostamente, a intenção era que eles negociassem seu futuro com o governo do rei, mas o desfecho era inevitável: o Pathet Lao, com suas fortes conexões de esquerda e seus contínuos vínculos com o Vietnã do Norte comunista, tinha poucas probabilidades de permanecer em paz por muito tempo com um governo monarquista de direita. Na verdade, uma paz frágil sobreviveu até 1959, mas estourou a luta entre a direita e a esquerda, e continuou intermitentemente, até se tornar parte do conflito muito maior no Vietnã. *Durante esses anos, o Laos se dividiu em três grupos.*

- o Pathet Lao, predominantemente comunista, apoiado pelo Vietnã do Norte.
- anticomunistas e monarquistas de direita, apoiados pela Tailândia e pelos Estados Unidos.
- um grupo defensor da neutralidade, liderado pelo príncipe Souvanna Phouma, que tentava trazer a paz criando uma coalizão das três facções, em que cada uma delas ficaria no controle das áreas que detinha.

Em julho de 1962, formou-se uma frágil coalizão de governo, e por um tempo, pareceu que o Laos poderia conseguir se manter neutro no conflito que se desenvolvia no Vietnã. Os Estados Unidos estavam insatisfeitos com essa situação, porque o comunista Pathet Lao controlava áreas fundamentais do país na fronteira com o Vietnã (e pelas quais a trilha Ho Chi Minh viria a passar mais tarde). Os norte-americanos enviaram grandes quantias em ajuda financeira para o Exército Monárquico Laociano e, *em abril de 1964, o governo neutralista de coalizão foi derrubado pela direita, com apoio da CIA*. Foi formado um novo governo predominantemente de direitistas e alguns neutralistas, e o Pathet Lao foi excluído, embora ainda tivesse força em algumas regiões. Como estavam bem organizados e equipados, em pouco tempo eles começaram a ampliar ainda mais seu controle.

Com o agravamento da guerra no Vietnã, o Laos começou a sofrer o mesmo destino do Camboja. Entre 1965 e 1973, mais de dois milhões de toneladas de bombas norte-americanas foram jogadas no país, superando as que caíram sobre o Japão e a Alemanha durante a Segunda Guerra Mundial. Inicialmente, os ataques eram principalmente às províncias controladas pelo Pathet Lao, mas, à medida que seu apoio crescia e o grupo ganhava mais controle, os bombardeios também eram ampliados para outras áreas do país. Um trabalhador comunitário norte-americano no Laos relatou mais tarde que "foi arrasada uma vila atrás da outra, um sem-número de pessoas foi sepultado vivo por fortes explosivos ou queimado vivo por napalm e fósforo branco, ou dilacerado pelo chumbo das bombas antipessoais".

A paz só voltou ao Laos em 1973, com a retirada dos Estados Unidos do Vietnã. As três facções assinaram um acordo em Vientiane estabelecendo outra coalizão, com Souvanna Phouma como líder, mas o Pathet Lao foi aos poucos aumentando seu controle sobre o país. Em 1975, quando os norte-vietnamitas tomaram o Vietnã do Sul e o Khmer Vermelho assumiu o controle do Camboja, as forças de direita decidiram jogar a toalha e seus líderes deixaram o país. O Pathet Lao conseguiu tomar o poder, e em dezembro de 1975, declarou o fim da monarquia e o início da República Democrática Popular do Laos.

(b) A República Democrática Popular do Laos

O *Partido Revolucionário do Povo do Laos (PRPL)*, comunista, que assumiu o controle em 1975, ficou no poder pelo restante do século e ainda parecia seguro no início do século XXI. Por 20 anos antes de chegar ao poder, seus líderes trabalharam em cooperação com seus aliados no Vietnã, e era de se esperar que os dois governos seguissem caminhos semelhantes. No Laos, os comunistas introduziram coletivos agrícolas e colocaram o comércio e a pouca indústria que havia sob controle do governo. Eles também prenderam milhares de adversários políticos no que chamaram de campos de reeducação. O país e a economia se recuperaram lentamente da destruição dos 15 anos anteriores, e milhares de pessoas – algumas estimativas chegam a cerca de 10% da população – deixaram o país para morar na Tailândia.

Felizmente, o governo estava disposto a matizar seus princípios estritamente marxistas. Em meados dos anos de 1980, seguindo o exemplo da China e do Vietnã, o programa de coletivização foi abandonado e substituído por grupos de fazendas familiares. O controle estatal sobre as empresas foi relaxado, introduziram-se incentivos ao mercado e o investimento privado foi atraído e estimulado. As estatísticas da ONU sugeriam que, em 1989, a economia do Laos tinha um desempenho melhor do que a do Vietnã e do Camboja em termos de PIB per capita. O partido ainda mantinha o controle político total, mas depois da introdução de uma nova Constituição em 1991, as pessoas tiveram mais liberdade de ir e vir. O fato de que o governo, como os da China e do Vietnã, tivesse abandonado suas políticas comunistas ou socialistas levantou a questão interessante sobre se ainda era um regime comunista. Os líderes parecem continuar se considerando e descrevendo seus sistemas políticos como comunistas, mesmo que sua reestruturação econômica os tenha deixado com muito poucos atributos socialistas. Eles poderiam muito bem ser chamados de "Estados de partido único".

No final do século, o Laos ainda era um Estado de partido único, com uma economia mista que estava tendo um desempenho decepcionante. Em março de 2001, o presidente Khamtai Siphandon admitiu que o governo ainda não tinha conseguido gerar o tão esperado aumento de prosperidade. Ele elaborou um impressionante programa de 20 anos, para crescimento econômico e melhoria da educação, saúde e padrão de vida. Analistas imparciais diziam que a economia era precária, a ajuda estrangeira ao Laos tinha dobrado nos 15 anos anteriores e o Fundo Monetário Internacional acabara de aprovar um empréstimo de 40 milhões de dólares para ajudar a equilibrar o orçamento para o ano.

Nada disso fez qualquer diferença nas eleições para a Assembleia Nacional que aconteceram em fevereiro de 2002. Houve 166 candidatos para as 109 cadeiras, mas todos, com exceção de um, eram membros do PRPL. Os meios de comunicação controlados pelo Estado informaram que houve 100% de participação e o partido continuava tranquilo no poder. Todavia, a insatisfação com a falta de avanços estava começando a gerar alguma inquietação. Em julho de 2003, uma organização chamada Movimento dos Cidadãos do Laos pela Democracia promoveu manifestações e minirrevoltas em 10 províncias. Em outubro, outro grupo que se chamava Governo Popular Democrático Livre do Laos (GPDLL), explodiu uma bomba em Vientiane e assumiu a responsabilidade por 14 outras explosões desde 2000, anunciando que seu objetivo era derrubar "o cruel e bárbaro PRPL". A pressão era para que partido realizasse reformas e proporcionasse prosperidade em pouco tempo.

PERGUNTAS

1. Explique como a Coreia se dividiu em dois Estados separados no período de 1945 a 1953.
2. "Meio século de desastre para o povo da Coreia do Norte". Até onde você concorda com esse veredicto sobre o período de domínio de Kim Il Sung no país?
3. Quais foram os problemas enfrentados pelo governo do Vietnã nos anos que se seguiram à sua unificação em 1976? Como e com que êxito as políticas do governo mudaram depois de 1986?
4. Avalie a contribuição do príncipe Sihanouk ao desenvolvimento do Camboja nos anos entre 1954 e 1970. Explique por que ele foi derrubado em março de 1970.
5. Descreva os passos pelos quais o Camboja/Kampuchea se tornou vítima da Guerra Fria no período de 1967 a 1991.
6. Explique por que e como o Laos passou ao comando comunista no período de 1954 a 1975. Qual foi o êxito do governo na reconstrução do Laos no final do século XX?

Parte IV

OS ESTADOS UNIDOS DA AMÉRICA

Os Estados Unidos Antes da Segunda Guerra Mundial

22

RESUMO DOS EVENTOS

Na segunda metade do século XIX, os Estados Unidos passaram por mudanças sociais e econômicas impressionantes.

- A Guerra Civil (1861-1865) entre o sul e o norte *pôs fim à escravidão no país e deu liberdade aos ex-escravos*, mas muitos brancos, principalmente no sul, relutavam em reconhecer os negros (afro-americanos) como iguais e fizeram tudo o que podiam para privá-los de seus novos direitos. Isso levou ao início do Movimento pelos Direitos Civis, embora este tenha tido muito pouco sucesso até a segunda metade do século XX.
- *Grandes quantidades de migrantes começaram a chegar da Europa* e continuaram chegando durante o século XX. Entre 1860 e 1930, mais de 30 milhões de pessoas chegaram do exterior.
- *Houve uma ampla e bem-sucedida revolução industrial*, principalmente no último quarto do século XIX. O país começou o século XX dentro de uma onda de prosperidade empresarial. Em 1914, tinha ultrapassado com facilidade a Grã-Bretanha e a Alemanha, as principais nações industriais da Europa, em produção de carvão, ferro e aço, e era uma clara força econômica rival a ser levada em consideração.
- Embora os industriais e os financistas tenham se saído bem e construído suas fortunas, *a prosperidade não foi compartilhada de forma igual por todo o povo norte-americano*. Imigrantes, negros e mulheres muitas vezes tinham que enfrentar salários baixos e más condições de vida e de trabalho. Isso levou à formação de sindicatos e do partido socialista, que tentavam melhorar a situação dos trabalhadores, mas as grandes empresas não os viam com bons olhos e essas organizações tiveram muito pouco sucesso antes da Primeira Guerra Mundial (1914-1918).

Embora tenham entrado tarde na guerra (abril de 1917), *os norte-americanos cumpriram um papel importante na derrota da Alemanha e de seus aliados*. O presidente Democrata Woodrow Wilson (1913-1921) foi uma figura importante na Conferência de Versalhes, e os Estados Unidos eram agora uma das grandes potências mundiais. Entretanto, depois da guerra, os norte-americanos decidiram não cumprir um papel ativo nas questões mundiais, uma política que ficou conhecida como *isolacionismo*. Wilson ficou muito decepcionado quando o senado rejeitou o acordo de Versalhes e a Liga das Nações (1920). Ele foi sucedido por três presidentes Republicanos: Warren Harding (1921-1923), que morreu no cargo, Calvin Coolidge (1923-1929) e Herbert C. Hoover (1929-1933). Até 1929, o país viveu um período de grande prosperidade, ainda que nem todos a compartilhassem. A explosão de crescimento terminou de repente com a quebra de bolsa em Wall Street (outubro de 1929), que levou à Grande Depressão, ou à crise econômica mundial, apenas seis meses depois da posse do azarado Hoover. Os efeitos sobre os Estados Unidos foram catastróficos: em 1933, quase 14 milhões de pessoas estavam desempregadas e os esforços de Hoover não conseguiram ter qualquer efeito na crise. Ninguém se surpreendeu quando os Republicanos perderam a eleição presidencial de novembro de 1932.

O novo presidente Democrata, *Franklin D. Roosevelt*, introduziu políticas conhecidas como *New Deal (Pacto Novo)*, para tentar colocar o país no caminho da recuperação. Embora não tenha tido sucesso completo, o *New Deal* conseguiu o suficiente, junto com as circunstâncias da Segunda Guerra Mundial, para manter Roosevelt na Casa Branca (a residência oficial do presidente em Washington) até sua morte em abril 1945. Ele foi o único presidente a ser eleito para um quarto mandato.

22.1 O SISTEMA DE GOVERNO DOS ESTADOS UNIDOS

A Constituição dos Estados Unidos (o conjunto de regras pelas quais o país é governado) foi elaborada em 1787. Desde então, foram acrescentados 26 outros itens (Emendas), sendo que o último, que reduzia para 18 anos a idade de votar, foi adicionado em 1971.

Os Estados Unidos tem um sistema federal de governo

Esse é um sistema em que o país é dividido em vários estados. Inicialmente, 13 estados integravam o país. Em 1900, esse número aumentou para 45 à medida que a fronteira foi sendo ampliada para o oeste. Mais tarde, cinco outros estados foram formados e acrescentados à união (ver Mapa 22.1): Oklahoma (1907), Arizona e Novo México (1912), e Alaska e Hawaii (1959). Cada um desses estados tem sua própria capital e seu governo, e todos compartilham o poder com o governo federal (central ou nacional) que fica na capital federal, Washington. A Figura 22.1 mostra como o poder é compartilhado.

O governo federal consiste em três partes principais:

Congresso: conhecido como a parte legislativa, elabora as leis;

Presidente: conhecido como a parte executiva, aplica as leis.

Judiciário: o sistema jurídico, do qual a parte mais importante é a Suprema Corte.

(a) O congresso

1. O parlamento federal, conhecido como Congresso, reúne-se em Washington e é formado por duas casas:

   • a Casa de Representantes (Câmara dos Deputados),
   • o Senado

   Os membros de ambas as casas são eleitos pelo sufrágio universal. A Casa de Representantes (geralmente chamada simplesmente de *The House*, "A Casa") tem 435 membros, eleitos para dois anos, que representam distritos de população aproximadamente igual. Os senadores são eleitos por seis anos, um terço termina o mandato a cada dois anos. Há dois senadores de cada estado, independentemente da população do estado, totalizando 100.

2. A principal atribuição do Congresso é legislar (elaborar as leis). Todas as novas leis tem que ser aprovadas por uma maioria simples das duas casas. Os tratados com países estrangeiros precisam de uma maioria de dois terços no senado. Se houver desacordo entre as duas casas, acontece uma reunião conjunta, onde geralmente se consegue gerar uma proposta intermediária, que depois é vo-

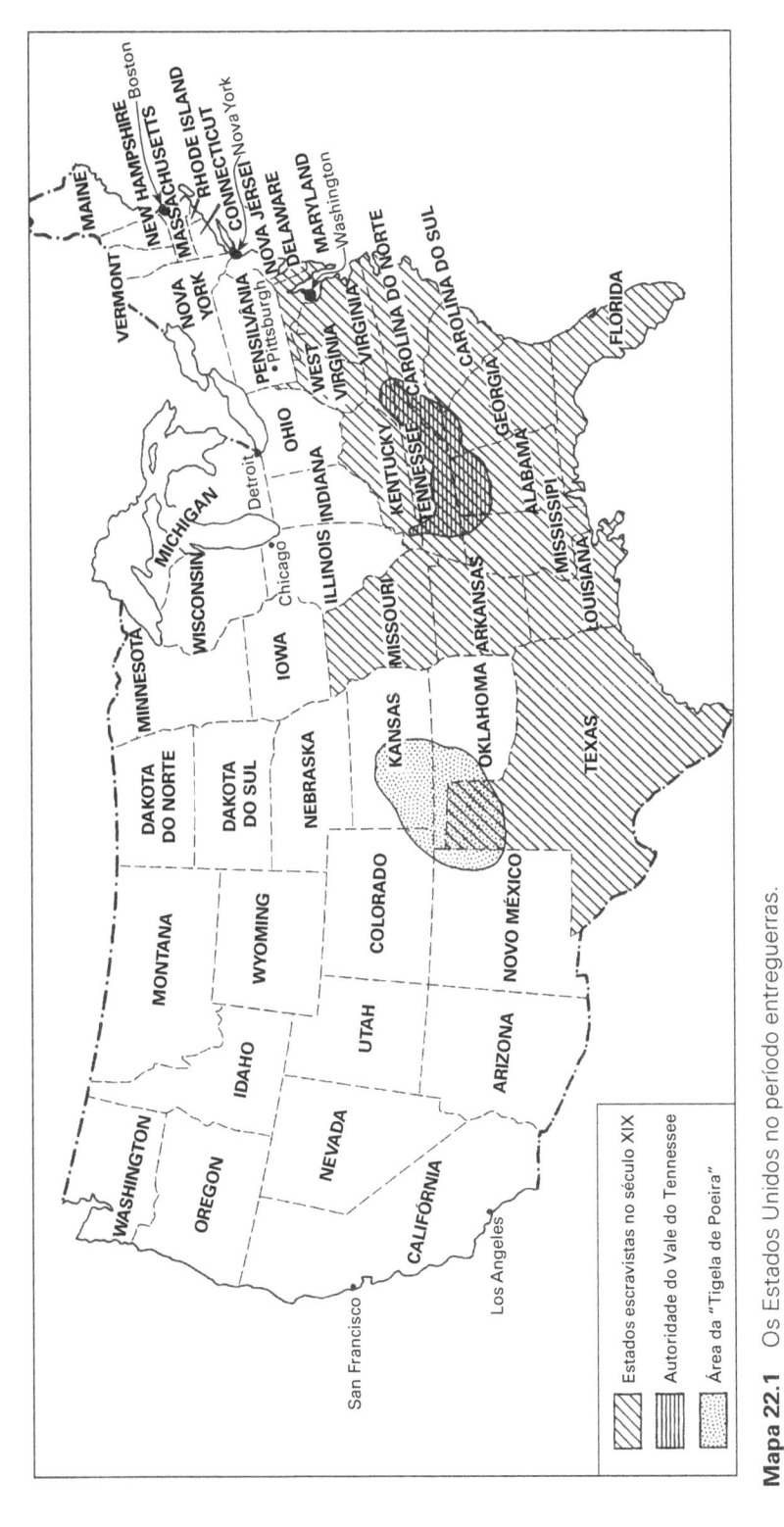

Mapa 22.1 Os Estados Unidos no período entreguerras.

Fonte: D. Heater, *Our World This Century* (Oxford, 1992), p. 97

Legenda:
- Estados escravistas no século XIX
- Autoridade do Vale do Tennessee
- Área da "Tigela de Poeira"

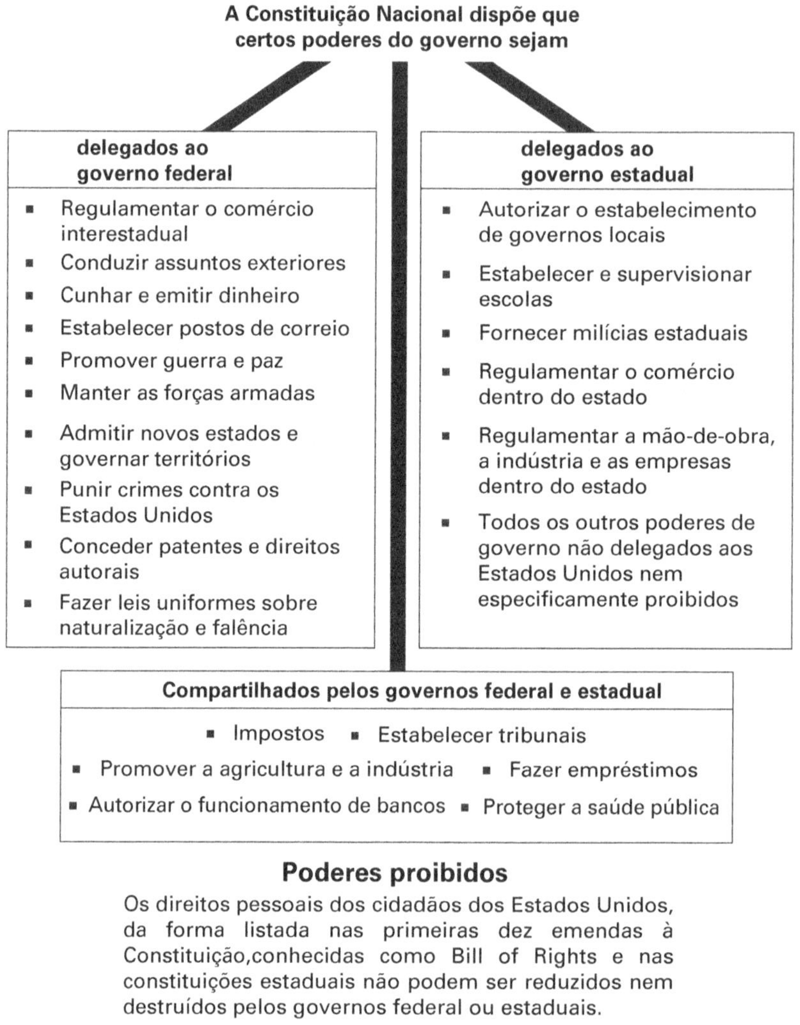

```
                A Constituição Nacional dispõe que
                certos poderes do governo sejam
```

delegados ao governo federal	delegados ao governo estadual
■ Regulamentar o comércio interestadual ■ Conduzir assuntos exteriores ■ Cunhar e emitir dinheiro ■ Estabelecer postos de correio ■ Promover guerra e paz ■ Manter as forças armadas ■ Admitir novos estados e governar territórios ■ Punir crimes contra os Estados Unidos ■ Conceder patentes e direitos autorais ■ Fazer leis uniformes sobre naturalização e falência	■ Autorizar o estabelecimento de governos locais ■ Estabelecer e supervisionar escolas ■ Fornecer milícias estaduais ■ Regulamentar o comércio dentro do estado ■ Regulamentar a mão-de-obra, a indústria e as empresas dentro do estado ■ Todos os outros poderes de governo não delegados aos Estados Unidos nem especificamente proibidos

Compartilhados pelos governos federal e estadual
■ Impostos ■ Estabelecer tribunais ■ Promover a agricultura e a indústria ■ Fazer empréstimos ■ Autorizar o funcionamento de bancos ■ Proteger a saúde pública

Poderes proibidos
Os direitos pessoais dos cidadãos dos Estados Unidos, da forma listada nas primeiras dez emendas à Constituição, conhecidas como Bill of Rights e nas constituições estaduais não podem ser reduzidos nem destruídos pelos governos federal ou estaduais.

Figura 22.1 Como os governos federal e estaduais dividem os poderes nos Estados Unidos.

tada em ambas as casas. O Congresso pode fazer leis sobre questões fiscais, monetárias, postais, comércio exterior, o exército e a marinha. Também tem poder de declarar guerra. Em 1917, por exemplo, quando Woodrow Wilson decidiu que era hora de os Estados Unidos entrarem na guerra contra a Alemanha, ele teve que pedir ao congresso que declarasse guerra.

3 *Há dois principais partidos representados no Congresso:*

- Republicanos
- Democratas

Seus membros tem visões muitos diferentes.

Os *Republicanos* tradicionalmente são um partido com muito apoio no norte, principalmente entre empresários e industriais.

Sendo o mais conservador dos dois partidos, seus membros acreditam em:

- Manter tarifas (impostos de importação) altas para proteger a indústria norte-americana de produtos estrangeiros.
- Uma postura de governo do tipo *laissez-faire*: eles queriam deixar os empresários em paz para comandar a indústria e a economia com a menor interferência possível do governo. Os presidentes Republicanos Coolidge (1923-1929) e Hoover (1929-1933), por exemplo, favoreceram a não intervenção e achavam que não era função do governo resolver problemas econômicos e sociais.

Os Democratas obtiveram grande parte de seu apoio do sul e dos imigrantes de grandes cidades do norte, e tem sido o mais progressista dos dois partidos. Os presidentes Democratas, como Franklin D. Roosevelt (1933-1945), Harry S. Truman (1945-1953) e John F. Kennedy (1961-1963) queriam que o governo tivesse um papel mais ativo no trato dos problemas sociais e econômicos.

No entanto, esses partidos não são organizados de forma tão unida ou rígida como os partidos políticos na Grã-Bretanha, onde os parlamentares que pertencem a um deles devem apoiar o governo todo o tempo. Nos Estados Unidos, a disciplina partidária é muito mais frágil, e os votos no Congresso muitas vezes cruzam as linhas que dividem os partidos. Há esquerdistas e direitistas em ambos. Alguns Democratas votaram contra o *New Deal* de Roosevelt, mesmo que ele fosse Democrata, enquanto alguns Republicanos de esquerda votaram a favor, mas não mudaram de partido, nem seu partido os expulsou.

(b) O presidente

O presidente é eleito para um mandato de quatro anos. Cada partido escolhe seu candidato à presidência e a eleição sempre acontece em novembro.* O candidato vencedor (chamado de "presidente eleito") toma posse em janeiro. Os poderes do presidente parecem ser muito amplos: ele (ou ela) é comandante em chefe das forças armadas, controla o serviço público, comanda as questões de política internacional, faz tratados com outros países e nomeia juízes, embaixadores e membros do gabinete. Com a ajuda de apoiadores entre os congressistas, o presidente pode apresentar leis ao Congresso e vetar outras que ele tenha aprovado, se não concordar com elas.

(c) A Suprema Corte

Consiste em nove juízes nomeados pelo presidente, com a aprovação do senado. Quando é nomeado, um juiz da Suprema Corte pode permanecer no cargo por toda a sua vida, a menos que seja forçado a renunciar por problemas de saúde ou escândalos. O tribunal julga disputas entre o presidente e o Congresso, entre o governo federal e os estaduais, entre estados e em qualquer problema que surja da Constituição.

(d) A separação de poderes

Quando os chamados Pais Fundadores dos Estados Unidos (entre os quais George Washington, Benjamin Franklin, Alexander Hamilton e James Madison) se reuniram na Filadélfia, em 1787, para elaborar a nova Constituição, uma de suas principais preocupações era se certificar de que nenhuma das três partes do governo – Congresso, Presidente e Suprema Corte – se tornasse poderosa demais. *Eles deliberadamente construíram um sistema de controles e contrapesos no qual os três poderes de governo trabalhassem separadamente um do outro* (ver Figura 22.2). O presidente

---

* N. de R.: Os leitores votam em delegados por estados, e esses elegem o presidente. A eleição é, portanto, indireta, e não há uma relação proporcional entre eleitores e delegados, podendo ser eleito o candidato que teve menos votos populares, como ocorreu em 2000.

O povo

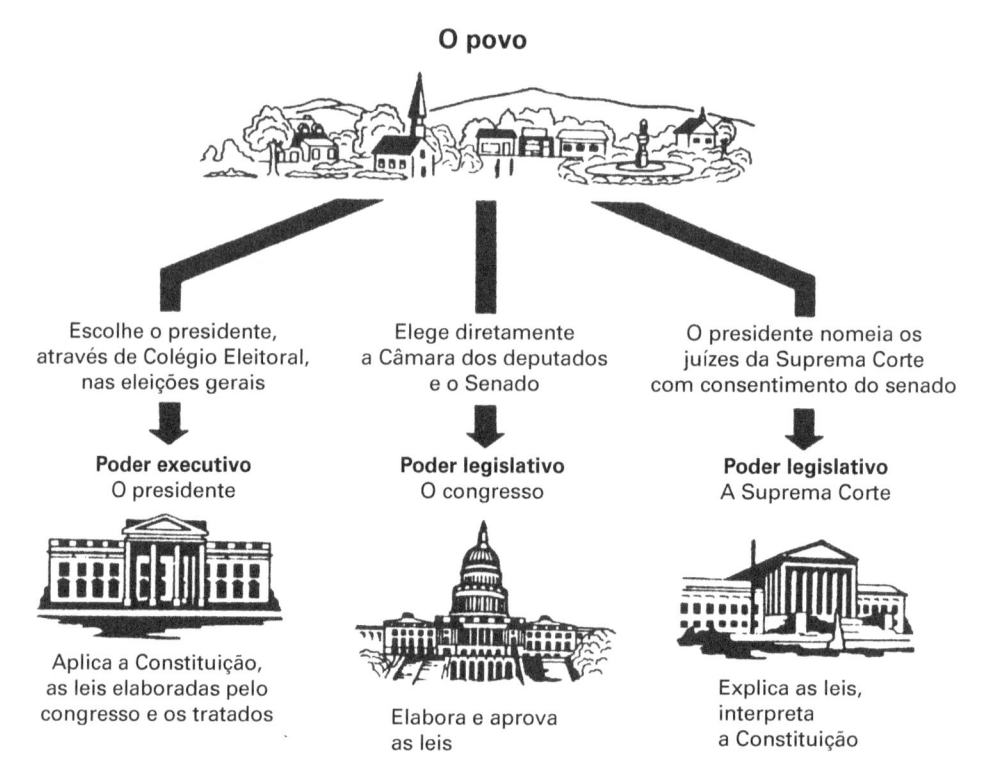

- Escolhe o presidente, através de Colégio Eleitoral, nas eleições gerais → **Poder executivo** — O presidente — Aplica a Constituição, as leis elaboradas pelo congresso e os tratados
- Elege diretamente a Câmara dos deputados e o Senado → **Poder legislativo** — O congresso — Elabora e aprova as leis
- O presidente nomeia os juízes da Suprema Corte com consentimento do senado → **Poder legislativo** — A Suprema Corte — Explica as leis, interpreta a Constituição

Figura 22.2 Os três poderes separados do governo federal dos Estados Unidos.
Fontes: D. Harkness, *The Post-war World* (Macmillan, 1974), p. 232 e 231

e seu gabinete, por exemplo, não são membros do Congresso, diferentemente do primeiro-ministro britânico e seu gabinete, que são todos membros do parlamento. Cada poder funciona como um controle sobre o poder do outro, fazendo com que o presidente não seja tão poderoso quanto possa parecer. Como as eleições para a Câmara de deputados são realizadas a cada dois anos e um terço do senado é eleito a cada dois anos, o partido de um presidente pode perder a maioria em uma ou em ambas as casas depois que ele estiver no cargo somente há dois anos.

Embora o presidente possa vetar leis, o Congresso pode derrubar esse veto com uma maioria de dois terços em ambas as casas. O presidente tampouco pode dissolver o Congresso, só esperar que as coisas mudem para melhor na próxima rodada de eleições. Por outro lado, o Congresso não pode se livrar do presidente a menos que também possa ser demonstrado que ele cometeu traição ou algum outro crime grave. Nesse caso, o presidente pode ser ameaçado com *impeachment* (impedimento, uma acusação formal de crimes diante do senado, que então faria um julgamento). Foi para evitar o *impeachment* que Richard Nixon renunciou depois de cair em desgraça (agosto de 1974) em função de seu envolvimento no escândalo de Watergate (ver Seção 23.4). O sucesso de um presidente depende geralmente de sua habilidade para a persuasão do Congresso a aprovar seu programa legislativo. A Suprema Corte fica de olho no presidente e no Congresso, e pode dificultar a vida de ambos declarando uma lei "inconstitucional", ou seja, é ilegal e deve ser mudada.

22.2 NO CALDEIRÃO: A ERA DA IMIGRAÇÃO

(a) Uma imensa onda de imigração

Durante a segunda metade do século XIX, houve uma enorme onda de imigração para os Estados Unidos. Desde o século XVII as pessoas vinham atravessando o Atlântico para se estabelecer nos país, mas em quantidades relativamente menores. Durante todo o século XVIII, a imigração total para a América do Norte provavelmente não passou de meio milhão de pessoas. *Entre 1860 e 1930, o total foi de mais de 30 milhões.* Depois de 1850, alemães e suecos chegaram em enormes quantidades, e em 1910 já havia pelo menos 8 milhões de alemães nos Estados Unidos. Entre 1890 e 1920, foi a vez dos russos, poloneses e italianos chegarem em enormes fluxos. A Tabela 22.1 mostra em detalhes os números de imigrantes que chegaram aos Estados Unidos e de onde eles vieram.

As razões das pessoas para sair de seus países eram diversas. Algumas eram atraídas pela perspectiva de empregos e de uma vida melhor. Elas esperavam que, se conseguissem passar pela "Porta Dourada" para dentro dos Estados Unidos, escapariam da pobreza. Foi o caso dos irlandeses, suecos, noruegueses e italianos. A perseguição fez muitas pessoas emigrarem, especialmente os judeus que fugiram da Rússia e de outros países europeus aos milhões depois de 1880, para escapar aos *pogroms* (massacres organizados). A imigração foi reduzida em muito depois de 1924, quando o governo dos Estados Unidos introduziu cotas anuais, mas ainda eram feitas exceções e durante os 30 anos depois da Segunda Guerra Mundial, mais 7 milhões de pessoas foram para o país (Ilustração 22.1).

Tendo chegado aos Estados Unidos, muitos imigrantes logo participaram de uma segunda migração, indo de seus portos de chegada na costa leste para o Meio-Oeste. Alemães, noruegueses e suecos tendiam a ir para o oeste, estabelecendo-se em estados como Nebraska, Wisconsin, Missouri, Minnesota, Iowa e Illinois. Tudo isso era parte de um movimento geral do país em direção ao oeste. A população do país a oeste do Mississipi cresceu de cerca de 5 milhões em 1860 para cerca de 30 milhões em 1910.

(b) Quais foram as consequências da imigração?

- A consequência mais óbvia foi o aumento de população. Calculou-se que, se não houvesse o movimento de massas de pessoas para os Estados Unidos entre 1880 e a década de 1920, a população seria 12% menor do que era em 1930.

- Os imigrantes ajudaram a acelerar o desenvolvimento econômico. O historiador econômico William Ashworth calculou que, sem a imigração, a força de trabalho nos Estados Unidos seria 14% menor do que era em 1920 e, com menos pessoas, grande parte da riqueza natural do país teria esperado mais para ser usada com eficácia".

- O movimento de pessoas do interior para as cidades resultou no crescimento de enormes zonas urbanas, conhecidas como "conurbações". Em 1880, a cidade de Nova York era a única com mais de um milhão de habitantes; em 1910, Filadélfia e Chicago também tinham ultrapassado essa cifra.

- O movimento para conseguir empregos na indústria, mineração, engenharia e construção fez com que a parcela da população que trabalhava na agricultura declinasse constantemente. Em 1870, cerca de 58% de todos os norte-americanos trabalhavam na agricultura; em 1914, esse número caiu para 14% e a apenas 6% em 1965.

- O país adquiriu a mais impressionante mistura de nacionalidades, culturas e religiões do mundo. Os imigrantes tendiam a se concentrar nas cidades, embora muitos alemães, suecos e noruegueses tenham ido na direção oeste para trabalhar na agricultura. Em 1914, os imigrantes perfaziam mais de metade da população de todas as grandes cidades e havia cerca de 30 nacionalidades diferentes. Isso levou os norte-

Tabela 22.1 População e imigração dos Estados Unidos, 1851-1950 (números em milhares, arredondados para o milhar mais próximo)

	1851-1860	1861-1870	1871-1880	1881-1890	1891-1900	1901-1910	1911-1920	1921-1930	1931-1930	1931-1940	Cota por ano (1951)
População total (censo anual de 1860, 1870, etc.)	31.443	39.818	50.156	62.948	75.995	91.972	105.711	122.775	131.669	150.697	
Imigração total	2.598	2.315	2.812	5.247	3.688	8.795	5.736	2.478	528	1.035	154
Países de origem escolhidos:											
Irlanda (N e S)	914	436	437	655	388	339	146	221	13	28[b]	18[b]
Alemanha	952	787	718	1.453	505	341	144	412	118[c]	227	26
Áustria							454	33		25	1
Hungria		8	73	354	593	2.145	443	31	8	3	1
Inglaterra	247	222	438	645	217	388	250	157	22	112	66[(Reino Unido)]
Itália	9	12	56	307	652	2.046	1.110	455	68	58	6
Suécia	21[a]	38	116	392	226	250	95	97	4	11	3
Polônia	1	2	13	52	97		5	228	17	8	7
Rússia		3	39	213	505	1597	921	62	1	1	3
China	41	64	123	62	15	21	21	30	5	17	0

a Inclui a Noruega para esta década
b Somente Eire
c Inclui Áustria

Fonte: Roger Thompson, *The Golden Door* (Allman & Son, 1969), p. 309

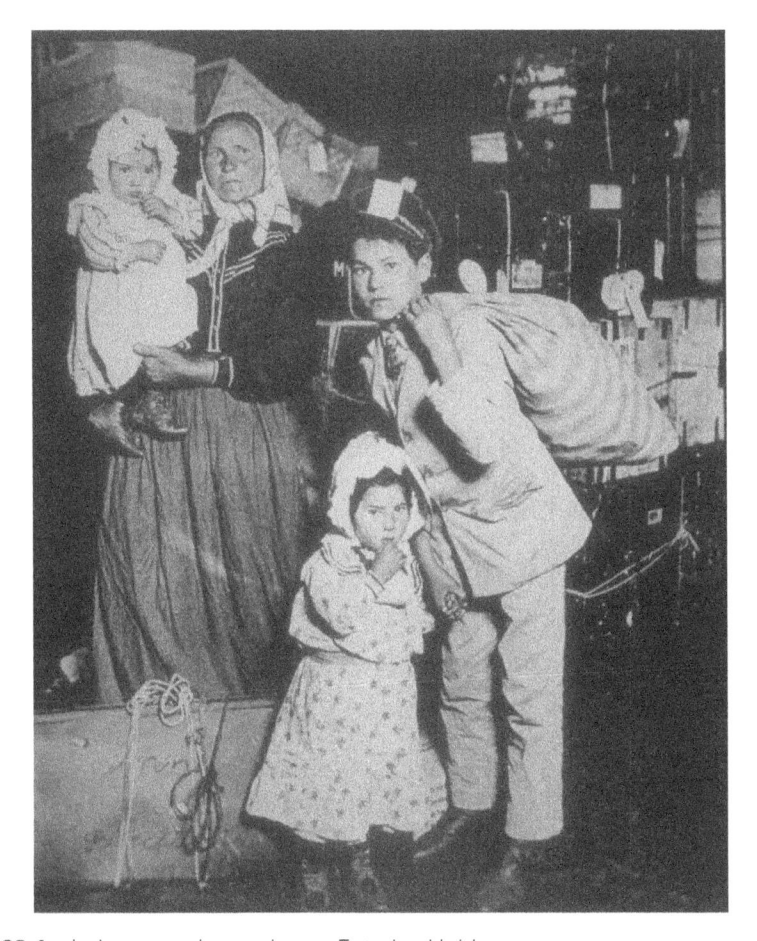

Ilustração 22.1 Imigrantes chegando aos Estados Unidos.

-americanos idealistas a afirmar que seu país era um "caldeirão" no qual todas as nacionalidades eram jogadas e se fundiam, para emergir como uma nação única e unificada. Na verdade, parece haver um pouco de mito nisso, com certeza até bem depois da Primeira Guerra Mundial. Os imigrantes se juntavam em grupos nacionais que moravam em guetos. Cada nova onda deles era tratada com desprezo e hostilidade pelas anteriores, que temiam por seus empregos. Os irlandeses, por exemplo, muitas vezes se recusavam a trabalhar com poloneses e italianos. Mais tarde, poloneses e italianos foram igualmente hostis para com os mexicanos. Alguns autores já disseram que os Estados Unidos não tem nada de caldeirão de misturas. Nas palavras do historiador Roger Thompson, o país era mais como uma tigela de salada, onde, embora fossem temperados todos os ingredientes, eles permaneciam separados".

- Houve uma crescente agitação contra a permissão de entrada a tantos estrangeiros nos Estados Unidos e havia demandas para que a "Porta Dourada" ficasse bem fechada. O movimento era de caráter racial, afirmando-se que a manutenção da grandeza do país dependia da preservação de sua linhagem anglo-saxônica. Achava-se que ela seria fragilizada caso fosse permitida a entrada de números ilimitados de judeus e de europeus do sul e do leste. A partir de 1921, o governo restringiu gradualmente a entrada, até que ela foi estabelecida em 150.000 por ano em 1924, o que foi aplicado rigidamente durante os anos da depressão da década de 1930, quando o desemprego era alto. Depois da Segunda Guerra Mundial, as restrições foram relaxadas e o país aceitou 700.000 refugiados da Cuba de Fidel Castro entre 1959 e 1975 e mais de 100.000 refugiados do Vietnã depois que os comunistas assumiram o controle do Vietnã do Sul em 1975.

22.3 OS ESTADOS UNIDOS SE TORNAM O LÍDER ECONÔMICO DO MUNDO

(a) A expansão econômica e a ascensão das grande empresas

No meio século antes da Primeira Guerra Mundial, uma vasta expansão industrial levou os Estados Unidos para o grupo dos principais produtores industriais do mundo. As estatísticas na Tabela 22.2 mostram que em 1900, o país já tinha ultrapassado seus rivais mais próximos.

Essa expansão foi possibilitada pelos ricos suprimentos de matérias-primas – carvão, minério de ferro e petróleo – e pela expansão da rede de ferrovias. A população que crescia rapidamente, grande parte com a imigração, fornecia a mão de obra e os mercados. Os impostos sobre importações (tarifas) protegiam a indústria norte-americana da concorrência estrangeira e era uma época de oportunidade e empreendimento. Como diz o historiador norte-americano John A. Garraty: "O espírito predominante da época incentivava os empresários a um esforço máximo ao enfatizar o progresso, glorificar a riqueza material e justificar a agressividade". Os empresários mais bem-sucedidos, como Andrew Carnegie (aço), John D. Rockefeller (petróleo), Cornelius Vanderbilt (transportes e ferrovias), J. Pierpoint Morgan (bancos) e P. D. Armour (carne), fizeram imensas fortunas e construíram enormes impérios industriais que lhes deram poder sobre políticos e pessoas comuns.

(b) O grande *boom* da década de 1920

Depois de um começo lento, à medida que o país voltava ao normal depois da Primeira Guerra Mundial, a economia começou a se expandir de novo: a produção industrial chegou a níveis que seria difícil imaginar, dobrando entre 1921 e 1929 sem qualquer grande aumento nos números de trabalhadores. Vendas, lucros e salários também atingiram novos níveis, e os

Tabela 22.2 Os Estados Unidos e seus principais rivais, 1900

	EUA	Rival mais próximo
Produção de carvão (toneladas)	262 milhões	219 milhões (Grã-Bretanha)
Exportações (libras esterlinas)	311 milhões	390 milhões (Grã-Bretanha)
Ferro-gusa (toneladas)	16 milhões	8 milhões (Grã-Bretanha)
Aço (toneladas)	13 milhões	6 milhões (Alemanha)
Ferrovias (milhas)	183.000	28.000 (Alemanha)
Prata (onça troy)	55 milhões	57 milhões (México)
Ouro (onça troy)	3,8 milhões	3,3 milhões (Austrália)
Produção de algodão (bales)	10,6 milhões	3 milhões (Índia)
Petróleo (toneladas métricas)	9,5 milhões	11,5 milhões (Rússia)
Trigo (alqueires)	638 milhões	552 milhões (Rússia)

Fonte: J. Nichol e S. Lang, *Work Out Modern World History* (Macmillan, 1990).

"extraordinários anos de 1920", como ficaram conhecidos, assistiam a uma grande variedade de coisas novas sendo compradas – rádios, refrigeradores, lavadoras, aspiradores de pó, novas roupas elegantes, motocicletas e, acima de tudo, automóveis. No final da guerra, já havia 7 milhões de carros nos Estados Unidos, mas em 1929, eles se aproximavam dos 24 milhões. Henry Ford liderava o campo com seu Modelo T. Talvez a mais famosa de todas as novas mercadorias em oferta fosse a indústria cinematográfica de Hollywood, que obtinha lucros enormes e exportava seus produtos para todo o mundo. *O que causou o boom?*

1. *Foi o clímax da grande expansão industrial do final do século XIX*, quando os Estados Unidos tinham superado dois de seus maiores rivais, a Grã-Bretanha e a Alemanha. A guerra deu um grande impulso à indústria norte-americana: países cujas indústrias próprias e importações da Europa tinham sido prejudicadas compravam mercadorias americanas e continuaram a fazê-lo quando a guerra terminou. Portanto, os Estados Unidos foram os verdadeiros vencedores econômicos da guerra.
2. *As políticas econômicas dos governos Republicanos contribuíram para a prosperidade no curto prazo*. Sua abordagem era de *laissez-faire*, mas eles tiveram duas atitudes importantes:
   - a tarifa Fordney-McCumber (1922) elevou os impostos sobre importações que entrassem nos Estados Unidos ao maior valor de todos os tempos, protegendo a indústria norte-americana e incentivando seus habitantes a comprar produtos nacionais.
   - um rebaixamento geral do imposto de renda em 1926 e 1928 deixou as pessoas com mais dinheiro para gastar em produtos norte-americanos.
3. *A indústria estava se tornando cada vez mais eficiente*, à medida que aumentava a mecanização. Mais e mais fábricas adotavam os métodos em linha de produção em movimento, usados pela primeira vez por Henry Ford em 1915, que aceleravam a produção e reduziam custos. O gerenciamento também começou a aplicar os estudos sobre "tempo e movimento", de F. W. Taylor, que economizavam mais tempo e aumentavam a produtividade.
4. *À medida que os lucros aumentavam, o mesmo acontecia com os salários* (embora não tanto quanto os primeiros). Entre 1923 e 1929, o salário médio dos operários da indústria aumentou em 8%. Embora não fosse um aumento espetacular, era suficiente para possibilitar que alguns trabalhadores comprassem os novos bens de consumo supérfluos, muitas vezes a crédito.
5. *A propaganda ajudou a explosão e se tornou, ela própria, um grande negócio nos anos de 1920*. Jornais e revistas publicavam mais propaganda do que nunca, os comerciais de rádio se tornaram comuns e os cinemas mostravam anúncios filmados.
6. *A indústria automobilística estimulava a expansão* em uma série de setores ligados a ela: pneus, baterias, petróleo para fabricar gasolina, oficinas e turismo.
7. *Foram construídas muitas novas estradas* e a extensão quase dobrou entre 1919 e 1929. Agora era mais viável transportar mercadorias por via rodoviária, e o número de caminhões registrados aumentou quatro vezes no mesmo período. Os preços eram competitivos e isso fazia com que as ferrovias e os canais perdessem seu monopólio.
8. *Corporações gigantescas*, com seus métodos de produção em massa, cumpriam um papel importante nessa explosão, mantendo os custos baixos. Outra técnica, incentivada pelo governo, era a das associações comerciais, que ajudavam a padronizar os métodos, as ferramentas e os preços em empresas menores que fabricassem o mesmo produto. Dessa

forma, a economia norte-americana passou a ser dominada por gigantescas corporações e associações comerciais que usavam métodos de produção em massa para a massa de consumidores.

(c) Livres e iguais?

Embora muitas pessoas estivessem se saindo bem durante os "extraordinários anos de 1920", a riqueza não era dividida de forma igualitária. Havia alguns grupos de pessoas de pouca sorte, que devem ter sentido que sua liberdade não ia muito longe.

1 Os agricultores não compartilhavam da prosperidade geral

Eles tinha ido bem durante a guerra, mas nos anos de 1920, os preços dos produtos agrícolas foram caindo. Os lucros dos agricultores caíram e os salários dos trabalhadores agrícolas no meio-oeste e no sul agrícola muitas vezes ficavam abaixo do dos trabalhadores industriais no noroeste. A causa dos problemas era simples: os agricultores, com sua nova combinação de colheitadeiras e fertilizantes, estavam produzindo alimentos demais para que o mercado doméstico absorvesse. Era uma época em que a agricultura da Europa estava se recuperando da guerra e havia forte concorrência do Canadá, da Rússia e da Argentina no mercado mundial, fazendo com que não fosse possível exportar muito do excedente agrícola. O governo, com sua atitude de *laissez-faire*, quase nada fazia para ajudar. Mesmo quando o congresso aprovou a Lei McNary-Haugen, que permitia que o governo comprasse as safras excedentes dos agricultores, Coolidge a vetou duas vezes (1927 e 1928) porque tornaria o problema pior ao estimulá-los a produzir ainda mais.

2 Nem todos os setores eram prósperos

A mineração de carvão, por exemplo, sofria concorrência do petróleo, e muitos trabalhadores foram despedidos.

3 A população negra ficou de fora da prosperidade

No sul, onde morava a maioria das pessoas negras, os fazendeiros brancos sempre demitiam os trabalhadores negros antes. Cerca de 750 mil se mudaram para o norte durante os anos de 1920, em busca de empregos na indústria, mas quase sempre tinham que se contentar com os trabalhos de menor remuneração, as piores condições de trabalho e morar em favelas. Os negros também sofriam perseguições da Ku Klux Klan, a infame organização antinegra de capuzes brancos, que tinha cerca de 5 milhões de membros em 1924. Ataques, chicotadas e linchamentos eram comuns e, embora a Klan declinasse gradualmente depois de 1925, continuou o preconceito e a discriminação contra os negros, outras pessoas de cor e grupos minoritários (ver Seção 22.5).

4 Hostilidade contra imigrantes

Os imigrantes, principalmente os do Leste Europeu, eram tratados com hostilidade. Achava-se que, não sendo anglo-saxões, eles estariam ameaçando a grandeza da nação norte-americana.

5 Supercorporações

A indústria foi sendo monopolizada por grandes trustes ou supercorporações. Em 1929, os 5% mais ricos das corporações tinham assumido o controle de 84% da renda de todas elas. Embora os trustes aumentassem a eficiência, não restam dúvidas de que eles mantinham os preços mais altos e os salários mais baixos do que o necessário. Eles conseguiram manter os sindicatos fracos ao proibir os trabalhadores de se associarem a eles. Os Republicanos, que defendiam as empresas, nada faziam para limitar o crescimento das supercorporações, já que o sistema parecia estar funcionando bem.

6 Muita pobreza nas regiões e cidades industriais

Entre 1922 e 1929, os salários reais aumentaram apenas 1,4% ao ano, e 6 milhões de famílias (42%) do total tinham uma renda de menos de mil dólares por ano. As condições de trabalho ainda eram péssimas, com cerca de 25.000 trabalhadores mortos a cada ano e 100.000 ficando deficientes. Depois de viajar por áreas de classe trabalhadora em Nova York em 1928, o deputado La Guardia afirmou: "Eu confesso que não estava preparado para o que acabei vendo. Parece realmente inacreditável que existam condições de tanta pobreza". Somente em Nova York, havia 2 milhões de famílias, muita das quais imigrantes, morando em áreas de favelas que foram condenadas por terem alto risco de incêndio.

7 A liberdade para os trabalhadores protestarem era extremamente limitada

As greves eram esmagadas à força, os sindicatos combativos foram destruídos e os mais moderados eram fracos. Embora houvesse um partido socialista, não havia esperanças de que ele formasse um governo. Depois de um atentado a bomba em Washington, em 1919, as autoridades lançaram um "Pânico vermelho", prendendo e deportando mais de 4.000 cidadãos estrangeiros, muitos deles russos, suspeitos de serem comunistas ou anarquistas. A verdade é que a maioria deles era completamente inocente.

8 A Proibição foi introduzida em 1919

Esse "nobre experimento", como ficou conhecido, era a proibição de fabricar, importar e vender bebidas alcoólicas, e foi resultado dos esforços de um grupo de pressão bem-intencionado antes e depois da Primeira Guerra Mundial, que acreditava que Estados Unidos "secos" equivaleriam a um país mais eficiente e moral. Mas se mostrou impossível eliminar os "*speakeasies*" (bares ilegais) e os "*bootleggers*" (fabricantes de bebida ilegal), os quais protegiam suas instalações dos rivais com gangues contratadas que atiravam umas nas outras em enfrentamentos armados. A violência das gangues se tornou parte da cena no país, principalmente em Chicago, onde Al Capone fez fortuna, grande parte com *speakeasies* e máfias que vendiam proteção. O barulho em relação à Proibição foi um aspecto do *tradicional conflito norte-americano entre campo e cidade*. Muitas pessoas das zonas rurais acreditavam que a vida urbana era pecaminosa e não saudável, enquanto a vida no campo era pura, nobre e moral. O governo do presidente Roosevelt acabou com a Proibição em 1933, já que ela era claramente um fracasso e o governo estava perdendo grandes quantidas de receita que teria coletado dos impostos sobre a bebida.

9 As mulheres não eram tratadas com igualdade

Muitas mulheres ainda se sentiam tratadas como cidadãs de segunda classe. Houve algum progresso em direção a direitos iguais para as mulheres: elas tinham adquirido o direito ao voto em 1920, o movimento pelo controle de natalidade estava se difundindo e mais e mais mulheres conseguiam empregos. Por outro lado, eram geralmente empregos que os homens não queriam; as mulheres recebiam salários mais baixos pelo mesmo trabalho e a educação ainda era muito inclinada a prepará-las para serem esposas e mães em vez de mulheres com carreira profissional.

22.4 SOCIALISTAS, SINDICATOS E O IMPACTO DA GUERRA E DAS REVOLUÇÕES RUSSAS

(a) Os sindicatos no século XIX

Durante a grande expansão industrial do meio século depois da guerra civil, *a nova classe de trabalhadores industriais começou a organizar sindicatos para proteger seus interesses*. Muitas vezes, quem tomava a frente eram os trabalhadores imigrantes que vieram da Europa com a experiência das ideias socialistas e dos sindicatos. Era uma época de trauma para muitos trabalhadores nas novas indústrias. Por um lado, havia os tradicionais ideais norte-americanos de igualdade, dignidade do trabalhador e respeito por quem trabalhava muito e adquiria riqueza, o "individualismo exacerbado". Por outro lado, havia um sentimento cada vez maior, principalmente durante a depressão de meados da década de 1870, de que os trabalhadores tinham perdido seu *status* e sua dignidade.

Hugh Brogan resumiu bem as razões para essa decepção:

> Doenças (varíola, difteria, febre tifóide) varriam repetidamente as favelas e os distritos industriais. A negligência assustadora em relação às precauções de segurança em todas as principais indústrias, a total ausência de qualquer sistema promovido pelo Estado contra lesões, velhice e morte prematura, a determinação dos empregadores de ter a mão de obra mais barata possível, o que, na prática, significava o uso comum de mulheres mal pagas e crianças, e a indiferença geral em relação aos problemas do desemprego, pois ainda havia a crença universal de que nos Estados Unidos sempre havia trabalho e chances para qualquer homem disposto a melhorar.

Já em 1872, a *National Labor Union* (a primeira federação de sindicatos) liderou uma greve bem-sucedida de 100.000 trabalhadores em Nova York, exigindo uma jornada de trabalho de oito horas. Em 1877, foi formado o *Socialist Labor Party*, com a atividade principal de organizar sindicatos entre os trabalhadores imigrantes. No início da década de 1880, uma organização chamada *Knights of Labor* ganhou destaque e se orgulhava de ser não violenta, não socialista e contrária às greves, e em 1886 podia se gabar de ter mais de 700.000 membros. Pouco depois disso, contudo, entrou em forte declínio. Uma organização mais combativa, embora mais moderada, era a *American Federation of Labor (AFL)*, com Samuel Gompers na presidência. Gompers não era socialista e não acreditava na luta de classes. Ele era a favor de trabalhar com os patrões para obter concessões, mas também apoiava greves para conquistar um trato justo e melhorar o padrão de vida dos trabalhadores.

Quando foi descoberto que, em termos gerais, os patrões não estavam dispostos a fazer concessões, Eugene Debs fundou uma organização mais combativa, a *American Railway Union (ARU)* em 1893, mas ela logo entrou em dificuldades e perdeu importância. A mais radical de todas era a *Industrial Workers of the World (cujos membros eram conhecidos como Wobblies)*, uma organização socialista. Inaugurada em 1905, liderou uma série de ações contra vários patrões malquistos, mas em geral foi derrotada (ver Seção (c)). Nenhuma dessas organizações conseguiu muita coisa que fosse tangível, nem antes nem depois da Primeira Guerra Mundial, embora se possa dizer que elas atraíram a atenção do povo para algumas das condições terríveis no mundo do emprego industrial. Houve várias razões para seu fracasso.

- *Os patrões e as autoridades não tinham qualquer escrúpulo ao reprimir as greves*, culpando os imigrantes pelo que chamavam de "atividades antiamericanas" e os rotulando de socialistas. A opinião respeitável considerava o sindicalismo como uma coisa inconstitucional que ia contra o culto à liberdade individual. O povo de classe média em geral e a imprensa ficavam quase sempre do lado dos patrões e as autoridades não hesitavam em chamar tropas estaduais ou federais para "restaurar a ordem" (ver seção seguinte).
- *A própria força de trabalho norte-americana estava dividida*, os trabalhadores especializados contra os não especializados, o que significava a inexistência do conceito de solidariedade entre trabalhadores; o trabalhador não especializado queria simplesmente se tornar membro da elite especializada.
- *Havia uma divisão entre os trabalhadores brancos e negros*; a maioria dos sindicatos recusava a participação dos negros e lhes dizia que formassem seus próprios sindicatos. Por exemplo, os negros não podiam ser membros da nova ARU em 1894, embora Debs quisesse que todos participassem. Em retaliação, os sindica-

tos negros muitas vezes se recusavam a cooperar com os brancos e se deixavam usar para furar as greves.
- *Cada nova onda de imigrantes fragilizava o movimento*; eles estavam dispostos a aceitar salários mais baixos do que os dos trabalhadores estabelecidos e, portanto, poderiam ser usados como fura-greves.
- *Nos primeiros anos do século XX, alguns líderes sindicais, principalmente os da AFL, perderam credibilidade*, pois estavam ficando ricos, pagando salários altos a si próprios, e pareciam ter uma proximidade suspeita com os patrões, enquanto os membros comuns dos sindicatos obtinham poucos benefícios e as condições de trabalho pouco melhoravam. O sindicato perdeu apoio porque se concentrava em cuidar dos trabalhadores especializados, fazendo muito pouco pelos não especializados, os negros e as mulheres, que começaram a procurar proteção em outros lugares.
- Até depois da Primeira Guerra Mundial, eram os agricultores norte-americanos, e não os operários industriais, que conformavam a maioria da população. Posteriormente, foram os trabalhadores administrativos, de classe média, que por pouco se tornaram o maior grupo na sociedade.

(b) Os sindicatos sob ataque

Os patrões, com o total apoio das autoridades, logo começaram a reagir com força contra as greves, e as punições para seus líderes eram severas. Em 1876, uma greve de mineiros na Pensilvânia foi esmagada e 10 de seus líderes (membros de uma sociedade secreta, na maioria irlandesa, conhecida como Molly Maguires) foram enforcados por supostamente cometer atos de violência, incluindo assassinato. No ano seguinte, houve uma série de greves ferroviárias no estado, os grevistas entraram em conflito com a polícia e a Guarda Nacional foi chamada. A luta foi cruel: duas companhias da infantaria dos Estados Unidos tiveram que ser chamadas antes de conseguirem derrotar definitivamente os trabalhadores. Ao todo, no ano, cerca de 100.000 ferroviários tinham entrado em greve, mais de cem foram mortos e cerca de mil, presos. Os patrões fizeram algumas concessões de menor importância, mas a mensagem estava clara: as greves não seriam toleradas.

Depois de 10 anos, nada mudou. Em 1886, os trabalhadores organizados em todo o país fizeram campanha pela jornada de trabalho de oito horas. Houve muitas greves e alguns patrões concederam um dia de trabalho de nove horas para dissuadir seus empregados. Contudo, no dia 3 de maio, a polícia matou quatro trabalhadores em Chicago. No dia seguinte, em uma grande concentração de protesto na Praça Haymarket, uma bomba explodiu no meio de um contingente da polícia, matando vários policiais. Nunca foi descoberto o responsável pela bomba, mas a polícia prendeu oito líderes socialistas em Chicago. Sete deles nem estavam na concentração, mas foram considerados culpados e quatro foram enforcados. A campanha fracassou.

Outra greve, que se tornou legendária, aconteceu em 1892 na fábrica de aço Carnegie em Homestead, próximo de Pittsburgh. Quando os trabalhadores se recusaram a aceitar reduções salariais, a administração demitiu todos e tentou trazer fura-greves, protegidos por detetives contratados. Quase toda a cidade apoiou os trabalhadores, resultando em luta quando as pessoas atacaram os detetives, e várias pessoas foram mortas. Chegaram soldados, e tanto a greve quanto o sindicato foi desarticulada. Os líderes da greve foram presos e acusados de assassinato e traição contra o Estado, mas a diferença desta vez foi que os jurados lhes foram simpáticos e absolveram todos.

Em 1894, foi a vez de Eugene Debs e sua *American Railway Union*. Indignado com o tratamento aos trabalhadores de Homestead, ele organizou uma greve de trabalhadores na fábrica da Pullman Palace Car Company em Chicago, que acabavam de ter seus salários reduzidos em 30%. Os membros da ARU foram orientados a não trabalhar nos vagões da Pullman, o que, na prática, significa que todos os trens na região de Chicago pararam. Os grevistas também bloquearam os trilhos e descarrilaram trens. Mais uma vez, foram enviadas tropas e 34 pessoas foram mortas. A greve foi esmagada e não se ouviu mais falar muito na ARU. De certa forma, Debs teve sorte e só recebeu seis meses de prisão, e durante esse tempo, segundo ele próprio, converteu-se ao socialismo.

(c) O socialismo e a *Industrial Workers of the World (IWW)*

Nos primeiros anos do século XX, teve início uma fase nova e mais combativa do sindicalismo, com a formação da IWW em Chicago, em 1905. Eugene Debs, agora líder do partido socialista, esteve na reunião de fundação, assim como Big Bill Haywood, líder mineiro que se tornou a principal força motriz por trás da IWW. Ela incluía socialistas, anarquistas e sindicalistas radicais. Sua meta era formar um "Grande Sindicato" que incluísse todos os trabalhadores no país, independentemente de raça, sexo ou nível de emprego. Embora não fosse a favor de começar a violência, eles estavam bastante preparados para resistir se fossem atacados. Eles acreditavam na greve como importante arma na luta de classes, mas as greves não eram sua atividade principal: "Elas são testes de força durante os quais os trabalhadores se qualificam para a ação conjunta, para se preparar para a 'catástrofe' final: a greve geral que completará a expropriação dos patrões".

Esse era um discurso de luta, e embora a IWW nunca tenha tido mais de 10.000 membros, *os patrões e os proprietários a viam como uma ameaça a ser levada a sério* e recrutaram a colaboração de todos os grupos possíveis para destruí-la As autoridades locais foram convencidas a aprovar leis proibindo reuniões, discursos em público, foram contratadas gangues de vigilantes para atacar os líderes da IWW, que foram presos. Em Spokane, Washington, em 1909, 600 pessoas foram detidas e mandadas à prisão por tentar fazer discursos públicos nas ruas e, quando todas as cadeias ficaram cheias, as autoridades cederam e admitiram o direito de expressão.

Sem medo, a IWW continuava a promover campanhas, e nos anos seguintes, seus membros viajaram pelo país para organizar greves onde quer que elas fossem necessárias, como nos estados da Califórnia, Washington, Massachusetts, Louisiana e Colorado, entre outros lugares. Um dos poucos êxitos claros veio com uma greve de tecelões de lã em Lawrence, Massachusetts, em 1912. Os trabalhadores, predominantemente imigrantes, saíram das fábricas depois de saber que seus salários seriam reduzidos. A IWW veio e organizou piquetes, passeatas e reuniões. Os membros do partido socialista também se envolveram, ajudando a levantar fundos e garantir que as crianças fossem alimentadas. A situação ficou violenta quando a polícia atacou uma passeata. A milícia estadual e até a cavalaria federal acabaram sendo chamadas e vários grevistas foram mortos, mas eles resistiram por mais de dois meses, até que os proprietários da fábrica cedessem e fizessem concessões aceitáveis.

Porém, poucos foram os êxitos como esse, e *as condições de trabalho como um todo não melhoraram muito*. Em 1911, um incêndio em uma fábrica de camisas de Nova York matou 146 trabalhadores, já que os patrões tinham ignorado as normas de proteção contra o fogo. No final de 1914, relatava-se que 35.000 trabalhadores tinham sido mortos naquele ano em acidentes industriais. Muitos dos que eram solidários à situação dos trabalhadores começaram a se voltar ao partido socialista e a soluções políticas. Vários autores ajudavam a aumentar a consciência do povo sobre os problemas. Por exemplo, o romance *The Jungle* (1906), de Upton Sinclair, tratava das péssimas condições nas indústrias de embalagem de carne de Chicago e, ao mesmo tempo, conseguiam transmitir os ideais básicos do socialismo.

Em 1910, o partido tinha cerca de 100.000 membros e Debs concorreu a presidente em 1908, embora tenha obtido apenas 400.000 votos. *A importância do movimento socialista era que divulgou a necessidade de reforma e influenciou ambos os partidos principais*, que reconheceram, embora relutantes, a necessidade de algumas mudanças, nem que fosse para tirar a bandeira dos socialistas e calar sua voz. Debs concorreu a presidente de novo em 1912, mas desta vez o cenário político tinha mudado muito. O partido Republicano, no governo, estava dividido: seus membros mais reformistas fundaram a *Progressive Republican League* (1910) com um programa que incluía a jornada de oito horas, a proibição do trabalho infantil, o voto feminino e um sistema nacional de previdência. Ele até expressava simpatia pelos sindicatos, desde que seu comportamento fosse moderado. Os Progressistas decidiram concorrer com o ex-presidente Theodore Roosevelt contra o candidato oficial republicano William Howard Taft. O Partido Democrata também tinha sua ala progressista, cujo candidato à presidência foi Woodrow Wilson, um conhecido reformador que chamou seu programa de "Nova Liberdade".

Diante dessas escolhas, a *American Federation of Labor* optou pelos Democratas por serem o partido com mais probabilidades de realmente cumprir suas promessas, enquanto a IWW apoiou Debs. Com o voto Republicano dividido entre Roosevelt (4,1 milhões) e Taft (3,5 milhões), Wilson foi eleito presidente com facilidade (6,3 milhões de votos). Debs (com 900 mil votos) mais do que dobrou sua votação anterior, indicando que o apoio ao socialismo ainda estava aumentando, apesar dos esforços dos progressistas em ambos os partidos principais. Durante o mandato de Wilson (1913-1921), foram introduzidas várias reformas importantes, como uma lei que proibia o trabalho infantil em fábricas e *sweatshops* (locais onde a produção era feita sob condições desumanas de trabalho). Na maioria das vezes, porém, foram os governos estaduais que tomaram a frente. Por exemplo, em 1914, nove estados introduziram o voto feminino, e somente em 1920 ele se tornou parte da Constituição Federal. Hugh Brogan resume as conquistas das reformas de Wilson de forma sucinta: "Em comparação com o passado, suas realizações foram impressionantes; em relação ao que precisava ser feito, elas eram quase triviais."

(d) A Primeira Guerra Mundial e as revoluções russas

Quando começou a Primeira Guerra Mundial em 1914, Wilson afirmou, para alívio da maioria do povo norte-americano, que os Estados unidos permaneceriam neutros. Tendo vencido a eleição de 1916 em grande parte com base no slogan "Ele nos mantém fora da guerra", Wilson logo se deu conta de que a campanha alemã de guerra submarina "irrestrita" não lhe deixava alternativa a também declará-la (ver Seção 2.5(c)). A revolução russa de fevereiro/março de 1917 (ver Seção 16.2), que derrubou o czar Nicolau II, veio no momento exato para o presidente, que falava "nas coisas maravilhosas e animadoras que vinham acontecendo nas últimas semanas na Rússia". A questão era que muitos norte-americanos não estava dispostos a que seu país entrasse na guerra porque isso significaria ser aliado do país mais antidemocrático da Europa. Agora que o czarismo estava terminado, uma aliança com o aparentemente democrático Governo Provisório era muito mais aceitável.

Não que o povo norte-americano estivesse entusiasmado com a guerra. Segundo Howard Zinn:

> Não existem evidências convincentes de que o povo quisesse guerra. O governo teve que trabalhar muito para criar consenso. As fortes medidas tomadas sugerem que não havia demanda espontânea: convocação de jovens, campanha de propaganda sofisticada em todo o país e punição severa aos que se recusassem a servir.

Wilson conclamou um exército de um milhão de homens, mas em seis semanas, apenas 73.000 se ofereceram como voluntários, e o Congresso aprovou o serviço militar obrigatório por ampla maioria.

A guerra deu ao Partido Socialista um novo sopro de vida – por pouco tempo. Ele organizou reuniões contra a guerra em todo o meio-oeste e condenou a participação do país como "um crime contra o povo dos Estados Unidos". Mais tarde, no mesmo ano, 10 socialistas foram eleitos para o legislativo de Nova York; em Chicago, o voto socialista nas eleições municipais aumentou de 3,6% em 1915 a 34,7% em 1917. O Congresso decidiu não correr riscos e, em junho de 1917, aprovou a Lei de Espionagem, que transformou em crime a tentativa de fazer com que as pessoas se recusassem a servir às forças armadas. Os socialistas passaram a ser alvo de um novo ataque: qualquer um que falasse contra a convocação provavelmente seria preso e acusado de ser pró-alemão. Cerca de 900 pessoas foram para a cadeia por essa lei, incluindo membros da IWW, que também se opunha à guerra.

Os eventos na Rússia influenciaram o destino dos socialistas. Quando Lênin e os bolcheviques tomaram o poder em outubro/novembro de 1917, logo ordenaram que as tropas russas interrompessem os combates e deram início a conversações de paz com os alemães. Isso gerou consternação entre os Aliados da Rússia, e os norte-americanos condenaram os Bolcheviques como "agentes do imperialismo prussiano". Houve apoio público total quando as autoridades lançaram uma campanha contra o partido socialista e a IWW, rotulados de Bolcheviques pró-alemães. Em abril de 1918, 101 "*Wobblies*", incluindo seu líder Big Bill Haywood, foram levados a um julgamento coletivo. Todos foram condenados por conspirar para obstruir o recrutamento e incentivar a deserção. Haywood e outros 14 foram sentenciados a 20 anos de prisão, 33 outros receberam 10 anos e o restante, sentenças mais curtas. A IWW foi destruída. Em junho de 1918, Eugene Debs foi preso e acusado de tentar obstruir o recrutamento e de ser pró-Alemanha. Ele foi sentenciado a 10 anos de prisão, embora tenha sido libertado depois de cumprir menos de três anos. A guerra terminou em novembro de 1918, mas nesse curto período de envolvimento dos Estados Unidos, desde abril de 1917, cerca de 50.000 soldados norte-americanos morreram.

(e) O Pânico Vermelho: o caso Sacco e Vanzetti

Embora a guerra tivesse terminado, os problemas políticos e sociais não estavam encerrados. Nas palavras de Howard Zinn: "Com todas as pessoas que foram presas durante a guerra, a intimidação, o impulso pela unidade nacional, o *establishment* ainda temia o socialismo. Parecia haver, novamente, necessidade de táticas gêmeas de controle diante do desafio revolucionário: reforma e repressão". O "desafio revolucionário" assumiu a forma de uma série de atentados a bomba no verão de 1919. Uma explosão causou graves danos à casa do procurador-geral, *A. Mitchell Palmer*, em Washington, e outra bomba explodiu no grande estabelecimento bancário House of Morgan, em Wall Street, Nova York. Nunca foi descoberto o culpado, mas os anarquistas, os imigrantes e os bolcheviques foram responsabilizados pelas explosões. "Esse movimento", como disse a Wilson um de seus assessores, "se não for contido, está fadado a se expressar como um ataque a tudo o que prezamos".

Em seguida veio a repressão: *o próprio Palmer lançou o "Pânico vermelho"* – o medo do bolchevismo – segundo algumas fontes, para ganhar popularidade ao enfrentar com firmeza a situação. Ele era ambicioso e se via como candidato a presidente nas eleições de 1920. Em linguagem sombria, ele descrevia a "Ameaça Vermelha", a qual estava lambendo os altares de nossas igrejas, arrastando-se para dentro dos rincões sagrados dos lares americanos, tentando tomar o lugar dos votos do matrimônio.... é uma organização de milhares de estrangeiros e pervertidos morais", Embora fosse Quaker*, Palmer era extremamente agressivo e partiu para o ataque no outono de 1919, ordenando invasões aos escritórios de editores, sedes de sindicatos e socialistas, salões públicos, casas privadas e reuniões de qualquer pessoa que fosse considerada culpada de atividades bolcheviques. Mais de mil anarquistas e socialistas foram presos e

---

* N. de R.: Seita protestante fundada na Inglaterra no séc. XVII (Sociedade dos Amigos), de orientação pacifista.

cerca de 250 russos foram detidos e deportados para seu país de origem. Em janeiro de 1920, outras 4.000 pessoas, em sua maior parte inofensivas e inocentes, foram presas, incluindo 600 em Boston, e a maioria foi deportada depois de longos períodos na cadeia.

Um caso, acima de todos, galvanizou a imaginação do povo, não apenas nos Estados Unidos, mas em todo o mundo: *o caso Sacco e Vanzetti*. Presos em Boston em 1919, Nicola Sacco e Bartolomeo Vanzetti foram acusados de roubar e assassinar um funcionário do correio. Embora as evidências estivessem longe de ser convincentes, eles foram condenados e sentenciados à pena de morte. O julgamento foi uma espécie de farsa: o juiz, que deveria ser neutro, demonstrou extremo preconceito contra eles por serem anarquistas e imigrantes italianos, que de alguma forma tinham evitado o serviço militar. Depois do julgamento, ele se gabava do que tinha feito "àqueles anarquistas safados... filhos da mãe e *dagoes*", como se chamavam depreciativamente italianos, espanhóis ou portugueses.

Sacco e Vanzetti recorreram de suas sentenças e passaram os sete anos seguintes na cadeia enquanto o caso se arrastava. Seu amigos e simpatizantes conseguiram levantar apoio mundial entre a esquerda, principalmente na Europa. Houve manifestações de massas na frente da embaixada dos Estados Unidos em Roma e bombas explodiram em Lisboa e Paris. Até nos Estados Unidos a campanha por sua libertação ganhou força, e foi aberto um fundo de apoio a suas famílias e organizadas manifestações na frente da prisão onde eles estavam. De nada adiantou: em abril de 1927, o governador de Massachusetts decretou que os veredictos de culpado deveriam ser mantidos. Em agosto, Sacco e Vanzetti foram executados na cadeira elétrica, protestando e alegando inocência até o fim.

O caso rendeu muita propaganda negativa aos Estados Unidos. Parecia claro que Sacco e Vanzetti foram transformados em bodes expiatórios porque eram anarquistas e imigrantes; houve indignação na Europa e foram realizadas mais manifestações de protestos depois de sua execução. Os anarquistas e os imigrantes tampouco eram os únicos tipos de pessoas que se sentiam ameaçadas: os negros também continuavam enfrentando dificuldades na chamada sociedade sem classes dos Estados Unidos.

22.5 DISCRIMINAÇÃO RACIAL E O MOVIMENTO PELOS DIREITOS CIVIS

(a) Antecedentes do problema dos direitos civis

Na segunda metade do século XVII, os colonizadores do estado da Virginia começaram a importar escravos da África em grandes quantidades para trabalhar nas plantações de fumo. A escravidão sobreviveu durante todo o século XVIII e ainda estava firme quando as colônias obtiveram a independência e os Estados Unidos nasceram, em 1776. No norte, a escravidão já tinha quase desaparecido em 1800, quando um em cada cinco habitantes do país era afro-americano. No sul, ela se arrastou porque toda economia das lavouras (*plantations*) – fumo, açúcar e algodão – baseava-se na mão de obra escrava e os brancos não conseguiam imaginar sobreviver sem ela, mesmo que um dos princípios fundadores dos Estados Unidos fosse a ideia de liberdade e igualdade para todos, enunciada com clareza na Declaração de Independência de 1776:

> Consideramos estas verdades como evidentes por si mesmas, que todos os homens foram criados iguais, foram dotados pelo Criador de certos direitos inalienáveis, que entre estes estão a vida, a liberdade e a busca da felicidade.

Mesmo assim, quando a Constituição foi elaborada, em 1787, ela conseguiu de certa forma ignorar a questão da escravidão. Quando Abraham Lincoln, que se opunha à escravidão, foi eleito presidente em 1860, os 11 estados do sul deram início à secessão (separação) da União, para poder continuar com os escravos e manter controle sobre suas próprias questões internas. Sendo assim, a abolição da escravidão e a questão dos direitos dos estados foram as causas básicas da Guerra Civil.

(b) Reconstrução "negra" depois da Guerra Civil

A Guerra Civil entre Norte e Sul (1861-1865) foi o conflito mais terrível na história dos Estados Unidos, deixando cerca de 620.000 homens mortos. Além de imensos prejuízos, principalmente no sul, ela também deixou um rastro de profundas divisões políticas e sociais. A vitória do norte teve dois resultados claros: *a União foi preservada e a escravidão chegara ao fim*. A 13ª, a 14ª e a 15ª emendas à Constituição tornaram a escravidão ilegal, estabeleceram o princípio de igualdade racial e deram a todos os cidadãos norte-americanos proteção igual perante a lei. Qualquer estado que privasse um cidadão do sexo masculino com mais de 21 anos do direito de votar seria penalizado. *Por pouco tempo, os negros no sul conseguiram votar*; muitos afro-americanos foram eleitos para legislativos estaduais; na Carolina do sul, eles inclusive alcançaram maioria; 20 se tornaram membros do Congresso e dois foram eleitos para o Senado. Outro grande passo à frente foi a introdução de escolas livres e racialmente mistas.

Os brancos sulistas anteriormente dominantes consideraram essa situação difícil de aceitar, e acusavam os políticos negros de serem incompetentes, corruptos e preguiçosos, embora, em termos gerais, eles não fossem mais do que seus colegas brancos. Os legislativos estaduais do sul logo começaram a aprovar o que ficou conhecido como os "Códigos Negros", que eram leis introduzindo todos os tipos de restrições à liberdade dos ex-escravos restaurando, ao máximo possível, as antigas leis escravistas. Quando os negros protestavam, havia represálias violentas, ocorriam conflitos, houve revoltas raciais em Memphis, Tennessee, nos quais 46 negros foram mortos (1866). Em Nova Orleans, ainda no mesmo ano, a polícia matou cerca de 40 pessoas e feriu 160, na maioria negros. A violência se intensificou no final da década de 1860 e início da de 1870, grande parte dela organizada pela *Ku Klux Klan*. Tropas da União permaneceram no Sul no final da Guerra Civil e conseguiram manter algum tipo de ordem, mas, aos poucos, o governo federal em Washington, ansioso por evitar outra guerra a qualquer custo, começou a fazer vista grossa para o que estava acontecendo.

O momento decisivo veio com a eleição presidencial de novembro de 1876. No final do ano, com apenas três estados do sul – Flórida, Carolina do Sul e Louisiana – ainda contando seus votos, os Democratas pareciam ter ganhado, mas se vencesse nos três, o candidato Republicano Rutherford B. Hayes se tornaria presidente. Depois de longas e secretas discussões, foi feito um acordo nebuloso: Hayes fez concessões ao sul branco, prometendo muito dinheiro federal para investimento em ferrovias e a retirada das tropas da União. Na prática, isso significava abandonar os ex-escravos e devolver o controle político do sul aos brancos em troca da presidência. Hayes se tornou presidente em março de 1877 e o período conhecido como Reconstrução Negra estava encerrado.

(c) A Ku Klux Klan e as leis Jim Crow

Em sua campanha para impedir que os negros obtivessem direitos civis iguais, os brancos sulistas usaram a violência junto com os métodos legais. Essa violência era proporcionada pela Ku Klux Klan ("Ku Klux", do grego *kuklos* – tigela), que começou como uma sociedade secreta na noite de Natal de 1865, no Tennessee. Eles afirmavam estar protegendo os brancos que estariam sendo aterrorizados por ex-escravos, e avisavam que se vingariam, desenvolvendo uma campanha de ameaças e terror contra negros e contra brancos que fossem simpáticos à causa negra. Passou a ser comum linchar, surrar, agredir com chicotes e cobrir as pessoas com alcatrão. Seus objetivos logo se tornaram mais específicos:

- aterrorizar os negros a tal ponto que eles ficassem com medo de exercer seus votos;
- expulsá-los de qualquer terra que tivessem conseguido obter;

- intimidá-los e desmoralizá-los para que eles desistissem de qualquer tentativa de conquistar igualdade.

Os cidadãos brancos comuns, cumpridores da lei, que poderiam reprovar as atividades da Klan, tinham medo de se expressar ou de oferecer evidências contra seus membros. Por isso, os membros da Klan promoviam desordens pelo sul com seus ataques noturnos, vestidos com capuzes e máscaras brancos e realizando cerimônias pseudo-religiosas com a queima de cruzes. No final da década de 1870, com seus principais objetivos aparentemente conquistados, a atividade da Klan diminuiu um pouco até o início da década de 1920. Mesmos assim, entre 1885 e a entrada dos Estados Unidos na Primeira Guerra Mundial em 1917, mais de 2.700 afro-americanos foram linchados no sul.

As armas legais usadas pelos brancos sulistas para manter sua supremacia incluíram as chamadas leis Jim Crow, aprovadas pelos legislativos estaduais pouco depois de Hayes se tornar presidente em 1877. Elas restringiam muito os direitos dos negros: vários mecanismos foram usados para privá-los de seu direito ao voto, eles só podiam ter os piores empregos e os mais mal pagos e lhes era proibido morar nas melhores zonas das cidades. O pior estava por vir: os negros foram excluídos das escolas e universidades frequentadas por brancos e de seus hotéis e restaurantes. Até mesmo os trens e os ônibus deveriam ter lugares separados para negros e brancos. Nesse meio-tempo, no norte, os negros estavam em situação um pouco melhor, no sentido de que podiam pelo menos votar, embora ainda tivessem que enfrentar discriminação em termos de moradia, emprego e educação. No sul, contudo, no final do século, a supremacia branca parecia inabalável.

Previsivelmente, muitos líderes negros pareciam ter perdido as esperanças. Uma da figuras mais conhecidas, *Booker T. Washington*, que nasceu escravo na Virginia, acreditava que a melhor forma de os negros enfrentarem a situação era aceitá-la passivamente e trabalhar muito para ter sucesso econômico. Suas ideias foram expressas em seu discurso "*Compromisso de Atlanta*", de 1895: somente quando demonstrassem suas capacidades econômicas e se tornassem disciplinados é que os afro-americanos poderiam conquistar concessões dos brancos dominantes e fazer avanços políticos. Ele enfatizava a importância da educação e da formação profissionalizante, e em 1881, tornou-se o diretor do Instituto Tuskegee, no Alabama, que ele transformou em um importante centro para a educação negra.

(d) Os direitos civis no início do século XX

No início do novo século, os negros começaram a se organizar. Havia algo como 10 milhões de afro-americanos nos Estados Unidos e 9 milhões deles moravam no sul, onde eram desfavorecidos e desestimulados, mas surgiram vários novos líderes destacados que estavam preparados para expressar suas ideias. W. E. B. Du Bois, educado no norte, foi o primeiro homem negro a fazer doutorado em Harvard e trabalhou como professor em Atlanta. Ele estava determinado a lutar por direitos civis e políticos completos e se opunha às táticas de Booker T. Washington, que considerava muito cautelosas e moderadas. Ele não gostava da educação profissionalizante fornecida em Tuskegee, afirmando que ela estava voltada a manter os jovens negros no velho sul rural, em vez de lhes dar a formação e as habilidades necessárias para o sucesso nos novos centros urbanos do norte. Du Bois, junto com William Monroe Trotter, que editava um jornal chamado *The Guardian*, em Boston, organizou uma conferência do outro lado da fronteira, no Canadá, próximo às Cataratas do Niágara, levando à formação do Grupo Niágara (1905), cuja declaração de fundação estabelecia o tom de sua campanha:

> Recusamo-nos a permitir que continuem as impressões de que o norte-americano negro concorda com sua inferioridade, que é submisso à opressão e apologético

diante de insultos. A voz do protesto de 10 milhões de norte-americanos nunca deve deixar de atacar os ouvidos de seus semelhantes enquanto o país for injusto.

Em 1910, foi fundada a *National Association for the Advancement of Colored People (NAACP)*, com Du Bois como um de seus líderes e editor de sua revista, *The Crisis*. A organização visava lutar contra a segregação por meio de ações jurídicas e melhor educação. Demonstrando suas capacidade e suas habilidades, os negros conquistariam respeito dos brancos e, gradualmente, esperava-se, viriam os direitos civis integrais.

Uma postura um tanto diferenciada foi tentada por outro líder negro, Marcus Garvey. Nascido na Jamaica, Garvey só se mudou para os Estados Unidos em 1916, chegando a Nova York na época do grande fluxo de negros que tinham esperança de escapar da pobreza no sul. Ele logo chegou à conclusão de que havia poucas probabilidades de os negros serem tratados como iguais e desfrutar de direitos civis integrais em um futuro próximo, e passou a defender o nacionalismo negro, o orgulho negro e a separação racial. Morando e trabalhando nas zonas negras do Harlem, Garvey publicava seu próprio jornal semanal, *Negro World*, e introduziu sua *Universal Negro Improvement Association*, que ele havia iniciado na Jamaica, em 1914. Ele foi um precursor do nacionalismo negro de Malcolm X e dos Panteras Negras, chegando a sugerir que um retorno à África poderia ser o melhor futuro para os negros nos Estados Unidos da supremacia branca. Essa ideia não pegou e ele voltou suas atenções para empreendimentos empresariais, fundando a *Black Factories Corporation* e a *Black Star Line*, uma empresa de barcos a vapor de propriedade de negros e por eles operada. Ela quebrou em 1921 e Garvey ficou com dificuldades financeiras, foi condenado por fraude e deportado, e seu movimento nacionalista negro entrou em decadência. Ele passou os últimos anos de sua vida em Londres.

Na época do Pânico Vermelho, pouco depois da Primeira Guerra Mundial, a *Ku Klux Klan* ressurgiu. Mais uma vez, ela alegava autodefesa como sua principal motivação – a defesa dos "americanos nórdicos de linhagem antiga... os fazendeiros e profissionais americanos acossados" cujo estilo de vida estava ameaçado por hordas de imigrantes que se reproduziam rapidamente. O que lhes preocupava, no início dos anos de 1920, era que os filhos dos imigrantes que tinham entrado no país entre 1900 e 1914 estavam chegando à idade de votar. A Klan rejeitava a teoria do "caldeirão" e voltava a fazer campanhas contra os negros, que se mudavam aos milhares para o norte, mesmo que a maioria deles não estivesse se saindo muito bem durante os "extraordinários anos de 1920". Eles também faziam campanhas contra italianos, católicos e contra os judeus. A Klan se espraiou para o norte e, em 1924, podia se gabar de ter não muito menos do que 5 milhões de membros. Houve mais assédios, agressões e linchamentos. Gangues de negros e brancos lutavam entre si e a estrutura racial parecia mais enraizada do que nunca. Quando o governo federal limitou a imigração a 150.000 por ano em 1924, a Klan reivindicou o crédito. A organização perdeu importância depois de 1925, mas isso não significou a melhoria nas vidas dos negros, principalmente na medida em que o país logo mergulhou na Grande Depressão.

22.6 CHEGA A GRANDE DEPRESSÃO, OUTUBRO DE 1929

(a) A quebra de Wall Street, outubro de 1929

No início de 1929, a maioria dos norte-americanos parecia ignorar tranquilamente qualquer problema grave com a economia. Em 1928, o presidente Coolidge disse ao congresso: "O país pode olhar o presente com satisfação e prever o futuro com otimismo". A prosperidade parecia permanente. O republicano Herbert

C. Hoover teve uma vitória esmagadora na eleição presidencial de 1928. Infelizmente, a prosperidade fora construída sobre alicerces suspeitos e não tinha como durar. "América, a dourada" estava por sofrer um choque profundo. Em setembro de 1929, a compra de ações na Bolsa de Nova York em Wall Street começou a diminuir de ritmo. Espalharam-se rumores de que o *boom* tinha acabado e as pessoas correram para vender suas ações antes que os preços caíssem muito. Em 24 de outubro, a corrida tinha se transformado em um pânico e os preços das ações desabaram. No dia 29, a "terça-feira negra", milhares de pessoas que tinham comprado suas ações quando os preços eram altos estavam arruinadas. O valor das ações listadas caiu catastroficamente em cerca de 30 bilhões de dólares.

Esse desastre sempre é lembrado como a Quebra de Wall Street. Seus efeitos se espalharam rapidamente: foram tantas as pessoas em dificuldades financeiras que correram aos bancos para retirar suas economias que milhares deles tiveram que fechar. Com a queda na demanda por mercadorias, as fábricas fechavam e o desemprego aumentou de forma alarmante. De repente, a grande explosão de crescimento tinha se transformado na Grande Depressão, que rapidamente afetou não apenas os Estados Unidos, mas também outros países, e ficou conhecida como *crise econômica mundial*. A quebra de Wall Street não causou a depressão, sendo apenas um sintoma de um problema cujas causas eram mais profundas.

(b) O que causou a Grande Depressão?

1 Superprodução doméstica

Os industriais norte-americanos, incentivados pelos grandes lucros e ajudados por uma mecanização crescente, estavam *produzindo mercadorias demais para o mercado nacional absorver* (assim como a agricultura). Isso não era visível nos anos de 1920, mas quando os anos de 1930 se aproximaram, os estoques de mercadorias que não foram vendidos começaram a acumular, e os fabricantes passaram a produzir menos. Como eram necessários menos trabalhadores, muitos foram demitidos e, não havendo seguro-desemprego, eles e suas famílias compravam menos. E assim continuava o círculo vicioso.

2 Má distribuição de renda

Os enormes lucros dos industriais não estavam sendo distribuídos de forma equânime entre os trabalhadores. O salário médio dos operários industriais aumentou cerca de 8% entre 1923 e 1929, mas nesse período, os lucros da indústria cresceram 72%. Um aumento de 8% nos salários (apenas 1,4% em termos reais) significava que não havia poder de compra suficiente nas mãos do povo em geral para sustentar o surto de crescimento. As pessoas conseguiam absorver as mercadorias produzidas por algum tempo, com a ajuda de crédito, mas em 1929, aproximavam-se rapidamente do limite. Infelizmente, os fabricantes, geralmente as supercorporações, não estavam dispostos a reduzir preços nem aumentar substancialmente os salários, de forma que se acumulou um excesso de bens de consumo.

Essa recusa dos fabricantes a fazer alguma concessão era falta de visão, para dizer o mínimo. No início de 1929, ainda havia milhões de norte-americanos que não tinham rádio, lavadora de roupas nem carro porque não podiam pagar. Se os patrões tivessem concedido maiores aumentos nos salários e se contentassem com menos lucros, não haveria razão para que a explosão de crescimento não continuasse por vários anos enquanto seus benefícios seriam compartilhados de forma mais ampla. Mesmo assim, ainda era possível evitar uma queda brusca, desde que os Estados Unidos pudessem exportar seus produtos excedentes.

3 Queda na demanda por exportações

Entretanto, as exportações começaram a diminuir, em parte porque os outros países relutavam em comprar os produtos norte-americanos quando os próprios Estados Unidos estabeleciam barreiras tarifárias para proteger suas indústrias das importações do exterior. Embora tenha ajudado a manter os produtos estrangeiros fora, a tarifa Fordney-McCumber (1922) também impediu que outros países, principalmente na Europa, obtivessem os tão necessários lucros com o comércio com os Estados Unidos. Sem esses lucros, os países europeus não tinham como pagar pelos produtos norte-americanos e estariam se esforçando para pagar as dívidas de guerra que tinham com o país. Para piorar as coisas, muitos países retaliaram, criando tarifas sobre os produtos norte-americanos. Algum tipo de queda estava claramente no horizonte.

4 *Especulação*

A situação foi agravada por um grande surto de *especulação* no mercado de ações de Nova York, que começou a ganhar força em 1926. Especulação é a compra de ações de empresas. As pessoas que tinham dinheiro sobrando escolheram fazer isso por dois motivos possíveis:

- para receber os dividendos, a divisão dos lucros de uma empresa entre seus acionistas;
- para ter um lucro rápido ao vender as ações por mais do que tinham pago.

Em meados da década de 1920, foi o segundo motivo que mais atraiu os investidores: à medida que aumentavam os lucros das empresas, mais pessoas queriam comprar ações, o que forçou os preços para cima, e havia muitas possibilidades de lucros rápidos comprando e vendendo ações. O valor médio de uma ação subiu de 9 dólares em 1924 para 26 dólares em 1929. Os preços das ações de algumas empresas aumentaram de forma espetacular: a ação da *Radio Corporation of America*, por exemplo, estava em 85 dólares no início de 1928 e subiu para 505 em setembro de 1929, e essa era uma empresa que não pagava dividendos.

A promessa de lucros rápidos estimulou todos os tipos de atitudes: pessoas comuns gastaram suas economias ou pegaram dinheiro emprestado para comprar algumas ações, os corretores de ações as vendiam a crédito, os bancos especulavam com elas usando o dinheiro que tinham em depósito. Era uma espécie de jogo, mas havia uma enorme confiança de que a prosperidade continuaria indefinidamente.

Essa confiança durou até uma boa parte de 1929, mas quando surgiram os primeiros sinais de que as vendas estavam começando a diminuir, alguns investidores mais bem informados decidiram vender suas ações enquanto os preços ainda estavam altos. Isso fez com que se espalhasse a desconfiança, pois mais pessoas do que o normal estavam tentando vender ações – algo devia estar errado! A confiança no futuro começou a balançar pela primeira vez, e mais pessoas decidiram vender suas ações enquanto a coisa ainda ia bem. Assim, desenvolveu-se um processo que os economistas chamam *expectativa autorrealizante*, ou seja, com suas próprias ações, os investidores causam o profundo colapso nos preços das ações do qual eles tinham medo.

Em outubro de 1929, houve um mar de gente correndo para vender ações, mas, como a confiança tinha sido abalada, poucas pessoas queriam comprá-las. Os preços desabaram e os investidores desafortunados tinham que aceitar o que quer que se lhes oferecesse. Um dia especialmente ruim foi 24 de outubro – a "terça-feira negra" – quando quase 13 milhões de ações foram "jogadas" no mercado a preços muito baixos. Em meados de 1930, os preços das ações eram, em média, cerca de 25% de seu pico no ano anterior, mais continuavam caindo. O fundo do poço foi atingido em 1932, e nesse momento, os Estados Unidos como um todo estavam no meio da depressão.

(c) Como a depressão afetou as pessoas?

1. Para começar, *a quebra do mercado de ações arruinou milhares de investidores* que haviam pago altos preços por suas ações. No caso de quem comprou ações a crédito ou com dinheiro emprestado, seus credores também perderam muito, já que não tinham como receber pagamento.

2. *Os bancos estavam em posição frágil*, pois eles próprios tinham especulado muito. Quando, além de tudo isso, milhões de pessoas correram para retirar suas economias acreditando que seu dinheiro estaria mais seguro em casa, muitos bancos ficaram sobrecarregados, não tinham dinheiro suficiente para pagar a todos e fecharam para sempre. Havia mais de 25.000 bancos no país em 1929, mas, em 1933, restavam menos de 15.000, o que fazia com que milhões de pessoas comuns que nada tinham a ver com a especulação fossem arruinadas quando as economias de suas vidas desapareceram.
3. Com a queda na demanda por todos os tipos de mercadorias, *trabalhadores foram demitidos e fábricas, fechadas*. A produção industrial em 1933 foi metade do total de 1929, enquanto o desemprego ficava em 14 milhões. Cerca de um quarto do total da força de trabalho estava sem emprego e um em cada oito agricultores perdera sua propriedade. Houve uma redução no padrão de vida, com filas para o pão, fornecimento de refeições beneficentes, despejo de inquilinos que não conseguiam pagar o aluguel e muitas pessoas passavam fome. O "grande sonho americano" de prosperidade havia se transformado em um pesadelo. Nas palavras do historiador Donald McCoy: "O povo dos Estados Unidos foi afetado como se tivesse havido uma guerra de costa a costa". Também não havia seguros para o caso de desemprego ou problemas de saúde. Nos arredores de todas as grandes cidades, pessoas desabrigadas moravam em campos apelidados de "Hoovervilas", em função do presidente que era responsabilizado pela depressão (Ilustração 22.2 e 22.3).
4. Muitos outros países, principalmente a Alemanha, foram afetados, porque sua prosperidade dependia em muito dos empréstimos dos Estados Unidos. Assim

Ilustração 22.2 Desempregado vende maçãs baratas em frente à seu barraco em uma "Hoovervila", em Nova York.

Ilustração 22.3 Fila do pão em Nova York, em 1933.

que chegou a quebra, os empréstimos pararam e os norte-americanos cobravam os que eram de curto prazo que já tinham feito. Em 1931, a maior parte da Europa estava em situação semelhante, e a depressão também teve seus resultados políticos: em muitos países, como Alemanha, Áustria, Japão e Grã-Bretanha, governos de direita chegaram ao poder quando os regimes existentes não conseguiram enfrentar a situação.

(d **Quem foi responsável pelo desastre?**

Na época, virou moda culpar o azarado presidente Hoover, mas isso não é justo. As origens do problema estão situadas muito antes e todo o Partido Republicano deve dividir a culpa. O governo poderia ter tomado muitas medidas para controlar a situação, como incentivo a outros países para que comprassem mercadorias norte-americanas, reduzindo tarifas em vez de aumentá-las e ações firmes em 1928 e 1929 para limitar a quantidade de crédito que o mercado de ações dava aos especuladores, mas a atitude de *laissez-faire* do partido não permitiria essa interferência em questões privadas.

(e) **E o que fez o governo de Hoover para aliviar a depressão?**

Hoover tentou resolver o problema incentivando os empregadores a não reduzir salários e não demitir trabalhadores. O governo emprestou dinheiro aos bancos, industriais e fazendeiros para salvá-los da falência, e deu início a um sistema para aliviar o desemprego. Em 1931, Hoover declarou moratória de um ano para as dívidas de guerra, para que os governos estrangeiros pudessem deixar de pagar prestações de suas dívidas com os Estados Unidos, na esperança de que eles viessem a usar o dinheiro economizado para comprar mais produtos do país, mas isso fez pouca diferença, e as exportações norte-americanas em 1932 foram menos de um terço do total de 1929. As políticas de Hoover tiveram pouco impacto na depressão. Mesmo em uma crise tão séria como essa, ele era contra o alívio de dívidas para indivíduos porque acreditava na independência e no "individualismo exacerbado". Não foi surpresa quando o candidato Democrata, Franklin D. Roosevelt ("FDR"), ganhou com facilidade de Hoover na eleição presidencial de novembro de 1932 (ver Ilustração 22.4).

22.7 ROOSEVELT E O *NEW DEAL*

Roosevelt, de 51 anos (Ilustração 22.5) vinha de uma família abastada de Nova York. Formado em Harvard, entrou na política em 1910 e foi vice-ministro da marinha durante a Primeira Guerra Mundial. Parecia que sua carreira tinha terminado quando, aos 40 anos, ele teve pólio (1921), o que deixou suas pernas completamente paralisadas. Com uma enorme determinação, ele superou a deficiência, embora nunca tenha conseguido caminhar sem ajuda. Agora, ele trazia a mesma determinação para suas tentativas de arrancar o país da depressão. Ele era dinâmico, cheio de vitalidade e cheio de novas ideias. Era um brilhante comunicador, com discursos no rádio (que ele chamava de "conversas ao pé da lareira") que inspiravam confiança e lhe renderam grande popularidade. Durante a campanha eleitoral, ele disse: "Meu compromisso com vocês, um compromisso para comigo mesmo, é um novo pacto para o povo dos Estados Unidos". A expressão pegou, e suas políticas sempre foram lembradas como o *"New Deal"*, ou pacto novo. Desde o começo, ele trouxe uma nova esperança quando disse em seu discurso de posse: "Quero afirmar minha crença firme de que a única coisa de que devemos ter medo é do próprio medo. Este país pede ação, e ação imediata. Pedirei ao Congresso poderes para travar uma guerra contra essa emergência".

Ilustração 22.4 O vencedor e o perdedor: Franklin D. Roosevelt (direita) acena para a multidão que o aclama, enquanto o presidente Herbert Hoover, derrotado, parece abatido enquanto ambos percorriam Washington, em março de 1933.

Ilustração 22.5 O presidente F. D. Roosevelt.

(a) Quais eram as metas do *New Deal*?

Basicamente, Roosevelt tinha três metas:

auxílio: dar ajuda direta aos milhões que foram atingidos pela pobreza e estavam sem casa e sem comida;

recuperação: reduzir o desemprego, incentivar a demanda por mercadorias e fazer com que a economia avançasse novamente;

reforma: tomar todas as medidas necessárias para impedir a repetição do desastre econômico.

Estava claro que eram necessárias medidas drásticas, e os métodos de Roosevelt representaram uma mudança completa em relação aos Republicanos do *laissez-faire*. Ele estava disposto a intervir em questões econômicas e sociais o quanto fosse possível e gastar dinheiro do governo para tirar o país da depressão. Os Republicanos sempre relutaram em dar passos desse tipo.

(b) O que o *New Deal* envolvia?

As medidas que compunham o *New Deal* foram introduzidas nos anos de 1933 a 1940. Alguns historiadores já falaram de um "primeiro" e um "segundo" *New Deal*, e até de um "terceiro", cada um com características diferentes. Contudo, Michael Heale acredita que isso simplifica demais o debate. "O governo Roosevelt", escreve o autor, "nunca foi comandado por uma ideologia política única e seus componentes sempre estavam pressionando em direções diferentes. Em termos gerais, porém, pode-se dizer que a partir de 1935, o *New Deal* se aproximou da esquerda política, no sentido de que entrou em uma aliança difícil com os trabalhadores organizados e demonstrou maior interesse nas reformas sociais". Nos "primeiros cem dias", ele se concentrou na legislação de emergência para lidar com a crise que se desenvolvia:

1 Os sistemas bancário e financeiro

Era importante fazer com que os sistemas bancário e financeiro voltassem a funcionar adequadamente. Isso foi conseguido com o governo assumindo o controle temporário dos bancos e garantindo que os depositantes não perderiam seu dinheiro se houvesse outra crise financeira. Isso restabeleceu a confiança e o dinheiro começou a entrar novamente nos bancos. A *Securities Exchange Commission* (1934) reformou a bolsa de valores, entre outras coisas, insistindo em que as pessoas que comprassem ações a crédito dessem uma entrada de pelo menos 50% em vez de só 10%.

2 A Lei de Auxílio aos Agricultores (Farmers' Relief Act, 1933) e a Administração para Ajuste da Agricultura (Agricultural Adjustment Administration, AAA)

Era importante ajudar os agricultores, cujo principal problema era ainda estarem produzindo demais, o que mantinha os preços e os lucros baixos. Segundo a lei, o governo indenizaria os agricultores que reduzissem a produção, elevando, assim, os preços. A AAA, sob controle do dinâmico Henry Wallace, o Ministro da Agricultura de Roosevelt, era responsável por implementar a política e teve algum sucesso, já que, em 1937, a renda média dos agricultores tinha quase dobrado, mas seu ponto fraco era nada ter feito por agricultores mais pobres, arrendatários e trabalhadores rurais, muitos dos quais foram forçados a deixar a terra e buscar uma vida melhor nas cidades.

3 A Corporação de Conservação Civil (Civilian Conservation Corps, CCC)

Introduzida em 1933, essa foi uma ideia bem recebida de Roosevelt para dar emprego aos jovens em projetos de conservação na zona rural. Em 1940, cerca de 2,5 milhões tinham "desfrutado" de um período de seis meses no CCC, o que lhes dava uma pequena remuneração (30 dólares por mês, dos quais 25 tinham que ser mandados para casa, à família), assim como roupa, casa e comida.

4 A Lei Nacional de Recuperação Industrial (National Industrial Recovery Act, 1933)

A parte mais importante do programa de emergência, a *Lei Nacional de Recuperação Industrial*, visava fazer com que as pessoas voltassem a trabalhar permanentemente, para conseguir comprar mais, o que estimularia a indústria e ajudaria a economia a funcionar normalmente. A lei criava a *Administração de Obras Públicas* (*Public Works Administration, PWA*), que organizou e forneceu verba para obras úteis – represas, pontes, estradas, hospitais, escolas, aeroportos e presídios públicos – criando milhões de novos empregos. Outra parte da Lei estabelecia a *Administração da Recuperação Nacional* (*National Recovery Administration, NRA*), que aboliu o trabalho infantil, introduziu a jornada de trabalho de oito horas e um salário mínimo, ajudando a criar mais empregos. Embora essas regras não tenham sido compulsórias, os empregadores foram pressionados a aceitá-las e os que o faziam tinham privilégios de uso de um adesivo oficial em suas mercadorias, com uma águia azul e as letras "NRS". O povo era incentivado a boicotar as empresas que se recusassem a cooperar. A resposta foi imensa, com muito mais de dois milhões de empregadores aceitando os novos padrões.

5 A Administração Federal de Auxílio de Emergência (Federal Emergency Relief Administration, 1933)

Mais auxílio e recuperação foram proporcionados pela *Administração Federal de Auxílio de Emergência*, que deu 500 milhões em verbas federais para que os governos estaduais oferecessem auxílio e refeições comunitárias.

6 A Administração do Avanço das Obras (Works Progress Administration, WPA)

Fundada em 1935, financiava vários projetos como estradas, escolas e hospitais (de forma semelhante à PWA, mas com projetos de menor porte) e o *Federal Theatre Project* criou empregos para dramaturgos, artistas, atores, músicos e artistas de circo, bem como aumentou a apreciação pelas artes.

7 A Lei de Previdência Social (Social Security Act, 1935)

Introduziu aposentadorias por idade e sistemas de seguro-desemprego, a serem financiados conjuntamente pelos governos federal e estadual, empregadores e trabalhadores, mas não foi um grande sucesso na época, porque os pagamentos geralmente não eram muito generosos, tampouco houve qualquer disposição relativa a seguro por doença. Os Estados Unidos estavam muito atrás de países como Alemanha e Grã-Bretanha, em termos de bem-estar social.

8 Condições de trabalho

Duas leis incentivaram os sindicatos e ajudaram a melhorar as condições de trabalho.

- *A Lei Wagner (Wagner Act, 1935)*, de autoria do Senador Robert F. Wagner, de Nova York, deu base legal adequada aos sindicatos e o direito de barganhar por seus membros em qualquer disputa com a administração das empresas. Também implantou a Comissão Nacional de Relações de Trabalho (*National Labour Relations Board*), à qual os trabalhadores poderiam apelar contra práticas injustas da administração.
- *A Lei de Padrões Trabalhistas Justos (Fair Labour Standards Act, 1938)* introduziu uma semana de trabalho máxima de 45 horas, bem como um salário mínimo em certas profissões de baixa remuneração, e tornou a maioria do trabalho infantil ilegal.

9 Outras medidas

O *New Deal* também incluía medidas como a *Tennessee Valley Authority (TVA)*, que revitalizou uma imensa área rural dos Estados Unidos que foi destruída pela erosão do solo e agricultura negligente (ver Mapa 22.2). A nova autoridade construiu represas para fornecer eletricidade barata e organizar conservação, irrigação e reflorestamento com o objetivo de impedir a erosão do solo. Outras iniciativas foram empréstimos para proprietários de casas em risco de perdê-las porque não conseguiam pagar a hipoteca, remoção de favelas e construção de novas casas e apartamentos, aumento de impostos sobre a renda dos ricos e acordos comerciais que, pelo menos, reduziam as tarifas norte-americanas sobre importação em troca de reduções da outra parte do tratado (na esperança de aumentar as exportações do país). Uma das primeiras medidas do *New Deal* em 1933 foi o fim da Proibição. Como afirmou o próprio "FDR": "Acho que agora é uma hora boa para uma cerveja".

(c) Oposição ao *New Deal*

Era inevitável que um programa tão abrangente gerasse críticas e oposição da esquerda e da direita.

- As *empresas* faziam forte objeção ao crescimento dos sindicatos, à regulamentação das jornadas e dos salários e ao aumento dos impostos.
- Alguns dos *governos estaduais* estavam descontentes com a amplitude da interferência federal no que consideravam como assuntos do estado.
- A *Suprema Corte* afirmava que o presidente estava assumindo poder demais; ela decidiu que várias medidas (incluindo a NRA) eram inconstitucionais, e isso reteve a operação. Contudo, o tribunal ficou mais acessível durante o segundo mandato de Roosevelt, depois que ele nomeou outros cinco juízes mais afins para substituir os que tinham morrido ou renunciado.
- Também havia oposição dos *socialistas*, que achavam que o *New Deal* não era profundo o suficiente e ainda deixava muito poder nas mãos das grandes empresas.
- Algumas pessoas ironizavam o enorme leque de novos orgãos, conhecidos por suas iniciais. O ex-presidente Hoover disse: "Só há quatro letras do alfabeto que não estão

História do Mundo Contemporâneo 499

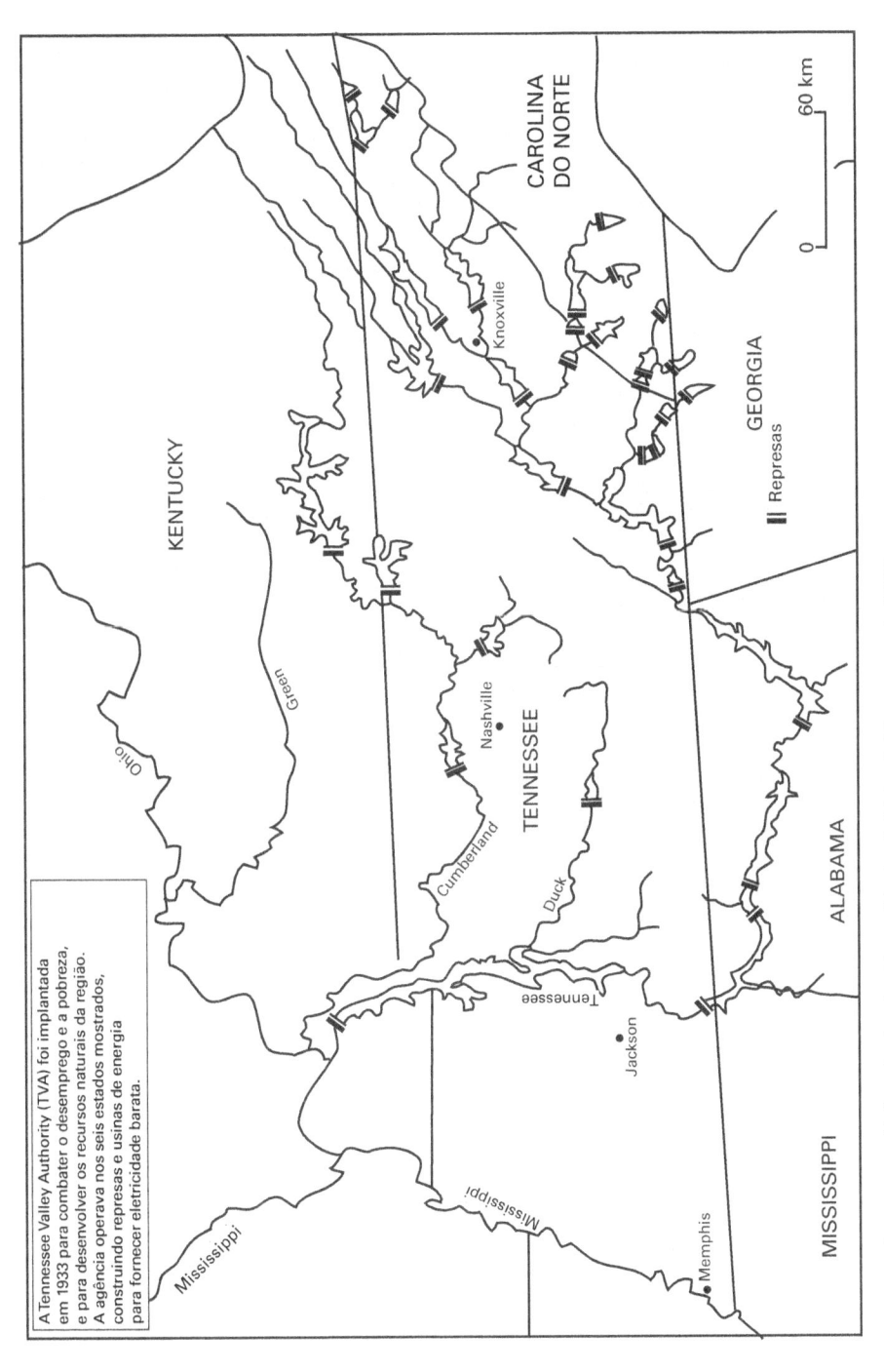

A Tennessee Valley Authority (TVA) foi implantada em 1933 para combater o desemprego e a pobreza, e para desenvolver os recursos naturais da região. A agência operava nos seis estados mostrados, construindo represas e usinas de energia para fornecer eletricidade barata.

▮▮ Represas

Mapa 22.2 *A Tennessee Valley Authority* (Autoridade do Vale do Tennessee), 1933.

em uso pelo governo. Quando implantarmos a *Quick Loan Corporation for Xylophones, Yachts and Zithers*, o alfabeto de nossos pais estará esgotado". A partir dali, a expressão "Agências do alfabeto" pegou.

Não obstante, *Roosevelt tinha uma popularidade altíssima com os milhões de norte-americanos comuns*, os "homens esquecidos" como ele os chamava, que tinham se beneficiado de suas políticas. Ele conquistou o apoio dos sindicatos e de muitos agricultores e negros. Embora as forças de direita tenham feito o que podiam para afastá-los, em 1936 e 1940, Roosevelt teve uma vitória arrasadora em 1936 e outra, confortável, em 1940.

(d) Quais foram as conquistas do *New Deal*?

Deve-se dizer que *não foi atingido tudo o que "FDR" esperava*. Algumas das medidas fracassaram completamente ou tiveram sucesso apenas parcial. A Lei de Auxílio aos Agricultores (*Farmers' Relief Act*), por exemplo, certamente os ajudou, mas tirou o emprego de vários trabalhadores. Também não ajudou muito os agricultores que moravam em partes do Kansas, Oklahoma e Texas; em meados dos anos de 1930, essas áreas foram muito atingidas por seca e erosão, que as transformaram em uma grande "tigela de poeira" (ver Mapa 22.1). Embora tenha sido reduzido a menos de 8 milhões em 1937, o desemprego ainda era um problema grave. Parte do fracasso se devia à oposição da Suprema Corte e outra razão era que, embora fosse firme em muitos aspectos, Roosevelt era muito cauteloso com relação às quantias que estava disposto a gastar para estimular a indústria. Em 1938, ele reduziu as despesas do governo, causando outra recessão, que fez com que o desemprego subisse a 10,5 milhões *Portanto, o New Deal não resgatou os Estados Unidos da depressão, sendo apenas o esforço de guerra que colocou o desemprego abaixo da marca de um milhão em 1943.*

Apesar disso, os primeiros oito anos de Roosevelt no governo foram um período impressionante. Nunca um governo norte-americano tinha interferido tão diretamente nas vidas das pessoas comuns; nunca foi dada tanta atenção a um presidente norte-americano. *E muito foi conquistado.*

- No início, o principal êxito do *New Deal* foi dar auxílio aos destituídos e aos desempregados, e a criação de milhões de empregos extras.
- Foi restaurada a confiança no sistema financeiro e no governo, e alguns historiadores acham que pode até ter prevenido uma revolução violenta.
- Os projetos de obras públicas e a *Tennessee Valley Authority* prestaram serviços de valor duradouro.
- Os benefícios de bem-estar, como a Lei de Previdência Social de 1935, representaram passos importantes rumo a um estado de bem-estar social. Embora o "individualismo exacerbado" fosse um ingrediente vital na sociedade norte-americana, o governo do país tinha aceitado que ainda tinha dever de ajudar os que necessitavam.
- Muitas das outras inovações foram continuadas – direção nacional dos recursos e negociação entre trabalhadores e administrações passaram a ser aceitas como normais.
- Alguns historiadores acreditam que a grande realização de Roosevelt foi preservar o que se pode chamar de "o estilo intermediário de vida americano" – democracia e livre iniciativa – em um momento em que outros países, como a Alemanha e a Itália, tinham respondido a crises semelhantes se voltando ao fascismo. A autoridade do governo federal sobre os governos estaduais aumentou e Roosevelt implementou estruturas para possibilitar que Washington administrasse a economia e as políticas sociais.

(e) A Segunda Guerra Mundial e a economia dos Estados Unidos

Foi a guerra que finalmente deu um fim à depressão. Os Estados Unidos entraram nela em dezembro de 1941, depois que os japoneses bombardearam a base naval de Pearl Harbor, nas ilhas do Havaí, mas o país tinha começado a fornecer aviões, tanques e outros armamentos à França e à Grã-Bretanha assim que a guerra estourou na Europa em setembro de 1939. "Temos os homens, as habilidades e, acima de tudo, a disposição", disse Roosevelt. "Temos que ser o arsenal da democracia". Entre junho de 1940 e dezembro de 1941, os Estados Unidos forneceram 23.000 aviões.

Depois de Pearl Harbor, a produção de armamentos aumentou muito: em 1943, foram construídos 86.000 aviões, enquanto em 1944, e cifra foi de mais de 96.000. O mesmo aconteceu com os navios: em 1939, os estaleiros norte-americanos entregaram 237.000 toneladas de navios; em 1943, isso havia aumentado para cerca de 10 milhões de toneladas. Na verdade, o Produto Interno Bruto (PIB) dos Estados Unidos quase dobrou entre 1939 e 1945. Em junho de 1940, ainda havia 8 milhões de pessoas sem trabalho, mas no final de 1942, a situação era de quase pleno emprego. Calcula-se que em 1945, o esforço de guerra tivesse criado 7 milhões de empregos extras e outros 15 milhões de norte-americanos serviam nas forças armadas. Economicamente, portanto, os Estados Unidos tiraram um bom proveito da Segunda Guerra Mundial, com pleno emprego, salários aumentando constantemente, e nenhum declínio no padrão de vida como aconteceu na Europa.

PERGUNTAS

1. **Roosevelt e o** *New Deal*
Estude a fonte A e responda as perguntas a seguir.

Fonte A
Lembranças de C. B. Baldwin, assistente de Henry Wallace, Ministro da Agricultura no governo Roosevelt.

A Administração para Ajuste da Agricultura foi implementada pouco depois de minha chegada a Washington, com o propósito de aumentar os preços dos produtos rurais, que estavam baixíssimos. Todos os produtores estavam com problemas, até mesmo os grandes. Os preços do porco tinham desabado e estavam em torno de 7 cents o quilo. Os produtores estavam passando fome. Decidiu-se matar porcas grávidas. A AAA decidiu pagar os produtores para matá-las, e aos porquinhos. A situação era parecida no algodão. Os preços estavam baixos, em oito cents o quilo, e o custo de produção era provavelmente uns 10. Então teve início um programa para retirar o algodão. Um terço da safra, se eu me lembro bem. O preço do algodão subiu a 20 cents, talvez uns 22.

Fonte: citado em Howard Zinn, *A People's History of the United States* (Longman, 1996 edition).

(a) O que se pode aprender com a Fonte A sobre o pensamento por trás das tentativas da Administração para o Ajuste da Agricultura de tratar dos problemas enfrentados pelos agricultores nos Estados Unidos em 1933?

(b) Explique por que a Lei Nacional de Recuperação Industrial foi aprovada em 1933, e por que foi criticada por alguns empregadores.

(c) Até que ponto, em 1941, o *New Deal* gerou recuperação econômica nos Estados Unidos?

2. Até que ponto o mercado de ações dos Estados Unidos foi responsável pela crise financeira de 1929 e a Grande Depressão?

3. Com que precisão você acha que se pode falar sobre um "Primeiro" e um "Segundo" *New Deals*? Qual foi o êxito das políticas de Roosevelt para resolver os problemas econômicos dos Estados Unidos em 1941?

4. Explique qual o impacto que a Primeira Guerra Mundial e a Revolução Bolchevique na Rússia tiveram sobre a política e a sociedade dos Estados Unidos de 1914 a 1929.

5. Como os afro-americanos trabalharam pelos direitos civis nos anos que antecederam à Grande Depressão? Como eles reagiram às atividades da Ku Klux Klan?

23 Os Estados Unidos Desde 1945

RESUMO DOS EVENTOS

Quando a Segunda Guerra Mundial terminou, em 1945, o surto de crescimento econômico continuou, à medida que as fábricas passaram da produção de armamentos à de bens de consumo. Surgiram muitos produtos novos – televisores, lavadoras, toca-discos e gravadores modernos – e muitas pessoas comuns podiam comprar esses bens supérfluos pela primeira vez. Essa era a grande diferença entre a década de 1950 e a de 1920, quando muitas pessoas eram pobres demais para sustentar o crescimento. Os anos de 1950 foram a época da sociedade afluente, e nos 20 anos que se seguiram ao final da guerra, o PIB aumentou quase oito vezes. *Os Estados Unidos continuavam a ser a maior potência industrial e o país mais rico do mundo, mas, apesar da afluência geral, ainda havia graves problemas na sociedade, com muita pobreza e desemprego constante.* Os negros, como um todo, ainda não tinham sua participação justa na prosperidade, não tinham direitos iguais aos dos brancos e eram tratados como cidadãos de segunda classe.

A Guerra Fria gerou alguns problemas para os norte-americanos dentro do país e levou a outro surto de sentimento anticomunista, semelhante ao posterior à Primeira Guerra Mundial. Houve experiências negativas, como o assassinato do presidente Kennedy em Dallas, Texas, supostamente cometido por Lee Harvey Oswald (1963), e do Dr. Martin Luther King (1968). Houve o fracasso das políticas norte-americanas para o Vietnã e a renúncia forçada do presidente Nixon (1974) como resultado do escândalo de Watergate, que abalou a confiança na sociedade e nos valores norte-americanos e o sistema do país.

Depois de 1974, os dois partidos políticos se revezaram no poder e a confiança foi sendo restabelecida aos poucos. Os norte-americanos podiam dizer que, com o colapso do comunismo na Europa e o final da Guerra Fria, seu país tinha chegado ao pico de suas conquistas.

Os presidentes do período pós-guerra foram:

1945-1953	Harry S. Truman	Democrata
1953-1961	Dwight D. Eisenhower	Republicano
1961-1963	John F. Kennedy	Democrata
1963-1969	Lyndon B. Johnson	Democrata
1969-1974	Richard M. Nixon	Republicano
1974-1977	Gerald R. Ford	Republicano
1977-1981	Jimmy Carter	Democrata
1981-1989	Ronald Reagan	Republicano
1989-1993	George Bush	Republicano
1993-2001	Bill Clinton	Democrata
2001-2009	George W. Bush	Republicano
2009-	Barack Obama	Democrata

23.1 POBREZA E POLÍTICAS SOCIAIS

Ironicamente, no país mais rico do mundo, a pobreza continuava sendo um problema. Embora a economia como um todo fosse um sucesso espetacular, com a indústria crescendo e as exportações aumentando rapidamente, havia desemprego constante, que foi subindo regularmente até 5,5 milhões (cerca de 7% da força de trabalho) em 1960. Apesar de todas as melhorias do *New Deal*, o bem estar social e as aposentadorias ainda eram limitados e não havia sistema de saúde nacional. Calculava-se que, em 1966, cerca de 30 milhões de norte-americanos estavam vivendo abaixo da linha da pobreza, muitos deles com mais de 65 anos.

(a) Truman (1945-1953)

Harry S. Truman, um homem de muita coragem e bom senso, que um repórter comparou com a um campeão peso-pluma, teve que enfrentar o problema especial de fazer o país voltar ao normal depois da guerra. Isso foi conseguido, embora não sem dificuldades: a suspensão do controle de preços da época da guerra causou inflação e greves, e os Republicanos obtiveram o controle do Congresso em 1946. Na guerra contra a pobreza, ele implementou um programa conhecido como *Fair Deal (Pacto Justo)*, com o qual esperava dar continuidade ao *New Deal* de Roosevelt, e incluía:

- sistema nacional de saúde;
- salário mínimo maior;
- urbanização das favelas;
- pleno emprego.

Contudo, a maioria Republicana no Congresso desprezou suas propostas e até aprovou, apesar de seu veto, a Lei Taft-Hartley (1947), que reduzia os poderes dos sindicatos. A atitude do Congresso fez com que Truman conquistasse o apoio da classe trabalhadora e lhe possibilitou vencer a eleição presidencial de 1948 e obter uma maioria Democrata no Congresso. Parte do *Fair Deal* se tornou lei (extensão de benefícios de previdência e um aumento do salário mínimo), mas o Congresso ainda se recusava a aprovar sistemas de saúde nacional e de aposentadoria por idade, o que foi uma grande decepção para ele. Muitos Democratas sulistas votaram contra Truman por desaprovar seu apoio aos direitos civis dos negros.

(b) Eisenhower (1953-1961)

Dwight D. Eisenhower não tinha programa para lidar com a pobreza, embora não tenha tentado reverter o *New Deal* nem o *Fair Deal*. Algumas melhorias foram realizadas:

- seguro para portadores de deficiência de longo prazo;
- ajuda financeira para gastos de saúde de pessoas de mais de 65 anos;
- verbas federais para habitação;
- um amplo programa de construção de estradas, que iniciou em 1965 e, nos 14 anos seguintes, deu ao país uma rede de rodovias de primeira classe. Isso teria efeitos importantes na vida cotidiana das pessoas: carros, ônibus e caminhões se tornaram o meio de transporte predominante, a indústria de veículos recebeu um grande impulso e isso contribuiu para a prosperidade dos anos de 1960;
- mais gastos com educação para estimular estudos em ciências e matemática (temia-se que os norte-americanos estivessem ficando atrás dos russos, que, em 1957, lançaram o primeiro satélite espacial, o Sputnik).

Os agricultores enfrentavam problemas na década de 1950 porque a produção maior mantinha os preços e a renda baixos. O governo gastou enormes somas em dinheiro pagando os agricultores para que deixassem de cultivar em algumas terras, mas isso não funcionou: a renda da agropecuária não aumentou rapidamente e os agricultores mais pobres pouco se beneficiaram. Muitos deles venderam o que tinham e se mudaram para as cidades.

Ainda havia muito a ser feito, mas os Republicanos eram totalmente contrários a sistemas como o serviço de saúde de Truman, porque achavam que era muito semelhante ao socialismo.

(c) Kennedy (1961-1963)

Quando John F. Kennedy foi eleito presidente em 1961, os problemas eram mais graves, com mais de 4,5 milhões de desempregados. Ele venceu a eleição, em parte, porque os Republicanos eram responsabilizados pela inflação e o desemprego e porque fez uma campanha brilhante, acusando-os de negligenciar a educação e os serviços sociais. Ele apareceu como elegante, bom orador, inteligente e dinâmico, e sua eleição parecia, para muita gente, o começo de uma nova era. Ele tinha um programa detalhado:

- pagamento de despesas com saúde para pobres e idosos;
- mais verbas federais para educação e moradia
- mais benefícios relacionados ao seguro-desemprego e à previdência.

"Estamos, hoje, no limiar de uma Nova Fronteira", disse ele, e sugeriu que somente quando essas reformas fossem implementadas essa fronteira seria atravessada e a pobreza, eliminada.

Infelizmente, para Kennedy, ele teve que enfrentar a oposição do Congresso, onde muitos Democratas de direita e Republicanos consideravam suas propostas como "o início do socialismo". Quase nenhuma foi aprovada sem algum tipo de descaracterização e muitas foram rejeitadas completamente. O Congresso não dava mais verbas para a educação e rejeitou seu sistema de pagamento de contas de hospital para idosos. Seus êxitos foram:

- ampliação dos benefícios da previdência para cada criança cujo pai estivesse desempregado;
- aumento do salário mínimo, de 1 dólar para 1,25 dólar por hora;
- empréstimos federais para que as pessoas pudessem comprar casas;
- verbas federais para que os estados pudessem ampliar o período do seguro-desemprego.

As realizações gerais de Kennedy foram limitadas: o seguro-desemprego só dava para sobreviver e, mesmo assim, por um período limitado. O desemprego ainda estava em 4,5 milhões em 1962, e tiveram que ser fornecidas refeições comunitárias para alimentar as famílias pobres.

(d) Johnson (1963-1969)

O vice-presidente, Lyndon B. Johnson, assumiu a presidência quando Kennedy foi assassinado (Ilustração 23.1). De origem humilde no Texas, ele estava tão comprometido quanto seu presidente com as reformas sociais e realizou o suficiente em seu primeiro ano para ter uma vitória esmagadora na eleição de 1964. Nesse ano, seus assessores econômicos definiriam a linha da pobreza em uma renda anual de 30 mil dólares para uma família de duas ou mais pessoas, e estimavam que mais de 9 milhões de famílias (30 milhões de pessoas, cerca de 20% da população) estavam nessa linha ou abaixo dela. Muitas delas eram afroamericanas, porto-riquenhas, nativo-americanas (índios) e mexicanas. Johnson anunciou que queria fazer o país avançar rumo à Grande Sociedade, onde haveria o fim da pobreza e da injustiça racial, e "abundância e liberdade para todos".

Muitas de suas medidas passaram a ser leis, em parte porque, depois das eleições de 1964, os Democratas tinham uma imensa maioria no Congresso e, em parte, porque Johnson foi mais habilidoso e persuasivo para lidar com o Congresso do que Kennedy.

Ilustração 23.1 O assassinato de John F. Kennedy, 1963. Aqui, o presidente cai para frente, segundos depois de ter sido baleado.

- A *Lei de Oportunidade Econômica (Economic Opportunity Act, 1964)* proporcionou uma série de mecanismos pelos quais os jovens oriundos de lares pobres podiam receber formação profissional e educação superior.
- Outras medidas foram o fornecimento de verbas federais para projetos de educação especial em áreas de favelas, incluindo ajuda para pagamento de livros e transporte, dinheiro para urbanização das favelas e reconstrução de áreas urbanas, e a *Lei de Desenvolvimento Regional dos Apalaches (Appalachian Regional Development Act, 1965)*, que criava novos empregos em uma das regiões mais pobres.
- Foram estendidos direitos civis e eleitorais integrais a todos os norte-americanos, independentemente de sua cor.
- Talvez sua inovação mais importante tenha sido a *Lei de Melhoria da Previdência Social (Social Security Amendment Act, 1965)*, também conhecida como Medicare, que era um sistema parcial nacional de saúde, embora só se aplicasse a pessoas com mais de 65 anos.

Essa é uma lista impressionante, e mesmo assim, os resultados gerais não foram tão bem sucedidos quando Johnson esperava, por uma série de razões. Seu maior problema desde o início de 1965 era que *ele enfrentou o agravamento da Guerra no Vietnã* (ver Seção 8.3). O grande dilema de Johnson foi como financiar essa guerra junto com a guerra contra a pobreza. Já se sugeriu que todo programa Grande Sociedade foi subfinanciado em função das enormes despesas com a guerra. Os Republicanos criticavam Johnson por querer gastar dinheiro com os pobres em vez de se concentrar no Vietnã. Eles apoiavam a tradição norte-americana de autoajuda, ou seja, eram os pobres que tinham que se ajudar e era errado usar o dinheiro dos contribuintes em projetos que eles achavam que só tornariam esses pobres mais preguiçosos. Sendo assim, muitos governos estaduais não conseguiram aproveitar as ofertas federais de ajuda. E o azarado presidente, tentando lutar as duas guerras ao mesmo tempo, acabou perdendo no Vietnã, tendo uma vitória apenas limitada na guerra contra a pobreza e também prejudicando a economia do país.

Em meados dos anos de 1960, a violência aumentou e parecia estar saindo do controle: houve revoltas nos guetos negros, onde a sensação de injustiça era mais forte, e revoltas estudantis nas universidades para protestar contra a guerra do Vietnã. Houve uma série de assassinatos políticos: o presidente Kennedy em 1963, Martin Luther King e o senador Robert Kennedy em 1968. Entre 1960 e 1967, o número de crimes violentos aumentou em 90%. Johnson só podia esperar que sua "guerra contra a pobreza" acabasse, aos poucos, com as causas de insatisfação e não tinha outra resposta ao problema. O descontentamento geral e, principalmente, os protestos estudantis (Ilustração 23.2) sobre o Vietnã (*"LBJ, LBJ, how many kids have you burnt today?"*

– "Lyndon Johnson, quantas crianças você já matou hoje?") fizeram com que o presidente não concorresse à reeleição em novembro de 1968 e ajudam a explicar por que os Republicanos venceram com uma plataforma de restabelecimento da lei e da ordem.

(e) Nixon (1969-1974)

O desemprego aumentava mais uma vez, rapidamente, com mais de 4 milhões de pessoas sem trabalho em 1971, cuja situação era piorada por preços que aumentavam rápido. Os Republicanos estavam ansiosos para cortar gastos, e Nixon reduziu as despesas com o programa de combate à pobreza de Johnson e implementou um congelamento de preços e salários. Entretanto, aumentaram os benefícios da previdência social, o Medicare foi ampliado a pessoas portadoras de deficiência de menos de 65 anos e foi implantado um Conselho de Assuntos Urbanos para tentar lidar com os problemas das favelas e guetos. A

Ilustração 23.2 Manifestação contra a guerra do Vietnã em São Francisco.

violência não foi um problema tão grave para Nixon, por que os manifestantes viam a aproximação do fim do polêmico envolvimento norte-americano no Vietnã e porque os estudantes agora tinham alguma voz na direção de suas faculdades e universidades.

Durante o último quarto de século, apesar de algum sucesso econômico no período Reagan, o problema subjacente da pobreza e da privação ainda estava presente. No país mais rico do mundo, havia uma classe inferior permanente de pessoas desempregadas, pobres e despossuídas, a periferia das cidades precisava de revitalização e, mesmo assim, os gastos do governo federal em bem-estar, embora tenham aumentado depois de 1981, permaneceram abaixo do nível do financiamento governamental para o bem-estar nos países da Europa Ocidental como Alemanha, França e Grã-Bretanha (ver Seção 23.5(c) para os últimos acontecimentos).

23.2 PROBLEMAS RACIAIS E O MOVIMENTO PELOS DIREITOS CIVIS

(a) Mudam as atitudes do governo

Como vimos antes (Seção 22.5), os afro-americanos ainda eram tratados como cidadãos de segunda classe até a Segunda Guerra Mundial. Mesmo quando as tropas norte-americanas estavam viajando a bordo do *Queen Mary* para lutar na Europa, brancos e negros eram segregados, e estes tinham que viajar nas profundezas no navio, perto da casa de máquinas, bem longe do ar fresco. Entretanto, a atitude dos líderes da nação estava mudando. Em 1946, o presidente Truman nomeou um comitê para investigar os direitos civis, que recomendou que o Congresso aprovasse leis para dar fim à discriminação racial e permitir que os negros votassem. *O que causou essa mudança de postura?*

O próprio comitê tinha várias razões:

1. Alguns políticos estavam preocupados com suas consciências, pois achavam que não era moralmente correto tratar os semelhantes de forma tão injusta.
2. Excluir os negros dos principais empregos era um desperdício de talento e conhecimento.
3. Era importante fazer alguma coisa para acalmar a população negra, que estava expressando mais suas exigências de direitos civis.
4. Os Estados Unidos não poderiam afirmar ser um país verdadeiramente democrático e líder do "mundo livre" enquanto o voto e outros direitos fossem negados a 10% de sua população. Isso dava à URSS a chance de condenar o país como um "constante opressor de povos desfavorecidos". O governo dos Estados Unidos queria acabar com essa desculpa.
5. O nacionalismo estava crescendo rapidamente na Ásia e na África. Os não brancos na Índia e na Indonésia estavam a ponto de conquistar a independência. Esses novos países poderiam se voltar contra os Estados Unidos e em direção ao comunismo se os brancos norte-americanos continuassem seu tratamento injusto dos negros.

Nos anos seguintes, o governo e a Suprema Corte implementaram *novas leis voltadas à igualdade racial*.

- Escolas separadas para negros e brancos eram ilegais e inconstitucionais, e todos os júris tinham que incluir negros (1954).
- As escolas deveriam ser dessegregadas "com toda a necessária velocidade", o que significava que crianças negras tinham que frequentar escolas brancas e vice-versa.
- A Lei dos Direitos Civis (*Civil Rights Act*) de 1957 estabeleceu uma comissão para investigar a negativa de direitos eleitorais aos negros.
- A Lei dos Direitos Civis (*Civil Rights Act*) 1960 dispunha que os negros se registras-

sem como eleitores, mas isso não foi eficaz, já que muitos tinham medo de fazê-lo e serem assediados pelos brancos.

Infelizmente, as leis e as regulamentações nem sempre foram cumpridas. Por exemplo, em alguns estados do sul, os brancos se recusaram a implementar a ordem para a dessegregação das escolas. Em 1957, quando o governador Faubus, do Arkansas, desafiou uma ordem da Suprema Corte ao se recusar a dessegregar as escolas, o presidente Eisenhower mandou tropas federais para escoltar crianças negras para a escola secundária em Little Rock (Ilustração 23.3), o que representou uma vitória simbólica, mas os brancos do sul continuavam a desafiar a lei, e em 1961, apenas 25% das escolas e faculdades do sul estavam dessegregadas. Nesse ano, o governador do Mississippi recusou a solicitação de matrícula de um estudante negro, James Meredith, para a universidade estadual, exclusiva para os brancos. Ele acabou sendo aceito no ano seguinte.

(b) O Dr. Martin Luther King e a campanha não violenta por direitos iguais

Em meados dos anos de 1950, desenvolveu-se um movimento de massas pelos direitos civis. *Isso aconteceu por uma série de razões*:

- Em 1955, havia uma proporção maior de negros vivendo no norte do que antes. Em 1900, quase 90% de todos os negros viviam nos estados do sul, trabalhando nas lavouras. Em 1955, quase 50% deles viviam nas cidades industriais do norte, onde tomaram mais consciência sobre as questões políticas. Uma próspera classe média negra se desenvolveu e produziu líderes talentosos.
- À medida que países da Ásia e da África, como Índia e Gana, conquistavam sua independência, os afro-americanos estavam mais insatisfeitos do que nunca com o tratamento injusto que recebiam.
- Os negros, cujas esperanças foram aumentadas pelo comitê de Truman, foram

Ilustração 23.3 Dessegregação: um grupo de estudantes negros sai da escola secundária em Little Rock, Arkansas, sob proteção militar, 1957.

ficando cada vez mais impacientes com o ritmo lento e a pequena quantidade das mudanças. Mesmo os pequenos avanços que eles faziam geravam intensa hostilidade entre os brancos do sul. A Ku Klux Klan ressurgiu e alguns governos estaduais do sul proibiram a *National Association for the Advancement of Colored People*, ficando óbvio que só um momento de âmbito nacional teria qualquer efeito.

A campanha decolou em 1955, quando o *Dr. Martin Luther King* (Ilustração 23.4), ministro batista, surgiu como o destacado líder de um Movimento pelos Direitos Civis não violento. Depois que uma mulher negra, Rosa Parks, foi presa por se sentar em um assento reservado aos brancos em um ônibus de Montgomery, Alabama, foi organizado um boicote aos ônibus da cidade. King logo se viu na condição de porta-voz principal do boicote. Por seu compromisso cristão, ele insistia que o movimento deveria ser pacífico.

O amor deve ser o ideal que nos orienta. Se vocês protestarem com coragem, mas ainda assim, com dignidade e amor cristão, quando forem escritos os livros de história nas gerações futuras, os historiadores terão que dizer que "ali vivia um grande povo – um povo negro – que injetou uma nova dignidade nas veias da civilização".

A campanha teve êxito e os assentos segregados terminaram nos ônibus de Montgomery. Pouco tempo depois, a Suprema Corte decidiu que qualquer segregação em ônibus públicos era inconstitucional. Era apenas o começo: em 1957, foi fundada a *Southern Christian Leadership Conference* (SCLC) e King, eleito seu presidente. Sua meta era conquistar igualdade total para os negros por meios não violentos. A campanha

Ilustração 23.4 O Dr. Martin Luther King.

de protestos passivos e de desobediência pacífica atingiu o clímax em 1963, quando ele organizou manifestações bem-sucedidas contra a segregação em Birmingham, Ala.bama, durante as quais ele foi preso e passou um breve período na cadeia. Em agosto daquele ano, ele discursou em um enorme comício em Washington, no qual compareceram 250.000 pessoas. Ele falou de seu sonho de futuro para os Estados Unidos, no qual todos seriam iguais:

> Eu tenho um sonho, de que meus quatro filhinhos um dia viverão em um país onde não serão julgados pela cor de sua pele, e sim pelo conteúdo de seu caráter.

Em 1964, King recebeu o Prêmio Nobel da Paz, mas nem tudo o que ele tentou teve sucesso. Em 1966, quando liderou uma campanha contra a moradia segregada em Chicago, ele se deparou com uma forte oposição branca e não conseguiu avançar.

King admitiu que as conquistas do Movimento pelos Direitos Civis não foram tão intensas quanto ele esperara. Junto com a SCLC, ele deu início à Campanha dos Pobres em 1967, que visava aliviar a pobreza entre os negros e outros grupos desfavorecidos, como índios, porto-riquenhos, mexicanos e mesmo brancos pobres. Eles pretendiam apresentar ao Congresso um projeto de lei sobre direitos econômicos. King também se lançou à crítica à guerra do Vietnã, e isso incomodou o presidente Johnson, que vinha sendo solidário com a campanha pelos direitos civis, além de fazer com que ele perdesse algum apoio entre os brancos. Tragicamente, em abril de 1968, King foi assassinado por um homem, James Earl Ray, em Memphis, Tennessee.

O Dr. Martin Luther King é lembrado como, provavelmente, o mais famoso dos líderes dos direitos civis dos negros. Era um brilhante orador e o fato de insistir nos protestos não violentos lhe rendeu muito apoio e respeito, mesmo entre os brancos. Ele cumpriu um papel importante na conquista da igualdade civil e política para os negros, embora, é claro, outros também tenham dado contribuições valiosas. Ele não se envolveu muito, por exemplo, na campanha para dessegregar a educação, e teve sorte de que os presidentes com quem teve que lidar – *Kennedy (1961-1963) e Johnson (1963-1969) – eram simpáticos ao Movimento pelos Direitos Civis*. Kennedy admitiu, em 1963, que um afro-americano tinha

> metade das probabilidades de completar o ensino médio do que um branco, um terço de terminar uma faculdade, duas vezes mais de ficar desempregado, um sétimo das probabilidades de ganhar 10.000 dólares por ano e uma expectativa de vida sete anos mais curta.

Kennedy demonstrou suas boas intenções nomeando o primeiro embaixador negro dos Estados Unidos e apresentando um projeto de lei sobre Direitos Civis ao Congresso, atrasado, inicialmente, pelo Congresso conservador, mas aprovado em 1964, depois de um debate que durou 736 horas. Era uma medida abrangente: garantia o voto para os negros e tornava ilegal a discriminação racial em espaços públicos (como hotéis, restaurantes e lojas) bem como em empregos. Mais uma vez, a lei nem sempre foi implementada, principalmente no sul, onde os negros ainda tinham medo de votar.

Johnson introduziu a *Lei dos Direitos Eleitorais (Voting Rights Act, 1965)* para tentar garantir que os negros exercessem seu direito de votar, e seguiu com outra *Lei de Direitos Civis (1968)*, que tornava ilegal a discriminação na venda de propriedades ou no aluguel de acomodações. Mais uma vez, houve ferrenhas hostilidades contra essas reformas e o problema era garantir que as leis fossem cumpridas.

(c) Os muçulmanos negros

Embora estivessem sendo feitos progressos, muitos afro-americanos estavam impacientes com o ritmo lento e começaram a procurar diferentes maneiras de lidar com o problema. *Alguns negros se converteram à fé Muçulmana Negra – uma seita conhecida como Nação do Islã (Nation of Islam)*, argumentando que o cristianismo era a religião dos brancos racistas. Eles acreditavam que os negros eram a raça superior e que os brancos eram maus. Um dos líderes mais conhecidos do movimento era *Malcom X* (anteriormente, Malcolm Little), cujo pai foi assassinado pela Ku Klux Klan. Ele era um orador carismático e um bom organizador, rejeitava a ideia de integração e igualdade racial e afirmava que o único caminho para avançar era o orgulho negro, a autonomia dos negros e sua completa separação dos brancos. Ele adquiriu uma enorme popularidade, principalmente entre os jovens, e o movimento cresceu. Seu convertido mais famoso foi o campeão mundial de boxe na categoria peso-pesado, Cassius Clay, que mudou seu nome para Muhammad Ali.

Malcolm X entrou em conflito com outros líderes dos Muçulmanos Negros, que começaram a vê-lo como um fanático, em função de sua disposição de usar a violência. Em 1964, ele saiu da *Nação do Islã* e fundou sua própria organização, mas naquele mesmo ano suas visões começaram a mudar: depois de uma peregrinação a Meca, ele ficou mais moderado, reconhecendo que nem todos os brancos eram malignos. Em outubro de 1964, converteu-se ao islã ortodoxo e começou a pregar a possibilidade de uma integração pacífica entre negros e brancos. Tragicamente, a hostilidade entre o movimento de Malcolm X e a Nação do Islã explodiu em violência e, em fevereiro de 1965, ele foi morto a tiros por um grupo de muçulmanos no Harlem.

(d) Protesto violento

Outras organizações ativistas eram o Movimento Black Power e os Partido dos Panteras Negras. O primeiro surgiu em 1966, sob a liderança de Stokeley Carmichael, natural das Índias Ocidentais, que se mudou para os Estados Unidos em 1952 e se tornou um forte apoiador de Martin Luther King, mas ficou indignado com o tratamento brutal sofrido pelos que faziam a campanha pelos direitos civis nas mãos da Ku Klux Klan e de outros brancos. O Movimento Black Power incentivava a autodefesa e a autodeterminação firmes. Em 1968, ele começou a se manifestar contra a participação norte-americana na Guerra do Vietnã. Quando voltou ao país depois de uma viagem ao exterior, seu passaporte foi confiscado. Ele decidiu que não poderia mais viver sob um sistema repressivo e, em 1969, saiu do país e foi para a Guiné, na África Ocidental, onde morou até morrer, em 1998.

O Partido dos Panteras Negras para Autodefesa (*Black Panther Party for Self-Defense*) foi fundado em 1966, em Oakland, Califórnia, por Huey Newton, Leroy Eldridge Cleaver e Bobby Searle. Seu objetivo original, como diz o nome, era proteger da violência policial as pessoas que moravam nos guetos negros. Com o tempo, o partido se tornou mais militante e evoluiu para um grupo revolucionário marxista, cujo programa era:

- armar todos os negros;
- isenção dos negros de serviço militar;
- libertação de todos os negros das cadeias;
- pagamento de indenizações aos negros por todos os anos de maus tratos e exploração pelos norte-americanos brancos;
- ajuda prática imediata em serviços sociais aos negros que viviam abaixo da linha da pobreza.

Eles usavam contra os brancos os mesmos métodos que a Ku Klux Klan tinha usado contra os negros por anos: incêndios, agressões e assassinatos. Em 1964, houve revoltas raciais no Harlem (Nova York) e em 1965, as revoltas mais graves da história dos Estados Unidos aconteceram no distrito de Watts, em Los Angeles; 35 pessoas foram mortas e mais de mil, feridas. A polícia atacou os Panteras sem dó, tanto que o Congresso ordenou uma investigação sobre sua conduta. Em meados da década de 1970, os Panteras perderam muitos de seus principais ativistas, que foram mortos ou estavam presos. Isso, somado ao fato de que a maioria dos líderes negros não violentos achava que os Panteras Negras estavam acabando com a reputação do movimento pelos direitos civis como um todo, fez com que eles mudassem de tática e se concentrassem nos aspectos de suas atividades relacionados aos serviços sociais. Em 1985, os Panteras deixaram de existir como partido organizado.

(e) Destinos diferentes

Naquela época, já tinham sido feitos muitos avanços, principalmente no campo eleitoral. Em 1975, havia 18 parlamentares negros no Congresso, 278 negros membros dos governos estaduais e 120 prefeitos negros tinham sido eleitos. Entretanto, nunca poderia haver igualdade integral enquanto não acabassem a pobreza dos negros e sua discriminação em empregos e moradia. O desemprego sempre foi mais alto entre os negros. Nas grandes cidades do norte, eles ainda moravam em áreas de favelas superpopulosas conhecidas como guetos, de onde os brancos tinham se mudado, e uma grande parcela da população carcerária era negra. *No início dos anos de 1990, a maioria dos norte-americanos negros estava em pior situação econômica do que 20 anos antes.* As tensões subjacentes explodiram na primavera de 1992, em Los Angeles: depois de quatro policiais brancos serem absolvidos das acusações de agredir um motorista negro (apesar de o incidente ter sido gravado em vídeo), multidões de negros se revoltaram. Muitos foram mortos, milhares feridos, e foram causados milhões de dólares em prejuízos patrimoniais.

Ao mesmo tempo, surgiu uma próspera classe média afroamericana, e indivíduos talentosos conseguiam chegar ao topo. O melhor exemplo foi Colin Powell, cujos pais tinham se mudado da Jamaica para Nova York. Ele fez uma carreira de sucesso no exército e, em 1989, foi nomeado Chefe do Estado Maior das Forças Armadas, o primeiro afro-americano a chegar à mais alta posição militar nos Estados Unidos. Na Guerra do Golfo de 1990-1991, ele comandou as forças da ONU com distinção. Depois de sua aposentadoria, em 1993, envolveu-se na política e ambos os partidos tinham esperanças de conquistá-lo, mas ele acabou se declarando Republicano. Falava-se que Powell poderia concorrer à presidência nas eleições de 2000, mas ele optou por não fazê-lo. Em janeiro de 2001, George W. Bush o nomeou Secretário de Estado, o chefe de assuntos externos do país. Mais uma vez, ele foi o primeiro afro-americano a ocupar um posto de importância vital.

Em 2003, relatou-se que, em função da taxa mais alta de natalidade e imigração, que os hispânicos e os latinos tinham se tornado o maior grupo minoritário dos Estados Unidos, perfazendo 13% da população. Com um total de 37 milhões, eles tinham superado os afro-americanos, que totalizavam 36,2 milhões (12,7%). Ao mesmo tempo, a taxa de natalidade entre a população branca estava caindo. Os demógrafos apontavam que, se essas tendências continuassem, os partidos políticos seriam forçados a levar mais em conta os desejos e necessidades de norte-americanos latinos e negros. Na eleição presidencial de 2000, mais de 80% dos afro-americanos apoiaram os democratas, ao passo que nas eleições intermediárias de 2002, cerca de 70% dos latinos votaram nos Democratas.

23.3 O ANTICOMUNISMO E O SENADOR McCARTHY

(a) O sentimento anticomunista

Depois da Segunda Guerra Mundial, os Estados Unidos assumiram o papel de impedir a expansão do comunismo, o que fez com que o país se envolvesse profundamente na Europa, na Coreia, no Vietnã, na América Latina e em Cuba (ver Capítulos 7, 8 e 21). Houve um forte movimento anticomunista nos Estados Unidos desde que os comunistas chegaram ao poder na Rússia, em 1917. De certa forma, isso é surpreendente, porque o Partido Comunista Americano (formado em 1919) atraiu pouco apoio. Mesmo durante a depressão dos anos de 1930, quando uma inclinação das massas à esquerda seria de se esperar, os membros do partido nunca passaram de 100.000, e nunca houve uma ameaça comunista.

Alguns historiadores norte-americanos afirmam que o senador Joseph McCarthy e outros direitistas que estimulavam os sentimentos anticomunistas estavam tentando proteger o que consideravam como o estilo de vida tradicional dos Estados Unidos, com sua ênfase na "autoajuda" e no "individualismo exacerbado". Eles achavam que esse modo de vida estavam sendo ameaçado pelas rápidas mudanças na sociedade e por eventos como o *New Deal* e o *Fair Deal*, dos quais eles não gostavam porque eram financiados por aumentos de impostos. Muitos deles eram profundamente religiosos, alguns, fundamentalistas, que queriam voltar ao que chamavam de "verdadeiro cristianismo". Era difícil para eles apontar exatamente quem era responsável por esse "declínio" norte-americano, de forma que se concentravam no comunismo como a raiz de todo o mal. A expansão do comunismo no Leste Europeu, o início da Guerra Fria, a vitória comunista na China (1949) e o ataque contra a Coreia do Sul pela Coreia do Norte comunista (junho de 1950) fizeram com que a "direita radical" entrasse em pânico.

1 Desmobilização de tropas

A rápida desmobilização das tropas norte-americanas no final da guerra preocupou algumas pessoas. O desejo geral era "trazer os rapazes para casa" o mais rápido possível, e o exército planejou fazer com que 5,5 milhões de soldados estivessem de volta em julho de 1946. Entretanto, o Congresso insistiu que isso deveria ser feito com muito mais rapidez, e que o exército deveria ser reduzido em tamanho. Em 1950, ele encolheu para 600.000 homens, nenhum dos quais integralmente preparado para o serviço, o que alarmou muito as pessoas que achavam que os Estados Unidos deveriam estar prontos para tomar atitudes que contivessem a expansão do comunismo.

2 Medo de espionagem

Relatos de espionagem levaram Truman a criar uma Comissão de Avaliação da Lealdade (*Loyalty Review Board*) para investigar as pessoas que trabalhavam no governo, no serviço público, nas pesquisas atômicas e em armamentos (1947). Nos cinco anos seguintes, mais de 6 milhões de pessoas foram investigados sem que se descobrisse qualquer caso de espionagem, embora cerca de 500 tenham sido demitidas porque foi decidido que sua lealdade aos Estados Unidos era "questionável".

3 Alger Hiss e o casal Rosenberg

Muito mais sensacionais foram os casos de Alger Hiss e de Julius e Ethel Rosenberg. Hiss, que havia sido um importante dirigente do Departamento de Estado (o equivalente ao Foreign Office, o ministério do exterior britânico), foi acusado de ser comunista e de repassar documentos secretos para Moscou. Ele acabou sendo condenado por perjúrio e recebeu uma pena de prisão de cinco anos (1950). O casal Rosenberg foi condenado por passar informações secretas sobre a bomba atômica aos russos, embora grande parte das evidências fosse duvidosa. Eles foram condenados à morte na cadeira elétrica e executados em 1953, apesar de apelos por misericórdia em todo o mundo.

Esses casos ajudaram a intensificar o sentimento anticomunista que varria o país, e levaram o Congresso a aprovar A Lei McCarran, que exigia que as organizações suspeitas de serem comunistas fornecessem listas de seus membros. Muitas dessas pessoas foram demitidas de seus empregos posteriormente, embora não tivessem cometido qualquer crime. Truman, que achava que as coisas estavam indo longe demais, vetou essa lei, mas o Congresso a aprovou, derrubando seu veto.

4 O macarthismo

O senador Joseph McCarthy era um republicano de direita que chegou às manchetes em 1950 quando afirmou (em um discurso em Wheeling, West Virginia, em 9 de fevereiro) que o Departamento de Estado estava "infestado" de comunistas. Ele afirmava ter uma lista de 205 pessoas que eram membros do partido e que "ainda estavam trabalhando e formulando políticas". Embora não conseguisse apresentar qualquer evidência para sustentar suas afirmações, muitas pessoas acreditaram e ele lançou uma campanha para erradicar os comunistas. Todos os tipos de pessoas foram acusados de serem comunistas: socialistas, liberais, intelectuais, artistas, pacifistas e qualquer um cujas visões não parecessem ortodoxas eram atacados e perseguidos até serem expulsos de seus empregos por "atividades antiamericanas" (ver Ilustração 23.5).

McCarthy passou a ser o homem mais temido no país e foi apoiado por muitos jornais de circulação nacional. O macarthismo chegou ao seu ápice pouco depois da eleição de Eisenhower. McCarthy conquistou muitos votos para os Republicanos entre os que levavam a sério suas acusações, mas foi longe demais quando começou a acusar importantes generais de ter simpatias pelo comunismo. Algumas das audiências foram transmitidas pela televisão, e muitas pessoas ficaram chocadas

Ilustração 23.5 O senador Joseph McCarthy testemunhando diante do Comitê de Relações Exteriores do senado em março de 1951.

com a forma brutal com que ele batia na mesa com raiva, agredia e oprimia as testemunhas. Mesmo os senadores Republicanos achavam que ele estava indo longe demais, e o senado o condenou por 67 votos a 22 (dezembro de 1954). McCarthy atacou de forma tola o presidente por apoiar o Senado, mas isso destruiu finalmente sua reputação e o macarthismo estava terminado. Porém, foi uma experiência desagradável para muitos norte-americanos: pelo menos 9 milhões de pessoas foram "investigadas", milhares de inocentes perderam seus empregos e foi criada uma atmosfera de desconfiança e insegurança.

5 Depois de McCarthy

O extremismo de direita continuou mesmo depois de McCarthy cair em desgraça. A opinião pública se voltou contra ele não por atacar os comunistas, mas em função de seus métodos brutais e porque ele passou da linha ao criticar generais. O sentimento anticomunista ainda era forte e o Congresso aprovou uma lei ilegalizando o Partido Comunista (1954). Também havia preocupações de que o comunismo estabelecesse raízes nos países da América Latina, principalmente depois que Fidel Castro chegou ao poder em Cuba em 1959 e começou a nacionalizar as propriedades e fábricas dos norte-americanos. Em resposta, Kennedy lançou a *Aliança para o Progresso (1961)*, que visava injetar milhões de dólares de ajuda na América Latina para possibilitar reformas econômicas e sociais. Kennedy queria verdadeiramente ajudar as nações pobres da América Latina, a ajuda norte-americana foi bem utilizada, mas havia outros motivos importantes.

- Ajudando a resolver os problemas econômicos, os Estados Unidos esperavam reduzir a agitação, diminuindo as probabilidades de que governos comunistas chegassem ao poder nesses países.
- A indústria dos Estados Unidos se beneficiaria, porque acreditava-se que grande parte do dinheiro seria gasto na compra de suas mercadorias.

(b) O complexo militar-industrial

Outro subproduto da Guerra Fria foi o que o presidente Eisenhower chamou de "complexo industrial militar", ou seja, a situação em que os líderes militares e os fabricantes de armamentos norte-americanos trabalhavam juntos, em parceria. Os chefes do exército decidiam o que seria necessário e, à medida que a corrida armamentista avançava, eram feitos mais e mais pedidos – bombas atômicas, depois bombas de hidrogênio e, mais tarde, muitos tipos diferentes de mísseis (ver Seção 7.4). Os fabricantes de armamentos tiveram lucros imensos, embora ninguém saiba exatamente de quanto, porque todas as transações eram secretas. *Era de seu interesse manter a Guerra Fria em andamento*, já que quanto mais ela se intensificava, maiores ficavam seus lucros. Quando os russos lançaram o primeiro satélite espacial (*Sputnik*) em 1957, Eisenhower fundou a Administração Nacional Aeronáutica e Espacial (*National Aeronautics and Space Administration, NASA*) e foram feitos pedidos de valor ainda mais alto.

Diante de qualquer sinal de uma possível melhoria nas relações entre Ocidente e Oriente, por exemplo, quando Kruchov falou sobre "coexistência pacífica", os fabricantes de armamentos não ficavam nem um pouco contentes. Alguns historiadores sugeriram que o avião espião norte-americano que foi derrubado na Rússia em 1960 foi mandado deliberadamente para destruir a conferência de cúpula que estava por começar em Paris (ver Seção 7.3(c)). A ser verdade, isso significaria que a parceria militar-industrial era ainda mais poderosa do que as supercorporações, a ponto de ser capaz de influenciar a política externa dos Estados Unidos. As quantidades de dinheiro envolvidas eram impressionantes: em 1950, o orçamento total foi de cerca de 40 bilhões de dólares, dos quais 12 eram de despesas militares. Em 1960, os gastos militares estavam em quase 46 bilhões e isso era metade do orçamento total do país. Em 1970, os gastos militares chegaram a 80 bilhões. Um relatório do senado concluiu que mais de 2000 ex-funcionários de alto nível estavam empregados por empresas contratadas pelo setor de defesa, as quais estavam faturando fortunas.

23.4 NIXON E O WATERGATE

Richard M. Nixon (1969-1974) foi vice-presidente de Eisenhower a partir de 1956 e tinha perdido por pequena margem para Kennedy na eleição de 1960. Em sua eleição, em 1969, ele tinha uma tarefa que não era de dar inveja: o que fazer com relação ao Vietnã, à pobreza, ao desemprego, à violência e à crise geral de confiança que estava afligindo o país (ver Seção 23.1(e) sobre suas políticas sociais).

(a) Política externa

Os problemas no exterior, principalmente no Vietnã, dominaram sua presidência (pelo menos até 1973, quando o Watergate assumiu o centro.) Depois de a maioria Democrata no Congresso rejeitar a aprovação de mais dinheiro para a guerra, Nixon retirou os Estados Unidos do Vietnã com uma paz negociada, assinada em 1973 (ver Seção 8.3(c)), para o enorme alívio da maioria do povo norte-americano, que celebrou a "paz com honra". Mesmo assim, em abril de 1975, o Vietnã do Sul caiu nas mãos dos comunistas e a luta dos Estados Unidos para impedir a expansão do comunismo no sudeste asiático acabou em fracasso, com a reputação do país no mundo bastante desgastada.

Entretanto, *Nixon foi responsável por uma mudança radical e construtiva na política* externa quando procurou, com algum sucesso, melhorar as relações dos Estados Unidos com a URSS e a China (ver Seção 8.5(a-c)). Sua visita para se encontrar com o presidente Mao em Beijing, em fevereiro de 1972, foi um sucesso; em maio do mesmo ano, ele estava em Moscou para a assinatura de um tratado de limitação de armamentos.

No final de seu primeiro mandato, as realizações de Nixon pereciam cheias de promessas: ele trouxe a paz para o horizonte do povo norte-americano, estava seguindo políticas sensatas de *détente* com o mundo comunista e a lei e a ordem havia retornado. Os norte-americanos tiveram um momento de glória ao colocar o primeiro homem na lua (Neil Armstrong e Ed Aldrin, 20 de julho de 1969). Nixon teve uma vitória arrasadora nas eleições de 1972 e, em janeiro de 1973, tomou posse para um segundo mandato, mas este seria arruinado por uma nova crise.

(b) O escândalo de Watergate

O escândalo estourou em janeiro de 1973, quando vários homens foram acusados de arrombar a sede do Partido Democrata no edifício Watergate, em Washington, em junho de 1972, na campanha eleitoral para presidente. Eles tinham instalado dispositivos de escuta e fotocopiado documentos importantes. Soube-se, depois, que o arrombamento foi organizado por importantes membros da equipe de Nixon, que foram para a cadeia. Nixon insistiu que nada sabia do caso, mas as suspeitas aumentaram quando ele continuava se negando a entregar as fitas de discussões na Casa Branca que, achava-se, esclareceriam a questão de uma ou de outra forma. O presidente foi amplamente acusado de ter deliberadamente "acobertado" os culpados. O presidente recebeu mais um golpe quando seu vice-presidente, Spiro Agnew, foi forçado a renunciar (dezembro de 1973) depois de enfrentar acusações de suborno e corrupção, sendo substituído por Gerald Ford, um político pouco conhecido, mas de histórico imaculado.

Nixon foi conclamado a renunciar, mas se recusou, mesmo quando descobriu-se que ele tinha sido culpado de evasão fiscal. Ele foi ameaçado com *impeachment* (uma acusação formal de seus crimes diante do senado, que então o julgaria por eles). Para evitar isso, ele renunciou (agosto de 1974) e Ford se tornou presidente. Era um trágico desfecho para uma presidência que tinha demonstrado realizações positivas, principalmente nas questões externas, mas o escândalo abalou a fé das pessoas nos políticos e em um sistema que permitia que essas coisas acontecessem. Ford conquistou admiração pela forma com que resgatou a dignidade da política norte-americana, mas, em função da recessão, do desemprego e da inflação, não foi surpresa quando ele perdeu a eleição de 1976 para o Democrata James Earl Carter.

23.5 A ERA CARTER-REAGAN-BUSH, 1977-1993

(a) Jimmy Carter (1977-1981)

A presidência de Carter foi um pouco decepcionante. Eleito como alguém de fora da política – ex-oficial naval, agricultor que cultivava amendoins, ex-governador da Geórgia, e homem de profundas convicções religiosas – ele era um recém-chegado a Washington, que seria capaz de resgatar a fé do povo na política. *Ele conseguiu algumas conquistas importantes*:

- interrompeu a ajuda norte-americana a governos autoritários de direita para afastar o comunismo;
- cooperou com a Grã-Bretanha por um governo da maioria negra no Zimbábue (ver Seção 24.4(c));
- assinou um segundo *Tratado de Limitação de Armas Estratégicas (Strategic Arms Limitation Treaty, SALT II)* com a USSR (1979);
- cumpriu um papel fundamental nas conversações de Camp David, que trouxeram a paz entre Egito e Israel (ver Seção 11.6).

Infelizmente, a falta de experiência de Carter para lidar com o Congresso lhe fez enfrentar as mesmas dificuldades de Kennedy, ele não conseguiu transformar em lei a maior parte de seu programa de reformas. Em 1980, a recessão mundial era profunda, causando o fechamento de fábricas, desemprego e escassez de petróleo. Com exceção de Camp David, a política externa dos Democratas parecia pouco eficiente. Nem mesmo uma conquista como o SALT II era bem vista entre os líderes militares e os fabricantes de armas, já que ameaçava reduzir seus lucros.* Os Estados Unidos não conseguiam agir de forma eficaz contra a ocupação russa do Afeganistão (1979). Igualmente frustrante foi sua incapacidade de libertar uma série de norte-americanos feitos reféns em Teerã por estudantes iranianos (novembro de 1979) e mantidos por mais de um ano. Os iranianos estavam tentando forçar o governo norte-americano a devolver o xá exilado e sua fortuna, mas o impasse persistiu mesmo depois da morte do xá. Uma combinação desses problemas e frustrações resultou em uma vitória decisiva dos Republicanos na eleição de novembro de 1980. Ironicamente, os reféns foram libertados minutos depois da posse do sucessor de Carter (Janeiro de 1981).

(b) Ronald Reagan (1981-1989)

Reagan, ex-ator de cinema, tornou-se rapidamente o presidente com mais popularidade desde a Segunda Guerra Mundial. Ele era uma figura paternal que transmitia segurança, uma atitude bondosa, que conquistou uma reputação de "grande comunicador" em função de sua maneira direta e simples de falar ao público do país. *Os norte-americanos admiravam especialmente sua determinação de não aceitar os absurdos dos soviets* (como ele chamava a URSS). Ele queria trabalhar por relações pacíficas com eles, mas a partir de uma posição de força, e convenceu o Congresso a aprovar mais dinheiro para construir mísseis balísticos intercontinentais MX (maio de 1983), instalando mísseis *Cruise* e *Pershing* na Europa (dezembro de 1983). Interveio na América Central, enviando ajuda financeira e militar ao governo de El Salvador e aos rebeldes anti-sandinistas na Nicarágua (ver Seção 8.5(a)), cujo governo ele acreditava ser apoiado pelos comunistas. Ele continuou tendo relações amigáveis com a China, visitou Beijing em abril de 1984, mas não se reuniu com nenhum político russo importante até pouco antes da eleição presidencial de novembro de 1984.

No campo doméstico, Reagan trouxe consigo novas ideias sobre como conduzir a economia. Ele acreditava que a maneira de restaurar a grandeza e a prosperidade norte-americanas era aplicando o que ficou conhecida como "economia da oferta", a teoria segundo a qual, reduzindo os impostos, o governo acabaria arrecadando

---

* N. de R.: O Congresso não ratificou o Tratado.

mais. Impostos mais baixos fariam com que empresas e consumidores individuais tivessem mais dinheiro para gastar em investimentos e para comprar mercadorias, estimulando as pessoas a trabalhar mais, gerando demanda pelos produtos e, assim, mais empregos, o que, por sua vez, economizaria despesas com o seguro-desemprego e previdência. Toda essa atividade econômica a mais geraria mais receitas de impostos para o governo. Reagan estava muito impressionado com as teorias do economista norte-americano Milton Friedman e de Frederick Hayek, um austríaco que tinha exposto suas ideias econômicas da Nova Direita em seu livro *The Road to Serfdom* (o caminho para a servidão), publicado pela primeira vez em 1944. As teorias "monetaristas" deles se opunham ao socialismo e ao estado de bem-estar social porque essas duas visões envolviam muita interferência e regulamentação por parte do governo. Eles afirmavam que as pessoas deveriam ser livres para comandar suas próprias vidas e suas empresas com um mínimo de regulamentação governamental. As políticas de Reagan – "*Reaganomics*", como ficaram conhecidas (*Reagan + economia*) – estavam baseadas nessas teorias. "O governo não é a solução para nossos problemas", disse ele ao país, "o governo é o problema". Consequentemente, ele queria acabar com as restrições às empresas, reduzir os gastos do governo com a previdência (mas não com defesa), equilibrar o orçamento federal, introduzir uma economia de livre-mercado e controlar o fornecimento de dinheiro para manter a inflação baixa.

Infelizmente, a "Revolução Reagan" começou mal. Nos primeiros três anos, o governo não conseguiu equilibrar o orçamento, em parte por causa de um aumento significativo nos gastos militares. O estímulo à "oferta" não funcionou, a economia entrou em recessão e o desemprego aumentou para 10%, quando cerca de 11 milhões de pessoas ficaram sem trabalho. Os gastos do governo com a previdência eram inadequados em um momento de maior necessidade, houve um balanço comercial desfavorável e o déficit orçamentário, embora não estivesse exatamente fora de controle, certamente era enorme.

A economia começou a se recuperar em 1983 e continuou a crescer pelos seis anos seguintes. A recuperação começou a tempo para a eleição presidencial de novembro de 1984. Reagan podia dizer que suas políticas estavam funcionando, embora seus críticos alegassem que as despesas do governo na verdade aumentaram em todas as áreas principais, incluindo previdência e seguridade social. A dívida pública aumentou imensamente, enquanto o investimento foi reduzido. Na realidade, a recuperação aconteceu *apesar* da "*Reaganomics*". Outra crítica feita ao governo era que suas políticas tinham beneficiado os ricos, mas aumentado a carga tributária dos pobres. Segundo investigações feitas pelo Congresso, os impostos tomavam apenas 4% da renda das famílias mais pobres em 1978, e mais de 10% em 1984. Em abril daquele ano, calculou-se que, graças aos sucessivos orçamentos de Reagan desde 1981, as famílias mais pobres ganharam uma média de 20 dólares por ano em cortes de impostos, mas perderam 410 dólares em benefícios. Por outro lado, os domicílios com as rendas mais elevadas (mais de 80 dólares por ano) ganharam 8.400 com os cortes de impostos e perderam 130 em benefícios. Uma das previsões mais atraentes de um dos economistas adeptos da "oferta" – de que a nova riqueza iria acabar aos poucos com os pobres – não se realizou.

Reagan, todavia, mantinha sua popularidade com a vasta maioria dos norte-americanos e *teve uma vitória arrasadora na eleição presidencial de novembro de 1984* sobre seu rival Democrata, Walter Mondale, retratado pelos meios de comunicação, provavelmente de forma injusta, como um político à antiga, sem graça e sem nada novo para oferecer. Reagan recebeu 59% do voto popular e, aos 73 anos, foi a pessoa mais idosa a se tornar presidente.

Em seu segundo mandato, tudo pareceu dar errado para ele, que sofreu com problemas econômicos, desastres, escândalos e polêmicas.

1 Problemas econômicos

- *O Congresso foi ficando cada vez mais preocupado com o rápido crescimento do déficit federal*. O senado rejeitou o orçamento de Reagan para 1987, por aumentar os gastos com defesa quando se achava que deveria reduzir o déficit. Os senadores também reclamavam de que a verba para o Medicare seria 5% menor do que a quantidade necessária para cobrir os gastos com saúde, que estavam em ascensão. No final, Reagan foi forçado a aceitar um corte na defesa de cerca de 8% e gastar mais do que queria em serviços sociais (fevereiro de 1986).

• *Houve uma grave depressão no meio-oeste agrícola*, que fez com que caíssem os preços e os subsídios do governo e aumentasse o desemprego.

2 Desastres no programa espacial

O ano de 1986 foi desastroso para o programa espacial dos Estados Unidos. O ônibus espacial *Challenger* explodiu segundos depois de ser lançado, matando todos os sete tripulantes (janeiro). Um foguete Titan, que transportava equipamento militar secreto, explodiu imediatamente depois do lançamento (abril) e em maio, um foguete Delta falhou, no terceiro fracasso sucessivo em uma tentativa importante de lançamento espacial. Isso provavelmente atrasaria por muitos anos os planos de Reagan de desenvolver uma estação espacial orbital permanente (e o projeto "Guerra nas Estrelas").

3 Problemas de política externa

• *O bombardeio da Líbia (abril de 1986) gerou diferentes reações*. Reagan estava convencido de que terroristas apoiados pela Líbia foram responsáveis por vários atentados, incluindo os ataques aos aeroportos de Roma e Viena em dezembro de 1985. Depois dos ataques de mísseis líbios a aviões dos Estados Unidos, bombardeiros norte-americanos F-111 atacaram as cidades líbias de Trípoli e Benghazi, matando 100 civis. Embora o ataque tenha sido muito aplaudido na maioria dos círculos nos Estados Unidos, a opinião mundial como um todo o condenou como sendo uma reação exagerada.

• *As políticas norte-americanas para a África do Sul geraram um conflito entre o presidente e o Congresso*. Reagan queria sanções apenas limitadas, mas o Congresso defendia um pacote muito mais forte para tentar dar um fim ao *apartheid*, e conseguiu derrubar o veto do presidente (setembro de 1986).

• *A reunião de Reykjavik com o presidente da URSS Gorbachov (outubro de 1986) deixou uma sensação de que Reagan tinha sido ludibriado pelo líder soviético*, mas o fracasso se transformou em sucesso em outubro de 1987 com a assinatura do Tratado INF, sobre forças nucleares intermediárias (*intermediate nuclear forces*) (ver Seção 8.6(b)).

A crescente insatisfação com o governo se refletiu nas eleições parlamentares intermediárias (novembro de 1986), quando os Republicanos perderam muitas cadeiras, deixando os Democratas com uma maioria ainda mais sólida na Câmara dos Deputados (260-175) e, mais importante, agora no controle do senado (54-45). Faltando ainda dois anos para terminar seu segundo mandato, Reagan era um presidente enfraquecido "em fim de mandato" – um Republicano diante de um Congresso Democrata. Ele passaria por enormes dificuldades para convencer o Congresso a aprovar verbas para políticas como a Guerra nas Estrelas (que a maioria dos Democratas considerava impossível) e a ajuda para os rebeldes "Contra" da Nicarágua. E, segundo a Constituição, uma maioria de dois terços em ambas as câmaras do parlamento poderia derrubar o veto do presidente.

4 O escândalo Irangate

Esse foi o golpe mais prejudicial ao presidente. Próximo ao final de 1986, surgiu a informação de que *os norte-americanos tinham fornecido armas secretamente ao Irã para a libertação dos reféns*, mas Reagan sempre insistiu publicamente que os Estados Unidos nunca negociariam com governos que compactuassem com o terrorismo e a tomada de reféns. Pior ainda, soube-se que os lucros das vendas de armas aos iranianos estavam sendo usados para fornecer ajuda militar aos rebeldes "Contras" da Nicarágua, o que era ilegal, já que o Congresso tinha proibido qualquer ajuda aos "Contras" desde outubro de 1984.

Uma investigação do Congresso concluiu que um grupo de assessores de Reagan, incluindo seu Chefe de Segurança Nacional Donald Regan, o tenente-coronel Oliver North e o contra-almirante John Poindexter foram responsáveis e todos descumpriram a lei. Reagan aceitou a responsabilidade pela venda de armas ao Irã, mas não por enviar o dinheiro aos "Contras". Parece que ele tinha apenas um vago conhecimento do que estava acontecendo, provavelmente não estava mais a par dos problemas. O "Irangate", como foi apelidado, não destruiu Reagan como o Watergate fez com Nixon, mas com certeza manchou o histórico de seu governo nos dois últimos anos.

5 Uma grave quebra da bolsa de valores (outubro de 1987)

Ela foi causada pelo fato de que a economia norte-americana estava com sérios problemas. Havia um imenso déficit orçamentário, principalmente porque Reagan estava com mais dificuldades de financiar os gastos com defesa desde 1981, ao mesmo tempo em que reduzia impostos. No período de 1981-1987, a dívida nacional tinha mais do que dobrado, chegando a 2.400 bilhões de dólares e seriam necessários mais empréstimos simplesmente para pagar os altíssimos juros anuais de 192 bilhões. Ao mesmo tempo, os Estados Unidos tinham o maior déficit comercial de qualquer país industrializado importante e a economia estava começando a diminuir de ritmo à medida que a indústria entrava em recessão.

Apesar de tudo isso, Reagan conseguia manter sua popularidade. Ao longo de 1988, a economia e o balanço de pagamentos melhoraram e o desemprego caiu, possibilitando que o Republicano George Bush tivesse uma vitória confortável na eleição de novembro de 1988.

(c) George Bush (1989-1993)

George Bush, que foi vice-presidente de Reagan, teve *um grande sucesso na política externa, com sua liderança firme contra Saddam Hussein*, depois da invasão do Kuwait pelo Iraque (agosto de 1990). Quando a Guerra do Golfo terminou com a derrota de Saddam, a reputação de Bush estava em alta (ver Seção 11.10), mas, à medida que o tempo passava, ele era cada vez mais criticado por não ter aproveitado a vantagem e ter permitido que o brutal Saddam permanecesse no poder.

Enquanto isso, nem tudo ia bem em casa: em 1990, teve início uma recessão, o déficit orçamentário ainda estava aumentando e o desemprego voltou a crescer. Durante a campanha eleitoral, Bush tinha prometido, em uma famosa réplica ao candidato Democrata Michael Dukakis, não aumentar impostos: "Ouça bem o que eu estou dizendo: não haverá novos impostos". Mas agora ele se via forçado a aumentar impostos indiretos e reduzir o número de ricos com isenção. Embora as pessoas empregadas estivessem em uma situação material confortável, a classe média se sentia insegura em função da tendência geral a menos empregos. Entre a classe trabalhadora, havia uma permanente "classe inferior" de pessoas desempregadas, tanto brancas quanto negras, vivendo em decadência nos guetos de periferias, com um alto potencial para o crime, as drogas e a violência. Muitas dessas pessoas estavam completamente alienadas da política e dos políticos, e vislumbravam poucas chances de receber ajuda de qualquer dos dois partidos. Foi nessa atmosfera que a eleição de 1992 deu uma vitória apertada ao Democrata Bill Clinton.

23.6 BILL CLINTON E O PRIMEIRO MANDATO DE GEORGE W. BUSH, 1993-2005

(a) Bill Clinton (1993–2001)

William J. Clinton, assim como John F. Kennedy 30 anos antes e Franklin D. Roosevelt 60 anos antes, chegou à casa branca como um sopro de renovação. Ele estudou em Oxford com uma bolsa Rhodes e foi o mais jovem governador do estado do Arkansas, eleito em 1978 aos 32 anos. Como presidente, causou agitação imediata ao nomear mais mulheres para cargos importantes em seu governo do que jamais tinha sido feito antes. Madeleine Albright se tornou a primeira Secretária de Estado, uma juíza foi nomeada para a Suprema Corte e outros três cargos importantes foram dado a mulheres.

Na eleição presidencial, Clinton fez campanha com um programa de reforma da previdência e um sistema de saúde universal, junto com uma mudança de rumo, afastando-se da "*Reaganomics*". Infelizmente, ele teve os mesmos problemas de Kennedy: como persuadir ou manobrar os Republicanos no Congresso para aprovar suas reformas. Depois de divulgado, seu projeto de lei sobre a Segurança em Saúde (*Health Security*) foi atacado pelo setor de planos de saúde e pela Associação Médica Norte-americana, e o Congresso se recusou a aprová-la. Sua tarefa ficou ainda mais difícil depois de grandes vitórias Republicanas nas eleições parlamentares de 1994, mas o comportamento de alguns dos Republicanos no Congresso, que se recusavam a fazer acordos, não caiu bem com os cidadãos comuns, e a popularidade de Clinton aumentou. Ele teve alguns êxitos:

- Introduziram-se planos para reduzir o déficit orçamentário deixado pela era Reagan.
- Iniciou-se uma completa reorganização e agilização do sistema de previdência.
- Implementou-se um salário mínimo de 4,75 dólares por hora (maio de 1996), que seria aumentado a 5,15 em maio de 1997.
- Foi assinado o Tratado de Livre-Comércio da América do Norte *(North American Free Trade Agreement)* com o Canadá e o México, estabelecendo uma área de livre comércio entre os três países.

Clinton também podia mostrar algumas realizações consistentes em questões externas. Ele deu uma contribuição positiva à paz no Oriente Médio quando reuniu os líderes de Israel e Palestina em Washington, em 1993. O resultado final foi um acordo que dava autogoverno limitado aos palestinos na Faixa de Gaza e em Jericó (ver Seção 11.7). Em 1995, ele trabalhou com o presidente russo Yeltsin para tentar dar um fim à guerra na Bósnia, com o resultado dos acordos de Dayton (ver Seção 10.7(c)).

Ao mesmo tempo, sua presidência foi assolada por rumores de negociatas obscuras que ele e sua mulher Hillary teriam feito quando ele governava o Arkansas, o chamado "escândalo de Whitewater". Quando dois de seus antigos sócios e o então governador do Arkansas foram condenados por múltiplas fraudes (maio de 1996), os Republicanos tinham esperanças de que Whitewater fizesse a Clinton o que Watergate fez com Nixon, ou seja, tirá-lo do cargo ou, ao menos, causar sua derrota na eleição de novembro de 1996. Entretanto, o que parecia importar para a maioria do povo era o estado da economia e Clinton se saiu bem nesse quesito. *A economia começou a se recuperar e o déficit orçamentário foi reduzido a proporções mais administráveis*. As táticas de confronto de alguns Republicanos, principalmente Newt Gingrich, que barrava permanentemente as medidas de Clinton no Congresso, provavelmente lhe renderam simpatia, e ele foi reeleito com uma margem confortável.

O grande sucesso do segundo mandato de Clinton foi o crescimento sustentado da economia, que, em 1999, tinha estabelecido um novo recorde com o período mais longo de expansão econômica em tempos de paz. Já em 1998, o orçamento foi equilibrado e havia um superávit pela primeira vez desde 1969. Outros sinais de uma economia saudável eram que o valor do mercado de ações triplicou, a taxa de desemprego era a menor em quase 30 anos e havia a maior quantidade de casas próprias da história do país.

(b) Escândalo e *impeachment*

Os rumores de práticas financeiras e sexuais impróprias sempre circularam durante o primeiro mandato de Clinton como presidente. A procuradora-geral não conseguiu evitar a aceitação de uma investigação sobre os negócios dos Clinton no Arkansas. O inquérito ficou conhecido como "Whitewater", em função da incorporadora que estava no centro da polêmica. Embora tenha se arrastado por vários anos, não foi encontrada qualquer evidência conclusiva de ilegalidades. Decidido a desacreditar o presidente de uma forma ou de outra, Kenneth Starr, o homem que conduzia o inquérito, ampliou suas investigações e acabou descobrindo que Clinton vinha tendo um caso com Monica Lewinsky, uma jovem estagiária da equipe da Casa Branca. Tendo negado repetidas vezes esse envolvimento, o presidente foi forçado a pedir desculpas públicas ao povo dos Estados Unidos. A Câmara dos Deputados aprovou o *impeachment* de Clinton por acusações de perjúrio e obstrução da justiça, mas em 1999 o Senado o considerou inocente. Foi um caso sórdido que manchou um pouco sua reputação. Por outro lado, sua popularidade pessoal permaneceu alta, pois ele tinha realizado muito durante sua presidência e havia um sentimento de que tinha sido vítima de ataques injustos nas mãos de alguns Republicanos.

(c) A eleição de novembro de 2000

A eleição presidencial trouxe surpresas, em vários aspectos. O candidato Democrata, Al Gore (vice-presidente de Clinton), começou como favorito na disputa com George W. Bush (governador do Texas e filho do ex-presidente). Apesar de uma situação econômica saudável, a votação foi muito apertada. No total de votos depositados em todo o país, Gore venceu Bush por mais de 500.000 votos, mas o resultado final dependia muito do candidato que vencesse na Flórida, o último estado a finalizar. A Flórida tinha 25 votos eleitorais, e isso significava que quem vencesse no estado seria o presidente. Depois de uma recontagem, parecia que Bush tinha vencido, embora com uma maioria de menos de 1000 votos. Os Democratas questionaram o resultado e exigiram uma recontagem manual, alegando que as contagens à máquina não eram confiáveis. A Suprema Corte da Flórida ordenou uma recontagem manual, e depois de incluídos os votos contados à mão em dois distritos, a vantagem de Bush se reduzia a 200. Nesse momento, o campo de Bush apelou à Suprema Corte norte-americana, que tinha maioria de juízes Republicanos, e reverteu a decisão do tribunal da Flórida, cancelando a contagem manual sob a alegação de que levaria muito tempo (tinham se passado cinco semanas e a presidência ainda não havia sido decidida. A decisão da Suprema Corte fez com que Bush vencesse na Flórida e, com ela, a presidência. Ele foi o primeiro presidente desde 1888 a vencer uma eleição mesmo tendo perdido no voto popular. A ação do tribunal foi polêmica ao extremo. Muitas pessoas estavam convencidas de que, se tivesse sido permitida uma recontagem manual, Gore teria vencido.

(d) O primeiro mandato de George W. Bush (2001-2005)

Durante seu primeiro ano no cargo, a natureza do governo Bush ficou clara: ele estava na ala conservadora, de extrema direita do Partido Republicano. Um analista o descreveu mais tarde como "o presidente mais extremamente direitista desde Herbert Hoover". Embora tenha feito campanha como "conservador compassivo", ele começou a implementar enormes reduções de impostos de 1,35 trilhão de dólares para os cidadãos mais ricos. Ele também sinalizou sua intenção de gastar menos em serviços sociais e atraiu críticas da União Europeia e de outros países quando anunciou que os Estados Unidos estavam se retirando do Protocolo de Kyoto de 1997, que visava reduzir a emissão de gases do efeito estufa (ver Seção 26.5(b)), e do Tratado Antimísseis Balísticos de 1972.

O presidente logo enfrentou uma crise que o testou, com os ataques terroristas de 11 de setembro em Nova York e Washington (ver Seção 12.3). Ele respondeu com firmeza, declarando guerra ao terrorismo e construindo uma coalizão internacional para levar a cabo a campanha. Nos 18 meses seguintes, o regime Talibã foi deposto no Afeganistão e Saddam Hussein foi expulso do poder no Iraque. Entretanto, revelou-se mais difícil trazer a paz a esses países: dois anos depois da derrubada de Saddam em abril de 2003, os soldados norte-americanos no Iraque ainda estavam sendo mortos por terroristas. Havia relatos de que mesmo no Afeganistão, os Talibãs estavam voltando aos poucos e obtendo controle de certas zonas.

Enquanto isso, nos Estados Unidos, a economia começava a enfrentar problemas. O orçamento anual divulgado em fevereiro de 2004 mostrou que havia um déficit de bem mais de 4% do PIB (o teto da União Europeia era de 3%). As razões para isso foram:

- aumento nos gastos com medidas de segurança antiterrorismo e o custo contínuo das operações no Iraque;
- uma queda na receita do governo em função de enormes reduções de impostos para os ricos.
- créditos extra dados aos agricultores.

As políticas do governo estavam tendo efeitos variados, sendo que o mais visível era a distância que cada vez crescia mais entre ricos e pobres. Estatísticas divulgadas no final de 2003 mostraram que o 1% mais rico dos norte-americanos tinha bem mais de 40% da riqueza do país (para uma comparação, no Reino Unido, o 1% mais rico tinha 18% da riqueza total). Isso não se devia somente às políticas de Bush, era algo que vinha se desenvolvendo nos 20 anos anteriores, mas a tendência acelerou depois de 2001, em parte em função dos cortes de impostos. O *Centre for Public Integrity* informou que todos os membros do gabinete de Bush eram milionários e que o valor total era 10 vezes o do gabinete de Clinton.

No outro extremo, havia pobreza crescente, causada em parte pelo aumento do desemprego e pelos baixos salários. Três milhões de pessoas tinham perdido seus empregos desde que Bush assumira, e mais de 34 milhões, um oitavo da população, estava vivendo abaixo da linha da pobreza. O seguro-desemprego só era pago por seis meses e, em alguns estados – Ohio era um exemplo de destaque – milhares de pessoas estavam sobrevivendo com a ajuda de refeições fornecidas por igrejas. No final dos primeiros quatro anos de Bush no poder, o número de norte-americanos que viviam abaixo da linha da pobreza aumentou em 4,3 milhões desde que ele foi eleito presidente em janeiro de 2001.

Por que isso estava acontecendo no país mais rico do mundo? O governo responsabilizou pelo fechamento de tantas fábricas as importações e escolheu a China como o principal culpado. Os pobres só recebiam uma ajuda mínima do governo porque, basicamente, o governo Bush se agarrava aos princípios norte-americanos conservadores tradicionais do *laissez-faire*: o governo deveria ser mantido no mínimo e não ter papel direto no alívio da pobreza. Considerava-se que os benefícios da previdência social enfraqueciam a independência, enquanto as pessoas deveriam ser incentivadas a se ajudar. A taxação era vista como uma interferência indevida na propriedade individual, e os ricos não deveriam ser obrigados a ajudar os pobres a menos que optassem por fazê-lo. A principal obrigação das empresas era maximizar os lucros em benefício dos acionistas e, para isso, toda a interferência do governo deveria ser mantida no mínimo.

Infelizmente, essa postura levou a uma atmosfera de "vale tudo", e aconteceram alguns eventos perturbadores. Na ausência de regulamentação adequada, era tentador para as empresas "manipular" suas contabilidades para mostrar lucros cada vez maiores, e assim manter os preços das ações em alta. Mas essa prática não poderia continuar indefinidamente. Em novembro de 2001, a empresa de comércio de energia Enron faliu depois de uma série de negócios secretos, desconhecidos das autoridades e dos investidores, que acabaram causando perdas desastrosas. O executivo-chefe da Enron e sua diretoria tiveram que enfrentar investigações do Congresso por fraude. Várias outras grandes empresas seguiram o mesmo caminho, dezenas de milhares de pessoas perderam seus investimentos, enquanto os funcionários perdiam suas aposentadorias ao desaparecerem os fundos de pensão.

Com a aproximação da eleição de novembro de 2004, muitos analistas acreditavam que esses crescentes problemas causariam uma derrota dos Republicanos, mas o presidente Bush teve uma vitória decisiva, ainda que bastante apertada sobre seu concorrente Democrata, o senador John Kerry. Cerca de 58,9 milhões de norte-americanos votaram em Bush, contra 55,4 milhões que deram seu voto a Kerry. Os Republicanos também aumentaram sua maioria na Câmara de Deputados e no Senado. A pobreza e o desemprego crescentes em alguns estados pareciam não ter sido suficientes para dar a vitória a Kerry. *Outras razões sugeridas para a vitória Republicana foram*:

- Os Democratas não conseguiram produzir uma mensagem clara de campanha que dissesse o que o partido defendia, e assim, muitos eleitores decidiram que era mais sábio continuar com o conhecido Bush do que mudar para Kerry, que era visto como uma incógnita.
- Os Democratas não foram capazes de convencer os eleitores de que estes poderiam confiar neles para manter o país protegido e em segurança.
- Os Republicanos eram considerados pela direita cristã como o partido que defendia os valores morais e familiares, enquanto os Democratas eram considerados muito simpáticos em relação ao aborto e aos casamentos de homossexuais.
- Os Republicanos tiveram mais êxito do que na eleição de 2000 em galvanizar seus apoiadores para ir votar.

PERGUNTAS

1 A luta pelos Direitos Civis
Estude as fontes e responda as perguntas a seguir.

Fonte A
Trecho de livro de Martin Luther King, publicado em 1959.
Fonte: Martin Luther King, *Stride towards Freedom* (Harper e Row, edição de 1979).

> Gritamos demais e fazemos barulho demais, e gastamos demais em bebida. Até os mais pobres de nós conseguem comprar uma barra de sabão de 10 centavos; mesmo os menos educados de nós tem valores morais elevados. Aumentando nossos padrões, faremos muito para romper os argumentos dos que defendem a segregação.
> A outra parte de nosso programa deve ser a resistência não violenta a todas as formas de injustiça racial, mesmo que isso signifique ir para a cadeia. E uma ação firme para dar fim à desmoralização causada pelo legado da escravidão e da segregação, das escolas inferiores e da condição de cidadãos de segunda classe. Um novo ataque frontal à pobreza, à doença e a ignorância de um povo há muito ignorado pela consciência dos Estados Unidos aumentará a certeza da vitória.

Fonte B
Trecho de discurso de Malcolm X, líder de direitos civis dos *Black Muslims* (Muçulmanos Negros), em 1964.

> Não existe revolução não violenta. A revolução é sangrenta, a revolução é hostil, a revolução não conhece meio-termo, a revolução derruba e destroi qualquer coisa que se coloque em seu caminho. Eu não vejo nenhum sonho americano, eu vejo um pesadelo americano. Nosso objetivo é a liberdade completa, a igualdade completa, por qualquer meio que seja necessário.

Fonte: citado em George Breitmann, *Malcolm X Speaks* (Grove Press, 1966).

(a) Em que aspectos essas fontes, ambas sobre líderes negros dos direitos civis, diferem nas atitudes que mostram em relação à campanha?
(b) Que razões você consegue sugerir para essas diferenças?
(c) Por que o Movimento pelos Direitos Civis só teve sucesso limitado até 1968?

2. Até que ponto você concordaria com a visão de que o governo Johnson foi um fracasso, em grande parte, por causa do envolvimento norte-americano na Guerra do Vietnã?
3. Explique por que havia um movimento anticomunista tão poderoso nos Estados Unidos nos anos posteriores à Segunda Guerra Mundial.

Parte V

A DESCOLONIZAÇÃO E O PERÍODO POSTERIOR

Os Fim dos Impérios Coloniais

24

RESUMO DOS EVENTOS

No final da Segunda Guerra Mundial, em 1945, as nações da Europa ainda conservavam a posse de vastas áreas no restante do mundo, principalmente na Ásia e na África.

- *O Império da Grã-Bretanha era o maior em área*, consistindo na Índia, Burma, Ceilão, Malásia, enormes partes da África e muitas ilhas e outros territórios variados, como Chipre, as Índias Ocidentais (Caribe), as Falklands e Gibraltar.
- *A França tinha o segundo maior império*, com territórios na África, na Indochina e nas Índias Ocidentais (Caribe). Além disso, Grã-Bretanha e França ainda tinham terras no Oriente Médio, tomadas da Turquia no final da Primeira Guerra Mundial. A Grã-Bretanha tinha a Transjordânia e a Palestina, e a França tinha a Síria, conhecidas como territórios dos "mandatos", ou seja, a Grã-Bretanha e a França deveriam "cuidar" delas e as preparar para a independência.
- *Outros impérios importantes* eram o da Holanda, (Índias Orientais Holandesas, ou Indonésia), Bélgica (Congo e Ruanda-Urundi), Portugal (Angola, Moçambique e Guiné-Bissau), Espanha (Saara Espanhol, Ifni, Marrocos Espanhol e Guiné espanhola) e a Itália (Líbia, Somália e Eritreia).

Nos 30 anos que se seguiram, aconteceram mudanças importantes. Em 1975, a maioria desses territórios coloniais conquistou a independência. Às vezes, como no caso das colônias holandesas e francesas, eles tiveram que lutar por ela contra uma firme resistência europeia. Os problemas envolvidos costumavam ser complexos. Na Índia, havia diferenças religiosas profundas para resolver. Algumas áreas, como Argélia, Quênia, Tanganica, Uganda e Rodésia, tinham grandes quantidades de brancos estabelecidos, inflexivelmente hostis à independência que os colocaria sob governo dos negros. A Grã-Bretanha estava disposta a conceder a independência quando se achasse que o território em questão estava pronto para ela, e a maioria dos novos Estados manteve um vínculo com o país ao permanecer na Comunidade Britânica (um grupo de nações anteriormente controladas pela Grã-Bretanha que concordaram em continuar associadas entre si, principalmente porque havia algumas vantagens nisso).

Os principais territórios britânicos que obtiveram independência, às vezes mudando de nome (os nomes novos estão entre parênteses), foram:

Índia e Paquistão – 1947

Burma e Ceilão (Sri Lanka) – 1948

Transjordânia (Jordânia) – 1946; e Palestina – 1948 (ver Seções 11.1-2)

Sudão – 1956

Malásia; e Costa Dourada (Gana) – 1957

Nigéria; Somalilândia (tornou-se parte da Somália); e Chipre – 1960

Tanganica e Zanzibar (juntos, formaram a Tanzânia) – 1961

Jamaica; Trinidad e Tobago; Uganda – 1962

Quênia – 1963

Niasalândia (Malaui), Rodésia do Norte (Zâmbia); e Malta – 1964

Guiana Britânica (Guiana); Barbados; e Bechuanalândia (Botsuana) – 1966

Aden (Iêmen do Sul) – 1967

Rodésia do Sul (Zimbábue) – 1980

As outras potências coloniais estavam determinadas, inicialmente, a manter seus impérios pela força militar, mas, ao final, cederam.

Os principais territórios que obtiveram independência foram:

Franceses

Síria – 1946

Indochina (Vietnã, Camboja e Laos) – 1954

Marrocos; e Tunísia – 1956

Guiné – 1958

Senegal, Costa do Marfim, Mauritânia, Níger, Alto Volta (posteriormente, Burquina-Faso), Chade, Madagascar, Gabão, Sudão Francês (Mali), Camarões, Congo (capital Brazzaville), Oubangui-Shari (República Centro-Africana), Togo e Dahomey (Benin, a partir de 1975) – 1960

Holandeses

Índias Orientais (Indonésia) – 1949

Suriname – 1975

Belgas

Congo (Zaire, de 1971 a 1997, e então Rep. Rem. do Congo) – 1960

Ruanda-Urundi (dividiu-se em dois países separados, Ruanda e Burundi) – 1962

Espanhóis

Marrocos espanhol, tornou-se parte do Marrocos – 1956

Guiné (Guiné Equatorial) – 1968

Ifni (tornou-se parte do Marrocos) – 1969

Saara espanhol (dividiu-se entre Marrocos e Mauritânia) – 1975

Portugueses

Guiné (Guiné-Bissau) – 1974

Angola e Moçambique – 1975

Timor Leste (tomado pela Indonésia posteriormente, em 1975) – 1975

Italianos

Líbia – 1951

Eritreia (tornou-se parte da Etiópia) – 1952

Somália Italiana (tornou-se parte da Somália) – 1960

24.1 POR QUE AS POTÊNCIAS EUROPEIAS ABRIRAM MÃO DE SEUS IMPÉRIOS?

(a) Movimentos nacionalistas

Eles existiam em muitas colônias europeias, principalmente nas da África, muitos anos antes da Segunda Guerra Mundial. Os *nacionalistas* eram pessoas com um desejo natural de se livrar de seus governantes estrangeiros para poder ter um governo conduzido por pessoas de sua própria nacionalidade. Embora as potências europeias alegassem ter trazido os benefícios da civilização ocidental a suas colônias europeias, entre os povos das colônias havia um sentimento geral de estarem sendo explorados pelos europeus, que levavam a maioria dos lucros de sua parceria. Eles afirmavam que o desenvolvimento e a prosperidade das colônias estavam sendo impedidos em função dos interesses da Europa e que a maioria dos povos dessas colônias continuava a viver na pobreza. Na Índia, o Partido do Congresso Nacional Indiano vinha agitando contra a dominação britânica desde 1885, enquanto, no sudeste asiático, os nacionalistas vietnamitas começaram a fazer campanhas contra a dominação francesa na década de 1920. Contudo, o nacionalismo não era tão forte em outras áreas e o avanço rumo à independência teria sido muito mais lento sem o impulso da Segunda Guerra Mundial.

(b) Efeitos da Segunda Guerra Mundial

A Segunda Guerra Mundial deu um grande estímulo aos movimentos nacionalistas de várias formas:

- *Antes da guerra, os povos das colônias achavam que seria impossível derrotar os europeus, militarmente superiores, pela força das armas.* Os êxitos japoneses no início da guerra mostraram que era possível povos não europeus derrotarem exércitos da Europa. Forças japonesas capturaram territórios de Malaia, Cingapura, Hong Kong e Burma, as Índias Orientais Holandesas e a Indochina Francesa. Embora os japoneses tenham sido derrotados, os nacionalistas, muitos dos quais tinha lutado contra eles, não tinham qualquer intenção de aceitar resignadamente o restabelecimento do domínio europeu. Se necessário, continuariam a lutar contra os europeus, usando as táticas de guerrilha que tinham aprendido ao combater os japoneses, e foi isso exatamente o que aconteceu na Indochina (ver Capítulo 21), nas Índias Orientais Holandesas, Malásia e Burma.
- *Os asiáticos e os africanos adquiriram mais consciência de questões políticas e sociais como resultado de seu envolvimento na guerra.* Muitos africanos, que tinham saído de sua terra natal pela primeira vez para lutar nos exércitos Aliados, ficaram impressionados com o contraste entre as condições primitivas da África e a situação de relativo conforto que vivenciaram, mesmo como membros das forças armadas. Alguns líderes nacionalistas trabalharam com os japoneses, achando que depois da guerra, haveria mais chances de a independência lhes ser concedida pelos japoneses do que pelos europeus. Muitos deles, como o Dr. Sukarno nas Índias Orientais Holandesas (atual Indonésia), ganharam a independência ajudando a governar as áreas ocupadas. Mais tarde, Sukarno se tornou o primeiro presidente da Indonésia (1949).
- Algumas políticas europeias durante a guerra incentivaram os povos das colônias a terem expectativa de independência assim que o conflito terminasse. O governo holandês, chocado por as pessoas estarem tão prontas a cooperar com os japoneses nas Índias Orientais, prometeu algum grau de independência assim que o Japão fosse derrotado. A *Carta do Atlântico, de 1941,* estabeleceu uma visão conjunta anglo-americana sobre como o mundo deveria ser organizado depois da guerra. *Dois pontos mencionados eram os seguintes:*

  - Os países não devem se expandir tomando território de outros.
  - Todos os povos deveriam ter o direito de escolher sua própria forma de governo.

  Embora Churchill tenha dito, mais tarde, que isso só se aplicava às vítimas da agressão de Hitler, os povos asiáticos e africanos ficaram com muitas esperanças.
- *A guerra enfraqueceu os países europeus,* de forma que, no final, eles não tinham força militar suficiente para manter seus impérios em face das campanhas realmente determinadas por independência. Os britânicos foram os primeiros a reconhecer isso e responderam concedendo a independência à Índia (1947). Depois disso, a política britânica foi de postergar a independência o máximo possível, mas ceder quando a pressão se tornasse irresistível. Passaram-se mais 10 anos até que a Costa do ouro se tornasse o primeiro território britânico na

África a conquistar a independência e se tornar uma grande fonte de inspiração para outras colônias africanas, como disse mais tarde Iain Macleod (O Ministro das Colônias britânico): "Não teríamos como manter pela força nossos territórios na África, a marcha dos homens rumo à liberdade não pode ser interrompida, só pode ser direcionada". Franceses, holandeses, espanhois e portugueses reagiram de forma diferente e pareciam determinados a preservar seus impérios, mas isso implicava campanhas militares onerosas e todos acabaram tendo que admitir a derrota.

(c) Pressões externas

Havia pressões externas sobre as potências coloniais para que abrissem mão de seus impérios. Os Estados Unidos, sem dúvida lembrando que foram a primeira parte do império britânico a declarar a independência (1776), eram hostis ao imperialismo (construção de impérios e posse de colônias). Durante a guerra, o presidente Roosevelt deixou claro que considerava que a Carta do Atlântico se aplicava a todos os povos, e não apenas aos dominados pelos alemães. Ele e seu sucessor, Truman, pressionaram o governo britânico para acelerar o processo de independência da Índia. Uma razão apresentada pelos norte-americanos para ver o fim dos impérios europeus era que os atrasos na concessão de independência incentivariam o desenvolvimento do comunismo naquelas regiões. Também era importante o fato de que os norte-americanos viam os países recém-independentes como mercados potenciais nos quais poderiam entrar e estabelecer influência econômica e política.

Sob influência norte-americana, a *Organização das Nações Unidas* tomou firme posição contrária ao imperialismo e exigiu um programa detalhado de descolonização. A URSS também somou sua voz ao coro e denunciava constantemente o imperialismo. Além de pressionar os países europeus, isso estimulava os nacionalistas em todo o mundo a intensificar suas campanhas.

Quase todos os casos eram diferentes. As seções que seguem examinarão algumas das diferentes formas com que as colônias e territórios obtiveram independência.

24.2 A INDEPENDÊNCIA E A DIVISÃO DA ÍNDIA

(a) Os antecedentes da independência

Os britânicos fizeram algumas concessões aos nacionalistas indianos mesmo antes da Segunda Guerra Mundial. As reformas de Morley-Minto (1909), as reformas de Montague-Chelmsford (1919) e a Lei sobre o Governo da Índia (*Government of India Act, 1935*) deram aos indianos mais voz no governo de seu país. Também lhes foi prometido *"status de domínio"* assim que a guerra terminasse, o que significava ser mais ou menos independente, embora ainda reconhecendo o monarca britânico como seu chefe de Estado, como a Austrália. O governo trabalhista, recém-eleito em 1945, queria demonstrar que não aprovava a exploração dos indianos e estava ansioso para seguir adiante com a independência, por razões morais e econômicas. Ernest Bevin, ministro do exterior, cogitou protelar a independência por alguns anos para possibilitar que a Grã-Bretanha financiasse um programa de desenvolvimento da Índia. Essa ideia foi abandonada porque os indianos desconfiavam de qualquer protelação e porque a Grã-Bretanha não podia ter essa despesa em função de suas próprias dificuldades econômicas. Bevin e Clement Attlee, o primeiro-ministro, decidiram então dar independência total à Índia, permitindo que os indianos formulassem os detalhes por conta própria.

As razões pelas quais os britânicos decidiram dar independência à Índia tem sido objeto de animados debates. As fontes oficiais a apresentaram como a culminação de um processo que vinha se desenvolvendo desde a Lei de Governo da Índia de 1919, na qual os britânicos cuidadosamente se prepararam para a independência. Alguns historiadores indianos, como Sumit Sarkar e Anita Inder Singh, questionaram essa visão, afirmando que a independência da Índia nunca foi um objetivo dos britânicos no longo prazo e que as Leis de Governo da Índia de 1919 e 1935 não visavam preparar a independência, mas postergá-la. A independência não foi um presente dos britânicos, e sim "o fruto conquistado a duras penas pela luta e pelo sacrifício". Outros historiadores assumiram uma visão intermediária: Howard Brasted defendeu o governo trabalhista contra as acusações de ter formulado suas políticas ao longo do processo, e ao final se afastou do problema. Ele mostra que o Partido Trabalhista formulou uma política clara de retirada da Índia *antes* da Segunda Guerra Mundial, e que ela fora discutida pelo seu líder, Clement Attlee, e por Jawaharlal Nehru, o líder do Congresso Indiano, em 1938. Nehru e Gandhi sabiam que, quando o Partido Trabalhista vencesse as eleições de julho de 1945, a independência da Índia não poderia estar longe. Infelizmente, o avanço em direção à independência acabou sendo muito mais difícil do que se esperava: os problemas eram tão complexos que o país teve que ser dividido em dois Estados, a Índia e o Paquistão.

(b) Por que a divisão da Índia foi necessária?

1 A hostilidade religiosa entre hindus e muçulmanos

Esse era o principal problema. Os hindus representavam cerca de dois terços da população de 400 milhões de habitantes e o restante era de muçulmanos. Depois das vitórias nas eleições de 1937, quando venceu em oito de 11 estados, o Partido do Congresso Nacional, hindu, conclamou, de forma não muito inteligente, a Liga Muçulmana a se fundir com ele, o que alarmou à Liga, receosa de que uma Índia muçulmana fosse dominada pelos hindus. O líder muçulmano, M. A. Jinnah, exigiu *um Estado separado do Paquistão* e adotou seu slogan "Paquistão ou morte".

2 As tentativas de acordo fracassaram

As tentativas de formular uma solução intermediária aceitável a hindus e muçulmanos falharam. Os britânicos propuseram um sistema federal no qual o governo central só teria poderes limitados, enquanto os poderes dos governos provinciais seriam muito maiores, possibilitando às províncias com maioria muçulmana controlar suas próprias questões e não havendo necessidade de um Estado separado. Ambos os lados aceitaram a ideia em princípio, mas não conseguiram concordar sobre os detalhes.

3 A violência começou em agosto de 1946

O conflito começou quando o vice-rei (o representante do rei na Índia), Lorde Wavell, convidou o líder do Partido do Congresso, *Jawaharlal Nehru*, para formar um governo interino, ainda com esperanças de que as questões específicas fossem resolvidas. Nehru formou um gabinete com dois muçulmanos, mas Jinnah estava convencido de que não era possível confiar em que os hindus tratariam os muçulmanos de forma justa. Ele conclamou um dia de "ação direta" em apoio um Estado paquistanês separado, resultando em revoltas violentas em Calcutá, que causaram a morte de mais de 5.000 pessoas e rapidamente se espalharam para Bengala, onde os muçulmanos saíram matando hindus. Quando estes retaliaram, o país parecia à beira da guerra civil.

4 Mountbatten decide pela divisão

O governo britânico, entendendo que não tinha força militar para controlar a situação, anunciou, no início de 1947, que sairia da Índia até, no máximo, junho de 1948. A ideia era tentar surpreender os indianos para que adotassem uma atitude mais responsável. Lorde Louis Mountbatten foi enviado como novo vice-rei e logo decidiu que a divisão era a única maneira de evitar a guerra civil. Ele entendia que era provável que houvesse banho de sangue independente da solução adotada, mas que a divisão geraria menos violência se a Grã-Bretanha tentasse insistir na permanência dos muçulmanos como parte da Índia. Em pouco tempo, Mountbatten elaborou um plano para dividir o país e para a retirada britânica, que foi aceito por Nehru e Jinnah, embora *M. K. Gandhi*, conhecido como *Mahatma* (a grande alma), o outro líder muito respeitado do Congresso que acreditava na não violência, ainda tivesse esperanças de uma Índia unida. Com receio de que a postergação gerasse mais violência, Mountbatten antecipou a data para a retirada britânica para agosto de 1947.

(c) Como se realizou a divisão?

A *Lei de Independência da Índia* foi aprovada às pressas pelo parlamento Britânico (agosto de 1947), separando as regiões de maioria muçulmana no noroeste e no nordeste do restante do país, para se tornarem o Estado separado do Paquistão. O novo Paquistão, infelizmente, consistia em duas áreas separadas por mais de 1.500 quilômetros (ver Mapa 24.1). O dia da independência para Índia e Paquistão foi 15 de agosto de 1947. Os problemas vieram em seguida:

1. *Foi necessário dividir as províncias de Punjab e Bengala, que tinham populações muçulmanas e hindus mistas*. Isso fez com que milhões de pessoas se encontrassem no lado errado das novas fronteiras, ou seja, muçulmanos na Índia e hindus no Paquistão.
2. *Com medo de serem atacadas, milhões de pessoas se dirigiram às fronteiras*, os muçulmanos tentando entrar no Paquistão e os hindus, na Índia. Os choques que ocorreram evoluíram para violência coletiva quase histérica (Ilustração 24.1), principalmente no Punjab, onde 250.000 foram assassinadas. A violência não foi

Mapa 24.1 Índia e Paquistão.

Ilustração 24.1 Nova Delhi, 1947: durante um calmaria nas revoltas, as vítimas dos muitos choques são retiradas das ruas.

tão disseminada em Bengala, onde Gandhi, ainda pregando a não violência e a tolerância, conseguiu acalmar a situação.

3. *A violência começou a se extinguir no final de 1947, mas, em janeiro de 1948, Gandhi foi morto a tiros por um hindu fanático* que detestava sua tolerância com relação aos muçulmanos. Foi um fim trágico para um conjunto desastroso de circunstâncias, mas o choque de certa forma pareceu fazer com que as pessoas pensassem de forma sensata, e os novos governos de Índia e Paquistão puderam iniciar reflexões sobre outros problemas. Do ponto de vista britânico, o governo podia afirmar que, embora tantas mortes fossem lamentáveis, a concessão de independência a Índia e Paquistão foi um ato de visão por parte do Estado. Attlee afirmava, com alguma razão, que a Grã-Bretanha não poderia ser responsabilizada pela violência, devido, segundo ele, "à incapacidade dos indianos de chegarem a um acordo entre si". V. P. Menon, um destacado observador político indiano, acreditava que a decisão britânica de sair da Índia "não apenas tocou os corações e agitou as emoções da Índia... ela rendeu respeito e boa vontade universal para com a Grã-Bretanha".

4. *No longo prazo, o Paquistão não funcionou bem como Estado dividido*, e em 1971, o Paquistão Oriental rompeu e se tornou o Estado independente de Bangladesh.

24.3 AS ÍNDIAS OCIDENTAIS, MALÁSIA E CHIPRE

À medida que esses três territórios avançavam em direção à independência, eram feitos experimentos interessantes para estabelecer federações de países, com graus variados de sucesso. Uma federação é a situação em que vários países se juntam em um governo central ou federal que tem autoridade geral; cada país tem seu próprio parlamento, que trata das questões internas. Esse é o tipo de sistema que funciona bem nos Estados Unidos, no Canadá e na Austrália, e muitas pessoas achavam que seria adequado para as Índias Ocidentais britânicas e para Malásia e os territórios britânicos vizinhos.

- *A Federação das Índias Ocidentais foi a primeira a ser experimentada*, mas se mostrou um fracasso: estabelecida em 1958, só sobreviveu até 1962.
- *A Federação da Malásia*, estabelecida em 1963, teve muito mais sucesso.
- *O manejo britânico da independência de Chipre, infelizmente, não deu certo* e a ilha teve uma história atribulada depois da Segunda Guerra Mundial.

(a) As Índias Ocidentais

As possessões britânicas nas Índias Ocidentais consistiam em várias ilhas no Mar do Caribe (ver Mapa 24.2); as maiores eram Jamaica e Trinidad, e as outras, Granada, Saint Vincent, Barbados, Santa Lucia, Antigua, Dominica e as Bahamas. Também haviam Honduras Britânica, no continente centro-americano, e a Guiana Britânica, na costa nordeste da América do Sul. Juntos, esses territórios tinham uma população de cerca de 6 milhões de pessoas. A Grã-Bretanha estava disposta, em princípio, a lhes dar independência, mas havia problemas.

- *Algumas das ilhas eram muito pequenas, e havia dúvidas sobre se elas seriam Estados independentes viáveis*. Granada, Saint Vincent e Antigua, por exemplo, tinham populações de apenas uns 100.000 habitantes cada uma, enquanto algumas eram ainda menores: as ilhas gêmeas de Saint Kitts e Nevis só tinham cerca de 60.000 habitantes, juntas.
- *O governo trabalhista britânico achava que uma federação poderia ser a maneira ideal de unir esses territórios tão pequenos e muito espalhados, mas muitas pessoas nos próprios territórios se opuseram.*

Alguns, como Honduras e Guiana britânicas, nada queriam com uma federação, preferindo a independência separada completa, o que deixou a Jamaica e Trinidad preocupadas se conseguiriam enfrentar os problemas das ilhas menores. Algumas ilhas não gostavam da ideia de serem dominadas por Jamaica e Trinidad, e algumas das menores nem tinham certeza de querer independência, preferindo permanecer sob orientação e proteção britânica.

A Grã-Bretanha seguiu adiante, apesar das dificuldades, e estabeleceu a Federação das Índias Ocidentais em 1958 (excluindo Honduras britânica e Guiana britânica), mas ela nunca chegou a funcionar bem. A única coisa que todas tinham em comum – uma dedicação apaixonada ao críquete – não era suficiente para mantê-las unidas, e havia disputas permanentes sobre quanto cada ilha deveria dar para o orçamento federal e quantos representantes teria no parlamento. Quando Jamaica e Trinidad saíram em 1961, a federação não parecia mais viável. Em 1962, a Grã-Bretanha decidiu abandoná-la e conceder independência separadamente a todos os que a quisessem. Em 1983, todas as partes das Índias Ocidentais Britânicas, com exceção de algumas ilhas minúsculas, se tornaram independentes. Jamaica, e Trinidad e Tobago, foram as primeiras, em 1962, e as ilhas de Saint Kitts e Nevis, as últimas, em 1983. A Guiana Britânica ficou conhecida como Guiana (1966) e Honduras Britânica assumiu o nome de Belize (1981). Todas passaram a ser membros da Comunidade Britânica.

Ironicamente, tendo rejeitado a ideia de uma federação completa, elas logo concluíram que a cooperação lhes poderia render benefícios. A Associação de Livre-Comércio do Caribe foi estabelecida em 1968, e em pouco tempo evoluiu para a **Comunidade e Mercado Comum do Caribe** (*Caribbean Community and Common Market, CARICOM*) em 1973, à qual se juntaram os antigos territórios britânicos nas Índias Ocidentais Britânicas (incluindo Guiana e Belize).

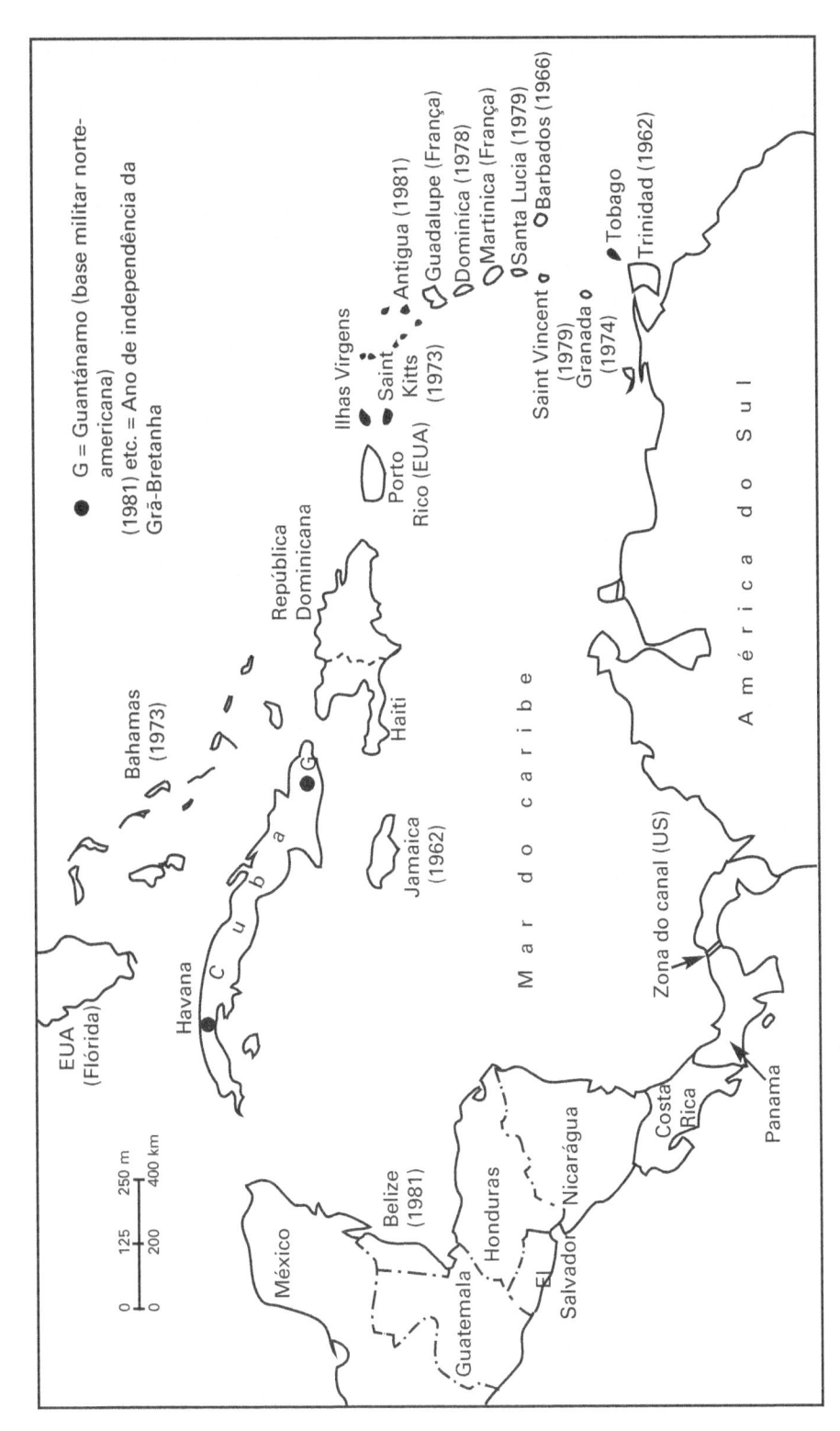

Mapa 24.2 A América Central e as Índias Ocidentais.

(b) Malásia

A Malásia foi libertada da ocupação japonesa em 1945, mas havia dois problemas difíceis a serem enfrentados antes de os britânicos estarem dispostos a se retirar.

1. *Era uma região complexa, que seria difícil de organizar*. Consistia em nove Estados, cada um governado por um sultão, dois assentamentos britânicos, Malacca e Penang e Cingapura, uma pequena ilha a menos de uma milha do continente. A população era multirracial: a maioria era de malaios e chineses, mas também havia alguns indianos e europeus. Na preparação para a independência, decidiu-se agrupar os Estados e os assentamentos na *Federação Malaia* (1948), enquanto Cingapura permanecia uma colônia separada. Cada Estado tinha sua própria legislatura para questões locais: os sultões permaneciam com algum poder, mas o governo central tinha controle geral firme. Todos os adultos tinham que votar e isso fazia com que os malaios, o maior grupo, geralmente dominassem as questões.
2. *Guerrilheiros comunistas chineses, liderados por Chin Peng, que cumpriram um papel importante na resistência aos japoneses, agora começavam a incitar greves e violência contra os britânicos*, em apoio a um Estado comunista independente. Os britânicos decidiram declarar estado de emergência em 1948 e acabaram conseguindo lidar com os comunistas, embora tenha levado tempo, e o estado de emergência permaneceu em vigor até 1960. Suas táticas foram transferir todos os chineses suspeitos de ajudar os guerrilheiros para vilas muito vigiadas.* Deixou-se claro que a independência viria assim que o país estivesse pronto para ela, o que garantiu que os malaios permanecessem firmemente pró-britânicos e dessem muito pouca ajuda aos comunistas, que eram chineses.

As ações rumo à independência foram aceleradas quando o partido Malaio, sob comando de seu habilidoso líder *Tunku Abdul Rahman*, juntaram forças com os principais grupos chineses e indianos para formar o *Partido da Aliança*, que conquistou 51 das 52 cadeiras nas eleições de 1955, parecendo sugerir estabilidade, e os britânicos foram persuadidos a conceder independência integral em 1957, quando a Malásia foi admitida na Comunidade Britânica.

A Federação da Malásia foi fundada em 1963. A Malásia estava se saindo bem sob a liderança de Tunku Abdul Rahman e sua economia, baseada nas exportações de borracha e estanho, era das mais prósperas do sudeste asiático. Em 1961, quando Tunku propôs que Cingapura e as outras colônias britânicas de Bornéu do Norte (Sabah), Brunei e Sarawak, deveriam se juntar à Malásia para formar a Federação da Malásia, a Grã-Bretanha concordou (ver Mapa 24.3). Depois de uma equipe de investigação da ONU informar que a ampla maioria das populações envolvidas era favorável à união, a Federação da Malásia foi proclamada oficialmente (setembro de 1963). Brunei decidiu não entrar e acabou se tornando um Estado independente dentro da Comunidade Britânica (1984). Embora Cingapura tenha decidido sair para se tornar uma república independente em 1965, o restante da Federação continuou com sucesso.

(c) Chipre

O governo trabalhista britânico (1945-1951) cogitou conceder independência ao Chipre, mas os avanços foram postergados por complicações, a mais grave sendo sua população mista – cerca de 80% eram cristãos de língua grega, da Igreja Ortodoxa, enquanto o restante era de muçulmanos de origem turca. Os cipriotas de origem grega queriam que a ilha se unisse à Grécia (*enosis*), mas os turcos se opunham intensamente. O governo de Churchill (1951-1955) inflamou a situação em 1954, quando os planos para o autogoverno davam aos cipriotas muito menos

---

* N. de R.: As "aldeias estratégicas", semelhantes a campos de prisioneiros.

Mapa 24.3 Malásia e Indonésia.

poder do que os trabalhistas tinham em mente. Houve manifestações hostis, que foram dispersadas por soldados britânicos.

Sir Anthony Eden, sucessor de Churchill, decidiu abandonar a ideia da independência de Chipre, acreditando que a Grã-Bretanha precisava da ilha como base militar para proteger seus interesses no Oriente Médio. Ele anunciou que Chipre deveria permanecer britânico para sempre, embora o governo grego tivesse prometido que a Grã-Bretanha poderia manter suas bases militares mesmo que acontecesse a *enosis*.

Os greco-cipriotas, liderados pelo *arcebispo Makarios*, pressionavam por suas reivindicações enquanto uma organização guerrilheira chamada Eoka, liderada pelo general Grivas, realizava uma campanha terrorista contra os britânicos, que declararam estado de emergência (1955) e mobilizaram cerca de 35.000 soldados para tentar manter a ordem. A política britânica também incluiu a deportação de Makarios e a execução dos terroristas. A situação ficou ainda mais difícil em 1958, quando os turcos fundaram uma organização rival para apoiar a divisão da ilha.

Para evitar a possibilidade de uma guerra civil entre os dois grupos, Harold Macmillan, o sucessor de Eden, decidiu aceitar uma solução intermediária e nomeou o simpático e hábil Hugh Foot como governador, e este negociou um acordo com Makarios:

- O arcebispo abandonou a *enosis* e, em troca, Chipre recebeu independência integral.
- Os interesses turcos foram salvaguardados, a Grã-Bretanha manteve duas bases militares e, junto com a Grécia e a Turquia, garantiu a independência de Chipre.
- Makarios se tornou o primeiro presidente, tendo um turco-cipriota, Fazil Kutchuk, como vice-presidente (1960). Parecia a solução perfeita.

Infelizmente, só durou até 1963, quando estourou uma guerra entre gregos e turcos.* Em 1974, a Turquia enviou tropas para ajudar a estabelecer um Estado turco separado no norte e, desde então, a ilha permaneceu dividida (Mapa 24.4). Os turcos ocuparam o norte (mais ou menos um terço da área da ilha) os gregos, o sul, com tropa da ONU mantendo a paz entre

---

* N. de R.: A tensão continuou, e em 1974 um golpe militar greco-cipriota direitista derrubou Makarios e propôs a *enosis* com a Grécia, uma ditadura direitista. Então eclodia um conflito.

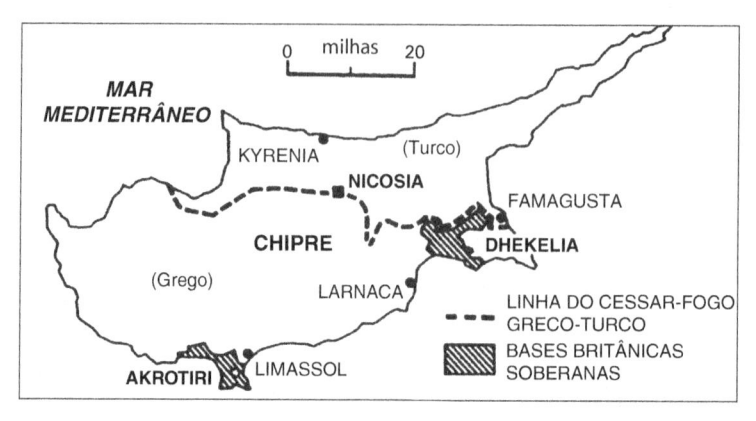

Mapa 24.4 Chipre dividido.

ambos. Foram feitas muitas tentativas de chegar a um acordo, mas todas fracassaram. Em meados dos anos de 1980, a ONU começou a pressionar pela ideia de uma federação como a maneira mais provável de reconciliar os dois Estados, mas essa solução foi rejeitada pelos gregos (1987). Em abril de 2003, os postos de controle na fronteira entre os dois Estados foram abertos para que cipriotas gregos e turcos pudessem atravessar a linha de divisão pela primeira vez desde 1974. A ilha ainda estava dividida em 2004, quando a República de Chipre (grega) entrou para a União Europeia. A República Turca do Norte do Chipre também aprovou a entrada, mas como só era reconhecida como país independente pela Turquia, não fez parte do acordo de adesão.

24.4 OS BRITÂNICOS SE RETIRAM DA ÁFRICA

O nacionalismo africano se espalhou rapidamente depois de 1945, porque mais e mais africanos estavam sendo educados na Grã-Bretanha e nos Estados Unidos, onde tomavam consciência da discriminação racial. O colonialismo era considerado como humilhação e exploração dos negros pelos brancos, e os africanos de classe trabalhadora nas novas cidades eram particularmente receptivos às ideias nacionalistas. Os britânicos, principalmente os governos trabalhistas de 1945-1951, estavam bastante dispostos a permitir a independência e confiantes que ainda conseguiriam exercer influência por meio de vínculos comerciais, que eles esperavam preservar ao incluir os novos Estados como membros da Comunidade. Essa prática de exercer influência sobre as ex-colônias depois da independência por meio econômicos é conhecida como *neocolonialismo* e foi muito difundida na maioria dos novos Estados do Terceiro Mundo. Mesmo assim, os britânicos pretendiam fazer com que as colônias avançassem rumo à independência de forma muito gradual e os nacionalistas africanos tiveram que fazer campanhas intensas e, muitas vezes, violentas para fazer com que eles agissem mais rapidamente.

As colônias britânicas na África estavam em três grupos distintos, com importantes diferenças de caráter que afetariam seu avanço em direção à independência.

A ÁFRICA OCIDENTAL: Costa do Ouro, Nigéria, Serra Leoa e Gâmbia

Nesses casos, havia relativamente poucos europeus, que tendiam a ser administradores em vez de colonos permanentes com propriedades lucrativas a defender. Isso tornou o avanço para a independência relativamente direto.

ÁFRICA OCIDENTAL: Quênia, Uganda e Tanganica

Principalmente no Quênia, as coisas se complicavam em função do "fator colono", ou seja, a presença de colonos europeus e asiáticos, que temiam por seu futuro com governos negros.

ÁFRICA CENTRAL: Niasalândia, Rodésia do Norte e do Sul

Aqui, principalmente na Rodésia do Sul, o "fator colono" estava em seu grau mais intenso. Foi onde os colonos europeus tinham as raízes mais profundas, com propriedades enormes e lucrativas, e o confronto entre os colonos brancos e os nacionalistas africanos foi mais acirrado.

(a) África Ocidental

1 Costa do Ouro

A Costa do Ouro foi o primeiro Estado negro africano ao sul do Saara a conquistar a independência depois da Segunda Guerra Mundial, assumindo o nome de Gana (1957). O processo aconteceu de forma suave, embora não sem incidentes. O líder nacionalista, *Kwame Nkrumah*, que estudou em Londres e nos Estados Unidos e, desde 1949, era líder do *Partido* Popular da Convenção (*Convention People's Party, CPP*), organizou a campanha pela independência. Houve boicotes de produtos europeus, manifestações violentas e uma greve geral (1950), e Nkrumah e outros líderes foram detidos por algum tempo, mas os britânicos, entendendo que ele tinha apoio das massas, logo o libertaram e concordaram com uma nova Constituição que dispunha sobre:

- voto para todos adultos,
- Assembleia eleita
- Conselho Executivo de 11 membros, dos quais oito eram escolhidos pela Assembleia.

Nas eleições de 1951, a primeira sob a nova Constituição, o CPP conquistou 34 cadeiras de 38. Nkrumah foi libertado da prisão, convidado para formar um governo e se tornou primeiro-ministro em 1952. Havia autogoverno, mas ainda não a independência completa. A Costa do Ouro tinha um grupo de políticos e outros profissionais pequeno, mas com boa formação que, nos cincos anos seguintes, adquiriu experiência de governo sob supervisão britânica. Essa experiência foi única de Gana, e se tivesse se repetido em outros Estados de independência recente, poderia ter ajudado a evitar o caos e a má administração. Em 1957, Gana, como ficou conhecido, recebeu independência completa.

2 Nigéria

A Nigéria era certamente a maior das colônias africanas da Grã-Bretanha, com uma população de mais de 60 milhões. Tratava-se de uma situação mais difícil do que Gana em função de seu tamanho, e porque as diferenças regionais entre o vasto norte muçulmano, dominado pelas tribos hausa e fulani, a região oeste (iorubas) e o leste (ibos). O principal nacionalista era Nnamdi Azikiwe, conhecido popularmente por seus apoiadores como "Zik", que foi educado nos Estados Unidos e durante um tempo, trabalhou como editor de jornal na Costa do Ouro. Depois de seu retorno à Nigéria em 1937, fundou vários jornais e se envolveu com o movimento nacionalista, logo adquirindo um enorme prestígio. Em 1945, mostrou que falava sério organizando uma impressionante greve geral, que foi suficiente para fazer com que os britânicos começassem a preparar a Nigéria para a independência. Decidiu-se que o sistema federal seria o mais apropriado. Em 1954, uma nova Constituição introduziu assembleias locais para as três regiões, com um governo central (federal) em Lagos, a capital. As regiões inicialmente assumiram o autogoverno, e o país se tornou independente em 1960. Infelizmente, apesar de todas as preparações cuidadosas, as diferenças tribais após a independência, desencadearam a guerra civil em 1967 (ver Seção 25.3).

As outras duas colônias britânicas na África Ocidental conquistaram a independência sem incidentes graves: Serra Leoa em 1961 e Gâmbia em 1965 (ver Mapa 24.5).

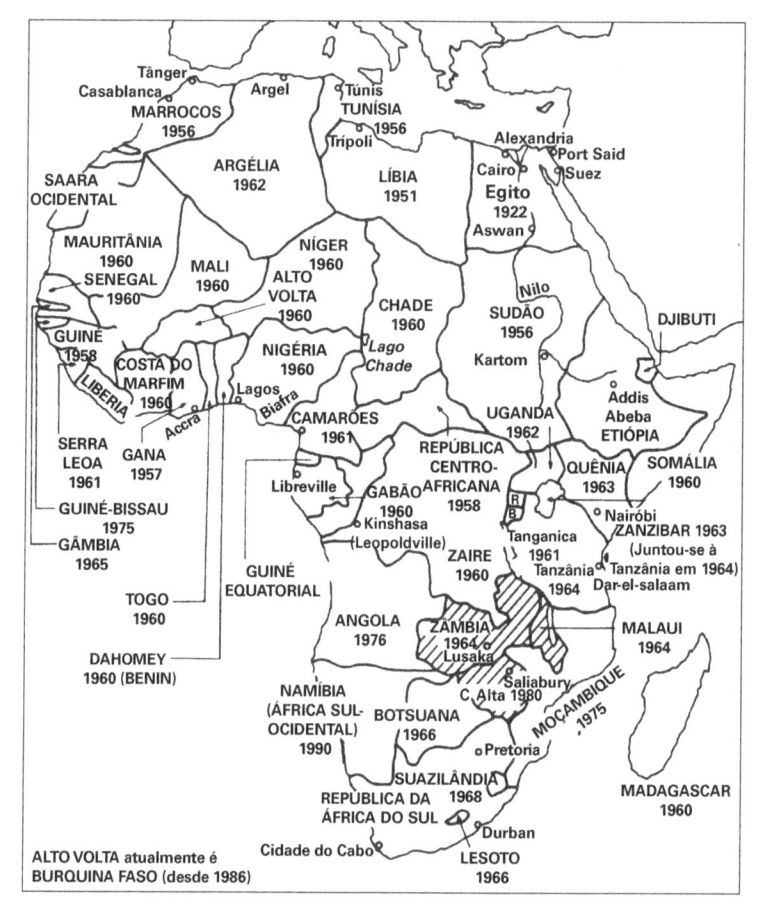

Federação Centro-Africana 1953
Rodésia do Norte (Zâmbia), Rodésia do Sul (Zimbábue)
Niasalândia (malaui)
R Ruanda 1962
B Burundi 1961

Mapa 24.5 A África de torna independente.

(b) África Oriental

Os britânicos pensavam que a independência não era tão necessária para as colônias da África Oriental quanto para a África Ocidental e que, quando ela chegasse, seria na forma de governos multirraciais, nos quais os colonos europeus e asiáticos teriam um papel importante. Todavia, durante o governo de Harold Macmillan (1957-1963), *aconteceu uma mudança importante na política britânica em relação à África Oriental e Central*. Macmillan se deu conta da força do sentimento nacionalista negro africano. Em um famoso discurso na cidade do Cabo em 1960, ele disse: "Os ventos da mudança sopram pelo continente. Gostemos ou não, esse crescimento da consciência nacional é um fato político, e nossas diretrizes nacionais devem levá-lo em consideração".

1 Tanganica

Em Tanganica, a campanha nacionalista foi conduzida pela União Nacional Africana de

Tanganica *(Tanganyika African National Union, TANU)* liderada pelo *Dr. Julius Nyerere*, que se formou na Universidade de Edimburgo. Ele insistia em que o governo deveria ser africano, mas também, em que os brancos não tinham nada a temer em relação a um governo negro. O governo de Macmillan, impressionado com a capacidade e a sinceridade de Nyerere, concedeu independência ao governo da maioria negra (1961). A ilha de Zanzibar foi unificada posteriormente a Tanganica, e o país assumiu o nome de Tanzânia (1964). Nyerere foi presidente até se aposentar em 1985.

2 Uganda

Em Uganda, a independência foi retardada por conflitos tribais. O governante (conhecido como o Kabaka) da área de Buganda era contra a introdução da democracia. Acabou sendo encontrada uma solução em uma Constituição Federal que permitia ao Kabaka manter alguns poderes em Buganda. A própria Uganda se tornou independente em 1962, com o *Dr. Milton Obote* como primeiro-ministro.

3 Quênia

O Quênia foi a região mais difícil de lidar da África Oriental em função da presença de uma importante população não africana. Além de 10 milhões de africanos, havia cerca de 66.000 colonos brancos que se opunham violentamente a um governo de maioria negra. Também havia cerca de 200.000 indianos e 35.000 árabes muçulmanos, mas eram os colonos brancos que tinham influência sobre o governo britânico. Eles diziam que tinham trabalhado muito e dedicado a vida a fazer com que suas fazendas fossem lucrativas, que agora se consideravam africanos brancos e que o Quênia era sua pátria.

O principal líder africano do Quênia era *Jomo Kenyatta*. Nascido em 1894, era membro da tribo Kikuyu e veterano entre os nacionalistas africanos. Passou algum tempo na Grã-Bretanha na década de 1930 e voltou ao Quênia em 1947, tornando-se líder do Partido de Unidade Africana do Quênia *(Kenya African Unity Party, KAU)*, integrado majoritariamente por membros da tribo dominante Kikuyu. Ele esperava conquistar o governo da maioria negra aos poucos, inicialmente obtendo mais cadeiras africanas no Conselho Legislativo, mas a ala mais radical de seu partido – que se denominava Grupo dos Quarenta – queria expulsar os britânicos à força, se necessário. A principal reclamação africana era a situação agrária: a terra agricultável mais fértil estava no planalto, mas só os colonos brancos tinham permissão para praticar agricultura ali. Os africanos também se queixavam da discriminação e da barreira de cor entre brancos e negros, pela qual eles eram tratados como cidadãos inferiores, de segunda classe. Isso era especialmente inaceitável, dado que muitos africanos tinham servido no exército na Segunda Guerra Mundial e foram tratados de forma igualitária e respeitados pelos brancos. Mais além, estava claro que os brancos esperavam manter todos os privilégios, mesmo se tivessem que concordar com a independência.

Os colonos brancos se recusavam a negociar com Kenyatta e estavam decididos a prolongar seu domínio. Eles provocaram um confronto, com esperanças de que a violência destruísse o Partido Africano. O governo britânico estava sofrendo pressões de ambos os lados, e os colonos brancos eram apoiados por alguns grandes interesses empresariais na Grã-Bretanha. Mesmo assim, os britânicos não tiveram muita imaginação para lidar com a situação. A KAU conseguiu poucos avanços, sendo que a única concessão britânica foi permitir que seis africanos participassem do Conselho legislativo de 54 membros. Em 1952, a impaciência africana explodiu em uma revolta contra os britânicos, com ataque a fazendas de propriedade dos europeus e a trabalhadores negros, organizada pela sociedade secreta Mau Mau, cujos membros eram predominantemente da tribo Kikuyu (ver Ilustração 24.2). Foi declarado estado de emergência (1952); Kenyatta e outros líderes nacionalistas foram presos e condenados por terrorismo. Kenyatta ficou na cadeia por seis anos, embora tivesse condenado publicamente a violência e insisti-

Ilustração 24.2 Suspeitos Mau Mau são detidos no Quênia.

do que a KAU não tinha se envolvido na organização da rebelião. Os britânicos enviaram 100.000 soldados para acabar com os terroristas (os africanos se consideravam lutadores da liberdade, e não terroristas) e nos oito anos seguintes, 10.000 pessoas (principalmente africanos) foram mortas, e em torno de 90.000 Kikuyu, presos em condições pouco melhores do que campos de concentração. Em contraste, menos de 100 brancos foram mortos.

A revolta foi derrotada em 1957, mas, ironicamente, nessa época os britânicos estavam incentivando "os ventos da mudança" e, em função da campanha antiterrorista, tinham mudado de atitude. Harold Macmillan, que se tornou primeiro-ministro em janeiro de 1957, encarou o fato de que era impossível e indefensável continuar tentando prolongar a posição privilegiada de um grupo que representava 5% da população. Ele decidiu fazer o Quênia avançar rumo à independência. Os africanos puderam se estabelecer nas terras férteis do planalto, foram suspensas as restrições ao que os Kikuyus poderiam plantar e, como resultado, o café passou a ser um dos principais cultivos. Foram feitas tentativas de aumentar o papel político dos africanos. Em 1957, houve eleições para oito cadeiras africanas no Conselho Legislativo, e nos anos seguintes foram anunciados planos para aumentar sua participação no órgão. Em 1960, os africanos passaram a ser o grupo majoritário no conselho e receberam quatro dos dez cargos no Conselho de Ministros. Em 1961, Kenyatta foi finalmente libertado.

O progresso rumo à independência foi contido pela rivalidade e as divergências entre diferentes grupos tribais. Enquanto Kenyatta esteve na prisão, surgiram novos líderes. Tom Mboya e Oginga Odinga, ambos membros do segundo maior grupo étnico, os luo, formaram a *União Nacional Africana do Quênia (Kenya African National Union, KANU)*, que teve um bom êxito na união de kikuyus e luos. Quando Kenyatta foi libertado, seu prestígio era tão grande que ele foi reconhecido imediatamente como líder do KANU; kikuyus e luos trabalhavam bem juntos e queriam um governo forte e centralizado, dominado por suas tribos, mas havia uma série de tribos menores que não aceitavam a ideia de serem controladas por kikuyus e luos. Lideradas por Ronald Ngala, elas formaram um partido rival, a *União Democrática Africana do Quênia (Kenya African Democratic Union, KADU)*, e queriam um sistema federal de governo que lhes possibilitasse ter mais controle sobre seus próprios assuntos.

Ambos os partidos trabalharam juntos para formar um governo de coalizão (1962), preparando-se para eleições a serem realizadas em maio de 1963. A KANU teve uma maioria clara nas eleições, Kenyatta se tornou primeiro-ministro de um Quênia autogovernado e decidiu abandonar a ideia de um sistema federal de governo. O país conquistou independência total em dezembro de 1963, e um ano depois passou a ser uma república com Kenyatta como presidente (ver Ilustração 24.3) e Odinga como vice. Um grande mérito de Kenyatta era que, apesar do tratamento duro por parte dos britânicos, ele era a favor da reconciliação. Os brancos que decidiram permanecer depois da independência foram tratados de forma justa, desde que assumissem a cidadania queniana, e o país se tornou uma das ex-colônias mais pró-britânicas. Infelizmente, as diferenças tribais continuaram a causar problemas depois da independência. Os luos achavam que os kikuyus estavam recebendo tratamento especial do governo, e Kenyatta e Odinga romperam. Mboya foi assassinado em 1969 e Odinga foi demitido e passou dois anos na prisão.

(c) África Central

Essa era a região mais problemática para os britânicos, pois era onde os colonos eram mais numerosos e mais profundamente enraizados, principalmente na Rodésia do Sul. Outro pro-

Ilustração 24.3 O novo presidente Jomo Kenyatta celebrando quando o Quênia se tornou uma república, 1964.

blema era que o número de africanos com boa formação era muito menor do que na África Ocidental, já que os colonos tinham se certificado de que fosse gasto muito pouco dinheiro em educação continuada e superior para africanos negros. Os missionários fizeram o melhor que podiam para dar alguma educação, mas seus esforços muitas vezes eram frustrados por governos brancos. Alarmados com o crescimento do nacionalismo, os brancos decidiram que sua melhor política era combinar recursos e convenceram o governo de Churchill (1953) a permitir uma federação de três colônias – Niasalândia e Rodésia do Sul e do Norte, que seria conhecida como *Federação Centro-Africana*. Seu objetivo era preservar a supremacia da minoria branca (cerca de 30.000 europeus em uma população total de 8,5 milhões). O parlamento federal em Salisbury (capital da Rodésia do sul) tendia a favorecer muito os brancos, que tinham esperanças de que a federação logo obtivesse independência em relação à Grã-Bretanha, com *status* de domínio.

Os africanos assistiam com desconfiança cada vez maior e seus líderes, o Dr. Hastings Banda (Niasalândia), Kenneth Kaunda (Rodésia do Norte) e Joshua Nkomo (Rodésia do Sul) começaram a promover campanhas pelo governo da maioria negra. Com o desenvolvimento da violência, declarou-se estado de emergência na Niasalândia e na Rodésia do Sul, com prisão em massa dos africanos (1959).

Entretanto, havia muito apoio aos africanos na Grã-Bretanha, principalmente no Partido Trabalhista, e o ministro das Colônias do governo conservador, Iain Macleod, era simpático a eles. *A Comissão Monckton (1960) recomendou:*

- direito de voto para os africanos;
- fim da discriminação racial;
- o direito dos territórios saírem da federação.

1 Niasalândia e Rodésia do Norte

Os britânicos introduziram novas Constituições na Niasalândia e na Rodésia do Norte que, na prática, possibilitavam aos africanos terem seus próprios parlamentos (1961-1962). Ambas quiseram sair da federação, que foi extinta em dezembro de 1963, sinalizando a derrota dos colonos. *No ano seguinte, esses dois territórios adquiriram independência completa, com os nomes de Malaui e Zâmbia.*

2 Rodésia do Sul

Foi necessário muito mais tempo para lidar com a Rodésia do Sul, que só adquiriu independência com governo de maioria negra em 1980. Foi na Rodésia, como era conhecida, que os colonos brancos lutaram com mais força para preservar sua posição privilegiada. Havia menos de 200.000 brancos, cerca de 20.000 asiáticos e 4 milhões de africanos, mas *a Frente da Rodésia (Rhodesia Front)*, um partido racista branco de direita, estava decidida a jamais entregar o controle do país a governos dos negros.

Os partidos africanos negros foram proibidos. Quando Zâmbia e Malaui se tornaram independentes, os brancos supuseram que a Rodésia do Sul receberia o mesmo tratamento, e fizeram uma solicitação formal de independência. O governo conservador britânico recusou e deixou claro que *só concederia a independência se a Constituição fosse alterada para permitir que os africanos negros tivessem pelo menos um terço das cadeiras do parlamento*. Ian Smith (que se tornou primeiro ministro da Rodésia do Sul em abril de 1964) rejeitou a ideia e se recusou a fazer qualquer concessão. Ele argumentava que a continuidade da dominação branca era essencial em vista dos problemas enfrentados pelos novos governos negros em outros Estados africanos, e porque o os nacionalistas do Zimbábue pareciam profundamente divididos. Harold Wilson, o novo primeiro ministro trabalhista britânico (1964-1970), continuava a negar a independência a menos que se alterasse a Constituição para preparar o governo da maioria negra. Como não parecia ser possível qualquer acordo, Smith declarou a Rodésia do Sul independente, contra os desejos da Grã-Bretanha (uma declaração unilateral de independência, UDI), em novembro de 1965, *o que foi recebido com reações variadas:*

- *Inicialmente, parecia haver muito pouco que a Grã-Bretanha pudesse fazer a respeito*, já que o governo tinha decidido não usar a força contra o regime ilegal de Smith. Esperando fazer com que o país cedesse por meio de sanções econômicas, os britânicos pararam de comprar açúcar e fumo da Rodésia.
- *A ONU condenou a UDI* e conclamou todos os Estados-membros a impor um embargo comercial completo à Rodésia.
- *A África do Sul, também comandada por um governo de maioria branca, e Portugal, que ainda controlava o vizinho Moçambique, eram simpáticos ao regime de Smith* e se recusaram a obedecer a resolução do Conselho de Segurança, fazendo com que a Rodésia conseguisse continuar fazendo negócios por meio desses países. Muitos outros países, embora condenando em público a UDI, evadiam o embargo em particular. Os Estados Unidos, por exemplo, compravam cromo da Rodésia porque era o mais barato disponível. Empresas e empresários de vários países, inclusive companhias petrolíferas britânicas, continuaram a romper as sanções e, embora a economia da Rodésia tivesse algum prejuízo, não era grave o suficiente para derrubar o regime de Smith.
- *A Comunidade Britânica foi gravemente abalada*. Gana e Nigéria queriam que a Grã-Bretanha usasse a força e ofereceram tropas. Zâmbia e Tanzânia esperavam que as sanções econômicas fossem suficientes. As relações com a Grã-Bretanha ficaram extremamente frias quando parecia que o país estava suavizando deliberadamente as sanções, principalmente na medida em que a Zâmbia estava sofrendo mais com elas do que a Rodésia. Quando Wilson se reuniu duas vezes com Smith (a bordo do HMS *Tiger* em 1966 e do HMS *Fearless* em 1968) para apresentar novas propostas, houve um grito de protesto contra a possibilidade de ele trair os rodesianos negros. Smith rejeitou as duas propostas, o que talvez tenha sido positivo para o futuro da Comunidade Britânica.
- *O Conselho Mundial de Igrejas estabeleceu um programa para combater o racismo (1969)*, o que deu incentivo e estímulo aos nacionalistas, tanto moral quanto financeiramente.

Em 1970, a Rodésia se declarou uma república e os direitos dos cidadãos negros foram sendo retirados até que eles estivessem recebendo tratamento semelhante ao dos negros da África do Sul (ver Seção 25.8). Em 1976, começaram os primeiros sinais de que os brancos teriam que aceitar algum acordo. Por que os brancos cederam?

1. *A independência de Moçambique em relação a Portugal (junho de 1975)* foi um duro golpe para a Rodésia. O novo presidente moçambicano, Samora Machel, aplicou sanções econômicas e permitiu que os guerrilheiros do Zimbábue operassem a partir de seu país.
2. *Os "países de linha de frente"* – Zâmbia, Botsuana e Tanzânia, bem como Moçambique – apoiavam a luta armada e forneceram campos de treinamento para o movimento de resistência. Em pouco tempo, milhares de guerrilheiros negros estavam atuando na Rodésia, levando as forças de segurança brancas ao limite e forçando Smith a contratar mercenários estrangeiros.
3. *Os sul-africanos passaram a ter menos inclinação a apoiar a Rodésia* depois de sua invasão de Angola (outubro de 1975) ser suspensa por ordens dos Estados Unidos. Norte-americanos e sul-africanos estavam ajudando os rebeldes da FNLA (Frente Nacional de Libertação de Angola), que tentava derrubar o governo do MPLA (Movimento Popular de Libertação de Angola), o qual tinha apoio da Rússia e de Cuba. Os Estados

Unidos receavam que a URSS e Cuba pudessem se envolver na Rodésia a menos que fizessem algum acordo. Junto com a África do Sul, eles exigiram que Smith fizesse concessões aos negros antes que fosse tarde demais.

4. *Em 1978, guerrilheiros nacionalistas controlavam grandes áreas do interior da Rodésia.* A agropecuária foi prejudicada com os ataques aos fazendeiros brancos; as escolas nas zonas rurais foram fechadas e, algumas vezes, incendiadas. Estava claro que a derrota dos brancos era só uma questão de tempo.

Smith ainda tentou tudo o que pôde para postergar o governo da maioria negra, e conseguiu apresentar as divisões entre os líderes nacionalistas como sua justificativa para a falta de avanços, o que era um problema verdadeiro:

- A **ZAPU**, União Popular Africana do Zimbábue (*Zimbabwe African People's Union*), era o partido do veterano nacionalista Joshua Nkomo.
- A **ZANU**, União Nacional Africana do Zimbábue (*Zimbabwe African National Union*) era o partido do reverendo Ndabaningi Sithole.

Esse dois, representando tribos diferentes, pareciam ser inimigos ferozes.

- O **UANC**, Conselho Nacional Africano Unido (*United African National Council*), era o partido do bispo Abel Muzorewa.
- **Robert Mugabe**, líder da ala guerrilheira da ZANU, era outra figura poderosa, que acabou se firmando como líder indiscutível da ZANU.

As divisões foram reduzidas em certa medida como resultado da Conferência de Genebra de 1976, quando ZAPU e ZANU se uniram em algum nível na *Frente Patriótica, (Patriotic Front, PF)*. Depois disso, os partidos começaram a ser chamados de ZANU-PF e PF-ZAPU.

Smith agora tentava fazer um acordo apresentando seu próprio sistema, um governo conjunto de brancos e o UANC, o mais moderado dos partidos nacionalistas, com o bispo Muzorewa como primeiro-ministro. O país seria chamado de Zimbábue/Rodésia (abril de 1979). Contudo, era a ZANU-PF e a PF-ZAPU que tinham apoio das massas e continuavam a guerrilha. Smith logo teve que admitir a derrota e os britânicos convocaram a Conferência de Lancaster House em Londres (setembro-dezembro de 1979), que acordou os seguintes pontos:

- Deveria haver uma nova Constituição, que permitisse o governo da maioria negra.
- Na República do Zimbábue, haveria um parlamento de 100 cadeiras, das quais 20 seriam reservadas aos brancos (sem disputa). Os outros 80 parlamentares seriam eleitos e se esperava que fossem negros, já que a maioria da população era de negros.
- Muzorewa renunciaria ao cargo de primeiro-ministro.
- A guerra de guerrilhas terminaria.

Nas eleições que se seguiram, a ZANU, de Mugabe, teve uma vitória esmagadora, obtendo 57 das 80 cadeiras dos negros, o que lhe dava uma maioria geral confortável que lhe possibilitou ser primeiro-ministro quando o Zimbábue se tornou oficialmente independente, em abril de 1980. A transferência à maioria negra foi recebida por todos os líderes africanos e da Comunidade Britânica como um triunfo do bom senso e da moderação. ZAPU e ZANU se fundiram em 1987, quando Mugabe passou a ser o primeiro presidente-executivo do país. Ele foi reeleito para mais um mandato em março de 1996, não sem polêmicas, e ainda estava agarrado ao poder em 2009, aos 85 anos (ver Seção 25.12).

24.5 O FIM DO IMPÉRIO FRANCÊS

Ao final da Segunda Guerra Mundial, as principais possessões francesas eram:

- Síria, no Oriente Médio, de onde a França se retirou em 1946;
- Guadalupe e Martinica (ilhas nas Índias Ocidentais);

- Guiana Francesa (na América do Sul continental);
- Indochina, no sudeste da Ásia,

junto com imensas áreas no norte e oeste da África

- Tunísia, Marrocos e Argélia (juntas, conhecidas como Magreb);
- África Ocidental francesa;
- África Equatorial francesa;
- A grande ilha de Madagascar, no litoral sudeste da África.

Os franceses começaram a tentar suprimir toda a agitação nacionalista, considerando-a alta traição.

> *Segundo a Declaração de Brazzaville, de 1944:*
> O trabalho de colonização da França torna impossível aceitar qualquer ideia de autonomia para as colônias ou qualquer possibilidade de desenvolvimento fora do Império Francês. Nem mesmo em uma data distante haverá autogoverno para as colônias.

Os franceses, todavia, foram influenciados pelas ações britânicas rumo à descolonização, e depois de sua derrota na Indochina em 1954, eles também foram forçados a ceder aos "ventos da mudança".

(a) Indochina

Antes da guerra, os franceses tinham exercido dominação direta sobre a área ao redor de Saigon e tinham protetorados em Annam, Tonkin, Camboja e Laos. Um protetorado era um país oficialmente independente, com seu próprio governante, mais que estava sob a "proteção" ou guarda do país dominante. Geralmente, na prática, significava que este, no caso a França, controlava as coisas no protetorado como o fazia em uma colônia.

Durante a guerra, toda a área foi ocupada pelos japoneses e a resistência foi organizada pelo comunista *Ho Chi Minh* e a *Liga para a Independência do Vietnã (League for Vietnamese Independence, Vietminh).* Quando os japoneses se retiraram em 1945, Ho Chi Minh declarou o Vietnã independente. Isso era inaceitável aos franceses, e se seguiu uma luta armada de oito anos, culminando na derrota da França em Dien Bien Phu em maio de 1954 (ver Seções 8.3(a) e 21.2-3). A derrota foi um golpe humilhante para os franceses e gerou uma crise política. O governo renunciou e o novo premiê, Pierre Mendès-France, mais liberal, entendendo que a opinião pública estava se voltando contra a guerra, decidiu se retirar.

Na Conferência de Genebra (julho de 1954), foi acordado que o Vietnã, o Laos e o Camboja se tornariam independentes. Infelizmente, isso não significou o fim dos problemas. Embora os franceses tivessem se retirado, os norte-americanos não estavam dispostos a permitir que o Vietnã como um todo passasse ao governo do comunista Ho Chi Minh, e seguiu-se uma luta ainda mais sangrenta (ver Seção 8.3(b-e)); também houve problemas no Camboja (ver Seção 9.4(b)).

(b) Tunísia e Marrocos

Essas duas áreas eram protetorados. A Tunísia tinha um governante conhecido como Bey, e o Marrocos, um rei muçulmano, Muhamed V, mas os nacionalistas não estavam satisfeitos com o controle francês e vinham fazendo campanhas por uma independência verdadeira desde antes da Segunda Guerra Mundial. A situação foi complicada pela presença de grandes quantidades de colonos europeus, cerca de 250.000 na Tunísia e 300.000 no Marrocos em 1945, que estavam comprometidos com a manutenção da conexão com a França, que lhes garantia uma posição privilegiada.

1 Tunísia

Na Tunísia, o principal grupo nacionalista era o Nova Constituição (*Neo Destour*), liderado por Habib Bourghiba, com amplo apoio entre habitantes das zonas rurais e das cidades pequenas, que acreditavam que a independência melhoraria seu padrão de vida. Foi lançada uma campanha guerrilheira contra os franceses, que responderam proibindo o Novo Destour e prendendo Bourghiba (1952); 70.000 soldados franceses foram mobilizados contra os guerrilheiros, mas não conseguiram esmagá-los. Os franceses identificaram uma tendência perturbadora: com Bourghiba e outros líderes moderados na cadeia, o movimento guerrilheiro estava se inclinando mais à esquerda e ficando menos disposto a negociar. Sob pressão simultânea na Indochina e no Marrocos, a França entendeu que teria que ceder. Com um moderado como Bourghiba à frente do país, haveria mais chances de manter a influência francesa depois da independência. Ele foi libertado da cadeia e Mendès-France permitiu que ele formasse um governo. Em março de 1956, a Tunísia se tornou totalmente independente sob a liderança de Bourghiba.

2 Marrocos

No Marrocos, o padrão dos eventos foi muito semelhante. Havia um partido nacionalista chamado Istiqlal (Independência), e o próprio rei Muhamed parecia estar na linha de frente da oposição aos franceses. Os novos sindicatos também cumpriam um papel importante. Os franceses depuseram o rei (1953), provocando manifestações violentas e uma guerrilha. Diante da perspectiva de mais uma guerra longa e cara contra uma guerrilha, os franceses decidiram ceder ao inevitável, permitindo que o rei voltasse, e o Marrocos se tornou independente em 1956.

(c) Argélia

Foi aqui que o fator "colonos" teve as consequências mais graves. Havia mais de um milhão de colonos franceses (conhecidos como *pieds noirs*, ou "pés pretos"), que controlavam algo como um terço de toda a terra fértil da Argélia, tomada dos proprietários argelinos originais no período anterior a 1940. Os brancos exportavam a maior parte dos cultivos que produziam e também usavam parte da terra em vinhedos para a produção de vinhos, o que fazia com que houvesse menos alimento para a população africana, cujo padrão de vida estava decaindo visivelmente. Havia um movimento nacionalista ativo, mas pacífico, liderado por Messali Hadj, mas, depois de quase 10 anos de campanhas após a Segunda Guerra Mundial, eles tinham conquistado quase nada.

- Os colonos franceses não queriam fazer qualquer concessão, continuando a dominar a economia com suas grandes fazendas e tratando os argelinos como cidadãos de segunda classe. Eles acreditavam firmemente que o medo da força total do exército francês seria suficiente para dissuadir os nacionalistas de usar a violência.

- A Argélia continuava a ser tratada não como uma colônia ou um protetorado, mas como uma extensão da própria França metropolitana, mas isso não significava que os 9 milhões de argelinos árabes fossem tratados como franceses comuns. Eles não tinham voz no governo de seu país. Respondendo às pressões, o governo da França permitiu o que parecia ser compartilhamento de poder. Foi estabelecida uma assembleia argelina de 120 membros, embora seus poderes fossem limitados, mas as eleições eram muito distorcidas em favor dos europeus: o milhão de brancos podia eleger 60 membros, enquanto os outros 60 eram escolhidos pelos 9 milhões de muçulmanos. Por meio de corrupção, os europeus acabavam tendo maioria na assembleia.

- Apesar do que aconteceu na Indochina, na Tunísia e no Marrocos, nenhum governo francês ousava cogitar a independência da Argélia, pois isso acarretaria a ira dos colonos e seus apoiadores na França. O próprio Mendès-France declarou que "a França sem a Argélia não seria a França".

Tragicamente, a teimosia dos colonos e sua recusa até mesmo a conversar fez com que a luta fosse decidida pelos extremistas. Encorajado pela derrota francesa na Indochina, formou-se um grupo nacionalista mais combativo, a *Frente de Libertação Nacional (Front de Libération Nationale, FLN)*, liderada por *Ben Bella*, que lançou uma guerra de guerrilhas próximo ao final de 1954 e prometeu que quando chegassem ao poder, os *pieds noirs* seriam tratados de forma justa. Por outro lado, os colonos ainda estavam confiantes em que poderiam derrotar os guerrilheiros com o apoio do exército francês. A guerra foi crescendo em intensidade à medida que a França enviava mais tropas. Em 1960, havia 700.000 soldados franceses engajados em uma imensa operação antiterrorismo. *A guerra estava tendo efeitos profundos na própria França*:

- Muitos políticos franceses se deram conta de que, mesmo que o exército ganhasse a guerra militar, a FLN ainda teria o apoio da maioria do povo argelino, e enquanto isso durasse, *o controle da França sobre o país nunca estaria garantido*.
- *A guerra dividia a opinião pública na França* entre os que queriam continuar apoiando os colonos brancos e os que achavam que a luta não tinha futuro. Em alguns momentos, os sentimentos ficaram tão acirrados que a própria França parecia estar à beira da guerra civil.
- O exército francês, depois de suas derrotas na Segunda Guerra Mundial e na Indochina, via na Argélia uma chance de restaurar sua reputação e se recusava a cogitar a rendição. Alguns generais estavam dispostos a dar um golpe militar contra qualquer governo que decidisse dar independência à Argélia.
- Em maio de 1958, suspeitando que o governo estava por ceder, como tinha feito na Tunísia e no Marrocos, os generais Massu e Salan organizaram manifestações em Argel e exigiram que o general de Gaulle fosse chamado para chefiar um novo governo. Eles estavam convencidos de que ele, um grande patriota, nunca concordaria com a independência da Argélia, e começaram a implementar seu plano, apelidado de *Ressurreição*, levando soldados de avião de Argel a Paris, onde a intenção era ocupar prédios do governo. A guerra civil parecia iminente. O governo não encontrava meios de sair do impasse e, consequentemente, renunciou. De Gaulle usou, inteligentemente, os meios de comunicação para reforçar seus argumentos, condenando a fraqueza da Quarta República e seu "regime dos partidos", que ele afirmava ser incapaz de lidar com o problema. Então, olhando para 1940, ele disse: "Não muito tempo atrás, o país, em seu momento de perigo, confiou em mim para liderá-lo à salvação. Hoje, com as novas provações que enfrenta, deve saber que estou pronto para assumir os poderes da República".

  O presidente Coty chamou de Gaulle, que concordou em assumir o cargo de primeiro-ministro, desde que pudesse elaborar uma nova Constituição, o que *acabou sendo o final da Quarta República*. Os historiadores debateram muito o papel que de Gaulle teve em tudo isso. Quanto ele sabia sobre a Ressurreição? Ele ou seus apoiadores a tinham planejado, eles próprios, para poder voltar ao poder? Ele estava simplesmente usando a situação na Argélia como forma de destruir a Quarta República, que ele considerava fraca? O que parece claro é que ele sabia do plano, e deu pistas a Massu e Salan de que se o presidente Coty se recusasse a permitir que ele assumisse o poder, ele não se importaria que a Ressurreição fosse adiante para que ele pudesse chegar ao poder dessa forma.
- De Gaulle logo apresentou sua nova Constituição, que dava ao presidente muito mais poder, e foi eleito presidente da Quinta República (dezembro de 1958), cargo que ocupou até sua renúncia em abril de 1969. Seu enorme prestígio foi demonstrado quando se realizou um referendo sobre a nova Constituição: na própria França, mais de 80% votaram a favor, enquanto na Argélia, onde os argelinos muçulmanos puderam votar em igualdade de condições com os brancos pela primeira vez, mais de 76% aprovaram.

Depois que chegou ao poder, se esperava que de Gaulle desse uma solução, mas como ele poderia fazê-lo quando qualquer tentativa de acordo seria considerada como traição total pelas próprias pessoas que o ajudaram a chegar lá? De Gaulle era um grande pragmático. Enquanto a luta cruel continuava, com ambos os lados cometendo atrocidades, ele deve ter entendido que uma vitória militar completa estava fora de questão. Com certeza, ele esperava que sua popularidade lhe permitisse forçar um acordo. Quando demonstrou disposição de negociar com a FLN, o exército e os colonos ficaram inflamados; não era isso que esperavam dele. Liderados pelo general Salan, eles fundaram a *Organização do Exército Secreto (l'Organisation de l'Armée Secrète, OAS)* em 1961, que deu início a uma campanha terrorista, explodindo prédios e assassinando críticos na Argélia e na França. Eles tentaram assassinar de Gaulle várias vezes; em agosto de 1962, depois de ter sido concedida a independência, ele e sua esposa escaparam por pouco da morte quando seu carro foi crivado de balas. Quando foi anunciado que iniciariam conversações de paz em Evian, a OAS tomou o poder na Argélia. A coisa estava indo longe demais para a maioria dos franceses e também para muita gente do exército. Quando de Gaulle apareceu na televisão vestido com seu uniforme completo de general e denunciou a OAS, o exército se dividiu e a rebelião desabou.

O público francês estava cansado da guerra e houve ampla aprovação quando Ben Bella, que estava na prisão desde 1956, foi libertado para participar das conversações de paz em Evian. *Acordou-se que a Argélia deveria se tornar independente em julho de 1962*, e Ben Bella foi eleito seu primeiro presidente no ano seguinte. Cerca de 800.000 colonos saíram do país e o novo governo tomou a maior parte de suas terras e empresas. O período que se seguiu à luta foi selvagem. Os muçulmanos argelinos que tinham permanecido leais à França, incluindo cerca de 200.000 que tinham servido no exército francês, foram denunciados pela FLN como traidores. Ninguém sabe quantos foram executados e assassinados, mas algumas estimativas situam o total em até 150.000.* Alguns historiadores criticaram de Gaulle pela forma com que lidou com a situação argelina e pelo enorme banho de sangue que foi causado. De todas as guerras de independência travadas contra uma potência colonial, essa foi a mais sangrenta. Mesmo assim, dada a intransigência dos colonos brancos e dos elementos rebeldes do exército e depois o da FLN, é difícil imaginar qualquer outro político que tivesse feito melhor. Mesmo com problemas, pode-se dizer que o processo salvou a França da guerra civil.

(d) O restante do Império Francês

As possessões francesas na África ao sul do Saara eram:

- A **África Ocidental francesa**, que consistia em oito colônias: Dahomey, Guiné, Costa do Marfim, Mauritânia, Níger, Senegal, Sudão (hoje Mali) e Alto Volta;
- **África Equatorial Francesa**, com quatro colônias: Chade, Gabão, Congo Médio e Oubangui-Shari;
- Um terceiro grupo que consistia em **Camarões** e **Togo** (ex-colônias alemãs dadas aos cuidados da França como mandatos de 1919), e a ilha de **Madagascar**.

A política da França depois de 1945 era tratar esses territórios como se fossem parte do país. Mesmo assim, era uma fraude, já que os africanos não eram tratados em igualdade de condições com os europeus e qualquer ação com vistas a mais privilégios para os africanos recebia a oposição dos colonos franceses. Em 1949, o governo francês decidiu reprimir todos os movimentos nacionalistas e muitos de seus líderes e sindicalistas foram presos. Muitas vezes, eles eram denunciados como agitadores comunistas, mesmo sem muitas evidências para sustentar as acusações.

---

* N. de R.: Na verdade, segundo acordo firmado, a maioria deles foi para a França, sendo desprezados por franceses e argelinos.

Aos poucos, os franceses foram forçados a mudar sua política pelos eventos na Indochina e no Magreb, junto com o fato de que a Grã-Bretanha estava preparando a Costa do Ouro e a Nigéria para a independência. *Em 1956, as 12 colônias da África Ocidental e Equatorial receberam autogoverno para questões internas, mas continuavam a pressionar por independência total.*

Quando subiu ao poder em 1958, de Gaulle propôs um novo plano, esperando manter o maior controle possível sobre as colônias:

- as 12 colônias continuariam a ter autogoverno, cada uma com seu próprio parlamento para assuntos internos;
- todas seriam membros de uma nova união, a *Comunidade Francesa*, e a França tomaria todas as decisões importantes sobre impostos e assuntos externos;
- todos os membros da Comunidade receberiam ajuda econômica da França;
- as colônias que optassem pela independência total poderiam obtê-la, mas, nesse caso, não receberiam qualquer ajuda da França.

De Gaulle confiava em que nenhuma delas ousaria enfrentar o futuro sem ajuda francesa. Ele estava quase certo: 11 colônias votaram a favor de seu plano, mas em uma delas, *a Guiné, sob a liderança de Sékou Touré, 95% das pessoas votaram contra.* A Guiné recebeu independência imediatamente (1958), mas toda a ajuda francesa parou. Porém, a postura brava da Guiné encorajou as 11, bem como Togo, Camarões e Madagascar: todas demandaram independência total e de Gaulle concordou. Todas passaram a ser repúblicas independentes em 1960, mas essa nova independência não era tão completa quanto os novos países esperavam: de Gaulle pretendia implementar o neocolonialismo: todos os países, com exceção da Guiné, viram que a França ainda influenciava suas políticas econômicas e externas, e qualquer ação independente estava quase fora de questão.

Três possessões francesas fora da África – Martinica, Guadalupe e Guiana Francesa – não receberam independência e continuaram a ser tratadas como extensões do país central, com *status* oficial de "departamentos no além-mar" (uma espécie de distrito ou província). Seus povos votavam nas eleições francesas e seus representantes tinham cadeiras na Assembleia Nacional em Paris.

24.6 HOLANDA, BÉLGICA, ESPANHA, PORTUGAL E ITÁLIA

Todas essas potências coloniais, com exceção da Itália, estavam ainda mais determinadas do que a França a manter suas possessões no exterior, provavelmente porque, sendo menos ricas do que a Grã-Bretanha e a França, careciam dos recursos para sustentar o neocolonialismo. Não havia forma de elas manterem um equivalente à Comunidade Britânica ou à influência francesa sobre suas ex-colônias, contra a concorrência do capital estrangeiro.

(a) Holanda

Antes da Segunda Guerra Mundial, a Holanda tinha um enorme império nas Índias Orientais, incluindo as grandes ilhas de Sumatra, Java e Celebes, Irian Ocidental (parte da ilha de Nova Guiné) e cerca de dois terços da ilha de Bornéu (ver Mapa 24.3). O país também tinha algumas ilhas nas Índias Ocidentais e o Suriname no continente sul-americano, entre as Guianas Britânica e Francesa.

Foi das valiosas Índias Orientais que veio o primeiro desafio ao controle holandês, mesmo antes da guerra. Os holandeses funcionavam de maneira semelhante à França na Argélia: cultivavam produtos agrícolas para exportação e muito pouco faziam para melhorar os padrão de vida dos nativos. Grupos nacionalistas fizeram campanha na década de 1930 e muitos líderes foram presos, entre eles, Ahmed Sukarno. Quando os japoneses invadiram, em 1942, libertaram Sukarno e outros, e permitiram que participassem da administração do país, prometendo independência quando a guerra terminasse. Com a derrota japonesa em 1945, Sukarno declarou a independência da República da Indonésia, não esperando qualquer resistência de parte dos holandeses, que foram derrotados em seu país ocupado pelos alemães. Contudo, logo chegaram tropas holandesas que fizeram esforços determinados para retomar o controle. Embora os holandeses tenham conseguido algum êxito, a guerra se arrastou e eles ainda estavam muito longe da vitória final em 1949, quando acabaram decidindo negociar. *Suas razões eram as seguintes*:

- As despesas da campanha eram destrutivas para um país pequeno como a Holanda.
- A vitória total ainda parecia muito distante.
- Eles estavam sob forte pressão da ONU para chegar a um acordo.
- Outros países, como os Estados Unidos e a Austrália, estavam pressionando a Holanda para dar independência para que eles pudessem exercer influência quando acabasse o controle exclusivo dos holandeses.
- Os holandeses tinham esperanças de, fazendo concessões, conseguir preservar o vínculo entre seu país e a Indonésia, e manter alguma influência.

A Holanda concordou em reconhecer a independência dos Estados Unidos da Indonésia (1949), com Sukarno na presidência, mas sem incluir Irian Ocidental. Sukarno aceitou uma União Holanda-Indonésia sob a coroa holandesa e as tropas desta foram retiradas. Contudo, no ano seguinte, Sukarno rompeu com a união e começou a pressionar os holandeses para entregar Irian Ocidental, confiscando propriedades holandesas e expulsando europeus. Em 1963, os holandeses cederam e permitiram que a Irian Ocidental se tornasse parte da Indonésia.

Em 1965, aconteceram eventos importantes, quando Sukarno foi derrubado em um golpe militar de direita, aparentemente porque era visto como muito influenciado pela China comunista e pelo Partido Comunista da Indonésia, o maior fora da URSS e da China. Os Estados Unidos, através da CIA, estavam envolvidos no golpe porque não lhes agradava a tolerância de Sukarno em relação ao Partido Comunista ou a forma como ele atuava como líder dos movimentos não alinhados e não imperialistas do Terceiro Mundo. Os norte-americanos receberam bem seu sucessor, o general Suharto, que introduziu de modo servical o que chamou de "Nova Ordem", ou seja, um expurgo de comunistas, no qual pelo menos meio milhão de pessoas foi assassinado e o Partido Comunista, desarticulado. O regime tinha as características de uma brutal ditadura militar, mas houve poucos protestos de parte do Ocidente porque, na atmosfera da Guerra Fria, a campanha anticomunista de Suharto era perfeitamente aceitável. Das outras possessões holandesas, a independência do Suriname foi permitida em 1975; as ilhas das Índias Ocidentais foram tratadas como parte da Holanda, embora com permissão para controlar parte de suas questões internas.

(b) Bélgica

O controle belga de suas possessões africanas – o Congo Belga e Ruanda-Urundi – terminou em caos, violência e guerra civil. *Os belgas achavam que a melhor maneira de preservar seu controle era a seguinte*:

- Negar aos africanos qualquer educação avançada. Isso os impediria de entrar em contato com quaisquer ideias nacionalistas e os privaria de uma classe de profissionais com boa formação, que pudesse levá-los à independência;
- Usar as rivalidades tribais em sua vantagem, manipulando diferentes tribos uma contra a outra. Isso funcionou bem no imenso Congo, que tinha cerca de 150 tribos. Homens de uma tribo eram usados para manter a ordem em outra área tribal. Em Ruanda-Urundi, os belgas usaram a tribo tutsi para ajudar a manter o controle do outro principal grupo tribal, os hutus.

Apesar de todos esses esforços, as ideias nacionalistas começaram a se infiltrar a partir das colônias francesas e britânicas vizinhas.

1 O Congo Belga

Os belgas pareceram ser pegos de surpresa por grandes revoltas (janeiro de 1959) na capital do Congo, Leopoldville. A multidão protestava contra o desemprego e a queda no padrão de vida, e em pouco tempo a desordem se espalhou por todo o país.

A Bélgica mudou de repente sua política e anunciou que o Congo se tornaria independente em seis meses. Isso era chamar o desastre: as políticas dos próprios belgas tinham feito com que não existisse qualquer grupo de africanos com experiência ao qual se pudesse entregar o poder. Os congoleses não foram educados para empregos profissionais: só havia 17 pessoas com curso superior em todo o país e não havia médicos, advogados, engenheiros nem oficiais do exército africanos. O Movimento Nacional Congolês (*Mouvement National Congolais*, MNC), liderado por Patrice Lumumba, existia há menos de um ano. O tamanho imenso do país e o grande número de tribos tornariam difícil de governar. Seis meses era muito pouco tempo para preparar a independência.

Por que os belgas tomaram essa decisão extraordinária?

- Temiam mais derramamento de sangue se hesitassem. Havia mais de 100.000 belgas no país, que poderiam estar em risco.
- Não queriam enfrentar as despesas de uma campanha antiguerrilha como a que se arrastava na Argélia.
- Esperavam que a independência imediata, enquanto o Congo ainda estava fraco e dividido, deixaria o novo país completamente desamparado e ele seria dependente da Bélgica para apoio e assessoramento, de forma que sua influência poderia ser preservada.

O Congo se tornou independente em 30 de junho de 1960, com Lumumba como primeiro-ministro e Joseph Kasavubu, líder de um grupo nacionalista rival, como presidente. Infelizmente, tudo deu errado pouco depois da independência e o país foi jogado em uma desastrosa guerra civil (ver Seção 25.5), e a ordem só foi restaurada em 1964.

2 Ruanda-Urundi

O outro território belga, *Ruanda-Urundi*, tornou-se independente em 1962 e foi dividido em dois países, Ruanda e Burundi, ambos governados por membros da tribo tutsi, como foi durante o período colonial. Nenhum deles estava preparado adequadamente e, após a independência, ambos tiveram uma história bastante agitada de rivalidade e violência cruel entre tutsis e hutus (ver Seção 25.7).

(c) Espanha

A Espanha tinha algumas áreas na África: a maior região era o Saara espanhol, e também havia as pequenas colônias do Marrocos Espanhol, Ifni e a Guiné Espanhola. O general Franco, o ditador de direita que governou a Espanha de 1939 a 1975, demonstrava pouco interesse nas colônias.

- Quando surgiram movimentos nacionalistas, ele não resistiu muito no caso do *Marrocos Espanhol*: quando os franceses deram independência ao *Marrocos Francês* (1956), Franco acompanhou e a área espanhola se tornou parte do Marrocos. As outras duas colônias pequenas tiveram que esperar muito mais.
- *Ifni* teve permissão para se juntar ao Marrocos, mas só em 1969.
- A *Guiné* se tornou independente, como Guiné Equatorial, em 1968.

Saara Espanhol

Neste caso, Franco resistiu mais tempo, porque a região era uma valiosa fonte de fosfatos. Só depois de sua morte, em 1975, o novo governo espanhol concordou em libertar o Saara. Infelizmente, o processo foi muito mal implementado: em lugar de torná-lo um Estado independente governado por seu partido nacionalista, a *Frente Polisario*, houve a ocupação e divisão entre dois Estados vizinhos, o Marrocos e a

Mauritânia. A Frente Polisario, sob comando de seu líder Mohamed Abdelaziz, declarou a República Democrática Árabe do Saara (1976), que foi reconhecida por Argélia, Líbia, alguns países comunistas e a Índia. A Argélia e a Líbia enviaram ajuda e em 1979, a Mauritânia decidiu se retirar, facilitando a continuidade da luta do Saara contra o Marrocos. Contudo, o fato de o Saara ter sido reconhecido oficialmente pela URSS foi suficiente para gerar suspeitas nos Estados Unidos. Quando parecia que também os marroquinos estavam preparados para negociar a paz, o novo presidente norte-americano Ronald Reagan os encorajou a continuar lutando, aumentando a ajuda ao Marrocos.

A guerra se arrastou pela década de 1980, e mais um país do Terceiro Mundo se tornou vítima dos interesses específicos de uma superpotência. Em 1990, a ONU propôs a realização de um referendo para que o povo do Saara escolhesse ser independente ou continuar parte do Marrocos. Os dois lados assinaram um cessar-fogo, mas o referendo nunca aconteceu. Na década de 1990, as forças da Frente Polisario enfraqueceram com a perda de apoio da Argélia e da Líbia, principalmente porque esses países estavam preocupados com seus próprios problemas. O Saara permaneceu sob controle do Marrocos e começaram a chegar grandes quantidades de colonos marroquinos. Aos mesmo tempo, muitos saarianos, inclusive guerreiros da Frente Polisario, saíram do país e foram obrigados a viver em campos de refugiados na Argélia.

(d) Portugal

As principais possessões portuguesas estavam na África: as duas grandes áreas de *Angola* e *Moçambique* e a pequena colônia da *Guiné Portuguesa*, na África Ocidental. O país ainda detinha a posse da parte leste da ilha do Timor, nas Índias Orientais.* O governo português di-

---

* N. de R.: Além dos arquipélagos de Cabo Verde e São Tomé e Príncipe na África, e as cidades de Goa na Índia e Macau na China.

reitista do Dr. Salazar ignorava tranquilamente os eventos nacionalistas no restante da África e, por muitos anos depois de 1945, as colônias portuguesas pareciam sossegadas e resignadas à sua posição. Elas eram predominantemente agrícolas, havia poucos operários industriais e as população negras eram quase que totalmente analfabetas. Em 1956, só 50 africanos em todo Moçambique tinham recebido qualquer educação secundária. Embora houvesse grupos nacionalistas em todas as três colônias em 1956, eles permaneciam insignificantes. *Vários fatores mudaram a situação.*

- Em 1960, os nacionalistas já tinham recebido muito incentivo em função do grande número de países africanos que conquistaram a independência.
- O regime de Salazar, nada tendo aprendido com as experiências de outras potências coloniais, intensificou suas políticas repressivas, mas isso só aumentou a determinação dos nacionalistas.
- A luta começou em Angola (1961), onde o *MPLA* de Agostinho Neto *(Movimento Popular de Libertação de Angola)* era o principal movimento nacionalista. A violência logo se espalhou para Guiné, onde Amilcar Cabral liderava a resistência e Moçambique, onde os guerrilheiros da Frelimo eram organizados por Eduardo Mondlane.
- Os nacionalistas, que tinham, todos, fortes conexões marxistas, recebiam ajuda econômica e militar do bloco comunista.
- O exército português não conseguiu acabar com os guerrilheiros nacionalistas. As tropas foram desmoralizadas e o custo aumentou muito até que, em 1973, o governo gastava 40% de seu orçamento lutando três guerras coloniais ao mesmo tempo.
- Mesmo assim, o governo português se recusava a abandonar sua política, mas a opinião pública e muitos oficiais do exército estavam cansados de guerras, e em 1974, a ditadura de Salazar foi derrubada por um golpe militar.

Em pouco tempo, a independência foi concedida a todas as colônias: a Guiné assumiu o nome de Guiné-Bissau (setembro de 1974), e Moçambique e Angola se tornaram independentes no ano seguinte (além de Cabo Verde e São Tomé e Príncipe). Isso gerou uma grave crise para Rodésia e África do Sul, que ficaram sendo os únicos países na África governados por minorias brancas e seus governos se sentiram cada vez mais ameaçados.

Agora era a vez de Angola ser vítima da interferência externa e da Guerra Fria. Tropas sul-africanas imediatamente invadiram o país em apoio à Unita (União Nacional pela Independência Total de Angola), enquanto o general Mobutu, do Zaire, com apoio dos Estados Unidos, lançou outra invasão em apoio à FNLA (Frente Nacional pela Libertação de Angola). Os norte-americanos achavam que um governo conjunto desses dois grupos seria mais acessível e aberto à influência ocidental do que o marxista MPLA, que recebeu ajuda na forma de armas russas e um exército cubano, conseguindo derrotar os invasores em março de 1976, quando Neto foi aceito como presidente do novo país. A pausa se revelou apenas temporária. Houve mais invasões e Angola foi arrasada pela guerra civil em boa parte dos anos de 1990 (ver Seção 25.6). Os sul-africanos também interferiram em Moçambique, enviando grupos que atacavam através da fronteira e faziam tudo o que podiam para desestabilizar o governo da Frelimo. Mais uma vez, o país foi assolado pela guerra civil por muitos anos (ver Seção 9.4(c)).

Timor Leste

Outro território português merece menção: o Timor Leste era metade de uma pequena ilha nas Índias Orientais (ver Mapa 24.6). A metade oeste pertencia à Holanda e se tornou parte da Indonésia em 1949. O movimento nacionalista do Timor Leste (Fretilin) venceu uma curta guerra civil contra o grupo dominante, que queria permanecer com Portugal (setembro de 1975). Os Estados Unidos denunciaram o novo governo como sendo marxista, o que não era totalmente verdadeiro. Depois de apenas algumas semanas, tropas da Indonésia invadiram, derrubaram o governo e incorporaram o Timor Leste ao país, uma sequência de eventos descrita de forma vívida no romance de Timothy Mo, *The Redundancy of Courage*. Os Estados Unidos continuaram a fornecer equipamento militar aos indonésios, que foram responsáveis por atrocidades terríveis durante a guerra e depois dela. Estima-se que cerca de 100.000 pessoas foram mortas (um sexto da população) enquanto outras 300.000 foram colocadas em campos de detenção.

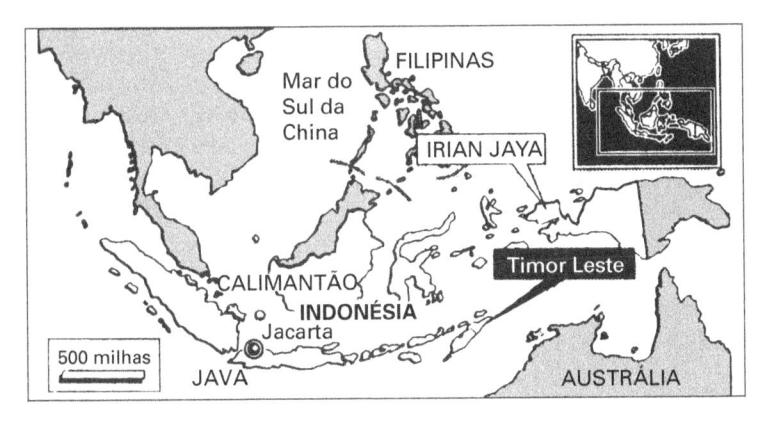

Mapa 24.6 Indonésia e Timor Leste.
Fonte: The Guardian, 20 de abril de 1996.

A Fretilin continuava a fazer campanha pela independência, mas, embora a ONU e a UE condenassem a ação da Indonésia, tudo indicava que o Timor Leste era pequeno demais e pouco importante, e os nacionalistas, muito esquerdistas para merecerem a aplicação de quaisquer sanções contra a Indonésia pelo Ocidente. Os Estados Unidos defenderam constantemente a reivindicação da Indonésia em relação ao Timor Leste e minimizaram a importância da violência. Em novembro de 1991, por exemplo, 271 pessoas foram mortas em Dili, a capital, quando tropas indonésias atacaram uma manifestação pró-independência. Todavia, esse incidente ajudou a direcionar a atenção internacional à campanha contra os abusos indonésios aos direitos humanos e contra a venda de armas dos Estados Unidos e do Reino Unido ao país. Em 1996, o bispo católico de Dili, Carlos Belo, e o porta-voz exilado da Fretilin, José Horta, receberam juntos o Prêmio Nobel da Paz em reconhecimento por sua campanha longa e não violenta pela independência.

Em 1999, com o crescimento do apoio internacional e a Guerra Fria há muito terminada, a Indonésia acabou cedendo e oferecendo a possibilidade de um referendo sobre "autonomia especial" para o Timor Leste. O referendo foi organizado pela ONU e aconteceu em agosto de 1999, resultando em quase 80% de votos em favor da completa independência em relação à Indonésia. Entretanto, a minoria pró-Indonésia se esforçou para sabotar as eleições. Enquanto a votação acontecia, suas milícias, apoiadas por tropas indonésias, fizeram o que podiam para intimidar os eleitores e jogar o país todo no caos. Depois que o resultado foi anunciado, elas saíram em um surto furioso de vingança e destruição, matando 2.000 pessoas e deixando 250.000 desabrigados. A violência só foi interrompida com a chegada de uma grande força de paz australiana.

Depois de dois anos, em agosto de 2001, quando foram realizadas eleições para a Assembleia Constituinte, a situação estava muito mais calma. A Fretilin venceu por uma margem ampla e seu líder, Xanana Gusmão, foi eleito presidente. Em maio de 2002, o Timor Leste recebeu reconhecimento internacional como país independente depois de uma luta que durou mais de um quarto de século.

(e) Itália

Em 1947, decidiu-se oficialmente que a Itália, tendo apoiado Hitler e sido derrotada na Segunda Guerra Mundial, perderia seu império no exterior. Suas possessões africanas seriam administradas pela França e pela Grã-Bretanha até que a ONU decidisse o que fazer com elas. A política da ONU era colocar os territórios sob governos que fossem simpáticos aos interesses ocidentais.

- A *Etiópia* foi devolvida ao comando do imperador Haile Selassie, que havia sido forçado a se exilar quando os italianos invadiram o país (Abissínia) em 1935.
- A *Líbia* recebeu a independência sob governo do rei Idris (1951).
- A *Eritreia* era parte da Etiópia (1952), mas teria um elevado grau de autogoverno dentro de um sistema federal.
- A *Somalilândia italiana* foi fundida com a britânica para formar o Estado independente da Somália (1960).

Algumas dessas soluções não se mostraram muito bem-sucedidas. Tanto Idris quanto Haile Selassie se tornaram muito impopulares com seus povos, o primeiro porque era considerado muito pró-Ocidente e o segundo, porque não fez qualquer tentativa de modernizar a Etiópia e realizou muito pouco para melhorar a vida do povo. Ele também cometeu o erro de cancelar os direitos de autogoverno da Eritreia (1962), o que levou os eritreus a uma guerra de independência. O rei Idris foi deposto em 1969 por um movimento socialista revolucionário que nacionalizou a indústria petrolífera e começou a modernizar o país. Haile Selassie foi derrubado em 1974. Em pouco tempo, surgiram novos líderes – o coronel Kadafi na Líbia e o coronel Mengistu na Etiópia – que pediram ajuda econômica à URSS. Mengistu parecia ter problemas mais graves. Ele cometeu o erro de se recusar a fazer um acordo com os eritreus e enfrentou outras províncias – Tigre e Ogaden – que também queriam a independência. Enquanto lutava para reprimir todos esses movimentos separatistas, os gastos militares aumentavam muito e seu país afundou na pobreza e na fome ainda mais profundas (ver Seção 25.9).

24.7 VEREDICTO SOBRE A DESCOLONIZAÇÃO

Embora alguns países, principalmente a Grã-Bretanha, tenham lidado melhor do que outros com a descolonização, em geral ela não foi uma experiência agradável para a colônias e não havia final feliz e simples. Os novos países tiveram algumas conquistas, obtendo muito mais controle sobre o que acontecia dentro de suas fronteiras, e houve alguns ganhos para as pessoas comuns, como avanços na educação e nos serviços sociais e uma cultura política que lhes permitia votar. Contudo, em pouco tempo ficou na moda desprezar toda a experiência colonial e imperial como sendo um desastre no qual os países europeus, com suprema arrogância, impuseram controle sobre seus súditos, exploraram-nos sem escrúpulos e depois se retiraram contra a sua vontade, deixando-os empobrecidos e *diante de novos problemas*.

- O *neocolonialismo* fez com que os países da Europa Ocidental e os Estados Unidos ainda exercessem um grande controle sobre os novos Estados, que continuavam a precisar dos mercados e do investimento que o Ocidente podia oferecer.
- *Muitos novos Estados, principalmente na África, estavam mal preparados ou totalmente despreparados para a independência*. Suas fronteiras eram muitas vezes artificiais, tendo sido forçadas pelos europeus e com poucos incentivos para que as tribos permanecessem juntas. Na Nigéria e no Congo Belga, as diferenças tribais ajudaram a causar a guerra civil. Quando as tropas britânicas se retiraram da Niasalândia (Malaui), só havia três escolas de nível médio para 3 milhões de africanos e nem uma única fábrica. Quando foram forçados a se retirar de Moçambique, os portugueses deliberadamente destruíram instalações e maquinário como vingança.
- *Na maioria dos casos, os governos que assumiram eram comandados por grupos da elite local*. Não houve revolução social nem garantias de que as pessoas comuns ficassem em melhor situação. Em países em que os novos governos estavam dispostos a introduzir políticas socialistas (nacionalizando seus recursos ou empresas estrangeiras) ou onde os governos mostrassem qualquer sinal de serem pró-comunistas, os países ocidentais desaprovavam e muitas vezes respondiam cortando a ajuda ou ajudando a desestabilizar o governo. Isso aconteceu na Indochina, na Indonésia, no Timor Leste, no Chade, em Angola, em Moçambique, no Zaire e na Jamaica.
- *Todos os países do Terceiro Mundo enfrentavam pobreza intensa*. Eles eram economicamente subdesenvolvidos e muitas vezes dependiam da exportação de um ou dois produtos. Uma queda no preço mundial de seu produto representava um desastre de grandes proporções. Empréstimos de fora os deixavam com pesadas dívidas (ver Seção 26.2). Como de costume, a África foi a mais atingida: era a única região do mundo onde, em 1987 a renda das pessoas era, em média, mais baixa do que em 1972.

Por outro lado, em 2003, o historiador Niall Ferguson fez uma forte defesa do Império Britânico e de seu legado. Ao mesmo tempo em que reconhecia que o histórico da Grã-Bretanha como potência colonial não era imaculado, ele afirmava que os benefícios da dominação britânica eram consideráveis. No século XIX, os britânicos "foram pioneiros do livre-comércio, dos movimentos livres de capital e, com a abolição da escravidão, do trabalho livre". Além disso, desenvolveram uma rede global de comunicações modernas, disseminaram um sistema de lei e ordem e "mantiveram uma paz global sem igual, antes ou depois". Quando o império terminou, os antigos territórios britânicos ficaram com estruturas bem-sucedidas de capitalismo liberal, instituições da democracia parlamentar e a língua inglesa, que, hoje em dia, é um importante meio de comunicação global. "O que o Império Britânico provou", é a polêmica conclusão de Ferguson, "é que o império é uma forma de governo internacional que pode funcionar, e não apenas para o benefício da potência dominante. Ele buscou globalizar um sistema não apenas econômico, mas também jurídico e, em última análise, político".

PERGUNTAS

1. **A luta pela independência do Quênia**
Estude a fonte A e responda as perguntas a seguir.

Fonte A
Trecho de um relatório da Comissão Real do Governo Britânico sobre as condições nas cidades africanas, publicado em 1955.

> Os salários da maioria do trabalhadores africanos são baixos demais para que eles consigam moradia em Nairóbi [a capital do Quênia]. O alto custo da habitação em relação aos salários gera superpopulação, porque as moradias são compartilhadas para reduzir os custos. Isso, juntamente com o alto custo de comida nas cidades, torna a vida em família impossível para a maioria.

Fonte: Citado em Basil Davidson, *Modern Africa: A Social and Political History* (Longman, edição de 1989).

(a) Usando a fonte e seu próprio conhecimento, explique por que os nacionalistas africanos começaram a promover campanhas pela independência do Quênia no início dos anos 1950.
(b) Por que o governo britânico foi inicialmente contrário às demandas do Quênia por independência?
(c) Qual foi a importância da contribuição de Harold Macmillan no Quênia, para a conquista da independência em 1963?

2. "Sem a habilidade de de Gaulle para lidar com situação, a crise argelina provavelmente teria jogado a França na guerra civil". Até que ponto você concorda com esse veredicto sobre a contribuição do presidente de Gaulle para os eventos que levaram à independência da Argélia?

3. "A descolonização não trouxe os benefícios que a maioria dos povos africanos esperava". Explique por que você concorda ou discorda dessa avaliação da descolonização na África..

4.
(a) "A independência da Índia não foi um presente dos britânicos, e sim, o fruto conquistado a duras penas pela luta e pelo sacrifício". Explique se acha que esse é um veredicto preciso do avanço da Índia em direção à independência.
(b) Explique por que foi necessário dividir a Índia, criando o Estado separado do Paquistão.

Problemas na África 25

RESUMO DOS EVENTOS

Depois de conquistar a independência, as novas nações africanas enfrentavam problemas semelhantes. Neste espaço limitado, não é possível examinar os eventos em todos os países da África. As seções a seguir examinam os problemas comuns a todos eles, e mostram o que aconteceu em alguns dos que vivenciaram um ou mais desses problemas. Por exemplo,

- *Gana* sofreu problemas econômicos, o fracasso da democracia e vários golpes.
- A *Nigéria* vivenciou a guerra civil, uma secessão de golpes militares e uma ditadura militar brutal.
- *Tanzânia*: pobreza extrema.
- *Congo*: guerra civil e ditadura militar.
- *Angola*: guerra civil prolongada pela interferência externa.
- *Burundi* e *Ruanda*: guerra civil e terríveis massacres tribais.
- A *África do Sul* foi um caso especial: depois de 1980, quando a Rodésia (Zimbábue) obteve sua independência, ela era o último bastião do domínio branco no continente africano e a minoria branca estava decidida a ir até as últimas consequências contra o nacionalismo negro. Aos poucos, as pressões ficaram fortes demais para essa minoria, e em maio de 1994, Nelson Mandela se tornou o primeiro presidente negro da África do Sul.
- *Libéria*, *Etiópia*, *Serra Leoa* e *Zimbábue* também tiveram seus próprios problemas. Em meados dos anos de 1980, a maioria dos países da África começou a enfrentar a HIV/AIDS, que, em 2004, chegou a proporções pandêmicas, principalmente na África subsaariana. Cerca de 28 milhões de pessoas, mais ou menos 8% da população, eram soropositivos.

25.1 PROBLEMAS COMUNS AOS PAÍSES DA ÁFRICA

(a) Diferenças tribais

Cada um desses países combinava várias tribos diferentes que só foram mantidas juntas pelos governantes coloniais e que tinham se unido na luta nacionalista para libertar-se dos estrangeiros. Assim que os europeus se retiraram, havia pouco incentivo para permanecer juntas e elas tendiam a considerar a lealdade à tribo mais importante do que à sua nova nação. Na Nigéria, no Congo (Zaire), Burundi e Ruanda, as diferenças tribais se tornaram tão intensas que levaram à guerra civil.

(b) Eram economicamente subdesenvolvidos

Nesse aspecto, eles eram como muitos outros países do Terceiro Mundo. A maioria dos países africanos tinha muito pouca indústria, o que havia sido uma política deliberada das potências coloniais, para que os africanos tivessem que comprar bens fabricados na Europa e nos Estados Unidos. O papel das colônias foi o de fornecer alimentos e matérias-primas. Depois da independência, dependiam muitas vezes de uma ou duas mercadorias para exportar, de forma que uma queda no preço mundial de seus produtos era um imenso desastre. A Nigéria, por exemplo, era muito dependente de suas exportações de petróleo, que geravam cerca de 80% da receita anual. Houve escassez de capital e de habilidades de todos os tipos, e a população crescia a uma taxa de 2% ao ano. Os empréstimos do exterior deixavam os países muito endividados, e ao se concentrar no aumento das exportações para pagar as dívidas, os alimentos para o consumo doméstico ficavam mais escassos. Tudo isso tornava os países africanos muito dependentes dos países ocidentais e dos Estados Unidos para terem mercados e investimentos, e possibilitava que estes exercessem algum controle sobre os governos africanos (neocolonialismo). Na atmosfera da Guerra Fria, alguns Estados sofreram intervenção militar direta dos países que não gostavam de seu governo, geralmente porque eram considerados esquerdistas e sob influência soviética. Isso aconteceu com Angola, que foi invadida por tropas da África do Sul e do Zaire porque esses países desaprovavam o governo marxista angolano.

(c) Problemas políticos

Os políticos africanos careciam de experiência para trabalhar com esses sistemas de democracia parlamentar deixados para trás pelos europeus. Diante de problemas difíceis, eles muitas vezes não conseguiam dar conta e os governos se tornavam corruptos. A maioria dos líderes africanos que tinham participado em campanhas guerrilheiras antes da independência foi influenciada por ideais marxistas, o que muitas vezes fez com que estabelecessem Estados de partido único como a forma necessária de chegar ao progresso.* Em muitos desses países, como o Quênia e a Tanzânia, isso funcionou bem, possibilitando um governo estável e eficaz. Por outro lado, como era impossível fazer oposição a esses governos por meios legais, a violência era a única resposta. Os golpes militares para depor governantes impopulares se tornaram comuns. O presidente Nkrumah, de Gana, foi deposto pelo exército em 1966, depois de tentativas fracassadas de assassiná-lo. Onde o exército não conseguia ou não queria dar um golpe, como em Malaui, o sistema de partido único floresceu à custa da liberdade e da verdadeira democracia.

(d) Desastres econômicos e naturais

Na década de 1980, a África foi atingida por desastres econômicos e naturais. A recessão mundial reduziu a demanda por exportações africanas, como petróleo, cobre e cobalto, e houve uma grave seca (1982-1985) que causou o fracasso das safras, morte de animais, falta de alimentos e inanição. A seca terminou em 1986 e grande parte do continente teve safras recorde naquele ano. Contudo, a essas alturas, a África, como o restante do mundo, sofria uma grave crise de endividamento e foi forçada pelo Fundo Monetário Internacional a economizar drasticamente como retorno por mais empréstimos. Em vários casos, o FMI prescreveu o Programa de Ajuste Estrutural Econômico (*ESAP, Economic Structural Adjustment Programme*) que o país deveria seguir, que costumava desvalorizar a moeda e reduzir os subsídios aos preços dos alimentos, causando aumentos de preços em um momento em que o desemprego crescia e os salários caíam. Os governos também foram forçados a cortar seus gastos com educação, saúde e serviços sociais como parte do programa de austeridade. A Tabela 26.2, no capítulo seguinte, mostra a pobreza da maioria dos paí-

---

* N. de R.: O Partido Único na África tem sido, geralmente, uma resposta tanto de direita como de esquerda para manter a unidade nacional.

ses africanos em comparação com o restante do mundo.

25.2 DEMOCRACIA, DITADURA E GOVERNO MILITAR EM GANA

Kwame Nkrumah (Ilustração 25.1) governou Gana desde que o país conquistou a independência, em 1957, até sua deposição pelo exército, em 1966.

(a) Suas realizações iniciais foram impressionantes

Ele tinha uma visão socialista e queria que seu povo tivesse um padrão de vida mais elevado, o que viria da organização eficiente e da industrialização. A produção de cacau (o principal produto de exportação de Gana, dobrou, a silvicultura, a pesca e a pecuária se expandiram e os modestos depósitos do país em ouro e bauxita foram explorados com mais eficácia. A construção da barragem no rio Volta (iniciada em 1961) deu água para irrigação e energia hidroelétrica, esta suficiente para as cidades, bem como para uma nova usina de produção de alumínio. O governo deu verbas para projetos em vilas, nos quais os moradores construíam estradas e escolas.

Nkrumah também adquiriu prestígio internacional: ele apoiava fortemente o movimento pan-africano, acreditando que somente por meio de uma federação do continente como um todo a força africana poderia se fazer sentir. Como ponto de partida, foi formada uma união econômica com Guiné e Mali, embora não tenha dado muitos frutos. Ele apoiou a *Organização de Unidade Africana* (fundada em 1963) e geralmente cumpria um papel responsável em questões mundiais, mantendo Gana na Comunidade Britânica ao

Ilustração 25.1 Kwame Nkrumah.

mesmo tempo em que forjava vínculos com a URSS, a Alemanha Oriental e a China.

(b) Por que Nkrumah foi derrubado?

Ele tentou introduzir a industrialização com muita rapidez e tomou emprestadas grandes quantidades de capital do exterior, esperando equilibrar o orçamento a partir do aumento das exportações. Infelizmente, Gana ainda tinha uma dependência desconfortável das exportações de cacau, e uma forte queda no preço mundial do produto deixou o país com déficit em seu balanço de pagamentos. Havia críticas de que estava sendo desperdiçando muito dinheiro em projetos desnecessários, como o trecho de 15 km de estradas entre Accra (a capital) e Tema.

Provavelmente, a razão mais importante para sua queda era que ele começou a abandonar gradualmente o governo parlamentar em favor de um Estado de partido único e ditadura pessoal, o que ele justificava dizendo que os partidos de oposição, que se baseavam em diferenças tribais, não tinham uma postura construtiva e só queriam mais poder em suas próprias regiões. Eles não tinham qualquer experiência sobre o funcionamento de um sistema parlamentar, e como escreveu o próprio Nkrumah: "Até um sistema baseado em uma Constituição democrática pode precisar de apoio de medidas de emergência de caráter totalitário no período seguinte à independência".

A partir de 1959, os adversários podiam ser deportados ou detidos por até 5 anos sem julgamento. Até o respeitado líder da oposição, J. B. Danqua, foi preso em 1961 e morreu na prisão. Em 1964, todos os partidos foram proibidos, com exceção do de Nkrumah, e nem dentro de seu próprio eram permitidas críticas. Ele começou a construir uma imagem de "pai da nação". Circulavam *slogans* como "Nkrumah é nosso messias, Nkrumah nunca morre" e foram erigidas várias estátuas do "salvador". Muitas pessoas consideravam isso absurdo, mas Nkrumah justificava dizendo que a população conseguia se identificar melhor com uma única personalidade como líder do que com noções vagas de Estado. Tudo isso, somado ao fato de que se acreditava que ele tinha amealhado uma fortuna pessoal por meio da corrupção, foi demais para o exército, que tomou o controle quando Nkrumah estava em visita à China (1966). A CIA norte-americana deu ao golpe seu total apoio porque os Estados Unidos não aprovavam os vínculos de Nkrumah com os países comunistas.

O golpe militar prometia um retorno à democracia assim que fosse possível elaborar uma nova Constituição, completa, com salvaguardas contra a volta da ditadura. A Constituição ficou pronta em 1969 e o Dr. Kofi Busia, líder do Partido Progressista, foi eleito como novo primeiro-ministro (outubro de 1969).

(c) Kofi Busia

O Dr. Busia só sobreviveu até 1972, quando também foi destituído pelo exército. Acadêmico que estudou economia em Oxford, Busia ilustra perfeitamente as dificuldades que os políticos eleitos democraticamente tinham ao tentar manter a estabilidade na situação africana. No poder desde o início somente com a permissão do exército, ele tinha que produzir resultados rápidos, mas os problemas eram enormes, como desemprego crescente, aumento de preços e o baixo preço do cacau no mercado mundial, bem como dívidas enormes a serem pagas. O Canadá e os Estados Unidos estavam dispostos a esperar pelo pagamento, mas outros países, incluindo a Grã-Bretanha, não foram tão solidários. Busia, que tinha reputação de ser honesto, tentou sinceramente manter os pagamentos, mas eles estavam consumindo cerca de 40% dos lucros de Gana com as exportações. Em 1971, as importações foram limitadas e a moeda desvalorizou-se em quase 50%. Busia foi prejudicado pelas brigas tribais que ressurgiram em condições de democracia e a situação econômica deteriorou com tanta rapidez que, em janeiro de 1972, ele foi deposto, sem resistência, pelo coronel Ignatius Acheampong, que encabeçou um governo militar até julho de 1978.

(d) J. J. Rawlings

À medida que gana continuava a naufragar em meio a seus problemas econômicos, o próprio Acheampong foi derrubado do poder pelo general Fred Akuffo, supostamente por corrupção. Em junho de 1979, um grupo de oficiais de patente mais baixa, liderados por Jerry J. Rawlings (Ilustração 25.2), um carismático oficial da força aérea de 32 anos, de origem mista ganense e escocesa, tomou o poder alegando que soldados e políticos corruptos precisavam ser extirpados antes da volta à democracia. Eles lançaram o que foi descrito como um exercício de "faxina" na qual Acheampong e Akuffo foram executados depois de julgamentos secretos. Em julho, foram realizadas eleições pelas quais Rawlings devolveu a Gana o governo civil, com o *Dr. Hilla Limann* como presidente (setembro de 1979).

Limann não teve mais sucesso do que os líderes anteriores para interromper o declínio econômico do país. A corrupção ainda era enorme em todos os níveis, e o contrabando e o acúmulo escondido de produtos básicos eram lugares-comuns. Em 1981, a inflação estava em 125% e havia ampla inquietação de trabalhadores em função dos baixos salários. Rawlings chegou à conclusão de que ele e alguns de seus parceiros fariam melhor. Limann foi deposto em um golpe militar (dezembro de 1981) e o *tenente da força aérea Rawlings se tornou presidente de um Conselho Nacional de Defesa Provisório (Provisional National*

Ilustração 25.2 Jerry Rawlings – líder de Gana.

Defence Council, PNDC). Ele era raro entre os líderes militares: o exército não queria o poder, dizia simplesmente ser "parte do processo de decisão" que mudaria todo o sistema econômico e social de Gana. Embora Rawlings permanecesse como líder, o PNDC indicou um governo civil de pessoas conhecidas dos círculos políticos e acadêmicos. Gana sofreu bastante com a seca de 1983, mas no ano seguinte choveu muito, trazendo uma boa safra de milho.

O novo programa de recuperação parecia estar funcionando, a produção aumentou em 7%, e no início de 1985 a inflação baixou para 40%. Quando Gana celebrou seus 30 anos de independência (março de 1987), o país ainda estava se recuperando, e Rawlings e seu partido, o *Congresso Democrático Nacional (National Democratic Congress, NDC)*, evocando memórias de Nkrumah, estava fazendo uma campanha aparentemente bem-sucedida para unir firmemente os 12 milhões de ganenses. No início de 1990, o país tinha uma das maiores taxas de crescimento econômico da África. Mesmo assim, para muitas pessoas, uma crítica continuava: não havia avanços em direção à democracia representativa. Rawlings respondeu em 1991, convocando uma assembleia para elaborar uma nova Constituição e prometeu eleições democráticas em 1992. Elas aconteceram como previsto (novembro) e o próprio Rawlings foi eleito presidente para um mandato de quatro anos, com mais de 58% dos votos, passando a ser chefe de Estado e comandante em chefe das forças armadas. Ele foi reeleito em 1996, mas a Constituição não lhe permitia que concorresse de novo em 2000. Sua carreira foi impressionante: tendo tomado o poder em 1981, com apenas 36 anos, ele permaneceu líder por cerca de 20 anos e deu a Gana um longo período de estabilidade política e modesta prosperidade.

O NDC escolheu o vice-presidente J. E. A. Mills como seu candidato presidencial. Seu principal opositor foi John Kufuor, líder do *Novo Partido Patriótico (New Patriotic Party)*. Esperava-se que Mills vencesse, mas Kufuor teve uma vitória surpreendente e assumiu como presidente em janeiro de 2001. A derrota do NDC provavelmente foi causada por problemas econômicos, pois houve uma queda nos preços mundiais do cacau e do ouro, que eram os dois principais produtos de exportação do país, e pelo fato de que Rawlings, que tinha alta popularidade, não era mais candidato.

25.3 GUERRAS CIVIS E CORRUPÇÃO NA NIGÉRIA

À primeira vista, a Nigéria, que obteve sua independência em 1960, parecia ter vantagens em relação a Gana. Era um país potencialmente rico, pois haviam sido descobertos amplos estoques de petróleo no litoral leste. O primeiro-ministro era o competente e moderado *Sir Abubakar Tafawa Balewa*, assessorado pelo veterano líder nacionalista *Nnamdi Azikiwe*, que assumiu a presidência quando a Nigéria se tornou uma república, em 1963. Contudo, em 1966, o governo foi derrubado por um golpe militar, e no ano seguinte a guerra civil começou, durando até 1970.

(a) O que causou a guerra civil?

Uma combinação de fatores, citados na Seção 25.1, levou à deflagração.

- *As diferenças tribais da Nigéria eram mais graves do que as de Gana* e, embora a Constituição fosse federal, na qual cada uma das três regiões (norte, leste e oeste), achava que o governo central em Lagos não salvaguardava seus interesses o suficiente. Balewa vinha do norte muçulmano, onde as tribos hausa e fulani eram poderosas. Os iorubas do oeste e os ibos estavam sempre reclamando da dominação nortista, mesmo que Azikiwe também fosse ibo.

- *Para piorar as coisas, houve uma recessão econômica*. Em 1964, os preços aumentaram 15%, o desemprego era crescente e os salários estavam, em média, bem abaixo do que tinha sido calculado como o mínimo para viver. As críticas ao governo cresciam e Balewa respondeu prendendo o Chefe Awolowo, primeiro-ministro da região oeste, que, pela primeira vez, parecia ter probabilidade de romper com a federação. O governo central também foi acusado de corrupção depois de tentar manipular de forma ostensiva os resultados das eleições de 1964.

- *Em janeiro de 1966, houve um golpe militar dado principalmente por oficiais ibo, no qual Balewa e alguns políticos importantes foram mortos.* Depois disso, a situação foi se deteriorando constantemente, no norte houve massacres selvagens dos ibos, que foram para a região em busca de empregos melhores. O novo líder, o general Ironsi, ele próprio um ibo, foi assassinado por soldados do norte. Quando um nortista, o coronel Yakubu Gowon, surgiu como líder supremo, quase todos os ibos fugiram de outras partes do país de volta ao leste, cujo líder, o coronel Ojukwu, anunciou a secessão (separação) da região Leste da Nigéria para se tornar o Estado independente de Biafra (maio de 1967). Gowon lançou o que descreveu como "ação policial cirúrgica breve" para trazer o leste de volta à Nigéria.

(b) A guerra civil

Foi necessário mais do que uma breve ação policial, já que os biafrenses reagiram e lutaram com vigor. Foi uma guerra cruel e terrível na qual Biafra perdeu mais civis por doenças e fome do que soldados mortos em combate (Ilustração 25.3). Nem a ONU, nem a Comunidade Britânica, nem a Organização de Unidade Africana conseguiram mediar, e os biafrenses resistiram até o fim à medida que tropas nigerianas fechavam o cerco por todos os lados. A rendição final veio em janeiro de 1970 e a unidade da Nigéria foi preservada.

(c) A recuperação depois da guerra foi muito rápida

Havia problemas prementes: falta de alimentos em Biafra, violência intertribal, desemprego e recursos econômicos desgastados pela guerra. Gowon mostrou consideráveis qualidades de estadista nessa situação difícil. Não houve vingança, como temiam os ibos, e Gowon fez todos os esforços de reconciliação com eles, convencendo-os a voltar a seus empregos em outras partes do país. Ele introduziu um novo sistema federal de 12 estados, mais tarde aumentados para 19, para dar mais reconhecimento às diferenças locais entre as tribos, uma atitude pragmática em um país com tanta diversidade étnica.* A Nigéria conseguiu tirar vantagem dos crescentes preços do petróleo em meados dos anos de 1970, que deram ao país uma posição saudável no balanço de pagamentos. *Em 1975, Gowon foi deposto por outro golpe do exército, que provavelmente pensava que ele pretendia devolver o país a um governo civil cedo demais.* A Nigéria continuou a prosperar e o exército cumpriu sua promessa de um retorno ao governo democrático em 1979. Foram realizadas eleições em que o presidente Shagari se tornou chefe de um governo civil. Com o petróleo da Nigéria em alta demanda no exterior, a prosperidade parecia garantida e as perspectivas para um governo estável eram muitas.

(d) A promessa não se cumpriu

Infelizmente, em seguida veio a decepção: em 1981, a economia entrou em dificuldades em função da queda nos preços do petróleo e o balanço comercial saudável de 1980 se transformou em um déficit em 1983. Embora tenha sido eleito para mais um mandato de quatro anos (agosto de 1983), Shagari foi derrubado por um golpe militar em dezembro seguinte. Segundo o novo líder, o *Major-General Bukhari*, o governo civil era culpado de

---

* N. de R.: A fragmentação das grandes regiões em unidades administrativas menores limitou o regionalismo e aumentou o centralismo.

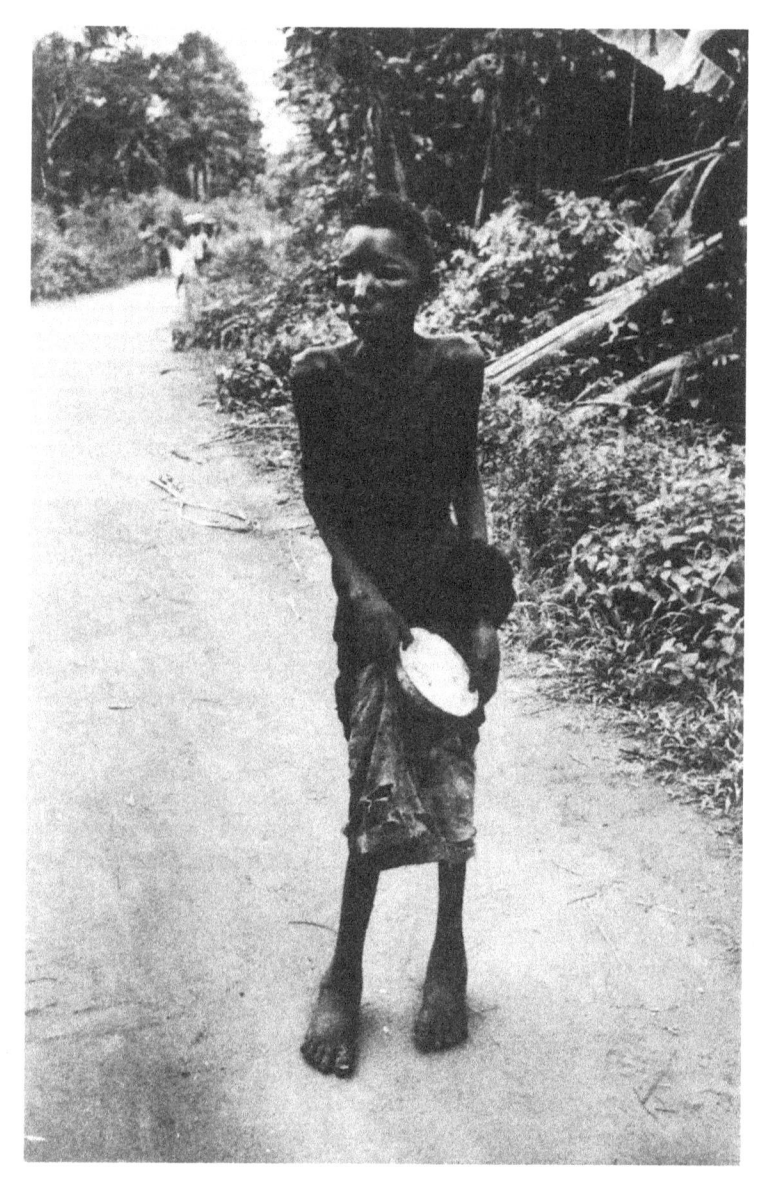

Ilustração 25.3 Biafra: uma vítima de 15 anos da guerra civil e da falta de alimentos.

má gestão da economia, corrupção financeira e fraude eleitoral. Em agosto de 1985, Bukhari foi vítima de mais um golpe levado a cabo por um grupo rival de oficiais do exército que reclamava que ele não tinha feito o suficiente para reverter a redução na qualidade de vida, o aumento de preços, a escassez crônica e o desemprego.

O novo presidente, o *Major-General Babangida*, começou com muita energia, introduzindo o que chamou de campanha para "apertar o cinto" e anunciando planos para desenvolver um lado da economia não vinculado ao petróleo. Ele visava expandir a produção de arroz, milho, peixe, óleo vegetal e produtos de origem animal, e dar prioridade especial à fabricação de aço e à montagem de veículos automotores. Seguindo o exemplo de Jerry Rawlings em Gana, ele declarou que seu governo militar não permaneceria no poder "um dia a mais do que fosse absolutamente necessário". Foi estabelecido um comitê de acadêmicos para produzir uma nova Constituição que "garantisse um mecanismo aceitável e indolor de sucessão". Definiu-se a data de outubro de 1990 para a volta ao governo civil. Outro revés veio em 1986, com mais uma grande redução nos preços do petróleo em junho, ao mínimo recorde de apenas 10 dólares o barril, representando um desastre para o governo, que tinha baseado seus cálculos orçamentários para 1986 em um preço de 23,50 dólares. Ele foi forçado a aceitar um empréstimo do Banco Mundial para que o programa de recuperação pudesse seguir adiante.

Apesar dos problemas econômicos, foram realizadas as eleições locais e estaduais prometidas em 1990 e 1991, e parecia haver uma boa chance de volta ao governo civil. Em junho de 1993, o Chefe Abiola venceu a eleição presidencial, mas Babangida anunciou que o pleito foi anulado por causa de irregularidades, embora a maioria dos observadores estrangeiros relatassem que a eleição foi realizada de forma justa e pacífica. *O General Sani Abacha, que vinha depois de Babangida na hierarquia, tomou o poder com um golpe sem derramamento de sangue* e Chefe Abiola foi preso posteriormente.

O governo de Abacha logo evoluiu para uma ditadura militar repressiva com a prisão e a execução de líderes oposicionistas, gerando condenação em todo o mundo (novembro de 1995). A Nigéria foi suspensa como membro da Comunidade Britânica e a ONU aplicou sanções econômicas. A maioria dos países parou de comprar petróleo nigeriano e a ajuda foi suspensa, o que representou mais reveses à economia. Enquanto isso, Abacha continuava aparentemente inabalado, sustentando que entregaria o poder a um presidente eleito democraticamente em 1998, ou quando se sentisse pronto. Alguns grupos de oposição conclamaram à divisão do país em Estados separados, outros exigiam um sistema federal mais frouxo que lhes possibilitasse escapar ao terrível regime de Abacha. A corrupção continuava aumentando, e se diz que durante o período de Babangida no poder, desapareceram mais de 12 bilhões de dólares em receitas oriundas do petróleo, uma tendência que se manteve sob o governo de Abacha. Essas práticas tampouco se limitaram à elite política, havendo evidências de que em todos os níveis de atividade, o suborno era necessário para manter o sistema operando.

Parecia que o domínio dos militares continuaria indefinidamente. Então, em junho de 1998, Abacha morreu inesperadamente e foi substituído pelo general Abubakar, que prometeu a volta ao governo civil assim que fosse possível em termos práticos. Os prisioneiros políticos foram libertados e foi permitida a formação de partidos políticos em preparação para as eleições a serem realizadas em 1999. Surgiram três partidos principais: o *Partido Democrático Popular (People's Democratic Party, PDP)*, o *Partido de Todo o Povo (All People's Party)* e a *Aliança pela Democracia (Alliance for Democracy)*. A eleição presidencial realizada em fevereiro de 1999 foi declarada justa e livre por uma equipe de observadores internacionais, Olusegun Obasanjo, do PDP, foi declarado vencedor e assumiu como presidente em maio.

(e) A volta ao governo civil

O presidente Obasanjo se esforçou para fazer do governo civil um sucesso. Ele começou aposentando muitos dos militares que tiveram cargos na administração e introduziu restrições com vistas a eliminar a corrupção. A imagem internacional da Nigéria melhorou e o presidente norte-americano Clinton fez uma visita em 2000, prometendo ajuda para restaurar a infraestrutura do país, que foi desmanchada, mas as coisas não aconteceram com facilidade: havia violência religiosa e étnica e a economia não cumpria todo o seu potencial.

- *Havia violência esporádica entre diferentes grupos tribais.* Por exemplo, no estado de Nassarawa, em torno de 50.000 pessoas foram forçadas a fugir de suas casas depois de dois meses de luta entre a tribo dominante hausa e a minoria tiv.
- *O problema mais grave era a violência contínua entre muçulmanos e cristãos.* Sempre houve hostilidades entre eles, mas agora isso se complicava mais em função da questão da Charia, um sistema de direito islâmico que impõe punições severas, incluindo a amputação de membros e morte por lapidação. Por exemplo, para roubo, amputação da mão direita na primeira vez, do pé esquerdo na segunda, mão esquerda na terceira e assim por diante. Um homem do estado de Zamfara perdeu a mão direita por roubar o equivalente e 25 libras esterlinas. As punições são especialmente severas para com as mulheres: cometer adultério e engravidar fora do casamento podem acarretar uma sentença de morte por lapidação. No final de 2002, 12 dos 19 estados – os dos norte, predominantemente muçulmanos – tinham adotado o direito Charia em seus sistemas jurídicos. Ele só se aplicava aos muçulmanos, mas enfrentava a oposição de muitos cristãos, que a consideraram bárbara e medieval.

  Nos outros estados, de maioria cristã, houve choques violentos entre muçulmanos e cristãos. O presidente e o procurador-geral, ambos cristãos e sulistas, eram contrários à introdução do direito Charia, mas estavam em situação difícil. Com a eleição presidencial marcada para abril de 2003, eles não poderiam entrar em confronto com os estados do norte. Entretanto, o procurador-geral chegou a declarar o direito Charia ilegal por infringir os direitos dos muçulmanos ao lhes submeter a "uma punição mais severa do que seria imposta a outros nigerianos pelo mesmo crime". Em março de 2002, um tribunal de apelações cancelou a pena de morte imposta a uma mulher no estado de Sokoto por adultério, mas no mesmo mês, outra mulher, no estado de Katsina, foi condenada à morte por lapidação por ter um filho fora do casamento. No mesmo ano, um casal jovem foi sentenciado à morte por fazer sexo fora do casamento. Essas sentenças geraram fortes protestos internacionais, União Europeia e Estados Unidos expressaram sua preocupação, e o governo da Nigéria disse que se opunha totalmente a essas sentenças.
- Houve violência grave na cidade de Kaduna, ao norte, seguindo a infeliz decisão de realizar o concurso de Miss Mundo na Nigéria em dezembro de 2002. Muitos muçulmanos desaprovavam, mas em novembro apareceu uma matéria em um jornal de circulação nacional, *This Day*, que sugeria que o próprio profeta Maomé não se oporia a esse concurso de Miss Mundo e provavelmente teria escolhido uma esposa entre as concorrentes. Isso indignou a opinião muçulmana, as sedes do *This Day* em Kaduna foram destruídas pelos muçulmanos e algumas igrejas foram queimadas. Os cristãos retaliaram e mais de 200 pessoas morreram nos distúrbios que se seguiram. O concurso foi transferido para o Reino Unido e o vice-governador do estado de Zamfara emitiu uma fátua conclamando os muçulmanos a matar Isioma Daniel, o autor do artigo.
- No início de 2003, houve surtos de violência étnica na região do delta do rio Níger, no sul, o que era grave porque a região era importante produtora de petróleo. Três empresas petrolíferas estrangeiras foram forçadas a suspender as operações, e a produção total de Nigéria caiu em 40%.

Apesar desses problemas, o presidente Obasanjo teve uma vitória convincente nas eleições de abril de 2003, recebendo mais de 60% dos votos. Seu Partido Democrático Popular obteve maioria em ambas as casas do parlamento, mas as coisas não ficaram mais fáceis para ele: em julho, o país foi atingido por uma greve geral em protesto contra grandes aumentos nos preços da gasolina. A violência entre cristãos e muçulmanos agora parecia ser uma característica permanente da vida na Nigéria. Em fevereiro de 2004, pelo menos 150 pessoas foram mortas no estado de Plateau, no centro do país, depois que muçulmanos atacaram uma igreja e os cristãos se vingaram. Estatísticas publicadas pela ONU mostraram que entre 66 e 70% da população estava vivendo na pobreza, comparados com 48,5% ainda em 1998. O mesmo problema básico continua: o mau uso da riqueza da Nigéria oriunda do petróleo. Em 2004, o país exportava petróleo há mais de 30 anos, com receitas superiores a 250 bilhões de dólares, mas as pessoas comuns tinham visto poucos benefícios, ao passo que as elites dominantes tinham amealhado imensas fortunas.

25.4 POBREZA NA TANZÂNIA

Tanganica se tornou independente em 1961 e, em 1964, a ilha de Zanzibar se uniu a ela para formar a Tanzânia. Era governada pelo Dr. Julius Nyerere, líder da *União Nacionalista Africana da Tanzânia (Tanzanian African Nationalist Union, TANU)*, que teve que lidar com problemas enormes:

- A Tanzânia era um dos países mais pobres de toda a África.
- Havia poucas indústrias, poucos recursos minerais e uma grande dependência da produção de café.
- Mais tarde, o país se envolveu em onerosas operações militares para depor o presidente Idi Amin, de Uganda, e deu ajuda e treinamento para guerrilheiros nacionalistas de países como o Zimbábue.
- Por outro lado, os problemas tribais não eram tão graves quanto em outros lugares, e o idioma suaíli proporcionava um vínculo comum.

Nyerere deixou a presidência em 1985 (aos 63 anos), embora permanecesse como presidente do partido até 1990. Ele foi sucedido na presidência por Ali Hassan Mwinyi, que tinha sido vice-presidente e que governou pelos 10 nos seguintes.

(a) A postura e as realizações de Nyerere

Sua postura era diferente da de qualquer outro governante africano. Ele começou de forma bastante convencional, expandindo a economia: durante os primeiros 10 anos de independência, a produção de café e algodão dobrou e a de açúcar triplicou, com a ampliação dos serviços de saúde e educação. Mas Nyerere não estava satisfeito porque a Tanzânia parecia estar se desenvolvendo na mesma linha do Quênia, com uma distância crescente entre uma elite rica e as massas ressentidas. Sua proposta de solução para o problema foi descrita em um documento notável conhecido como a Declaração de Arusha, publicado em 1967. O país seria governado segundo linhas socialistas.

- Todos os seres humanos deveriam ser tratados da mesma forma.
- O Estado deve ter controle efetivo dos meios de produção e deve intervir na vida econômica para garantir que as pessoas não sejam exploradas e que a pobreza e as doenças sejam eliminadas.
- Não deve haver grande acumulação de riqueza, caso contrário a sociedade não seria mais sem classes.
- O suborno e a corrupção devem ser eliminados.
- Segundo Nyerere, a Tanzânia estava em guerra e os inimigos eram a pobreza e a opressão. O caminho para a vitória não passava pelo dinheiro nem pela ajuda estrangeira, mas pelo trabalho esforçado e a independência. A prioridade era melhorar a agricultura para que o país pudesse ser autossuficiente na produção de alimentos.

Nyerere esforçou-se para colocar em prática esses objetivos: todas as empresas importantes, incluindo as de propriedade de estrangeiros, foram nacionalizadas e foram introduzidos planos quinquenais de desenvolvimento. Os projetos habitacionais foram incentivados e receberam ajuda do governo, envolvendo *ujamaa* ("laços de família" ou autoajuda): as famílias de cada vila faziam um mutirão e trabalhavam em fazendas cooperativadas, unidades geralmente pequenas, mas viáveis, que operavam coletivamente e podiam usar técnicas mais modernas. Os empréstimos estrangeiros, bem como as importações, foram reduzidos a um mínimo para evitar cair em dívidas. Politicamente, o estilo de socialismo de Nyerere implicava um Estado de partido único governado pela TANU, mas ainda assim aconteciam eleições. Parecia haver alguns elementos de democracia genuína, já que os eleitores em cada distrito podiam escolher entre dois candidatos da TANU e cada eleição acabava com vários parlamentares perdendo suas cadeiras. O próprio Nyerere representava uma liderança digna e, com estilo de vida simples e completa indiferença à riqueza, dava o exemplo perfeito a ser seguido pelo partido e pelo país. Foi um experimento fascinante que tentou combinar orientação socialista centralizada com as tradições africanas de decisão em nível local, oferecendo uma alternativa à sociedade capitalista ocidental com sua busca de lucro, que a maioria dos outros países africanos parecia estar copiando.

(b) Sucesso ou fracasso?

Apesar das realizações de Nyerere, ficou claro, quando ele se afastou em 1985, que o sucesso de seu experimento foi, na melhor das hipóteses, limitado. Em uma conferência internacional sobre a Declaração de Arusha (em dezembro de 1986), o presidente Mwinyi apresentou algumas *estatísticas sociais impressionantes, que poucos países africanos poderiam igualar*: 3,7 milhões de crianças na escola primária, duas universidades que somavam mais de 4.500 alunos, uma taxa de alfabetização de 85%, 150 hospitais e 2.600 centros de saúde gratuitos, mortalidade infantil reduzida a 137 por mil, expectativa de vida de até 52 anos.

Contudo, outras partes da Declaração de Arusha não foram realizadas. A corrupção foi se infiltrando, pois muitos funcionários e dirigentes do governo não eram magnânimos como Nyerere. O investimento na agricultura era insuficiente e a produção ficava muito abaixo do esperado. A nacionalização das fazendas de sisal, feita na década de 1960, foi um fracasso – o próprio Nyerere admitiu que a produção caíu de 220.000 toneladas em 1970 para apenas 47.000 em 1984, e em maio de 1985, reverteu a nacionalização. A partir do final de 1978, a Tanzânia passou por dificuldades em função da queda nos preços mundiais de café e chá (o principal produto de exportação do país), do aumento dos preços do petróleo (o que consumia quase metade da receita das exportações) e as despesas da guerra contra Amin em Uganda (pelo menos 1 bilhão de libras esterlinas). Embora os preços do petróleo tenham começado a cair em 1981, em seguida veio o problema do quase colapso de suas outras exportações (gado, cimento e produtos agrícolas), que deixou o país sem divisas estrangeiras. Os empréstimos do Fundo Monetário Internacional só trouxeram mais um problema, o de como pagar os juros. O país estava longe de ser um Estado socialista e não era autossuficiente, que foram duas metas centrais da Declaração. O experimento socialista de Nyerere poderia ter funcionado bem em uma economia fechada, mas, infelizmente, a Tanzânia estava se tornando parte da "aldeia global", exposta aos caprichos da economia mundial.

Não obstante, Nyerere era merecidamente muito respeitado como africano e como estadista, como inimigo do *apartheid* na África do Sul e muito crítico da economia mundial e sua forma de explorar os países pobres. Ele cumpriu um papel fundamental na derrubada de Idi Amin, o brutal ditador que governou Uganda de 1971 a 1979. O prestígio de Nyerere estava em alta quando ele foi escolhido presidente da Organização de Unidade Africana (OUA) para o período 1984-1985.

(c) A Tanzânia depois de Nyerere

O sucessor de Nyerere, o presidente Mwinyi, embora tenha mantido inicialmente o sistema de partido único, começou a se afastar do controle governamental rígido, permitindo mais iniciativa privada e uma economia mista, além de aceitar ajuda do Fundo Monetário Internacional, que Nyerere sempre tinha evitado. Mwinyi foi reeleito para mais um mandato de cinco anos em 1990; em 1992, foi introduzida uma nova Constituição que permitia o sistema multipartidário. As primeiras grandes eleições democráticas aconteceram em outubro de 1995. Mwinyi teve que sair do cargo após dois mandatos como presidente. O partido governante, que agora se chamava Chama Cha Mapinduzi (CCP – o Partido da Revolução), apresentou Benjamin Mkapa como candidato à presidência, que teve uma vitória clara com 60% dos votos e 214 de 269 cadeiras no parlamento.

E economia da Tanzânia continuava frágil e dependente de ajuda externa, que muitas vezes vinha com condições desagradáveis. Em abril de 2000, por exemplo, o FMI anunciou um pacote de alívio das dívidas do país, mas uma condição era que os pais tinham que contribuir com parte dos custos da educação de seus filhos. Isso era totalmente fora da realidade em um país pobre como a Tanzânia e, consequentemente, o número de crianças nas escolas primárias decaiu muito. Ao mesmo tempo, havia eventos promissores. Em 1999, a primeira mina de ouro comercial da Tanzânia deu início à produção, e em 2000 começaram os preparativos para a mineração de tanzanita, uma pedra preciosa ainda mais rara do que os diamantes. Com a aproximação das eleições de 2000, o governo foi abalado por uma série de escândalos de corrupção envolvendo alguns de seus membros mais ricos e pelo sentimento nacionalista em Zanzibar, que queria mais liberdade em relação ao continente. Entretanto, os partidos de oposição eram desorganizados e pareciam nada ter para oferecer. O presidente e seu partido tiveram uma vitória esmagadora: Mkapa recebeu mais de 70% dos votos e o CCP conquistou cerca de 90% das cadeiras no parlamento. Observadores estrangeiros declararam que as eleições foram livres e justas, com exceção de Zanzibar, onde sempre havia queixas de fraude.

À medida que a Tanzânia entrava no século XXI, a economia começou a cumprir algumas de suas promessas. O país parecia estar rumo a se tornar o terceiro maior produtor de ouro do mundo em 2004; o investimento estrangeiro e o turismo aumentavam, o FMI e o Banco Mundial reduziram de bom grado o pagamento anual da dívida do país.

25.5   O CONGO/ZAIRE

(a)   Como começou a guerra civil?

A Seção 24.6(b) explicou como os belgas de repente permitiram que o Congo se tornasse independente em junho de 1960, sem qualquer preparação adequada. Não havia grupo experiente de africanos a quem se pudesse entregar o poder. Os congoleses não foram educados para empregos profissionais, poucos tiveram qualquer tipo de educação e não eram permitidos partidos políticos. Isso não queira dizer que a guerra civil fosse inevitável, mas complicava ainda mais as coisas.

1. *Havia cerca de 150 tribos diferentes, que teriam dificultado a manutenção da unidade do Congo mesmo com administradores experientes.* Foram realizadas eleições violentas e caóticas em que o Movimento Nacional Congolês (MNC), liderado por um ex-funcionário do correio, Patrice Lumumba, surgiu como partido dominante, mas havia mais de 50 grupos diferentes. Era difícil chegar a qualquer tipo de acordo, mas, mesmo assim, os belgas entregaram o poder a uma coalizão de governo com Lumumba como primeiro-ministro e Joseph Kasavubu, líder de outro grupo, como presidente.

2. *Poucos dias depois da independência, começou um motim no exército congolês (julho de 1960)*, em protesto contra o fato de que todos os oficiais eram belgas e os africanos esperavam promoção

imediata. Lumumba não tinha meios para manter a lei e a ordem, e a violência tribal começou a se espalhar.

3. *A província de Katanga, no sudeste*, rica em jazidas de cobre, foi estimulada pela empresa belga que ainda controlava a indústria de mineração de cobre (*Union Minière du Haute-Katanga*), a se declarar independente sob o comando de Moise Tshombe. Essa era a parte mais rica do Congo, que o novo país não poderia se dar o luxo de perder. Lumumba, sem poder contar com seu exército amotinado, pediu ajuda à ONU para preservar a unidade congolesa e em pouco tempo chegou uma força de paz de 3.000 soldados.

(b) A guerra civil e o papel da ONU

Lumumba queira que as tropas da ONU forçassem Katanga a voltar a fazer parte do país, mas a situação era complexa. O presidente já tinha se tornado impopular com os norte-americanos e com os britânicos por expressar abertamente que era socialista. Os Estados Unidos, especialmente, consideravam-no um perigoso comunista que alinharia o Congo com a URSS na Guerra Fria. Muitos belgas preferiam uma Katanga independente, que eles teriam mais facilidade de influenciar, e queriam continuar no controle de sua indústria de mineração de cobre. Diante dessas pressões, o secretário geral da ONU, Dag Hammarskjöld, recusou-se a permitir um ataque das forças da organização a Katanga, ao mesmo tempo em que se recusava a reconhecer a independência do território. Descontente, Lumumba apelou para a ajuda dos russos, mas isso apavorou Kasavubu, que, apoiado pelo general Mobutu e incentivado pelos norte-americanos e pelos belgas, prendeu Lumumba. Posteriormente, ele e dois ex-ministros de seu governo foram muito agredidos e mortos por soldados belgas. O caos continuava e Hammarskjöld entendeu que era necessária uma ação mais decisiva por parte da ONU, e embora ele tenha morrido em um desastre de avião enquanto voava para Katanga para se encontrar com Tshombe, seu sucessor, U Thant, seguiu a mesma linha.

Em meados de 1961, havia 20.000 soldados da ONU no Congo. Em setembro, eles invadiram Katanga e em dezembro de 1962, a província reconheceu o fracasso e acabou com sua secessão. Tshombe foi exilado.

Apesar do êxito, as operações da ONU foram caras, e em poucos meses todas as tropas foram retiradas. As rivalidades tribais agravadas pelo desemprego fizeram com que a desordem voltasse quase que imediatamente, e a calma só foi restabelecida em 1965, quando o general do exército congolês Joseph Mobutu, usando mercenários brancos e apoiado pelos Estados Unidos e pela Bélgica, esmagou toda a resistência e assumiu o governo ele próprio.

(c) O general Mobutu no poder

Provavelmente um forte governo autoritário era inevitável para que o Congo, com seus muitos problemas (economia subdesenvolvida, divisões tribais e falta de pessoas com instrução), permanecesse unido, e foi exatamente o que Mobutu proporcionou. Houve uma melhoria gradual nas circunstâncias à medida que os congoleses adquiririam experiência de administração e a economia começou a parecer mais saudável depois de todas as minas de propriedade europeia serem nacionalizadas.

Contudo, no final dos anos de 1970, houve mais problemas. Em 1977, Katanga (agora chamada de Shaba) foi invadida por rebeldes a partir de Angola, aparentemente estimuladas pelo governo angolano, ressentido com a intervenção anterior de Mobutu em seus assuntos (ver Seção 24.6(d)), e pela URSS, descontente com o apoio norte-americano a Mobutu. Essa era uma forma de a URSS tomar uma atitude contra os Estados Unidos, e mais uma extensão da Guerra Fria.

Tendo sobrevivido a esse problema, o Zaire (como o país se chamava desde 1971) se encontrava em dificuldades financeiras, principalmente em função da queda dos preços mundiais do cobre, e da seca que tornava necessária a importação de alimentos caros. Mobutu passou a sofrer cada vez mais críticas fora do Zaire por seu estilo autoritário de governo e sua imensa fortuna pessoal. Em maio de 1980, a Anistia Internacional afirmava que pelo menos mil prisioneiros eram mantidos sem julgamento e que centenas morreram por causa de tortura e fome entre 1978 e 1979. Em 1990, ele permitiu um sistema multipartidário, mas com ele próprio acima da política, como chefe de Estado. Mobutu permaneceu no poder, mas em 1995, depois de 30 anos de governo, ele estava se tornando cada vez mais impopular entre o povo.

(d) Os Kabila e a volta da guerra civil

Em meados da década de 1990, crescia a oposição a Mobutu. No leste do Zaire, *Laurent Kabila*, que foi apoiador de Patrice Lumumba, organizou forças e começou a avançar rumo a Kinshasa, a capital. Em maio de 1997, Mobutu saiu do país e morreu mais tarde, exilado no Marrocos. Laurent Kabila se tornou presidente e mudou o nome de Zaire para República Democrática do Congo (RDC). Se o povo estava esperando mudanças profundas no sistema de governo, logo se decepcionou. Kabila deu continuidade a muitas das técnicas de Mobutu – políticos de oposição e jornalistas foram presos, partidos políticos, proibidos e eleições, canceladas. Alguns de seus próprios apoiadores começaram a se voltar contra ele. Os banyamulenge, um povo de origem tutsi, com muitas pessoas que haviam lutado no exército de Kabila, queixavam-se do que consideravam seu desfavorecimento em relação aos membros de sua própria tribo luba. Eles deram início a uma rebelião no leste* (agosto de 1998) e receberam apoio dos governos vizinhos de Uganda e Ruanda, enquanto os governos do Zimbábue, Angola e Namíbia apoiavam Kabila. Com forças de seis países envolvidas, o conflito logo adquiriu uma importância mais ampla do que uma guerra civil. Apesar das tentativas de negociação, as hostilidades se arrastaram para o século seguinte. Então, em janeiro do 2001, Kabila foi assassinado por um de seus guarda-costas, que foi morto a tiros imediatamente.

---

* N. de R.: A região é rica em minerais estratégicos para setores de tecnologia de ponta.

Sua motivação não ficou clara, embora o assassinato tenha sido atribuído aos rebeldes.

O grupo governante decidiu declarar o filho de Kabila, Joseph, chefe dos militares congoleses, como próximo presidente. *Joseph Kabila* parecia mais conciliador do que seu pai, prometendo eleições livres e justas e anunciando que estava disposto a fazer a paz com os rebeldes. Dizia-se que, desde o início da guerra civil, quase 3 milhões de pessoas perderam a vida, a maioria de fome e doenças na região rebelde do leste. *Em pouco tempo surgiram sinais encorajadores*:

- As restrições aos partidos políticos foram suspensas (maio de 2001).
- A ONU concordou que sua missão de paz permanecesse na RDC, além de elogiar a retirada das tropas da Namíbia e conclamar outros países com forças ainda no país a fazer o mesmo.
- Foram assinados acordos de paz entre a RDC, Ruanda e Uganda (2002), com a África do Sul e a ONU de avalistas. Ambos os lados retirariam suas tropas da região leste do país, seria introduzido um sistema de poder compartilhado no qual Kabila permaneceria presidente, com quatro vice-presidentes escolhidos entre os vários grupos rebeldes. O governo de transição com poder compartilhado trabalharia para promover eleições em 2005.

O novo governo de transição foi formado em julho de 2003; o futuro parecia mais promissor do que tinha sido em muitos anos, embora a violência esporádica continuasse. Especialmente problemática era a província de Ituri, na região nordeste, onde havia choques entre as tribos hema e lendu.

25.6 ANGOLA: UMA TRAGÉDIA DA GUERRA FRIA

(a) A guerra civil ganha intensidade

A Seção 24.6(d) descreveu como Angola foi envolvida pela guerra civil imediatamente após conquistar a independência de Portugal, em 1975. Parte do problema era que havia três movimentos de libertação diferentes, que começaram a lutar entre si assim que a independência foi declarada.

- O **MPLA** (Movimento Popular de Libertação de Angola) era um partido de estilo marxista que tentava atrair a todos os angolanos, independente da divisão de tribos. Foi o **MPLA** que afirmou ser o novo governo, com seu líder Agostinho Neto na presidência.
- A **Unita** (Frente Nacional pela Independência Total de Angola), com seu líder Jonas Savimbi, obtinha grande parte de seu apoio da tribo ovimbundu, no sul do país.
- A **FNLA** (Frente Nacional pela Libertação de Angola), muito mais fraca que os outros dois, recebia muito do apoio que tinha da tribo bakongo, no noroeste.

O alarme foi dado imediatamente nos Estados Unidos, que não gostava do que via no marxista MPLA. Sendo assim, os norte-americanos decidiram apoiar a FNLA (que também era apoiada pelo presidente Mobutu, do Zaire), fornecendo assessores, dinheiro e armamentos, e a incentivando a atacar o MPLA. A Unita também lançou uma ofensiva contra o MPLA e Cuba mandou tropas para ajudá-la, enquanto tropas sul-africanas, apoiando os outros dois grupos, invadiram Angola através da vizinha Namíbia no sul. O general Mobutu também mandou tropas do Zaire ao nordeste de Angola. Não restam dúvidas de que teria havido luta e derramamento de sangue de qualquer forma, mas a interferência externa e a extensão da Guerra Fria a Angola tornaram o conflito muito pior.

(b) Angola e Namíbia

O problema da Namíbia também complicou a situação. Situada entre Angola e África do sul, a Namíbia (anteriormente África do Sudoeste Alemã) foi entregue à África do Sul no final da Primeira Guerra Mundial, para ser preparada para a independência. O governo sul-africano branco tinha ignorado ordens da ONU e postergava tudo o que podia a entrega da Namíbia ao governo da maioria negra. O Movimento de Libertação da Namíbia, A *Organização Popular do Sudoeste da África (South West Africa People's Organization, Swapo)* e seu líder Sam Nujoma, começaram uma campanha guerrilheira contra a África do Sul. Depois de 1975, o MPLA permitiu que a Swapo usasse suas bases no sul de Angola, de forma que a hostilidade do governo sul-africano ao MPLA não surpreendia.

(c) Os Acordos de Paz de Lisboa (maio de 1991)

A guerra civil se arrastou por boa parte dos anos de 1980, até que mudanças nas circunstâncias internacionais trouxeram uma possibilidade de paz. Em dezembro de 1988, a ONU conseguiu organizar um acordo de paz, no qual a África do Sul concordava em se retirar da Namíbia desde que os 20.000 soldados cubanos saíssem de Angola. Esse acordo foi em frente: a Namíbia se tornou independente sob a liderança de Sam Nujoma (1990). O final da Guerra Fria e do domínio comunista no Leste Europeu deu fim a todo o apoio comunista ao MPLA, todas as tropas cubanas tinham saído em junho de 1991 e a África do Sul estava pronta para encerrar seu envolvimento. A ONU, a Organização de Unidade Africana (OUA), os Estados Unidos e a Rússia participaram do estabelecimento de conversações de paz entre o governo angolano do MPLA e a Unita em Lisboa (capital de Portugal). Acordou-se que deveria haver um cessar-fogo seguido de eleições, a ser monitorado pela ONU.

(d) O fracasso da paz

Inicialmente, tudo parecia ir bem: o cessar-fogo foi mantido e as eleições aconteceram em setembro de 1992. O MPLA teve 58% das cadeiras do parlamento (129), a Unita, apenas 31% (70 cadeiras). Embora o resultado da eleição presidencial tenha sido muito mais apertado – o presidente do MPLA *José Eduardo dos Santos* recebeu 49,57% dos votos e Jonas Savimbi (Unita), 40,07% – ainda era uma vitória clara e decisiva para o MPLA.

Contudo, *Savimbi e a Unita se recusaram a aceitar o resultado*, alegando ter havido fraude, mesmo que as eleições tivessem sido monitoradas por 400 observadores da ONU. O líder da equipe da ONU relatou que a eleição foi, "em termos gerais, livre e justa". Tragicamente, a Unita, em lugar de aceitar com elegância a derrota, retomou a guerra civil, que passou a ser lutada com cada vez mais crueldade. No final de janeiro de 1994, a ONU informava que havia 3,3 milhões de refugiados e uma média de mil pessoas morria por dia, principalmente civis. A ONU tinha poucos funcionários em Angola para acabar com a luta. Desta vez, o mundo exterior não podia ser responsabilizado pela guerra civil, que era claramente culpa da Unita, mas muitos observadores culpavam os Estados Unidos por incentivá-la: pouco depois do acordo de Lisboa, o presidente Reagan se encontrou oficialmente com Savimbi nos Estados Unidos, o que lhe fazia parecer igual ao governo do MPLA, em vez de um líder rebelde. Ao mesmo tempo, os Estados Unidos não tinham reconhecido oficialmente o MPLA como governo legal de Angola, mesmo depois das eleições. Só em maio de 1993, seis meses depois que a Unita retomou a guerra, os Estados Unidos finalmente reconheceram o governo do MPLA. Um cessar-fogo acabou sendo negociado em outubro de 1994 e se chegou a um acordo de paz em novembro. A Unita, que estava perdendo a guerra na época, aceitava o resultado da eleição de 1992, e em retorno, poderia participar do que seria, na prática, um governo de coalizão. No início de 1995, 7.000 soldados da ONU chegaram para ajudar a garantir o acordo e supervisionar a transição para paz, mas, inacreditavelmente, Savimbi logo começou a romper os termos do acordo. Financiando suas forças com receitas da venda ilícita de diamantes, ele continuou lutando contra o governo até sua morte em 2002. *Durante seus 27 anos de existência, Angola não conheceu a verdadeira paz, e seu desenvolvimento foi gravemente prejudicado.* Era um país potencialmente próspero, rico em petróleo, diamantes e minerais. As terras altas no centro do país eram férteis, ideais para a pecuária e agricultura, e o café era um produto importante. Mas no final do século XX, a economia estava em desordem: a inflação chegava a 240%, a guerra era desastrosamente cara e a ampla maioria da população vivia na pobreza, enquanto políticos importantes enfrentavam acusações de corrupção em grande escala.

A situação mudou dramaticamente em fevereiro de 2002, quando Savimbi foi morto em uma emboscada, quase que imediatamente, os novos líderes da Unita demonstraram disposição para negociar. Em abril de 2002, foi assinado um cessar-fogo e os dois lados prometeram manter os termos do acordo de 1994. A Assembleia Nacional de Angola aprovou estender a anistia a todos os membros da Unita, incluindo soldados e civis. O acordo em geral seria monitorado pela ONU. Finalmente, com Savimbi fora do cenário, parecia haver uma chance verdadeira de paz e reconstrução em Angola.

25.7 GENOCÍDIO EM BURUNDI E RUANDA

Como o Congo, os belgas deixaram esses dois pequenos países completamente despreparados para a independência. Em ambos os Estados havia um mistura explosiva de duas tribos: tutsi e hutu. Os hutus eram a maioria, mas os tutsis eram o grupo dominante de elite. A palavra "tutsi" inclusive significa "ricos em gado", enquanto "hutu" quer dizer "servo". Houve tensões e escaramuças contínuas entre as duas tribos imediatamente depois da independência em 1962.

(a) Burundi

Houve uma série de revoltas de massa dos hutus contra os tutsis, que governavam, em 1972, e elas foram reprimidas de forma selvagem, sendo mortos mais de 100.000 hutus. Em 1988, soldados hutus no exército do Burundi massacraram milhares de tutsis. Em 1993, o país realizou sua primeira eleição democrática e, pela primeira vez, foi escolhido um presidente hutu. Pouco depois, soldados tutsis mataram o novo presidente, em outubro de 1993, mas outros membros do governo hutu conseguiram escapar. Como os hutus saíram em represália matando tutsis, houve um massacre depois do outro. Cerca de 50.000 tutsis foram mortos e o país se desintegrou no caos. O exército acabou impondo um acordo em que o poder seria compartilhado: o primeiro-ministro seria um tutsi, o presidente, hutu, mas a maioria do poder estava concentrada nas mãos do primeiro.

A luta continuou durante 1996, e a Organização de Unidade Africana, que mandou uma força de paz (a primeira vez que tomava essa atitude), não conseguiu impedir os contínuos massacres e a limpeza étnica. A economia estava em ruínas, a produção agrícola foi bastante reduzida porque muito da população rural fugiu e o governo parecia não ter ideias para acabar com a guerra. *O mundo exterior e as grandes potências demonstraram pouca preocupação* – seus interesses não estavam envolvidos nem ameaçados – e o conflito no Burundi não recebia muita cobertura nos meios de comunicação do mundo. Em julho de 1996, o exército depôs o governo dividido, e o major Pierre Buyoya (um tutsi moderado) declarou-se presidente. Ele afirmava que esse não era um golpe normal, já que o exército tinha tomado o poder para salvar vidas, e teve muita dificuldade de pacificar o país. Vários ex-presidentes, como Julius Nyerere, da Tanzânia, e Nelson Mandela, da África do Sul, tentaram mediar, mas havia cerca de 20 grupos em guerra e era difícil reunir representantes de todos eles ao mesmo tempo. Em outubro de 2001, chegou-se a um acordo em Arusha (Tanzânia), com a ajuda de Mandela. Haveria um período de transição de três anos. Na primeira metade, Buyoya continuaria como presidente, com um vice-presidente hutu e, depois disso, um hutu seria presidente com um vice tutsi. Haveria uma força de paz internacional e as restrições à atividade política seriam suspensas. Mas nem todos os grupos rebeldes assinaram o acordo de Arusha, e a luta continuava, apesar da chegada das tropas de paz sul-africanas.

As perspectivas de paz melhoraram em dezembro de 2002, quando o principal partido rebelde hutu assinou finalmente o cessar-fogo com o governo. O presidente Buyoya manteve seu lado do acordo de Arusha, cedendo a presidência a Domitien Ndayizeye, um hutu (abril de 2003). O novo presidente logo conseguiu chegar a um acordo de compartilhamento de poder com o grupo rebelde hutu que restava, mas a paz continuava frágil.

(b) Ruanda

A guerra tribal iniciou em 1959, antes da independência, e chegou ao seu ápice em 1963, quando os hutus, temendo uma invasão tutsi do Burundi, massacraram milhares de tutsis ruandeses e derrubaram o governo tutsi. Em 1990, deflagrou-se a luta entre a rebelde Frente Patriótica Ruandesa (*Front Patriotique Rwandais – FPR*) dominada pelos tutsis, que tinha suas bases do outro lado da fronteira, em Uganda, e o exército oficial de Ruanda (dominado pelos hutus). Essa situação permaneceu indo e vindo até 1993, quando a ONU ajudou a negociar um acordo de paz em Arusha, na Tanzânia, entre o governo de Ruanda (hutu) e a FPR (tutsi): haveria um governo de base mais ampla, que incluiria a FPR; 2.500 soldados da ONU foram enviados para acompanhar a transição para a paz (outubro de 1993).

Por alguns meses, tudo parecia estar indo bem, e foi então que aconteceu o desastre. Os hutus mais extremistas se opunham ferrenhamente ao plano de paz de Arusha e ficaram chocados com o assassinato do presidente hutu do Burundi. Extremistas hutus, que tinham formado sua própria milícia (a *Interahamwe*), decidiram agir. A aeronave que transportava o presidente moderado de

Ruanda e o presidente do Burundi de volta de conversações na Tanzânia foi derrubada por um míssil, aparentemente disparado por esses extremistas, quando se aproximava de Kigali (capital de Ruanda), matando os dois presidentes (abril de 1994). Com o presidente morto, ninguém sabia ao certo quem estava no comando, e isso deu à *Interahamwe* a cobertura de que precisava para lançar uma campanha de genocídio. Seguiu-se a mais apavorante matança tribal, com hutus assassinando todos os tutsis que conseguissem encontrar, incluindo mulheres e crianças. Uma técnica preferida era persuadir os tutsis a se proteger em igrejas e depois destruir os prédios juntamente com os tutsis que se abrigavam neles. Até freiras e religiosos foram pegos no massacre.

A FPR, tutsi, respondeu retomando a luta e marchando sobre a capital. Observadores da ONU informaram que nas ruas de Kigali corria sangue, literalmente, e havia altas pilhas de cadáveres. A pequena força da ONU não estava preparada para lidar com a violência nessa escala e em pouco tempo se retirou. A guerra civil e o genocídio continuaram até durante o mês de junho, quando algo como meio milhão de tutsis tinha sido assassinado por forças governamentais e milícias hutu, numa clara tentativa deliberada e cuidadosamente planejada de varrer toda a população tutsi de Ruanda, com o apoio do governo hutu. A *Interahamwe* tampouco hesitou em assassinar hutus moderados que tentavam ajudar seus vizinhos tutsis. Além dos que foram mortos, cerca de um milhão de refugiados tutsis fugiram para os vizinhos Tanzânia e Zaire.

Enquanto isso, o restante do mundo, embora indignado e apavorado com a escala do genocídio, nada fez para acabar com ele. Em um livro recente, Linda Melvern mostra como os sinais de alerta do que estava para vir foram ignorados por todos os envolvidos na prevenção do genocídio. Ela afirma que a Bélgica e a França sabiam o que estava sendo planejado. Já na primavera de 1992, o embaixador belga disse a seu governo que extremistas hutus estavam "planejando exterminar os tutsis de Ruanda de uma vez por todas e esmagar a oposição interna hutu". A França continuou a fornecer armas aos hutus durante todo o genocídio. O presidente dos Estados Unidos, Clinton, sabia precisamente o que estava acontecendo, mas depois da humilhação da intervenção norte-americana na Somália em 1992, estava decidido a não se envolver. Linda Melvern fez muitas críticas à ONU, afirmando que o secretário-geral Boutros-Ghali conhecia bem Ruanda, estava ciente da situação, mas, sendo pró-hutu, recusou-se a permitir inspeções de armas e evitou enviar forças da ONU suficientes para lidar com o problema. Por outro lado, não foi apenas o Ocidente e a ONU que fizeram vista grossa à tragédia em Ruanda; a Organização de Unidade Africana nem condenou o genocídio, muito menos tentou impedi-lo, assim como nenhum outro país africano tentou qualquer atitude nem expressou condenação pública. Supõe-se que a atenção da África estava mais voltada à nova democracia da África do Sul do que em fazer parar o genocídio em Ruanda.

Em setembro, a FPR estava começando a obter controle. O governo hutu foi expulso e o governo tutsi da FPR se instalou em Kigali, mas o avanço em direção à paz foi lento. No final de 1996, esse novo governo ainda estava começando a fazer sentir sua autoridade em todo o país e os refugiados começaram a retornar. Com o tempo, chegou-se a um acordo para compartilhar o poder e um hutu moderado, Pasteur Bizimungu, tornou-se presidente e foi substituído pelo tutsi Paul Kagame quando renunciou em 2000.

Um dos problemas enfrentados pelo governo era que as cadeias estavam superlotadas, com bem mais de 100.000 prisioneiros esperando julgamento pelo genocídio de 1994. Simplesmente havia gente demais para os tribunais lidarem. Em janeiro de 2003, Kagame ordenou a libertação de cerca de 40.000 prisioneiros, embora tenha deixado claro que eles acabariam sendo julgados, gerando consternação entre muitos sobreviventes dos massacres, que ficaram apavorados com a perspectiva de ficar frente a frente com as pessoas que tinham assassinado seus parentes.

Em 2003, introduziu-se uma nova Constituição que estabelecia a eleição de um presidente e um parlamento bicameral e outras medidas para evitar a repetição do genocídio. Nas primeiras eleições nacionais desde 1994, o presidente Kagame teve uma vitória arrasadora, com 95% dos votos (agosto de 2003), mas observadores relataram ter havido "irregularidades" em algumas zonas, e dois dos principais partidos de oposição foram proibidos. No entanto, finalmente, Ruanda parecia viver um período de relativa calma. Em fevereiro de 2004, o governo introduziu uma nova política de reconciliação: as pessoas que admitissem sua culpa e pedissem perdão antes de 15 de março de 2004 seriam libertadas (exceto os acusados de organizar o genocídio). Esperava-se que isso, assim como a Comissão de Verdade e Reconciliação da África do Sul, ajudasse os ruandeses a resolver os traumas do passado e avançar para um período de paz e harmonia.

25.8 *APARTHEID* E GOVERNO DA MAIORIA NEGRA NA ÁFRICA DO SUL

(a) A formação da União da África do Sul

A África do Sul tem uma história complicada. Os primeiros europeus a se estabelecerem permanentemente por lá foram os membros da *Companhia Holandesa das Índias Orientais*, que fundaram uma colônia no Cabo da Boa Esperança em 1652. A região permaneceu como colônia holandesa até 1795, e durante esse tempo, os holandeses, que eram conhecidos como *afrikaners* ou *bôers* (que significa "agricultores"), foram tirando a terra dos africanos nativos e os forçando a trabalhar para eles, tratando-os pouco melhor do que escravos. Eles também trouxeram mais empregados da Ásia, Moçambique e Madagascar.

Em 1795, o Cabo foi capturado pelos Britânicos durante as Guerras Revolucionárias Francesas, e o acordo de paz de 1814 decidiu que deveria permanecer britânico. Muitos colonos britânicos foram para a Colônia do Cabo. Os colonos holandeses ficaram insatisfeitos sob o governo deles, principalmente quando este libertou todos os escravos do Império Britânico (1838). Os agricultores *boers* achavam que isso ameaçava sua sobrevivência, e muitos deles decidiram ir embora da Colônia do Cabo, mudaram-se para o norte (no que ficou conhecido como a... *Grande Viagem*) e fundaram suas próprias repúblicas independentes do Transvaal e do Estado Livre de Orange (1835-1840). Alguns também foram para a zona leste da Colônia do Cabo, conhecida como Natal. Na *Guerra dos Bôeres (1899-1902)*, os britânicos derrotaram o Transvaal, o Estado Livre de Orange. Em 1910, as duas áreas se juntaram à Colônia do Cabo e Natal para formar a *União da África do Sul* (um domínio autônomo dentro do Império Britânico).

A população do novo país era mista:

Aproximadamente,

70% eram africanos negros, conhecidos como bantus;
18% eram brancos de origem europeia, dos quais 60% eram holandeses e o restante, britânicos;
9% eram de raça mista, conhecidos como "de cor";
3% eram asiáticos.

Embora fossem a ampla maioria da população, os africanos negros sofriam uma discriminação ainda maior do que os negros dos Estados Unidos.

- Os brancos dominavam a política e a vida econômica do novo país e, com apenas algumas exceções, os negros não podiam votar.
- Os negros tinham que fazer a maior parte do trabalho manual nas fábricas, nas minas de ouro e nas fazendas; os homens geralmente moravam em acomodações im-

provisadas, longe de suas esposas e filhos. Em geral, os negros tinham que morar em zonas reservadas para eles, afastadas das áreas residenciais brancas, e que representavam apenas cerca de 7% de toda a área total da África do Sul, não sendo suficientes para possibilitar aos africanos produzir alimentos para si e para pagar seus impostos. Os africanos negros não podiam comprar terrenos fora das reservas.

- O governo controlava os movimentos dos negros por um sistema de leis de passe. Por exemplo, um negro não poderia morar em uma cidade a menos que demonstrasse trabalhar para uma empresa de propriedade de brancos. Um africano não poderia deixar a fazenda onde trabalhava sem um passe de seu patrão, nem poderia pegar um novo emprego sem que seu patrão anterior o autorizasse oficialmente a sair. Muitos trabalhadores eram obrigados a permanecer em condições de trabalho difíceis, inclusive com patrões abusivos.

- As condições de vida e trabalho para os negros eram primitivas. Por exemplo, no setor de mineração de ouro, os africanos tinham que morar em instalações cercadas, para pessoas do mesmo sexo, às vezes com até 90 homens compartilhando um dormitório.

- Segundo uma lei de 1911, aos trabalhadores negros era proibido fazer greve e eles não podiam ter trabalhos especializados.

(b) O Dr. Malan introduz o *apartheid*

Depois da Segunda Guerra Mundial, houve mudanças importantes na forma como africanos negros eram tratados. No governo do primeiro-ministro Malan (1948-1954), foi introduzida uma nova política chamada de *apartheid* (separação), que tornava ainda mais rígido o controle sobre os negros. *Porque o apartheid foi introduzido?*

- Quando a Índia e o Paquistão se tornaram independentes em 1947, os sul-africanos brancos ficaram alarmados com a crescente igualdade racial dentro da Comunidade Britânica e estavam decididos a preservar sua supremacia.

- A maioria dos brancos, principalmente os de origem holandesa, era contrária à igualdade racial, mas os mais extremos eram os do *Partido Nacionalista Africâner (Afrikaner Nationalist Party) liderado pelo Dr. Malan*. Eles afirmavam que os brancos eram uma raça superior e que os não brancos eram seres inferiores. A Igreja Reformada Holandesa (a Igreja oficial da África do Sul) apoiava essa visão e citava passagens da bíblia que, segundo ela, provavam sua teoria. Isso estava muito fora de sintonia com o restante das Igrejas Cristãs, que acreditava em igualdade racial. A *Broederbond* era uma organização secreta africâner que trabalhava para proteger e preservar o poder desse grupo étnico.

- Os nacionalistas venceram as eleições de 1948 com promessas de resgatar os brancos da "ameaça negra" e preservar a pureza racial dos brancos, o que ajudaria a garantir a continuidade da supremacia branca.*

(c) O *apartheid* se aprofunda

O *apartheid* foi confirmado e aprofundado pelos primeiros ministros que se seguiram a Malan: Strijdom (1954-1948), Verwoerd (1958-1966) e Vorster (1966-1978).

As principais características do apartheid

1. Havia separação completa de negros e brancos, com a maior distância possível, em todos os níveis. Nas zonas rurais, os negros tinham que viver em reservas especiais; nas áreas urbanas, eles tinham distritos separados, construídos a determinada distância das zonas residenciais brancas. Se um distrito negro existente

---

* N. de R.: Durante o boom econômico da guerra, muitos negros haviam ido trabalhar nas cidades.

fosse considerado muito próximo a uma zona "branca", a comunidade toda era retirada e "reagrupada" em algum outro lugar para tornar a separação o mais completa possível. Havia ônibus, vagões, trens, cafés, banheiros, bancos de praça, hospitais, praias, áreas para piquenique, esportes e mesmo igrejas separadas. As crianças negras frequentavam escolas separadas e recebiam uma educação muito inferior. Mas o sistema tinha uma falha: *a separação completa era impossível porque a população não branca trabalhava em minas, fábricas e outras empresas de propriedade dos brancos.* A economia teria entrado em colapso se todos os não brancos fossem transferidos para as reservas. Além disso, praticamente todos os domicílios brancos tinham, pelo menos, dois empregados negros.
2. *Todas as pessoas recebiam uma classificação racial e uma carteira de identidade.* Havia leis de passe rígidas que faziam com que todos os africanos tivessem que permanecer em suas reservas ou em seus distritos a menos que estivessem viajando a uma zona branca para trabalhar, e nesse caso, recebiam passes. Caso contrário, qualquer deslocamento era proibido sem permissão policial.
3. *O casamento e as relações sexuais entre brancos e não brancos eram proibidos*, com vistas a preservar a pureza da raça branca. A polícia vigiava de forma ostensiva qualquer pessoa suspeita de romper as regras.
4. *A Lei do Autogoverno Bantu (Bantu Self-Government Act, 1959) estabeleceu sete regiões chamadas de bantustões*, baseadas nas reservas africanas originais. Afirmava-se que elas acabariam avançando para o autogoverno. Em 1969, foi anunciado que o primeiro bantustão, o Transkei, tinha se tornado "independente", mas o restante do mundo repudiou o fato, já que o governo sul-africano continuava a controlar a economia e os assuntos externos da região. A política como um todo foi criticada porque as zonas dos bantustões cobriam apenas 13% da área total do país. Mais de 8 milhões de negros foram amontoados nessas áreas relativamente pequenas, superpovoadas e incapazes de prover sustento adequado para as populações negras. Elas acabaram sendo muito pouco melhores do que favelas rurais, mas o governo ignorava os protestos e deu continuidade a sua política. Em 1980, mais duas "pátrias" africanas receberam a "independência", Bophuthatswana e Venda.
5. *Os africanos perderam todos os direitos políticos*, e sua representação, que tinha sido feita através de parlamentares brancos, foi abolida.

(d) Oposição ao *apartheid*
1 Dentro da África do Sul

Dentro da África do Sul, era difícil fazer oposição ao sistema. Qualquer um que se opusesse – incluindo os brancos – ou desrespeitasse as leis do *apartheid*, era acusado de ser comunista e punido com rigor segundo a Lei de Repressão do Comunismo *(Suppression of Communism Act).* Os africanos não poderiam fazer greve e seu partido político, o *Congresso Nacional Africano (African National Congress, ANC),* não tinha qualquer força. *Apesar disso, aconteciam protestos.*

- O chefe Albert Luthuli, líder do ANC, organizou uma campanha de protestos na qual os africanos negros paravam de trabalhar em determinados dias. Em 1952, eles tentaram romper com as leis, entrando em lojas e em outros lugares reservados aos brancos. Mais de 8.000 negros foram presos e muitos, açoitados. Luthuli perdeu sua condição de chefe e foi para a cadeia por um tempo, e a campanha foi suspensa.
- *Em 1955, o ANC formou uma coalizão com grupos asiáticos e de cor*, e em uma reunião de massas ao ar livre em Kliptown

(perto de Johannesburgo), mal tiveram tempo de anunciar uma carta pela liberdade antes de a polícia dispersar a multidão. A carta logo passou a ser o programa principal do ANC. Ela começava declarando: "A África do Sul pertence a todos os que nela vivem, negros e brancos, e nenhum governo pode reivindicar autoridade a menos que esteja baseado na vontade de todas as pessoas". Prosseguia, exigindo:

- Igualdade diante da lei.
- Liberdade de reunião, movimento, expressão, religião e imprensa.
- Direito a voto.
- Direito ao trabalho, com salário igual para trabalho igual.
- Jornada semanal de 40 horas, salário mínimo e seguro-desemprego.
- Atendimento de saúde gratuito.
- Educação gratuita, compulsória e igual.

- *Líderes de igrejas e missionários, negros e brancos, manifestaram-se contra o apartheid.* Entre eles, estavam pessoas como Trevor Huddleston, missionário britânico que trabalhava na África do Sul desde 1943.

- Mais tarde, o ANC organizou outros protestos, incluindo o boicote aos ônibus de 1957: em vez de pagar um aumento de passagens na rota entre seu distrito e Johannesburgo, a 15 quilômetros de distância, milhares de africanos foram e voltaram do trabalho caminhando por três meses, até que as tarifas fossem reduzidas.

- *Os protestos chegaram a um clímax em 1960, com uma imensa demonstração contra as leis de passe em Sharpeville*, um distrito africano perto de Johannesburgo. A polícia atirou contra a multidão, matando 67 africanos e ferindo muitos mais (Ilustração 25.4). Depois disso, 15.000 africanos foram presos e centenas de pessoas foram agredidas pela polícia. Esse momento representou um marco importante na campanha: até então, a maioria dos protestos tinham sido não violentos, mas esse tratamento brutal por parte das autoridades convenceu muitos líderes negros de que a violência só poderia ser enfrentada com violência.

- Foi lançado um pequeno grupo de ação do ANC, conhecido como *Umkhonto we Sizwe (Lança da nação)*, ou MK. Nelson Mandela (Ilustração 25.5) era um mem-

Ilustração 25.4 Cadáveres espalhados pelo chão depois do massacre de Sharpeville em 1960.

Ilustração 25.5 Nelson Mandela em 1962, antes de seu longo encarceramento.

bro destacado. O grupo organizou uma campanha de sabotagem de alvos estratégicos: em 1961, houve uma série de atentados à bomba em Johannesburgo, Port Elizabeth e Durban, mas a polícia logo reprimiu, prendendo a maioria dos líderes negros, inclusive Mandela, que foi condenado à prisão perpétua na Ilha de Robben. O chefe Luthuli ainda insistia nos protestos não violentos e, depois de publicar sua autobiografia *Let My People Go*, recebeu o Prêmio Nobel da Paz. Ele morreu em 1967, e as autoridades afirmaram que ele se jogou na frente de um trem.

- *A insatisfação e os protestos voltaram a crescer na década de 1970* porque os salários dos africanos não acompanhavam a inflação. Em 1976, quando as autoridades do Transvaal anunciaram que o africâner (a língua falada pelos brancos de ascendência holandesa) deveria ser usada nas escolas africanas negras, aconteceram manifestações de massa em Soweto, um distrito negro perto de Johannesburgo.

Embora houvesse muitas crianças e jovens na multidão, a polícia abriu fogo, matando pelo menos 20 africanos negros. Desta vez, os protestos não arrefeceram, e se espalharam por todo o país. Mais uma vez, o governo respondeu com brutalidade: nos seis meses que se seguiram, outros 500 africanos foram mortos, incluindo Steve Biko, um jovem líder africano que vinha demandando que as pessoas tivessem orgulho de sua condição de negros. Ele foi espancado pela polícia até a morte (1976).

2 Fora da África do Sul

Fora da África do Sul, havia oposição ao apartheid no restante da Comunidade Britânica. No início de 1960, o primeiro-ministro conservador britânico, Harold Macmillan, teve a coragem de criticar o sistema na Cidade do Cabo, falando sobre a força cada vez maior do nacionalismo negro: "Os ventos da mudança estão soprando pelo continente.... nossas políticas nacionais devem levar isso em conta". Seus alertas foram ignorados, e pouco tempo depois, o mundo ficou horrorizado com o massacre de Sharpeville. Na Conferência da Comunidade Britânica de 1961, as críticas à África do Sul foram intensas e muitos achavam que o país seria expulso. No final, Verwoerd retirou a solicitação que a África do Sul tinha feito para ser membro permanente e o país deixou de ser membro (em 1960, ela tinha se tornado uma república em lugar de um domínio, cortando assim sua conexão com a coroa britânica, e por isso, o governo tinha que solicitar readmissão à Comunidade).

3 A ONU e a OUA

A Organização das Nações Unidas e a Organização de Unidade Africana condenaram o *apartheid* e foram especialmente críticas em relação à continuada ocupação sul-africana da África do Sudoeste (ver Seção 25.6(b)). A ONU aprovou um boicote econômico à África do Sul (1962), mas ele se mostrou inútil, porque nem todos os membros o apoiaram. Grã-Bretanha, Estados Unidos, França, Alemanha Ocidental e Itália condenavam o *apartheid* em público, mas continuavam fazendo comércio com a África do Sul. Entre outras coisas, vendiam enormes estoques de armas ao país, aparentemente com esperanças que ele fosse um bastião contra a expansão do comunismo na África. Consequentemente, Verwoerd (até ser assassinado em 1966) e seu sucessor Vorster (1966-1978) conseguiram ignorar os protestos do mundo exterior até boa parte da década de 1970.

(e) O fim do *apartheid*

O sistema do *apartheid* continuou sem fazer qualquer concessão aos negros, até 1980.

1 P.W. Botha

O novo primeiro-ministro, P. W. Botha (eleito em 1979), entendeu que nem tudo ia bem com o sistema e decidiu que deveria reformar o *apartheid*, abandonando alguns de seus aspectos mais impopulares em uma tentativa de preservar o controle para os brancos. *O que gerou essa mudança?*

- *As críticas do exterior* (da Comunidade Britânica, da ONU e da Organização de Unidade Africana) foram ganhando força. As pressões externas ficaram muito fortes em 1975 quando as colônias portuguesas de Angola e Moçambique governadas por brancos conquistaram a independência depois de uma longa luta (ver Seção 24.6(d)). O triunfo dos africanos africanos Zimbábue (1980) acabou com o último dos Estados comandados por brancos que tinham sido simpáticos ao governo da África do Sul e ao *apartheid*. Agora, o país estava cercado de Estados hostis e muitos africanos desses novos Estados tinham jurado jamais descansar até que seus semelhantes africanos na África do Sul fossem libertados.

- *Havia problemas econômicos* – a África do Sul foi atingida pela recessão no final da década de 1970 e muitos brancos estavam em pior situação. Os brancos começaram a emigrar em grandes quantidades, mas a população negra estava aumentando. Em 1980, os brancos perfaziam apenas 16% da população, quando haviam sido 21% entre as duas guerras mundiais.

- *As pátrias africanas eram um fracasso*: elas eram pobres, seus governantes eram corruptos e nenhum governo estrangeiro as reconheceu como Estados verdadeiramente independentes.

- *Os Estados Unidos*, que estavam tratando seus próprios negros melhor durante os anos de 1970, começaram a criticar as políticas racistas do governo da África do Sul.

Em um discurso em setembro de 1979 que deixou pasmos muitos de seus apoiadores nacionalistas, o recém-eleito primeiro-ministro Botha disse:

> A revolução na África do Sul não é mais uma possibilidade remota. Ou nos adap-

tamos ou pereceremos. A dominação branca e o *apartheid* imposto por lei são uma receita para o conflito permanente.

Ele prosseguiu, sugerindo que as pátrias negras deveriam ser tornadas viáveis e que a discriminação desnecessária deveria ser abolida. *Aos poucos, introduziu mudanças importantes que esperava que fossem suficientes para silenciar os críticos dentro e fora do país.*

- Os negros tiveram permissão para se associar aos sindicatos e fazer greve (1979).
- Os negros puderam eleger seus próprios conselhos locais por distrito (mas não votar em eleições nacionais) (1981).
- Foi introduzida uma nova Constituição, estabelecendo duas câmaras do parlamento, uma para pessoas de cor e outra para asiáticos (mas não para africanos). O novo sistema era formatado para que os brancos mantivessem controle geral. Ele entrou em vigor em 1984.
- As relações sexuais entre pessoas de raças diferentes foram permitidas (1985).
- As odiadas leis de passe para os não brancos foram abolidas (1986).

Isso era o mais longe que Botha estava disposto a ir. Ele nem cogitaria as reivindicações do ANC (direito de votar e participar integralmente do governo do país). Longe de serem conquistados com essas concessões, os africanos negros foram inflamados, pois a nova Constituição nada lhes dava e eles estavam determinados a não aceitar menos do que direitos políticos integrais.

A violência aumentou muito, com ambos os lados sendo responsáveis por excessos. O ANC usava o "colar", um pneu colocado em torno do pescoço da vítima e incendiado, para assassinar parlamentares e policiais negros que fossem considerados colaboradores do *apartheid*. No 25º aniversário de Sharpeville, a polícia abriu fogo contra uma procissão de negros enlutados que iam a um funeral perto de Uitenhage (Port Elizabeth), matando mais de 40 pessoas (março de 1985). Em julho, foi declarado estado de emergência nas áreas mais afetadas, estendendo-se a todo o país em junho de 1986. Isso deu aos policiais o poder de prender pessoas sem mandado e liberdade de qualquer ação penal. Milhares de pessoas foram presas e jornais, rádio e TV foram proibidos de cobrir manifestações e greves.

Entretanto, como acontece com muita frequência quando um regime autoritário tenta se reformar, foi impossível parar o processo de mudança (o mesmo aconteceu na URSS quando Gorbachov tentou reformar o comunismo). No final dos anos de 1980, as pressões sobre a África do Sul estavam tendo mais efeito e as atitudes internas tinham mudado.

- *Em agosto de 1986, a Comunidade Britânica (com exceção da Grã-Bretanha) concordou com um forte pacote de sanções* (fim dos empréstimos, vendas de petróleo, equipamento de informática ou produtos nucleares à África do Sul, e nada de contatos científicos nem culturais). A primeira-ministra britânica Margaret Thatcher só aceitava comprometer a Grã-Bretanha com uma suspensão voluntária de investimentos na África do Sul. Seu argumento era que graves sanções econômicas piorariam a situação dos negros africanos, que seriam mandados embora de seus empregos. Isso gerou descontentamento no restante da Comunidade em relação à Grã-Bretanha. Rajiv Gandhi, primeiro-ministro da Índia, acusou Thatcher de "comprometer princípios e valores básicos por fins econômicos".
- *Em setembro de 1986, os Estados Unidos entraram na briga* quando o Congresso aprovou (contra o veto do presidente Reagan) a interrupção dos empréstimos norte-americanos à África do Sul, o corte dos transportes aéreos e a proibição das importações de ferro, aço, carvão, têxteis e urânio sul-africanos.
- *A população negra já não era mais uma massa de trabalhadores sem instrução nem especialização.* O número de negros

bem-instruídos, com atividade profissional, de classe média, crescia constantemente, alguns deles com cargos importantes, como Desmond Tutu, que recebeu o Prêmio Nobel da Paz em 1984 e se tornou bispo anglicano da Cidade do Cabo em 1986.
- *A Igreja Reformada Holandesa, que havia apoiado o apartheid, agora o condenava como sendo incompatível com o cristianismo.* A maioria dos sul-africanos reconhecia que era difícil defender a exclusão total dos negros da vida política do país. Sendo assim, embora nervosos com o que poderia acontecer, eles se resignaram com a ideia de um governo da maioria negra em algum momento. Os moderados brancos estavam dispostos a fazer o melhor da situação e obter a melhor negociação possível.

2 F. W. de Klerk

O novo presidente, F. W. de Klerk (eleito em 1989), tinha reputação de cauteloso, mas em particular, tinha decidido que o *apartheid* teria que acabar completamente e aceitou que o governo de maioria negra acabaria acontecendo. O problema era como chegar a isso sem mais violência e uma possível guerra civil. Com grande coragem e determinação, e diante de forte oposição dos grupos de direita africâner, *de Klerk foi aos poucos levando o país rumo ao governo da maioria negra.*

- Nelson Mandela foi libertado, depois de 27 anos na cadeia (1990) e se tornou líder do ANC, agora legalizado.
- A maior parte das leis que restavam do *apartheid* foi abandonada.
- A Namíbia, o território vizinho comandando pela África do Sul desde 1919, tornou-se independente sob um governo negro (1990).
- Em 1991, tiveram início conversações entre o governo e o ANC para elaborar uma nova Constituição que daria direitos políticos integrais aos negros.

Enquanto isso, o ANC se esforçava para se apresentar como um partido moderado, que não tinha planos de fazer nacionalizações no atacado, e garantir aos brancos que eles estariam seguros e felizes. Nelson Mandela condenou a violência e conclamou à reconciliação entre negros e brancos. As negociações foram longas e difíceis; de Klerk teve que enfrentar oposição direitista em seu partido nacional e de vários grupos racistas brancos extremos, que afirmavam que ele os tinha traído. O ANC se envolveu em uma luta pelo poder com outro partido negro, o *Partido da Liberdade Inkatha (Inkatha Freedom Party), Zulu, com base em Natal e liderado pelo chefe Buthelezi.*

3 Transição para o governo de maioria negra

Na primavera de 1993, as negociações tiveram êxito e foi formulado um mecanismo de poder compartilhado para conduzir a transição ao governo de maioria negra. Realizou-se uma eleição geral e o ANC teve quase dois terços dos votos. Como tinha sido acertado, assumiu um governo de coalizão entre ANC, Partido Nacional e Inkatha, com Nelson Mandela como o primeiro presidente negro da África do Sul, dois vice-presidentes, um branco e um negro (Thabo Mbeki e F. W. de Klerk), e o chefe Buthelezi como Ministro do Interior (maio de 1994). Um grupo africâner de direita liderado por Eugene Terreblanche continuou se opondo à nova democracia, prometendo provocar uma guerra civil, mas não conseguiu seus objetivos. Embora tenha havido violência e mortes, foi uma conquista importante, pela qual de Klerk e Mandela (Ilustração 25.6) merecem o crédito, que a África do Sul tenha sido capaz de avançar do *apartheid* ao governo da maioria negra sem guerra civil.

(f) Mandela e Mbeki

O governo enfrentava problemas enormes e se esperava que cumprisse as promessas do programa do ANC, principalmente melhorar

Ilustração 25.6 De Klerk e Mandela.

as condições da população negra. Foram implementados planos para elevar seu padrão de vida geral, em termos de educação, moradia, saúde, fornecimento de água e eletricidade e esgotos, mas a magnitude do problema era tamanha que seriam necessários muitos anos antes que os níveis apresentassem melhorias para todos. Em maio de 1996, foi acordada uma nova Constituição que entrou em vigor depois das eleições de 1999, a qual não permitia que os partidos minoritários participassem do governo. Quando isso foi revelado, (maio de 1996), os Nacionalistas imediatamente anunciaram que se retirariam do governo para fazer uma "oposição dinâmica, mas responsável". Com a aproximação do final do milênio, os principais problemas enfrentados pelo presidente eram agora como manter políticas financeiras e econômicas sólidas e atrair ajuda e investimentos estrangeiros. Os investidores potenciais hesitavam, esperando por evoluções futuras.

Uma das iniciativas mais bem-sucedidas de Mandela foi a *Comissão de Verdade e Reconciliação*, que examinou os abusos dos direitos humanos durante o regime do *apartheid*. Assessorada pelo *arcebispo Desmond Tutu*, a postura da comissão não era de vingança, e sim de conceder anistias. As pessoas eram estimuladas a falar abertamente, reconhecer seus crimes e pedir perdão. Essa foi uma das coisas mais admiráveis em relação a Mandela. Embora tenha ficado preso durante 27 anos pelo regime do *apartheid*, ele ainda acreditava em perdão e reconciliação. O presidente decidiu não concorrer à reeleição em 1999 – ele tinha quase 81 anos – e se aposentou com uma alta reputação, admirado quase que universalmente por sua capacidade de estadista e sua moderação.

Thabo Mbeki, que passou a ser líder do ANC e presidente depois da aposentadoria de Mandela, tinha a difícil tarefa de suceder a um líder tão carismático. Depois de vencer as eleições de 1999, Mbeki e o ANC tiveram que lidar com problemas cada vez maiores: a criminalidade aumentou muito, os sindicatos convocavam greves em protesto contra a perda de empregos, más condições de trabalho e o ritmo crescente da privatização. O crescimento econômico ficava mais lento: em 2001, foi de apenas 1,5%, comparado com 3,1% em 2000. O governo foi alvo de críticas específicas quanto à sua maneira de lidar com a epidemia de AIDS. Mbeki demorou a reconhecer que realmente havia uma crise e afirmou que a AIDS não estava necessariamente vinculada ao HIV, recusou-se a declarar estado de emergência, como exigiam os sindicatos e partidos de oposição, o que teria possibilitado que o país obtivesse remédios mais baratos, mas o governo não parecia disposto a gastar enormes quantidades de dinheiro nos medicamentos necessários. Houve alvoroço em outubro de 2001, quando um relatório afirmou que AIDS era agora a principal causa de morte na África do Sul e que, se a tendência continuasse, pelo menos 5 milhões de pessoas morreriam dela até 2010.

Com a aproximação das eleições de 2004, havia muitos sinais positivos na nova África do Sul. As políticas do governo estavam começando a apresentar resultados: 70% dos domicílios negros tinham eletricidade, o número de pessoas com acesso a água pura tinha aumentado em 9 milhões desde 1994 e foram construídas cerca de 2.000 novas casas para pobres. A educação era gratuita e obrigatória, e muitos negros diziam sentir agora que tinham dignidade, em vez de ser tratados como animais, como acontecia durante o *apartheid*. O presidente tinha mudado de posição em relação à AIDS e o governo estava começando a implementar os programas necessários de educação e oferecer os remédios para controlar a epidemia. A situação econômica parecia melhor: a África do Sul estava diversificando suas exportações em vez de depender do ouro, o déficit orçamentário tinha diminuído muito e a inflação se reduzira a 4%. Os principais problemas ainda a superar, além da AIDS, eram os altos níveis de desemprego e criminalidade. Contudo, a África do Sul parecia estável e em condições de prosperar sob a liderança capaz do presidente Mbeki. Na eleição de abril de 2004, Mbeki foi eleito para um segundo e último mandato de cinco anos como presidente, e seu ANC teve uma vitória esmagadora, recebendo cerca de dois terços dos votos.*

25.9 SOCIALISMO E GUERRA CIVIL NA ETIÓPIA

(a) Haile Selassie

A Etiópia (Abissínia) era um Estado independente, governado desde 1930 pelo imperador Haile Selassie. Em 1935, as forças de Mussolini atacaram e ocuparam o país, forçando o imperador a se exilar. Os italianos anexaram

---

* N. de R.: Em 2008, foi afastado por seu partido e em 2009, foi eleito Jacob Zuma.

a Etiópia a suas colônias vizinhas da Eritreia e da Somália, chamando-as de África Oriental Italiana. Em 1941, com ajuda britânica, Haile Selassie conseguiu derrotar as fracas forças italianas e retornar à sua capital, Adis Abeba. O astuto imperador teve um grande êxito em 1952, quando convenceu a ONU e os Estados Unidos a permitir que ele assumisse o controle da Eritreia, dando a seu país um acesso ao mar que até então não tinha, mas *essa seria uma fonte de conflito por muitos anos*, já que os nacionalistas eritreus estavam muito revoltados com a perda da independência de seu país.

Em 1960, muitas pessoas estavam ficando cada vez mais impacientes com o governo de Haile Selassie, acreditando que poderia ter feito mais em termos políticos, sociais e econômicos para modernizar o país. Começaram rebeliões na Eritreia e na região de Ogaden, na Etiópia, onde uma boa parte da população era de nacionalistas somalis que queriam que seus territórios se unificassem com a Somália (que tinha conquistado a independência em 1960). Haile Selassie se agarrou ao poder, sem introduzir qualquer mudança radical, até os anos de 1970. Incentivada pela pobreza, seca e fome, a inquietação finalmente chegou ao ápice em 1974, quando alguns setores do exército se amotinaram. Os líderes formaram o Comitê coordenador das forças armadas e da polícia (conhecido pela abreviação Derg). Em setembro de 1974, o Derg depôs o imperador de 83 anos, que depois foi assassinado, e se instalou como novo governo. O Coronel Mengistu Hailé Mariam obteve controle completo da junta em 1977 e foi chefe de Estado até 1991.

(b) O Coronel Mengistu e o Derg

Mengistu e o Derg deram à Etiópia 16 anos de governo baseados em princípios marxistas. A maior parte da terra, indústrias, comércio, bancos e finanças foi assumida pelo Estado. Os opositores geralmente eram executados. A URSS considerou a chegada de Mengistu como uma excelente oportunidade de ganhar influência nessa parte da África e fornecia armamentos e treinamento para seu exército. Infelizmente, a política agrícola do regime se deparou com os mesmos problemas da coletivização de Stalin na URSS. Em 1984 e 1985, houve escassez terrível de alimentos e o desastre só foi evitado pela pronta ação de outros países, que enviaram suprimentos emergenciais de alimentos. *O principal problema de Mengistu era a guerra civil*, que se arrastou por todo o seu período no poder e engoliu seus escassos recursos. Apesar da ajuda da URSS, ele estava lutando uma batalha já perdida contra a Frente de Libertação Popular da Eritreia (*Eritrean People's Liberation Front*), a Frente de Libertação Popular de Tigre (*Tigray People's Liberation Front*) e a Frente Democrática Revolucionária do Povo da Etiópia (*Ethiopian People's Revolutionary Democratic Front, EPRDF*). Em 1989, o governo perdeu o controle da Eritreia e de Tigre, e Mengistu admitiu que suas políticas socialistas tinham fracassado e renunciaria ao marxismo-leninismo. A URSS o abandonou. Em maio de 1991, com forças rebeldes fechando o cerco a Adis Abeba, Mengistu fugiu para o Zimbábue e os rebeldes assumiram o poder.

(c) A Frente Democrática Revolucionária do Povo da Etiópia (EPRDF)

O novo governo, enquanto mantinha alguns elementos de socialismo (principalmente o controle de recursos importantes pelo Estado) prometia democracia e menos centralização. O líder, *Meles Zenawi*, que era do Tigre, anunciou a introdução de uma federação voluntária das várias nacionalidades, o que significava que os grupos étnicos poderiam deixar a Etiópia se assim desejassem e preparava o caminho para a Eritreia declarar sua independência em maio de 1993. Era um problema a menos para o governo enfrentar, mas havia muitos outros. O mais grave era o estado da economia e outra terrível escassez de alimentos em 1994. Em 1998, iniciou a guerra entre Etiópia e Eritreia por disputas de fronteiras. Nem o tempo ajudava: na primavera de 2000, não choveu pelo terceiro ano consecutivo, e havia ameaça de outra falta de alimentos. Embora tenha sido assinado um acordo de paz com a Eritreia em dezembro de 2000, as tensões permaneceram elevadas.

Os eventos em 2001 sugeriam que a Etiópia poderia dar a volta por cima, pelo menos economicamente. O primeiro ministro Zenawi e sua EPRDF, que tinham vencido com facilidade as eleições nacionais de maio de 2000, tiveram outra grande vitória nas locais de 2001. O Banco Mundial ajudou, cancelando quase 70% da dívida do país.

25.10 LIBÉRIA: UM EXPERIMENTO SINGULAR

(a) A história dos primeiros tempos

A Libéria tem uma história singular entre os países da África. Foi fundada em 1822, por uma organização chamada *American Colonization Society*, cujos membros consideravam uma boa ideia assentar escravos libertos na África, onde, por direito, eles deveriam ter vivido sempre. Eles persuadiram vários chefes locais a permitir que começassem uma colônia na África Ocidental. A formação inicial dos escravos libertos com vistas a prepará-los para dirigir seu próprio país foi realizada por norte-americanos brancos, liderados por Jehudi Ashmun. A Libéria recebeu uma Constituição baseada na dos Estados Unidos e a capital foi batizada de Monróvia em função de James Monroe, presidente norte-americano de 1817 a 1825. Embora o sistema parecesse democrático, na prática, só os descendentes de escravos libertos norte-americanos tinham direito de votar. Os africanos nativos que viviam na região eram tratados como cidadãos de segunda classe, como nas áreas colonizadas por europeus. Não houve tentativa dos países da Europa de tomar a Libéria, já que estava sob proteção dos Estados Unidos.

O país adquiriu uma nova importância durante a Segunda Guerra Mundial em função de seus seringais, que eram uma fonte de látex natural para os Aliados. Os Estados Unidos derramaram dinheiro no país e construíram estradas, portos e um aeroporto internacional em Monróvia. Em 1943, William Tubman, do *True Whig Party* – o único partido político importante – foi eleito presidente, depois foi reeleito repetidas vezes e permaneceu presidente até morrer, em 1971, pouco antes de ser eleito para o sétimo mandato. Ele presidiu um país pacífico em termos gerais, que se tornou membro da ONU e fundador da Organização de Unidade Africana (1963), mas a economia era precária, havia pouca indústria e a Libéria dependia muito de suas exportações de borracha e minério de ferro. Outra fonte de renda era permitir que os navios mercantes estrangeiros se registrassem com bandeira liberiana. Os proprietários queriam muito fazer isso porque as leis e regulamentos de segurança do país eram os mais negligentes no mundo, e as taxas de registro, as mais baixas.

(b) Ditadura militar e guerra civil

O presidente Tubman foi sucedido por seu vice, William Tolbert, mas durante o seu mandato, as coisas começaram a dar muito errado. Houve uma queda nos preços mundiais da borracha e do minério de ferro, e a elite dominante passou a ser criticada cada vez mais por sua corrupção. Surgiram grupos de oposição e em 1980 o exército deu um golpe, liderado pelo *primeiro sargento Samuel Doe*. Tolbert foi deposto e executado em público, junto com seus ministros, e Doe se tornou chefe de Estado. Ele prometeu uma nova Constituição e o retorno ao governo civil, mas não tinha pressa de abrir mão do poder. Embora tenham sido realizadas eleições em 1985, Doe certificou-se de que ele e seus apoiadores ganhassem. Seu regime cruel gerou uma oposição firme e surgiram vários grupos rebeldes. Em 1989, a Libéria estava envolvida em uma sangrenta guerra civil. Os exércitos rebeldes não eram disciplinados e realizavam matanças e saques indiscriminados. Em 1990, Doe foi capturado e morto, mas isso não pôs fim à guerra: dois dos grupos rebeldes, liderados por *Charles Taylor* e Prince Johnson, lutavam entre si pelo controle do exército. Ao todo, esse conflito devastador assolou o país durante sete anos. Surgiram novas facções rivais, países vizinhos intervieram para tentar trazer a paz e a Organização de Unidade Africana tentou intermediar conversações sob a coordenação do ex-presidente do Zimbábue, Canaan Banana, mas somente em 1996 chegou-se a um cessar-fogo.

As eleições realizadas em 1997 resultaram em uma vitória decisiva de Charles Taylor e do partido Frente Patriótica Nacional da Libéria (*National Patriotic Front of Liberia*). Ele tinha pela frente uma tarefa nada invejável: o país estava literalmente em ruínas, a economia totalmente em frangalhos e seu povo, dividido. E a situação não melhorou. Taylor logo entrou em conflito com outros países: os Estados Unidos criticavam seu histórico em termos de direitos humanos e a União Europeia alegava que ele estava ajudando os rebeldes em Serra Leoa. Depois dos atentados terroristas de 11 de setembro de 2001, os norte-americanos o acusaram de proteger membros da al-Qaeda. Taylor negava tudo isso e acusava os Estados Unidos de tentar prejudicar seu governo. A ONU aprovou um boicote mundial ao comércio de diamantes liberianos.

Na primavera de 2002, o país estava novamente envolto em guerra civil, à medida que forças rebeldes no norte lançaram uma campanha para depor Taylor. Mais uma vez, as pessoas comuns sofriam de forma terrível: no final do ano, 40.000 tinha fugido do país e outras 300.000 só se mantinham vivas com aos alimentos enviados pela ONU. Em agosto de 2003, os rebeldes capturaram Monróvia e Taylor se refugiou na Nigéria.

25.11 ESTABILIDADE E CAOS EM SERRA LEOA

(a) Prosperidade e estabilidade no início

Serra Leoa se tornou independente em 1961, com *Sir Milton Margai* como líder e com uma Constituição democrática baseada no modelo britânico. *Era, potencialmente, um dos países mais ricos da África*, com valiosos depósitos de minério de ferro e diamantes, com a posterior descoberta de ouro. Infelizmente, o esclarecido e talentoso Margai, considerado amplamente como o pai fundador de Serra Leoa, morreu em 1964. Seu irmão, Sir Albert Margai, assumiu, mas na eleição de 1967, seu partido, o Partido Popular de Serra Leoa (*Sierra Leone People's Party – SLPP*) foi derrotado pelo Partido de Todo o Povo (*All People's Congress, APC*) e seu líder *Siaka Stevens*. Em uma prévia do que seria o futuro, o exército afastou o primeiro-ministro e instalou um governo militar, que completou um ano quando alguns setores do exército se amotinaram, prenderam seus oficiais e devolveram o poder a Stevens e seu APC. Stevens permaneceu na presidência até se afastar in 1985.

Serra Leoa teve paz e estabilidade sob o governo de Siaka Stevens, mas aos poucos a situação foi piorando em vários aspectos.

- A corrupção e a má gestão foram aumentando e a elite dominante enchia os bolsos à custa do povo.
- As jazidas de minério de ferro se esgotaram e o comércio de diamantes, suficiente para encher os cofres do Estado, caiu nas mãos de contrabandistas, que sugavam a maioria de seus lucros.
- Com o aumento das críticas ao governo, Stevens recorreu a métodos ditatoriais. Muitos adversários políticos foram executados e, em 1978, todos os partidos políticos foram proibidos, com exceção do APC.

(b) Caos e catástrofe

Quando deixou o cargo em 1985, Stevens teve o cuidado de nomear como seu sucessor outro homem forte, o comandante em chefe do exército, Joseph Momoh. Seu regime era tão intensamente corrupto e suas políticas econômicas tão desastrosas, que em 1992 ele foi deposto e substituído por um grupo autointitulado Conselho de Governo Provisório Nacional (*National Provisional Ruling Council, NPRC*). O novo chefe de Estado, o *capitão Valentine Strasser*, acusou Momoh de levar o país a "uma pobreza permanente e uma vida deplorável", e prometeu restaurar a democracia verdadeira assim que fosse possível.

Infelizmente, o país já estava avançando para uma trágica guerra civil, que duraria até o século seguinte. Uma força rebelde chamada de Frente Unida Revolucionária (*Revolutionary United Front, RUF*) estava se organizando no sul, sob a liderança de Foday Sankoh, um ex-cabo do exército que, segundo Peter Penfold (ex-alto comissário britânico em Serra Leoa), "fazia lavagem cerebral em seus jovens seguidores com uma dieta de coerção, drogas e promessas fantasiosas de dar ouro". Suas forças vinham causando problemas desde 1991, mas a violência se intensificou. Sankoh rejeitava todos os apelos para negociar, e no final de 1994, o governo Strasser estava em dificuldades. No início de 1995, houve relatos de lutas cruéis em todo o país, embora Freetown (a capital) ainda permanecesse calma. Estima-se que 900.000 pessoas tenham sido expulsas de suas casas e pelo menos 30.000 se refugiaram na vizinha Guiné.

Em desespero, Strasser ofereceu realizar eleições democráticas e uma trégua com a RUF, o que gerou uma pausa na luta e preparações para as eleições em fevereiro de 1996, mas alguns setores do exército não estavam dispostos a abrir mão do poder para um governo civil, e alguns dias antes da eleição, depuseram-no. Mesmo assim, a votação aconteceu, embora tenha havido violência grave, principalmente em Freetown, onde 27 pessoas foram mortas. Havia relatos de soldados amotinados atirando em civis nas filas de votação e cortando as mãos de algumas pessoas que tinham votado. Apesar das intimidações, 60% do eleitorado votou. O Partido Popular de Serra Leoa (SLPP) teve a maior votação e seu líder, *Tejan Kabbah*, foi eleito presidente. Multidões celebraram em Freetown quando o exército entregou a autoridade ao novo presidente, depois de 19 anos de governo de partido único e militar. O presidente Kabbah prometeu dar fim à violência e ofereceu para se reunir com membros a RUF. Em novembro de 1996, ele e Sankoh assinaram um acordo de paz.

Quando parecia que a paz estava por voltar, o país foi jogado em mais caos quando um grupo de oficiais do exército tomou o poder (maio de 1997), forçando Kabbah a se refugiar na Guiné. O novo presidente, o major Johnny Paul Koroma, aboliu a Constituição e proibiu os partidos políticos. O país foi suspenso da Comunidade Britânica e a ONU impôs sanções econômicas até que o país voltasse à democracia, forças da Nigéria, em nome da Comunidade Econômica dos Estados da África Ocidental (*Economic Community of West African States, ECOWAS*) derrubaram o regime militar de Koroma e recolocaram Kabbah no poder (março de 1998).

Mas não era o fim do sofrimento de Serra Leoa. A RUF ressuscitou e recebeu a adesão de soldados leais a Koroma. Eles avançaram sobre Freetown, onde chegaram em janeiro de 1999. Seguiram-se os eventos mais terríveis da guerra civil: em um período de 10 dias, cerca de 7.000 pessoas foram mortas, milhares de outras foram estupradas e seus braços e pernas, decepados, um terço da capital foi destruído e dezenas de milhares ficaram desabrigados. Kabbah e Sankoh acabaram assinando um acordo de paz em Lomé, capital do Togo (julho de 1999), estabelecendo um sistema de poder compartilhado e dando anistia aos rebeldes. Isso gerou fortes críticas de grupos de direitos humanos em virtude das terríveis atrocidades cometidas por alguns dos rebeldes. O Conselho de Segurança da ONU aprovou o envio de 6.000 soldados a Serra Leoa para supervisionar a implementação da paz. Em outubro de 2000, essa quantidade tinha aumentado para 20.000, já que muitos combatentes da RUF se recusavam a aceitar os termos do acordo e continuavam a causar destruição. O trabalho de desarmar era lento e difícil, mas a violência foi aos poucos diminuindo e se estabeleceu algo parecido com a paz. Mas essa paz era frágil: a economia do país estava em ruínas, a infraestrutura precisava de reconstrução e em 2003, a ONU classificou o país como um dos mais pobres do mundo.

25.12 O ZIMBÁBUE SOB O COMANDO DE ROBERT MUGABE

(a) Um começo impressionante, 1980-1990

Robert Mugabe, primeiro ministro do recém-independente Zimbábue, foi um líder guerrilheiro firme, de opiniões marxistas. Ele logo demonstrou ser capaz de moderação e se comprometeu a trabalhar por reconciliação e unidade. Isso acalmou os receios dos fazendeiros e empresários brancos que tinham permanecido no Zimbábue e que eram necessários para que a economia se desenvolvesse. Mugabe formou um governo de coalizão entre seu partido, a União Nacional Africana do Zimbábue (ZANU), cujo principal apoio vinha do povo Shona, e da União Popular Africana do Zimbábue (ZAPU), de Joshua Nkomo, apoiada pelo povo Ndebele em Matabeleland. Ele manteve a promessa feita na Conferência de Lancaster House (ver Seção 24.4(c)) de que os brancos teriam 20 cadeiras garantidas no parlamento de 100 membros. Foram implementadas medidas para aliviar a pobreza da população negra, como aumentos salariais, subsídios à alimentação e melhores serviços sociais, saúde e educação. Muitos observadores consideraram que em seus primeiros anos no poder, Mugabe mostrou ser um grande estadista e merecia crédito por manter a paz em seu país.

Porém, havia problemas a enfrentar. O mais grave, nos primeiros anos, era *a antiga hostilidade entre a ZANU e a ZAPU*. O povo shona, da ZANU, achava que a ZAPU poderia ter ajudado mais na luta pelo governo de maioria negra. A coalizão entre Mugabe e Nkomo era instável e, em 1982, o segundo foi acusado de planejar um golpe. Mugabe forçou-o a renunciar e muitos membros importantes da ZAPU foram presos. Os apoiadores de Nkomo em Matabeleland retaliaram com violência, mas foram reprimidos com brutalidade. Entretanto, a resistência continuou até 1987, quando os dois líderes chegaram a um acordo, o chamado Acordo de Unidade:

- A ZANU e a ZAPU, unificadas, adotaram o nome de União Nacional Africana do Zimbábue- Frente Patriótica (ZANU-PF);
- Mugabe tornou-se presidente executivo e Nkomo, vice-presidente em um sistema de poder compartilhado;
- As cadeiras reservadas aos brancos no parlamento foram abolidas.

O outro foco de preocupação era o estado da economia. Embora, em anos de boas safras, o Zimbábue fosse considerado como a "cesta de pão do sul da África", o sucesso dependia muito do clima. Na década de 1980, houve mais períodos de seca do que era normal, e o país também sofreu com o alto preço mundial do petróleo. Estava ficando claro que, embora Mugabe fosse um político inteligente, suas habilidades econômicas não eram tão fortes. Desde o Acordo de Unidade de 1987, ele começou a levar o país para um sistema de partido único, mas isso foi frustrado quando Edgar Tekere formou seu Movimento de Unidade do Zimbábue (*Zimbabwe Unity Movement, ZUM*) em 1989. Mesmo assim, *em 1990, Mugabe ainda tinha imensa popularidade* e era considerado herói por grande parte da população por seu papel vital na luta pela liberdade. Em 1990, ele venceu a ZUM por larga margem de votos a eleição e foi reeleito presidente.

(b) A imagem do herói começa a ser manchada

Na década de 1990, os problemas econômicos do Zimbábue pioraram. Depois do colapso da URSS, Mugabe abandonou suas políticas marxistas e tentou seguir métodos de livre mercado. Ele aceitou um empréstimo do FMI e, contra a opinião pública, concordou em seguir o Programa de Ajuste Estrutural Econômico imposto pelo Fundo, que envolvia cortes nos gastos públicos com serviços sociais e empregos. As dificuldades aumentaram em 1992, com uma grave seca, gerando uma safra ruim e escassez de alimentos. Houve muitos problemas quando centenas de fazendas de propriedade de brancos foram ocupadas. Cerca de 4.000 fazendeiros brancos permaneceram no país depois da independência, e entre todos, eram donos de metade da terra arável do país. O governo incentivou os ocupantes e a polícia não deu proteção aos fazendeiros. Consequentemente, as áreas ocupadas não foram cultivadas, aumentando o problema do abastecimento de alimentos. O desemprego e a inflação cresciam e a AIDS começou a preocupar.

No final dos anos de 1990, aumentava a agitação. A intervenção de Mugabe para ajudar o presidente Laurent Kabila na guerra civil da República Democrática do Congo não foi bem vista pela população, já que corriam muitos rumores de que sua principal motivação era proteger seus próprios investimentos pessoais naquele país. Em novembro de 1998, houve manifestações de protesto quando foi anunciado que Mugabe tinha dado grandes aumentos de salário a si próprio e aos membros de seu gabinete.

(c) Cresce a oposição

Próximo à virada do século, a oposição ao regime aumentou à medida que o governo de Mugabe se tornava mais repressivo e ditatorial.

- Em fevereiro de 2000, homens que afirmavam ser veteranos da guerra de independência deram início *à ocupação sistemática e violenta das fazendas dos brancos*, o que continuou pelos quatro anos seguintes, e era visivelmente uma política deliberada do governo. Quando o Reino Unido protestou, Mugabe afirmou que era culpa dos britânicos: eles tinham rompido a promessa (feita na Conferência de Lancaster House em 1979) de dar indenizações adequadas aos fazendeiros brancos. A Grã-Bretanha disse estar disposta a pagar mais indenizações desde que a terra confiscada fosse dada a agricultores comuns e não a membros da elite dominante de Mugabe.

- Outra determinação era que as eleições marcadas para 2000 fossem livres e justas. Em fevereiro daquele ano, *o povo havia rejeitado uma nova proposta de Constituição pró-Mugabe*, um indicativo claro de que sua popularidade tinha caído, o que provavelmente o levou a tomar quaisquer medidas necessárias para ganhar as eleições de junho. Embora tivesse concordado em que elas fossem livres e justas, ele aparentemente pouco fez para garantir que isso acontecesse. Houve muita violência e intimidação da oposição antes e durante a eleição, e os observadores internacionais fizeram muitas restrições. Mesmo assim, o resultado foi apertado: a ZANU-PF de Mugabe conquistou 62 cadeiras no parlamento de 150 membros, ao passo que o oposicionista Movimento pela Transformação Democrática (*Movement for Democratic Change, MDC*) ficou com 57. Mas como o presidente tinha direito a indicar 30 dos 150 membros, Mugabe manteve uma maioria confortável.

- *A ocupação à força das fazendas de propriedade dos brancos continuou durante 2001*, gerando mais protestos de parte do Reino Unido. Mugabe acusou o governo britânico de realizar uma campanha neocolonialista e racista, apoiando brancos contra negros. A disputa gerou reações variadas no restante do mundo. A maioria dos países africanos expressou sua simpatia e seu apoio a Mugabe. O presidente Mbeki, da África do Sul, por outro lado, afirmou que os confiscos de terras eram uma violação do estado de direito e deveriam parar, mas demandou uma postura conciliatória e se recusou a aplicar sanções econômicas ao Zimbábue, já que isso destruiria a economia já frágil. Os Estados Unidos, porém, condenaram a política de Mugabe e impuseram sanções (fevereiro de 2002), a Comunidade Britânica expulsou o Zimbábue por um ano e o Banco Mundial cortou seu financiamento em função dos enormes atrasos nas dívidas do país, que tinham chegado a 380 milhões de dólares.

- Enquanto isso, *Mugabe tomou providências para amordaçar as críticas cada vez maiores às suas políticas para o Zimbábue*. Agora só havia um jornal independente, e seus jornalistas eram cada vez mais assediados e intimidados, assim como os membros do MDC. Morgan Tsvangirai, líder do MDC, foi acusado de tramar para derrubar o presidente e o governo aumentou o controle sobre a TV e o rádio. Quando o Supremo Tribunal se aventurou a criticar a política agrária de Mugabe, ele demitiu três dos juízes e os substituiu por outros, indicados por ele. Com a aproximação da eleição presidencial de março de 2002, as restrições ficaram ainda mais rígidas. As reuniões públicas foram proibidas, com exceção das reuniões dos apoiadores de Mugabe, e passou a ser crime "prejudicar a autoridade do presidente fazendo ou publicando declarações que provoquem hostilidade". Nenhum observador estrangeiro teve permissão para acompanhar as eleições no país.

Não foi surpresa quando *Mugabe venceu a eleição e foi empossado para mais um mandato de seis anos*, embora tivesse 78. Ele teve 56% dos votos enquanto Morgan Tsvangirai só conseguiu obter 42%. Tsvangirai questionou imediatamente o resultado, afirmando que era a maior fraude eleitoral que ele já tinha visto e reclamando de terrorismo, intimidação e assédio. As tensões cresceram quando ele exigiu que o Tribunal Superior cancelasse o resultado.

(d) O Zimbábue em crise

Rejeitando as acusações da oposição, *o presidente Mugabe declarou um "estado de desastre" (abril de 2002)* em função da situação alimentar. Toda a África central estava sofrendo os efeitos de uma seca prolongada e se esperava uma safra de metade do tamanho normal. Mesmo assim, Mugabe continuava com sua controversa política de confiscos de terras, embora os especialistas em agricultura indicassem que isso ameaçaria a safra vital de trigo de inverno.

Os protestos contra o governo continuaram de várias formas, assim como a repressão às críticas. Em fevereiro de 2003 a Copa do Mundo de Críquete foi realizada no Zimbábue. Na primeira partida do país, dois de seus jogadores, um negro e um branco, usaram tarjas pretas no braço, segundo eles, "como luto pela morte da democracia em nosso amado Zimbábue. Não podemos, de sã consciência, ir a campo e ignorar o fato de que milhões de nossos compatriotas estão passando fome, desempregados e oprimidos". Eles não voltaram a jogar pelo Zimbábue. Naquele mesmo mês, 21 líderes de Igrejas Cristãs foram presos quando tentaram apresentar um abaixo-assinado para que a polícia se comportasse com menos violência e mais consideração pelos direitos humanos.

Mas a oposição se recusava a ser silenciada. Em março, o MDC organizou um protesto de massas em todo o país, exigindo que Mugabe reformasse seu regime ou deixasse o cargo. Muitas fábricas, bancos e lojas fecharam, mas o governo desconsiderou, chamando de "ato de terrorismo". Houve relatos de que mais de 500 membros da oposição foram presos, entre eles, Gibson Sibanda, vice-presidente do MDC.

Nesse meio-tempo, houve várias tentativas de mediação. Os presidentes Mbeki, da África do Sul, e Obasanjo, da Nigéria, tentaram várias vezes convencer Mugabe a formar um governo de coalizão com o MDC, mas embora representantes de Mugabe e Tsvangirai tenham se reunido para negociar, não foi encontrada solução para o impasse. Em uma reunião de cúpula da Comunidade Britânica em Abuja (Nigéria), em dezembro de 2003, a questão que dominou a conferência foi cancelar ou não a suspensão do Zimbábue. Mugabe esperava dividir a Comunidade em brancos e negros, mas depois de intensos debates, a maioria dos membros, incluindo muitos países africanos, aprovou a manutenção da suspensão. Muito decepcionado, Mugabe retirou seu país da organização.

A tragédia foi que, no verão de 2004, além da situação terrível dos direitos humanos, *a economia do país estava em estado de colapso*. Relatou-se que desde que começou o programa de reforma agrária, a produção agrícola tinha caído catastroficamente: em 2003, a lavoura de fumo foi reduzida a menos de um terço do que era em 2000. Pior ainda, a de trigo estava em menos de um quarto do que fora em 2000 e o número de cabeças de gado em fazendas comerciais caiu de 1,2 milhão para menos 150.000. Embora o governo afirmasse que 50.000 famílias negras foram assentadas em fazendas comerciais, a verdadeira quantidade era de menos de 5.000. Muitas das melhores fazendas foram dadas aos apoiadores do presidente e vastas quantidades de terra fértil estavam improdutivas em função da escassez de sementes, fertilizantes e máquinas agrícolas. Em maio de 2004, a taxa de desemprego era de mais de 70% e a inflação passava dos 600%, uma das mais altas do mundo. A decisão da UE de dar continuidade à sanções por mais um ano nada fez para remediar a situação. Como de costume, a principal vítima foi o povo pobre, oprimido e negligenciado do Zimbábue.

Apesar de tudo isso, o partido de Mugabe, ZANU-PF, teve uma vitória clara nas eleições parlamentares de abril de 2005, conquistando 78 cadeiras entre as 120 disputadas. O MDC, de oposição, só conseguiu 41 cadeiras. Somando as 30 que podia preencher com suas próprias nomeações, o presidente teria a maioria de mais de dois terços necessária para alterar a Constituição. Um sorridente Mugabe disse que deixaria o cargo quando tivesse "cem anos". Houve menos violência do que durante as duas eleições anteriores, e os observadores sul-africanos disseram que o processo foi livre e justo, mas o MDC e muitos observadores europeus afirmavam que houve muitos abusos, fraudes e intimidações de eleitores, e acusavam o governo da África do Sul de fazer vista grossa à fraude para não incentivar o MDC a recorrer à violência, pois isso desestabilizaria a fronteira da África do Sul com o Zimbábue. Na verdade, o líder do MDC, Morgan Tsvangirai, decidiu não questionar legalmente os resultados e rejeitou apelos à resistência armada. Como publicou o jornal UK Times: "Seria bravo o grupo que enfrentassem abertamente os assassinos do ZANU-PF".

25.13 A ÁFRICA E SEUS PROBLEMAS NO SÉCULO XXI

Em novembro de 2003, o secretário-geral da ONU, Kofi Annan, reclamou que desde os ataques terroristas de 11 de setembro de 2001 nos Estados Unidos, a atenção do mundo tinha se concentrado na guerra ao terrorismo e a África e seus problemas foram, se não exatamente esquecidos, com certeza, negligenciados. Os recursos que poderiam ter ido para ajudar a África foram desviados para o Afeganistão e, mais tarde, para o Iraque, que se revelou um problema muito mais difícil do que o esperado para os Estados Unidos. Ele fez um apelo por 3 bilhões de dólares (cerca de 1,8 bilhão de libras esterlinas) para ajudar a oferecer serviços básicos como comida, água, suprimentos de saúde e abrigo, apontando que, em comparação, o Congresso norte-americano tinha aprovado 87 bilhões de dólares para a reconstrução do Iraque.

Nada menos do que 17 países da África estavam passando por crises de vários tipos. A ONU classificou a do *Sudão* como sendo provavelmente a pior. Desde 1956, o sul do Sudão era assolado pela guerra civil entre o governo dominado pelos árabes e as tribos africanas, que achavam que não estavam recebendo tratamento justo. Os enfrentamentos terminaram em 2002, mas a paz era frágil, e em fevereiro de 2003, grupos rebeldes de tribos africanas na região de Darfur pegaram em armas contra o governo na luta por mais terras e recursos. Milícias árabes favoráveis ao governo retaliaram e pareciam estar travando uma campanha de limpeza étnica contra as pessoas de origem africana. O próprio governo nada fez para parar a violência. No verão de 2004, a situação na região de Darfur era caótica: cerca de 30.000 agricultores africanos foram mortos, entre 3 e 4 milhões de pessoas estavam desabrigadas e mais de 2 milhões necessitavam com urgência de comida e tratamento médico. Para piorar as coisas, anos consecutivos de seca e enchentes destruíram o ganha-pão de dezenas de milhares de pessoas e as condições de vida eram descritas como péssimas. A infraestrutura estava em ruínas, com muitas escolas e hospitais destruídos, não havia eletricidade, o nível de enfermidades era muito elevado e o comércio dependia de escambo. A ONU e outras agências tentavam desesperadamente atender às necessidades básicas de sobrevivência, eram jogados alimentos de aviões, pois não havia estradas em boas condições. Todo o sul estava desesperadamente atrasado e subdesenvolvido, mesmo com o país tendo muitos recursos valiosos que não estavam sendo explorados integralmente (o solo era fértil e irrigado pelo Nilo). Cultivando bem, seria fácil fornecer comida suficiente para a população, e havia grandes quantidades de petróleo.

As esperanças de melhoria aumentaram em agosto de 2004, quando a União Africana deu início a uma missão de paz. Em janeiro de 2005, representantes do Movimento Popular de Libertação do Sudão (*Sudan People's Liberation Movement*) e o governo Cartum assinaram um acordo de paz em Nairóbi, capital do Quênia. Acertou-se que o sul do Sudão seria autônomo por seis anos, quando haveria um referendo para decidir se a região permaneceria como parte do país. Todavia, o novo acordo parecia ter pouco efeito em Darfur, onde os enfrentamentos continuavam.

A *Eritreia* estava sofrendo o quarto ano consecutivo de seca. As planícies outrora férteis estavam estéreis e o vento varria o solo arável. A safra foi de apenas 10% do normal e estima-se que 1,7 milhão de pessoas não tinham como se alimentar. O governo, uma ditadura de partido único, parecia obcecado com a construção de um grande exército para o caso de uma recorrência da guerra de fronteiras com a Etiópia. Infelizmente, além de consumir todos os recursos, isso também tirava os homens das fazendas, onde eles eram necessários para lavrar a terra e trazer água.

A *Tanzânia* tinha o problema de como lidar com centenas de milhares de refugiados das guerras no Burundi e na República Democrática do Congo. Da mesma forma, na África Ocidental, as regiões de fronteira da *Guiné* estavam abarrotadas de refugiados dos vizinhos *Serra Leoa* e *Libéria*. A África do Sul estava sentindo os efeitos da seca. O *Malaui* foi muito afetado: em janeiro de 2003, o governo declarou uma emergência nacional depois de uma seca e do fracasso da safra de milho. Depois, tempestades e chuvas pesadas devastaram pontes e inundaram os campos próximos aos rios; em abril, o Programa Mundial de Alimentos dizia estar alimentando 3,5 milhões de malauis – um terço da população. *Lesoto*, *Moçambique* e *Suazilândia* passavam por problemas semelhantes. A perspectiva para o futuro não era estimulante: os especialistas previam que, a menos que o aquecimento global pudesse ser controlado, as secas ficariam cada vez piores e algumas partes da África poderiam se tornar inabitáveis (ver seção 26.5). Além de tudo isso, todos os países estavam sofrendo, em diferentes níveis, da epidemia de HIV/AIDS (ver Seção 27.4). Na verdade, embora o Ocidente esteja compreensivelmente obcecado com a ameaça do terrorismo, os africanos estão mais preocupados com a AIDS, já que, em geral, ela afeta as gerações mais ativas, o grupo etário de 20 a 50 anos.

Por outro lado, houve eventos animadores no plano político. Em uma conferência de cúpula da Comunidade de Desenvolvimento do Sul da África (*Southern African Development Community, SADC*) realizada nas Ilhas Maurício em agosto de 2004, foi elaborada uma nova carta de regulamentações para conduzir eleições democráticas, incluindo uma imprensa livre, o fim das fraudes eleitorais e de violência e intimidação. Deve haver um compromisso dos presidentes de se submeter à reeleição quando acabasse seu mandato e de não usar a força armada para se manter no poder. Como demonstração de boa fé, os presidentes de Tanzânia, Moçambique e Namíbia indicaram que deixariam os cargos em breve.

PERGUNTAS

1. **Nelson Mandela e a campanha antiapartheid na África do Sul**
Estude a fonte e responda as perguntas a seguir.

Fonte A
Trechos de um discurso de Nelson Mandela em 1964, durante seu julgamento por sabotagem.

> Nossa luta é contra dificuldades reais, e não imaginárias, ou, para usar a linguagem do promotor, as "ditas" dificuldades. Lutamos contra duas características definidoras da vida dos africanos na África do Sul, e que estão enraizadas através de legislação que queremos ver terminada. Essas características são a pobreza e a falta de dignidade humana.
> Os brancos desfrutam do que pode muito bem ser o mais elevado padrão de vida do mundo, ao passo que os africanos vivem na pobreza e no sofrimento.... Mas os africanos não reclamam apenas de serem pobres enquanto os brancos são ricos, e sim de que as leis feitas pelos brancos são voltadas a preservar essa situação. Há duas maneiras de se libertar da pobreza. A primeira é pela educação formal e a segunda é o trabalhador adquirindo mais qualificação. No que diz respeito aos africanos, esses dois caminhos de crescimento são deliberadamente barrados pela legislação. O outro grande obstáculo ao crescimento econômico dos africanos é a barreira de cor na indústria, pela qual todos os melhores empregos são reservados aos brancos.
> Acima de tudo, senhor, queremos direitos políticos iguais, porque, sem eles, nossas deficiências serão permanentes.... É um ideal que eu espero ver realizado. Mas, senhor, se for preciso, é um ideal pelo qual eu estou disposto a morrer.

Fonte: Citado em Brian MacArthur (org.), *The Penguin Book of Historic Speeches* (Penguin, 1996).

(a) O que se pode aprender da fonte sobre as queixas dos africanos negros na África do Sul, e o que eles esperavam conquistar em sua campanha?
(b) Explique por que a campanha dos negros contra o *apartheid* teve pouco sucesso até 1978.
(c) Por que o *apartheid* foi sendo eliminado gradualmente no período entre 1978 e 1993?

2. O quanto você considera correto descrever Angola como "uma vítima da Guerra Fria" nos anos entre 1975 e 2002?

3. Explique por que Robert Mugabe era considerado um herói no Zimbábue entre 1980 e 1990, mas teve que enfrentar cada vez mais oposição depois de 1990.

Parte VI

PROBLEMAS GLOBAIS

A Economia Mundial em Mudança Desde 1900

26

RESUMO DOS EVENTOS

Durante grande parte do século XIX, a Grã-Bretanha esteve à frente do restante do mundo em produção industrial e comércio. No último quarto do século, a Alemanha e os Estados Unidos começaram a alcançá-la e, em 1914, *os Estados Unidos eram a principal nação industrial do mundo*. A Primeira e a Segunda Guerras causaram mudanças importantes na economia do mundo. Os Estados Unidos foram quem mais ganhou economicamente com as duas guerras e passaram a ser dominantes, como a nação mais rica do mundo. Enquanto isso, a economia da Grã-Bretanha declinava lentamente, não sendo ajudada pelo fato de ter ficado fora da Comunidade Europeia até 1973.

Apesar dos percalços, *a tendência geral era os países relativamente industrializados ficarem mais ricos, enquanto as nações mais pobres da África e da Ásia (conhecidas como Terceiro Mundo)*, a maioria das quais foi colônia dos países europeus, ficassem ainda mais pobres. Contudo, alguns países do Terceiro Mundo começaram a se industrializar e ficaram mais ricos, o que gerou uma divisão no bloco do Terceiro Mundo. No último quarto do século XX, novos eventos passaram ao primeiro plano. A produção industrial e alguns setores de serviços começaram a se deslocar das nações ocidentais para países como a China e a Índia, onde a mão de obra era muito mais barata. *Os sistemas econômicos ocidentais davam sinais de problemas*, e havia polêmicas sobre qual era o tipo mais bem-sucedido de economia, o modelo norte-americano ou o europeu. O *aquecimento global*, causado pela emissão de gases como dióxido de carbono, produziu mudanças problemáticas no clima, que ameaçavam prejudicar mais aos países pobres, que tinham menos condições de enfrentá-las.

26.1 MUDANÇAS NA ECONOMIA MUNDIAL DESDE 1900

Em um certo sentido, em 1900 já havia uma única economia mundial. Alguns países industrializados, principalmente os Estados Unidos, a Grã-Bretanha e a Alemanha, forneciam os bens manufaturados do mundo, enquanto o restante fornecia matérias primas e alimentos (conhecidos como "produtos primários"). Os Estados Unidos tratavam a América Latina (principalmente o México) como uma área de "influência", da mesma forma com que os países europeus tratavam suas colônias na África e em outros lugares. As nações europeias geralmente decidiam o que deveria ser produzido em suas colônias: os britânicos garantiam que Uganda e Sudão plantassem algodão para sua indústria têxtil, os portugueses faziam o mesmo em Moçambique. Eles estabeleciam os preços pelos quais os produtos coloniais seriam vendidos no valor mais baixo possível. Em outras palavras, como disse o historiador Basil Davidson (ver leituras complementares para os Capítulos 24 e 25): "Os africanos tinham que vender barato e comprar caro". *O século XX trouxe algumas mudanças importantes*:

(a) Os Estados Unidos se tornaram a potência industrial dominante e o restante do mundo ficou mais dependente deles

Em 1880, a Grã-Bretanha produzia mais ou menos o dobro de carvão e ferro-gusa do que os Estados Unidos, mas em 1900, os papéis se inverteram: os Estados Unidos produziam mais carvão do que a Grã-Bretanha e cerca de o dobro de ferro-gusa e aço. Essa dominação crescente continuou durante todo o século: em 1945, por exemplo, a renda dos norte-americanos era duas vezes maior do que a dos britânicos e sete vezes do que a dos russos. Nos 30 anos seguintes, a produção dos Estados Unidos quase dobrou novamente. *Quais foram as causas do sucesso norte-americano?*

1 A Primeira Guerra Mundial e o pós-guerra

A Primeira Guerra Mundial e o período posterior a ela deram um grande impulso à economia dos Estados Unidos (ver Seção 22.3). Muitos países que compraram produtos da Europa durante a guerra (como a China e os Estados da América Latina) não conseguiam manter seu suprimento em dia porque a guerra desorganizou o comércio. Isso fez com que comprassem os produtos dos Estados Unidos (e também do Japão) e, depois da guerra, eles continuaram a fazer isso. Os norte-americanos foram os vencedores econômicos da Primeira Guerra Mundial e se tornaram ainda mais ricos graças aos juros dos empréstimos de guerra que fizeram à Grã-Bretanha e a seus Aliados (ver Seção 4.5(c)). Só eles eram ricos o suficiente para fazer empréstimos que estimulassem a recuperação alemã nos anos de 1920, mas isso teve o efeito indesejado de aumentar os vínculos financeiros e econômicos da Europa com os Estados Unidos. Quando estes sofreram seu grande colapso (1929-1935) (ver Seção 22.6), a Europa e o restante do mundo também foram jogados na depressão. Em 1933, no fundo da depressão, cerca de 25 milhões de pessoas estavam sem trabalho nos Estados Unidos e uns 50 milhões no mundo todo.

2 A Segunda Guerra Mundial

A Segunda Guerra Mundial deixou os Estados Unidos na condição de maior potência industrial (e militar) do mundo. Os norte-americanos entraram no conflito relativamente tarde e sua indústria conseguiu fornecer materiais bélicos para a Grã-Bretanha e seus aliados. No fim da guerra, com a Europa estagnada economicamente, os Estados Unidos estavam produzindo 43% de todo o minério de ferro do mundo, 45% do aço bruto, 60% das locomotivas e 74% dos veículos automotores (ver Seção 22.7(e)). Quando a guerra terminou, a explosão industrial continuou com o redirecionamento da indústria aos bens de consumo, cujo abastecimento fora pouco durante a guerra. Mais uma vez, os Estados Unidos estavam ricos o suficiente para ajudar a Europa Ocidental, o que fizeram com o Plano Marshall (ver Seção 7.2(e)). Não era simplesmente que os norte-americanos quisessem ser gentis com a Europa; *eles tinham pelo menos dois outros motivos ulteriores*:

- uma Europa Ocidental próspera conseguiria comprar mercadorias dos Estados Unidos e assim, manter o grande *boom* norte-americano dos tempos de guerra;
- uma Europa Ocidental próspera teria menos probabilidades de virar comunista.

(b) Depois de 1945, o mundo se dividiu entre ao blocos capitalista e comunista

- *O bloco capitalista* consistia nas nações altamente desenvolvidas – Estados Unidos, Canadá, Europa Ocidental, Japão, Austrália e Nova Zelândia. Eles acreditavam na iniciativa privada e na proprieda-

de privada da riqueza, com o lucro como a grande influência motivadora e, de preferência, um mínimo de interferência do Estado.
- *O bloco comunista* consistia na URSS, seus Estados-satélites no Leste Europeu e, mais tarde, a China, a Coreia do Norte e o Vietnã do Norte. Eles acreditam em economias com planejamento centralizado, controladas pelo Estado, as quais, segundo eles, eliminariam os piores aspectos do capitalismo: quebras, desemprego e a distribuição desigual da riqueza.

Os cerca de 40 anos seguintes pareceram uma disputa para saber qual sistema econômico é melhor. O colapso do comunismo no Leste Europeu no final dos anos de 1980 (ver Seções 10.6 e 18.3) possibilitou aos simpatizantes do capitalismo cantar a vitória final, mas o comunismo continuou na China, na Coreia do Norte, no Vietnã e em Cuba. A maior disputa entre os dois sistemas políticos e econômicos rivais ficou conhecida como *Guerra Fria* e teve consequências importantes. Fez com que os dois blocos gastassem enormes quantidade de dinheiro na construção de armas nucleares e outros armamentos (ver Seção 7.4), e em programas espaciais ainda mais caros. Muitas pessoas afirmavam que grande parte desse dinheiro teria sido mais bem gasta ajudando a resolver os problemas dos países pobres do mundo.

(c) As décadas de 1970 e 1980: graves problemas econômicos nos Estados Unidos

Depois de muitos anos de sucesso econômico continuado, os Estados Unidos começaram a ter problemas.

- *Os custos de defesa e a Guerra no Vietnã (1961-1995)* (ver Seção 8.3) drenavam constantemente a economia e o tesouro.
- *Em todos os anos no final da década de 1960 houve déficit orçamentário.* Isso quer dizer que o governo gastava mais do que arrecadava em impostos e a diferença tinha que ser coberta vendendo as reservas em ouro. Em 1971, o dólar, outrora considerado tão bom quanto ouro, estava perdendo valor.
- O presidente Nixon foi forçado a *desvalorizar o dólar em cerca de 12%* e taxar em 10% a maioria das importações (1971).*
- *O aumento dos preços do petróleo* piorou o déficit no balanço de pagamento do país e levou ao desenvolvimento de mais energia nuclear.
- O presidente Reagan (1981-1989) se recusou a cortar despesas militares e experimentou *novas políticas econômicas recomendadas pelo economista norte-americano Milton Friedman*, que afirmava que os governos deveriam abandonar todas as tentativas de planificar suas economias e se concentrar no monetarismo, ou seja, exercer um controle rígido sobre a oferta de dinheiro mantendo a taxa de juros alta. Sua teoria era de que isso forçaria as empresas a serem mais eficientes. Eram políticas que Margaret Thatcher já estava experimentando na Grã-Bretanha. Inicialmente, as novas ideias pareciam estar funcionando – em meados dos anos de 1980, o desemprego diminuiu e os Estados Unidos voltaram a ser prósperos, mas o problema básico da economia do país – o imenso déficit orçamentário – eles não conseguiam acabar, principalmente em função dos altos custos militares. Os norte-americanos chegaram a ter que pedir emprestado ao Japão, cuja economia era extremamente bem-sucedida na época. A drenagem das reservas de ouro norte-americanas fragilizou o dólar, junto com a confiança na economia. Houve uma queda súbita e profunda nos preços das ações (1987), seguido por quedas semelhantes em todo

---

* N. de R.: Além de desvincular o dólar em relação ao ouro, enfraquecendo o Sistema de Bretton-Woods.

Tabela 26.1 Produto Interno Bruto (PIB) *per capita* do Japão (em dólares)

Ano	PIB
1955	200
1978	7.300
1987	15.800
1990	27.000

o mundo. No final da década de 1980, grande parte do mundo sofria uma recessão comercial.

(d) O Sucesso do Japão

O Japão se tornou um dos países mais bem-sucedidos do mundo em termos econômicos. No final da Segunda Guerra Mundial, o país foi derrotado e sua economia estava em ruínas. Em pouco tempo, começou a se recuperar, e durante as décadas de 1970 e 1980, a expansão econômica japonesa foi enorme, como mostra a Tabela 26.1 (ver Seção 15.2.)

26.2 O TERCEIRO MUNDO E A DIVISÃO NORTE-SUL

Durante a década de 1950, a expressão *Terceiro Mundo* começou a ser usada para descrever os países que não faziam parte do *Primeiro Mundo* (os países capitalistas industrializados) nem do *Segundo Mundo* (os países comunistas industrializados). O número de países do Terceiro Mundo aumentou rapidamente nas décadas de 1950 e 1960 com a desagregação dos impérios europeus e o surgimento de países recém-independentes. Em 1970, o Terceiro Mundo consistia na África, Ásia (com exceção da URSS e da China), Índia, Paquistão, Bangladesh, América Latina e Oriente Médio. Todos foram colônias ou mandatos de potências europeias e foram deixados em estado não desenvolvido ou subdesenvolvido quando conquistaram a independência.

(a) O Terceiro Mundo e o não alinhamento

Os países do terceiro mundo eram a favor do não alinhamento, ou seja, não queriam estar intimamente ligados ao bloco capitalista nem ao comunista e desconfiavam muito das motivações de ambos. O primeiro ministro indiano Nehru (1947-1964) se considerava uma espécie de líder extraoficial do Terceiro Mundo, o qual ele achava que poderia ser uma força poderosa para promover a paz mundial. Os países do Terceiro Mundo detestavam o fato de ambos os blocos continuarem a interferir em suas questões internas (neocolonialismo). Os Estados Unidos, por exemplo, interferiam sem qualquer constrangimento nos assuntos das Américas Central e do Sul, ajudando a derrubar governos que não aprovavam, como aconteceu na Guatemala (1954), na República Dominicana (1965) e no Chile (1973). A Grã-Bretanha, a França e a URSS interferiam no Oriente Médio. Eram realizadas reuniões frequentes de líderes do Terceiro Mundo, e, em 1979, 92 países estiveram representados em uma conferência dos "não alinhados" em Havana (Cuba). Nessa época, o Terceiro Mundo continha cerca de 70% da população mundial.

(b) A pobreza no Terceiro Mundo e o relatório Brandt (1980)

Economicamente, o Terceiro Mundo era extremamente pobre. Por exemplo, embora tivessem 70% da população, esses países só consumiam 30% da comida do mundo, ao passo que os Estados Unidos, com, talvez, 8%

da população mundial, comiam 40% dos alimentos. As pessoas no Terceiro Mundo muitas vezes tinham carência de proteínas e de vitaminas, o que gerava má saúde e alta taxa de mortalidade. Em 1980, um grupo internacional de políticos sob a liderança de Willi Brandt (que foi chanceler da Alemanha Ocidental entre 1967 e 1974) e a participação de Edward Heath (primeiro-ministro britânico de 1970 a 1974) apresentou o *Relatório Brandt* sobre os problemas do Terceiro Mundo, dizendo que o mundo poderia ser mais ou menos dividido em duas partes (ver Mapa 26.1).

Norte Países industriais desenvolvidos da América do Norte, Europa URSS e Japão, mais a Austrália e a Nova Zelândia.
Sul   A maioria dos países do terceiro mundo

O relatório chegou à conclusão de que o norte estava ficando mais rico e o sul, mais pobre. Essa distância entre ambos é bem ilustrada pelas estatísticas de consumo de calorias (Figura 26.1), e pela comparação do Produto Interno Bruto (PIB) de alguns países típicos do sul e do norte, ou de economias "desenvolvidas" e "inferiores e intermediárias" (Tabela 26.2).

O PIB é calculado tomando-se o valor total em dinheiro da produção de todas as unidades produtivas de um país. Inclui juros, lucros e dividendos recebidos do exterior. Esse total é dividido pela cifra da população, o que dá a quantidade de riqueza produzida por habitante. Em 1989-1990, o PIB do norte foi, em média, mais de 24 vezes que o do sul. Em 1992, um país altamente desenvolvido e eficiente como o Japão poderia se gabar de ter um PIB de 28.000 dólares *per capita*, e a Noruega, de 25.800 dólares. Por outro lado, entre os países pobres da África, a Etiópia só conseguia 110 dólares *per capita*, o segundo PIB mais baixo do mundo.

(c) **Por que o sul é tão pobre?**

- O sul era e ainda é economicamente dependente do norte por causa do *neocolonialismo* (ver Seções 24.4 e 24.7). O

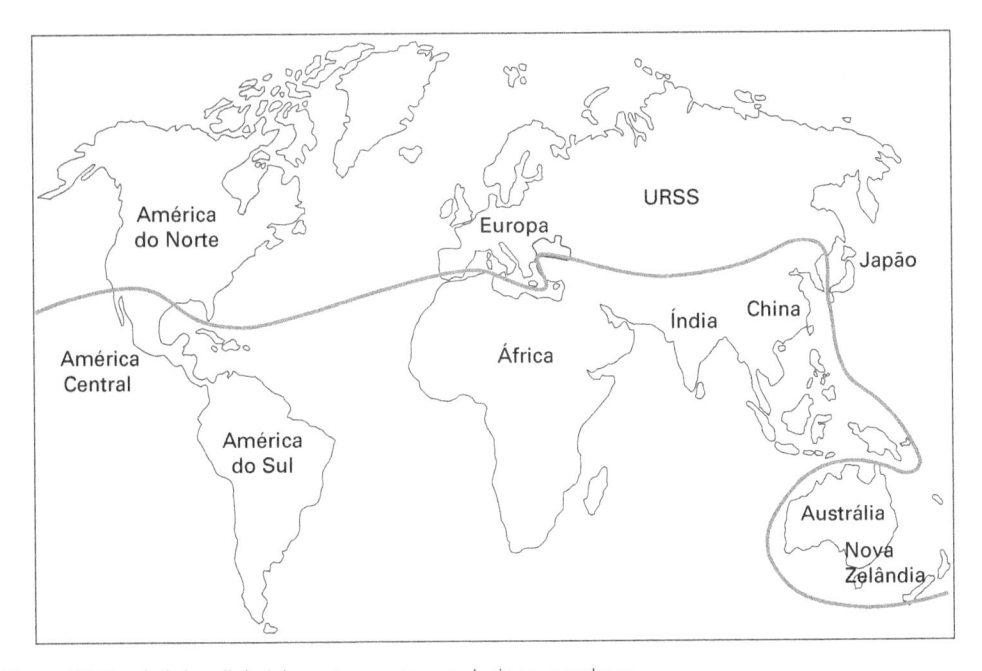

Mapa 26.1 A linha divisória entre norte e sul, ricos e pobres.

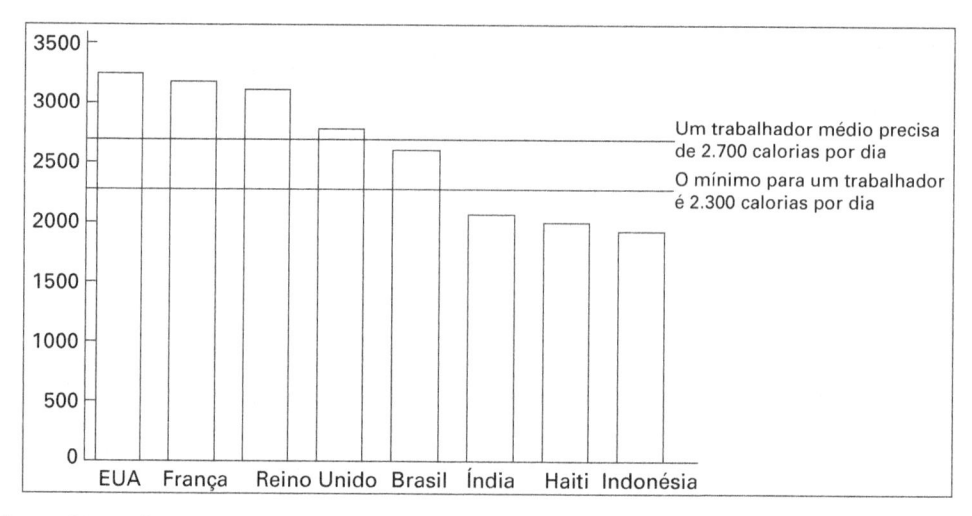

Figura 26.1 Consumo diário de calorias por pessoa.

(Gráfico: Um trabalhador médio precisa de 2.700 calorias por dia. O mínimo para um trabalhador é 2.300 calorias por dia. EUA, França, Reino Unido, Brasil, Índia, Haiti, Indonésia.)

norte esperava que o sul continuasse a lhe fornecer alimento e matérias-primas, e que o sul comprasse bens industrializados do norte. Este não incentivou o sul a desenvolver suas próprias indústrias.

- Muitos países tiveram dificuldades de romper com as *economias monoprodutoras* deixadas da época colonial, porque os governos careciam do dinheiro para diversificar. Gana (cacau) e Zâmbia (cobre) se encontravam diante desse problema. Em países como Gana, cujas receitas dependiam muito da exportação de produtos agrícolas, isso fazia com que sobrasse muito pouca comida para a população. Sendo assim, os governos tinham que gastar seu escasso dinheiro na importação de alimentos caros. Uma queda no preço mundial de seu principal produto seria um grande desastre. Na década de 1970, houve uma redução imensa nos preços de produtos como cacau, cobre, café e algodão. A Tabela 26.3 mostra os efeitos desastrosos sobre as receitas, e assim, sobre o poder de compra em países como Gana e Camarões (cacau), Zâmbia, Chile e Peru (cobre), Moçambique, Egito e Sudão (algodão), e Costa do Marfim, Zaire e Etiópia (café).

- *Ao mesmo tempo, os preços dos bens industrializados continuavam a subir.* O sul tinha que importar do norte. Apesar dos esforços da Conferência da ONU sobre Comércio e Desenvolvimento (Unctad), que tentava negociar preços mais justos para o Terceiro Mundo, não conseguiram nenhuma melhoria verdadeira.

- Embora o sul tenha recebido muita ajuda do norte, grande parte dela vinha na forma de negócios – *os países do sul tinham que pagar juros.* Às vezes, uma das condições do negócio era que os países do sul tinham que gastar o dinheiro em produtos do país que o estava emprestando. Houve empréstimos feitos diretamente de bancos nos Estados Unidos e na Europa Ocidental, de forma que, em 1980, alguns países do Terceiro Mundo já deviam o equivalente a 500 bilhões de dólares. O menor juro anual que podia ser pago era de cerca de 50 bilhões de dólares. Alguns países foram forçados a tomar mais dinheiro emprestado para pagar os juros do empréstimo original.

- *Outro problema para os países do Terceiro Mundo era que suas populações estavam aumentando muito mais rápido que as do norte.* Em 1975, a população total do mun-

Tabela 26.2 Produto Interno bruto *per capita* em 1992 (em dólares norte-americanos)

Japão	28.220	Líbia	5.310
Taiwan	10.202	Uganda	170
Hong Kong	15.380	Ruanda	250
Cingapura	15.750	Tanzânia	110
Coreia do Sul	6.790	Quênia	330
Coreia do Norte	943	Zaire	220
Tailândia	1.840	Etiópia	110
Vietnã	109	Sudão	400
China	380	Somália	150
		Zimbábue	570
		Zâmbia	290
Peru	950	Nigéria	320
Bolívia	680	Moçambique	60
Paraguai	1.340	África do Sul	2.670
Brasil	2.770	Argélia	2.020
Argentina	2.780		
Colômbia	1.290		
Chile	2.730	Índia	310
Venezuela	2.900	Paquistão	410
Uruguai	3.340	Bangladesh	220
		Sri Lanka	540
Alemanha	21.000	Federação Russa	2.680
França	22.300	Polônia	1.960
Grã-Bretanha	17.760	Romênia	1.090
Itália	20.510	Tchecoslováquia	2.440
Suíça	36.230		
Grécia	7.180		
Espanha	14.020		
Portugal	7.450	EUA	23.120
Noruega	25.800	Canadá	20.320
Suécia	26.780	Austrália	17.070
Bélgica	20.880	Haiti	380
		República Dominicana	1.040
		Guiana	330
		Jamaica	1.340
		Trinidad e Tobago	3.940

Fonte: Estatísticas do Banco Mundial, em *Europa World Year Book* 1995.

Tabela 26.3 O que as mercadorias conseguiam comprar em 1975 e em 1980

	Barris de petróleo	Capital (dólares dos Estados Unidos)
Cobre (1 tonelada comprava)		
1975	115	17.800
1980	58	9.500
Cacau (1 tonelada comprava)		
1975	148	23.400
1980	63	10.200
Café (1 tonelada comprava)		
1975	148	22.800
1980	82	13.000
Algodão (1 tonelada comprava)		
1975	119	18.400
1980	60	9.600

do era de cerca de 4 bilhões de habitantes e se esperava que chegasse aos 6 bilhões até 1997. Como a população do sul estava crescendo muito mais rapidamente, uma proporção do mundo maior do que antes seria pobre (ver Capítulo 27).

• *Muitos países do Terceiro Mundo passaram por guerras civis longas e destrutivas*, que arrasaram as lavouras e destruíram as economias. Algumas das piores guerras aconteceram na Etiópia, Nicarágua, Guatemala, Líbano, no Congo/Zaire, Sudão, Somália, Libéria, Serra Leoa, Moçambique e Angola.

• *Às vezes, a seca era um problema grave na África* (Ilustração 26.1). O Níger, na Áfri-

Ilustração 26.1 Seca na África.

ca Ocidental, foi muito afetado: em 1974, o país só produzia metade dos produtos agrícolas de 1970 (principalmente painço e sorgo) e cerca de 40% do gado morreu. Com o aumento na velocidade do aquecimento global próximo ao final do século, as secas se tornaram mais frequentes e muitos países ficaram dependentes da ajuda do exterior para alimentar seu povo.

(d) O Relatório Brandt estava cheio de boas ideias

Por exemplo, o documento indicava que era do interesse do norte ajudar o sul a se tornar mais próspero, porque isso possibilitaria ao sul comprar mais produtos do norte, o que evitaria desemprego e recessão no norte. Se apenas uma fração das despesas do norte em armamentos fosse direcionada para ajudar o sul, seria possível fazer melhorias enormes. Por exemplo, pelo preço de um avião a jato de combate (cerca de 20 milhões de dólares), seria possível instalar 40.000 farmácias em aldeias. O Relatório continuava, fazendo *importantes recomendações* que, aplicadas, no mínimo eliminariam a fome do mundo:

- as nações ricas do mundo deveriam ter o objetivo de chegar a dar 0,7% de sua renda nacional a países mais pobres em 1985 e 1% em 2000;
- deveriam implementar um novo Fundo Mundial de Desenvolvimento no qual as decisões fossem ainda mais compartilhadas entre os que recebem e os que concedem empréstimos (não como o Fundo Monetário Internacional e o Banco Mundial, que eram dominados pelos Estados Unidos);
- deveria ser elaborado um plano de energia internacional;
- deveria haver uma campanha para melhorar as técnicas agrícolas no sul, e a elaboração de um programa internacional de alimentos.

O Relatório Brandt mudou alguma coisa? Infelizmente, não houve melhoria imediata na situação econômica geral do sul. Em 1985, muito poucos países atingiram a meta sugerida de 0,7%. Os que o fizeram foram a Noruega, a Suécia, a Dinamarca, a Holanda e a França, mas os Estados Unidos davam apenas 0,24% e a Grã-Bretanha, 0,11%. Em meados dos anos de 1980, havia uma terrível escassez de alimentos na África, principalmente na Etiópia e no Sudão, e a crise nas partes mais pobres do Terceiro Mundo parecia estar piorando. Ao longo da década de 1990, a economia dos Estados Unidos cresceu muito no governo Clinton, enquanto a situação do Terceiro Mundo ficava ainda pior. No final de 2003, um relatório da ONU informava que 21 países do Terceiro Mundo, 17 deles na África, estavam em crise em função de uma combinação de desastres naturais, AIDS, aquecimento global e guerras civis (ver Seção 25.13). Mesmo assim, o 1% mais rico da população mundial (cerca de 60 milhões) tinha a mesma renda dos 57% mais pobres. A Noruega estava no topo da tabela de desenvolvimento humano da ONU. Os noruegueses tinha uma expectativa de vida de 78,7 anos, a taxa de alfabetização era de praticamente 100% e a renda anual estava quase em 30.000 dólares. Em Serra Leoa, a expectativa de vida era de cerca de 35 anos, a alfabetização, de 35%, e a renda anual de 470 dólares, em média. Os Estados Unidos pareciam atrair a maior hostilidade e o ressentimento em função desse desequilíbrio de riqueza. Havia uma ampla crença de que o crescimento do terrorismo, principalmente os atentados de 11 de setembro nos Estados Unidos, era uma resposta desesperada ao fracasso das tentativas pacíficas de gerar um sistema econômico mundial mais justo (ver Seções 12.1 e 12.2).

Os assessores econômicos da ONU deixavam claro o que precisava ser feito. Era o Ocidente quem deveria remover as barreiras comerciais, acabar com seu sistema de subsídios generosos, proporcionar maior alívio de dívidas e dobrar a quantidade de ajuda, de 50 para 100 bilhões de dólares por ano, o que possibilitaria que os países pobres investissem em sistemas para fornecimento de água limpa, estradas nas zonas rurais e educação e saúde adequadas.

26.3 A DIVISÃO NA ECONOMIA DO TERCEIRO MUNDO

Na década de 1970, alguns países do Terceiro Mundo começaram a ficar mais prósperos, às vezes, graças à exploração de recursos naturais, como petróleo, e também por causa da industrialização.

(a) Petróleo

Alguns países do Terceiro Mundo tiveram a sorte de ter petróleo. Em 1973, os membros da Organização dos Países Exportadores de Petróleo (OPEP), em parte em uma tentativa de preservar os estoques, começaram a cobrar mais por seu petróleo. Os países produtores do Oriente Médio tiveram lucros imensos, assim como a Nigéria e a Líbia. Isso não quer dizer necessariamente que seus governos tenham aplicado bem o dinheiro, nem que o usaram em benefício de suas populações. Uma história de sucesso africana, contudo, é a da Líbia, o país mais rico do continente graças a seus recursos em petróleo e às políticas inteligentes de seu líder, o coronel Kadafi (que assumiu o poder em 1969). Ele usou grande parte dos lucros do petróleo no desenvolvimento agrícola e industrial, e para estabelecer um estado de bem-estar social. Esse foi um país onde as pessoas comuns se beneficiaram dos lucros do petróleo. Com um PIB *per capita* de 5.460 libras esterlinas em 1989, a Líbia podia afirmar ser quase tão bem sucedida economicamente quanto a Grécia e Portugal, os membros mais pobres da Comunidade Europeia.

(b) Industrialização

Alguns países do Terceiro Mundo se industrializaram muito rápido e com grande sucesso. Entre eles, Cingapura, Taiwan, Coreia do Sul e Hong Kong (conhecidos como as quatro economias "tigres do Pacífico"), e outros, Tailândia, Malásia, Brasil e México.

O PIB tinha melhor desempenho nas economias dos quatro "tigres" do que em muitos países europeus. O sucesso dos países recém-industrializados em mercados de exportação do mundo foi possível, em parte, porque eles conseguiram atrair empresas do norte que estavam ávidas por aproveitar a mão de obra muito mais barata disponível no Terceiro Mundo. Alguns países chegaram a transferir toda sua produção para países recém-industrializados, onde os baixos custos de produção lhes permitiam vender seus produtos a preços mais baixos do que os produzidos no norte. Isso representava graves problemas para as nações industrializadas do norte, todas sofrendo com o desemprego durante os anos de 1990. Parecia que os dias dourados da prosperidade ocidental poderiam ter chegado ao fim, pelo menos em um futuro visível, a menos que os trabalhadores estivessem dispostos a aceitar salários mais baixos, ou que as empresas estivessem dispostas a ter lucros menores.

Em meados dos anos de 1990, a economia mundial estava avançando à próxima etapa, na qual os "tigres" asiáticos perdiam empregos para os trabalhadores em países como *Malásia* e *Filipinas*. Outros países de Terceiro Mundo em processo de industrialização eram a *Indonésia* e a *China*, onde os salários eram ainda mais baixos e as jornadas, ainda mais longas. Jacques Chirac, o presidente da França, expressou os receios e as preocupações de muitas pessoas quando apontou (abril de 1996) que os países em desenvolvimento não deveriam concorrer com a Europa permitindo salários e condições de trabalho miseráveis, e pediu o reconhecimento de que alguns direitos humanos devem ser incentivados e garantidos:

- liberdade para participar de sindicatos e para que esses sindicatos façam negociações coletivas, para a proteção dos trabalhadores contra a exploração.
- abolição do trabalho forçado e infantil.

Na verdade, a maioria dos países em desenvolvimento aceitou isso quando entrou para a Organização Mundial do Trabalho (OIT) (ver Seção 9.5(b)), mas aceitar as condições e aplicá-las eram duas coisas diferentes.

26.4 A ECONOMIA MUNDIAL E SEUS EFEITOS SOBRE O MEIO-AMBIENTE

À medida que o século XX terminava, o norte ficava cada vez mais obcecado com a industrialização, foram inventados novos métodos e técnicas para ajudar a aumentar a produção e a eficiência. A principal motivação era a criação de riqueza e a criação de lucros, e era dada muito pouca atenção aos efeitos colaterais que tudo isso vinha tendo. Na década de 1970, as pessoas foram ganhando mais consciência de que nem tudo ia bem com o meio-ambiente e que a industrialização estava causando problemas graves.

- *Exaustão dos recursos mundiais em matérias-primas e combustíveis* (petróleo, carvão e gás).
- *Imensa poluição do meio ambiente*. Os cientistas se deram conta de que, se isso continuasse, provavelmente prejudicaria o ecossistema, isto é, o sistema pelo qual as criaturas vivas, as árvores e as plantas funcionam dentro do ambiente e no qual elas estão interconectadas. A "ecologia" é o estudo do ecossistema.
- *Aquecimento global* – o aquecimento incontrolável da atmosfera da terra, causado pelas grandes quantidades de gases emitidos pela indústria.

(a) Exaustão dos recursos do mundo

- *Os combustíveis fósseis* – carvão, petróleo e gás natural – são os restos de plantas e seres vivos que morreram há centenas de milhares de anos, não podem ser substituídos e estão sendo consumidos rapidamente. Provavelmente existe carvão abundante, mas ninguém sabe ao certo quanto resta de gás natural e petróleo. A produção de petróleo aumentou enormemente, no século XX, como mostra a Figura 26.2. Alguns especialistas acreditam que as reservas de petróleo se esgotarão no início do século XXI, uma das razões pelas quais a OPEP tentou conservar o produto nos anos de 1970. Os Britânicos responderam retirando petróleo do Mar do Norte, o que os tornou menos dependentes das importações. Outra resposta era desenvolver fontes alternativas de energia, principalmente a nuclear.
- *Estanho, chumbo, cobre, zinco e mercúrio* eram outras matérias-primas que estavam sendo altamente exauridas. Os especialistas sugeriram que elas poderiam ser todas esgotadas no século XXI, e, mais uma vez, era o Terceiro Mundo que estava perdendo os recursos de que necessitava para escapar da pobreza.
- *Estava-se usando uma quantidade muito grande de madeira*. Cerca de metade das florestas tropicais do mundo já tinha sido perdida em 1987, e se calculava que em torno de 80.000 km^2, uma área próxima ao tamanho da Áustria, era perdida todos os anos. O efeito colateral era a perda de muitas espécies animais e insetos que viviam nessas florestas.
- Estava-se pescando *peixes* demais e matando baleias demais.
- *O estoque de fosfatos (usado em fertilizantes) estava se esgotando rapidamente*. Quando mais fertilizantes fossem usados para aumentar o rendimento agrícola em uma tentativa de acompanhar o crescimento da população, mais fosfato natural teria que ser extraído (um aumento de 4% ao ano desde 1950). A expectativa era de que os estoques se esgotassem na metade do século XXI.
- *Havia um risco de que os estoques de água doce também acabassem*. A maior parte da água doce do planeta está vinculada às calotas polares e aos glaciares ou

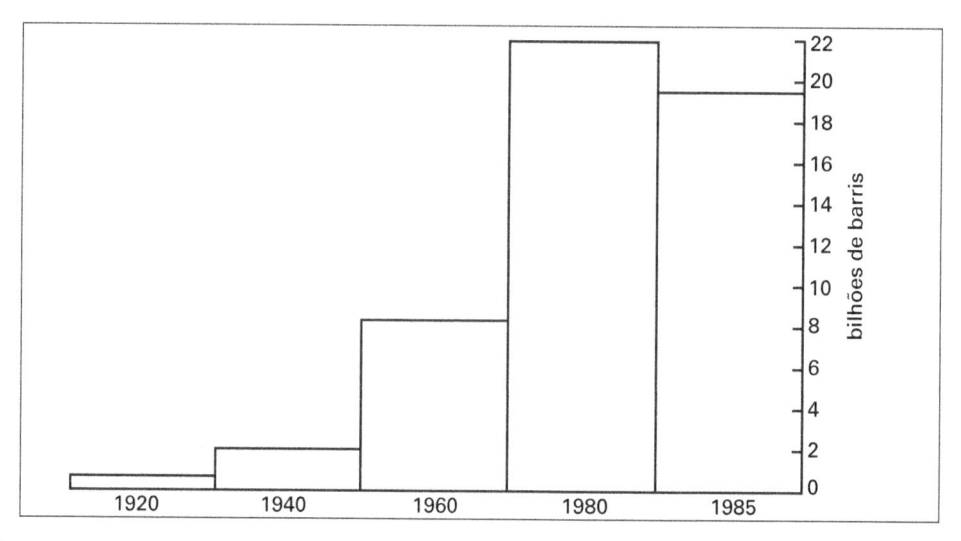

Figura 26.2 Produção mundial de petróleo em bilhões de barris por ano.

está muito profunda no solo. Todos os organismos vivos – seres humanos, animais, árvores e plantas – dependem da chuva para viver. Com a população mundial aumentando 90 milhões por ano, cientistas da Universidade de Stanford (Califórnia) concluíram que em 1995, os seres humanos e sua pecuária, agricultura e silvicultura já estavam consumindo um quarto de toda a água usada pelas plantas. Isso deixa menos umidade para evaporar e, portanto, uma probabilidade de menos chuva.

- *A quantidade de terra disponível para agricultura estava diminuindo.* Isso se devia, em parte, à expansão da industrialização e ao crescimento das cidades, mas também ao uso imprevidente da terra agricultável. Sistemas de irrigação mal projetados aumentavam o nível de sal no solo. Às vezes, a irrigação era outro problema: os cientistas calculavam que, a cada ano, cerca de 75 bilhões de toneladas de solo eram levadas por chuvas e inundações ou pelos ventos. A perda de solos dependia da qualidade das práticas agrícolas: na Europa Ocidental e nos Estados Unidos (onde os métodos eram bons), os agricultores perdiam, em média, 17 toneladas de solo agricultável de cada hectare todos os anos. Na África, Ásia e América do Sul, essa perda era de 40 toneladas por ano. Em terrenos muito íngremes de países como a Nigéria, 220 toneladas por ano se perdiam, enquanto em algumas partes da Jamaica, essa cifra chegava a 400 toneladas por ano.

Um sinal encorajador foi a criação da Estratégia Mundial de Conservação (1980), que visava a alertar o mundo para todos esses problemas.

(b) Poluição do ambiente – um desastre ecológico?

- *Dejetos de indústrias pesadas poluíam a atmosfera, os rios, os lagos e o mar.* Em 1975, todos os Grandes Lagos da América do Norte foram considerados "mortos", ou seja, estavam tão poluídos que nenhum peixe conseguiria viver neles. Cerca de 10% dos lagos da Suécia estavam na mesma situação. A chuva ácida (chuva contaminada com ácido sulfúrico) causou prejuízos extremos em árvores na Europa Central, principalmente na Alemanha e na Tchecoslováquia. A

URSS e os países comunistas do Leste Europeu faziam a industrialização mais suja: toda a região estava muito poluída por anos de emissões venenosas (ver Ilustração 26.2).
- *Descartar esgotos das grandes cidades do mundo era um problema.* Alguns países simplesmente jogavam no mar dejetos sem tratamento ou tratados parcialmente. O mar ao redor de Nova York estava muito contaminado e o Mediterrâneo tinha altos índices de poluição, principalmente decorrentes de esgotos humanos.
- Os agricultores dos países mais ricos contribuíam para a poluição usando fertilizantes artificiais e pesticidas, que escoavam da terra para os cursos d'água e rios.
- *Descobriu-se que os produtos químicos conhecidos como clorofluorcarbonos (CFCs)*, usados nos aerossóis, nos refrigeradores e nos extintores de incêndio eram prejudiciais à camada de ozônio que protege a Terra da radiação ultravioleta prejudicial do sol. Em 1979, os cientistas descobriram que havia um enorme buraco na camada de ozônio sobre a Antártica; em 1989, o buraco estava muito maior e foi descoberto outro, sobre o Ártico. Isso significa que as pessoas estavam com mais probabilidades de desenvolver cânceres de pele em função da radiação solar não filtrada. Algum progresso se fez para lidar com esse problema, e muitos países proibiram o uso de CFCs. Em 2001, a Organização Mundial de Meteorologia informou que a camada de ozônio parecia estar se recuperando.
- *A energia nuclear causa poluição quando a radioatividade vaza para o meio-ambiente.* Sabe-se que isso pode causar câncer, principalmente leucemia. É sabido que, um quarto das mortes de pessoas que trabalharam na usina nuclear de Sellafield, em Cumbria (Reino Unido), entre 1947 e 1975, foram de câncer. Havia um risco constante de grandes acidentes como

Ilustração 26.2 A usina de energia de Espenhain na antiga Alemanha Oriental.

a explosão em *Three Mile Island*, nos Estados Unidos, em 1979, que contaminou uma vasta área em torno da usina. Quando ocorreram vazamentos e acidentes, as autoridades logo garantiram à população que nenhuma pessoa tinha sofrido efeitos prejudiciais, mas ninguém realmente sabia quantas pessoas morreriam mais tarde do câncer causado pela radiação.

O pior acidente nuclear de todos os tempos aconteceu em 1986, em Chernobyl, na Ucrânia (na época, parte da URSS). Um reator nuclear explodiu, matando 35 pessoas e liberando uma imensa nuvem radioativa que flutuou pela maior parte da Europa. Dez anos depois, relatava-se que estavam surgindo centenas de casos de câncer de tireóide nas áreas próximas a Chernobyl. Até na Grã-Bretanha, a 1.500 km de distância, centenas de quilômetros quadrados de pastos para ovelhas em Gales, Cumbria e Escócia ainda estavam contaminados e sujeitos a restrições, e 300.000 ovelhas foram afetadas e tiveram que ser examinadas em busca de altos níveis de radioatividade antes que fosse possível comê-las. As preocupações com a segurança das usinas nucleares levou muitos países a procurar fontes alternativas de energia que fossem mais seguras, principalmente solares, eólicas e a energia das marés.

Uma das principais dificuldades a ser enfrentada é que custaria imensas somas em dinheiro consertar todos esses problemas. Os industriais afirmam que "limpar" as fábricas e eliminar a poluição encareceria seus produtos. Os governos e as autoridades locais teriam que gastar mais dinheiro para construir redes de esgotos e limpar rios e praias. Em 1996, ainda havia 27 reatores nucleares em operação no Leste Europeu, de projeto antigo, semelhante ao que explodiu em Chernobyl. Eles ameaçavam mais desastres nucleares, mas os governos afirmaram que não tinham dinheiro para melhorar a segurança nem para fechá-los.

> A descrição a seguir, de Chernobyl, dá uma ideia da gravidade dos problemas envolvidos:
>
> > Em Chernobyl, o cenário da explosão de 1986, a apenas alguns quilômetros da capital da Ucrânia, Kiev, a perspectiva é desanimadora. Dois dos reatores restantes ainda estão em operação, cercados de zona rural altamente contaminada. Elementos radioativos vazam lentamente para o lençol freático e, assim, para o suprimento de água potável de Kiev, de mais de 800 poços onde os detritos mais perigosos foram enterrados há 10 anos.
>
> *Fonte*: reportagem no *Guardian*, 13 de abril de 1996.

(c) Cultivos geneticamente modificados (GM)

Uma das questões que passaram ao primeiro plano na década de 1990, e que evoluíram para um confronto político entre Estados Unidos e UE, foi os cultivos geneticamente modificados, ou seja, plantas injetadas com genes de outras plantas, que lhes conferem outras características. Por exemplo, pode-se fazer com que algumas plantas tolerem herbicidas que matam outras, o que faz com que o agricultor possa borrifá-las com um herbicida de "amplo espectro" que destruirá todas as plantas em seu campo, com exceção da que ele está cultivando. Como o inço consome a água e os preciosos nutrientes do solo, os cultivos GM devem render mais e demandar menos herbicidas do que as lavouras convencionais. Alguns cultivos GM foram alterados para possuir venenos para matar pestes que se alimentam deles; outros, para crescer em solo salgado. Os principais cultivos GM são trigo, cevada, milho, canola, soja e algodão. Os defensores desses cultivos afirmam que *eles representam um dos maiores avanços já atingidos na agricultura*; proporcionando alimento mais saudável, produzido de forma mais eficiente e com menos prejuízos ao meio-ambiente. Dado o problema do crescimento da população mundial e das dificuldades de alimentar a todos, os apoiadores consideram os cultivos GM como, talvez, um avanço fundamental na solução do problema alimentar do mundo. Em 2004, eles estavam sendo cultivados por, pelo menos, 6 milhões de agricultores em 16 países, incluindo os Estados Unidos, Canadá, Índia, Argentina, México, China, Colômbia e África do Sul. Os Estados Unidos são seu principal apoiador e também o maior exportador do mundo.

Contudo, nem todo mundo está contente com essa situação. Muita gente se opõe à tecnologia GM porque ela pode ser usada para criar organismos não naturais, isto é, plantas podem ser modificadas com genes de outras plantas ou mesmo de animais. Receia-se que os genes possam escapar para plantas selvagens e criar "ervas daninhas super-resistentes" que não possam ser mortas. Os cultivos GM podem ser prejudiciais a outras espécies e também, no longo prazo, aos seres humanos que os comerem. Os genes que escapem de cultivos GM podem conseguir polinizar cultivos orgânicos, arruinando os agricultores que se dedicam a esse trabalho, que podem até ser processados por ter genes GM em seus cultivos, mesmo que não tenham plantado deliberadamente essas sementes. *As principais objeções vieram da Europa*. Embora alguns países europeus, como Alemanha e Espanha, tenham feito cultivos GM, as quantidades foram pequenas. Os cientistas, como um todo, tendem a ter um julgamento reservado, afirmando que deveria haver testes de campo mais longos para demonstrar se os GM são ou não prejudiciais, tanto para o meio-ambiente quanto para a saúde pública. Pesquisas de opinião mostraram que cerca de 80% do povo europeu tinham sérias dúvidas sobre sua segurança. Vários países, como Áustria, França, Alemanha, Itália e Grécia, proibiriam as importações dos GMs individuais, seja para plantar, seja para usar como alimento. Os norte-americanos, por outro lado, insistem em que os cultivos foram minuciosamente testados e aprovados pelo governo e que as pessoas vinham comendo alimentos GM há muitos anos sem qualquer efeito danoso visível.

Outra objeção era que a indústria dos GM era controlada por uns poucos gigantes da agricultura, a maioria deles, dos Estados Unidos. Na verdade, em 2004, a empresa norte-americana Monsanto produzia mais de 90% dos cultivos GM em todo o mundo. O sentimento era de que essas empresas tinham muito controle sobre a produção mundial de alimentos, o que lhes possibilitaria exercer pressões sobre países para que comprassem seus produtos e expulsar os agricultores tradicionais do mercado. A controvérsia chegou ao seu ponto culminante em abril de 2004, quando os Estados Unidos demandaram uma ação por parte da Organização Mundial do Comércio (OMC). Eles acusavam a União Europeia de romper as regras de livre mercado da OMC ao proibir as importações de GM sem qualquer evidência científica para sustentar seu argumento. Os norte-americanos exigiram uma indenização de 1 bilhão por perdas de exportações nos seis anos anteriores.

26.5 AQUECIMENTO GLOBAL

(a) As primeiras preocupações

No início dos anos de 1970, os cientistas começaram a se preocupar com o que chamaram de "efeito estufa", ou seja, o aquecimento aparentemente fora de controle da atmosfera da Terra, ou "aquecimento global", como ficou conhecido. Ele era causado por grandes quantidades de dióxido de carbono, metano e óxido nitroso, três gases produzidos durante vários processos industriais e pela queima de combustíveis fósseis, sendo liberados na atmosfera. Os gases funcionavam como o telhado de vidro de uma estufa, prendendo e aumentando o calor do sol. Havia opiniões diferentes sobre quais seriam, exatamente, seus efeitos. Uma teoria alarmante era que as calotas polares, os glaciares e a neve nas regiões polares derreteriam, fazendo com que aumentasse o nível do mar e inundando grandes extensões de terra. Também se temia que a África e grandes partes da Ásia ficassem quentes demais para as pessoas viverem nelas, e poderia haver tempestades e secas prolongadas.

Alguns cientistas desconsideraram essas teorias, afirmando que se o mundo estava realmente se tornando mais quente, era uma mudança climática natural e não causada pelo homem. Eles menosprezaram as ameaças de inundações e secas, e acusaram os que as sugeriam de serem antiocidentais e anti-industrialização. Os próprios industriais receberam bem esses simpatizantes e, enquanto continuava o debate entre os dois campos, nada se fez para reduzir ou controlar as emissões dos gases do efeito-estufa.

Aos poucos, as evidências científicas foram ficando mais convincentes: a temperatura média da Terra estava, com certeza, aumentando muito e os hábitos humanos de queimar fósseis eram responsáveis pelas mudanças. As evidências foram suficientes para convencer o vice-presidente dos Estados Unidos, Al Gore, que, em 1992, escreveu uma brochura defendendo a ação internacional para combater o efeito estufa. O presidente Clinton proclamou mais tarde: "Devemos enfrentar juntos a ameaça do aquecimento global. Uma estufa pode ser um bom lugar para cultivar plantas, mas não é lugar para criar nossos filhos". Em junho do mesmo ano, a ONU organizou a *Cúpula da Terra* (Eco 92), no Rio de Janeiro (Brasil) para discutir a situação. Representantes de 178 países participaram, incluindo 117 chefes de Estado. Provavelmente, foi a maior reunião de líderes mundiais da história. A maioria deles assinou uma série de tratados prometendo proteger o meio-ambiente e reduzir as emissões dos gases do efeito estufa.

Entretanto, assinar tratados é uma coisa; aplicá-los é outra muito diferente. Por exemplo, em 1993, quando o presidente Clinton apresentou um projeto de lei para taxar a energia, a maioria Republicana no Congresso, muitos com apoiadores entre os industriais e empresários, o descartaram. Nessa época, muitos outros países estavam demonstrando preocupações com a piora da situação. Em 1995, um Painel Intergovernamental sobre Mudanças Climáticas produziu um relatório apontando os prováveis efeitos do aquecimento global e concluindo que havia poucas dúvidas de que as ações humanas eram responsáveis.

(b) A Convenção de Kyoto (1997) e o período posterior

Em 1997, foi realizada outra grande conferência internacional, desta vez em Kyoto (Japão), para elaborar um plano com vistas a reduzir as emissões prejudiciais. Tinha sentido a conferência ser em Kyoto, já que, de todos os países industrializados, os japoneses tiveram mais sucesso na limitação de suas emissões de carbono e conseguiram isso taxando muito a energia e o petróleo. Foram elaboradas estatísticas para mostrar quanto carbono cada país estava produzindo. Os Estados Unidos eram, de longe, o maior culpado, emitindo uma média de 19 toneladas de carbono *per capita* todos os anos. A Austrália não ficava muito atrás, com 16,6 toneladas. O Japão emitia 9 toneladas *per capita*, ao passo que os países da União Europeia tinham uma média de 8,5 toneladas. Por outro lado, os países do Terceiro Mundo emitiam as quantidades mais modestas por cabeça – a América do Sul, 2,2 toneladas e a África, menos de uma.

A meta estabelecida era fazer com que as emissões voltassem a seus níveis de 1990 em 2012. Isso significava que cada país teria que reduzir as suas em quantidades diferentes para cumprir as regulamentações. Por exemplo, os Estados Unidos tinham que reduzir 7%, enquanto a França não precisava reduzir, já que, em 1997, os franceses estavam produzindo 60% de sua energia a partir da energia nuclear. No final, 86 países assinaram o acordo, que ficou conhecido como Protocolo de Kyoto, mas, nos anos seguintes, isso teve pouco efeito. Em 2001, o Painel Intergovernamental sobre Mudanças Climáticas informava que as condições climáticas estavam ficando cada vez piores. Os anos de 1990 foram a década mais quente do milênio e 1998, o ano mais quente. Em março de 2001, o Protocolo de Kyoto recebeu um golpe fatal quando o recém-eleito presidente Bush anunciou que não o ratificaria. "Não aceitarei um plano que vai causar danos à nossa economia e prejudicar os trabalhadores norte-americanos", ele disse. "Em primeiro lugar, vem as pessoas que moram nos Estados Unidos. Essa é a minha prioridade".

Dessa forma, no início do século XXI, o mundo se encontrava em uma situação em que os Estados Unidos, com não mais de 6% da população mundial, estavam emitindo um quarto dos gases do efeito estufa e continuariam a fazê-lo, não importando quais fossem as consequências para o restante do mundo. Em 2003, os efeitos do aquecimento global estavam aumentando de forma preocupante. A ONU calculava que pelo menos 150.000 pessoas tinham morrido durante o ano anterior como resultado direto da mudança climática (seca prolongada e tempestades violentas). Durante o verão, 25.000 pessoas morreram na Europa por causa de temperaturas altas, fora do normal. O calor maior e as tempestades davam condições ideais para a reprodução de mosquitos, que estavam se espalhando para regiões montanhosas, onde antes era frio demais para eles. Consequentemente, a taxa de mortalidade por malária aumentou muito, principalmente na África. As secas causaram escassez de alimentos e subnutrição, e as pessoas ficaram mais propensas a contrair doenças mortais.

(c) E agora?

Estava claro aos climatologistas que eram necessárias medidas drásticas para evitar consequências graves. Sir John Houghton, ex-chefe da Agência Meteorológica Britânica, comparou a mudança climática com uma arma de destruição em massa: "Como o terrorismo, essa arma não conhece fronteiras. Ela pode atacar em qualquer lugar, em qualquer forma: uma onda da calor em um lugar, uma seca, uma inundação ou uma tempestade em outro". Também foi sugerido que o acordo de Kyoto, elaborado quando a mudança climática era considerada menos destrutiva, seria insuficiente para fazer muita diferença no problema, mesmo que fosse implementado integralmente.

A tragédia é que os países mais pobres do mundo, que contribuíram com quase nada para aumentar os gases do efeito-estufa, provavelmente serão os mais afetados. Estatísticas publicadas recentemente sugeriam que, em 2004, cerca de 420 milhões de pessoas estavam vivendo em países que não tinham mais terra agriculturável para produzir seus próprios alimentos. Meio bilhão morava em áreas com tendência a seca crônica. As ameaças são exacerbadas pela pressão da crescente população do mundo (ver Seções 27.1-3). Já foi sugerida uma série de medidas:

- O professor John Schnellnhuber, diretor do Centro Tyndall, com sede no Reino Unido, que pesquisa as mudanças climáticas, acredita que o mundo industrializado deve ajudar o mundo em desenvolvimento a sobreviver à mudança climática. Deve-se estabelecer um fundo de adaptação sob os auspícios da ONU, como sistema de garantia para as nações mais pobres. Ele deve ser financiado pelos poluidores mais ricos por meio de taxas baseadas na quantidade de emissões que eles geram. Isso possibilitaria aos países mais pobres melhorar suas infraestruturas, bem como seus setores de água e produção de alimentos, para que possam enfrentar mudanças como temperaturas mais elevadas, níveis mais altos dos rios e mares e elevações súbitas de maré.

- Os ministros do meio-ambiente do mundo devem se reunir regularmente e deve ser implantado um Tribunal Ambiental Mundial, nas linhas da Organização Mundial do Comércio, para aplicar os acordos globais como o protocolo de Kyoto. Os países devem receber multas altas o suficiente para lhes impedir descumprir as regras.

- Em nível nacional, as empresas deveriam ser multadas com altos valores por poluir rios e jogar lixo tóxico no meio ambiente.

- Deve-se fazer um esforço total para desenvolver novas tecnologias com vistas a substituir os combustíveis fósseis por "energia verde", ou seja, solar, eólica, marés e ondas. Algumas pessoas já sugeriram a ampliação da energia nuclear, uma opção feita pela França, mas há muitas objeções a essa escolha. Além do risco de liberação de radiação que causa leucemia (ver Seção 26.4(b)), há receio de que, se a cultura nuclear se espalhar pelo mundo, ela permitirá que muitos outros países adquiram armas nucleares. E há ainda o problema de o que fazer com os resíduos nucleares a mais, que podem representar um risco à vida humana por 100.000 anos.

As principais objeções a todas essas alternativas são que elas requerem mudanças fundamentais na forma como as pessoas vivem e organizam as economias de seus países, e custarão muito para ter retorno garantido, e este só será visível no futuro. Alguns cientistas sugeriram que o melhor a fazer é nada fazer agora e esperar que os cientistas do futuro encontrem métodos novos e baratos de reduzir os gases do efeito estufa. Entretanto, nas palavras de Murray Sayle, "muito antes desse dia feliz, a estátua da liberdade pode muito bem estar com água pelo sutiã na baía de Nova York".

26.6 A ECONOMIA DO MUNDO NA VIRADA DO MILÊNIO

Como os Estados Unidos foram inquestionavelmente o país mais poderoso economicamente na última década do século XX, é natural que o sistema econômico norte-americano seja examinado e questionado minuciosamente. A União Europeia, que algumas pessoas consideravam como um bloco rival dos Estados Unidos, tinha uma visão um tanto diferente de como a economia de mercado e a sociedade deveriam ser organizadas em termos de comércio internacional, cuidados com o meio ambiente, ajudas e alívio de dívidas. Segundo o observador britânico Will Hutton, em seu livro *The world we're in* (O mundo no qual estamos, 2002): "A relação entre os dois blocos de poder é o fulcro sobre o qual gira a ordem mundial. Administrada com habilidade, ela pode ser uma grande força para o bem; mal administrada, pode gerar danos incalculáveis".

(a) O modelo econômico norte-americano

O modelo econômico dos Estados Unidos evoluiu a partir de suas tradições de liberdade e do caráter sagrado da propriedade. A atitude direitista no país dizia que o direito relativo à propriedade privada e a liberdade em relação ao governo deveriam ser supremos. Foi por isso que os Estados Unidos surgiram: as pessoas emigraram para lá para poder desfrutar de liberdade. Como consequência, o governo federal deveria interferir o mínimo possível nas vidas das pessoas, e sua principal função era salvaguardar a segurança nacional.

As atitudes se dividiam na questão do bem-estar social, ou seja, até onde o Estado deveria ser responsável por cuidar dos pobres e desamparados. A atitude de direita, ou conservadora, baseava-se no "individualismo exacerbado" e na autoajuda. Os impostos eram considerados como invasão da propriedade privada. A atitude liberal era de que o "individualismo exacerbado" deveria ser temperado pela ideia do "contrato social", segundo a qual o Estado deveria proporcionar bem-estar básico em troca de respeito e obediência de seus cidadãos, daí o *New Deal* de Roosevelt e a Grande Sociedade de Johnson, que eram programas introduzidos por governos Democratas, que incluíam grandes elementos de reforma social.* Durante 16 dos 24 anos anteriores a 2005, os Estados Unidos tiveram governos republicanos que favoreciam a postura de direita.

Ambas as escolas de pensamentos tiveram seus apoiadores e seus defensores no país. Por exemplo, John Rawls, em sua obra *Teoria da Justiça* (*A Theory of Justice*, Oxford University Press, 1973), defendeu uma teoria da "justi-

---

* N. de R.: Essa é a postura do governo democrata de Barack Obama, iniciado em 2009.

ça como equidade", argumentando em favor da igualdade e afirmou que era dever do governo proporcionar bem-estar e alguma redistribuição de riqueza por meio dos impostos. Em resposta, Robert Nozick, em seu livro *Anarquia, Estado e Utopia* (*Anarchy, State and Utopia*, Harvard University Press, 1974), afirmava que os direitos de propriedade deveriam ser sustentados de forma irrestrita, que deveria haver intervenção mínima do governo, impostos mínimos e benefícios de previdência e redistribuição mínimos. As teorias de Nozick tiveram muita influência sobre a Nova Direita e foram assumidas pela ala neoconservadora do Partido Republicano. Elas puderam ser vistas em ação durante o governo Reagan (1981-1989), e ainda mais no de George W. Bush (2001-2009), quando impostos e programas de bem-estar foram reduzidos. Com o neoconservadorismo em ascensão nos Estados Unidos, era de se esperar que, à medida que o país assumisse o papel de líder mundial, os mesmos princípios seriam estendidos às questões internacionais, daí a relutância em participar de iniciativas para ajudar o Terceiro Mundo em questões como alívio de dívidas, comércio internacional e aquecimento global. Não se pode negar que o sistema econômico norte-americano, em suas diferentes variáveis, teve um sucesso considerável com o passar dos anos, mas, no início do século XXI, a postura da Nova Direita estava claramente vacilando (ver Seção 23.6(d)) e muitos norte-americanos liberais olhavam para o modelo europeu como uma forma potencialmente melhor de obter uma ordem econômica e social justa.

(b) O modelo econômico europeu

Os sistemas econômicos e sociais da Europa Ocidental e democrática, que tomaram forma depois da Segunda Guerra Mundial, variavam de país para país, mas tinham em comum determinadas características básicas: provisão de bem-estar social e serviços públicos, principalmente saúde e educação, e uma redução na desigualdade. Esperava-se que o Estado tivesse papel ativo na regulação de empresas e da sociedade, e na coordenação de um sistema de impostos que redistribuísse renda de forma mais justa e fornecesse a receita para financiar a educação e a saúde. Também havia a premissa de que as grandes empresas tinham um papel no contrato social, com responsabilidades perante a sociedade e, portanto, devendo funcionar de forma socialmente aceitável, cuidando de seus empregados, pagando salários justos e cuidando do meio ambiente. Enquanto nos Estados Unidos os interesses dos acionistas eram centrais, na maior parte da Europa, a percepção era de que os interesses de toda a empresa devem vir em primeiro lugar, os dividendos se mantinham relativamente baixos para que fosse possível fazer altos investimentos. Os sindicatos eram mais fortes do que nos Estados Unidos, mas como um todo, funcionavam de forma responsável, em um sistema que gerava empresas altamente responsáveis e sociedades relativamente justas.

Entre os exemplos destacados de empresas europeias bem-sucedidas está a fabricante de carros e caminhões alemã Volkswagen: cerca de 20% das ações da empresa são de propriedade do governo estadual da Baixa Saxônia, os direitos de voto dos acionistas são limitados a 20% e a empresa paga apenas 16% de seus lucros como dividendos (condições que não teriam permissão para acontecer nos Estados Unidos). A fabricante de pneus francesa Michelin e a finlandesa Nokia, a maior fabricante de telefones celulares do mundo, são organizações de alto desempenho dirigidas na mesma linha da Volkswagen. Outra história de sucesso europeia é a Airbus, de propriedade conjunta alemã, francesa e britânica, que pode afirmar ser a mais bem-sucedida fabricante de aviões do mundo, superando até mesmo a norte-americana Boeing. Os países da Europa Ocidental tem generosos sistemas de previdência, financiados por uma combinação de impostos e contribuições para a seguridade social, além de saúde e educação públicas de alto nível. Até mesmo na Itália, na Espanha, na Grécia e em Portugal, com seus históricos de fascismo e ditaduras militares, existe o contrato social, e o seguro desemprego é o mais alto da Europa. Muitos observadores norte-americanos criticaram o sistema europeu, já que, durante a década de 1990, o desemprego aumentou na Europa, enquanto os Estados Unidos viveram uma explosão de crescimento econômico. Os norte-americanos alegavam que os problemas da Europa eram causados por impostos altos, sistemas de previdência exageradamente generosos, as atividades dos sindicatos e regulamentação em demasia. Os europeus atribuíam suas dificuldades à necessidade de manter a inflação sob controle para que eles pudessem participar da moeda única lançada em 1999. Eles estavam confiantes de que, uma vez que esse problema fosse superado, o crescimento econômico e a criação de empregos se recuperariam. A confiança europeia em seu sistema recebeu um empurrão durante a administração Bush quando foi observado que nem tudo ia bem na economia norte-americana.*

(c) O sistema norte-americano em ação

Mesmo durante a administração Clinton, os Estados Unidos ampliaram seus princípios econômicos para seus assuntos internacionais. Os interesses do país geralmente vinham em primeiro lugar, tanto que muitas pessoas reclamavam que a globalização significava americanização. Alguns exemplos foram os seguintes:

- Durante os anos de 1990, os Estados Unidos obtiveram controle do Fundo Monetário Internacional (FMI), o que significava que eles poderia decidir quais países receberiam ajuda e insistir em que adotassem políticas por eles aprovadas. Isso aconteceu com muitos países da América Latina, bem como com a Coreia, a Indonésia e a Tailândia. Muitas vezes, mais do que ajudar a recuperação, as condições a dificultavam. Em 1995, quando o Banco Mundial sugeriu que um alívio de dívidas era vital para alguns países pobres, recebeu oposição dura dos Estados Unidos e seu economista-chefe teve que renunciar. Basicamente, esses três eventos fizeram com que os Estados Unidos pudessem controlar o sistema financeiro do mundo.

- Em 1994, os Estados Unidos usaram o Acordo geral de Tarifas e Comércio (*General Agreement on Tariffs and Trade, GATT*) para forçar a União Europeia a abrir suas comunicações por voz (postal, telefone e telégrafos) à concorrência internacional. Em 1997, a Organização Mundial do Comércio (OMC), que sucedeu o GATT em 1995, concordou em que 70 países deveriam se abrir às empresas de telecomunicações dos Estados Unidos, nos termos deste. Em 2002, havia 180 satélites comerciais em órbitas espaciais, do quais 174 eram norte-americanos. Os Estados Unidos controlavam praticamente todos os sistemas de comunicação do mundo. Foi para se contrapor a isso que a União Europeia insistiu em lançar seu próprio sistema de satélites espaciais, o Galileo (ver Seção 10.8(d)).

- Em março de 2002, o governo Bush estabeleceu impostos de importação sobre o aço estrangeiro para proteger esse setor nos Estados Unidos, gerando protestos intensos da União Europeia, já que a função da OMC era incentivar o livre comércio. Os norte-americanos resistiram às pressões até dezembro de 2003 quando, diante de ameaças de impostos retaliatórios sobre uma ampla gama de seus produtos, o presidente Bush cancelou os impostos sobre o aço. No mesmo mês, contudo, os Estados Unidos anunciaram novos impostos sobre a importação de produtos têxteis e televisores da China.

- Em 2003, um passo positivo beneficiou os países pobres: em resposta a protestos em todo o mundo de países que estavam sofrendo os piores devastações de HIV/AIDS, o presidente Bush concordou com a quebra das patentes que controlavam os medicamentos necessários, possibilitando

---

* N. de R.: A explosão da "bolha imobiliária" americana desencadeou, no segundo semestre de 2008, a mais séria crise econômica mundial desde 1929.

a produção de versões mais baratas para venda nos países mais afetados. Mas havia um motivo ulterior: em retorno, os norte-americanos esperavam ter acesso ao petróleo africano e estabelecer bases militares em locais estratégicos do continente.

Muito ainda tem que acontecer antes que a globalização produza um mundo justo no qual a riqueza seja distribuída de forma mais equânime. Alguns observadores acreditam que o caminho para avançar reside em revigorar e fortalecer a ONU, outros consideram a recém-ampliada União Europeia como a melhor esperança. A participação dos Estados Unidos – a nação mais rica do mundo – ainda é vital. Nas palavras de Will Hutton: "Precisamos muito ter de volta os melhores Estados Unidos, o país liberal, progressista e generoso que venceu a Segunda Guerra Mundial e construiu um mundo liberal que em muitos aspectos, ainda se mantém hoje". O presidente sul-africano Thabo Mbeki resumiu a situação mundial de forma admirável em julho de 2003, ao escrever: "Os políticos progressistas devem mostrar se tem coragem de se definir como progressistas, resgatando seu caráter histórico como defensores dos pobres, e romper o domínio ideológico gelado da política de direita. As massas africanas estão observando e esperando".

PERGUNTAS

1. **Poluição e aquecimento global**
Estude a fonte A e responda as perguntas a seguir.

Fonte A
Trechos de um discurso de Michael Meacher, Ministro do Meio Ambiente do Reino Unido, de 1997 a 2003, feito em outubro de 2003.

Nosso mundo sofre transformações em ritmo alarmante. É um processo movido por exploração industrial sem limites, controle tecnológico cada vez maior, crescimento populacional e agora, a mudança climática cujos efeitos abrem um cenário apocalíptico para a raça humana. Estamos causando uma perda de espécies semelhante a algumas das extinções naturais da história.... As devastações estão aí para que todos vejam. Cerca de 420 milhões de pessoas vivem em países que não tem mais terra agricultável para produzir alimentos suficientes. Meio bilhão de pessoas vive em regiões com tendência à seca crônica. Os desertos estão ficando mais quentes. Em 1998, o ano mais quente de que se tem registro, grandes áreas de floresta queimaram.... O processo como um todo ameaça sair de controle e tornar nosso planeta inabitável.

O que se pode fazer? Está claro que é necessário uma estrutura de direito internacional que permita a operação do livre comércio e uma economia mundial competitiva, mas apenas dentro de parâmetros estritamente formulados para salvaguardar nosso planeta.... o que realmente é necessário é uma estrutura de direito internacional que aplique uma carta ambiental global. Junto com isso, precisamos de um Programa Ambiental das Nações Unidas fortalecido, para promover uma economia mundial mais sustentável. As empresas deveriam ser obrigadas a fazer relatórios anuais de seus impactos ambientais e sociais, as multas deveriam ser elevadas; poluir rios, descartar ilegalmente produtos químicos ou jogar resíduos tóxicos deveriam acarretar penalidades que intimidassem, em vez de multas ridículas.

Fonte: Citado no jornal *Guardian*, 25 de outubro de 2003.

(a) Quais evidências a fonte apresenta para sugerir que as mudanças no meio ambiente dão razão para alarme?
(b) Quais são as causas dessas alarmantes mudanças ambientais e por que a Convenção de Kyoto, de 1997, teve menos sucesso ao enfrentá-las do que se esperava?
(c) Usando a fonte e seu próprio conhecimento, sugira algumas medidas que possam ser tomadas para reduzir o ritmo ou reverter o processo de degradação ambiental.

2. O que quer dizer a expressão "divisão norte-sul"? Que tentativas foram feitas, desde 1980, para reduzir a distância entre sul e norte e qual foi o seu êxito?

27 A População Mundial

RESUMO DOS EVENTOS

Antes do século XVII, a população do mundo aumentava muito lentamente. Estima-se que, em 1650, ela tivesse dobrado em relação ao 1 a.C., chegando a cerca de 500 milhões. Nos 200 anos que se seguiram, o ritmo de crescimento foi muito mais rápido, de forma que, em 1850, a população tinha mais do que dobrado, para 1,2 bilhão. Depois disso, o crescimento populacional acelerou tão rapidamente que as pessoas falavam em uma "explosão" da população; em 1927, ela chegou à marca dos 2 bilhões e no ano 2000 tinha passado de 6 bilhões. Em 2003, a ONU calculava que, se a população continuasse a aumentar na mesma velocidade, o total global estaria entre 10 e 14 bilhões em 2050, dependendo da eficácia das campanhas de planejamento familiar. Também se estimava, dadas as taxas de natalidade muito mais baixas no mundo desenvolvido, que quase 90% das pessoas estariam vivendo nos países mais pobres. Na década de 1980, o aumento do HIV/AIDS atingiu proporções pandêmicas. A maioria dos países do mundo foi afetada, mas, novamente, quem mais sofreu foram as nações pobres do Terceiro Mundo. Este capítulo examina as causas da "explosão" populacional, as variações regionais, as consequências de todas as mudanças e o impacto da AIDS.

27.1 A POPULAÇÃO CRESCENTE DO MUNDO DEPOIS DE 1900

(a) Estatísticas de aumento populacional

É fácil verificar, no diagrama da Figura 27.1, com seu total populacional em abrupta ascensão, porque as pessoas falam de uma "explosão" populacional no século XX. Entre 1850 e 1900, a população mundial estava aumentando, em média, 0,6% todos os anos. Durante os 50 anos seguintes, a taxa de crescimento teve média de 0,9% por ano. Foi depois de 1960 que foi sentida toda a força da "explosão", com a população total do mundo crescendo 1,9% ao ano, em média. Em 1990, a população estava aumentando em mais ou menos um milhão a cada semana e o total chegou a 5,3 bilhões. Em 1994, houve um aumento de 95 milhões, o maior em um único ano até então. Em 1995, o recorde foi quebrado mais uma vez, com a população total crescendo 100 milhões, até 7,75 bilhões. Segundo o *Population Institute*, de Washington, 90% do crescimento estava nos países pobres "atingidos pelos conflitos civis e agitação social". Em 1996, foram acrescentados mais 90 milhões à população, e em 2000, o total global estava bem além dos 6 bilhões. Contudo, houve importantes variações regionais dentro do aumento populacional. Em termos gerais, as nações industrializadas da Europa e da América do

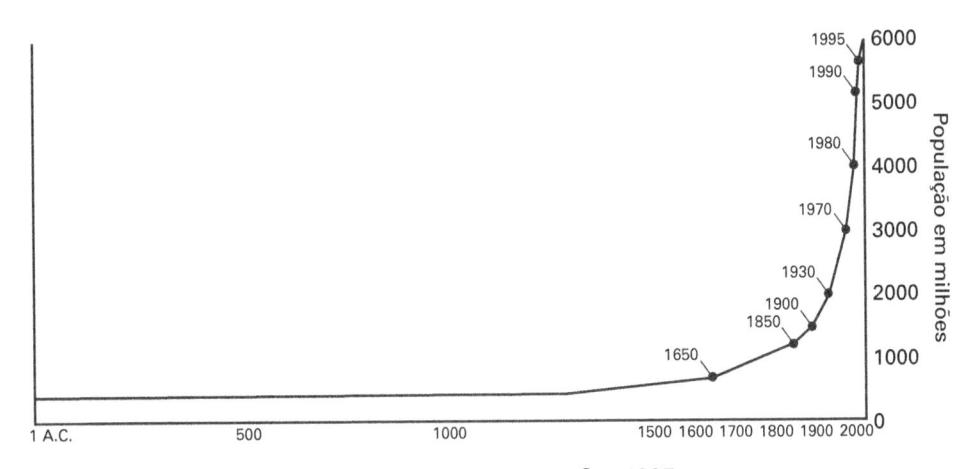

Figura 27.1 Aumentos na população do mundo de 1 a.C. a 1995.

Norte tiveram seu crescimento mais rápido antes da Primeira Guerra Mundial. Depois disso, sua taxa de crescimento reduziu consideravelmente. Nos países menos desenvolvidos, ou nas nações do Terceiro Mundo da África, da Ásia e da América Latina, a taxa de crescimento populacional acelerou depois da Segunda Guerra Mundial e foi nessas regiões que esse crescimento causou os problemas mais graves. A taxa de crescimento começou a diminuir em alguns países da América Latina depois de 1950, mas na Ásia e na África, ela continuava a aumentar.

O gráfico da Figura 27.2, que se baseia em estatísticas fornecidas pela ONU, mostra:

1. as taxas porcentuais em que a população mundial cresceu entre 1650 e 1959;
2. as taxas porcentuais de aumento populacional nos diferentes continentes nos períodos 1900-1950 e 1950-1959.

(b) Razões para o aumento da população

O aumento da população na Europa e na América do Norte na última parte do século XIX e no início do século XX teve várias causas.

- Industrialização crescente, crescimento econômico e prosperidade significaram recursos disponíveis para sustentar uma população maior, e as duas coisas pareciam andar de mãos dadas.
- Houve uma grande melhoria na saúde pública, graças aos avanços na ciência médica e no saneamento. As obras de Louis Pasteur e Joseph Lister, na década de 1860, sobre germes e técnicas antissépticas, ajudaram a reduzir a taxa de mortalidade. Ao mesmo tempo, as grandes cidades industriais introduziram fornecimento de água encanada e sistemas de esgoto, que ajudaram a diminuir as doenças.
- Houve um declínio na mortalidade infantil (o número de bebês que morreu antes de completar um ano). Mais uma vez, isso se deveu aos avanços na medicina, que ajudaram a reduzir as mortes por doenças como febre escarlate, difteria e coqueluche, tão perigosas para os bebês. As melhorias em alguns países podem ser vistas na Tabela 27.1, que mostra quantos bebês morreram em seu primeiro ano a cada mil nascimentos vivos.

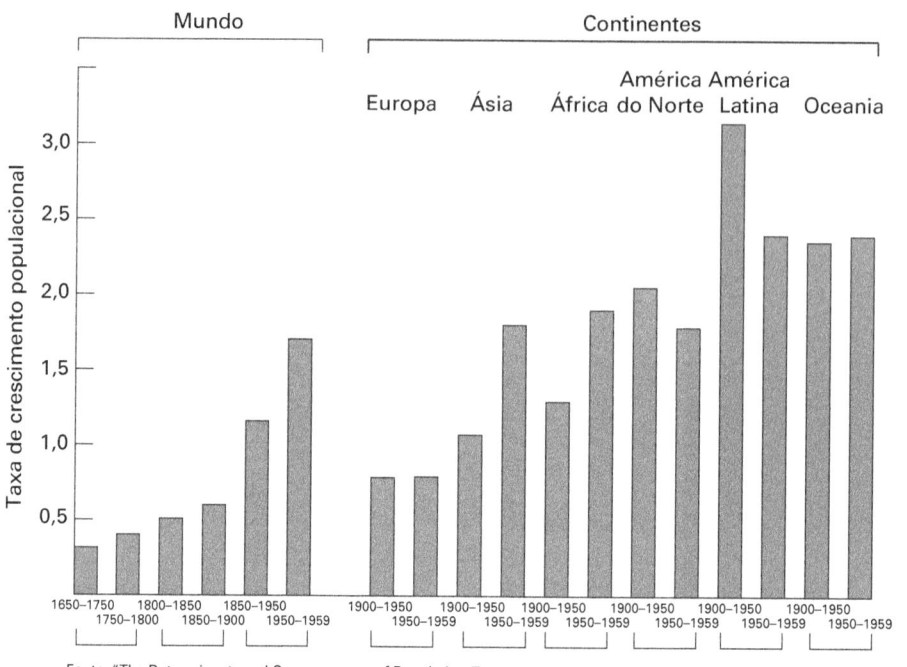

Figura 27.2 Taxa de crescimento populacional por regiões.

Fonte: "The Determinants and Consequences of Population Trends", *Anuário Estatístico da ONU//UN Statistical Yearbook 1960*

- A imigração ajudou a inchar a população dos Estados Unidos e, em menor grau, alguns outros países no continente americano, como Canadá, Argentina e Brasil. Nos cem anos depois de 1820, cerca de 35 milhões de pessoas entraram nos Estados Unidos; nos últimos anos antes de 1914, elas chegavam no ritmo de um milhão por ano (ver Seção 22.2).

Depois de 1900, a taxa de crescimento na Europa começou a diminuir, principalmente porque muitas pessoas estavam usando técnicas contraceptivas. Mais tarde, a depressão econômica dos anos de 1930 tirou o incentivo para que as pessoas tivessem muitos filhos.

O rápido crescimento populacional depois de 1945 nos países dos Terceiro Mundo teve três causas principais:

- *As modernas técnicas médicas e de higiene* começaram a ter um impacto pela primeira vez; a taxa de mortalidade infantil caía e as pessoas viviam mais, à medida que doenças que antes matavam, como varíola, malária e febre tifóide iam sendo controladas.
- *Ao mesmo tempo, a ampla maioria da população não fazia qualquer tentativa de*

Tabela 27.1 Mortes no primeiro ano, por mil nascimentos

	Inglaterra	Suíça	França	Itália	Áustria
1880-90	142	165	166	195	256
1931-38	52	43	65	104	80

limitar suas famílias usando anticoncepcionais. Isso se devia, em parte, à ignorância, e em parte ao fato de que os anticoncepcionais eram caros demais para as pessoas comuns. A Igreja Católica dizia que a contracepção era proibida para seus membros por impedir a criação natural de novas vidas e, portanto, era um pecado. Como a Igreja era forte nas Américas do Sul e Central, seus ensinamentos tinham efeitos importantes. A taxa de crescimento populacional de muitos países nessas regiões era de mais de 3% ao ano. A média de toda a América Latina foi de 2,4% em 1960, enquanto a da Europa foi de apenas 0,75%. Um aumento populacional de 2% ao ano faz com que a população de um país dobre em cerca de 30 anos, e foi isso que aconteceu com o Brasil e o México nos 30 anos anteriores a 1960.

- Muitos países do Terceiro Mundo tem uma longa tradição de pessoas com *o maior número de filhos possível para combater a alta taxa de mortalidade infantil*, garantindo que sua família tenha continuidade. Algumas culturas, como a muçulmana, dão grande valor a ter muitos filhos homens. As mesmas atitudes persistiam apesar da redução na mortalidade infantil.

27.2 CONSEQUÊNCIAS DA EXPLOSÃO POPULACIONAL

(a) As nações em processo de industrialização da Europa e da América do Norte

O crescimento populacional do século XIX ajudou a estimular mais desenvolvimento econômico. Havia força de trabalho abundante e mais pessoas para comprar produtos, e isso estimulava mais investimento e iniciativa. Também não havia quaisquer problemas relevantes para alimentar e educar esses números crescentes de pessoas, porque a prosperidade fazia com que os recursos necessários estivessem disponíveis. Mais tarde, houve efeitos inesperados sobre a estrutura etária da população nos países desenvolvidos, principalmente na Europa, onde, em função de taxas de natalidade muito baixas e expectativa de vida mais alta, uma proporção cada vez maior da população tinha mais de 65 anos. No início dos anos de 1990, com essa proporção ainda aumentando, questionava-se a capacidade dos sistemas estatais de previdência para pagar as aposentadorias de todas as pessoas idosas se essa tendência continuasse no século XXI.

(b) O Terceiro Mundo

O rápido crescimento populacional causou problemas graves: alguns países, como Índia, Paquistão e Bangladesh, tornaram-se superpopulosos e não havia terra suficiente para todos. Isso forçou as pessoas a irem para as cidades, mas estas já eram superpovoadas e não havia casas nem empregos suficientes para todas as que chegavam. Muitas pessoas foram forçadas a viver nas ruas. Algumas cidades, principalmente na América Latina, estavam cercadas de barracos e favelas sem água, esgoto ou iluminação adequadas.

(c) Ficou cada vez mais difícil alimentar a população

Todas as regiões do mundo conseguiram aumentar sua produção de alimentos no final dos anos de 1960 e nos de 1970, graças ao que ficou conhecido como "revolução verde". Os cientistas desenvolveram novas cepas de arroz e trigo em talos curtos, de alto rendimento e crescimento rápido e, por um tempo, os estoques de alimentos pareciam estar bem acima do crescimento populacional. Mesmo um país densamente povoado como a Índia conseguia exportar comida, e a China se tornou autossuficiente. Nos Estados Unidos, o rendimento das lavouras aumentou três vezes entre 1945 e 1995, e conseguiram exportar excedentes para mais de cem países. Entretanto, em meados dos anos de 1980, com a população do mundo crescendo mais rápido do que nunca, a "revolução verde" enfrentava problemas e os cientistas passaram a se preocupar com o futuro.

- Chegou-se ao ponto além do qual os rendimentos das lavouras não podiam mais ser aumentados e havia limites para o fornecimento de água, o solo agricultável e os fosfatos para fertilizantes (ver Seção 26.4(a)).
- Uma pesquisa realizada por cientistas da Universidade de Stanford (Califórnia) em 1996 concluiu que a quantidade de terra agricultável estava diminuindo em função da industrialização, a expansão das cidades e a erosão do solo. Eles calculavam que o número de bocas para alimentar nos Estados Unidos dobraria em 2050.

Parecia não haver maneira de dobrar a produção de alimentos com menos terra. Em 1996, em média, havia 1,8 acres de terra para a agricultura por habitante dos Estados Unidos e a dieta do país era composta por 31% de produtos animais. Em 2050, a probabilidade era de que houvesse apenas 0,6 acre *per capita*. Os cientistas de Stanford chegaram à conclusão de que a solução era que as pessoas comessem menos carne. Sugeriu-se que, em 2050, a dieta nos Estados Unidos seria cerca de 85% vegetariana. A situação piorou em partes da África (Etiópia, Angola, Moçambique e Somália) nas décadas de 1980 e 1990, com a seca e as guerras civis, que contribuíam para a escassez de alimentos e as dezenas de milhares de mortes por inanição.

(d) Escassez de recursos no Terceiro Mundo

Os governos do Terceiro Mundo foram forçados a gastar seu valioso dinheiro para dar casa, comida e educação a suas populações crescentes, mas isso consumiu recursos com os quais eles teriam preferido industrializar e modernizar seus países, e seu desenvolvimento econômico foi postergado. A escassez geral de recursos fez com que os países mais pobres também carecessem de dinheiro suficiente para gastar em saúde. Depois de uma epidemia de meningite no país africano do Níger, a organização *Save the Children* relatou (abril de 1996) que um sexto da população mundial – mais de 800 milhões de pessoas – não tinha acesso a tratamentos de saúde. Os sistemas de saúde em muitos dos países mais pobres estavam em colapso e a situação piorava porque os mais ricos estavam reduzindo a ajuda. O relatório estimava que a saúde básica custaria pelo menos 12 dólares por ano, mas 16 países africanos (incluindo Níger, Uganda, Zaire, Tanzânia, Moçambique e Libéria) mais Bangladesh, Índia, Paquistão, Nepal e Vietnã estavam gastando muito menos do que isso. Em comparação, a Grã-Bretanha gastava o equivalente a 1.039 dólares. Na verdade, o Zaire estava gastando apenas 0,40 dólares per capita por ano. A Tanzânia chegava a 0,70. Isso fazia com que a imunização contra doenças de prevenção simples não estivesse sendo realizada nesses países, podendo-se esperar amplas epidemias antes do final do século XX e um aumento na taxa de mortalidade infantil. Quando a epidemia de AIDS se espalhou, próximo ao final do século, ficou claro que a África, em particular, viveria uma crise profunda. Outro fato perturbador era que quase todos os países estavam gastando muito mais *per capita* em despesas militares do que em tratamento de saúde.

27.3 TENTATIVAS DE CONTROLE POPULACIONAL

Por muitos anos, as pessoas fizeram profundas reflexões sobre controlar a população antes que o mundo ficasse povoado demais e fosse impossível viver nele. Pouco depois da Segunda Guerra Mundial, cientistas de vários países começaram a se preocupar com o crescimento populacional e achavam que o problema poderia ser estudado em nível internacional. O primeiro *Congresso Populacional Mundial* aconteceu em 1925, e no ano seguinte, criou-se uma *União Internacional para o Estudo Científico da População*, em Paris. Assim como os cientistas, a organização também incluía estatísticos e cientistas sociais preocupados com prováveis efeitos econômicos e sociais se a população mundial continuasse a crescer. Eles fizeram um trabalho importante de coleta de estatísticas e de incentivo aos governos para melhorar seus sistemas de dados, para que se pudessem coletar informações precisas sobre tendências populacionais.

(a) A Comissão da ONU sobre população

Quando a Organização das Nações Unidas foi fundada em 1945, incluiu-se uma Comissão sobre População entre suas muitas agências. Quando a população do Terceiro Mundo começou a "explodir" na década de 1950, foi a ONU que assumiu a frente para estimular os governos a introduzir programas de controle de natalidade. A Índia e o Paquistão implementaram clínicas de planejamento familiar que assessoravam as pessoas com relação aos vários métodos de controle de natalidade disponíveis e lhes forneciam anticoncepcionais baratos. Foram lançadas grandes campanhas publicitárias com cartazes do governo recomendando um máximo de três filhos por família (Ilustração 27.1). Muitos governos africanos recomendavam esse mesmo limite, enquanto o governo chinês foi mais longe e estabeleceu um máximo legal de dois filhos por família.* Mas o progresso era muito lento e era difícil de mudar práticas e atitudes antigas, principalmente em países como Índia e Paquistão. Nos países católicos da América do Sul, a Igreja continuava a proibir o controle de natalidade artificial.

(b) Qual foi o sucesso das campanhas?

O melhor que se pode dizer é que, em partes da Ásia, a taxa de crescimento populacional começava a cair um pouco na década de 1980, mas em muitos países africanos e latino-americanos, ainda aumentava. A Tabela 27.2 mostra o que se poderia obter com a ampliação do controle de natalidade.

A Tabela 27.3 mostra as populações e taxas de crescimento de várias regiões, comparadas com as de 1950-1959. A taxa mais alta em 1986 estava na África, onde alguns países cresciam 3% ao ano. A tabela também revela como era grave o problema da superpopulação em algumas áreas onde havia, em média, mais de cem pessoas por quilômetro quadrado. Essa situação não era tão grave nos países desenvolvidos da Europa, que tinham prosperidade e recursos para sustentar suas populações, mas em nações mais pobres da Ásia, isso significava pobreza absoluta. Bangladesh era provavelmente o país mais superpovoado do mundo, com uma média de 700 pessoas por quilômetro quadrado. As taxas de crescimento populacional de Bangladesh e da Grã-Bretanha permitem uma comparação impressionante: nas taxas atuais, Bangladesh dobraria sua população de 125 milhões em menos de 30 anos, mas a população da Grã-Bretanha, de 58,6 milhões, levaria 385 para dobrar. O *Population Institute* previu (dezembro de 1995) que, com um controle de natalidade eficaz, a população global poderia estabilizar em 2015, em cerca de 8 bilhões, mas sem uma efetiva promoção do planejamento familiar, o total poderia muito bem chegar a 14 bilhões em 2050. Com a população da Europa e da América do Norte crescendo tão lentamente, uma proporção cada vez maior da população mundial seria pobre.

Por outro lado, alguns historiadores acham que os receios com relação à explosão populacional foram exagerados. Paul Johnson, por exemplo, acredita que não há razão para pânico. Quando a Ásia, a América Latina e a África se tornarem mais industrializadas, o padrão de vida vai subir e essa melhoria econômica, junto com uso mais eficaz dos anticoncepcionais, reduzirá a taxa de natalidade. Segundo Johnson, o exemplo da China é o mais animador: "A notícia mais importante da década de 1980, talvez, seja a de que a população da China parece ter praticamente estabilizado".

---

* N. de R.: E depois apenas um, o "filho único".

Ilustração 27.1 Cartazes da Índia e da África, incentivando as pessoas a usar controle de natalidade e limitar as famílias a três filhos.

Tabela 27.2 Uso de anticoncepcionais e controle de natalidade

	% de mulheres casadas que usavam anticoncepcionais, 1986	Queda na taxa de natalidade, 1978-1986
Índia	35	4,5 > 3,2
China	74	3,2 > 2,1
Colômbia (América do Sul)	65	4,3 > 2,6
Coreia do Sul	70	3,5 > 1,6
Quênia	menos de 20	4,6 constante
Paquistão	menos de 20	4,6 constante

Tabela 27.3 Taxas de crescimento e densidade populacional

	População em 1986 (milhões)	taxa % de crescimento em 1950–1959 (anual)	taxa % de crescimento em 1980–1985 (anual)	densidade populacional por km^2 em 1986
América do Norte	266	1,75	0,9	12
Europa	493	0,75	0,3	100
URSS	281	1,4	1,0	13
Oceania	25	2,4	1,5	3
África	572	1,9	2,9	19
América Latina	414	2,4	2,3	20
Sudeste da Ásia	1264	1,5	1,2	105
Sul da Ásia	1601	2,2	2,2	101
Total mundial	4916	1,7	1,5	36

27.4 A EPIDEMIA DE HIV/AIDS

(a) O início

No início da década de 1980, a AIDS era considerada como uma doença que afetava principalmente os homossexuais do sexo masculino e algumas pessoas a chamavam de "câncer gay". Outro grupo que contraía a doença era o que usava seringas não esterilizadas para injetar drogas. Inicialmente, era nos países ricos do Ocidente, principalmente nos Estados Unidos, que se encontrava a maioria dos casos, mas após os governos lançarem campanhas sobre saúde sexual e uso de preservativos para prevenir a transmissão do HIV, os surtos pareciam ter sido controlados. O uso disseminado de tratamentos com medicamentos antirretrovirais (ARV) reduziu a velocidade de desenvolvimento do vírus e possibilitou que as pessoas vivessem muito mais tempo.

Foi um choque quando, nos anos de 1990, o mundo soube que a doença tinha se espalhado para os países mais pobres do Terceiro Mundo e atingira proporções epidêmicas na África. Atualmente, os cientistas sabem que leva uma média de 8 a 10 anos para que a infecção pelo HIV evolua para a doença – razão pela qual o vírus conseguiu se espalhar tanto antes de ser reconhecido. A epidemia também se espalhou para a Índia, China e os países da ex-URSS. Tony Barnett e Alan Whiteside, em seu livro recente *AIDS in the 21st Century*

(2002), mostraram como cada epidemia era diferente: na China, as principais causas eram as agulhas contaminadas e a prática da venda de sangue em pontos de coleta estatais no início dos anos de 1990. A Organização Mundial da Saúde (OMS) estimou que dois terços das injeções aplicadas na China eram inseguros e grande parte do plasma sanguíneo coletado estava infectada. Quando os sintomas da AIDS começaram a aparecer, funcionários locais tentaram suprimir as notícias. Foi só em 2003 que o governo admitiu publicamente que mais de um milhão de seus cidadãos eram soropositivos. A infecção crescia 30% por ano e 10 milhões de pessoas poderiam estar afetados até 2010. Na Rússia e na Ucrânia, as taxas mais altas estavam entre os usuários de drogas injetáveis, principalmente nos presídios. Os especialistas calculam que quando o HIV entra na população geral e infecta cerca de 5% dos adultos, é provável que aconteça uma epidemia geral, como aconteceu no sul da África.

(b) A AIDS no sul da África

Os primeiros casos na África foram registrados em uma aldeia de pescadores no sudeste de Uganda, em meados dos anos de 1980. O HIV se espalhou rapidamente, transmitido principalmente através do sexo sem proteção. Os governos demoraram a se dar conta do que estava acontecendo e as agências de ajuda não incluíram mecanismos para lidar com a doença em seus programas de assistência. Foi em 2001 que um relatório do Grupo Internacional de Crise (*International Crisis Group, ICG*) fez soar os alarmes, dizendo que o impacto do HIV na África era como se o continente estivesse envolvido em uma guerra de grandes proporções. O relatório se concentrava em Botsuana, mas alertava que o impacto da AIDS na África como um todo provavelmente seria devastador em poucos anos, se nada fosse feito. O relatório não estava exagerando: em 2001, milhões de pessoas morreram da doença na África e 5 milhões foram infectados. Em 2003, estimava-se que 29,4 milhões estivessem vivendo com o HIV ou a AIDS na África, o que representava 70% do total global. Outros 3 milhões de pessoas morreram por causa do vírus na África no decorrer de 2003.

Naquele ano, os níveis de prevalência do HIV aumentaram em proporções apavorantes. Em Botsuana e na Suazilândia, quase 40% dos adultos estavam vivendo com o vírus ou com AIDS e a porcentagem era quase a mesma no Zimbábue. Na África do Sul, o nível de prevalência era de 25%. A expectativa de vida no sul da África, que tinha chegado aos 60 anos em 1990, tinha voltado a cair a quarenta e poucos. No Zimbábue, tinha caído a 33. Um dos efeitos colaterais trágicos da pandemia era o grande número de crianças que ficaram sem pais. Em Uganda, havia mais de um milhão de órfãos; a OMC estimou que em 2010 provavelmente haveria 20 milhões de órfãos da AIDS na África. Também havia efeitos econômicos: uma proporção substancial da força de trabalho estava se perdendo, junto com todas as suas habilidades e experiência. Isso era sentido principalmente na agricultura e na produção de alimentos, enquanto as mortes de tantas jovens representavam uma perda insubstituível para a economia doméstica e a criação de filhos. Ao mesmo tempo, havia uma demanda maior por pessoas para tratar dos doentes e cuidar das crianças órfãs.

O HIV conseguia se espalhar mais rapidamente em condições de pobreza, onde havia muito pouco acesso a informações e educação sobre o vírus e a como prevenir que se espalhasse. A fome disseminada reduzia a resistência à doença e acelerava o avanço do HIV à AIDS. Os medicamentos antirretrovirais caros tampouco estavam disponíveis aos africanos. O grande número de guerras civis na África gerou milhares de refugiados, com frequência isolados de seus serviços de saúde normais. Em situações de emergência como essas, havia um risco maior de que o HIV se espalhasse por meio do sangue contaminado. A maioria dos governos africanos levou muito tempo para reconhecer o que estava acontecendo, em parte por causa do estigma ligado à doença, ou seja, a crença de que era causada por sexo homossexual e a relutância geral em discutir os hábitos sexuais. A própria África do Sul foi um dos países mais lentos a agir, principalmente porque o presidente Mbeki se recusava a aceitar o vínculo entre o HIV e a AIDS.

(c) O que está sendo feito para combater a AIDS?

Os especialistas sabem o que precisa ser feito para controlar a epidemia de AIDS: as pessoas devem ser convencidas a fazer sexo seguro e usar preservativos e, de alguma forma, os governos devem ser capazes de oferecer tratamento barato com ARV. O Brasil é um país onde as campanhas reduziram o avanço da doença. Na África, os governos se concentraram na chamada "mensagem do ABC": "*Abstain from sex. Be faithful to one partner, and if you cannot, use a Condom*" (abstenha-se de sexo. Seja fiel a um parceiro e, se não conseguir, use camisinha). Uganda é o melhor exemplo da África. O governo admitiu à OMS em 1986 que tinha alguns casos da doença e o presidente Museveni cuidou pessoalmente da campanha, percorrendo aldeia por aldeia para falar sobre o problema e o que deveria ser feito. Uganda foi o primeiro país na África a lançar a campanha do ABC e fornecer preservativos baratos a seu povo, e as pessoas eram incentivadas a se apresentar voluntariamente para fazer os exames. O programa foi financiado conjuntamente pelo governo, pelas agências de assistência e por organizações religiosas e igrejas. Os parcos recursos de Uganda foram levados aos limites, mas a campanha funcionou, mesmo que muito poucas pessoas tivessem acesso a medicamentos ARV: a taxa de prevalência do HIV em Uganda chegou a um pico de 20% em 1991, mas no final de 2003, tinha caído a cerca de 5%. A epidemia tinha passado de sua fase aguda, mas o problema das crianças que ficaram órfãs estava chegando a seu ponto máximo.

Em outros lugares da África e na China, os governos demoraram muito e a epidemia se enraizou mais, atingindo proporções de crise em 2003. Alguns países da África estavam começando a seguir o exemplo de Uganda. No Malaui, o presidente Muluzi estabeleceu uma comissão sobre a AIDS e nomeou um ministro especial para lidar com o problema. Mas são necessárias imensas quantias em dinheiro para financiar o ataque triplo ao problema do HIV/AIDS no sul da África:

- campanhas do ABC ou algum equivalente;
- medicamentos antirretrovirais, que são muito mais baratos agora, já que as empresas farmacêuticas cederam à pressão política e permitiram que os remédios fossem fornecidos por preços menores aos países mais pobres;
- Sistemas de saúde e infraestruturas, que na maioria dos países pobres precisam ser modernizados para dar conta da magnitude do problema; são necessários mais médicos e enfermeiros.

Há várias agências internacionais tentando lidar com a doença, sendo que a mais importante é Fundo Mundial para a luta contra a Aids, a Malária e a Tuberculose da ONU, a Organização Mundial da Saúde (OMS) e a UNAIDS. Em dezembro de 2003, o secretário-geral da ONU Kofi Annan reclamou que se sentia "indignado, incomodado e impotente"; o dia 1º de dezembro foi o Dia Mundial de Combate à AIDS, mas a perspectiva era sombria. Relatórios de todo o Terceiro Mundo mostraram que a guerra contra a doença estava sendo perdida, o vírus ainda estava se espalhando e 40 milhões de pessoas viviam com ele. O Fundo da ONU dizia precisar de 7 bilhões de libras esterlinas até 2005 e a OMS queria 4 bilhões. Muitos países ricos fizeram generosas doações. Os Estados Unidos, por exemplo, prometeram 15 bilhões de dólares nos próximos cinco anos, mas insistem em que o dinheiro seja gasto da forma que eles especificarem. O governo Bush é favorável a programas que promovam a abstinência, contra os que defendem o uso de preservativos. A Igreja Católica também continua a se opor ao uso de preservativos, mesmo que os cientistas tenham demonstrado que é o melhor meio de prevenção disponível. Não é de estranhar que Kofi Annan esteja indignado; "Não estou vencendo a guerra", ele disse, "porque não acho que os líderes do mundo estejam se engajando o suficiente".

PERGUNTAS

1. **A epidemia mundial de AIDS**
Estude a fonte A e responda as perguntas a seguir.

Fonte A
Editorial no jornal *The Guardian* (2 de dezembro de 2003) sobre o Dia Mundial de Combate à AIDS.

> Ontem foi o Dia Mundial de Combate à AIDS. Desde que ela surgiu, pouco mais de 20 anos atrás, 28 milhões de pessoas foram mortos e 40 milhões estão vivendo com o HIV. Houve um número recorde de mortes (3 milhões) e de novas infecções (5 milhões) no ano passado. As agências internacionais que lidam com a doença – o Fundo Mundial de luta contra a Aids da ONU e a Organização Mundial da Saúde – falam da necessidade de orçamentos de bilhões de dólares. O Reino Unido respondeu com uma nota à imprensa declarando que estava dobrando sua contribuição a uma terceira agência da ONU, a UNAIDS. E o fez, aumentando sua contribuição atual de 3 milhões de libras em mais 3 milhões. É claro que o Reino Unido dá mais de 6 milhões por ano para combater a AIDS. O total de seus programas de combate a HIV/AIDS em todo o mundo subiu de 38 milhões em 1997 para mais de 270 milhões no ano passado, e o país é o segundo maior doador bilateral. Sim, ironicamente, os 3 milhões de ontem foram para ajudar a promover planos nacionais individuais de combate à AIDS nos países afetados. Isso não seria mais fácil se fosse feito por meio de duas grandes agências internacionais em vez de acordos bilaterais? O maior doador bilateral, os Estados Unidos, cometem os mesmos erros ao evitarem essas agências internacionais, mesmo os sistemas de fundos globais tendo recebido elogios de monitores independentes. Há notícias animadoras: um comprimido genérico, com três medicamentos em um, que só tem que ser tomado duas vezes por dia, poderia ser fundamental para ajudar a OMS a chegar a sua meta de 3 milhões no tratamento com ARV até 2005.... Os protestos deveriam estar concentrados na postura do Vaticano, que até ontem continuava com sua postura cega em relação aos preservativos, mesmo que os cientistas tenham demonstrado ser o melhor meio de prevenção disponível.

(a) O que a fonte revela sobre as dificuldades envolvidas na campanha contra a AIDS/HIV e sobre recentes eventos positivos?
(b) Explique por que a epidemia de AIDS/HIV foi tão pior no sul da África do que em outros lugares.

2. Explique as causas e as consequências do rápido crescimento da população mundial durante o século XX. Qual foi o êxito das tentativas de controlar o crescimento populacional na segunda metade do século?

Leituras Complementares

1 O mundo em 1914: o início da Primeira Guerra Mundial

Fischer, F., *Germany's Aims in the First World War* (Chatto & Windus, 1967).
Hamilton, R. and Herwig, H. H., *The Origins of World War I* (Cambridge University Press, 2002).
Henig, R., *The Origins of the First World War* (Routledge, 2nd edition, 1993).
Joll, J., *The Origins of the First World War* (Longman, 1992).
Kennan, G., *The Fateful Alliance: France, Russia and the Coming of the First World War* (Manchester University Press, 1984).
Ritter, G., *The Sword and the Sceptre* (Miami, 1970).
Strachan, H., *The First World War, vol. 1: To Arms* (Oxford University Press, 2001).
Taylor, A. J. P., *The First World War* (Penguin, 1966).
Turner, L. C. F., *Origins of the First World War* (Edward Arnold, 1970).
Williamson, S. R., *Austria-Hungary and the Origins of the First World War* (Macmillan, 1991).
Zuber, T., *Inventing the Schlieffen Plan* (Oxford University Press, 2002).

2 A Primeira Guerra Mundial e o período posterior

Beckett, I. F. W., *The Great War*, 1914-1918 (Longman, 2000).
Constantine, S. (ed.), *The First World War in British History* (Edward Arnold, 1995).
Gilbert, M., *The First World War* (HarperCollins, 1994).
Henig, R., *Versailles and After* (Routledge, 1991).
Laffin, W. J., *British Butchers and Bunglers of World War I* (Alan Sutton, 1988).
Macdonald, L., *The Somme* (Michael Joseph, 1983).
Macfie, A. L., *The End of the Ottoman Empire* (Longman, 1998).
Palmer, A., *Twilight of the Habsburgs* (Weidenfeld and Nicolson, 1994).
Sharp, A., *The Versailles Settlement: Peacemaking in Paris*, 1919 (Macmillan, 1991).
Sheffield, G., *Forgotten Victory: The First World War, Myth and Realities* (Headline, 2001).
Stone, N., *The Eastern Front* (Hodder & Stoughton, 1998 edition).
Strachan, H., *The First World War* (Simon & Schuster, 2003).
Taylor, A. J. P., *The First World War* (Penguin, 1966).
Terraine, J., *The Smoke and the Fire: Myths and Anti-Myths of War*, 1861-1945 (Sidgwick & Jackson, 1980).

3 A Liga das Nações

Fitzsimmons, O., *Towards One World* (London University Tutorial Press, 1974).
Gibbons, S. R. and Morican, P., *The League of Nations and UNO* (Longman, 1970).
Henig, R., *The League of Nations* (Edinburgh, 1976).
Overy, R., *The Inter-War Crisis, 1919-1939* (Longman, 1994).

4 e 5 Relações interncionais, 1919-1939

Beasley, W. E., *Japanese Imperialism*, 1894-1945 (Oxford University Press, 1987).
Bell, P. M. H., *The Origins of the Second World War in Europe* (Longman, 2nd edition, 1997).

Broszat, M., *The Hitler State* (Longman, 1983).
Bullock, A., Hitler: A Study in Tyranny (Penguin, 1969).
Charmley, J., *Chamberlain and the Lost Peace* (Hodder & Stoughton, 1989).
Doig, R., *Co-operation and Conflict: International Affairs*, 1930-62 (Hodder & Stoughton, 1995).
Fewster, S., *Japan*, 1850-1985 (Longman, 1988).
Finney, P. (ed.), *The Origins of the Second World War* (Edward Arnold, 1997).
Gregor, N. (ed.), *Nazism: A Re*ader (Oxford University Press, 2000).
Gregor, N., 'Hitler's Aggression: Opportunistic or Planned?' in *Modern History Review*, vol. 15, no. 1 (September 2003).
Henig, R., *Versailles and After*, 1919-33 (Routledge, 1991).
Henig, R., *The Origins of the Second World War* (Routledge, 1991).
Jäckel, E., *Hitler in History* (University Press of New England, 1989).
Kershaw, I., *Hitler, 1889-1936: Hubris* (Allen Lane/Penguin, 1998).
Kershaw, I., *Hitler, 1936-1945: Nemesis* (Allen Lane/Penguin, 2000).
Kershaw, I., *The Nazi Dictatorship: Problems and Perspectives of Interpretation* (Edward Arnold, 4th edition, 2000).
Martel, G. (ed.), *The Origins of the Second World War Reconsidered: The A. J. P. Taylor Debate after 25 Years* (Routledge, 2nd edition, 1999).
McDonough, F., *The Origins of the First and Second World Wars* (Cambridge Perspectives in History, 1999).
Overy, R. J., *The Origins of the Second World War* (Longman, 2nd edition, 1998).
Overy, R. J., The Road to War (Penguin, 1999).
Parker, R. A. C., *Chamberlain and Appeasement* (Macmillan, 1993).
Parker, R. A. C., *Churchill and Appeasement* (Macmillan, 2000).
Taylor, A. J. P., *The Origins of the Second World War* (Penguin, 1964).
Watt, D. C., *How War Came* (Mandarin, 1990).

6 A Segunda Guerra Mundial, 1939-1945

Bankier, D., *The Germans and the Final Solution: Public Opinion under Nazism* (Blackwell, 1992).
Beevor, A., *Stalingrad* (Penguin, 1998).
Beevor, A., *Berlin – The Downfall, 1945* (Penguin, 2003).
Bracher, K. D., *The German Dictatorship* (Penguin, 1985 edition).
Browning, C., *The Origins of the Final Solution* (Heinemann, 2003).
Bullock, A., *Hitler and Stalin – Parallel Lives* (HarperCollins, 1991).
Burleigh, M., *The Third Reich: A New History* (Macmillan, 2000).
Calvocoressi, P. and Wint, G., *Total War* (Penguin, 2nd edition, 1988).
Cesarani, D. (ed.), *The Final Solution* (Routledge, 1994).
Davidowicz, L., *The War Against the Jews*, 1933-1945 (Penguin, 1990).
Davies, N., *Rising '44: The Battle for Warsaw* (Macmillan, 2003).
Edmonds, R., *The Big Three: Churchill, Roosevelt and Stalin* (Penguin, 1992).
Farmer, A., *Anti-Semitism and the Holocaust* (Hodder & Stoughton, 1998).
Fleming, T., 'The Most Ruinous Allied Policy of the Second World War', in *History Today*, vol. 51, no. 12 (December 2001).
Gilbert, M., *The Holocaust: The Jewish Tragedy* (Collins, 1987).
Gilbert, M., *Second World War* (Phoenix, 1995).
Goldhagen, D. J., *Hitler's Willing Executioners* (Vintage, 1997).
Kershaw, I., *Hitler, 1936-1945: Nemesis* (Allen Lane/Penguin, 2000).
Liddell-Hart, Sir B., *History of the Second World War* (Cassell, 1970).
Lindqvist, S., *A History of Bombing* (Granta, 2001).
Lipstadt, D., *Denying the Holocaust* (Plume, 1995).
Longerich, P., *The Unwritten Order: Hitler's Role in the Final Solution* (Tempus, 2000).
Lucas, S., 'Hiroshima and History', in *Modern History Review*, vol. 7, no. 4 (April, 1996).
Mommsen, H. (ed.), *The Third Reich between Vision and Reality* (Oxford University Press, 2001).
Neville, P., *The Holocaust* (Cambridge University Press, 1999).
Niellands, R., *Arthur Harris and the Allied Bombing Offensive, 1939-45* (John Murray, 2001).
Overy, R. J., *Why the Allies Won* (Penguin, 1995).
Overy, R. J., *Russia's War* (Penguin, 1997).

Overy, R. J., *The Dictators* (Allen Lane, 2004).
Parker, R. A. C., *Struggle for Survival: The History of the Second World War* (Oxford University Press, 1990).
Paulsson, G. S., *Secret City: The Hidden Jews of Warsaw, 1940-1945* (Yale University Press, 2002).

7 e 8 A Guerra Fria, a expansão do comunismo fora da Europa e seus efeitos nas relações internacionais

Alexander, R. J., *The Tragedy of Chile* (Greenwood, 1978).
Aylett, J. F., *The Cold War and After* (Hodder & Stoughton, 1996).
Blum, W., *Rogue State: A Guide to the World's Only Superpower* (Zed Books, 2nd edition, 2003).
Blum, W., *Killing Hope: US Military and CIA Interventions since World War II* (Zed Books, 2003).
Cawthorne, N., *Vietnam – A War Lost and Won* (Arcturus, 2003).
De Groot, G., *A Noble Cause: America and the Vietnam War* (Longman, 1999).
Dockrill, M., *The Cold War, 1945-1963* (Macmillan, 1998).
Edmonds, R., *Soviet Foreign Policy: The Brejnev Years* (Galaxy, 1983).
Edwards, O., *The United States and the Cold War, 1945-1963* (Hodder & Stoughton, 1998). Gaddis, J. L., *The United States and the Origins of the Cold War, 1941-1947* (Columbia University Press, 1972).
Harkness, D., *The Postwar World* (Macmillan, 1974).
Lowe, P., *The Korean War* (Macmillan, 2000).
Lowe, P. (ed.), *The Vietnam War* (Palgrave Macmillan, 1998).
Mastny, V., *Russia's Road to the Cold War* (Columbia University Press, 1979).
McCauley, M., *Origins of the Cold War, 1941-1949* (Longman, 1995 edition).
McCauley, M., *Stalin and Stalinism* (Longman, 1995).
McCauley, M., *The Kruchov Era, 1953-1964* (Longman, 1995).
Quirk, R. E., *Fidel Castro* (W. W. Norton, 1993).
Ruane, K., *The Vietnam Wars* (Manchester University Press, 2000).

Sandler, S., *The Korean War: No Victors, No Vanquished* (Routledge, 1999).
Skierka, V., *Fidel Castro: A Biography* (Polity, 2004).
Szulc, T. W., *Fidel: A Critical Portrait* (Perennial, 2000 edition).
Thomas, H., *Cuba or the Pursuit of Freedom* (Harper & Row, 1971).
Ulam, A. B., *Dangerous Relations: The Soviet Union in World Affairs, 1970-1982* (Oxford University Press, 1983).
Williams, W. A., *The Tragedy of American Diplomacy* (World Publishing, revised edition, 1962).
Young, J., *The Longman Companion to Cold War and Détente* (Longman, 1993).

9 A Organização das Nações Unidas

Bailey, S., *The United Nations* (Macmillan, 1989).
Meisler, S., *United Nations: The First Fifty Years* (Atlantic Monthly Press, 1997).
Mingst, K. A. and Karns, M. P., *The United Nations in the Post-Cold War Era* (Westview Press, 2nd edition, 2000).
Owens, R. J. and J., *The United Nations and its Agencies* (Pergamon, 1985).
Parsons, A., *From Cold War to Hot Peace: UN Interventions, 1947-1995* (Penguin, 1995).
Roberts, A. and Kingsbury, B., *United Nations, Divided World* (Oxford University Press, 1993).
Urquhart, B., *A Life in Peace and War* (Weidenfeld, 1987).

10 As duas Europas, leste e oeste desde 1945

Allan, P. D., *Russia and Eastern Europe* (Edward Arnold, 1984).
Ash, T. G., *In Europe's Name: Germany and the Divided Continent* (Jonathan Cape, 1993).
Hix, S., *The Political System of the European Union* (Palgrave Macmillan, 1999).
Hutton, W., *The World We're In* (Little, Brown, 2002).
Judah, T., *Kosovo: War and Peace* (Yale University Press, 2002).
Laqueur, W., *Europe in Our Time* (Penguin, 1993).
Mahoney, D. J., *De Gaulle: Statesmanship, Grandeur and Modern Democracy* (Greenwood, 1996).

Middlemass, K., *Orchestrating Europe: The Informal Politics of European Union, 1973-1995* (Fontana, 1995).

Milward, A. S., *The European Rescue of the Nation-State* (Routledge, 2nd edition, 2000).

Naimark, N. M. and Case, H. (eds), *Yugoslavia and its Historians: Understanding Balkan Wars of the 1990s* (Stanford University Press, 2002).

Pinder, J., *European Community: The Building of a Union* (Oxford University Press, 1991).

Pittaway, M., *Eastern Europe: States and Societies (1945-2000)* (Hodder/Edward Arnold, 2002).

Rifkin, J., *The European Dream* (Polity, 2004).

Shawcross, W., *Dubcek: Dubcek and Czechoslovakia, 1968-1990* (Hogarth, 1990).

Simpson, J., *Despatches from the Barricades: An Eye-witness Account of the Revolutions that Shook the World, 1989-90* (Hutchinson, 1990).

Wheaton, B. and Kavan, Z., *The Velvet Revolution: Czechoslovakia, 1988-91* (Westview, 1991).

Young, J. W., *Cold War Europe, 1945-1989: A Political History* (Longman, 1991).

11 O conflito no Oriente Médio

Aburish, S. K., *Arafat: From Defender to Dictator* (Bloomsbury, 1999).

Aburish, S. K., *Nasser: The Last Arab* (Duckworth, 2003).

Cohn-Sherbok, D. and El-Alami, D., *The Palestinian-Israeli Conflict* (One World, 2000).

Dawisha, A., *Arab Nationalism in the 20th Century: From Triumph to Despair* (Princeton University Press, 2002).

Kyle, K., *Suez* (Weidenfeld & Nicolson, 1991).

Mansfield, P., *A History of the Middle East* (Penguin, 1992).

Said, E. W., *The End of the Peace Process: Oslo and After* (Vintage, 2001).

Sarna, I., *Broken Promises: Israeli Lives* (Atlantic Books, 2002).

Schlaim, A., *The Iron Wall: Israel and the Arab World* (Penguin, 2001).

Tripp, C., *A History of Iraq* (Cambridge University Press, 2000).

Wasserstein, B., *Divided Jerusalem: The Struggle for the Holy City* (Profile, 2002).

Wasserstein, B., *Israel and Palestine: Why They Fight and Can They Stop?* (Profile, 2001).

12 A nova ordem mundial e a guerra contra o terrorismo global

Abdullahi Ahmed An-Na'im, 'Upholding International Legality Against Islamic and American Jihad', in K. Booth and T. Dunne (eds), *Worlds in Collision: Terror and the Future of Global Order* (Palgrave Macmillan, 2002).

Blum, W., *Rogue State: A Guide to the World's Only Superpower* (Zed Books, 2nd edition, 2003).

Blum, W., *Killing Hope: US Military and CIA Interventions since World War II* (Zed Books, 2003).

Booth, K. and Dunne, T. (eds), *Worlds in Collision: Terror and the Future of Global Order* (Palgrave Macmillan, 2002).

Byers, M., 'Terror and the Future of International Law', in Booth and Dunne (eds). *Worlds in Collision* (Basingstoke: Palgrave, 2002)

Chomsky, N., *Rogue States* (Penguin, 2000).

Chomsky, N., 'Who are the Global Terrorists?' in K. Booth and T. Dunne (eds), *Worlds in Collision: Terror and the Future of Global Order* (Palgrave Macmillan, 2002).

Chomsky, N., *Hegemony or Survival: America's Quest for Global Dominance* (Hamish Hamilton, 2003).

Fukuyama, F., 'History and September 11', in K. Booth and T. Dunne (eds), *Worlds in Collision: Terror and the Future of Global Order* (Palgrave Macmillan, 2002).

Guyatt, N., *Another American Century: The United States and the World after 2000* (Zed Books, 2000).

Huntington, S. P., *The Clash of Civilizations and the Remaking of the World Order* (Simon & Schuster, 1998).

Hutton, W., *The World We're In* (Little, Brown, 2002).

Kagan, R., *Paradise and Power: America and Europe in the New World Order* (Atlantic, 2003).

Kaplan, R., *The Coming Anarchy: Shattering the Dreams of the Post Cold War* (Random House, 2000).

Marsden, P., *The Taliban* (Zed Books, 2001).

Pettiford, L. and Harding, D., *Terrorism: The New Word War* (Capella, 2003).

Shawcross, W., *Allies: The United States, Britain and Europe and the War in Iraq* (Atlantic, 2003).

Tariq Ali, *Bush in Babylon: The Recolonisation of Iraq* (Verso, 2003).
Zinn, H., *Terrorism and War* (Seven Stories Press, 2002).

13 Itália, 1918-1945: o surgimento do fascismo

Blinkhorn, M., *Mussolini and Fascist Italy* (Methuen, 1984).
Bosworth, R. J. B., *The Italian Dictatorship: Problems and Perspectives in the Interpretation of Mussolini and Fascism* (Edward Arnold, 1998).
Cassels, A., *Fascist Italy* (Routledge, 1969).
De Felice, R., *Interpretations of Fascism* (Harvard University Press, 1977).
Eatwell, R., *Fascism* (Random House, 1996).
Farrell, N., *Mussolini: A New Life* (Weidenfeld, 2003).
Hite, J. and Hinton, C., *Fascist Italy* (John Murray, 1998).
Mack Smith, D., *Mussolini* (Granada, 1994 edition).
Robson, M., *Italy: Liberalism and Fascism, 1870-1945* (Hodder & Stoughton, 1992).
Whittam, J., *Fascist Italy* (Manchester University Press, 1995).
Williamson, D., *Mussolini: From Socialist to Fascist* (Hodder & Stoughton, 1997).
Wiskemann, E., *Fascism in Italy: Its Development and Influence* (Macmillan, 1970).
Wolfson, R., *Benito Mussolini and Fascist Italy* (Edward Arnold, 1986).

14 Alemanha, 1918-1945: a República de Weimar e Hitler

Bracher, K. D., *The German Dictatorship* (1971).
Broszat, M., *The Hitler State* (Longman, 1983).
Bullock, A., *Hitler: A Study in Tyranny* (Penguin, 1969).
Bullock, A., *Hitler and Stalin: Parallel Lives* (HarperCollins, 1991).
Burleigh, M., *The Third Reich: A New History* (Macmillan, 2000).
Evans, R. J., *The Coming of the Third Reich* (Penguin/Allen Lane, 2003).
Fest, J., *Hitler* (Weidenfeld & Nicolson, 1974).
Feuchtwanger, E. J., *From Weimar to Hitler: Germany, 1918-1933* (Macmillan, 1995 edition).
Fischer, C., *The Rise of the Nazis* (Manchester University Press, 1995).
Gellately, R., *Backing Hitler: Consent and Coercion in Nazi Germany* (Oxford University Press, 2001).
Grey, P. and Little, R., *Germany, 1918-45* (Cambridge University Press, 1992).
Harvey, R., *Hitler and the Third Reich* (Stanley Thornes, 1998).
Henig, R., *The Weimar Republic* (Routledge, 1998).
Housden, M., *Hitler, Study of a Revolutionary* (Routledge, 2000).
Jacob, M., *Rosa Luxemburg: An Intimate Portrait* (Lawrence & Wishart, 2000).
Kershaw, I., *The Nazi Dictatorship* (Edward Arnold, 1985).
Kershaw, I., *'The Hitler Myth': Image and Reality in the Third Reich* (Oxford University Press, 1989).
Kershaw, I., *Hitler, 1889-1936: Hubris* (Penguin/Allen Lane, 1998).
Kershaw, I., *Hitler, 1936-1945: Nemesis* (Penguin/Allen Lane, 2000).
Machtan, L., *The Hidden Hitler* (Perseus Press, 2000).
Machtan, L., 'Hitler, Rohm and the Night of the Long Knives', in *History Today Supplement*, November 2001.
McDonough, F., *Hitler and Nazi Germany* (Cambridge University Press, 1999).
Mommsen, H. (ed.), *The Third Reich between Vision and Reality* (Oxford University Press, 2001).
Namier, Lewis, *Avenues of History* (Hamish Hamilton, 1952).
Overy, R. J., 'An Economy Geared to War', in *History Today Supplement*, November 2001.
Overy, R. J., *The Dictators* (Allen Lane, 2004).
Peukert, D. J. K., *The Weimar Republic: Crisis of Classical Modernity* (Penguin, 1993).
Pine, L., *Nazi Family Policy, 1933-1945* (Berg, 1997).
Rees, L., *The Nazis: A Warning from History* (BBC Books, 1997).
White, A., *The Weimar Republic* (Collins, 1997).
Wright, J., *Gustav Stresemann: Weimar's Greatest Statesman* (Oxford University Press, 2002).

15 Japão e Espanha

Beasley, W. E., *The Rise of Modern Japan* (Weidenfeld & Nicolson, 1991).

Beasley, W. E., *Japanese Imperialism, 1894-1945* (Oxford University Press, 1987).

Ben-Ami, S., *Fascism from Above: The Dictatorship of Primo de Rivera in Spain, 1923-1930* (Oxford University Press, 1983).

Bolloten, B., *The Spanish Civil War: Revolution and Counter-revolution* (North Carolina University Press, 1991).

Carr, R., *The Civil War in Spain, 1936-39* (Oxford University Press, 1986 edition).

Gordon, A. (ed.), *Postwar Japan as History* (California University Press, 1993).

Gordon, A., *A Modern History of Japan from Tokugawa Times to the Present* (Oxford University Press, 2002).

Haley, J. O., *Authority without Power: Law and the Japanese Paradox* (Oxford University Press, 1991).

Horsley, W. and Buckley, R., *Nippon New Superpower: Japan since 1945* (BBC, 1990).

Lincoln, E. J., *Japan's New Global Role* (Washington, 1993).

Murphy, R. T., 'Looking to Game Boy', in *London Review of Books*, 3 January 2002.

Payne, S. G., *The Franco Regime, 1936-75* (Wisconsin University Press, 1987).

Storry, R., *A History of Modern Japan* (Penguin, 1975).

Thomas, H., *The Spanish Civil War* (Penguin, 3rd edition, enlarged, 1986).

Williams, B., *Modern Japan* (Longman, 1987).

16, 17 e 18 Rússia/URSS desde 1900

Acton, E., *Rethinking the Russian Revolution* (Edward Arnold, 1990).

Applebaum, A., *Gulag: A History of the Soviet Camps* (Penguin/Allen Lane, 2003).

Aron, L., *Boris Yeltsin: A Revolutionary Life* (HarperCollins, 2000).

Berkman, A., *The Russian Tragedy* (Consortium Books, 1989 edition).

Brown, A., *The Gorbachov Factor* (Oxford University Press, 1996).

Chamberlin, W. H., *The Russian Revolution*, 2 vols (Princeton University Press, 1965 edition).

Chubarov, A., *Russia's Bitter Path to Modernity* (Continuum, 2002).

Cohen, S. F., 'Bolshevism and Stalinism', in R. C. Tucker (ed.), *Stalinism: Essays in Historical Interpretation* (Transaction, 1999 edition).

Conquest, R., *Harvest of Sorrow: Soviet Collectivization and the Terror-Famine* (Oxford University Press, 1986).

Conquest, R., *Stalin and the Kirov Murder* (Hutchinson, 1989).

Conquest, R., *The Great Terror: A Reassessment* (Hutchinson, 1990).

D'Encausse, H. C., *Lenin* (Holmes & Meier, 2001).

Ferro, M., *Nicholas II: The Last of the Tsars* (Viking, 1991).

Figes, O., *A People's Tragedy: The Russian Revolution, 1891-1924* (Pimlico, 1997).

Fitzpatrick, S., *The Russian Revolution* (Oxford University Press, 2nd edition, 1994).

Fitzpatrick, S., *Everyday Stalinism: Ordinary Life in Extraordinary Times: Soviet Russia in the 1930s* (Oxford University Press, 1999).

Fitzpatrick, S. (ed.), *Stalinism: New Directions* (Routledge, 2000).

Freeborn, Richard, *A Short History of Modern Russia* (Hodder & Stoughton, 1966).

Getty, J. A., *The Road to Terror: Stalin and the Self-Destruction of the Bolsheviks* (Yale University Press, 1999).

Hill, C., *Lenin and the Russian Revolution* (Penguin, 1971 edition).

Katkov, G., *Russia, 1917: The February Revolution* (Longman, 1967).

Koenker, D., *Moscow Workers and the 1917 Revolution* (Princeton University Press, 1981).

Kotkin, S., *Magnetic Mountain: Stalinism as a Civilization* (California University Press, 1995).

Laver, J., *Stagnation and Reform: The USSR, 1964-91* (Hodder & Stoughton, 1997).

Lewin, M., *The Making of the Soviet System* (Methuen, 1985).

Lieven, D. C. B., *Nicholas II: Emperor of All the Russias* (John Murray, 1993).

Lincoln, W. B., *Red Victory: A History of the Russian Civil War* (Simon & Schuster, 1991).

Lowe, N., *Mastering Twentieth Century Russian History* (Palgrave Macmillan, 2002).

Massie, R. K., *The Romanovs: The Final Chapter* (Random House, 1995).

Mawdsley, E., *The Russian Civil War* (Unwin-Hyman, 1989).
McCauley, M., *The Soviet Union, 1917-1991* (Longman, 2nd edition, 1993).
McCauley, M., *Stalin and Stalinism* (Longman, 2nd edition, 1995).
McCauley, M., *Gorbachov* (Longman, 1998).
McCauley, M., *Bandits, Gangsters and the Mafia: Russia, the Baltic States and the CIS since 1991* (Longman, 2001).
Medvedev, R. A., *Let History Judge: The Origins and Consequences of Stalinism* (Oxford University Press, 2nd edition, 1989).
Medvedev, R. A., *Post-Soviet Russia: A Journey Through the Yeltsin Era* (Columbia University Press, 2000).
Merridale, C., *Moscow Politics and the Rise of Stalin* (Macmillan, 1990).
Montefiore, S. S., *Stalin: The Court of the Red Tsar* (Weidenfeld & Nicolson, 2003).
Nove, A., *An Economic History of the USSR, 1917-1991* (Penguin, 3rd edition, 1992).
Overy, R. J., *The Dictators* (Allen Lane, 2004).
Pipes, R., *The Russian Revolution, 1899-1919* (Harvill, 1993).
Pipes, R., *Russia under the Bolshevik Regime, 1919-1924* (Harvill, 1997 edition).
Radzinsky, E., *Stalin* (Hodder & Stoughton, 1996).
Radzinsky, E., *Rasputin* (Weidenfeld & Nicolson, 2000).
Read, C., *From Tsar to Soviets: The Russian People and their Revolution, 1917-21* (Oxford University Press, 1996).
Remnick, D., *Lenin's Tomb: The Last Days of the Soviet Empire* (Viking, 1993).
Sakwa, R., *The Rise and Fall of the Soviet Union, 1917-1991* (Routledge, 1999).
Service, R., *Lenin: A Political Life*, vol. 3: The Iron Ring (Macmillan, 1995).
Service, R., *A History of Twentieth Century Russia* (Penguin, 1998 edition).
Service, R., *The Russian Revolution 1900-1927* (Macmillan, 3rd edition, 1999).
Service, R., *Lenin: A Biography* (Macmillan, 2000).
Service, R., *Stalin* (Palgrave Macmillan, 2004).
Smith, S. A., *Red Petrograd: Revolution in the Factories, 1917-1918* (Cambridge University Press, 1983).
Suny, R. G., *The Soviet Experiment* (Oxford University Press, 1998).
Taubman, W., *Kruchov: The Man and his Era* (Free Press, 2001).
Taylor, A. J. P., 'Lenin: October and After', in *History of the 20th Century*, vol. 3, Chapter 37 (Purnell, 1970).
Tompson, W. J., *Kruchov: A Political Life* (Palgrave Macmillan, 1995).
Tucker, R. C. (ed.), *Essays in Historical Interpretation* (Transaction, 1999 edition).
Ulam, A. B., *Lenin and the Bolsheviks* (Fontana/Collins, 1965).
Volkogonov, D., *Lenin: Life and Legend* (Free Press, 1994).
Volkogonov, D., *The Rise and Fall of the Soviet Empire* (HarperCollins, 1998).
Volkogonov, D., *Stalin: Triumph and Tragedy* (Phoenix, 2000 edition).
Westwood, J. N., *Endurance and Endeavour: Russian History, 1812-1992* (Oxford University Press, 4th edition, 1993).
Yakovlev, A., *A Century of Russian Violence in Soviet Russia* (Yale University Press, 2002).

19 e 20 A China desde 1900

Chang, Jung, *Wild Swans* (HarperCollins, 1991).
Eastman, L. E., *Seeds of Destruction: Nationalist China in War and Revolution, 1937-1949* (Stanford University Press, 1984).
Fenby, J., *Generalissimo: Chiang Kai-Shek and the China He Lost* (Free Press, 2003).
Gittings, J., *China Changes Face: The Road from Revolution, 1949-89* (Oxford, 1990).
Gray, J., 'China under Mao', in *History of the 20th Century*, vol. 6, Chapter 89 (Purnell, 1970).
Hsi-sheng Ch'i, *Nationalist China at War, 1937-45* (University of Michigan Press, 1982).
Huang, P. C. C., *The Peasant Economy and Social Change in Northern China* (Stanford University Press, 1985).
Karnow, S., *Mao and China: Inside China's Cultural Revolution* (Penguin, 1985).
Lynch, M., *China: From Empire to People's Republic* (Hodder & Stoughton, 1996).
Smith, S. A., 'China: Coming to Terms with the Past', in *History Today*, December 2003.
Snow, E., *Red Star Over China* (Penguin, 1972 edition).

Tang Tsou, *The Cultural Revolution and Post-Mao Reforms* (Chicago University Press, 1988 edition).
Terrill, R., *Mao* (Heinemann, 1981).
Wilbur, C. M., *The Nationalist Revolution in China, 1923-1928* (1984).
Wolf, M., *Revolution Postponed: Women in Communist China* (Stanford University Press, 1985).

21 O comunismo na Coreia e no Sudeste da Ásia

Chandler, D. P., *The Tragedy of Cambodian History* (Yale University Press, 1991).
Chandler, D. P., *A History of Cambodia* (Westview, 2nd edition, 1992).
Chong-sik Lee and Se-hee Yoo (eds), *North Korea in Transition* (Columbia University Press, 1991).
Dae-sook Suh, *Kim Il Sung: The North Vietnam Leader* (Columbia University Press, 1995 edition).
Dommen, A. J., *Laos: Keystone of Indo-China* (Perseus Books, 1985).
Duiker, W. J., *The Communist Road to Power in Vietnam* (Ohio University Press, 1981).
Duiker, W. J., *Vietnam Since the Fall of Saigon* (Ohio University Press, 1989 edition).
Evans, G., *Lao Peasants under Socialism* (Yale University Press, 1990).
Jackson, K. D. (ed.), *Cambodia, 1975-1978* (Princeton University Press, 1989).
Karnow, S., *Vietnam: A History* (Penguin, 1991 edition).
Kiernan, B., *How Pol Pot Came to Power* (Verso, 1983).
Kiernan, B., *The Pol Pot Regime* (Yale University Press, 2002).
Leifer, M., *Dictionary of the Modern Politics of South-East Asia* (Routledge, 1996).
Osborne, M., *Southeast Asia: An Illustrated History* (Allen & Unwin, 1997).
Post, K., *Revolution, Socialism and Nationalism in Vietnam*, 4 vols (Dartmouth, 1989-92).
Scalapino, R. and Jun-yop Kim, *North Korea Today: Strategic and Domestic Issues* (Praeger, 1983).
Shawcross, W., *Sideshow: Kissinger, Nixon and the Destruction of Cambodia* (Deutsch, 1987 edition).
Stuart-Fox, M., *A History of Laos* (Cambridge University Press, 1997).

Tarling, N. (ed.), *The Cambridge History of Southeast Asia, vol. ii: The Nineteenth and Twentieth Centuries* (Cambridge University Press, 1993).
Vickery, M., *Cambodia, 1975-1982* (Allen & Unwin, 1984).
Zasloff, J. J. and Unger, L. (eds), *Laos: Beyond the Revolution* (Palgrave Macmillan, 1991).

22 e 23 Os Estados Unidos antes e depois da Segunda Guerra Mundial

Andrew, J., *Lyndon Johnson and the Great Society* (Ivan R. Dee, 1998).
Behr, E., *Prohibition: The 13 Years that Changed America* (BBC Books, 1997).
Branch, T., *Parting the Waters: Martin Luther King and the Civil Rights Movement, 1954-63* (Macmillan, 1991).
Branch, T., *Pillar of Fire: America in the King Years* (Simon and Schuster, 1998).
Brogan, H., *Longman History of the United States* (Longman, 1985).
Campbell, I., *The USA, 1917-1941* (Cambridge University Press, 1996).
Cannon, L., *President Reagan: The Role of a Lifetime* (Simon & Schuster, 1991).
Clements, K. A., *The Presidency of Woodrow Wilson* (Kansas University Press, 1992).
Clements, P., *Prosperity, Depression and the New Deal* (Hodder & Stoughton, 1997).
Colaiaco, J., *Martin Luther King* (Macmillan, 1998).
Cook, R., *Sweet Land of Liberty?* (Longman, 1998).
Dallek, R., *John F. Kennedy: An Unfinished Life, 1917-1963* (Penguin, 2004).
Ferrell, R. H., *Harry S. Truman* (Missouri University Press, 1995).
Galbraith, J. K., *The Great Crash* (André Deutsch, 1980).
Griffiths, R., *Major Problems in American History since 1945* (Heath, 1992).
Heale, M. J., *Franklin D. Roosevelt: The New Deal and War* (Routledge, 1999).
Helsing, J., *Johnson's War/Johnson's Great Society: The Guns and Butter Trap* (Greenwood Press, 2000).
Hine, R. V. and Faracher, J. M., *The American West* (Yale University Press, 2000).

Hoff, J., *Nixon Reconsidered* (Basic Books, 1994).
Jenkins, P. A., *History of the United States* (Macmillan, 1997).
Martin Riches, W. T., *The Civil Rights Movement* (Macmillan, 1997).
McCoy, D. R., Coming of Age: The United States during the 1920s and 1930s (Penguin, 1973).
McCullough, D., *Truman* (Simon & Schuster, 1992).
Morgan, T., *FDR* [biography of F. D. Roosevelt] (Grafton/Collins, 1985).
Preston, S., *Twentieth Century US History* (Collins, 1992).
Sanders, V., *Race Relations in the USA* (Hodder & Stoughton, 2000).
Thompson, R., *The Golden Door: A History of the United States of America* (1607-1945) (Allman and Son, 1969).
Traynor, J., *Roosevelt's America 1932-41* (Macmillan, 1983).
Traynor, J., *Mastering Modern United States History* (Palgrave Macmillan, 1999).
Watkins, T. H., *The Great Depression* (Little, Brown, 1993).
White, J., *Black Leadership in America* (Longman, 2nd edition, 1990).
Zinn, H., *A People's History of the United States* (Longman, 1996 edition).

24 e 25 Descolonização e problemas na África

Bayart, F., *The State in Africa: The Politics of the Belly* (Longman, 1993).
Benson, M., *Nelson Mandela* (Penguin, 1994 edition).
Berman, B. and Losdale, J., *Unhappy Valley: Conflict in Kenya and Africa*, 2 vols (James Currey, 1992).
Bing, G., *Reaping the Whirlwind* (biography of Nkrumah) (1968).
Brasted, H., 'Decolonisation in India: Britain's Positive Role', in *Modern History Review*, November 1990.
Davidson, B., *Africa in Modern History* (Macmillan, 1992).
De Witte, L., *The Assassination of Lumumba* (Verso, 2001).
Dunn, D. E. and Byron, S., *Liberia* (Metuchan, NJ, 1988).

Ellis, S., *The Mask of Anarchy: The Destruction of Liberia* (Hurst, 1999).
Falola, T., *The History of Nigeria* (Greenwood, 1999).
Ferguson, N., *Empire: How Britain Made the Modern World* (Allen Lane/Penguin, 2003).
Hargreaves, J. D., *Decolonisation in Africa* (Longman, 1988).
Horne, A., *A Savage War of Peace* (Algeria) (Macmillan, 1972).
Huddleston, T., *Return to South Africa* (HarperCollins, 1991).
Iliffe, J., *Africans: The History of a Continent* (Cambridge University Press, 1995).
Kanza, T., *The Rise and Fall of Patrice Lumumba: Conflict in the Congo* (Africa Book Centre, 1977).
Kriger, N. J., *Zimbabwe's Guerrilla War: Peasant Voices* (Cambridge University Press, 1992).
Luthuli, A., *Let My People Go* (Fontana, 1963).
Maier, K., *This House Has Fallen: Nigeria in Crisis* (Penguin, 2002).
Mamdani, M., *Citizen and Subject: Contemporary Africa and the Legacy of Late Colonialism* (Princeton University Press, 1996).
Mandela, N., *Long Walk to Freedom* (Abacus, 1995).
Marcus, H. G., *A History of Ethiopia* (California Univeristy Press, 1994).
Melvern, L., *A People Betrayed: The Role of the West in Rwanda's Genocide* (Zed Books, 2000).
Meredith, M., *The Past is Another Country: Rhodesia, UDI to Zimbabwe* (André Deutsch, 1980).
Meredith, M., *Mugabe* (Public Affairs, New York, 2002).
Osagae, E. E., *Nigeria Since Independence: Crippled Giant* (Indiana University Press, 1998) 1998).
Parsons, A., From Cold War to Hot Peace: UN Interventions, 1947-1995 (Penguin, 1995).
Sarkar, S., *Modern India, 1885-1947* (Macmillan, 1983).
Singh, A. I., *The Origins of the Partition of India, 1936-1947* (Oxford University Press, 1990).
Singh, A. I., 'A British Achievement? Independence and Partition of India', in Modern History Review (November 1990).
Tutu, D., *Hope and Suffering* (Fount, 1984).
Watson, J. B., *Empire to Commonwealth* (Dent, 1971).

26 e 27 A economia e a população mundiais

Ashworth, W., *A Short History of the International Economy since 1850* (Longman, 1987 edition).

Barnett, T. and Whiteside, A., *AIDS in the 21st Century: Disease and Globalisation* (Palgrave, 2002).

Brandt, W., *World Armament and World Hunger* (Gollancz, 1986).

The Brandt Report: North-South, a Programme for Survival (Pan, 1980).

Hutton, W., *The World We're In* (Little, Brown, 2002).

Lloyd, J., T*he Protest Ethic: How the Anti-Globalisation Movement Challenges Social Democracy* (Demos, 2001).

Moss, N., *Managing the Planet: The Politics of the New Millennium* (Earthscan, 2000).

Rifkin, J., *The European Dream: How Europe's Vision of the Future is Eclipsing the American Dream* (Polity, 2004).

van der Vee, H., *Prosperity and Upheaval: The World Economy, 1945-1980* (Penguin, 1991).

Victor, D., *The Collapse of the Kyoto Protocol and the Struggle to Slow Global Warming* (Princeton University Press, 2001).

Índice

Abacha, Sani 566-567
Abbas, Mahmoud 262-263, 273-277
Abdelazia, Mohamed 553-554
Abiola, Mashood 566-567
Abissínia *ver* Etiópia
Abubakar, General Abdulsalam 566-567
Acheampong, Ignatius 563
Acordo de Maastricht (1991) 208-209, 222-224
Acordo de Versalhes 48-56, 58
Acordo Naval Anglo-germânico (1935) 85-86, 89-90, 93-94, 96-97
Acordos de Paz de Lisboa (1991) 573-575
Acordos de Paz de Oslo (1993) 262-264, 270-272
Adenauer, Konrad 209
Administração do Avanço das Obras (EUA, 1935) 497-498
Administração Federal de Auxílio de Emergência *(Federal Emergency Relief Administration*, EUA, 1933) 497-498
Administração Nacional Aeronáutica e Espacial *(National Aeronautics and Space Administration, NASA)* 515
Administração para Ajuste da Agricultura (Agricultural Adjustment Administration (USA) 496-497
Afeganistão 159, 180-182, 231-232, 279-280, 285-290, 408-409
África 20, 22, 24-25, 52-55, 89-91, 110, 115-117, 177-179
   independência da 537-557
   subdesenvolvimento da 559-560
     desastres 560-561
     problemas 559-561; problemas no século XXI 594-596
     seca na 606-609
África do Sul 52-54, 188-189
   apartheid na 190, 196-198, 577-583
     fim do 583-586
     oposição ao 579-583
   e Zimbábue 544-546
   fim do governo de minoria branca no 283-285
África Ocidental, independência na 538-540
Agência Internacional de Energia Atômica (AIEA) 293

AIDS/HIV 203-204, 291-292, 609-610, 620-621, 629-632
   na África do Sul 586-587
   no sul da África 630-632
Akufo, general Fred 563
Albânia 24-25, 62-63, 88-89, 91-92, 134-135, 305-306
   desde 1945 138, 142, 183, 188-189, 224-230, 234-236
Albright, Madeleine 451-452, 520-521
Alemanha
   desde a reunificação 184, 210, 222-236, 242-243, 270, 295
   dividida após 1945 134-135, 138, 147-148
   durante a Primeira Guerra Mundial 19, 35-49
   durante a Segunda Guerra Mundial 105-134
   e a Áustria 86, 88, 91-94, 97-101
   e a França 66-73
   e a Grã-Bretanha 66-71, 96-101
   e a Liga das Nações 60-61, 69-70
   e a Polônia 60-61, 67-69, 86, 88, 91-93, 100-101
   e a responsabilidade pela Primeira Guerra Mundial 28-33
   e a Rússia 74-75, 84, 86, 88, 100-101
   e a Tchecoslováquia 67-69, 91-94, 97-98
   e Grã-Bretanha antes de 1914 19-27
   e o acordo de paz 48-54, 56, 58
   Ocidental 147-150, 209-211, 213, 219-222
   Oriental 148-150, 180-181, 224-225, 229-234, 245-246
   razões da derrota 124, 126-127
   razões da derrota 46-48
   República de Weimar 317-327
   reunificada 183, 232-234
   sob Hitler 91-94, 97-104, 324-340
Alexandre, rei da Iugoslávia 96-97
Alia, Ramiz 234-235
Aliança Anglo-Japonesa (1902) 20
Allende, Salvador 159, 171-174
al-Qaeda 279-280, 283-284, 287-288-294, 298-299
Alsácia-Lorena 20, 49-54
Alto Volta 550-551
América do Sul 61-62, 159, 171-174, 197-198

América Latina 151-154, 158, 163-166, 174-178, 197-198
América *ver* América Latina, América do sul, Estados Unidos da América, *American Federation of Labor (AFL)* 482-485
American Railway Union (ARU) 482-484
Amin, Idi 569, 570-571
Andropov, Yuri 408-409
Angola 159, 408-409, 554-556
   guerra civil em 573-575
Annan, Kofi 196-197, 201-202, 204-205, 594-595, 631-632
Anschluss 86, 88, 93-94, 96-97
Anticomunismo (USA) 512-516
Antigua 532-535
Anzacs 39-41
Apartheid 197-198, 283-284
   fim do 583-586
   introdução do 578-579
   oposição ao 579-583
Aquecimento global 611-612, 615-618
Árabes 191-192, 247-277
Arábia Saudita 195, 247, 269-270, 283-284, 290-291
Arafat, Yasser 258-259, 262-263, 266, 270-277, 281-283
Argélia 208-209, 247, 256-257, 268
   independência 547-551
Argentina 197-198, 341-342
Armas nucleares 123-124, 126, 134-135, 148-151, 153-156, 184, 397, 399
Armênia 184, 389-390, 413-414
Armour, P.D. 478
Ashmun, Jehudi 588-589
Assad, Hafez 266-268
Associação das Nações do Sudeste Asiático (*Association of South-East Asian Nations, ASEAN*) 455-456
Associação Europeia de Comércio Livre (AECL) 215-216
Atentados em Madrid (2004) 298-299
Atlantic Charter (1941) 528-530
Attlee, C.R. 142
Austrália 39-41, 110, 161, 163-164, 212
Áustria (desde 1918)
   entreguerrras 79-82
      desde a Segunda Guerra Mundial 149, 215-216, 220-221
      e a união com a Alemanha (1938) 86, 88, 92-94, 96-97
      e o Acordo de Paz 54-55
Áustria-Hungria (antes de 1918) 19, 20, 22-27
   desmembramento da 48-49, 54-55
   durante a Primeira Guerra Mundial 35-42, 47-50
   e responsabilidade pela Primeira Guerra Mundial 28-33
Autocracia, significado de 20
Autodeterminação 49-50
Avião espião U-2 149-150

Azerbaijão 184, 389-390, 413-414
Azikiwe, Nnamdi 539-540, 564

Babangida, Major-General Ibrahim 566-567
Bahamas 532-535
Baía dos Porcos 151-153
Balewa, A. T. 564-565
Banana, Canaan 589-590
Banco Mundial 199-200, 282-283
Banda, Dr. Hastings 543-544
Bangladesh 532-533
Barak, Ehud 271-272
Barbados 532-535
Barnett, Tony 630
Barthou, Louis 96-97
batalhas
   da Grã-Bretanha (1940) 108-110
   da Ilha Midway (1942) 105-106, 114-116
   das Ilhas Falkle (1914) 43
   de Adowa (1896) 89-90
   de Arnhem (1944) 118-119
   de Cambrai (1917) 44
   de Caporetto (1917) 44
   de Dien Bien Phu (1954) 166-168, 454-455, 547-548
   de El Alamein (1942) 108, 115-117
   de Monte Cassino (1944) 119-120
   de Passchendaele (1917) 44
   de Stalingrado (1942) 105-106, 116-117
   de Tannenberg (1914) 36-37
   de Verdun (1916) 40-41
   de Vittorio Veneto (1918) 47-48
   de Ypres (1914) 36-37; (1915) 38; (1917) 44
   do Atlântico (1942-3) 117-118
   do Jutle (1916) 43-44
   do Marne (1914) 36-37
   do Somme (1916) 40-41-42, 56, 58-58
   dos Lagos Masurianos (1914) 36-37
   "rombo" (1944) 122-123
Begin, Menachem 260-262
Beijing (antiga Pequim) 86, 88, 181-183
Bélgica 19, 26-27, 105-107, 109, 213-215, 219-220
   e descolonização 552-554
Belize 532-534, 536-537
Ben Bella 548-550
Benes, Eduard 77-79, 97-98, 146-147
Bengala 531-533
Berlim 120, 118-119, 122-125, 149-150
   bloqueio e ponte aérea 146-148
   dividida depois da Segunda Guerra Mundial 141
   muro de 149-150, 152, 183
Berlusconi, Silvio 210
Bethmann-Hollweg, Theobald von 30-33
Bevin, Ernest 145-146, 212, 253-254
Biafra 564-566
Bielorrússia 414-415
Biko, Steve 582

Bin Laden, Osama 274-275, 279-280, 283-284, 287-293
Bizimungu, Pasteur 576-577
Black Power (Poder negro) 511
Blair, Tony 242-243, 291-300
Blitzkrieg 106-107, 109, 111-112, 124, 126
Bloco capitalista 602-604
Bloco comunista 602-604
Blum, William 281-282, 285-286
Boers 577-578
Bolcheviques 73-75, 357, 359, 361-375
Bombardeio 105-107, 109-110, 115-120, 123-124, 169-171, 351-353
Bornéu do Norte ver Sabah
Bósnia 20, 22, 24-25, 190, 195-196, 291-292
Botha, P. W. 583-584
Bourghiba, Habib 547-548
Boutros-Ghali, Boutros 576-577
Bracher, Karl Dietrich 127-128, 327-328
Brandt, Willi 179-180, 207-209, 604-605
Brasil 175-177, 341-342
Brejnev, Leonid 180-181, 229-230, 406-409
Bretanha, Grã- 147-148, 161, 183, 188-189, 213
   durante a Primeira Guerra Mundial 35-49; e Acordo de Paz A 48-51, 52-54, 54-56, 58
   durante a segunda guerra mundial 105-124, 126, 134-136
   e a África 537-547
   e a África do Sul
   e a China 20
   e a Comunidade Europeia 207-208, 213-222, 241-243
   e a guerra contra o terrorismo 289-290, 293-300
   e a Índia 529-533
   e a Liga das Nações 62-65
   e Alemanha 66-70, 93-103; antes de 1914 19-20, 22, 24-34
   e descolonização 529-547
   e o Império
   e o Oriente Médio 193, 249-257
   e o Suez 193, 254-257
   e Rússia 20, 22, 24, 73-74, 372-373
   política externa entre guerras 66-70-73, 93-103
Briand, Aristide 69, 71-73, 96-97
Broszat, Martin 92-93, 338-339
Brunei 536-537
Brusilov, General 42, 361
Bukhari, Major-General 566
Bukharin, Nikolai 380-383, 388-389
Bulgária 24-26, 35, 39-41, 47-49, 60-61
   desde 1945 138, 142, 224-227, 234-236
   e o Acordo de Paz 56, 58
Bullock, Alan 101-102, 111, 127-130, 132, 337-340
Burma 105-106, 113, 163-164
Burundi 553-554, 575-576, 596
Bush, George 269-270

Bush, George W. 190, 204-205, 272-277, 281-283, 452-454, 521-524, 618-619
   e o Afeganistão 279-281, 287-290
   e o Iraque 279-281, 293-300
Busia, Kofi 562-563
Buthelezi, Dr. M. 584-585
Buyoya, Pierre 575-576

Camarões 550-551
Camboja (Kampuchea) 159, 166-168, 177-178, 181-183, 195-196, 457-463, 546-548
Camp David 260-263
Campanha das Cem Flores (China, 1957) 435-436
Campanha de Gallipoli (1915) 39-41
Campanha pelo Desarmamento Nuclear (*Campaign for Nuclear Disarmament, CND*) 155-156
Canadá 35, 147-148, 161, 180-181, 212, 229-230
Canal do Suez 193, 250-252, 254-258, 260-262
Capitalismo, significado e natureza do 138-139, 326-327
Capone, Al 481-482
Carmichael, Stokeley 511
Carnegie, Andrew 478
Carter, Jimmy 181-182, 261-263, 517
Caso Sacco e Vanzetti 486-488
Castro, Fidel 151-155, 158, 163-166
Catorze Pontos (de Woodrow Wilson) 46-47, 49-54, 60-61
Caxemira 194
Ceausescu, Nicolae 233-235
Celebes 551-552
Chade 550-551
Chamberlain, Austen 69, 94-95
Chamberlain, Neville 86, 88, 94-102, 107, 109
Chanak 56, 58
Charmley, John 101-102
Charter 93-94, 229-231, 233-234
Chechênia 291-292
Chernenko, K. U. 350, 409-410
Chernobyl 410, 613-615
Chiang Kai-shek 148, 158, 181-182, 426-427
Chile 159, 171-174, 197-198
Chin Peng 536-537
China 63-64, 67, 86, 88-89, 133-134, 186-188
   antes de 1949 20, 423-434
   constituição da 1950 434
   desde 1949 433-447; mudanças agrícolas 434-435
   e a Coreia 158-164
   e a URSS 181-183
   e o Japão 85-86, 88-89, 134-135
   e o Vietnã 169-172, 181-183
   e os Estados Unidos 159-164, 181-183
   governo, estrutura de 435
   modernização 440-441
   mudanças industriais 435
   sob governo comunista 295, 374-389, 428-431
   torna-se comunista 148, 158
Chipre 194, 213, 229-230, 243-244, 536-538

Chirac, Jacques 208-209, 242-243, 245, 610-611
Chomsky, Noam 281-282, 286-287
Churchill, Sir Winston 29-30, 98-99, 107, 109, 110, 139-142, 144, 157, 212, 215-216
Chuva ácida, 110
Cingapura 105-106, 114, 534, 536-537
Clemenceau, Georges 44, 47-51, 70-71
Clinton, Bill 190, 238-239, 271-273, 285-286, 520-522, 615-616
   impeachment de 521-522
Clorofluorcarbonos (CFCs) 611-613
Coexistência pacífica 138, 148, 180-181, 404-406, 515
Coletivização
   na China 434-436
   na Rússia 379-380, 384-387
Comboios 44, 116-118
Combustíveis fósseis, exaustão de 611-612
Comecon 146-147, 207-208, 224-226
Cominform 145-147, 149, 224-225
Comintern (Internacional Comunista) 85-86
Comissão da ONU sobre População 627
Comissão de Direitos Humanos (ONU) 196-198
Comissão de Verdade e Reconciliação 586-587
Companhia das Índias Orientais Holandesas 577-578
Complexo militar-industrial 515-516
Comunas
   na China 436
   na Iugoslávia 225-226
Comunidade Británica 215-216
Comunidade de Estados Independentes (CEI) 414-415
Comunidade e Mercado Comum do Caribe (*Caribbean Community e Common Market, CARICOM*) 534, 536-537
Comunidade Econômica europeia (CEE) 213-219
   e a Grã-Bretanha 207-208, 213, 215-219
   formação 207-208, 213-215
   problemas na 219-223
   se torna a União Europeia 223-224
Comunidade Europeia de Carvão e Aço (*European Coal and Steel Community, ECSC*) 213-214
Comunidade Francesa 550-552
Comunismo
   colapso do 159, 183-185, 230-235, 409-415
   na China 428-430
   na Coreia do Norte 449
   na Rússia 367-369, 379-417
   na Vietnã 453-454
   no Leste Europeu 142-150, 207-209, 223-235
   significado e natureza do 138-139
      quadros 435
Conciliação (*appeasement*) 94-104
Conferência da Casa de Lancaster (1979) 545-546, 591-593
Conferência das Nações Unidas sobre Comércio e Desenvolvimento (*United Nations Conference on Trade ad Development, UNCTAD*) 605-608
Conferência de Algeciras (1906) 22, 24
Conferência de Dumbarton Oaks (1944) 186

Conferência de Gênova (1922) 66-68
Conferência de Munique (1938) 86, 88, 91-92, 97-99
Conferência de Potsdam (1945) 141-142
Conferência Mundial de Desarmamento (1932-3) 63-64, 73, 75, 92-93
Conferência Yalta (1945) 139-141
Conferências de Washington (1921-2) 67-68
Congo (Zaire 1971-) 178-179, 193, 552-554, 596
   guerra civil no, 571-573
Congo Belga *ver* Congo
Congresso Nacional Africano (*African National Congress, ANC*) 283-285, 579-580, 583-585
Conquest, Robert 388-391
Conselho da Europa 207-208, 213
Conselho da Europa 207-208, 213
Conselho de Tutela 188-189
Contracepção 623-625, 629
   e AIDS 631-632
Convenção de Lomé (1975) 218-220
Conversações para Limitação de Armas Estratégicas (1979) 517
Coolidge, Calvin 480-481, 490-491
Coreia 158
   confronto nuclear 452-454
   do Norte 293, 449-454; crise econômica 451-452
   guerra na (1950-1953) 159-164, 191-193, 345-346, 450-451
Corporação de Conservação Civil *(Civilian Conservation Corps, CCC)* 496-497
Corredor Polonês 91-92, 94-95, 100-101
Cortina de Ferro 142, 157
Costa do Marfim 550-551
Costa Dourada 538-539
Craxi, Bettino 210, 211
Crise de Agadir 20, 22, 24-25
Crise econômica mundial (1929-33) 63-64, 490-491, 602-603
   causas 490-493
   efeitos 63-64, 101-102, 312-314, 317-318, 322-325, 343, 348-349, 492-494
Croácia 184, 190, 235-239
Cuba 158, 163-166
   crise dos mísseis (1962) 151-155
Cultivos GM 614-616
Cúpula da Terra (1992) 615-616

d'Annunzio, Gabriele 306
Dahomey 550-551
Daladier, Edouard 97-98
Danqua, J.B. 562
Danzig 86, 88, 100-101
Dardanelos 29-30, 39-41
Darfur 594-596
De Gaulle, Charles 208-209, 212, 218-219, 550-551
   e a Quinta República 549-550
   e Argélia 548-550

De Klerk, F.W. 584-586
Debs, Eugene 482-487
Declaração de Arusha (1967) 569-571
Declaração de Balfour (1917) 252-253
"Degelo" 148-150, 404-405
democracia, significado 19
Deng Xiaoping 437-442
Depressão, Grande *ver crise econômica mundial*
Desarmamenti 60-61, 63-64
    Alemão 49-54, 63-64, 69-70, 92-93
Desarmamento nuclear 155-156, 179-181, 517, 519
Desastre de Lockerbie (1988) 278-279, 284-287, 299-300
Descolonização 135-136, 527-558 *ver, também países individuais*
Desembarque na Normandia (1944) 106-107, 119-121
Desemprego
    na Alemanha 210, 317-318, 322-323, 333-334
    no Japão 306-307
    nos Estados Unidos 504, 506 *ver, também, crise econômica mundial*
Dessegregação (EUA) 507-508
Deténte, significado 159, 179-183
Dia D (1944) 119-121
Dien Bien Phu (Vietnã) 166-168, 454-455, 547-548
Dinamarca 105-107, 147-148, 213, 215-216, 218-219, 222-223, 242-243
Direito Charia 290-291, 568
Discurso em Fulton (Churchill) 142
Dívidas de guerra (com os EUA) 83-84
Divisão norte-sul 604-610
Doe, Samuel 589-590
Dollfuss, Engelbert 80-82, 92-93
Dos Santos, Jose Eduardo 574-575
Doutrina Brejnev 229-230, 407-408
Doutrina Truman 145-146
Du Bois, W.E.B. 489-490
Dubcek, Alexander 228-230, 233-234
Dunquerque 110

Ebert, Friedrich 317-320
Economia mundial
    capitalismo versus comunismo 602-604
    de oferta (EUA) 518
    divisão norte-sul 604-610
    efeitos sobre o meio-ambiente 610-616
    mudanças desde 1900 601-605
    na virada do milênio 617-621
Economias dos tigres 610-611
Ecossistema 611-615
Eden, Sir Anthony 215-216, 254-257, 536-537
Egito 105-106, 110, 111, 118-119, 193, 197-199, 247-263, 269-270
Eisenhower, Dwight D. 120, 122-123, 149, 164-169, 178-179, 515
    Doutrina 178-179
    políticas sociais 503

"eixo do mal" 293
Eixo Roma-Berlim (1936) 85-86, 91-94
Encouraçados 20, 22, 24-25, 29-30, 42-44
Energia nuclear 613-614
Enosis 536-538
Enron 523-524
Entente Cordial (1904) 20, 22, 24
Eoka 536-537
Era dos senhores da guerra (China) 423-425
Eritreia 556-557, 596
Escândalo de Watergate 474-475, 516-517
Escândalo de Whitewater 520-522
Escravidão (EUA) 487-488
Eslováquia 98-100, 183-184, 235-236, 243-244
Eslovênia 235-237, 243-244
Espanha 341-342, 348-349
    desde 1945 213, 219-220, 242-243, 295, 298-299, 341-342, 351-353
    e a descolonização 553-554-554-555
    guerra civil na 85-86, 91-97, 341-342, 348-353
"Estados sucessores" 75-82-83
Estados Unidos da América (EUA)
    campanha pelos direitos civis 487-491
    causas 490-493; efeitos 63-64, 101-102, 312-314, 317-318, 322-325, 343, 348-349, 492-494
    constituição e partidos políticos 470-475
    crise econômica mundial (1929-33) 63-64, 490-491;
    e a Alemanha 83-84
    e a América Latina 163-166, 174-178, 279-282
    e a China 161-163, 516
    e a Coreia do Norte 452-454
    e a Liga das Nações 56, 58, 61-62, 70-71, 82-83
    e a Primeira Guerra Mundial 24-25, 43-49, 485-487
    e a Rússia 372-373
    e a Segunda Guerra Mundial 105-107, 112-127, 133-136, 500-501
    e o acordo de paz 49-54, 56, 58
    e o Japão 67-68, 83-84, 88-89, 344-347
    e o Laos 462-464
    e o terrorismo global 278-301
    e o Vietnã 165-172, 185-185, 195, 450-451, 603-604
    Guerra Civil 487-489
    imigração 474-478, 480-481
    macarthismo 149, 513-515
    mulheres nos 481-482
    pobreza nos 503-507
    políticas externas desde 1945 134-136, 138-156, 158-184, 191-193, 195-197, 212, 229-230, 251-257, 269-301, 516, 519
    políticas externas entre guerras 66, 82-84, 88-89
    políticas sociais desde 1945 503-507
    questões internas desde 1945 502-524
    questões internas entre guerras 485-488
    socialismo nos 481-488
    torna-se líder econômico do mundo 478-482, 602-603, 618-621

Estônia 50-51, 106-107, 134-135, 243-244, 367-368, 389-390, 413-414
Estratégia Mundial De Conservação (1980) 611-613
Etiópia 59-60, 63-65, 89-92, 134-135, 556-557
  guerra civil 587-589
Euro 240-241
Exploração do espaço 516, 519
"Extraordinários anos de 1920" 478-480, 490-491

Fascismo 305-316, 322-340
  princípios do 309-311, 326-328, 335-337
Federação Centro-Africana 543-544
Federação das Índias Ocidentais 532-533
Finle 60-61, 134-135, 138-139, 220-221, 229-230, 367-368, 389-390
Fischer, Fritz 29-33
Fitzpatrick, Sheila 359-360, 388-391, 399-400
FLN (Frente de Libertação Nacional – Argélia) 548-551
FLNA (Angola) 545-546, 554-555, 573-575
Foch, Marechal F. 46-48
Força Expedicionária Britânica (*British Expeditionary Force, BEF*) 36-37
Ford, Gerald 181-182, 516
Ford, Henry 478-480
Formosa *ver* Taiwan
França
  antes da Primeira Guerra Mundial 19-20, 22-27
  desde 1945 135-136, 147-148, 187-188, 208-209, 212-219, 241-242, 270, 295
  durante a Primeira Guerra Mundial 35-41, 44-49
  durante a Segunda Guerra Mundial 105-107, 109, 119-121, 133-134
  e a CEE 207-208, 210-219, 221-223, 241-242
  e descolonização 135-136, 250-251
  e o Acordo de Paz 49-54, 56, 58
  e o Camboja 457-458
  e o Laos 462-463
  e o Suez 193, 254-257
  e o Vietnã 453-455
  questões externas entre guerras 63-65, 70-73, 75, 88-97, 101-102, 320-321, 372-373
  razões para a derrota 107, 109-110
Francisco Ferdinando, Arquiduque 26-27
Franco, General 341-342, 349, 351-353, 553-554
Franklin, Benjamin 473
Frelimo 554-556
Frente de Stresa 85-86, 89-90
Frente Polisario 553-555
Frente Popular de Libertação da Palestina (FPLP) 258-260, 262-263, 272-274
Fretilin 555-557
Friedman, Milton 518, 603-604
Fukuyama, Francis 278-279, 291-292
Fundo Monetário Internacional (FMI) 199-200, 225-226, 282-283, 619-620

Gabão 550-551
Gaddafi, Coronel Muammar 299-300, 556-557, 610-611
Gaidar, Yegor 416-418
Gâmbia 539-540
Gana 178-179, 538-539, 561-564
Gandhi, M.K. 531-533
Gandhi, Rajiv 583-584
Gangue dos Quatro (China) 439-440
Garvey, Marcus 489-490
GATT (Acordo Geral sobre Tarifas e Comércio) 200-203, 212, 619-620
Gilbert, Martin 102-103
Giolitti, Giovanni 306, 308
Glasnost 222-223, 409-410, 412-413
Gleichschaltung 329-333
Goebbels, Dr. Joseph 329-331, 337-339
Golpe de Kapp (1920) 317-320
Gompers, Samuel 482-483
Gomulka, Wladyslaw 227-230
Gorbachev, Mikhail 159, 180-183, 230-235, 245, 288-289, 409-415
  avaliações sobre 414-416
Gore, Al 521-522, 615-616
Gowon, General Yakubu 564-565
Granada 532-535
Grande Depressão, *ver crise econômica mundial*
Grande Salto à Frente (China) 436-437
Grande Sociedade (EUA) 504-505
Grécia 24-26, 60-63, 88-89, 105-106, 110, 145-146, 161, 194, 219-220
Grey, Sir Edward 24-27
Grivas, General George 536-537
Guadalupe 551-552
Guardas Vermelhos (China) 437, 438
Guatemala 175-177
Guernica 351-353
Guerra de Trincheiras 36-42, 44-48, 56, 58-58
Guerra do Golfo (1991) 195, 269-270, 277, 520
Guerra do Suez (1956) 193, 254-258
Guerra do Yom Kippur (1973) 258-261
Guerra dos Seis Dias (1967) 257-259
Guerra Fria
  causas 138-140
  eventos durante 138-157, 195, 288-289
  fim da 183-185
  significado 138, 603-604
Guerra Irã-Iraque (1980-1988) 179-180, 195, 267-269
Guerra naval 36-37, 39-44, 46-48, 105-107, 109, 114-118
Guerra Russo-Japonesa (1904-1905) 19, 20, 22, 357
Guerras Balcânicas 20, 22, 24-27
Guerras civis
  Angola 573-575
  Congo 571-573
  Estados Unidos 469; reconstrução após 487-489
  Etiópia 587-589

Libéria 588-590
Nigéria 564-569
Ruanda 575-578
Serra Leoa 590-592
Sudão 594-595
Guerras dos Boers 577-578
Guevara, Che 164-165
Guiana 532-534, 536-537
Guiana Britânica *ver* Guiana Honduras Britânica *ver*
  Belize
Guiana Francesa 551-552
Guilherme II, Kaiser 29-33, 317-318
Guiné 550-551, 596
Guiné Equatorial 553-554
Guiné-Bissau 554-555
Gusmão, Xanana 556-557

Haig, Sir Douglas 40-42, 47-48
Haile Selassie, Imperador 89-90, 556-557, 587-588
Hamas 263-264, 272-273, 275-277, 283-284
Hamilton, Alexander 473
Hammarskjold, Dag 187-188, 193, 572
Havel, Vaclav 233-234
Hayek, Frederick 518
Haywood, Big Bill 483-487
Heath, Sir Edward 203-205, 218-219, 604-605
Helsinque, Acordo de (1975) 180-181, 229-230
Herriot, Edouard 70-71, 75
Hezbollah 263-264, 283-284
Hindenburg, General Paul von 36-37, 40-41, 317-318,
  325-327, 334-335
Hirohito, Imperador do Japão 343, 345-346
Hiroshima 106-107, 123-124, 126, 341-342
Hiss, Alger 513
Hitler, Adolf,
  durante a Segunda Guerra Mundial 105-127, 331-333
  e a teoria do "ditador fraco" 337-340
  e o Holocausto 332-333
  Golpe da Cervejaria de Munique 319-320
  políticas externar 85-86, 88, 91-94, 97-104
  políticas internas 326-340
  subida ao poder 322-327
Ho Chi Minh 166-169, 181-182, 453-456, 546-548
Hoare, Sir Samuel 90-91, 95-96
Holanda
Holle 105-107, 109, 147-148, 213, 219-220, 222-223
  e a descolonização 191, 551-553
Holocausto 126-133, 332-333
Honecker, Erich 183, 232-233, 245-246
Hong Kong 114
Hoover, Herbert 490-491, 494-496
Horta, Jose 555-556
Horthy, Almirante Nikolaus 81-83
Hoxha, Enver 234-235
Hu Jintao 445-446, 456-457
Hu Yaobang 439-440, 442

Hua Guofeng 438
Huddleston, Trevor 580-581
Hun Sen 459-463
Hungria
  desde 1945 138, 142, 224-227, 221-222, 242-244
  e o Acordo de Paz 54-55
  entre guerras 81-83
  fim do comunismo na 183, 230-233
  levante de 1956 149-150, 193, 206-208, 227-229
Husak, Gustav 229-230
Hussein, Rei 251-252, 258-259, 263-264
Hutton, Will 617-618

Idris, Rei da Líbia 556-557
Iêmen 236-239
Igreja Católica
  e Hitler 330-331
  e Mussolini 307, 311
Iliescu, Ion 233-235
Imigração (EUA) 474-478
Imperialismo, significado de 20
Império Habsburgo *ver Império Austro-Húngaro*
Incidente de Corfu (1923) 62-63
indenizações 51-54, 66, 67-71, 320-322
Índia 163-164, 194
  divisão da 530-533
  independência 529-531
Índias Ocidentais 532-534, 536-537
Índias Orientais Holandesas *ver também Indonésia* 114,
  191
Indochina 165-168, 546-548
Indonésia 185-185, 551-553
Industrial Workers of the World (IWW) 482-487
Irã (Pérsia) 178-179, 184, 195, 247-252, 284-287,
  299-300
Irangate 519-520
Iraque 60-61, 179-180, 184, 195-197, 242-243, 247-252,
  256-259, 267-270, 279-281, 293-300, 520
Irian Ociental 191, 551-552
Irlanda (*Eire*) 147-148, 213, 218-221, 241-243
Ironsi, J. A. 564-565
Israel 191, 247, 252-264, 266, 270-277
  criação de 247, 252-254
  guerras de, com os árabes 247, 253-264, 270-277
Itália
  antes de 1914 19-22, 28-29
  desde 1945 134-135, 147-148, 210-211, 213,
    219-220, 242-243, 270
  durante a Primeira Guerra Mundial 35, 40-41, 44, 47-48
  durante a Segunda Guerra Mundial 105-106, 110,
    115-120, 133-135
  e descolonização 556-557
  e o Acordo de Paz 54-56, 58, 305-306
  Mussolini sobe ao poder na 305, 308, 310-316
  política externa entre guerras 63-65, 66, 88-92
  problemas após de 1918 305-308

Iugoslávia 20, 22, 54-55, 88-89, 96-97, 138, 184, 224-225
  desagregação e guerra civil na 184, 235-241
  entre guerras 76-78
  formação da 54-55
  sob o Marechal Tito 143-144, 146-147, 149, 207-208, 225-227, 235-236

Jackel, Eberhard 103-104, 338-339
Jamaica 199-200, 532-534, 536-537
Japão 19, 20, 22
  desde 1945 138, 270, 344-349
  durante a Primeira Guerra Mundial 342-343
  durante a Segunda Guerra Mundial 105-107, 112-116, 123-124, 126, 133-135, 344-345
  e a China 59-60, 63-64, 67, 85-86, 88-89, 129-130
  e a Liga das Nações 59-60, 63-64, 88-89
  e os Estados Unidos 67-68, 344-347
  entre guerras 342-343
  invasão da Manchúria 59-60, 63-64, 73, 85-86, 88, 343
  sucesso econômico 603-605
Jaruzelski, General Woyciech 231-232
Java 551-552
Jiang Quing 439-440
Jiang Zemin 443-446
Jinnah, M.A. 530-532
Johnson, Lyndon B. 169-170
  políticas sociais 504-506
Johnson, Paul 627
Johnson, Príncipe 589-590
Jordan 247, 251-252, 259-260, 268
Jospin, Lionel 208-209
Judeus 126-133, 191, 247-264, 270-277, 331-333
Juppe, Alain 208-209

Kabbah, Tejan 590-591
Kabila, Joseph 573
Kabila, Laurent 573, 592-593
Kadar, Janos 226-229, 232-233
KADU 542-543
Kagame, Paul 576-578
Kamenev, Lev 375-376, 381-383, 388-389
Kampuchea *ver Camboja*
KANU 542-543
Karadzic, Radovan 237-238
Karzai, Hamid 289-290
Kasavubu, Joseph 553-554, 571-572
Katanga 572
Kaunda, Kenneth 543-544
Kennan, George 138-140, 142, 359-360
Kennedy, John F. 151-155, 169-170, 218-219, 473
  assassinato de 505, 506
  políticas sociais 504
Kennedy, Robert, 506
Kenyatta, Jomo 540-543
Kerensky, Alexander 362-364, 367-368

Kershaw, Ian 103-104, 127-130, 325-328, 337-340
Keynes, J.M. 52-54
Khmer Vermelho 181-183, 195, 457-461
Khomeini, Aiatolá 251-252, 267-268, 283-285
Kim Dae Jung 451-452
Kim Il Sung 449-452
Kim Jong Il 451-454
King, Dr. Martin Luther 508-510
  assassinato de 506, 510
Kirov, Sergei 386-388
Kissinger, Henry 458-459
Kohl, Helmut 210, 232-234
Koizimi, Yurichiro 452-453
Kolchak, Almirante Alexander 370-373
Kolkhozy 384-387
Kornilov, General Vladimir 363-364
Koroma, Johnny Paul 590-591
Kosovo 190, 239-240, 291-292
Kosygin, Alexander 406-408
Krenz, Egon 232-233
Kruchov, Nikita 148-155, 224-227, 395-396, 399-400, 402-406
  em suas críticas a Stalin 402-403
Ku Klux Klan 402, 425, 488-490, 490-491, 509
Kuait 195, 247, 268-270, 284-285
Kufuor, John 564
kulaks 359, 385-387
Kun, Bela 81-82
Kuomintang 158, 425, 428-430
Kutchuk, Dr. Fazil 537-538

Laos 159, 165-168, 170-171, 177-178, 462-465, 546-548
Látvia 50-51, 106-107, 134-135, 243-244, 367-368, 389-390, 413-414
Laval, Pierre 90-91, 96-97, 109-110
Lawrence, T. E. (da Arábia) 56, 58
Lebensraum 91-93, 97-98, 111
Legião Tchecoslovaca 372-373
Lei Acerbo (1923) 310-311
Lei de Autogoverno Bantu (1959) 579-580
Lei de Auxílio aos Agricultores (Farmers' Relief Act, 1933) 496-498, 500
Lei de Previdência Social (*Social Security Act, EUA, 1935*) 497-498, 500-501
Lei Nacional de Recuperação Industrial (*(National Industrial Recovery Act*, EUA, 1933) 497-498
Lei Plenipotenciária(Alemanha) (1933) 328-329
Lei Wagner (EUA, 1935) 497-498
Leis de Direitos Civis (EUA) 507
Leis de Nuremberg (1935) 331-332
Leis Jim Crow (EUA) 488-489
Lend-Lease Act (USA) (1941) 113
Lênin, Vladimir Ilich 85-86, 181-183, 379-380, 389-390
  avaliação sobre 376-378
  e as revoluções russas 357, 359-360, 363-367

políticas domésticas 366-377
políticas externas 73, 367-368
Leningrado 111-112, 116-117
Lesoto 596
Levante Espartacista (1919) 317-320
Lewinsky, Monica 521-522
Li Peng 442-444, 456-457
Líbano 194-195, 247-249, 258-259, 263-267, 278-279, 284-287
Libéria 588-590, 596
Líbia 110, 115-116, 184, 247, 286-287, 299-300, 556-557, 610-611
Liebknecht, Karl 319-320
Liga Árabe 204-205, 249
Liga das Nações 51-52, 56, 58-65, 85-86, 88-91, 100-101, 190-191
Liga Muçulmana 530-531
Ligachov, Yegor 411
Limann, Hilla 563-564
Lin Biao 437, 439-440
Lincoln, Abraham 487-488
Linha Maginot 109-110, 112
Linha Oder-Neisse 141-143, 184
Linha Siegfried 106-107, 122-123
Lister, Joseph 623-625
Lituânia 50-51, 62-63, 78-80, 100-101, 106-107, 134-135, 243-244, 367-368, 389-390, 413-414
Liu Shao-qui 436, 437
Lloyd George, David 24-25, 42, 47-48
Lon Nol 458-459
Longa Marcha (Mao Zedong) 427, 429
Ludendorff, General Erich von 45-55, 318-320, 326-327
Lumumba, Patrice 178-179, 552-554, 571-572
Lusitania 43
Luthuli, Chefe Albert 579-580, 582
Luxemburgo, Rosa 319-320
Luxemburgo 147-148, 213, 219-220
Lvov, Príncipe George 362-364

Macarthismo 149, 513-515
MacArthur, General Douglas 115-116, 162-163, 344-345
MacDonald, J. Ramsay 62-63, 67-68, 74, 95-96
Macedônia 25-26, 184
Machel, Samora 544-545
Macleod, Iain 543-544
Macmillan, Harold 216-217, 256-257, 536-537, 541-542
  discurso sobre os "ventos da mudança" 582-583
Madagascar 550-551
Madison, James 473
Máfia 210-211
Maiziere, Lothar de 232-234
Makarios, Arcebispo 536-538
Malacca 534, 536-537
Malai 543-544, 596
Malaia 105-106, 114, 534, 536-537

Malan, Daniel F. 578-579
Malásia 201-202, 534, 536-537
Malcolm X 489-490
Malenkov, Georgi 148, 402-403
Malta 213, 243-244
Manchúria 59-60, 63-64, 85-86, 88, 181-183, 343
Mandatos 51-54, 60-61, 188-189, 249-251
Mandela, Nelson 282-285, 575-576, 582, 584-587
Mandelstam, Osip 395-396, 404-405, 410
Manifesto de Outubro (1905) 357-358
Mao Zedong 148, 158, 166-168, 427-430, 433-438
  problemas enfrentados por 433-434
"Mapa" (da paz no Oriente Médio) 273-277
Marcha sobre Roma (1922) 308
Margai, Sir Milton 589-590
Marrocos 22, 24, 547-548
Martinica 551-552
Marx, Karl 138-139, 359-360, 369-370, 377-378, 381-382
Masaryk, Jan 146-147
massacre de Sharpeville (1960) 580-581, 583
massacre de Soweto (1976) 582
Matteotti, Giacomo 310-311
Mau Mau 541-542
Mauritânia 550-551
Max von Baden, Príncipe 317-318
Mbeki, Thabo 584-587, 593-595, 631-632
Mboya, Tom 542-543
McCarthy, Joseph 512-516
Mecanismo da taxa de Câmbio (MTC) 211, 219-220
Medvedev, Roy 375-376, 400-401
Mein Kampf 102-103, 126-128, 323-325
Memel 50-51, 100-101
Memorando Hossbach 102-103
Mendès-France, Pierre 547-549
Mengistu, Coronel 556-557, 587-588
Mensheviks 320-322, 359-360, 367-368, 371
Mercado Comum *ver Comunidade Econômica Europeia*
Messali Hadj 548-549
Mills, J.E.A. 563
Milosevic, Slobodan 190, 235-240
Mísseis antibalísticos (ABMs) 155, 180-181
Mísseis balísticos intercontinentais (ICBMs) 149-150, 155, 180-181
Mísseis balísticos lançados de submarinos (SLBMs) 155, 180-181
Mísseis Cruise 155, 180-181, 431
Mitterand, François 208-209
Mkapa, Benjamin 571
Mobutu Sésé Séko, General 178-179, 572-574
Moçambique 195-196, 544-546, 554-556, 596
Moltke, General von 30-34
Mommsen, Hans 127-128, 338-339
Momoh, Joseph 590-591
Mondlane, Eduardo 554-555
Monetarismo 518, 603-604

Monnet, Jean 214-215
Monroe, James 588-589
Montagnards 457-458
Montgomery, General Bernard 115-116, 122-123
Morgan, J. Pierpoint 478
Mortes na guerra
   Primeira Guerra Mundial 47-49
   Segunda Guerra Mundial 132-134
Mountbatten, Lorde Louis 531-532
Movimento Nacional Congolês (MNC) 552-553, 571
Movimentos nacionalistas 528-529
Movimentos pelos Direitos Civis (EUA) 487-491, 507-512
MPLA (Movimento Popular de Libertação de Angola) 545-546, 573-575
Mubarak, Hosni 262-263
Muçulmanos Negros 510-511
Mugabe, Robert 545-547, 591-596
Muhamed V (rei do Marrocos) 547-548
Muluzi, Bakili 631-632
Muro da Democracia (China) 439-440
Museveni, Yoweri 631-632
Mussolini, Benito 97-98
   avaliação sobre 314-316
   durante a Segunda Guerra Mundial 105-106, 110, 115-116, 119-120, 313-315
   políticas domésticas 309-315
   políticas externas 62-65, 80-82, 88-92
   queda de 119-120, 313-315
   subida ao poder 305-308
Muzorewa, Bispo Abel 545-546
Mwinyi, Ali Hassan 569-571

Nacionalismo, significado 20, 22, 309, 326-327
   africano 188-189
Nagasaki 106-107, 123-125, 341-342
Nagorno-Karabakh 413-414
Namíbia 52-54, 188-189, 573-574
Nasser, Coronel G.A. 193, 247-251, 254-261, 406
National Association for the Advancement of Colored People (NAACP) 489-490, 509
National Labor Union (EUA) 482-483
Ndayizeye, Domitien 575-576
Nehru, Jawaharlal 530-532, 604-605
Neocolonialismo 557-558, 605-608
Netanyahu, Binyamin 263-264, 270-273
Neto, Agostinho 554-556, 573-574
New Deal (Roosevelt) 495-501
   medidas 496-498, 500
   objetivos do 495-497
   oposição ao 498, 500
   realizações 498, 500-501
Ngo Dinh Diem 454-455
Niasalândia *ver Malaui*
Nicarágua 175-177, 188-189, 281-282
Nicholas II, Csar 357-362, 371

Niemoller, Pastor Martin 331-332
Níger 550-551
Nigéria 538-540
   guerra civil na 564-569
Nixon, Richard M. 169-172, 180-182, 458-459, 474-475
   e Watergate 516-517
   políticas sociais 506-507
Nkomo, Joshua 543-544
Nkrumah, Kwame 178-179, 538-539, 560, 561-562
Noruega 105-107, 109, 147-148, 213, 215-216, 222-223
Nova Política Econômica (NEP) (Lênin) 373-376, 381-383
Nova Zelândia 39-41, 110, 163-164
Nove, Alec 374-375, 384-385, 399-400
Nozick, Robert 618-619
Nujoma, Sam 573-574
Nyerere, Dr. Julius 540-541, 569-571, 575-576

OAS (*Organisation de l'Armee Secrete*) 549-550
Obasanjo, Olusegun 566-568, 593-594
Obote, Dr. Milton 540-541
Odinga, Oginga 542-543
Ofensiva aérea aliada 117-120, 123-124
OPEP (Organização dos Países Exportadores de Petróleo) 260-261, 609-610
Organização das nações Unidas (ONU) 135-136, 149, 158-164, 186-206, 237-238, 252-254, 256-257, 269-274, 281-282, 293-296
   comparada à Liga das Nações 185
   e a África do Sul 583
   fragilidade da 200-204
   missões de paz 191-197, 237-238
   movimentos nacionalistas 529-530
Organização Internacional do Trabalho (OMT) 60-61, 197-198, 203-204, 610-611
Organização Mundial da Saúde (OMS) 197-199, 202-204, 630-632
Organização Mundial do Comércio (OMC) 615-616, 619-620
Organização para a Libertação da Palestina (OLP) 258-264, 266
Organização Popular do Sudoeste da África *(South West Africa People's Organization,* SWAPO) 573-574
Oriente Médio 178-180, 247-277, 283-286
Ostpolitik 179-180
OTAN (Organização do Tratado do Atlântico Norte) 147-148, 180-181, 183, 207-208, 212, 218-219, 237-240
OUA (Organização de Unidade Africana) 195-196, 561-562, 570-571, 575-577, 583, 588-589
Overy, Richard 127-129

Pacto Anticomintern (1936) 85-86, 88, 91-94
Pacto de Bagdá (1955) 251-252
Pacto de Varsóvia 149-150, 183, 194, 212, 225-226
Pacto do Aço (1939) 91-92

Pacto Kellogg-Brie (1928) 66, 69
Pacto Nazi-Soviético (1939) 86, 88, 100-102
Painel Intergovernamental sobre Mudanças Climáticas 616-617
Palestina 191-192, 252-255, 260-264, 270-277, 293
    autogoverno (1995) 262-264
Panamá 279-282
"Pânico Vermelho" (USA) 486-487
Panteras negras 489-490, 511
Papen, Franz von 324-326, 334-335
Paquistão 163-164, 194, 291-292
    criação do 532-533
Paris 107, 109, 120-123
Parlamento Europeu 207-208, 212, 214-215
Partido Nacional-Socialista dos Trabalhadores (Nazis) 317-319, 322-340
    Alemanha sob governo do 324-340
    comparado com o fascismo 335-337
    programa e princípios 326-328
Pasteur, Louis 623-625
Pathet Lao, 177-178 462-464
Pearl Harbor 105-106, 112-114
Penang 534, 536-537
Pequim ver Beijing
Perestroika 230-231, 409-411, 413-414
Peron, Juan 305
Pérsia ver Irã
Petain, Marshal Henri 40-41, 44, 107, 109-110
Petrogrado ver, também, Leningrado 361-366
Petróleo
    no Terceiro Mundo 609-611
PIB (Produto Interno Bruto)
    Estados Unidos 500-501
    mundo 605-607
PIB (Produto Interno Bruto), significado 220-221
Piłsudski, Jozef 78-80
Pinochet, General Augusto 173-174, 197-198
Pio XI, Papa 307, 311, 330-331
Pipes, Richard 363-366, 370-371, 377-378
Plano Dawes (1924) 67-68, 317-318, 321-322
Plano Marshall (1947) 145-146, 207-209, 602-603
Plano Molotov (1947) 146-147, 224-225
Plano Young (1929) 52-54, 67, 69, 321-322
Planos Quinquenais
    China 376-378
    URSS 382-385, 397, 399, 404
Poincaré, Raymond 70-71
Pol Pot 181-183, 195, 458-461
Política Agrícola Comum (PAC) 221-223, 245
Polônia 35, 50-51, 54-55, 60-63, 67-69, 75, 78-80, 367-368
    desde 1945 138-139, 141-143, 184, 199-200, 207-208, 224-225, 227-233, 235-236, 242-244, 297-299
    durante a Segunda Guerra Mundial 105-107, 126-133
    e Hitler 59-60, 79-80, 86, 88, 91-93, 100-103
    fim do comunismo na 183, 231-233

poluição 515-519, 611-615
poluição ambiental 611-615
Pompidou, Georges 208-209, 218-219
população, crescimento da, e problemas 622-625
    consequências 625-626
    controle de 626-629
    estatísticas 622-624
    no Terceiro Mundo 606-609, 623-625
Portugal 147-148, 159, 213, 215-216, 219-220, 242-243, 341-342
    e descolonização 195-196, 554-557
    e Zimbábue 544-545
Powell, Colin 512
Praça da Paz Celestial 442-446
Primakov, Evgeny 419-421
Primeira Guerra Mundial
    acordo de paz 48-56, 58
    causas da 28-33
    e os EUA 485-487, 602-603
    eventos durante a ver, também, batalhas 19, 35-49, 367-368
    eventos que levaram à 20, 22-27
    razões da derrota da Alemanha 46-48
Princip, Gavrilo 26-27
problemas raciais 491-498
    na Alemanha 326-327, 331-333
    nos Estados Unidos 402, 420-426, 480-481, 487-491, 507-512
Produção de alimentos e crescimento populacional 625-626
Proibição (EUA) 402-403, 481-482, 498, 500
Projeto das Terras Virgens (Kruchov) 404-405
Proteção ver tarifas
Protocolo de Genebra (1924) 62-63
Protocolo de Kyoto (1997) 204-205, 282-283, 522-523, 616-618
Pu Yi 424
Putin, Vladimir 420-422, 452-453, 456-457

Quebra de Wall Street (1929) 317-318, 322-323
Quênia 278-279, 540-544

Rabin, Yitzak 262-264
Rahman, Tunku Abdul 536-537
Rajk, Laszlo 226-227
Rakosi, Matyas 227-228
Ranariddh, Príncipe 461-463
Rasputin, Grigori 359-360
Rawlings, Jerry 563-564
Rawls, John 618-619
Read, Christopher 361, 373-374
Reagan, Ronald 180-181, 281-282, 517-520
Rebelião dos Boxer (1899) 424
Recursos, exaustão de 611-613, 626
Relatório Beveridge (1942) 134-135
Relatório Brandt (1980) 604-610

Renânia 51-54, 70, 85-86, 93-94
República Árabe Unida 249
República de Weimar *ver Alemanha*
República Democrática do Congo *ver Congo (Zaire)*
República Dominicana 175-177
República Tcheca 242-244
Resolução Unidos pela Paz 183, 185-188
Revisionismo 181-183, 404-406
Revolução Chinesa (1911) 423-424
Revolução Cultural (Chinesa) 437-438
"Revolução verde" 625
Rockefeller, John D. 478
Rodésia do Norte *ver Zâmbia*
Rodésia do Sul 543-546
    UDI 544-546 *ver, também, Zimbábue*
Rohm, Ernst 334-335
Romênia 25-26, 35, 42, 54-55, 134-135
    derrubada do regime Ceausescu 183, 233-235
    desde 1945 138-139, 142, 207-208, 224-225, 228-229, 233-236
Rommel, Marechal de campo Erwin 110, 115-116, 118-119
Roosevelt, Franklin D. 473, 494-495
    durante a Segunda Guerra Mundial 114, 120, 122-123, 138-140
    e o *New Deal* 473, 495-501
Roosevelt, Theodore 484-485
Rosenberg, Julius e Ethel 513
Ruanda 281-282, 553-554, 575-578
Ruhr 118-119
    ocupação francesa do 66-68, 70-71, 320-321
Rumsfeld, Donald 242-243
Rússia (URSS 1918-91)
    desde 1991 357-358, 416-422
    durante a Primeira Guerra Mundial 24-25, 36-37, 39-41, 44, 47-49, 361, 367-368
    durante a Segunda Guerra Mundial 105-107, 111-112, 116-118, 124, 126, 132-136
    e a África 159, 174-175, 177-179
    e a China 179-183
    e a Liga das Nações 61-62, 64-65
    e Leste Europeu 138-150, 183, 193, 194, 230-235, 404-408
    e o Acordo de Paz 56, 58, 73, 367-368
    e o Oriente Médio 254-257
    fim da URSS 183, 414-415
    fim do regime comunista na 183, 230-232, 409-417
    guerra civil na 73, 138-139, 371-375
    políticas externas 73-75, 101-102
    políticas externas desde 1945 138-155, 157, 159-161, 165-166, 170-172, 179-183, 191-192-193, 295, 404-409
    responsabilidade pela Primeira Guerra Mundial 28-33
    revolução de 1905 na 357-358
    revoluções de 1917 na 361-367
    sob Brejnev 406-409
    sob Gorbachov 409-416
    sob Kruchov 402-406
    sob Lênin 366-380
    sob Nicolau II 357-362
    sob Stalin 101-102, 379-401

SA (*Sturmabteilung*) 323-325, 327-329, 334-336
Saara Espanhol 553-555
Sabah 536-537
Sadat, Anwar 249, 259-263
Saddam Hussein 179-180, 195-197, 267-270, 279-281, 293-298, 522-523
Saint Kitts e Nevis 532-534, 536-537
Saint Vincent 532-535
Sakharov, Andrei 408-410
Salazar, Antonio 554-555
SALT 180-181
Sam Rangsi 462-463
Sankoh, Foday 590-591
Santa Lucia 532-535
Sarajevo 26-27
Sarawak 536-537
Sarre 50-51, 53-54, 60-61, 70, 92-93
SARS 445-447
Savimbi, Jonas 574-575
Schleicher, Kurt von 325-326
Schlieffen Plan 30-33, 36
Schmidt, Helmut 209-210
Schnellnhuber, John 617-618
Schroder, Gerhard 242-243, 287-288
Schuman, Robert 213-214
SEATO (*South East Asia Treaty Organization*) 163-164
seca na África 606-609
Segunda Guerra Mundial
    causas da 100-104
    e os movimentos nacionalistas 528-530
    efeitos da 132-136, 207-208, 344-345
    eventos durante *ver, também batalhas* 105--135
    eventos que levaram à 89-101
    razões para a derrota das Potências do Eixo 124, 126-127
Segurança coletiva 59-60, 85-86, 88, 100-101
Senegal 533
Serra Leoa 539-540, 589-592, 596
Sérvia 20, 22-33
    torna-se Iugoslávia 54-55
Service, Robert 361, 364-366, 377-378
Setembro, atentados de 11, 242-243, 279-280, 286-288, 522-523
Seychelles 532-533
Shagari, Shehu 564-565
Sharon, Ariel 272-277
Sibanda, Gibson 593-594
Sihanouk, Príncipe Norodom 457-463
Sindicatos (EUA) 481-486
Sionismo 252-253

Síria 247-249, 257-262, 265-268, 270
Sisavang Vong 462-463
Smith, Ian 544-546
"Socialismo em um só país" 382-383
Socialist Labor Party (EUA) 482-483, 485-487
Socialistas Revolucionários (SRs) 359-360, 367-370, 371
Solidariedade 183, 229-233
Solzhenitsyn, Alexander 404-405, 408-409
Somália 195-196, 200-201, 291-292, 556-557
Son Sann 460-461
Southern Christian Leadership Conference (SCLC) 509
Souvanna Phouma, Príncipe 462-463
soviets 362-364, 367-368, 372-373
Spaak, Paul-Henri 213-214
Sputnik 151, 503
Sri Lanka 201-202, 283-284
SS (*Schutzstaffeln*) 327-328, 331-332, 334-335
Stakhanovitas 384-385, 391-392
Stalin, Joseph 376-377
   após 1945 207-208, 225-228, 396-400
   avaliações sobre 390-392, 399-401
   e coletivização 384-387
   e o Império Soviético 389-391
   e os expurgos 386-390
   e os Planos Quinquenais 382-385, 397, 399
   políticas externas 75, 123-124, 133-134, 138-148, 160-161
   subida ao poder 379-383
   vida e cultura sob 391-397
Star Wars 180-181
Stevens, Siaka 589-591
Stolypin, Peter 357-360
Stone, Norman 361
Strasser, Valentine 590-591
Stresemann, Gustav 67-69, 71-72, 83-84, 317-318, 321-323
Strijdom, J.G. 578-579
Suazilândia 596
Sudão 247, 285-286, 550-551, 594-596
Sudetolândia 77-78, 86, 88, 97-100
Sudoeste da África *ver Namíbia*
Suécia 60-61, 213, 215-216, 219-220
Suharto, T. N. J. 552-553
Suíça 215-216, 222-223
Sukarno, Achmad 528-529, 551-553
Sumatra 551-552
Sun Yat-sen, Dr 424, 425
Suny, Robert 377-378
Suriname 551-553
Syngman Rhee 449-451

Taft, W. H. 484-485
Taiwan (Formosa) 180-182
Talibã, 274-275, 279-281, 287-290, 522-523
Tanganica 52-54, 540-541

Tanzânia 199-200, 225-226, 278-279, 285-286, 540-541, 596
   pobreza na 569-571
Tarifas 54-55, 215-216
Taylor, A. J. P. 31-33, 71-72, 92-93, 102-103, 376-377
Taylor, Charles 589-590
Taylor, F. W. 479-480
Tchecoslováquia 134-135, 180-181, 183, 199-200
   criação da 54-55
   divisão da (1992) 184
   e Alemanha 59-60, 67-69, 77-79, 86, 88, 97-104
   entre guerras 77-79
   fim do comunismo na 183-184, 233-234
   levante de 1968 194, 207-208, 228-230
   sob governo comunista 138, 146-147, 224-230
Tekere, Edgar 591-592
Tennessee Valley Authority (TVA) 471, 497-499
Teoria do dominó 166-168
Terceiro Mundo 135-136, 163-164, 197-199, 202-203, 218-220, 282-283, 291-292
   crescimento populacional no 623-625
   divisão econômica no 609-611
   não alinhamento 604-605
   pobreza do 604-610
Terreblanche, Eugene 584-585
"Terro vermelho" 268-269
terrorismo, definição de 282-283
terrorismo global 278-301
Teses de abril (Lênin) 363-364
Thaile 177-178, 201-202,
Thatcher, Margaret 180-181, 221-222, 583-584
Three Mile Isle 613-614
"Tigela de pó" (EUA) 471, 498, 500
Tigres do Tamil 283-284
Timor Leste 270, 555-557
Tirpitz, Almirante von 29-30, 33-34
Tito, Marechal Josip Broz 143-144, 149, 207-208, 225-227, 235-236
Togo 550-551
Tolbert, William 588-589
Touré, Sékou 550-551
Transjordânia *ver Jordânia*
Tratado de Defesa de Bruxelas (1948) 147-148
Tratado de Livre Comércio da América do Norte (NAFTA) 520-521
Tratado sobre Forças Nucleares Intermediárias (INF) (1987) 180-181
tratados
   Acordo de Genebra (1954) 166-168, 460-461
   Amsterdã (1997) 240-241
   Berlin (1926) 75
   Brest-Litovsk (1918) 49-50, 367-368
   Bruxelas (1948) 204-205
   Bucareste (1913) 25-26
   Estado Austríaco (1955) 149
   INF (1987) 180-181

Latrão (1929) 311
Lausanne (1923) 56, 58
Locarno (1925) 63-64, 67-69, 83-84
Londres (1913) 24-25
    (1915) 40-41
Maastricht (1991) 200-201, 214-216
Neuilly (1919) 56, 58
Nice (2001) 240-242
Rapallo (1920) 88-89
    (1922) 67-68, 74
Riga (1921) 372-373
Roma (1957) 204-205
Saint Germain (1919) 54-55, 79-81
São Francisco (1951) 134-135, 309
Sévres (1920) 54-56, 58
Trianon (1920) 54-55, 82-83
Versalhes (1919) 36, 50-54, 91-94, 318-319, 323-325
Washington (1922) 67-68
Trevor-Roper, Hugh 102-103, 114
Tribalismo 559
    em Burundi e Ruanda 575-578
    na Nigéria 564-565
Tribunal de Justiça *Internacional* 60, 71-72, 188-189, 281-282
Trinidad e Tobago 532-534, 536-537
Tríplice Aliança 20
Tríplice Entente 20
Trotsky, Leon 357, 363-368, 370-373, 379-383, 386-389
Trotter, W. M. 489-490
Truman, Harry S. 123-124, 138-139, 141-142, 145-148, 161, 242-243, 473
    políticas sociais 503
Tshombe, Moise 572
Tsunami 200-202
Tsvangirai, Morgan 593-595
Tubman, William 588-589
Tucker, Robert C. 373-374
Tudjman, Franjo 235-237
Tukhachevsky, Marechal Mikhail 388-389
Tunísia 547-548
Turquia 22, 24-26, 35-37, 39-41, 47-48, 57-56, 58, 60-61, 194, 213, 247
Tutu, Arcebispo Desmond 584-587

U Thant 154, 187-188, 191, 572
Ucrânia 111-112, 127-128, 372-373, 389-391, 414-415
Uganda 540-541
UNAC (Zimbábue) 545-546
Unesco 198-199, 202-204
União da Repúblicas Socialistas soviéticas (URSS) *ver* Rússia

União Europeia 223-224, 240-245
    Nova Constituição 243-245
União Nacional Africana de Tanganica (*Tanganyika African National Union, TANU*) 540-541
Unicef 199-200, 293
Unita (Angola) 554-555, 573-575
URSS *ver Rússia*

Vanderbilt, Cornelius 478
veículo de reentrada independente multiplamente orientável (*multiple independently targeted re-entry vehicles, MIRVs*) 155, 180-181
Verwoerd, Dr. Henrik 578-579, 583
Vietcong 168-171, 454-455
Vietminh 166-168, 453-454, 458-459, 546-547
Vietnã 158-159, 165-172, 177-178, 181-183, 185, 195-196, 453-458
    independência, luta pela 453-455
    país dividido 454-456
Vitório Emanuel III, Rei 305, 308, 314-315, 336-337
Vorster, B.J. 578-579, 583

Walesa, Lech 232-233, 235-236
Wallace, Henry 496-497
Washington, Booker T. 489-490
Washington, George 473
Wem Jiabao 445-446
Whiteside, Alan 630
Wilson, Harold 544-545
Wilson, Woodrow 43, 49-51, 484-486
    seus Catorze Pontos 49-54, 59-60
World Trade Center 278-280, 284-287

Xoxe, Kose 226-227

Yakovlev, Alexander 400-401
Yeltsin, Boris 238-239, 402, 411-421
Yuan Shih-kai 424

Zaire ver, também, Congo
Zâmbia 543-544
ZANU 545-547, 591-592
Zenawi, Meles 588-589
Zhao Ziyang 442-445
Zhivkov, Todor 234-235
Zhou Enlai 161, 181-182, 428, 438
Zimbábue 543-547, 591-595 ver, também, Rodésia do Sul
Zinoviev, Grigori 375-376, 380-383, 388-389
Zyuganov, Gennady 418-420